Jesús Lozano González

LA SEGUNDA REPUBLICA

IMAGENES, CRONOLOGIA Y DOCUMENTOS

ediciones acervo, padua, 95, barcelona, 6

EDICIONES ACERVO, BARCELONA

PRINTED IN SPAIN

PAPEL: Offset fabricación especial
LITOGRAFIA: Reprocolor Llovet
IMPRESION: Electra Artes Gráficas, Mariano Cubí, 53, Barcelona
ISBN N.º 84-7002-147-8
DEPOSITO LEGAL: B. 12762-1973

La bandera nacional volvió a la enseña tradicional, roja y gualda. Este mismo espíritu de conexión con el pasado histórico se refleja en el escudo adoptado, dividido en cuarteles con las distintas armas de los reinos españoles y el águila imperial enmarcando todo el conjunto. Al pie, el yugo y las flechas, que fueron las enseñas de los Reyes Católicos. Sería en Sevilla donde la nueva enseña se izase por primera vez.

LA SEGUNDA REPUBLICA

FUENTES GRÁFICAS:

Hemeroteca Municipal de Madrid, Secretaría General Técnica del M.I.T., Agencias Cifra y Keystone, Archivos Campúa, Jelogón, R. Muñoz y Verdugo, y Ediciones Acervo.

INDICE

A María del Prado

Agradezco al editor José Antonio Lloréns Borrás su apoyo y estímulo y a José M.ª Mundet, que ha efectuado la maqueta de la obra, su eficaz colaboración. También debo profesar inestimable gratitud al historiador Ricardo de la Cierva y a G. Martín Redondo, Catedrático de Historia, por su generoso asesoramiento.

PROLOGO

NOTAS PARA UNA REVISION DE LA HISTORIA DE LA SEGUNDA REPUBLICA ESPAÑOLA

Por RICARDO DE LA CIERVA
Profesor de la Universidad de Madrid y de la Escuela Diplomática

El espíritu y el método

En un rincón del último libro del profesor Lacomba —dedicado a diversas consideraciones sobre la historia y la historiografía del siglo XX *en España— puede verse una noticia estimulante. Alude Lacomba a diversas reuniones que bajo la dirección y la inspiración del profesor español de Pau, Manuel Tuñón de Lara, se han venido celebrando en los pasados veranos; con participación de diversos profesores jóvenes españoles de historia contemporánea. Estas reuniones van a estabilizarse en forma de congreso; y los temas genéricos sobre los que se va a volcar el esfuerzo investigador de los participantes van a ser, en principio, las dos Repúblicas españolas; la decimonónica y la de los años treinta de nuestro siglo* XX*.*

En principio la noticia resulta, como indico, estimulante; el interés de las nuevas promociones universitarias por los temas vivos —y en gran parte no saldados históricamente— de la última o penúltima trayectoria española es, en sí, algo aceptable y bienvenido. El autor de este prólogo conoce personalmente, o a través de sus obras, a diversos participantes en dichas reuniones; todos ellos son promesas, en algún caso plenamente cuajadas ya, de la nueva historiografía española. Sin embargo la dirección de tales reuniones y su inspiración puede ser motivo de cierta alarma, que deseamos infundada. No es ningún secreto la personalidad ni la vinculación de don Manuel Tuñón de Lara. Es un gran trabajador de la historia, que, como tantos historiadores sin formación científico-experimental, y sin nociones incluso elementales de base matemática, económica y estadística decide, en su madurez, trazar ambiciosas síntesis netamente marxistas sobre una historia real tan absolutamente reacia a todo dogmatismo, y muy especialmente al dogmatismo marxista, como es la reciente historia española. Quiere suplir Tuñón su deficiente formación científica y económica con una profusión de cuadros y estadísticas tan acumuladas como poco asimiladas; el resultado es una gran inconexión, un efecto de inasimilación histórica total, y la reducción de los datos económicos a simples ilustraciones marginales de una estructura mitológica permanente. Tuñón de Lara, cuya preeminencia dentro de una artificial fama entre ciertos universitarios españoles sólo se debe a que es uno de los pocos marxistas españoles que ha estudiado con tenacidad la historia contemporánea de España (y al bajísimo nivel crítico e informativo del universitario medio español de hoy) posee, sin embargo, un considerable poder de atracción para determinados profesores jóvenes, mucho más inclinados al dogmatismo de lo que hacen presumir sus invectivas en otros terrenos alejados de la historia. He aquí el peligro; no de que algunos adeptos a las sesiones organizadas por don Manuel Tuñón hagan historia marxista; sino de que hagan historia preconcebida, historia contra algo, y que traten de sustituir los mitos contra *las Repúblicas —en esto tienen toda la razón— por una nueva teoría de mitos* a favor *de las Repúblicas. En definitiva, sería una tragedia para el futuro historiográfico de España que de las reuniones de Pau saliesen, en serie, reediciones de intentos tan poco logrados como la pretenciosa historia socialista de Ramos Oliveira, que explica la guerra civil española a partir de los arevacos y los vectones.*

El libro de Jesús Lozano que hoy tengo el honor de presentar al público de habla española se sitúa no frente *a esa discutible postura revanchista que a nada va a conducir —si por fin se concreta— a sus fautores, más que a un nuevo descrédito y a un nuevo sarampión publicístico que seguramente nacerá ya estéril; sino totalmente* al margen *de la polémica, en línea con los datos y las estructuras históricas elementales; lejos de todo ensayismo y todo dilettantismo; en el difícil y cada vez más necesario terreno de la investigación histórica primaria. Va a ser, desde su misma aparición, un libro imprescindible; porque cada una de sus páginas es una aportación nueva, sin pretensiones, pero muchas veces decisiva; un dato inédito, una fecha escondida, un ángulo visual perdido en los archivos, un rasgo biográfico que anulará disquisiciones inútiles ante la simple constatación de la verdad elemental. Es un libro audiovisual, montado editorialmente con técnica moderna y sugestiva, pero no para demostrar nada, simplemente para exponer. Merece la pena que ante sus páginas —que resultan plenamente, ejemplarmente originales a fuerza de rehuir toda espectacular originalidad— expongamos un* status quaestionis *que tenga en cuenta los últimos resultados, y las últimas tendencias en la historiografía sobre la segunda República española; porque todo intento de reivindicar las coordenadas históricas de la primera debe inscribirse, a nuestro juicio, no en las siempre necesarias singladuras de la revisión histórica sino más bien incluirse en los anaqueles, por desgracia no menos cuajados, de la anécdota e incluso del humorismo con pretextos en la historia.*

Las publicaciones sobre la segunda República española son, como se ha proclamado muchas veces, abundantísimas; pero hasta el momento distan mucho de haber superado la fase elemental, polémica, que responde más a un reflejo de actitudes conflictivas que a una finalidad estrictamente historiográfica. La confusión metódica viene a sumarse a la confusión política y partidista. El justo deseo de incorporar la problemática económica, incluso sin reprobables dogmatismos, a la síntesis histórica lleva a excesos que pretenden ser monográficos cuando apenas rebasan un detallismo ridículo y disperso, nada constructivo. Por querer exagerar y dogmatizar la dimensión científica de la historia se ha sepultado la tradicional e ineludible dimensión artística, creadora y recreadora, entre una balumba de datos inconexos; y a veces hay jóvenes historiadores sin suficiente base analítica, y sin la menor idea de la síntesis, que pretenden definir objetivamente una estructura o un período luego de abstrusas e irreales disquisiciones sobre el precio de las lentejas en un mercado rural periférico durante seis meses. Otros, menos audaces, intentan montar una reconstrucción histórica sobre la discusión de una serie de resultados electorales; la sociología electoral es un instrumento excelente si no se le convierte en exclusivo, y si se utiliza con un elemental sentido de la teoría de errores. Cualquier tesis sobre resultados electorales en España que tenga en cuenta —como por desgracia sucede— uno o dos decimales en los porcentajes debe, sin más rechazarse por desenfocada en lo esencial; y los historiadores de procedencia sociológica, con el sano deseo de rehuir las estrecheces del estructuralismo inciden en una gravísima miopía analítica que les lleva a ingenuas y peregrinas aceptaciones de honestidad electoral, y a prescindir de las aplica-

ciones históricas de una elemental teoría de errores. Es un efecto lamentable más de la dicotomía suicida entre "ciencias" y "letras" dentro de la formación media y superior española.

Los efectos plenos, y casi exclusivos, de la actitud polémica, se mantuvieron hasta 1961 aproximadamente; pero se prolongan anacrónicamente hasta nuestros días, como puede comprobarse por las referencias a las reuniones de Pau –que quieren corregir una actitud polémica con otra opuesta– o con el pintoresco Studium Generale organizado en 1972 por la Universidad de Leyden, y resumido en un volumen a punto de publicarse por Presses Universitaires de France; que será muy útil para la historia de la propaganda y la contrapropaganda pero, a juzgar por lo que ya sabemos a través de las referencias de prensa, poco ha de aportar al esclarecimiento histórico de los años treinta en España.

La década de los años sesenta vio la inflexión de la polémica hacia la síntesis; pero tan deseable movimiento se emprendió sin la necesaria base de análisis y de monografía. La Spanish Civil War de Hugh Thomas, la historia conjunta de la República y la guerra civil por Gabriel Jackson, son claras muestras de síntesis basadas en fuentes secundarias; libros fundados en libros. Aparecieron también entonces, sin embargo, las primeras monografías realmente prometedoras y, en parte, definitivas; la historia de la Falange por el profesor Payne, la historia de la persecución religiosa durante la República y la guerra por monseñor Antonio Montero detrás del admirable trabajo de Bolloten sobre el "gran engaño" comunista. Y, como dato más importante, la historiografía española tomó conciencia del problema y entró en juego, hasta arrebatar primero la exclusiva y, luego la iniciativa a los intentos hechos en el extranjero; en este proceso se vio favorecida por una acertada decisión política –tomada por don Manuel Fraga Iribarne y don Carlos Robles Piquer, continuada luego por sus sucesores con el mismo o mayor ímpetu– en el mismo sentido. Hoy ya se reconoce en todos los ambientes historiográficos (si superan el partidismo simple) que no se puede trazar la historia trágica de nuestros años treinta sin las aportaciones de base debidas al profesor de la Universidad de Madrid Vicente Palacio Atard o al profesor de la Universidad de Barcelona Carlos Seco Serrano; no se puede dar un paso en historia militar de la República y la guerra civil sin los estudios de José Manuel Martínez Bande y los hermanos Ramón y Jesús Salas Larrazábal; el autor de este prólogo ha contribuido también a este esfuerzo con varias obras, escritas quizá con la premura de colmar un vacío urgente, y piensa dedicar, Dios mediante, el resto de su vida a la investigación monográfica reposada sobre los mismos temas, una vez lograda de lleno, gracias a los autores citados y a otros diversos, la total conversión de frente historiográfico que está a la vista del gran público español y no español.

Porque la década de los setenta supone una nueva inflexión; la síntesis cede por todas partes ante el empuje monográfico; y todo hace suponer que la historiografía sobre la postguerra y la paz española no va a acusar tanto tiempo el desfase de la que se centra en épocas anteriores.

Dentro de un plano metodológico conviene apuntar que los autores especializados se inclinan cada vez más a reunir la historia de la República y de la guerra de España bajo un mismo tratamiento; esto es lo que en este libro, y con toda razón, ha decidido Jesús Lozano. La nueva e ineludible aproximación monográfica exige una revisión total de las fuentes que se utilizan. La clasificación de fuentes en historia contemporánea está tomada analógicamente de otras edades; y ello supone la aceptación de un grave desenfoque inicial, ya que se dejan al margen las diversas explosiones de raíz o efecto informativo que refluyen sobre la síntesis histórica; sobre todo la explosión del propio proceso comunicativo. Esto hace necesaria la ampliación del esquema clásico de fuentes primarias (testimonios directos, documentos) y secundarias (testimonios indirectos, recopilaciones...) hacia la consideración teórica y técnica de las fuentes terciarias, es decir aquellas que incluyen esencialmente la deformación comunicativa pretendida en orden a la manipulación con fines políticos de la propia historia; las fuentes terciarias son, pues, las fuentes de la propaganda. Con esta sencilla división, un pretendido historiador como el libelista americano Herbert Rutledge Southworth, mitómano profesional, quedará automáticamente expulsado de la convivencia historiográfica por razones parecidas a las que antaño le acarrearon la exclusión de su propio país; si la historia no puede hacerse hoy con invocaciones de Cruzada como único sistema, tampoco podrá revisarse con exclusivas invocaciones a la anti-Cruzada. Pero esto no ha sido más que un inciso anecdótico; dejemos la propaganda a los propagandistas.

No existe en España –y esto es un grave fallo incluso político que deberá subsanarse con urgencia– un centro bibliotecario o documental sobre el siglo XX español que pueda considerarse suficiente; si bien existen varios que, coordinados, pueden por el momento suplir ese grave vacío. Además de algunas nacientes bibliotecas universitarias, pueden señalarse algunos de esos centros, todos los cuales han sido utilizados por Jesús Lozano: el gabinete de estudios sobre historia contemporánea de España del Ministerio de Información y Turismo (que él ha contribuido a crear); la biblioteca y archivo de la delegación de servicios documentales de la Presidencia del Gobierno en Salamanca; la bibliteca del Servicio histórico militar de Madrid; los archivos de diversos ministerios; el archivo histórico Nacional y diversas bibliotecas privadas.

No entra dentro de la finalidad de este estudio previo una discusión sobre un hecho insólito: la falta de serenidad en el ambiente historiográfico de la España contemporánea. Nadie monta ya polémicas trascendentes sobre el significado de la segunda guerra mundial; mientras que la discusión sobre la República y la guerra civil española sigue dividiendo al mundo académico, como en su tiempo dividió al mundo real. Quizás, en gran parte, porque los intelectuales españoles, en su momento, aventados por la catástrofe y la incertidumbre y quizás el remordimiento, dejaron libre el campo de la interpretación a los intelectuales de todo el mundo que vinieron aquí a dirimir sobre el terreno –real o interpretativo– sus propios problemas –que no eran españoles– y sus propias frustraciones. Esos intelectuales del mundo se convirtieron después, como ha dicho hace poco Time, en el hall of fame de la cultura universal del siglo XX; y por eso la guerra civil española se transformó ante la imagen del mundo en el prólogo homogéneo de la segunda guerra mundial con la cooperación marginal de los organismos españoles de propaganda en los años cuarenta, que incidieron en un grave error estratégico por discutibles consideraciones tácticas. Y no; porque no cabe imaginar dos fenómenos históricos tan diferentes como la guerra de España y la guerra del mundo, a pesar de semejanzas hirientes, pero solamente superficiales. La guerra de España fue, como se deduce de cada página del libro de Lozano, una explosión de las frustraciones de la República; no el prólogo de una guerra europea y mundial cuyas causas son enteramente diferentes, y en gran parte ajenas a la dinámica histórica de España.

El planteamiento político de la Segunda República

El autor que ha impuesto a la historiografía actual sobre la segunda República la necesidad de un análisis económico riguroso sobre el superficialmente político es el profesor Juan Velarde Fuertes, en varias de sus obras; por ejemplo Sobre la decadencia económica de España y Política económica de la Dictadura. En mi Historia de la guerra civil española, tomo I (antecedentes) –que en realidad es una historia de la segunda República ordenada según cuestiones monográficas– he procurado armonizar uno y otro análisis, político y económico; quizá la conjunción de los dos enfoques se ve con la claridad máxima al contemplar la etapa primordial de la República, la provisional y constituyente que corre desde las alegrías del 14 de abril hasta la elección de don Niceto Alcalá Zamora como primer Presidente y la confirmación de don Manuel Azaña como jefe del Gobierno para el primero y más característico de los bienios en que se divide –o más bien se reparte– la historia de aquella etapa increíble de España.

Los hechos básicos de aquellos ocho meses son conocidos, y cobran luz nueva ante las imágenes de este libro. Las elecciones del 12 de abril no fueron plebiscitarias; pero se convirtieron, ante el abandono, la cobardía y la falta de fe de los dirigentes monárquicos, en un referéndum urbano que les obligó a desertar de la Historia. Las elecciones acabaron con la completa victoria monárquica, en un porcentaje que no se sabrá jamás, pero que supera por supuesto el tres a uno; pero los dirigentes monárquicos decidieron que sólo *valían los votos de las ciudades y que los pueblos, incluso antes de que Manuel Azaña lo proclamase, eran burgos podridos para la democracia; y se fueron, tras dejar el poder en medio del arroyo, entre las solitarias protestas de un viejo abogado de Murcia y un romántico general de Caballería. Coexisten en la misma tarde —caso insólito en toda la historia de España— los dos gobiernos de los dos regímenes. Luego viene el desbordamiento de la ilusión popular en la calle; que muere pocas semanas después, en la calle, con los incendios de mayo. En junio ocurre un hecho gravísimo, poco advertido desde el Poder; en el congreso anarcosindicalista del teatro Conservatorio de Madrid, los anarquistas de la FAI arrebatan a los sindicalistas moderados de Pestaña el control de la principal corriente del movimiento obrero en España; esto quiere decir que la República se verá desasistida, desde sus comienzos, por parte de su principal base de masas. Esto quiere decir sobre todo que la República ha perdido la calle; y tiene asegurado el desorden público que acabará por sepultarla.*

Los anarcosindicalistas, con el sexto sentido político de que a veces hacen gala las capas más hondas del pueblo español, captataron inmediatamente un hecho capital que escapó a la intuición de los abanderados de la República como escaparía, incluso muchos años más tarde, a los enemigos de la República. En una de sus más resonantes y menos proféticas intervenciones públicas, don Niceto Alcalá Zamora definió al nuevo régimen como "la última de las revoluciones políticas y la primera de las sociales". Por su parte un monárquico de formación liberal, adversario inicialmente de la Dictadura pero que terminaría formando (no para mucho tiempo) en el primero de los gobiernos de Franco quizá por su significativa etapa como ideólogo de Acción Española, don Pedro Sáinz Rodríguez, publicó muchos años después en ABC *varios artículos sobre la República en los que defendía, en el fondo, la misma tesis, destacaba el carácter revolucionario del régimen que, como entonces se decía, España se dio en 1931.*

La investigación histórica, hoy, ha llegado prácticamente a un consensus bien diferente; la República no solamente no puede ser acusada de revolucionaria a ultranza sino más bien de todo lo contrario; la República no fue en absoluto revolucionaria, sino que frustró las esperanzas de cambio profundo que puso en ella buena parte del pueblo español para encerrarse en un reaccionarismo de vía estrecha, puramente negativo. Así en lo económico la segunda República fue una simple continuación del "error Berenguer" a que vino a sustituir; y se ensañó negativamente, sectariamente, con la Dictadura. La Dictadura, con todos sus defectos políticos, había logrado poner en marcha una auténtica política económica que condujo a la economía española hasta la cota más alta del siglo XX en toda su primera mitad; los ocho mil pesetas (referencia de 1953) de renta per capita, que no volverían a alcanzarse hasta el año 1951. La República, sin rumbo económico y en un triste movimiento de vuelta al liberalismo de 1923 desmanteló lo que restaba del esfuerzo político-económico dictatorial y de esta forma dejó desarbolado al país frente a las consecuencias de la crisis económica —y política— que azotaba al mundo desde el "martes negro" de 1929. Resultado; la renta nacional, remansada en 1930, entró en franca regresión desde 1931 hasta 1936, mientras en el resto del mundo, y por diversos remedios de urgencia que van del New Deal *a la economía de preguerra se encontraban soluciones nacionales a la crisis. Las pretendidas reformas económicas republicanas quedaron en agua de borrajas; la República no tocó en nada esencial las estructuras básicas del poder económico que estaban en la tierra y en la banca privada. La reforma agraria fue una inmensa decepción; la cifra de hectáreas reordenadas y de familias asentadas resultó francamente ridícula, y a semejante ritmo, como notó acertadamente José Antonio Primo de Rivera (uno de los más certeros, y menos comentados analistas políticos de la época) la decantada reforma agraria hubiera necesitado medio milenio para consumarse. Por su parte la banca privada aumentó paradójicamente sus dividendos y su influencia en medio del desastre económico de la República, que ni siquiera se atrevió a nacionalizar el Banco de España. Sin arrestos para transformar la ilusión del catorce de abril en reformismo eficaz, la República se desgastó, o mejor se desgañitó en una revolución retórica; la emprendió con los símbolos y las ideas (crucifijo en las escuelas, agresiones institucionales a la Iglesia y al Ejército) con lo que se enfrentó con medio país sin dar por ello la menor satisfacción real al otro medio. Este fue su continuo y lamentable error de planteamiento profundo; junto con la sectaria exclusión de quienes no pensasen como la reducida minoría de quienes, tras su victoria trucada, decretaban que la República no era para todos, sino simplemente para los republicanos.*

No se quiere incidir con estas consideraciones en una nueva leyenda negra de la segunda República española. No pueden desdeñarse las positivas reformas sectoriales que acometieron hombres como Indalecio Prieto en el ministerio de Obras Públicas (tras ser arrojado sectariamente por Azaña de su cartera inicial de Hacienda) o Francisco Largo Caballero en el ministerio de Trabajo, desde donde logró convencer a una parte del mundo laboral español que aquella era "su" República, sin exagerar por ello la actitud clasista. Tampoco cabe ignorar que a la República tocaron en suerte unos años —pocos años— que tal vez fueron los más inadecuados de todo el siglo XX para emprender una reconstrucción profunda del país en sentido democrático.

Pero la República tuvo en gran parte la culpa de su mala suerte; nada más ilustrativo para confirmar esta sospecha que la génesis de la Constitución. En ella se mantiene, como clara herencia del siglo XIX, el mito de una carta cerrada y dogmática que contuviera toda una panacea política para años tan imprevisibles como los años treinta de Europa, en los que se hundía por todas partes la ilusión democrática mientras florecían todos los totalitarismos de todos los signos y todos los colores; marrones, negros, rojos. No se olvide que los hombres más significativos y más decisivos de la segunda República no eran los "republicanos de toda la vida" sino los tránsfugas de la Monarquía, los liberales desahuciados de 1923, que convirtieron su experiencia republicana de gobierno en un reaccionario mantenimiento de su odio por la Dictadura. Así la República no es más que una anacrónica regresión liberal para los tiempos en que la democracia se salvaba en el mundo, cuando se salvaba, mediante su integración del intervencionismo económico y de la energía política en sentido autoritario; de ahí que la República española despliegue un respeto excesivo, decimonónico también, por el renacimiento del cantonalismo que hizo hundirse en el ridículo a su antecesora la primera República de 1873. La admisión de los plebiscitos regionales es simplemente suicida; como si el problema interesase solamente a una región y no a España entera, en cada caso. Y que el regionalismo republicano degeneró abiertamente en separatismo a los tres años del Catorce de Abril es algo que ahora no cabe ya dudar, con nuestra perspectiva, agravada por la desintegración nuevamente cantonal de la zona republicana en guerra civil; quizá por este motivo dicha zona merece plenísimamente el calificativo de "republicana" que le siguen negando, con el pan y la sal, sus permanentes enemigos.

Los dos bienios republicanos

Don Manuel Azaña es el hombre clave para la comprensión histórica de la segunda República; durante ella fue acertadamente definido como su "encarnación", la encarnación de la República. Es y será una figura controvertida. Concitó durante su vida los mayores odios; y goza ahora, tantos años después de su muerte, de un aura reivindicativa explicable ante los excesos anteriores, pero capaz de envolverle en un antimito igualmente ajeno a la historia. Para comprender a Azaña conviene ante todo distinguir los diversos planos de su compleja personalidad. Ha pasado a una primera imagen histórica como hombre de izquierda, paladín del anticatolicismo, encarnación de la República. Era en realidad un hombre de centro y quizá de centro-derecha para criterios más universales; conservador, burgués, alto funcionario, elitista, aristocrático, perfectamente ajeno a la falsa imagen populista cuando no populachera que se le ha querido atribuir. No era anticatólico y jamás renegó de su fe; no practicante más que en ocasiones señaladas, como tantos católicos españoles de toda la vida. No era un republicano de toda la vida sino un monárquico liberal y reformista que fracasó como candidato en dos elecciones antes de la Dictadura; y que se sintió arrojado a la cuneta política, como tantos liberales en

1923. Se impuso a la dictadura desde los primeros momentos; pero más con el silencio que con la acción, y eso que se declaró ya francamente republicano hacia 1925. Intelectual eximio, hombre de letras, conocedor de los clásicos y gran prosista en lengua castellana, conquistará fácilmente el corazón de los historiadores que no le conocieron por las bondades de su estilo literario y la agudeza de sus expresiones. Excelente como intelectual, no lo fue como político; porque su innegable clarividencia se enturbiaba de sectarismo cuando trataba de realizar sus concepciones. La fallaron totalmente los canales de comunicación con la realidad. Era orgulloso y deplorable en la elección de colaboradores a quienes invariablemente despreciaba. Su patética figura constituye la prueba más concluyente de que los filósofos sólo sirven para la política en las páginas de Platón.

El primer bienio republicano presidido por la figura de Azaña es una nueva etapa de la ya veterana conjunción republicano-socialista. Los republicanos eran un abigarrado conjunto de personalidades mediocres, que echaron a perder los destinos del país durante las repetidas ocasiones en que los tuvieron en la mano. Insuficientes y divididos, jamás supieron lo que querían en cuanto emergían de sus turbias retóricas que ya en el siglo anterior eran anacrónicas; como a la gran familia liberal de la monarquía sólo les unía el anticlericalismo, el odio a lo monárquico, el antimilitarismo y el himno de Riego. Los socialistas formaban un grupo mucho más coherente, y en sus manos estuvo, con más posibilidades que en la de los republicanos, la entrada de España en el mundo moderno. Pero malgastaron su disciplina y su coherencia en suicidas rivalidades personales; arrumbaron al sucesor de Pablo Iglesias, Julián Besteiro, y no dejaron desenvolverse con plenitud a su gran socialdemócrata, Indalecio Prieto, para conducir a la cumbre de la República al más incapaz, demagogo y turbulento de sus líderes, don Francisco Largo Caballero, consejero de Estado de la Dictadura, hombre honesto y español por los cuatro costados, pero sin formación ni decisión para imponerse a las masas que le aclamaban como "Lenin español". Aquella conjunción, privada del concurso político de los anarcosindicalistas, y encarada desde la derecha con implacable y reaccionaria hostilidad, no podía acabar más que en la desintegración de noviembre de 1933, en que los monárquicos, recuperados y alineados masivamente en un movimiento democristiano –la CEDA de José María Gil Robles– barrieron a los republicanos en las elecciones que acabaron con el primer bienio. La política agresiva de don Manuel Azaña se centró sobre dos instituciones: la Iglesia y el Ejército. No supo aprovechar la República una disposición favorable de Roma hacia ella; y se alienó a los católicos en una insensata sucesión de leyes laicas que a nada práctico condujeron, por ejemplo la arbitraria expulsión de la Compañía de Jesús. Las reformas militares de Azaña eran genéricamente necesarias como reconocieron las propias Fuerzas Armadas; pero se realizaron con un sectarismo casi total, y por medio de un "gabinete negro" formado por militares resentidos que hicieron flaco servicio a la República, como el propio Azaña habría de confesar cuando ya era tarde.

Con la rebelión permanente del anarcosindicalismo, el desorden público se convirtió, desde las primeras semanas del bienio Azaña, en el cáncer de la República. Las etapas de esta rebeldía popular se llamaron cuenca del Llobregat, Castilblanco, Arnedo, Casas Viejas. Por su parte las derechas alentaron desde la misma mañana del 15 de abril de 1931 una intermitente pero implacable conspiración antirepublicana que estalló prematuramente con la rebelión del general Sanjurjo el 10 de agosto de 1932; después del fracaso de la intentona, Azaña se radicalizó más en vez de tratar de encontrar la cooperación de la derecha frustrada por ese fracaso. Todo este conjunto de errores y desviaciones políticas y populares llevaron durante el verano de 1933 a la disolución de la Conjunción republicano-socialista y en definitiva a la caída de Manuel Azaña y a la revancha de las derechas en las elecciones de noviembre de 1933, con las que comienza un nuevo bienio.

Don José María Gil Robles y Quiñones, protagonista de ese nuevo bienio de derechas, era –y es– un eminente abogado de Castilla, dotado de forma excepcional para el foro y el parlamento; pero sin la visión política y sin la audacia imprescindible para lograr el milagro de una articulación democrática en una República donde realmente nadie quería saber nada de democracia, excepto él mismo y algunos miembros de su partido, junto a miembros aislados de otros partidos.

El señor Gil Robles, claro e indiscutible vencedor en las elecciones de noviembre de 1933, sorprendido quizás por la magnitud de su victoria, cometió un error grave; dejó pasar la oportunidad de exigir el gobierno –que seguramente no hubiera podido negarle el Presidente de la República ante el universal desconcierto de la izquierda vencida– y aplazó por un año el acceso directo al Poder, si bien gobernó indirectamente durante el período de noviembre 1933 a octubre 1934 gracias a su extraño acuerdo con los radicales de don Alejandro Lerroux. Este viejo demagogo y león de la República sí que representaba a los "republicanos de toda la vida" aunque sus uñas políticas se habían limado hasta convertirle en jefe de un grupo de centro; pero no eran tiempos para centrismos indefinidos aquellos meses fatídicos en que la sombra totalitaria de Europa se abatía cada vez con mayor angustia sobre los problemas españoles.

El ambiente europeo presiona en efecto sobre la desorientada España de 1934. Los partidos españoles de derecha y de izquierda encuentran a diario alarmante información entre sus correligionarios de allende el Pirineo. En la Europa que contempló atónita, en 1933, la conquista del Poder por Hitler tras un impecable proceso democrático, la guerra civil podía estallar, antes que en España, en Francia o en Austria, convulsas por sus revoluciones de febrero de 1934. La derecha y la izquierda española se endurecen en sentido totalitario; las juventudes socialistas degeneran hacia la órbita del comunismo y la juventud de Acción Popular cultiva cada vez con mayor fruición el talante totalitario.

Quizá por eso mismo, porque los grandes grupos españoles teóricamente moderados se polarizan hacia el totalitarismo, tienen en España tan escaso éxito de masas los intentos de fascismo. Son muy diversos estos intentos; desde el incompleto y frustrado del doctor Albiñana, hasta el fascismo intelectual y obrerista de Ramiro Ledesma o el fascismo castellano, rural de Onésimo Redondo; pero todas las corrientes indecisas del protofascismo español confluyeron, con sus mejores hombres a la cabeza, en la Falange que fundó, quizá sin darse plena cuenta, José Antonio Primo de Rivera en un acto electoral para los comicios derechistas de 1933, y en calidad precisamente de candidato de las derechas en Cádiz, aunque el acto se celebró en el teatro madrileño de la Comedia. La breve, trágica y nobilísima vida de José Antonio Primo de Rivera se resume en una marcha depuradora hacia una nueva síntesis española de futuro; la depuración se refería al fascismo inicial, cada vez con menos carga de imitación extranjera, cada vez con más entrada de nacionalidad y de originalidad. El objetivo de José Antonio en 1934 y sobre todo en 1935 no era otro sino la búsqueda de una fórmula capaz de nacionalizar a la izquierda española, que por su base proletaria se inclinaba cada vez más a una marcha ciega de raíz e impulso antiespañol; y si bien logró la adhesión de numerosos universitarios y de significados líderes obreros intermedios, su trayectoria quedó truncada antes de ver a millares de obreros españoles revestidos, después del 18 de julio, con su camisa azul.

La izquierda por su parte, rota la conjunción de 1931, marchaba durante el año vesperal de 1934 por diversos caminos hacia una antidemocrática revolución contra la propia República. No cabe en efecto decisión más antidemocrática que rebelarse contra el resultado de unas elecciones; esto es lo que hizo toda la izquierda, sin excepciones, cuando en los primeros días de octubre de 1934 se supo que don José María Gil Robles pretendía incluir en el gobierno de los radicales a varios ministros de la CEDA, partido mayoritario en el Parlamento. La rebelión contra tan justísima idea fue múltiple. Los partidos republicanos se declararon fuera de la legalidad al negar la legalidad de tal medida; los catalanistas extremos se sublevaron contra la República el 6 de octubre de 1934 con la pretensión de declarar más o menos independiente a Cataluña dentro de una República federal indefinida; y los socialistas organizaron una revolución de gran estilo en todo el país, que solamente logró éxito inicial, de gravísimas consecuencias, en Asturias. El Gobierno de la República logro, gracias a la unidad, precaria pero suficiente, de las Fuerzas Armadas sofocar las revueltas; pero la revolución de Octubre no llegó a liquidarse ni política ni históricamente y constituye desde su mismo estallido el más claro y dramático antecedente de la guerra civil española.

Sin haber aprendido para nada las lecciones de Octubre, la derecha española gobernó durante el resto de 1934 y todo el año 1935 con orden y algún concierto, pero dando rienda suelta a su reaccionarismo congénito que recayó ante el frustrado pueblo español como un recrudecimiento del reaccionarismo azañista. Hizo la derecha algo peor: se empeñó en perseguir a Azaña como máximo culpable de la revolución de Octubre a pesar de que los gobernantes de la derecha supieron bien pronto que la presencia de Azaña en Cataluña durante aquellos sucesos fue marginal. Con tan desatentada política contribuyeron emocionalmente a que Manuel Azaña e Indalecio Prieto formasen, como revancha, una nueva etapa de conjunción republicano-socialista que se conoce con el nombre de Frente Popular español.

La primavera trágica de 1936

Se ha repetido demasiadas veces que el Frente Popular es una creación del partido comunista de España. No es cierto. Hasta el 18 de julio de 1936 el comunismo español era una entelequia política incapaz de aglutinar a la izquierda republicana y proletaria en un frente común. Eso sí; el comunismo español, cuya base de masas era mínima (no rebasaba las quince mil fichas antes del 18 de julio) demostró a partir de 1934 una notable habilidad para atribuirse, por medio de la propaganda, logros ajenos. Los socialistas quedaron desmantelados y —como confesaría uno de los organizadores de Octubre, Indalecio Prieto— avergonzados ante los resultados de su revolución; por eso los comunistas se atribuyeron en exclusiva la dudosa gloria revolucionaria y trataron de hacer lo mismo con el proyecto de Frente Popular. Coincidió con la gestación del Frente el VII Congreso de la Comintern, en el que Stalin abandonó su táctica absorbente grosera de los Frentes Unicos para plegarse a las ideas de los partidos europeos en el sentido de los Frentes populares de alianza con partidos pequeño burgueses y socialistas, sin abandonar en último término el propósito de absorberles una vez eliminada, con su ayuda, la oposición de centro y de derecha. Pero el Frente Popular español prescindió del comunismo durante su gestación; y sólo a última hora, ante la presión de los socialistas demagógicos de Caballero, admitió sin mucha convicción a los comunistas en su seno. El Pacto del Frente Popular se firmó el 15 de enero y constituye, como acertadamente notó Gil Robles, un "acta de desacuerdos"; las derechas, sin embargo, ni siquiera lograron reunir sus desacuerdos en un mismo documento.

Se ha desatado la controversia histórica —lastrada de prejuicios ambientales por parte de los observadores— en torno a las últimas elecciones generales en España, las que en primera vuelta se celebraron el 16 de febrero de 1936. Hay sin embargo algunas conclusiones muy claras. Primera, la decisión por parte de los portavoces de los dos bloques en el sentido de no aceptar el resultado electoral si les era desfavorable. Segunda, la victoria del Frente Popular por la mecánica de la ley electoral. Tercera, el equilibrio casi exacto de los votos populares. Cuarta, la configuración electoral de las dos posiciones radicales, no de las actitudes moderadas; los dos bloques de las elecciones se traducen geográficamente, con significativas excepciones, en las dos zonas de la inminente guerra civil. De acuerdo con Vicente Palacio Atard y Antonio Ramos Oliveira, estas elecciones no son solamente el prólogo de la guerra civil sino "la guerra civil misma".

La información histórica acerca de la etapa de gobierno del Frente Popular —desde las elecciones de febrero al 18 de julio de 1936— no es fácil; se impidió de raíz por el propio Gobierno, que vivió toda esta etapa con estado de alarma declarado, de manera que la información llegaba a la prensa sólo a través de la reseña de las agitadas sesiones parlamentarias. Por eso la creciente angustia política y social del país no está más que indirectamente reflejada en las páginas de la prensa. El breve período presenta todos los síntomas de un desbordamiento, de una desintegración nacional, lo que produjo, por una y otra parte, un deslizamiento hacia posiciones extremistas. Pueden analizarse con detalle, para la comprensión del período, varios puntos reveladores. Ante todo, la gradual eliminación de los moderados: las Cortes destituyen airadamente al presidente de la República don Niceto Alcalá Zamora, las izquierdas elevan a la Presidencia de la República (lo que era una forma de esterilizarle políticamente) al propio creador del Frente Popular, Azaña, a la vez que impiden la conjunción Azaña-Prieto mediante el veto formal de los socialistas demagógicos contra este último; y la presión extremista en la derecha y la izquierda inhibe la clarividente y patriótica acción de hombres de uno y otro bloque que buscaban el acercamiento de los moderados para la salvación del país abocado cada vez de forma más inevitable a la guerra civil. Por su parte el anarquismo declara la guerra total en su congreso aragonés de primeros de mayo. Los partidos republicanos se ven cada vez más desbordados por los partidos revolucionarios y dentro de éstos estalla la guerra civil entre las diversas corrientes del socialismo. Ante la degradación del orden público y de las más elementales formas de la convivencia, el Gobierno, formado exclusivamente por republicanos, se declara primero impotente y luego beligerante contra quienes desean oponerse por todos los medios a esa degradación. La guerra civil, larvada ya en las elecciones de febrero, se institucionaliza en las Cortes de junio y aflora diariamente en las calles y los campos de España.

El desbordamiento del Frente Popular se concentra en 1936, como en su antecedente de 1931, contra dos instituciones: la Iglesia y el Ejército. Las agresiones contra el Ejército enemistan definitivamente contra la República a la mayor parte de la oficialidad joven, a la vez que agudizan la grave crisis de división ideológica, política y partidista en el seno de las Fuerzas Armadas. La división de las Fuerzas Armadas, en efecto, va a hacer posible la guerra civil y su prolongación más que otras divisiones profundas entre las instituciones, las clases y los grupos sociales, que también contribuyen, con su desintegración, a la general catástrofe. No son realmente importantes los antecedentes de la conspiración militar antes de febrero de 1936, aunque se ha dramatizado mucho sobre ellos. La etapa decisiva de la conspiración cívico-militar comienza después de esa fecha; no se dirige contra el régimen republicano sino contra el Frente Popular en trance de explosión. Ante las vacilaciones de la Junta de Generales y de las diversas juntas de jefes y oficiales que van proliferando entre las desuniones del Ejército, el general Emilio Mola Vidal, comandante militar de Navarra, decide tomar toda la iniciativa a partir del mes de mayo de 1936. Por medio del teniente coronel Valentín Galarza coordina la plena cooperación de numerosos militares influyentes, entre ellos el comandante general de Canarias, Franco. Logra también el apoyo condicionado de diversas fuerzas políticas: carlistas, democristianos, monárquicos, falangistas. Innumerables republicanos de centro y moderados están de acuerdo, en el fondo y en la forma, con los propósitos del general Mola.

En situación tan tensa cae asesinado en la tarde de 12 de julio del 1936 el teniente de Asalto Castillo; sus compañeros, enloquecidos, cometen el tremendo disparate de vengar su muerte con la muerte del jefe de la oposición al Frente Popular, José Calvo Sotelo. Intentaron lo mismo con José María Gil Robles, que no se hallaba en su casa. No cabe disimular la trascendencia de la eliminación de Calvo Sotelo, a la que sólo un insensato propagandista de las características de H. R. Southworth se atreve a llamar "afortunada" sin tomarse tiempo para leer las nobles palabras de Indalecio Prieto publicadas en la prensa de aquellos días ominosos. La muerte de Calvo Sotelo fue la señal inevitable para la guerra civil.

Los eternos problemas históricos y las nuevas soluciones en torno a la guerra de España

Jesús Lozano continúa con acierto la historia gráfica y biográfica de la República en paz durante los años agónicos de la República en guerra; los historiadores, con él, ven cada vez con mayor claridad la identificación genérica de las dos etapas, y quizá incluso su encadenamiento lógico dentro de una implacable necesidad.

Pocas horas después del estallido pudo comprobarse que tanto el alzamiento como la represión gubernamental habían fracasado; y que, descartada una solución rápida del conflicto, se iniciaba una guerra civil de duración y consecuencias imprevisibles. Los "tres días de julio" tan dramáticamente descritos por Luis Romero se prolongaron, en realidad, hasta el 2 de agosto, fecha en que los cuarteles valencianos se decidieron por no decidirse. En medio de la tremenda anécdota de la sublevación y la reacción en cada provincia, en cada localidad, pudo verse entonces que la distribución de fuerzas favorecía netamente al Gobierno, como reconoció en sus discursos de agosto el hombre mejor informado de España, Indalecio Prieto. El Gobierno lo tenía todo: los medios financieros, la cabecera de las comunicaciones radiales, toda la industria, las zonas de agricultura intensiva, las tres cuartas partes de la población, la estructura básica del Estado, las tres grandes capitales, casi toda la Marina, buena parte del ejército y la mayoría de la aviación. Es totalmente falso que el 18 de julio se sublevase el Ejército en su conjunto. Las comandancias y fuerzas de orden público e institutos armados que por sus efectivos y situación resultaban más decisivas quedaron con el gobierno; el gobierno contó desde los primeros momentos con la inmensa mayoría de los generales y jefes, mientras que los oficiales, sobre todo los más jóvenes, se inclinaban mayoritariamente, no totalmente, por los alzados del 18 de julio. Sólo uno de los ocho jefes de división orgánica (equivalentes a las Capitanías Generales) se unió a la sublevación dirigida por Mola. Sólo cuatro de los 21 generales con mando divisionario se alzaron contra el Frente Popular. Si un ejército se levanta contra su pueblo no hay guerra civil; la fase interna de la guerra en el Pakistán nos lo acaba de demostrar, y la unidad, aunque precaria, de las fuerzas armadas durante la revolución de Octubre de 1934 solucionó a favor del gobierno el problema en una noche catalana y una larga semana de Asturias. No; la guerra de España fue posible porque un ejército y un pueblo lucharon contra un ejército y un pueblo. La participación popular en la naciente zona nacional hizo posible la pervivencia del alzamiento; y el ejército de Franco fue popular en un porcentaje más elevado que el llamado ejército popular de la República. Estas son ya conclusiones históricas irrebatibles, por encima de toda propaganda conflictiva.

Desde primeros de agosto a primeros de noviembre de 1936 corre la fase de guerra de columnas. Comienza simultáneamente de forma desordenada la intervención extranjera, sobre la que se han acumulado los más diversos mitos; todos suelen coincidir en la indefensión de la República frente a la riada de material alemán e italiano recibida por sus enemigos. Esto es falsísimo. Las guerras localizadas del siglo XX *nos han demostrado que todas esas guerras han sido posibles ante un equilibrio de aportaciones exteriores; Vietnam y Oriente Medio son pruebas todavía vivas cuando se escribe este prólogo. Lo mismo sucedió en la guerra de España. La aportación de hombres y material a cada uno de los bandos fue lo suficientemente equilibrada como para que la decisión intermedia y final de la guerra quedase en manos españolas; fuese, en efecto, una decisión española. Combatieron, a favor del Frente Popular, unos cien mil voluntarios que sucesivamente se encuadraron en siete brigadas internacionales; sin embargo no cabe exagerar esta participación que fue muy importante pero no pudo oscurecer el hecho de que las brigadas internacionales formaron dentro de un nuevo ejército compuesto por más de doscientas unidades de ese nuevo y eficaz tipo, ejército cuyos efectivos españoles superaban el noventa por ciento del total, lo mismo que sucedía en el Ejército de Franco. El CTV italiano contó en su momento de mayores efectivos, la batalla de Guadalajara, con un número de combatientes en línea inferior a cuarenta mil. Los asesores y especialistas soviéticos (de cinco a diez mil en toda la guerra) se equilibran también con sus correspondientes alemanes en la zona nacional. En conjunto el ejército de Franco contó con un número de combatientes cercano al millón doscientos mil; y el ejército de la República superó levemente el millón. Dos millones de españoles bajo las armas de dos Españas autoritarias, encontradas, enemigas: he ahí uno de los cimientos trágicos de aquella guerra trágica. En cuanto a material, las aportaciones se equilibraron también, pero tanto en la calidad como en la precedencia cronológica la República se vio netamente favorecida. No luchaba una sola unidad de choque bajo las banderas de Franco (el primer batallón italiano desembarcó muy a finales de diciembre de 1936) cuando ya dos Brigadas internacionales íntegras, formadas en los campos de Albacete desde octubre, habían participado a fondo en la decisiva batalla por Madrid. Los* Messerschmidt *alemanes eran cazas modernos comparables a los* Ratas *soviéticos; pero éstos combatían sobre Madrid y por Madrid desde primeros de noviembre de 1936, mientras que sus oponentes alemanes no llegaron a tiempo más que para la batalla de Brunete, en el mes de julio de 1937. Las primeras fuerzas aéreas y blindadas de Franco no pudieron equiparse con material moderno sino con residuos anticuados y adaptados de la primera guerra mundial, con excepción de los estupendos cañones rápidos alemanes Flak-88 mm, contrarrestados sin embargo, con los productos, tradicionalmente excelentes, de la artillería soviética.*

Entre noviembre de 1936 y marzo de 1937 se despliega la obsesión nacional por Madrid. Es la fase —centrada en Madrid— de reorganización militar y política en las dos zonas. Se fijan ideológicamente los dos bandos; florece en el nacional la idea de Cruzada, ante la inaudita persecución que en la zona enemiga se desencadena contra la Iglesia; trece obispos y casi siete mil sacerdotes y religiosos forman la lista de víctimas, que provocan la reacción del mundo católico y del Vaticano a favor de Franco, ya desde una célebre audiencia pontificia a refugiados españoles en Castelgandolfo el 14 de septiembre de 1936. Los obispos del país vasconavarro lanzan la idea de Cruzada en una pastoral conjunta del mes de agosto de ese mismo año; luego los obispos españoles recogerían la misma idea en varios solemnes documentos, que culminaron en la Carta Colectiva de 1937. No fue Franco ni sus colaboradores quienes inventaron la Cruzada, sino la Iglesia española de pleno acuerdo con la Iglesia de Roma quien la proclamó abiertamente, y logró imponer esa idea a toda la Iglesia Universal. Consideraciones tácticas posteriores no pueden hacer olvidar esa realidad profunda y, entonces, decisiva. Como no pueden taparse las siete mil tumbas de religiosos (que murieron por su carácter religioso) con las dieciséis en las que después de su tragedia personal —y común para todos los españoles— descansan los eclesiásticos del país vasco fusilados por actividades políticas en zona reconquistada por los nacionales; una cifra tres veces menor que la correspondiente a eclesiásticos vascongados muertos en zona de Euskadi por el Frente Popular.

Entre abril y octubre de 1937, fracasado una y otra vez el intento de los nacionales sobre Madrid, Franco se decide acertadamente a reducir la zona enemiga del Norte. Esta victoria, que ya se perfila con la conquista de Bilbao el 19 de junio de 1937, supone alterar a su favor el equilibrio demográfico, industrial y en definitiva estratégico del conflicto, que hasta entonces lo mantenía indeciso. El hecho de que Franco, con una intervención extranjera menos favorable y partiendo del inicial desastre de la sublevación haya logrado primero ese equilibrio y luego el desequilibrio a su favor no puede atribuirse más que a una moral de guerra y de victoria que suplió en su zona y entre su pueblo a las deficiencias materiales y a la desconexión inicial; y en segundo lugar a que la zona de Franco logró articular su unidad en torno a Franco con mucha mayor eficacia que la zona republicana. Esto pudo verse con toda claridad en la primavera de 1937, cuando Franco descabezaba en Salamanca una intentona política —la de Hedilla— que pudo poner en peligro la unidad, e imponía, con el asentimiento de todas las fuerzas vivas que le seguían, la unificación política para asegurar el esfuerzo de guerra; mientras la zona enemiga se debatía, pocas semanas después, en la guerra civil interna que ensangrentó las calles de Barcelona durante los sucesos del mes de mayo. Mientras Franco logra el dominio del Norte el nuevo ejército popular de la República, que orgánicamente era incluso superior al nacional, da muestras de su nueva valía en batallas centrales importantes como la Granja, a fines de mayo, la ofensiva de Aragón, que no pudo salvar al Norte, y la ofensiva de Brunete, que retrasó la conquista de Santander pero tampoco pudo impedirla. Uno de los más tristes episodios de la guerra en el Norte —la destrucción de Guernica a fines de abril de 1937 por la aviación alemana sin conocimiento previo de Franco ni de Mola— dio lugar a que se desencadenase una tremenda campaña de propaganda que aún perdura, de forma absurda; porque el centenar largo de muertos en Guernica es una cifra trágica pero nada comparable a los doscientos mil que en dos noches causó la aviación angloamericana sobre la indefensa ciudad de Dresde cuando ya la guerra mundial estaba ganada; para no decir nada sobre los desastres atómicos de ese mismo año 1945. Se ha exagerado mucho acerca de la represión en la guerra de España. El célebre millón de muertos no es más que el afortunado título de una gran novela. Los muertos de la guerra de España por todos conceptos no rebasan mucho las cifras totales de la hecatombe de Dresde; no son un millón sino un cuarto de millón a lo sumo. De ellos bastante más de la mitad murieron en acción de guerra. Una parte pequeña, no superior a los cinco o siete mil cayeron en los bombardeos de la retaguardia, entre los que destacan, por su carácter mortífero no el de Guernica sino los de las aviación italiana sobre Barcelona en 1938, enérgicamente condenados, también, por Franco. En cuanto a la represión y la justicia sumarísima en las retaguardias, suelen citarse emocionalmente nombres, como el de Federico García Lorca, como banderas partidistas; pero al nombre de Lorca puede oponerse el de un hombre del 98 como Ramiro de Maeztu, asesinado por el Frente Popular en Madrid. No son ya pretextos para la bandería; son nombres comunes que reposan en la misma tierra de todos, como patrimonio y tragedia común de la única España que existe y existirá. No es la crueldad patrimonio de un bando en las guerras civiles españolas. Es inútil citar por separado las matanzas de Badajoz y las de Paracuellos del Jarama; y en cuanto a represiones de postguerra sabemos ya, después de las revelaciones de Robert Aron, que fueron mucho más duras e implacables las de Francia en 1944-46 que las de España después de 1939, y eso que aquella Francia no tuvo que sufrir el largo acoso a que sus mismos enemigos de la víspera sometieron a la España martirizada después de mil días de lucha fratricida, de lucha internacional —también— con pretexto español.

La fase de las grandes maniobras va a decidir la guerra entre noviembre de 1937 y noviembre de 1938. La ruptura de Franco hacia el Mediterráneo se enmarca entre las dos grandes, e inicialmente victoriosas, ofensivas republicanas de Teruel y el Ebro. Los dos movimientos de la batalla del Ebro se ejecutan con el trasfondo amenazador de la crisis de Munich, ante la que Franco, de forma que sorprende a Europa, declara por anticipado su neutralidad. Por fin, en diciembre de 1938 Franco lanza su ofensiva sobre Cataluña. La zona republicana se descompone; los comunistas montan su espectáculo fallero-numantino de marzo de 1939 antes de ser expulsados política y físicamente del Frente Popular y de la convivencia política y bélica española. La zona republicana se hunde y el primero de abril de 1939 Franco puede firmar su primero y último parte de una guerra que ha terminado.

En medio de este complicadísimo marco histórico la República de Abril y de Febrero apura las etapas de su desintegración, que hasta el 18 de julio estuvo a punto de ser también la desintegración de toda España. El problema del Estado, como insinuábamos, se presenta radicalmente distinto en cada una de las zonas. En la republicana se mantenía la estructura del Estado y del Gobierno; fallaban en muchos casos las personas por el fenómeno de la división institucional y hasta familiar ante la guerra. Es importante notar la génesis y el desarrollo del "doble poder" perfectamente detectado por el presidente Azaña. En la evolución de ese "doble poder" está la clave política de la República en guerra. Para ello conviene analizar por separado la fragmentación gubernamental y la impuesta por la incomunicación de los partidos y sindicatos, que trataron inútilmente de coordinarse mediante los comités conjuntos.

Es importante notar que los intentos unificadores de la política republicana en orden al esfuerzo de guerra (descontado ya el fracaso total de los republicanos pequeño-burgueses) se confiaron por uno de esos republicanos, el presidente Azaña, a dos personalidades del partido socialista, de forma sucesiva. Largo Caballero —jefe indiscutible del gobierno desde primeros de septiembre de 1936— es un político muy difícil de juzgar porque sobre su figura y su obra ha recaído una implacable cortina de propaganda adversa; ignorante por un lado, interesada en ocultar una realidad conocida, por otro. Caballero actuó como jefe de gobierno con mucha mayor eficacia de lo que hiciera presumible su formación y su desatentada actuación política anterior, a la cabeza del socialismo demagógico. El resultado principal de su gestión fue hacer posible un nuevo ejército, que entraba en funciones justo cuando su creador era defenestrado por Negrín y los comunistas luego de los sucesos de mayo de 1937 en Barcelona. El principal resultado político del gobierno Negrín —que llegará desde entonces al final de la guerra, con un espectacular reajuste en 1938, por el que Negrín, a su vez, defenestró a Prieto— fue prolongar el esfuerzo de guerra cuando la guerra estaba virtualmente perdida después de la conquista de Vizcaya en junio de 1937. Es curioso que un tercer personaje, socialista también, haya sido tercero en discordia, y hombre clave para conocer el entramado de las disensiones políticas que acabaron con la moral de resistencia en la República. Ese hombre es precisamente Prieto.

El comunismo español articuló su política durante la guerra civil de forma heterónoma; y gracias a la presencia de toda la plana mayor de la Comintern en la España republicana. Es tarea titánica desbrozar de propaganda toda la documentación, incluso primaria, en torno al partido comunista, durante la guerra. En síntesis cabe confirmar que el partido comunista buscó desde el primer momento la unidad política y militar para el esfuerzo de guerra pero cometió el grave error de articular ese intento de unidad sobre sí mismo como eje imposible (por número, entidad y desarraigo) de una zona eminentemente pluralista, y constitutivamente recelosa de un predominio totalitario con probabilidad máxima de control exterior. A esta luz convendría examinar dos procesos históricos poco estudiados hasta hoy: la agresión staliniana contra el POUM y la desintegración agónica de la política y el ejército republicano en el mes de marzo de 1939.

En resumen, mientras la zona nacional confirmaba en la primavera de 1937 su unidad en torno a la figura de Franco —unidad y figura presentidas ya desde los primeros momentos del conflicto— la zona republicana se desintegraba por las mismas fisuras apuntadas ya en el pacto del Frente Popular, de acuerdo con la certera intuición del presidente Azaña; y contaba con un gobierno central en Valencia, una Junta autónoma en Madrid, otro "comistrajo" —en expresión del propio Azaña— que "parteó un gobiernito" en la misma Valencia; un Consejo soberano en Aragón, de base anarquista; un Gobierno francamente separatista en Barcelona, contrarrestado por un Comité autónomo de Milicias Antifascistas; un gobierno para cada una de las provincias amenazadas del Norte, excepto Vizcaya y Asturias que contaban cada una con dos. Este es el final dialéctico de los dos intentos —quizá fueron el mismo— republicanos en la España contemporánea. Los dos acabaron en el más rebelde e imposible cantonalismo; los dos fueron una regresión frigia a los reinos de taifas, y los dos estuvieron a punto de poner punto final ridículo a la unidad de reinos españoles lograda por la Monarquía histórica.

RICARDO DE LA CIERVA

Navacerrada, marzo de 1973

1931. EL PLANTEAMIENTO DEL SISTEMA

El pueblo de Madrid que un día se echara a la calle para impedir la partida obligada de la familia real se desborda ahora, como río de júbilo y alegría, para festejar la salida del último rey español y vitorear al régimen que le ha obligado a marchar. La plaza de la Cibeles en el día de la proclamación de la República. La nueva bandera izada, motivo de gozo para unos, sería paño de lágrimas para otros.

14 abril 1931

A las nueve menos cuarto de la noche, Alfonso XIII abandona el Palacio Real, en compañía de su primo el infante Alfonso de Orleans, camino de Cartagena. Allí embarca en el crucero «Príncipe Alfonso», rumbo a Marsella.
Minutos antes habían estado en Gobernación los ministros de la recién estrenada República. Hasta algo más de medianoche, se dieron a preparar los nuevos decretos que debían aparecer en la Gaceta del 15, en especial el Estatuto Jurídico del Gobierno Provisional, la amnistía de todos los delitos políticos, sociales y de imprenta, la creación del ministerio de Comunicaciones y la declaración del día 14 de abril como fiesta nacional.
En Barcelona, Francisco Maciá Llusá proclama el Estado Catalán.

Alfonso XIII, figura discutida en años también muy discutidos, último rey de España. Con su caída concluía el secular período que el país había vivido en monarquía. Se marchó dejando lugar al nuevo sistema de gobierno que se presentaba entre luces de esperanza y sombras de incertidumbre.

El rey se marcha. Surto en el puerto de Cartagena le espera el crucero "Príncipe Alfonso". Desde su cubierta vería alejarse las costas de España Alfonso XIII, con dolor y nostalgia, sin saber que nunca más volvería a abordarlas.

Curiosa pieza de museo, cargada de evocaciones históricas. El automóvil en el que el último monarca español viajó de Madrid a Cartagena.

El Gobierno Provisional queda constituido así:

PRESIDENCIA	Niceto Alcalá-Zamora y Torres (Republicano Conservador)
Estado	Alejandro Lerroux García (Radical)
Justicia	Fernando de los Ríos Urruti (Socialista)
Gobernación	Miguel Maura Gamazo (Republicano Conservador)
Guerra	Manuel Azaña Díaz (Acción Republicana)
Marina	Santiago Casares Quiroga (Federación Republ. Gallega)
Hacienda	Indalecio Prieto Tuero (Socialista)
Inst. Púb. y B. A.	Marcelino Domingo Sanjuán (Radical-Socialista)
Fomento	Alvaro de Albornoz y Liminiana (Radical-Socialista)
Comunicaciones	Diego Martínez Barrio (Radical)
Trab. y Prv. Soc.	Francisco Largo Caballero (Socialista)
Economía	Luis Nicolau d'Olwer (Acción Catalana)

Tras las elecciones del 14 de abril el rey de España, Alfonso XIII, decidió acatar los resultados y dejar libre el terreno para el desenvolvimiento del nuevo régimen. La declaración que de su postura hizo al país, la recogió el diario "ABC" el día 17.

MADRID DIA 17 DE ABRIL DE 1931 NUMERO SUELTO 10 CENTS.

DIARIO ILUSTRADO. AÑO VIGESIMOSEPTIMO N.° 8.333

REDACCION Y ADMINISTRACION: CALLE DE SERRANO, NUM. 55, MADRID

AL PAIS

He aquí el texto del documento que el Rey entregó al presidente del último Consejo de ministros, capitán general Aznar:

Las elecciones celebradas el domingo me revelan claramente que no tengo hoy el amor de mi pueblo. Mi conciencia me dice que ese desvío no será definitivo, porque procuré siempre servir a España, puesto el único afán en el interés público hasta en las más críticas coyunturas.

Un Rey puede equivocarse, y sin duda erré yo alguna vez; pero sé bien que nuestra Patria se mostró en todo momento generosa ante las culpas sin malicia.

Soy el Rey de todos los españoles, y también un español. Hallaría medios sobrados para mantener mis regias prerrogativas, en eficaz forcejeo con quienes las combaten. Pero, resueltamente, quiero apartarme de cuanto sea lanzar a un compatriota contra otro en fratricida guerra civil. No renuncio a ninguno de mis derechos, porque más que míos son depósito acumulado por la Historia, de cuya custodia ha de pedirme un día cuenta rigurosa.

Espero a conocer la auténtica y adecuada expresión de la conciencia colectiva, y mientras habla la nación suspendo deliberadamente el ejercicio del Poder Real y me aparto de España, reconociéndola así como única señora de sus destinos.

También ahora creo cumplir el deber que me dicta mi amor a la Patria. Pido a Dios que tan hondo como yo lo sientan y lo cumplan los demás españoles.

Alfonso XIII

Nota del Gobierno acerca del mensaje.

El ministro de Hacienda facilitó a última hora de ayer tarde la siguiente nota:

«El Gobierno no quiere poner trabas a la divulgación, por parte de la Prensa, del manifiesto que firma D. Alfonso de Borbón, aun cuando las circunstancias excepcionales inherentes al nacimiento de todo régimen político podría justificar que en estos instantes se prohibiera esa difusión.

Mas como el Gobierno provisional de la República, segurísimo de la adhesión fervorosa del país, está libre de todo temor d reacciones monárquicas, no prohibe que se publique ni cree necesario que su inserción vaya acompañada de acotaciones que lo refuten de momento.

Prefiere y basta que el país lo juzgue libremente, sin ninguna clase de sugestiones ministeriales.»

Cayó el sistema y al momento fue proclamada la República en España. En el país grande fue la alegría de las masas; en el extranjero también fue inmensa la de los personajes políticos que habían colaborado decisivamente para su triunfo. Muchos y diversos fueron los que integraron el Pacto de San Sebastián, pero de entre ellos destacó la figura de Indalecio Prieto. Bien expresiva de su satisfacción es esta fotografía que recoge el momento en que, por teléfono, conoce la implantación del nuevo régimen, por el que tanto había luchado y del que tanto esperaba.

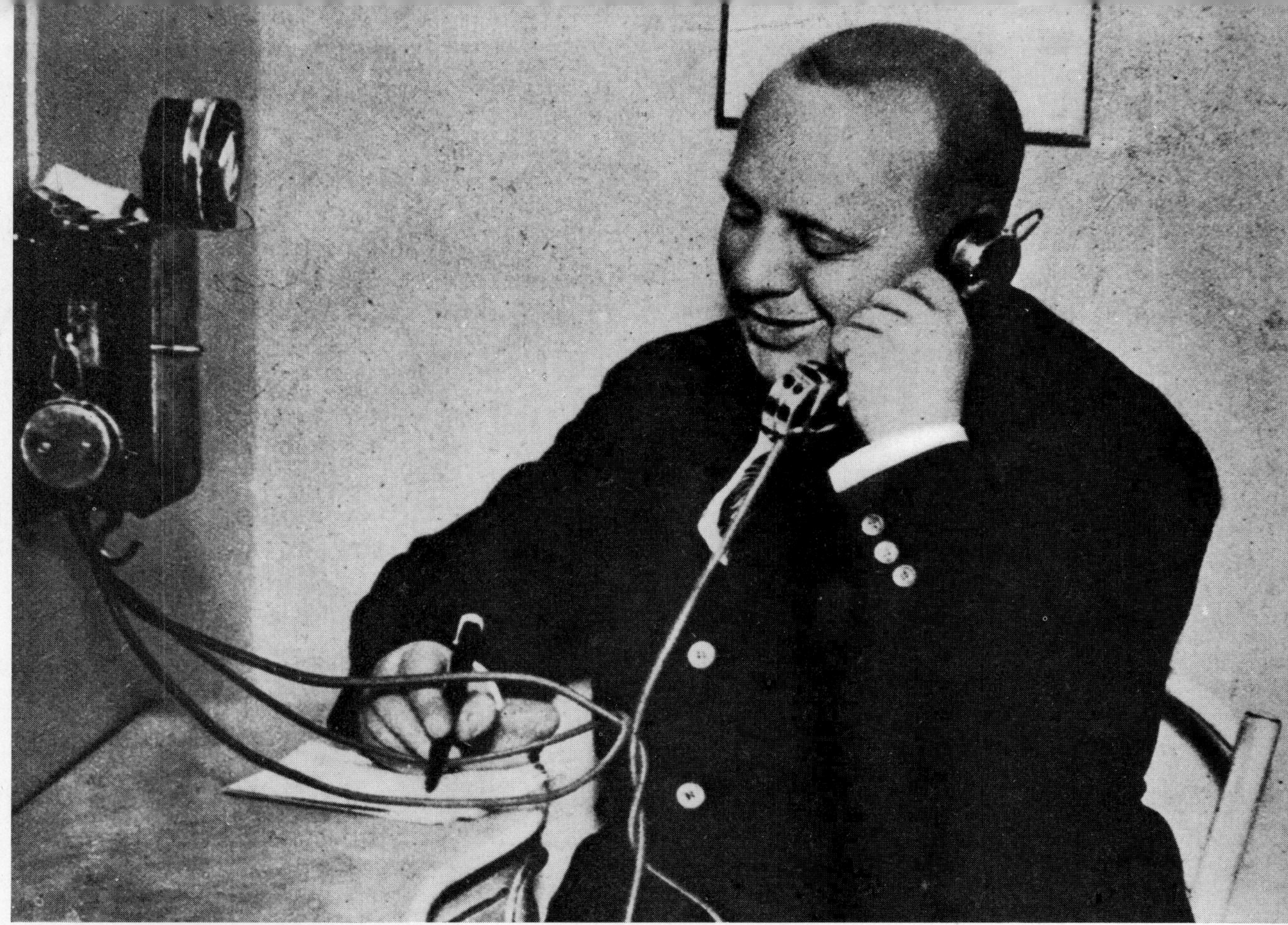

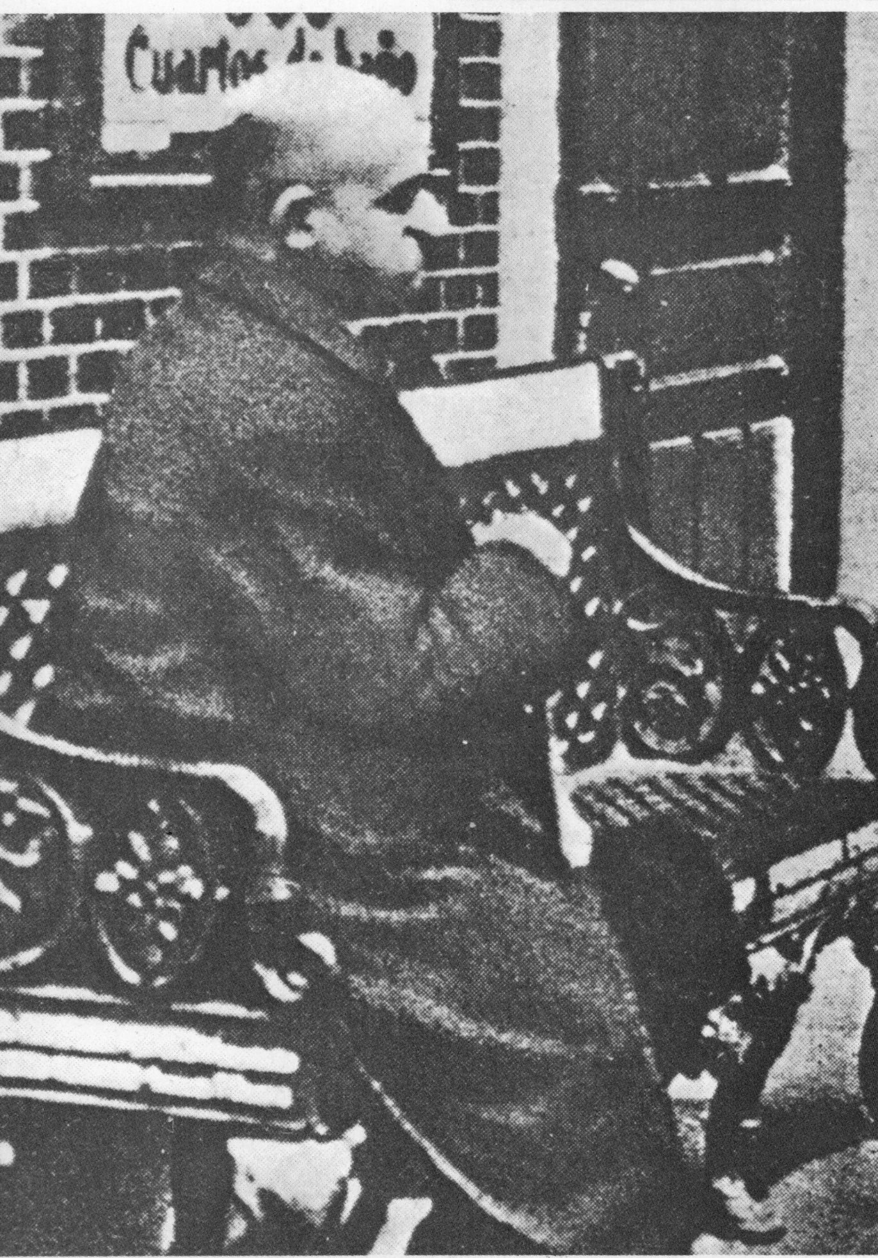

En El Escorial, la reina toma el tren hacia el exilio. El conde de Romanones, abatido, contempla su partida que era la de toda una época de la historia española.

15 abril 1931

Por la mañana, regresan de su exilio, en París, Indalecio Prieto, Marcelino Domingo y Martínez Barrio.
La «Gaceta» del 17 publica un decreto, firmado el 15, en el que se da entrada en el Gobierno a Luis Nicolau d'Olwer.
A las nueve de la mañana salen de Madrid por carretera la Reina doña Victoria y los miembros de la Familia Real. En El Escorial, se trasladan a la estación para continuar viaje hacia Francia.
Los Somatenes, creados en septiembre de 1923, son disueltos.
Los concejales electos se incautan de la Alcaldía de Madrid y eligen alcalde, por aclamación, a Pedro Rico.

Las grandes capitales vibraron especialmente ante la proclamación del régimen republicano. De momento todo se prometía muy feliz e ilusionado. Las decepciones llegarían poco a poco. Pero ahora, recién nacida, se la aclamaba a pleno pulmón. En Barcelona, desde el balcón del Ayuntamiento, Companys proclama la República española.

En el Café Napolitain de París asistimos a una reunión de exiliados, todos personalidades del republicanismo español y principales responsables de esta hora de España en la que se hizo posible la caída de la Monarquía, explotando fuerzas profundas en conflicto secular. Sentados, de derecha a izquierda: Calvet, (?), Sánchez Guerra (Rafael), Esplá, Queipo de Llano, Prieto e Hidalgo de Cisneros.

El júbilo popular se desborda por las calles y plazas de la capital, con ocasión de la instauración del nuevo régimen. Un aspecto de la Puerta del Sol de Madrid.

Inmutable y magnífico, como la Monarquía que le dio ser, el Palacio Real de Madrid vive horas nuevas y distintas de las de siempre. De su fachada empezaron en seguida a desaparecer los símbolos alusivos a la realeza con objeto de adecuarle al nuevo destino que le correspondía tras la implantación de la República.

16 abril 1931

Los tenientes generales Federico Berenguer, Leopoldo de Saro, Eladio Pin Ruano, Ignacio Despujol y Jorge Fernández de Heredia son destituidos de los cargos de capitanes generales de la 1.ª, 2.ª, 3.ª, 4.ª y 5.ª Regiones respectivamente; les sustituyen los generales de división Gonzalo Queipo de Llano, Miguel Cabanellas Ferrer, José Riquelme, Eduardo López de Ochoa y Leopoldo Ruiz Trillo. Declaración del estado de guerra en Sevilla.

17 abril 1931

El diario «ABC» publica en primera plana el manifiesto que don Alfonso XIII dirigió a los españoles, el día anterior a su exilio; en él hace resaltar que abandona el poder para evitar una guerra civil.

El triunfo de la República llenó de euforia y de osadía a las masas hasta el punto de desmandarse sin respeto al orden ni a la ley. Los monárquicos fueron el blanco principal que atrajo sus iras; personas, edificios y símbolos del anterior sistema pagaron las consecuencias. El caso de Leopoldo Matos (en el centro, de frente) fue significativo. Reconocido en Madrid, cuando iba por la calle, fue perseguido por la multitud, con peligro de linchamiento. Hubo de refugiarse en casa del conde de Bernal, de donde tendría que ir a sacarlo el propio Sánchez Guerra.

Pedro Rico, sin ser una figura política de primera fila, sí que alcanzó renombre y popularidad como alcalde de Madrid. Era vocal de la Diputación Permanente de las Cortes cuando estalló el alzamiento. En la foto aparece en un discurso inaugural al que asistieron diversas personalidades, entre ellas Miguel de Unamuno.

Parece que el espíritu republicano resonó con diversa intensidad en las regiones españolas. Grandioso y rápido eco tuvo en la catalana en donde, en seguida, se proclamó el "Estat Catala". Desde Madrid hubo que recomendar calma. Alcalá Zamora viajó a Barcelona para tranquilizar a Maciá.

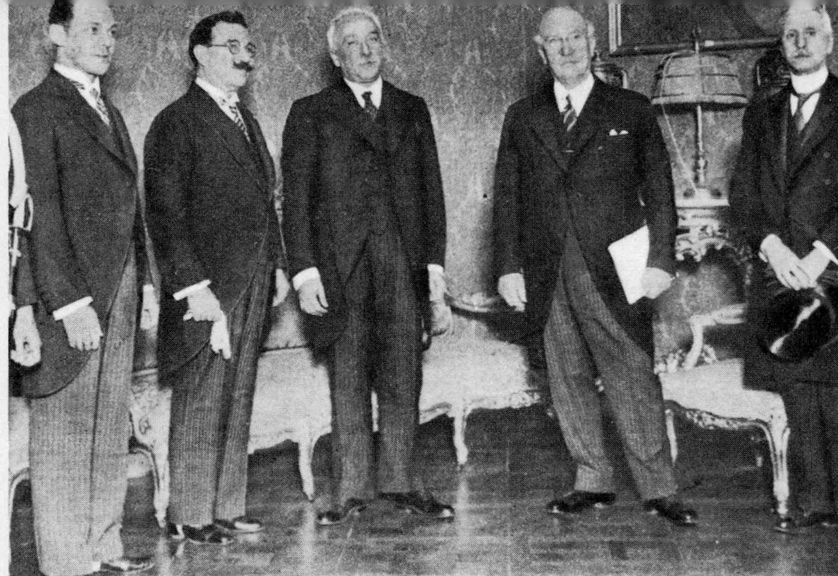

La República triunfaba en el país y era reconocida en el extranjero. Elías Brache (el segundo por la izquierda), representante de Santo Domingo, primer diplomático que presentó sus credenciales al nuevo Gobierno.

18 abril 1931

Tras la visita de los ministros Domingo, De los Ríos y Nicolau d'Olwer a Barcelona, Francisco Maciá reduce el Estado Catalán a la categoría de Generalidad de Cataluña. El Alto Comisario de España en Marruecos, general Gómez-Jordana, desiste de desembarcar en Algeciras y se refugia en Gibraltar después de dimitir.

19 abril 1931

Se decreta la derogación de la Ley de Jurisdicciones del 23 de marzo de 1906.
Portugal, Argentina y Checoslovaquia reconocen oficialmente a la República Española.

20 abril 1931

Cesa en el cargo de Capitán General de la octava Región Militar el teniente general D. Rafael Pérez Herrera; le sustituye el de división D. Angel Rodríguez del Barrio.

21 abril 1931

Casi todas las potencias extranjeras reconocen al nuevo régimen español. El primer país que lo hace es Francia, que envía a Madrid a su embajador en Moscú, Jean Herbette.
Quedan suprimidos todos los emblemas, signos y calificativos del régimen caído.

22 abril 1931

Es nombrado Alto Comisario de España en Marruecos y Jefe Superior de las Fuerzas Militares el teniente general D. José Sanjurjo Sacanell.

23 abril 1931

Se promulga la «Ley de Azaña»: «La Revolución de Abril —dice el decreto— extingue el juramento de obediencia y fidelidad que las fuerzas armadas de la Nación habían prestado a las instituciones hoy desaparecidas». Los militares que quisiesen continuar en el Ejército firmarían la siguiente promesa: «Prometo por mi honor servir bien y fielmente a la República, obedecer sus leyes y defenderla con las armas». Los que no la firmasen causarían baja en el Ejército, pasando los generales a la situación de separados del servicio y los jefes y oficiales a la de retirados.

El capitán general Francisco Aguilera, nombrado para tal empleo por Azaña precisamente cuando ya tenía preparada la Ley que declaraba a extinguir los escalafones superiores del generalato.

Esta es la partitura del famoso himno de Riego. Música para orquestar una parte de la historia de España, con capacidad para desatar los más encontrados sentimientos. Sus compases, generalmente, han sido compases de guerra entre españoles. Símbolo del liberalismo hispano, era oída por primera vez por muchos de los que vitoreaban el régimen del 14 de abril.

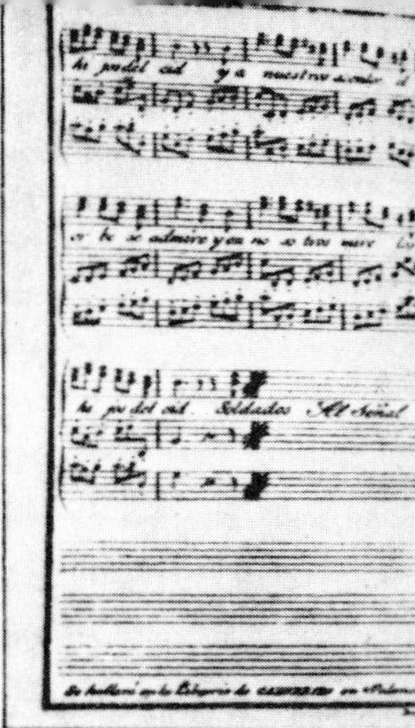

24 abril 1931

Se declara disuelto el Consejo de Estado, tanto en el Pleno como en su Comisión Permanente, se suprime el primero y se reorganiza la segunda.
Auto de procesamiento y prisión contra el general Mola. Se le exige una fianza de 50.000 pesetas para concederle la libertad provisional.

25 abril 1931

Se anula la convocatoria para exámenes de ingreso en la Academia General Militar.

26 abril 1931

Alcalá Zamora llega a Barcelona en visita oficial a la Generalidad de Cataluña.

27 abril 1931

Se adopta como bandera la tricolor, formada por tres bandas horizontales de igual anchura, siendo roja la superior, amarilla la central y morada oscura la inferior. En el centro de la banda amarilla el escudo de España, adoptándose como tal el que figuraba en el reverso de las monedas de cinco pesetas acuñadas por el Gobierno provisional en 1689 y 1870.
La Marcha Real es sustituida por el Himno de Riego.
Ingresan en prisiones militares de San Francisco los generales Berenguer y Mola, acusado el primero por el derrumbamiento de Anual y el segundo por los sucesos de San Carlos.

28 abril 1931

Se dispone que en todos los trabajos agrícolas, los patronos emplearán preferentemente a los braceros que sean vecinos del municipio en que aquéllos deban verificarse.
Maciá anuncia de manera definitiva el Consejo de la Generalidad. Queda constituido de la forma siguiente:

PRESIDENCIA	Francisco Maciá
Gobernación	Juan Casanovas
Instrucción	Ventura Gassol
Fomento Ob. Pub. y Agricult.	Serra Moret
San. Hig. Benef.	Vidal Rosell
Hacienda	Carrasco Formiguera

29 abril 1931

Aparece el primer decreto sobre Reforma Agraria, prohibiendo los desahucios de fincas rústicas entregadas en arrendamiento.
Es admitida la mujer en las oposiciones para Notaría y Registro de la Propiedad.
Son suprimidas las Ordenes militares de Santiago, Montesa, Alcántara y Calatrava.
Se redacta el reglamento de «Acción Nacional».

1 mayo 1931

Fiesta del Trabajo. Se declara festivo el 1.º de mayo. En Madrid encabezan una manifestación los ministros y dirigentes socialistas.
El Cardenal Segura publica en el «Boletín Eclesiástico del Arzobispado de Toledo» una pastoral, que el ministro de Justicia consideró como una declaración de guerra.

La República en su mejor momento, cuando aún no había empezado a realizarse. Sus principales personajes, entre ellos Pedro Rico, alcalde madrileño, Largo Caballero, Unamuno y Prieto, gozosos en la celebración del primer 1.º de Mayo republicano.

2 mayo 1931

Es nombrado Capitán general del Ejército Francisco Aguilera y Egea.
Trotsky pide autorización para residir en España. Desde Constantinopla se dirige telegráficamente a Alcalá Zamora y Maciá.

3 mayo 1931

En la «Gaceta» se publica el decreto sobre la reforma de artículos del Código penal común de 1870 y de los Códigos penales del Ejército y de la Armada.

5 mayo 1931

Se suspenden las convocatorias para exámenes de ingreso en el Cuerpo General de la Armada, Infantería de Marina, Intendencia e Intervención de la Armada.
El marqués de Luca de Tena se entrevista, en Londres, con Alfonso XIII.
Una protesta de los obreros moros provoca violentos sucesos en Tetuán.

Los fieles a la Monarquía intentaron organizarse legalmente y constituyeron el Círculo Monárquico Independiente. Un momento del acto inaugural de esta entidad, que vendría a ser motivo de tantas violencias.

6 mayo 1931

La instrucción religiosa no será obligatoria en las Escuelas primarias, ni en ninguno de los demás Centros dependientes del Ministerio de Instrucción Pública.
Se inicia la discusión del dictamen sobre el Estatuto de Cataluña; preside la Comisión Luis Bello.

7 mayo 1931

Nace «Acción Nacional», con el lema «Religión, Patria, Familia, Orden, Trabajo, Propiedad».
Se organizan los Jurados Mixtos Agrarios.

8 mayo 1931

Se modifica la Ley Electoral a efectos de elección para Cortes Constituyentes. Se señala la edad mínima de 23 años en lugar de 25. Los sacerdotes y mujeres serán elegibles, así como los ministros de la República y los funcionarios de la Administración Central. Se suprimen los distritos, salvo los de Melilla y Ceuta, que elegirán uno. Los diputados son elegidos por un escrutinio de listas por provincias. Cada provincia tendrá derecho a un diputado por cada 50.000 habitantes. La fracción de 30.000 habitantes dará derecho a elegir un diputado más. En las ciudades de Madrid y Barcelona se forman circunscripciones propias; en éstas se excluyen a los pueblos de cada una de esas provincias, que constituyen a su vez circunscripciones independientes de la capital. Las capitales de provincia con más de 100.000 habitantes tienen, juntamente con los pueblos que corresponden a sus partidos judiciales, circunscripciones independientes, de la misma manera que Madrid y Barcelona. Para ser elegido diputado en el primer escrutinio será necesario haber obtenido el 20 % de los votos. En el segundo escrutinio el voto quedará restringido, según la escala aplicable al número de votantes.
Amadeo Hurtado declara que «el que hable de separatismo catalán es un agente provocador».
Se firma un decreto sobre relaciones entre el Gobierno Provisional y la Generalidad de Cataluña.

Nutridas fuerzas de la Guardia Civil hubieron de ser enviadas para defender la sede del diario "ABC". Desde los primeros días republicanos su significación monárquica le había convertido, para la opinión popular enardecida, en el símbolo más fácil del régimen caído y en el más cómodo para mostrar el odio hacia lo monárquico.

Las quemas de conventos constituyeron el primer descalabro de la España republicana. Fueron como un desliz del subconsciente nacional que le delató a los ojos de muchos y prefiguró, de inmediato, recelos e intransigencias. En Madrid las hubo abundantes a los pocos días de vigencia de la República. Las fotos recogen los incendios del convento-colegio del Sagrado Corazón de Chamartín (izquierda), de la iglesia de los jesuitas de la Gran Vía (arriba, a la derecha) y del Instituto de Areneros, de la misma Compañía (debajo).

9 mayo 1931

Se nombra embajador de España en los Estados Unidos de América a Salvador de Madariaga.
Cesa el teniente general Emilio Fernández Pérez en el cargo de capitán general de la 6.ª Región Militar. Le sustituye el de división Germán Yuste.
Por la mañana se inaugura el Círculo Monárquico en una casa de la calle Alcalá. En esta primera reunión se produce un choque entre republicanos y monárquicos. Una manifestación intenta asaltar el edificio del diario «ABC»; la Guardia Civil protege el edificio. La C.N.T. decide la huelga para el día siguiente.

11 mayo 1931

Se determina la jurisdicción de los Tribunales de Guerra y Marina.
Quema de edificios religiosos en Madrid. Arden el convento de la calle de la Flor, el del Sagrado Corazón, en Chamartín, la Residencia de Jesuitas de Alberto Aguilera, el de las Salesas, el de Maravillas, el de las Adoratrices y la iglesia de Bellas Vistas.
Se eleva a Embajada la Legación de España en Méjico.

12 mayo 1931

Las quemas de iglesias se extienden por todo el Sur y Levante de la Península.
Aparece en la «Gaceta» el decreto de disolución del Consejo Supremo de Guerra y Marina.

Entre la furia de las masas exaltadas, un religioso del convento de los carmelitas de Madrid abandona su residencia.

13 mayo 1931

Suspensión de los diarios «ABC», «El Debate» y «Mundo Obrero».
Carlos Blanco es sustituido en la Dirección General de seguridad por Angel Galarza.
Incautación de los bienes privados de Alfonso XIII, colocados en España.
Se suprimen en la Marina los empleos de capitán general y de almirante de la Armada.

16 mayo 1931

El Obispo de Vitoria, Mateo Múgica, es «invitado» a pasar la frontera de Irún, dado el «carácter eminentemente político que daba a sus visitas a las ciudades de su diócesis».

19 mayo 1931

El Consejo de ministros acuerda el levantamiento del estado de guerra en Madrid.
Melquiadez Álvarez, víctima de un ataque de lipotimia, cae desvanecido al suelo cuando pronunciaba un discurso.

20 mayo 1931

Pasan a depender del Ministerio de Comunicaciones los servicios del Consejo Superior de Aeronáutica y de la Dirección General de Navegación y Transportes Aéreos.
Reanuda su publicación «El Debate», suspendido el día 13.
Es nombrado rector de la Universidad de Salamanca, Miguel de Unamuno.
Aparece en la «Gaceta» el decreto estableciendo la libertad de cultos y de conciencia.

23 mayo 1931

Largo Caballero declara en Ginebra que el comunismo no es un peligro para España.

24 mayo 1931

Niega el Vaticano su «placet» diplomático a Luis Zulueta.

La República planteó, muy pronto y muy drásticamente, la situación de la Iglesia en España. En la foto el obispo de Vitoria, Mon. Mateo Múgica, que atrajo las iras del régimen recién implantado y salió exiliado en el mes de mayo, a pesar de la presencia de un recio católico en el Ministerio de la Gobernación.

25 mayo 1931

Reorganización del Ejército. Se reducen las fuerzas del Ejército activo a ocho divisiones, en lugar de las dieciséis existentes. Se suprimen los grados de capitán general y teniente general. Las Capitanías Generales de las Regiones se convierten en Comandancias.

26 mayo 1931

Celebración del primer centenario de la muerte de Mariana Pineda; cada media hora se dispara un cañonazo, siendo de veintiuno la primera y la última salva.
Se implanta el Seguro Obligatorio de Maternidad.

27 mayo 1931

Es autorizado el Banco de España para elevar la circulación de billetes sobre el límite de 5.200 millones.

28 mayo 1931

Azaña prorroga hasta el 20 de junio el plazo para que los militares puedan acogerse a los beneficios del decreto del 23 de abril.

31 mayo 1931

Elecciones municipales en aquellas poblaciones en que se hayan incoado expedientes de protesta por los resultados de las elecciones del 12 de abril.

Mayo 1931

A finales de mayo, el ministro de Hacienda anuncia que se había firmado un contrato con la Nafta soviética para el aprovisionamiento de petróleo.
Otra medida de Prieto fue anular el monopolio del tabaco, para las plazas de soberanía española en Marruecos, de que gozaba Juan March.

3 junio 1931

Reanudan su publicación los diarios «ABC» y «Mundo Obrero».

4 junio 1931

Convocatoria de las Cortes Constituyentes. El Gobierno señala la fecha del 28 de junio para la celebración de las elecciones y la del 14 de julio para la apertura de las Cortes.

5 junio 1931

El teniente general Sanjurjo, a petición propia, cesa en el cargo de Alto Comisario de España en Marruecos y Jefe Superior de las fuerzas militares. Pasa a ocupar la Alta Comisaría Luciano López Ferrer.

6 junio 1931

Companys dimite el cargo de Gobernador Civil de Barcelona.

7 junio 1931

De 48 pesetas por libra esterlina, a que había llegado en la peor crisis de la Monarquía, la peseta cayó a 50,57 y hasta a 61,50.

Ante la gravedad de los acontecimientos del 11 de mayo en Madrid, la nueva República tuvo que inaugurarse con medidas de excepción. El general Queipo de Llano lee el bando que proclama el estado de guerra.

Miguel Maura, hijo de Antonio Maura, el gran político mallorquín, cuajó su figura política en tiempos de la Monarquía. En la República quiso ser un contrapeso conservador, pero pronto quedó desbordado. En la fotografía, entre Galarza y Carlos Blanco, en la toma de posesión del primero como Director General de Seguridad, tras la dimisión de Blanco.

La "Iglesia española", aliada del conservadurismo liberal decimonónico, quedó quintaesenciada en la figura suprema del Primado, cardenal Segura. Su declaración de principios le hizo inasimilable a los ojos de la República y le exilió. Se había echado a la Monarquía y se echaba ahora a la Iglesia. ¿Hombres geniales, ilusos o sectarios los que daban tan sencilla respuesta a las más profundas vivencias de nuestro subconsciente colectivo? A la derecha, momento en que el Cardenal sale de Guadalajara camino del exilio.

Ángel Galarza, político radical-socialista, pasó a ocupar la Dirección General de Seguridad a raíz de los sucesos de mayo de 1931. Estando en el cargo se creó la Guardia de Asalto, fuerza especial destinada a la defensa de la República. Se nutrió de hombres bien entrenados y fieles al régimen.

9 junio 1931

Después de unos días en Roma regresa a España el Cardenal Primado D. Pedro Segura. El día 13, el Gobernador civil de la provincia de Guadalajara le conmina a ponerse en marcha hacia la frontera con Francia, por orden del Gobierno de la República. A las 6 de la mañana del 14 sale de Guadalajara acompañado de un comisario de policía de Madrid. A las 8 de la tarde pasa la frontera.
Se establece una cátedra para conocimiento y estudio del idioma catalán, en cada una de las Escuelas Normales de Maestros de Cataluña.

12 junio 1931

El Gobierno Provisional aprueba las bases para aplicar a la Agricultura la ley de Accidentes de Trabajo.
Un decreto preparado por Marcelino Domingo creaba 27.000 nuevas escuelas de primera enseñanza, de las cuales 7.000 debían inaugurarse antes de que terminase el año.

13 junio 1931

Se crea el semanario «Libertad», órgano de las J.O.N.S.
Presenta la dimisión el Gobernador civil de Madrid Eduardo Ortega y Gasset. Es nombrado Emilio Palomo Aguado.

14 junio 1931

En Estella, los representantes de 480 municipios vascos y navarros aprueban un proyecto de Estatuto general del Estado vasco.
Se delimitan y coordinan las atribuciones inherentes al Alto Comisario y al jefe Superior de las fuerzas militares en la Zona del protectorado de España en Marruecos. Recae el primer cargo en funcionario civil, autoridad suprema, y el segundo en un oficial general del Ejército.

López Ferrer sucede a Sanjurjo como Alto Comisario de España en Marruecos, autoridad suprema de la Zona del protectorado, quedando separado con el de Jefe Superior de las fuerzas militares supeditado al primero. Con la designación de un personaje civil para desempeñar este cargo, Azaña obraba en consonancia con sus ideas respecto al ejército que iría realizando implacablemente. A la izquierda, López Ferrer conversando con el saliente general Sanjurjo; sobre estas líneas, el nuevo Alto Comisario con Fernando de los Ríos y el general Miguel Cabanellas, jefe superior de las fuerzas.

Se suprime el cargo de Capitán general de Región y se determinan las atribuciones de los generales jefes de las ocho regiones orgánicas y de la de Caballería. Se suprime también en el Estado Mayor general del Ejército la dignidad de Capitán general y la categoría de teniente general.

19 junio 1931

Convenio entre los Bancos de España y Francia, sobre un crédito de 300 millones de francos.

20 junio 1931

Partidarios y enemigos de Portela Valladares se acometen a bofetadas en un mitin organizado por la Federación Republicana Gallega en Lugo.

23 junio 1931

Se concede el pase a la situación de reserva a los generales y a la de retirados a los jefes y oficiales de Marina que lo soliciten en el plazo de diez días.
«Entre unos y otros nos están desdibujando la República», escribe José Ortega y Gasset.

25 junio 1931

Se nombra Presidente del Consejo de Estado a Carlos Blanco Pérez.
Se crea el Cuerpo General de Aviación.
A los generales, jefes y oficiales que obtuvieron ascenso por méritos de guerra con posterioridad al 13 de septiembre de 1923, se les concede el pase a la situación de segunda reserva o a la de retirado en las condiciones fijadas por el decreto de 25 de abril.
El comandante Ramón Franco y el capitán del Cuerpo de Inválidos Juan Galán resultan cada uno con la fractura de una pierna al hundirse el escenario del teatro de Lora del Río, cuando celebraban un mitin.

Carlos Esplá, periodista catalán, es nombrado Gobernador Civil de Barcelona. Un momento del acto de la toma de posesión; a su derecha, Luis Companys, saliente de dicho cargo.

Azaña sabía que había llegado su momento y estaba decidido a aprovecharlo. Aparte de ser la auténtica figura del republicanismo español, preparaba a su partido para las elecciones a diputados. Un momento del banquete. En torno al jefe de Acción Republicana los componentes de la minoría. De izquierda a derecha: Franco López, (?), ¿Esteban Mirasol?, Luis Bello, Antonio Velao, Manuel M. Riscos, Pedro Romero Rodríguez, Pedro Rico, Matías Peñalba, Serrano Batanero, Isidoro Vergara, Fernández Clérigo, Azaña, Carlos Esplá, José Giral, Fernando Coca, Francisco Carreras, Royo Gómez, Sánchez-Albornoz, Mariano Ansó, Enrique Ramos, (?), y Ruiz Funes.

Se hablaba del nuevo régimen republicano como "la niña bonita". En los primeros momentos de euforia y alegría desbordadas hasta hubo concurso oficial para elegir "Miss República". He aquí a la bonita niña que resultó agraciada en 1931.

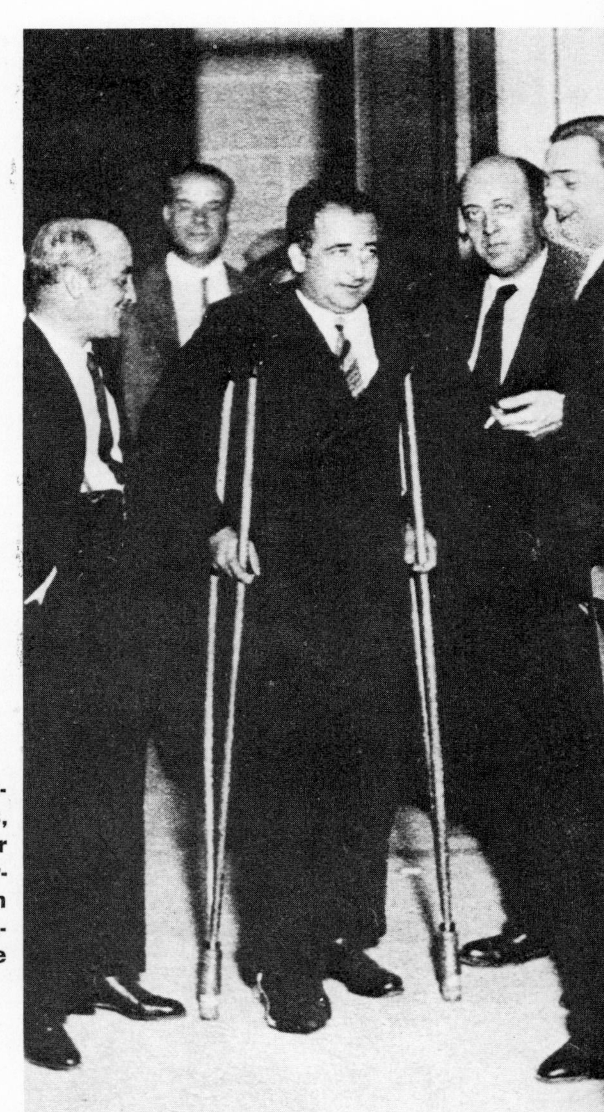

Ramón Franco aparece con muletas, después de sufrir rotura de una pierna al hundirse en Lora del Río el tablado desde el que daba un mitin.

El Estatuto era presentado a la región catalana como la solución de todos sus problemas. El ardor con que lo defendió contagió a otras partes del país. La redacción del proyecto fue laboriosa. Una asamblea de parlamentarios discutiéndolo.

José Ortega y Gasset, magnífico representante de la intelectualidad española comprometida con su país. Su ejecutoria profesional, cuajada de realizaciones de categoría universal, estuvo bien interesada por la concreta problemática de su pueblo y de su tiempo y a ella puso manos con el ensayo científico y con la acción política. No vería satisfechas sus ilusiones, ni mucho menos, con el restablecimiento de la República, de la que recibió amargas decepciones. En el Cine de la Ópera durante una conferencia política.

Victoria Kent fue una de las contadas mujeres que tuvo significación política importante en el régimen republicano. Abogado, perteneciente al Partido Radical-Socialista, llegó a ser Directora General de Prisiones. La fotografía recoge el momento de la entrega de la nueva cárcel de mujeres de Ventas de Madrid.

La República se inicia entre una marea incontenible de desorden público, mezcla de euforia y de odios contenidos. Todos los problemas se destaparon libres pidiendo mágica solución instantánea. En Sevilla, donde la situación de los campesinos era especialmente grave, no faltaron revueltas y mítines reivindicadores de tierras y libertades. Fue grave el que se originó en complicidad con elementos de aviación de Madrid y que tuvo por centro el aeródromo de Tablada. Diversos personajes, entre ellos Ramón Franco, pretendieron desatar la "revolución social" en pro de los campesinos. El Gobierno envió al general Sanjurjo que pronto dio buena cuenta del complot. Arriba, vista aérea del aeródromo de Tablada. A la izquierda, el médico Dr. Vallina, apasionado de la política, que participó en el movimiento revolucionario de Tablada y pretendió tomar Sevilla al asalto con sus huestes campesinas.

27 junio 1931

El Gobierno envía a Sevilla al director general de la Guardia Civil, general Sanjurjo, que desarticula un complot en el aeropuerto de Tablada.

28 junio 1931

Se celebran elecciones generales. Fueron a las urnas 4.384.691 votantes de los 6.199.750 inscritos. Las ciudades de más de 100.000 habitantes (con circunscripción especial) eran: Madrid, Barcelona, Valencia, Sevilla, Málaga, Zaragoza, Bilbao, Granada y Córdoba. Dominaban en las Constituyentes los de profesión intelectual procedentes de las clases medias, pero por primera vez había numerosos diputados de origen obrero.

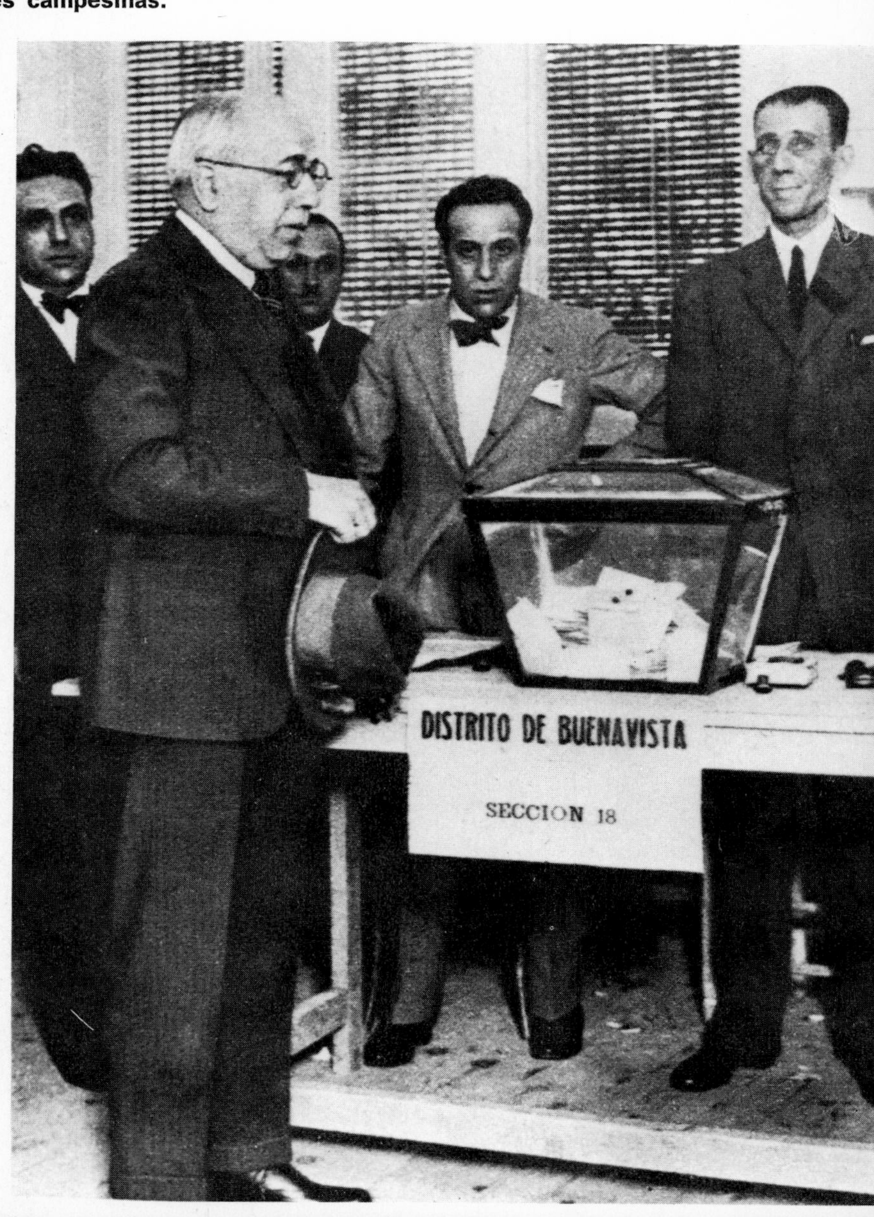

El sistema de las urnas ya era viejo en el país; se trataba de saber si ahora iba a ser nueva la actitud del régimen ante ellas. Desde luego, la honradez y la espontaneidad no dejarían de sufrir quebrantos. El país seguía su propio ritmo histórico por encima de teóricos y revolucionarios de ocasión. Elecciones generales de junio del 31. Azaña acude a cumplir con sus deberes ciudadanos.

ELECCIONES DE JUNIO DE 1931

Partido	Escaños
Socialistas	115
Socialistas disidentes	1
Radicales	90
Radical-Socialistas	52
Radical-Socialista Revolucionario	1
Radical-Socialista Independiente	2
Izquierda Catalana	37
Socialista Catalán	4
Izquierda Catalana y Radical Socialista	2
Acción Catalana	2
Catalanista	1
Liga Regionalista	4
Acción Republicana	30
Progresistas	8
Conservadores	15
Federación Republicana Gallega	14
Galleguista	1
Acción Republicana Gallega	5
Agrupación al Servicio de la República	13
Vasconavarros	15
Agrarios	25
Monárquico Liberal	1
Liberales Demócratas	2
Unión Liberal Parlamentaria	1
Federales	12
Federales Independientes	2
Independientes	18
	473

El cardenal arzobispo de Sevilla, Dr. Ilundain, acude a votar. Los eclesiásticos llevaron a las urnas sus votos en un intento de contrarrestar el triunfo izquierdista que se mostraba amenazador.

El caldeado ambiente en que se desarrollaron las elecciones en Málaga, estalló en sangrienta revuelta que requirió la declaración del estado de guerra. La autoridad militar extremó la vigilancia en las calles.

Dificultades de todo tipo acecharon a la República desde los primeros momentos. Hubo serios aprietos económicos. La peseta pasó a cotizarse a 71 por libra cuando en los peores tiempos de la monarquía no había bajado de 48 por libra. Hubo también que revisar los tipos de interés, llegándose a establecer hasta del siete por ciento para los créditos personales.

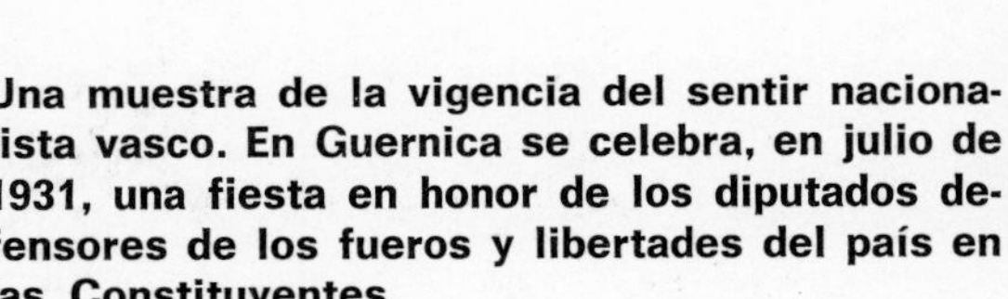
Una muestra de la vigencia del sentir nacionalista vasco. En Guernica se celebra, en julio de 1931, una fiesta en honor de los diputados defensores de los fueros y libertades del país en las Constituyentes.

30 junio 1931

Azaña suprime la Academia General Militar. El general Director Francisco Franco, los jefes y oficiales pasan a la situación de disponibles forzosos. Las Academias militares quedan reducidas a tres: una para Infantería, Caballería e Intendencia en Toledo; la segunda se constituirá con las especiales de Artillería e Ingenieros en Segovia y por último la Academia de Sanidad Militar.

2 julio 1931

Causa baja en el escalafón general del Magisterio el cardenal Primado de España Doctor D. Pedro Segura.
Creación del Cuerpo de Intervención Civil de la Marina.

4 julio 1931

En ausencia del ministro de la Gobernación se encarga interinamente de dicho Ministerio Casares Quiroga.

5 julio 1931

Es nombrado Gobernador Civil de Sevilla José Bastos Ansart.

7 julio 1931

Regresa a Madrid el ministro de la Gobernación.

8 julio 1931

Nuevos tipos de interés en las operaciones que realice la Banca: descuentos comerciales, 6,5 %; préstamos y créditos con garantías de valores industriales, 6 %; créditos personales, 7 %.

9 julio 1931

Los cementerios son declarados dependientes de la Autoridad Municipal.

38 La Academia General Militar de Zaragoza, símbolo del espíritu del militar español profesional.

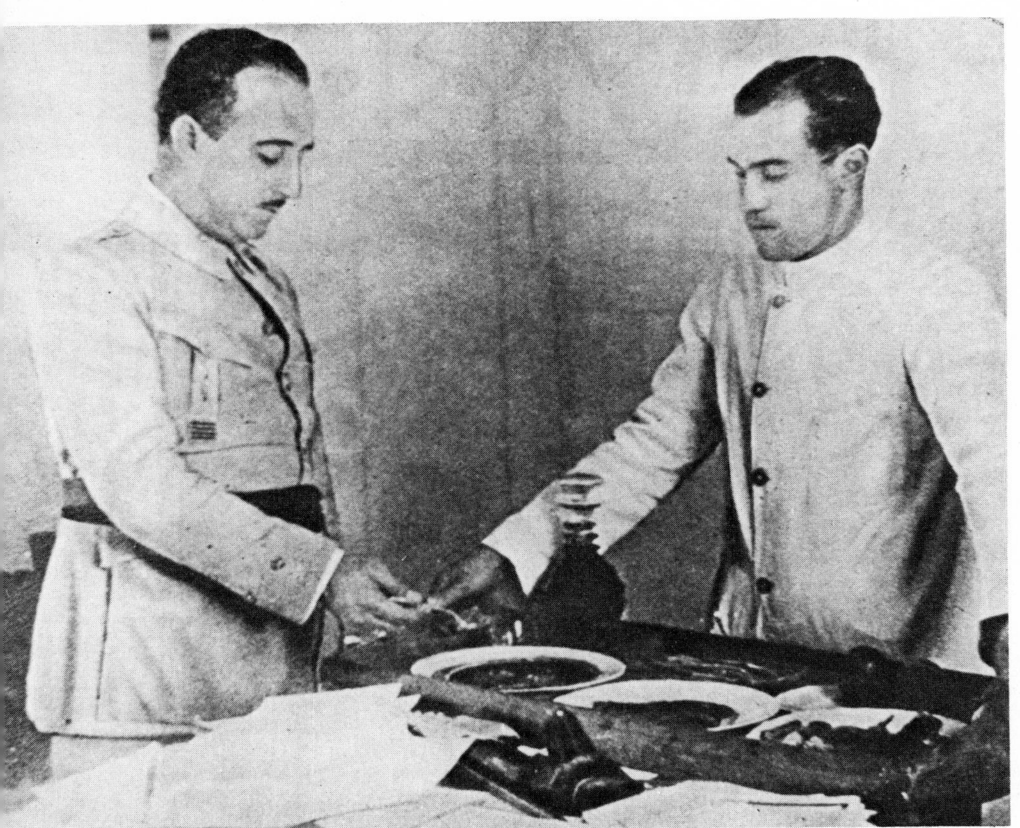

Franco, director de la Academia General, observa y prueba la comida de los alumnos cadetes.

Las medidas de Azaña desde el Ministerio de la Guerra fueron drásticas. Entre otras, la supresión de la Academia Militar de Zaragoza. El 14 de julio, el general Franco, su director, se despedía de los alumnos con emoción y tristeza.

10 julio 1931

Se inaugura el Congreso extraordinario del Partido Socialista.

11 julio 1931

Entrega las cartas credenciales el embajador de Francia en España, Jean Herbette.
Revisión de los contratos agrícolas sobre rentas que superen las 15.000 pesetas anuales.

12 julio 1931

Segunda vuelta de las elecciones para las Constituyentes.

14 julio 1931

Apertura de las Cortes Constituyentes. Por 363 votos, es elegido Presidente Juan Besteiro, catedrático de Lógica de la Universidad de Madrid.

15 julio 1931

Queda elegida la Comisión de Actas; veinticinco son las protestadas.

17 julio 1931

Decreto relativo a la organización de la Marina Militar.

Las Cortes Constituyentes, inauguradas el 14 de julio, atrajeron la atención del país y de modo especial la de los madrileños que contemplan la llegada del cortejo presidencial y se mantienen expectantes en los alrededores del Palacio de las Cortes.

Un aspecto de la Cámara el día de la apertura del Parlamento con el banco del Gobierno completo escuchando el discurso del Presidente.

Julián Besteiro o el socialista teórico. Catedrático de Lógica de la Universidad de Madrid, fue Presidente de las Cortes Constituyentes. Espíritu grande que luchó por sus convicciones y naufragó en el marasmo de bajezas y egoísmos que se enseñoreó de España.

Tristes sucesos derivados de la violencia desatada. En Bilbao fueron asesinados los sacerdotes Ichaurriaga y Zamalloa. Una instantánea del entierro del primero, llevado a hombros y acompañado por otros sacerdotes.

La República trajo la libertad de asociación política. Proliferaron los partidos a tenor de la tradicional insolidaridad hispana. Todos iban a tener ocasión de manifestarse; todos pretendían hacerse oír; pocos iban a estar dispuestos a escuchar. En el Parlamento, el diálogo múltiple iría derivando en alternante monólogo intransigente, según la preponderancia de unos u otros. Al final, el caos. El Presidente de las Cortes con los jefes de las minorías parlamentarias. De pie: Giral, Guerra del Río, Ruiz del Río, Juan Simeón Vidarte, José Ortega y Gasset, Companys y Beunza. Sentados: Besteiro y Franchy Roca.

En el sistema republicano actuaron con distinta importancia una serie de minorías políticas, que consiguieron representación en las Cortes. La minoría radical-socialista, de tono liberal izquierdista, no tuvo demasiada entidad como tal, aunque contase, eso sí, con miembros especialmente destacados. En la fotografía vemos reunidos a algunos de sus principales componentes. Sentados: Victoria Kent, Emilio Baeza, M. Domingo; de pie: Galarza, Salmerón, Feced, Palomo y Pérez Madrigal.

La minoría progresista reunida. El progresismo era algo anacrónico en los nuevos tiempos republicanos y tuvo poca eficacia. Sólo su jefe Alcalá Zamora consiguió hacer carrera política personal. Sentados: Del Castillo Estremera, César Juarros, Alcalá Zamora, Carlos Blanco y Roldán Sánchez. De pie: Soles, Arranz, Fernández Castillejos, Aramburu, Centeno, Castrillo, Del Río Rodríguez, Marcos, Ayats y Castillo Folache.

Tampoco tuvo especial relieve el grupo gallego de la O.R.G.A. Con su actuar más bien atenido a la línea general del azañismo, sólo destacó por algún objetivo muy particular —caso de la autonomía gallega— o por algunos de sus hombres: Gómez Paratcha y, sobre todo, Casares Quiroga, quien llegó a las más altas responsabilidades políticas. De izquierda a derecha: Gómez Paratcha, González López, Tenreiro Rodríguez, Casares Quiroga, Poza Juncal, Fernández Pérez, Villar Ponte y Cornide Quiroga.

La minoría de Acción Republicana acaso fuese la más representativa de lo que, en teoría, debía de ser el nuevo régimen. En la práctica, sin embargo, careció del realismo necesario y resultó desbordada por las extremas, que se mostraron mucho más adecuadas a la situación de las masas españolas, y que habrían de ser las que jugaron, al fin, el destino patrio.

La República tuvo mucho de eufemismo en su denominación. El auténtico espíritu republicano no era sino el de una minoría, mientras que bajo su manto estaba arropada una muy diversa gama de tendencias políticas, responsables en gran modo de la inviabilidad del nuevo sistema. Entre estas tendencias, la socialista fue una de las más importantes. El Partido Socialista español había tenido una historia heroica pero modesta, casi por completo al margen del poder. Pero con la República encontró su vía hacia la dominación política y la revolución. En la foto, la minoría socialista reunida en torno a Largo Caballero.

En el primer bienio las fuerzas izquierdistas dirigieron la marcha de la República. En estos años la minoría radical, que vemos reunida en la foto, actuó en la oposición por su firme propósito de no colaborar con los socialistas, aliados de Azaña. Sin embargo, el partido de Lerroux tendría amplias posibilidades de juego durante el segundo bienio en el que las derechas controlaron el poder.

18 julio 1931

Choque entre huelguistas y esquiroles en Sevilla. Un obrero de la fábrica Osborne es asesinado; en el entierro, dos días más tarde, los anarcosindicalistas hacen frente a la fuerza pública, de lo que resultan tres guardias de Seguridad y cuatro obreros muertos, así como gran número de heridos. El 21, huelga general en Sevilla. El 22, se declara el estado de guerra. En la madrugada del siguiente día, al pasar una conducción de presos por el Parque de María Luisa se ordenó cambiar de furgoneta; los presos intentaron escapar, produciendo la intentona cuatro muertos. La República estrena «ley de fugas». Los revolucionarios se hacen fuertes en la taberna «Casa Cornelio». El ministro de la Gobernación, de acuerdo con la autoridad militar, bombardea la taberna. El día 24 continuó la lucha en la provincia, con muertos y heridos en ambos bandos. Estos sucesos repercutieron en apasionado debate parlamentario.

Se anula el acta de Calvo Sotelo, que se encontraba ausente cuando se celebraron las elecciones.

En Sevilla se viven graves revueltas anarquistas. Se declara el estado de guerra y se llega a bombardear la "Casa Cornelio", taberna donde se habían refugiado y hecho fuertes los sublevados.

La virulencia que tomó la revuelta social en Sevilla decidió a Maura, entonces ministro de la Gobernación, a tomar medidas drásticas, en especial en el asunto de Casa Cornelio. En la foto aparece con el general Ruiz Trillo, jefe de la 2.ª División, encargado de la represión.

En las Cortes Constituyentes hubo ocho diputados sacerdotes, que se agruparon en los distintos partidos. Diputado por Pamplona, Antonio Pildain, canónigo, intervino con energía en las Cortes, en especial con motivo de la discusión del artículo 26. Era del grupo católico nacionalista.

Ricardo Gómez Rojí tenía experiencias del obrerismo católico, al que había dirigido en Burgos. Con el grupo de los Agrarios, salió diputado por esta ciudad.

Canónigo de Toledo y diputado por esta ciudad, Ramón Molina Nieto pertenecía a Acción Nacional, pero se agrupó con los Agrarios.

Luis López Dóriga consiguió un acta de diputado en Granada, de cuya catedral era Deán, con una amplísima votación. Había sido patrocinado por la coalición republicano socialista. Por su actuación sería castigado con la suspensión "a divinis", en diciembre del 31. Después, a principios de 1933, el vicario capitular de Granada volvería a penarle, esta vez con la excomunión y privanza de los beneficios de su cargo, cumpliendo el mandato de la Sagrada Congregación del Santo Oficio.

Diputado por Zaragoza, de donde era canónigo, Santiago Guallar Poza pertenecía a Acción Nacional.

Jerónimo García Gallego, era republicano independiente. Canónigo de Sevilla, fue elegido diputado por Segovia.

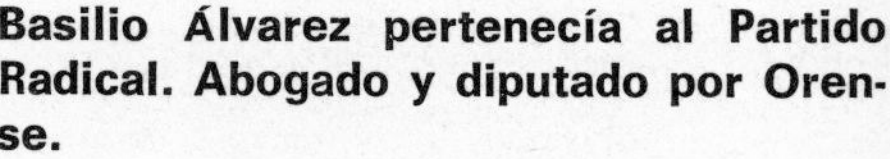

Basilio Álvarez pertenecía al Partido Radical. Abogado y diputado por Orense.

Lauro Fernández, canónigo de Santander, había trabajado mucho en el campo del sindicalismo católico. Como independiente, llegó a ser diputado por esta misma ciudad.

22 julio 1931

El embajador de Méjico entrega sus cartas credenciales al Presidente del Gobierno.
Lucha de la U.G.T. y de la C.N.T. en toda España.
Angel Pestaña declara en Valencia que «hay que ir a un comunismo libertario».

23 julio 1931

Nuevas emisiones de billetes del Banco de España con emblemas y alegorías de la República; se procede al estampillado de todos los que están en circulación.
Se ordena la clausura de todos los centros anarcosindicalistas de España y la detención de todos sus elementos directivos.

Ramón Franco, militar profesional, alcanzó fama como aviador con el vuelo del "Plus Ultra". Convencido republicano, colaboró en la traída del nuevo régimen, que le nombraría Director General de Aeronáutica. En la foto, en el aeródromo de Getafe.

Figura destacada entre los generales de la época, fue Goded hombre de actividad política desde los tiempos de la Dictadura. En 1931 fue jefe del Estado Mayor Central y habría de participar decisivamente, años después, en el éxito del Alzamiento, aunque en tal empresa dejara la vida al fracasar en Barcelona la sublevación.

24 julio 1931

Se extinguen todas las Ordenes dependientes del Ministerio de Estado, a excepción de la de Isabel la Católica. Son disueltas las Asambleas de Carlos III e Isabel la Católica y el Consejo de la Orden del Mérito Civil.

25 julio 1931

Miguel Maura se separa de la Derecha Liberal Republicana.

27 julio 1931

Terminada la discusión de actas, es confirmado presidente de la Cámara Julián Besteiro, por 326 votos.
Se presenta el proyecto de Constitución. El debate sobre la totalidad del proyecto duraría hasta el 9 de diciembre.
Son nombrados Inspectores generales, con destinos a la 1.ª, 2.ª y 3.ª Inspección respectivamente, los generales Queipo de Llano, Rodríguez del Barrio y Gil Yuste y Jefe del Estado Mayor Central al general Goded.

La vieja división legitimista monárquica seguía animada por el carlismo intransigente que encontró posibilidad de colaborar en la oposición al nuevo régimen. El espíritu tradicionalista vivió el período en un segundo plano, pero con la guerra demostró su vitalidad y su capacidad combativa. En la foto, el Círculo Jaimista agasaja con un banquete a los diputados tradicionalistas. Los asistentes lucen en la solapa la consabida margarita.

Jiménez de Asúa (a la izquierda), catedrático de Derecho, socialista militante, fue alma de la Constitución de la República. Con Ossorio y Gallardo, que también intervino en su confección. Destacado jurista de ideas progresistas, Ossorio y Gallardo fue ministro de Fomento con Antonio Maura. Cuando la Dictadura, Ossorio no se resignó y estuvo contra ella. "Monárquico sin rey", la República le dio amplias posibilidades al figurar varias veces como embajador de España.

La República no se libró del tono de intransigencia con que había descalificado al régimen anterior. El proceso entablado contra la Dictadura es prueba de ello, en cuanto a la saña con que se planteó la cuestión de sus responsabilidades. Ante José Antonio se abren las cajas con los documentos de su padre, estando presente la Comisión de Responsabilidades. Teodomiro Menéndez, Martínez Torner, Bugeda, Peñalba, José Antonio, Cordero, Abeytua, Royo Villanova, Nogués y Serrano Batanero.

28 julio 1931

El Gobierno resigna sus poderes ante las Cortes; tras dos días de debates le otorgaron unánimemente su confianza.

29 julio 1931

Se constituye la Comisión parlamentaria, encargada de redactar el proyecto Constitución, bajo la presidencia de Luis Jiménez de Asúa.
Es elegida la Comisión de Responsabilidades.
Anulación total de las elecciones de Diputados verificadas en la circunscripción de Lugo.

1 agosto 1931

Es nombrado Fiscal General de la República Luis Franchy Roca.

2 agosto 1931

El Estatuto redactado por la Generalidad es aprobado por plebiscito por 592.691 votos a favor y 3.276 en contra.

4 agosto 1931

Queda disuelto, como órgano administrativo, el personal de Capellanes que formaba parte de la Sección facultativa del Cuerpo de Prisiones, el cual pasa a la situación de excedente forzoso a extinguir.

10 agosto 1931

Se designa primer delegado de España en la 12.ª Asamblea de la Sociedad de las Naciones al ministro de Estado.

12 agosto 1931

Se presenta en el Parlamento el proyecto de Ley sobre Responsabilidades.

13 agosto 1931

Llegan a España los diputados socialistas franceses Auriol y Leon Blum.

Otro episodio del proceso a la Dictadura. La Comisión Parlamentaria sale de Prisiones Militares de interrogar a los generales presos.

Maciá llega a Madrid con el proyecto del Estatuto catalán a punto para presentarlo al Gobierno. Sin duda era para él una feliz "devolución" de visita a la que le hiciera Alcalá Zamora en los primeros días de la proclamación para recomendarle moderación y paciencia.

Cataluña hizo de la autonomía su mejor bandera. La preparación del plebiscito a que fue sometido el Proyecto de Estatuto, se rodeó de abundante propaganda.

Los catalanes iban decididos a por su autonomía. El entusiasmo de su gobierno tenía su respaldo en el entusiasmo popular, que en la foto se manifiesta en la plaza de la República en Barcelona.

Cataluña demostró, al paso que su deseo de autonomía, una notable actividad política desde el primer momento. Maciá convoca a los parlamentarios de Cataluña para discutir el proyecto de Constitución de la República. De izqda. a dcha.: Ramón Franco, Santaló, Puig Ferrater, A. Xirau, Ayguadé, Tarradellas, Selvas, Companys, Jiménez, Maciá, Gassol, Nicolau, Campalans, Sbert, Carner, Hurtado, Lluhí Vallescá y Alomar.

14 agosto 1931

El Presidente de la Generalidad hace entrega del Estatuto al Presidente del Gobierno Provisional.
Es detenido, al intentar pasar la frontera de Irún, el Vicario General de Vitoria Justo Echeguren, portador de unos documentos para el Dr. Múgica. El ministro de la Gobernación informó que tales documentos estaban relacionados con la venta de los bienes de la Iglesia y el modo de poner su producto a salvo.

18 agosto 1931

Alcalá-Zamora presenta a las Cortes el Estatuto Catalán.

19 agosto 1931

Se considera delito y se castiga con la pena de cuatro meses y un día de arresto mayor a un año de prisión correccional, el llevar armas cortas de fuego sin licencia.

20 agosto 1931

Publica la «Gaceta» el decreto que quita a la Iglesia, Ordenes e Institutos religiosos la facultad de venta sobre bienes muebles e inmuebles.

22 agosto 1931

Se restablece en todo su vigor la ley Penal de 7 de noviembre de 1923, para la Marina Mercante.
Se prohibe la venta a extranjeros de buques mercantes nacionales.

23 agosto 1931

A consecuencia de las fiestas vascas en Pamplona se ocasionan choques entre nacionalistas, republicanos y socialistas. Quince muertos.
Prisión y libertad bajo fianza de los directores de los periódicos derechistas de Pamplona.

25 agosto 1931

Las Cortes nombran la Comisión de Reforma Agraria.
Se aprueba el reglamento para la aplicación a la agricultura de la ley de Accidentes del trabajo.

27 agosto 1931

Las Cortes Constituyentes inician la tarea de dar a España una nueva Constitución. El proyecto que presenta Jiménez de Asúa consta de 10 títulos y 121 artículos. El debate duraría hasta el 9 de septiembre.

28 agosto 1931

Dimite el Gobernador Civil de Sevilla José Bastos Ansart.
Se dispone que, a partir de 1.º de septiembre, sea de siete horas la jornada de trabajo en las labores subterráneas de las explotaciones carboníferas.
Se crea un Escuadrón de Caballería encargado de la escolta del Presidente de la República, así como de la de los Ministros Plenipotenciarios y Embajadores extranjeros.

1 septiembre 1931

Huelga general en Zaragoza. Tiene que intervenir el Ejército para imponer el orden.

2 septiembre 1931

Son detenidos, por orden de la Comisión de Responsabilidades, los ministros pertenecientes al Directorio militar formado en 1923 que se encontraban en Madrid.
La Federación local de Sindicatos Unicos de Barcelona pide la libertad de los presos gubernativos y la destitución del Gobernador accidental Sr. Anguera de Sojo. El día 3, estalla la huelga general; el 4, la policía es recibida a tiros al intentar un registro en el Sindicato Unico.

5 septiembre 1931

Huelga de mineros en Asturias. Es detenido, en Jaca, el capitán Rexach.

8 septiembre 1931

Se promulga una Ley fijando las plantillas del Estado Mayor Central en sus diferentes categorías.
Huelga en la cuenca minera de León.

Redactar una Constitución fue el primer empeño de la República. Jiménez de Asúa presidió la Comisión de diputados que elaboró el proyecto. En seguida fue presentado al presidente de las Cortes, acto que recoge la fotografía. Junto a Besteiro, Jiménez de Asúa, los miembros de la Comisión y los jefes de las minorías parlamentarias que estuvieron presentes en la entrega.

Galo Ponte, de los encartados en el proceso a la Dictadura. En atención a su precario estado de salud, sale de la cárcel en situación de libertad provisional.

NUMERO 31 713

DIARIO DE SESIONES

DE LAS

CORTES CONSTITUYENTES

DE LA REPÚBLICA ESPAÑOLA.

PRESIDENCIA DEL EXCMO. SR. D. JULIAN BESTEIRO FERNANDEZ

SESION CELEBRADA EL DIA 2 DE SEPTIEMBRE DE 1931

SUMARIO

Abierta a las cinco y treinta minutos, se lee y aprueba el acta de la anterior.

Detención preventiva de los generales que formaron el primero y segundo Directorio Militar y de los que integraron el denominado Gobierno civil de la Dictadura; prisión preventiva del titulado ex Ministro de Justicia y Culto D. Galo Ponte: comunicaciones.

Protesta contra el proyecto de Constitución, en lo que afecta a las relaciones del Estado con la Iglesia: exposiciones, telegramas y telefonemas.

Circunscripción electoral de Lugo: credenciales.

Subasta del puente del Ezar sobre el río Jallas: ruego, por escrito, de los Sres. Reino, Blanco-Rajoy y España.

Subasta del trozo segundo de la carretera de Negreira a Mugía: ruego, por escrito, del Sr. Reino.

Proyecto de Constitución: primera lectura de una enmienda.

RUEGOS Y PREGUNTAS.—Intervención en la venta de los trigos; aclaración respecto al número de concejales necesario para establecer la décima de la contribución, destinada al paro forzoso: ruegos del Sr. Crespo.—Contestación del señor Ministro de Trabajo.

Cesantías decretadas por la Generalidad de Cataluña; restricciones relativas al profesorado de los colegios particulares: pregunta y ruego del señor Royo Villanova.—Contestación del Sr. Ministro de la Gobernación.

Elevación en el precio de los superfosfatos: ruego del Sr. Manteca.—Contestación del Sr. Ministro de Economía.—Manifestación del Sr. Manteca.

Terminación del debate sobre la interpelación del Sr. Gil Robles relativa a la suspensión de periódicos: proposición incidental.—La apoya el señor Baeza Medina.—Es aceptada en votación nominal.—Incidente en que se pide la lectura de algunos artículos del Reglamento e intervienen los Sres. Gil Robles, Guerra del Río y Presidente.

ORDEN DEL DIA.—Plantillas, proporcionalidad y destinos de las distintas categorías del Estado Mayor General del Ejército y sus asimilados; nueva modalidad de los servicios de Ingenieros en relación con las construcciones militares: dictámenes.—Quedan aprobados.

Separación de las categorías superiores de los Institutos de la Guardia civil y Carabineros del Escalafón del Estado Mayor General del Ejército: manifestación del Sr. Puig de Asprer.—Queda retirado el dictamen.

Proyecto de Constitución: continúa la discusión de totalidad.—Rectificación del Sr. Alvarez (D. Basilio).—Discursos de los Sres. Novoa Santos, en representación de la Federación Republicana Gallega, y Blanco (D. Carlos), en nombre de la minoría republicanoprogresista.—Se suspende la discusión, quedando en el uso de la palabra el Sr. Franchy.

Peticiones señaladas con los números 9, 10, 26, 33,

188

La intensa vida parlamentaria de la época republicana hace del Diario de Sesiones una fuente imprescindible para el historiador.

El triunfo de la República sirvió, entre otras cosas, para conseguir una unión táctica entre monárquicos alfonsinos y tradicionalistas. En septiembre de 1931 Alfonso XIII y Don Jaime de Borbón mantuvieron conversaciones y firmaron un pacto para arreglar el pleito dinástico y actuar unidos en la oposición al régimen. A las tres semanas fallecía Don Jaime y Alfonso XIII acudió a testimoniar su pésame. En la foto inferior derecha, Don Alfonso sale de la casa de Don Jaime, a quien vemos a la izquierda, en una foto retrospectiva, en compañía de la Emperatriz Zita de Austria.

la conciencia de haber antepuesto
á todo el bien de nuestra Madre
Patria y con el mas vehemente
deseo de su prosperidad y
engrandecimiento y al grito de
"Viva España" firmamos por
duplicado el presente pacto
á doce de Septiembre de
mil novecientos treinta y uno

Alfonso de Borbón

Jaime de Borbón

La República, que tanto habló del problema obrero, se vio impotente para resolverlo, como se las prometía, e incluso se vio desbordada en múltiples casos. Las huelgas fueron no pequeña sangría para el prestigio del régimen. Y con las huelgas el terrorismo, que contribuía a mantener la inquietud pública. En Basurto (Bilbao) fue volado un poste telefónico que supuso la interrupción de las comunicaciones con Santander.

11 septiembre 1931

Dos muertos como consecuencia de un choque entre nacionalistas y republicanos en Bilbao.
Queda disuelta la Orden Civil del Mérito Agrícola.
La policía detiene a José Antonio Primo de Rivera, que es puesto inmediatamente en libertad. El comandante Francisco Rosales y el sacerdote Andrés Lasmarías ingresan en prisión acusados de conspirar contra el régimen.

12 septiembre 1931

Alfonso XIII y Jaime de Borbón, pretendiente carlista, firman un pacto, encomendando la resolución del pleito dinástico a unas cortes representativas.
Se declaran zona fiscal las provincias de Cáceres, Badajoz y Huelva, autorizándose a jefes y oficiales de carabineros para inspeccionar almacenes y fábricas de torrefacción.

15 septiembre 1931

Interpelación de Santiago Alba al ministro de Hacienda sobre la situación angustiosa que atraviesa la economía nacional.

16 septiembre 1931

Comienza a discutirse el proyecto de Constitución.

18 septiembre 1931

Calvo Sotelo, Yanguas, Martínez Anido, Callejo, Aunós, el conde de Guadalhorce y el conde de los Andes son emplazados para que comparezcan en el término de diez días ante la Comisión de Responsabilidades.

21 septiembre 1931

Llegan a Madrid los diputados de la minoría vasco-navarra, con 427 alcaldes, para entregar al jefe del Gobierno el Estatuto.

22 septiembre 1931

Empieza el debate sobre el Título I de la Constitución: «Organización Nacional».

23 septiembre 1931

La Cámara acuerda conceder el suplicatorio para procesar a Calvo Sotelo.

26 septiembre 1931

El ministro de Hacienda, Indalecio Prieto, presenta una enmienda al artículo 15 de la Constitución. Es rechazada la enmienda. Prieto presenta la dimisión, que no acepta el Ejecutivo de su partido.

28 septiembre 1931

Huelga general en Salamanca: dos muertos y varios heridos.

30 septiembre 1931

El Papa admite la dimisión del cardenal Segura.

2 octubre 1931

Muere repentinamente el Pretendiente Tradicionalista, Jaime de Borbón y Borbón.

LA CONQUISTA DEL ESTADO

25 céntimos

PRECIOS DE SUSCRIPCION

SEMANARIO DE LUCHA Y DE INFORMACIÓN POLÍTICA

Redacción y Administración: Avenida Eduardo Dato, 7

Madrid, 14 de marzo de 1931 — Director Fundador: RAMIRO LEDESMA RAMOS — Año I — Núm. 1

COMENTARIOS ACTUALES

LA VIDA POLITICA

A LOS LECTORES

Al publicar el primer número de «La Conquista del Estado», nuestra declaración ideológica y táctica no puede ser otra que el manifiesto político que con el título del periódico se ha difundido en toda España durante las semanas últimas.

(Véanlo en segunda plana.)

REALIDADES NACIONALES

El pavoroso conflicto del paro andaluz

Pedimos que se nacionalice la tierra y se entregue a entidades sindicales de campesinos. «La Conquista del Estado» ha iniciado esta sindicación.

LAS IDEAS Y LOS HOMBRES

Pío Baroja en la realidad de lo real

La "Conquista del Estado" fue el portavoz de Ramiro Ledesma, y de sus ideas de corte nazi. Apareció al público un mes antes de la República. Su vida fue corta y azarosa. En octubre comenzó su "segunda etapa" que acabaría en aquel mismo mes, después de veinte días de vida.

Miguel Maura, con un apellido repleto de inequívocas resonancias, pasó a ocupar el Ministerio de la Gobernación y con ello a enfrentarse con los primeros graves ataques contra la Iglesia, en sus templos y en sus hombres: quemas de conventos, expulsiones de los prelados Segura y Múgica... Por fin tuvo que recurrir a la dimisión cuando fue aprobado el tan debatido artículo 26 de la Constitución y se evidenciaron del todo las intenciones del nuevo régimen.

3 octubre 1931

Comienza la segunda etapa del semanario «La Conquista del Estado».

4 octubre 1931

José Antonio Primo de Rivera presenta su candidatura por Madrid, al anunciarse que quedaban vacantes en 24 distritos por renuncias de diputados que obtuvieron dos actas. Sale elegido su contrincante Manuel B. Cossío.

8 octubre 1931

Lectura de los artículos 26 y 27 de la Constitución.

13 octubre 1931

El artículo 26 es aprobado por 178 votos contra 59. Abstuviéronse los radicalsocialistas.

14 octubre 1931

CRISIS.

La discusión del articulado de la nueva Constitución proyectada por la República española adquirió especial virulencia al llegar el artículo 26 referente a las asociaciones religiosas.

En la sesión de la tarde, después del discurso fundamental de Azaña, quedaron las cosas muy confusas ya que al haberse modificado el primitivo dictamen, varias minorías solicitaron tiempo para deliberar y pronunciarse sobre el nuevo. Ante esta situación y con el ambiente bastante caldeado por irse extremando las posturas, el Presidente de la Cámara suspende la sesión a las nueve de la noche para reanudarla posteriormente.

A poco más de las doce se comienza la sesión de noche. Preside Besteiro y en el banco azul se encuentra el Gobierno en pleno. Los escaños están llenos.

Ruiz Funes empieza con la lectura de la nueva fórmula de la Comisión. Los extremos relativos a la nacionalización de los bienes de los jesuitas y la prohibición de dedicarse los religiosos a la enseñanza van a ser los que enardezcan las opiniones, enrarezcan más el clima e imposibiliten el entendimiento.

Una primera enmienda presentada por las derechas para suprimir tales extremos es rechazada por 194 votos contra 41. Se presentan otras varias que también son derrotadas, llegando los diputados izquierdistas a calificarlas de intencionado obstruccionismo derechista. Las discusiones se fueron prolongando hasta que por fin, a las siete y cuarto de la mañana, da comienzo la votación nominal para la aprobación o rechazo del artículo 26. Votan en contra Alcalá Zamora y Maura y se abstienen, por hallarse ausentes, los ministros de Instrucción Pública, Fomento y Estado. También votan en contra los agrarios, pro-

El cariz del Proyecto de Constitución alarmó pronto a las derechas, pero la aprobación de los artículos 26 y 27, que regulaban las relaciones con la Iglesia, rompió la colaboración parlamentaria. Los diputados católicos se retiraron en masa del Parlamento. Sentados: Cándido Casanueva, Martínez de Velasco y Ricardo Cortés. De pie: B. Rajoy, Reino Caamaño, Horn, Gómez González, R. Cano, Sáinz Rodríguez, M. Gortari, A. Calderón, Lamamié de Clairac, Arroyo, Aguirre, Oreja Elósegui, Dimas Madariaga, Picavea, Domínguez Arévalo, Basterrechea, Fanjul y Pildain.

gresistas y vasconavarros a más de Ossorio y Gallardo y Carrasco Formiguera. Las demás minorías votan a favor. El resultado es de 178 votos a favor y 59 en contra. Los ánimos se exaltan y suenan vivas a la República contestados con vivas a la Monarquía y a la Religión. El Presidente apenas puede conseguir mantener el orden.

Ya antes de finalizar la sesión corrieron por los pasillos rumores sobre la decisión de Alcalá Zamora de dimitir de su cargo. Sin embargo, no pudieron ser confirmados hasta la tarde gracias a las declaraciones de Sánchez Guerra, subsecretario de la Presidencia, que reconoció la inevitable crisis. Inmediatamente pudo confirmarse también la dimisión de Miguel Maura.

En efecto, a las seis de la tarde se abre la sesión en un ambiente lleno de expectación y con un lleno en el que sólo desentonan los escaños vacíos de la minoría vasconavarra que ha decidido no estar presente. El banco azul cuenta también con un hueco: el de Alcalá Zamora.

El Presidente pone en conocimiento de los diputados la notificación que le ha sido hecha por parte del Gobierno de que el Presidente del Consejo ha presentado su dimisión de forma irrevocable. A continuación, Lerroux propone a la Cámara que, como soberana, dé un voto de confianza a su Presidente, Besteiro, para que sea él quien resuelva la crisis. Así se hace por aclamación y el Presidente acepta anunciando que nadie se retire pues es su intención resolver la crisis en brevísimo tiempo.

Después de suspendida la sesión el Presidente del Parlamento se reunió con los jefes de las minorías y con los ministros. De allí salió la decisión de que se encargase a Azaña de la Presidencia y de que él nombrase después a los ministros. Todas las minorías se mostraron dispuestas a colaborar con el nuevo Presidente.

El criterio de Azaña en la confección del nuevo Gabinete fue el de no introducir sino variantes absolutamente indispensables con respecto al anterior. La principal circunstancia era la dimisión que había presentado también Miguel Maura, y que según propias declaraciones tuvo como causa fundamental el artículo 26. «...Su aprobación definitiva en la mañana de ayer —declaró Maura— determinó en mí el propósito ya iniciado al plantearse este debate religioso de dimitir con carácter irrevocable para dar paso a una solución de gobierno que hiciera compatible el asentimiento de todos los sectores de la Cámara».

El nuevo Gabinete se constituiría sobre la base del anterior, ocupando la cartera de Gobernación Casares Quiroga y con Giral en la de Marina. Aunque similar al anterior en apariencia, realmente era de tono más izquierdista, puesto que no contaba con el contrapeso conservador que significaban los dos dimisionarios y además había dado entrada en Marina a otro significado elemento del azañismo. Con todo ello el Gobierno, segundo provisional de la República, quedó de la siguiente forma:

Presidencia y Guerra	Manuel Azaña Díaz (Acción Republicana)
Estado	Alejandro Lerroux García (Radical)
Justicia	Fernando de los Ríos Urruti (Socialista)
Gobernación	Santiago Casares Quiroga (Federación Rep. Gall.)
Marina	José Giral Pereira (Acción Republicana)
Hacienda	Indalecio Prieto Tuero (Socialista)
Inst. Públ. y Bel. Art.	Marcelino Domingo Sanjuán (Radical-Socialista)
Fomento	Álvaro de Albornoz y Liminiana (Radical-Socialista)
Comunicaciones	Diego Martínez Barrio (Radical)
Trabajo y Prev. Soc.	Francisco Largo Caballero (Socialista)
Economía Nacional	Luis Nicolau d'Olwer (Acción Catalana)

El artículo 26 hizo reaccionar a Alcalá Zamora con la dimisión. El que había sido jefe del Gobierno Provisional de la República pasaba a ocupar su escaño del Ayuntamiento, según le vemos en la fotografía en unión de Sánchez Guerra, Salazar Alonso y Sacristán Fuentes.

15 octubre 1931

Empieza el debate del Capítulo II de la Constitución, que abarca: Familia, Economía y Cultura.
Enrique Ramos es nombrado subsecretario de la Presidencia.

17 octubre 1931

Se aprueba el artículo 43 de la Constitución referente al divorcio.

20 octubre 1931

La Cámara aprueba el proyecto de Ley de Defensa de la República, que suspende, prácticamente, toda clase de garantías, concediendo al ministro de la Gobernación amplios poderes.

23 octubre 1931

Maura declara que se considera desligado de todo compromiso con el gobierno mientras lo presida Azaña.

24 octubre 1931

Deja de aparecer el semanario «La Conquista del Estado».

26 octubre 1931

Entra en debate el Título IV de la Constitución.

2 noviembre 1931

Los miembros del Gobierno se reúnen en Lhardy. Acuerdan designar a Alcalá Zamora Presidente de la República.

4 noviembre 1931

La Comisión de Responsabilidades presenta en las Cortes el «caso March».

5 noviembre 1931

El Presidente de la Comisión de Responsabilidades, Manuel Cordero, denuncia ante la Cámara al diputado radical Emiliano Iglesias de intento de soborno a un vocal de la Comisión para que en el expediente instruido a Juan March se mostrara benévolo. Un dictamen propuso que se declarasen las Cortes incompatibles con Iglesias. Cuatro días después le fue impuesta igual sanción a March.

12 noviembre 1931

En Parla, un grupo de obreros maltrata a una pareja de la Guardia Civil, y al repeler la agresión resulta un hombre muerto y una mujer herida.

15 noviembre 1931

A última hora de la madrugada son detenidos en la Iglesia de la Concepción de Madrid varias personas acusadas de conspirar contra el régimen. Los detenidos son puestos en libertad setenta y dos horas más tarde, multados con mil pesetas.

17 noviembre 1931

Cesa en la presidencia de Acción Nacional Angel Herrera Oria. La Junta de Gobierno designa para sustituirle a José María Gil Robles.

Muchas calles y plazas de las ciudades españolas pueden constituir testimonio vivo de nuestra historia con sus denominaciones diversas; muchas, en las vicisitudes de su titulación, lo son del apasionamiento y la intolerancia, de la manera de ser española que hasta de la memoria de las gentes querría borrar el recuerdo del personaje o de la idea contrarios. Hubo, un tiempo, plazas reales o plazas de la Constitución o de la República... O como esta de Barcelona, memoria del duque de Medinaceli, que fue sacrificada por la más concreta y viva de Manuel Azaña, como aún se observa en los rótulos cambiados.

Ángel Herrera Oria, ilustre personaje, el más representativo de la acción política católica. Fue director de «El Debate». A su iniciativa se debió la creación de un más eficaz elemento de actuación política que fue el partido de Acción Nacional, luego Acción Popular, fundado en los mismos principios del periódico, es decir, en los estrictamente católicos, pero totalmente autónomo. Cesó como director de "El Debate" en febrero de 1933, y le sucedió en la dirección Francisco de Luis.

Los choques sangrientos entre obreros y la Guardia Civil no fueron pocos. Junto a los más graves o los que más resonaron hubo otros muchos que fueron jalonando la marcha difícil del nuevo régimen. En Gilena, en octubre de 1931, resultaron varios muertos y heridos. La foto muestra la fachada de la casa situada enfrente del Centro Obrero en la que se aprecian manchas de sangre de los caídos.

La huelga traía las represiones y los heridos y muertos como consecuencia final. Así sucedió en octubre en Melilla. Un obrero muerto en una huelga y la fuerza pública controlando la calle para evitar más disturbios con motivo del entierro.

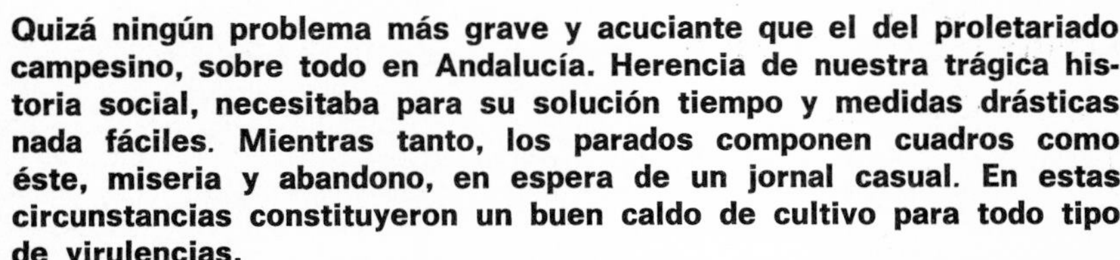

Quizá ningún problema más grave y acuciante que el del proletariado campesino, sobre todo en Andalucía. Herencia de nuestra trágica historia social, necesitaba para su solución tiempo y medidas drásticas nada fáciles. Mientras tanto, los parados componen cuadros como éste, miseria y abandono, en espera de un jornal casual. En estas circunstancias constituyeron un buen caldo de cultivo para todo tipo de virulencias.

El problema del orden público fue la pesadilla de la República, en especial en las zonas dominadas por los anarquistas. En noviembre de 1931 la Comisión sobre el terrorismo, reunida en la foto, hubo de actuar en Barcelona. Sentados: Lluhí Vallescá, Guerra del Río, Abeytua y Teodomiro Menéndez.

24 noviembre 1931

Son confinados a Fernando Poo el sacerdote Andrés de Lasmarías y el comandante Rosales.

26 noviembre 1931

Se aprueba la creación de un Tribunal de Garantías Constitucionales.
Las Cortes aprueban el acta acusatoria contra Alfonso XIII. El único diputado explícitamente monárquico de las Cortes Constituyentes, el conde de Romanones, defendió lealmente al desterrado rey.

30 noviembre 1931

Son presentados en la Dirección General de Seguridad los Estatutos de las J.O.N.S.

1 diciembre 1931

Termina el debate sobre la Constitución.

2 diciembre 1931

El Consejo de Ministros proclama candidato oficial para la Presidencia de la República a Niceto Alcalá Zamora.

3 diciembre 1931

Se hace público el programa de Acción Nacional, redactado por Antonio Goicoechea.
Atraco a la Central de los Ferrocarriles del Norte en San Sebastián.

4 diciembre 1931

El ministro de Justicia presenta a las Cortes un proyecto de Ley sobre secularización de cementerios.

5 diciembre 1931

Las Cortes aprueban el proyecto de Ley sobre organización de la Casa Oficial del Presidente de la República. El presupuesto asignado para el desempeño del cargo es el siguiente: dotación del cargo: 1.000.000 pesetas. Gastos de representación: 250.000 pesetas. Personal y material de la Casa del Presidente: 750.000 pesetas. Viajes oficiales del Presidente: 250.000 pesetas. Total: 2.250.000 pesetas.

8 diciembre 1931

El ministro de la Gobernación autoriza a las Comisiones Gestoras vasco-navarras para presentar un proyecto de Estatuto.

9 diciembre 1931

Se da lectura al texto definitivo de la Constitución, procediéndose a su votación. Es aprobado por 368 votos.
La CNT provoca una huelga en Zaragoza.

11 diciembre 1931

Alcalá Zamora es elegido Presidente de la República por 362 votos, de los 410 diputados que tomaron parte en la elección. 35 votaron en blanco. Los otros votos se repartieron entre Pi Arsuaga, 7; Besteiro, 2; Cossío, 2; Unamuno, 1; y Ortega y Gasset, 1.

CRISIS

A las cuatro y media, Azaña, jefe del Gobierno Provisional, fue a Palacio a presentar al nuevo Presidente de la República la dimisión del ministerio. Alcalá Zamora declaró al jefe dimisionario su total confianza en él y en los miembros de su Gabinete y su decisión de que podían seguir en el poder a no ser que ellos presentasen la dimisión, no tanto por cortesía hacia el nuevo régimen constituido cuanto por creer que habían dado fin a su misión. Azaña decidió entonces reunir al Consejo de Ministros para conocer su opinión al respecto. La decisión unánime fue la de dimitir e inmediatamente Azaña volvió a trasladarse a Palacio para hacérsela saber al Presidente de la República que, a renglón seguido, decidió abrir las consultas.
Por Palacio empezaron a desfilar los políticos más significativos. Azaña declaró a su salida que sólo cabían tres soluciones: o un gobierno socialista con apoyo de los

Un buen político monárquico que llegó a ser un importantísimo personaje republicano. Alcalá Zamora recibe a la Mesa del Congreso que le viene a notificar su nombramiento de Presidente de la República. De izq. a decha.: Cirilo del Río, Aldasoro, Simeón Vidarte, Marraco, Besteiro, Alcalá Zamora, Francisco Barnés, Castrillo y Ansó.

Alcalá Zamora es elegido Presidente de la República. La tradición católica y liberal como remate del nuevo sistema no parecía muy convincente. Extraña síntesis que sólo podía ser de circunstancias, como se demostraría andando el tiempo. Momento solemne de la promesa del cargo.

republicanos, o un gobierno republicano-socialista o uno republicano neto.

Al día siguiente, domingo, el primero que acudió a la consulta fue Besteiro. Llegó a las once de la mañana a Palacio y se entretuvo poco tiempo. Aconsejó al jefe del Estado la formación de un Gabinete de amplia concentración republicano-socialista, dando cabida a sectores del Parlamento ausentes en el que ahora dimitía.

Por la tarde acudió Lerroux. Insistió en dos puntos para resolver la crisis: en que el Gobierno debería estar integrado por todas las fuerzas parlamentarias de izquierda y, segundo, en que él y su partido estaban a disposición del Presidente de la República... siempre que el nuevo Gabinete no estuviera presidido por un socialista, sin querer decir que se hubiese de mantener fuera a este partido.

Por el grupo Radical-socialista acudió a consulta Baeza Medina. Su opinión fue que debía continuar el anterior Gobierno, porque formado en el propio Parlamento y gozando de su confianza no había motivo para tener que sustituirle; además, porque no le parecía sensato llevar a la oposición a minorías que venían realizando una labor más positiva por la República. De todos modos, en previsión de que no fuese posible la confirmación del Gobierno, su consejo fue formar otro de concentración republicano-socialista.

El importante grupo de Acción Republicana se manifestó, a través de Luis Bello, partidario también de un Gobierno de concentración republicano-socialista pero con un presidente republicano dotado de la máxima autoridad para la designación de personas y carteras. A su juicio, y así se lo comunicó al Presidente de la República, esta persona debía de ser Azaña.

José Ortega y Gasset insistió en que se debía tener en cuenta el espectro político que significaba la composición de las Cortes, aunque cargándose la nota hacia un

El nuevo Presidente habría de dar gran amplitud a las consultas consecuentes a las crisis ministeriales. Por Palacio solían desfilar, a más de los políticos, los representantes más diversos de la intelectualidad del país. Ortega es llamado a consulta con motivo de la crisis de diciembre de 1931.

carácter más izquierdista. Por su parte, Carlos Blanco, jefe de la minoría progresista, se mostró partidario de que permaneciese el anterior ministerio, puesto que no había habido motivo grave de crisis y en cambio era muy necesario mantener la continuidad para llevar a buen término las importantes leyes que estaban en gestación.
Remigio Cabello opinó, en nombre de la importante minoría socialista, que debía formarse un Gobierno de constitución análoga al anterior, marcándose en todo lo posible el carácter izquierdista. En tono parecido se manifestaron también Companys, Franchy Roca y Casares Quiroga.
Por fin, hacia las nueve de la noche de aquel mismo día, Azaña, después de entrevistarse con Alcalá Zamora declaró a su salida haber sido encargado de formar un nuevo Gabinete.
La designación de Azaña parecía agradar a la mayor parte. Sin embargo, la elección de los nuevos ministros no iba a ser del todo fácil. Se entrevistó en seguida con Fernando de los Ríos y le expuso sus planes al tiempo que le ofreció un número igual de carteras al que había tenido en el Gobierno anterior. Ya de madrugada acudió Marcelino Domingo, al que comunicó, como representante que era del grupo radicalsocialista, que tendría dos carteras. Por fin ofreció a Carner el Ministerio de Hacienda, que aceptó con el asentimiento de su minoría.
Las principales dificultades las tuvo Azaña con Lerroux. En las últimas horas de la tarde del día 14, cuando todo hacía creer que el Gobierno de concentración republicano-socialista era un hecho, la actitud disconforme del jefe radical hizo variar las circunstancias y rectificar los propósitos. Cuando Azaña le presentó la lista del nuevo Gabinete, Lerroux le dijo que necesitaba consultar a la minoría de su partido antes de acceder a colaborar. Los radicales se mostraron en desacuerdo con los socialistas. Ante esta situación, el Presidente dimisionario acude de nuevo a Palacio para comunicar a Alcalá Zamora que le deja en libertad de encargar a otra persona la formación del ministerio. El recien nombrado Jefe de Estado le confirma el mandato. Los radicales pasan a la oposición. Lerroux y Martínez Barrio quedan fuera del Gobierno. Sin embargo, Azaña cuenta con los socialistas, los radicales-socialistas, Acción Republicana, federalistas Gallegos y Catalanes, lo que supone más de 240 votos en la Cámara con los que va a poder actuar holgadamente.
Desaparecen las carteras de Economía y Comunicaciones, creándose el Ministerio de Agricultura, Industria y Comercio.
En la «Gaceta» del día 17 aparece el primer Gobierno de la etapa Constitucional:

Jaime Carner (el segundo por la izquierda) recibió la cartera de Hacienda en el primer gabinete de la etapa constitucional. Sucesor de Prieto, aportaba la garantía del técnico especializado en la materia. Sin embargo, su gestión, corta por otra parte, no fue demasiado eficaz.

PRESIDENTE y Guerra	Manuel Azaña Díaz (Acción Republicana)
Estado	Luis de Zulueta Escolano (Independiente)
Justicia	Álvaro de Albornoz y Liminiana (Rad.-Socia.)
Gobernación	Santiago Casares Quiroga (Fed. Rp. Galle.)
Marina	José Giral Pereira (Acción Republicana)
Hacienda	Jaime Carner Romeu (Izquierda Catalana)
Instr. Pública y Bellas A.	Fernando de los Ríos Urruti (Socialista)
Trabajo y Previsión Social	Francisco Largo Caballero (Socialista)
Obras Públicas	Indalecio Prieto Tuero (Socialista)
Agricul., Indust. y Comerc.	Marcelino Domingo Sanjuán (Radical-socia.)

15 diciembre 1931

Sale el primer número de la revista «Acción Española», fundada por el marqués de Quintanar.
En la capilla de Palacio se celebra una misa al cumplirse el primer aniversario del fusilamiento de Galán y García Hernández. Asisten a la ceremonia religiosa el Jefe del Estado, la madre del capitán Galán y la viuda del también capitán García Hernández.

18 diciembre 1931

Entra en vigor la Ley de Jurados Mixtos.

19 diciembre 1931

El Jefe del Gobierno visita Barcelona. Asiste en el Teatro Goya a la presentación de la obra «La Corona», de la que es autor.

Las Cortes Constituyentes aplazan sus sesiones hasta el día 5 de enero.

22 diciembre 1931

Alfonso XIII visita a Alfonso Carlos, pretendiente carlista.

25 diciembre 1931

El Gobernador Civil de Barcelona, Anguera de Sojo, dimite. Le sustituye Juan Moles.

31 diciembre 1931

En Castilblanco (Badajoz), un grupo de campesinos asesinan a cuatro guardias Civiles.
Finaliza el año 1931, con 85 huelgas laborales.

La República triunfante honra a sus primeros defensores, los sublevados de Jaca. En la capilla del Palacio Nacional se celebró una misa por ellos. El Jefe del Estado y señora acompañan a la madre de Galán y a la viuda de García Hernández. Al fondo el general Queipo de Llano.

TOMO I.-N.º 1 EJEMPLAR: 2 PESETAS 15 DICIEMBRE 1931

Acción Española

Director: EL CONDE DE SANTIBÁÑEZ DEL RÍO

Acción Española

España es una encina medio sofocada por la yedra. La yedra es tan frondosa, y se ve la encina tan arrugada y encogida, que a ratos parece que el ser de España está en la trepadora, y no en el árbol. Pero la yedra no se puede sostener sobre sí misma. Desde que España dejó de creer en sí y en su misión histórica, no ha dado al mundo de las ideas generales más pensamientos valederos que los que han tendido a recuperar su propio ser. Ni su Salmerón, ni su Pi y Margall, ni su Giner, ni su Pablo Iglesias, han aportado a la filosofía política del mundo un solo pensamiento nuevo que el mundo estime válido. La tradición española puede mostrar modestamente, pero como valores positivos y universales, un Balmes, un Donoso, un Menéndez Pelayo, un González Arintero. No hay un liberal español que haya enriquecido la literatura del liberalismo con una idea cuyo valor reconozcan los liberales extranjeros, ni un socialista la del socialismo, ni un anarquista la del anarquismo, ni un revolucionario la de la revolución.

Ello es porque en otros países han surgido el liberalismo y la revolución, o para remedio de sus faltas, o para castigo de sus pecados. En España eran innecesarios. Lo que nos hacía falta era desarrollar, adaptar y aplicar los principios morales de nues-

La revista "Acción Española", portavoz ideológico de los monárquicos. Contó entre sus inspiradores con Ramiro de Maeztu y Calvo Sotelo.

La República se tiñó de sangre del pueblo bajo en varias ocasiones. Brotes de violencia terrible que asombra por su sadismo. Triste ejemplo fue el de Castilblanco, pueblo extremeño del que la fotografía ofrece la vista de una de sus calles recorrida por la Guardia Civil que acudió a reprimir la sublevación.

Una vista de la calle de Castilblanco en la que fueron linchados por las masas enloquecidas cuatro Guardias Civiles.

Abundaron las detenciones como consecuencia de tan graves sucesos. Las responsabilidades eran terribles, como la naturaleza de los crímenes perpetrados; los encartados fueron miserables campesinos, gente ínfima, quizá desesperada, que se dejó llevar por las más primitivas pasiones. He aquí algunos de ellos custodiados por las fuerzas del orden.

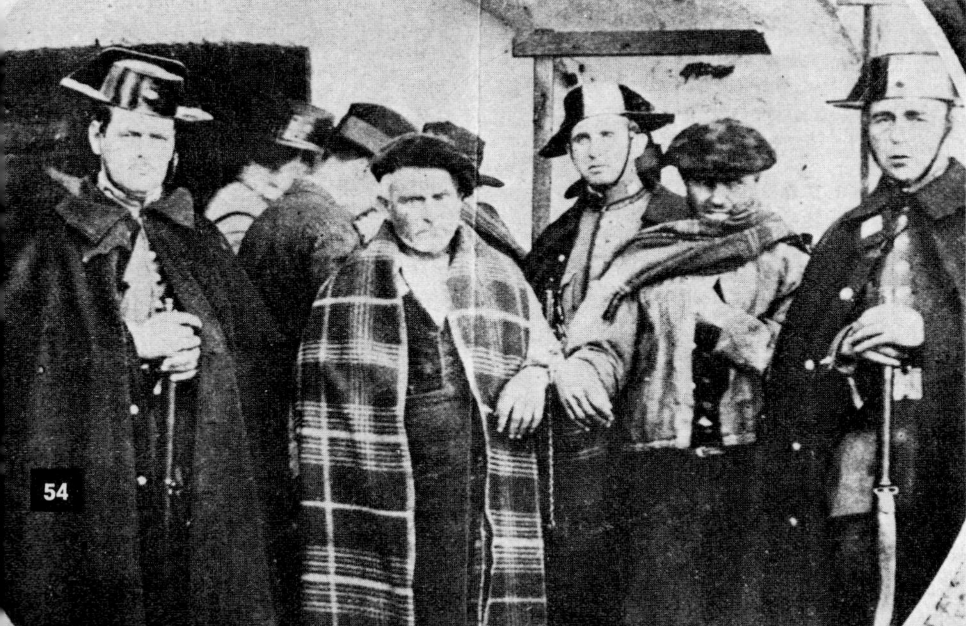

La Guardia Civil con el juez y el fiscal de Castilblanco que fueron acusados como principales cabecillas del suceso.

1932. EL REFORMISMO EN MARCHA

La Guardia Civil tiene ligada su historia al sentido del orden que le dio vida a mediados del siglo diecinueve. Por ello se hizo incompatible con la "libertad" a que aspiraban las masas y se ganó su total enemistad. Una de las estampas aún típicas en nuestro país, el Guardia Civil de servicio.

Con el nombramiento de Ricardo Herráiz, Jefe Superior de la policía (a la izquierda), para Director General de Seguridad, se conocía el tercero en el corto plazo de vida de la República, síntoma claro de los graves problemas que traía el mantenimiento del orden público. Le habían precedido en el cargo Carlos Blanco y Angel Galarza. En la foto, con el comisario general Maqueda.

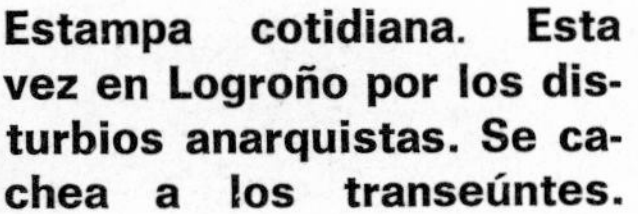

Estampa cotidiana. Esta vez en Logroño por los disturbios anarquistas. Se cachea a los transeúntes.

1 enero 1932

Pastoral colectiva de los Obispos españoles.

3 enero 1932

El jefe del partido Reformista, Melquiades Álvarez, se ofrece a Alejandro Lerroux para colaborar con los radicales.

4 enero 1932

Se produce un asalto al Cuartel de la guardia Civil en el pueblo valenciano de Teresa. Dos muertos y diecinueve heridos.

5 enero 1932

En Arnedo (Logroño), al ser despedido un grupo de obreros de una fábrica de calzados, se declara una huelga, que degenera en manifestación. Intenta disolverla la guardia Civil, que es acorralada. Seis muertos, cuatro de ellos mujeres, y treinta heridos.

Manuel Azaña, encarnación de una parte fundamental del republicanismo español. Quizá su actuación política no estuvo a la altura que España hubiera necesitado. O él perdió el control o se lo hicieron perder las circunstancias, pero la nave que dirigía naufragó trágicamente.

Los bandos contrarios se apasionaban fácilmente y solían acabar en choques violentos. La fuerza pública debía de hacer de elemento disuasorio. Aquí monta guardia frente al Centro Tradicionalista en Bilbao, para evitar posibles asaltos.

El sentimiento religioso del pueblo español ha sido una de las constantes básicas de toda nuestra historia y su fuerza ha pesado en las más graves horas de España. El Parlamento de la Segunda República contó siempre con un número de diputados católicos que salieron al paso de la política anticlerical. En la fotografía, reunión de diputados católicos, principalmente agrarios y vasconavarros. Sentados de izquierda a derecha: Gómez Rojí, Sáinz Rodríguez, Beunza, Martínez Velasco, Ramón de la Cuesta, Gil Robles, Molina Nieto y Andrés Arroyo. De pie: Alonso de Armiño, Abilio Calderón, Rufino Cano, Lamamié, Ortiz de Solórzano, Cid, Casanueva, Fanjul, Dimas Madariaga, (?), Aurelio Gómez y Gonzálvez.

"El Debate" fue el más significado portavoz del catolicismo español. Su opinión túvose siempre muy en cuenta en el campo político por el amplio sector de la opinión que representaba. Fue por ello también objeto de frecuentes ataques. El 19 de enero de 1932 se le suprimió por tiempo indefinido como solución para acallar su molesta voz, con la acusación de "menosprecio a las Cortes". La suspensión, al fin, resultó sólo de sesenta y seis días.

EL DEBATE

CINCO EDICIONES DIARIAS

PRECIOS DE SUSCRIPCION

Ayer fueron aprobados los presupuestos de Hacienda y Marruec

POSICION INVARIABLE

LO DEL DIA

Semana Santa

La Economía

Cierre de espectáculos el día 29 en Francia

Protesta contra los impuestos

Negativa de Tardieu

Colocan los crucifijos

Los amigos de EL DEBATE

UN BANQUETE POPULAR

Las mujeres se preparan para las elecciones

Conferencia del señor Molina Nieto en Godella

Una conferencia

Nuevo alcalde en Cartagena

Nuestra gratitud

PROXIMA DECLARACION DEL GOBIERNO SOBRE LA HACIENDA

El señor Carner habla del impuesto sobre la renta

Los ministros de Hacienda y Trabajo dialogan sobre la actualidad política

El lunes se discu de Agricultu

Si es preciso habrá sesion para que quede aprobado

Las consignaciones de A

nuestros lectores

Indice - resumen

6 enero 1932

Manifiesto del Pretendiente Tradicionalista D. Alfonso Carlos dirigido a los españoles.

7 enero 1932

La Fiscalía del Tribunal Supremo ataca a los extremistas de derechas e izquierdas.

8 enero 1932

El semanario «Libertad» de Valladolid pasa a ser órgano de las J.O.N.S.
Decreto permitiendo la incineración de cadáveres.

11 enero 1932

Se firma el Reglamento del Consejo de Trabajo.

13 enero 1932

La Compañía de Jesús intenta demostrar al Gobierno que la promesa especial de los jesuitas no puede considerarse aquel cuarto voto a que hace referencia el artículo 26 de la Constitución.

14 enero 1932

Se traspasan a la Generalidad los servicios centrales de régimen local.

17 enero 1932

En la entrada del Frontón Euskalduna, de Bilbao, elementos de izquierdas entonando «La Internacional» provocan a los tradicionalistas que en número de 10.000 se encontraban en el recinto con motivo de un mitin. Suenan unos disparos: tres muertos socialistas y tres heridos, uno de ellos guardia de Seguridad. Incendio en la iglesia de Santurce. El Gobierno toma la determinación de clausurar el convento de las Reparadoras, por haberse hecho fuego desde sus balcones. Multa de 1.000 pesetas al Colegio del Sagrado Corazón por tenencia ilícita de armas.

18 enero 1932

Una manifestación irrumpe en la escuela de Molina de Segura y obliga a la maestra a colocar una imagen del Corazón de Jesús en ella.

La basílica de Loyola, cuna de la Compañía de Jesús. Los jesuitas han tenido un papel capital en la historia desde su fundación, a mediados del siglo XVI, sobre todo en nuestro país, que dio vida a su fundador y a su peculiar talante religioso.

En Bilbao se extremaban las posturas. José María de Urquijo, consejero de "La Gaceta del Norte", es encarcelado. En la fotografía, camino de la Audiencia.

Más disturbios callejeros. Las fuerzas del orden a la carga, esta vez en Valencia.

El año 1932 se iniciaba en el mismo ambiente de inquietud popular que venía caracterizando al anterior. En Manresa hubo enfrentamientos armados con la fuerza pública y a Prat de Llobregat hubo que enviar tropas de artillería cuya llegada recoge la foto de la izquierda. En Sallent se intentó implantar el comunismo libertario con toda firmeza. No faltó un Comité Ejecutivo que dirigiese los acontecimientos y que avisara de las responsabilidades en que recaerían los que no le secundasen. La ola libertaria contagió a toda la cuenca minera del Cardoner. La actividad de los insurgente fue tan decidida que llegaron a tomar los Ayuntamientos y a hacer ondear en el balcón la bandera roja. Restablecido el orden, se iza la bandera oficial del régimen.

19 enero 1932

La F.A.I. declara el comunismo libertario en la cuenca del Llobregat, ocupando seis localidades.
Suspensión indefinida de «El Debate».

20 enero 1932

Aumenta en 2.500 el número de guardias de Asalto.

21 enero 1932

Al grito de «¡Viva la revolución social!», numerosos grupos de mineros de la cuenca alta y media del Llobregat sostienen un serio choque con la Guardia Civil. En Manresa, se rompen las comunicaciones telefónicas y telegráficas, se levantan trincheras en diversos puntos. En Cardona y Sallent, los anarcosindicalistas se apoderan del Ayuntamiento e izan la bandera roja. Los mineros de Figols, con fusiles y bombas, se hacen fuertes en las mismas. El Jefe del Gobierno manifestó que el movimiento fue un golpe para acabar con la República.
Es detenido el consejero de «La Gaceta del Norte», don José María de Urquijo, y encarcelado en Larrínaga.

23 enero 1932

Se firma el Decreto de disolución de la Compañía de Jesús en todo el territorio nacional, no reconociendo el Estado personalidad jurídica al Instituto, ni a sus provincias canónicas. Se prohibe la vida en común a los religiosos y novicios y el ejercicio de actos de libre disposición de sus bienes, que pasan a ser propiedad del Estado, el cual los destinará a fines benéficos y docentes.
Manifiesto de Alfonso XIII a los españoles, cuya redacción había sido encargada al conde de Vallellano.
El Gobernador de Guipúzcoa multa al alcalde de Andoain por emplear atributos monárquicos en el Ayuntamiento.

27 enero 1932

Se crea una Sección de Pedagogía en la Facultad de Filosofía y Letras de la Universidad de Madrid.

28 enero 1932

Pasa a depender del Ministerio de Agricultura, Industria y Comercio, la Junta Central de la Reforma Agraria.

Al pueblo de Sallent

Proclamada la Revolución Social en toda España, el mité Ejecutivo pone en conocimiento del proletariado de villa, que todo aquél que esté en disconformidad con el grama que persigue nuestra ideología, será responsable sus actos.

Por el Comunismo Libertario
EL COMITE EJECUTIV

Sallent, 21 Enero 1932

MINISTERIO DE HACIENDA

DECRETO

A propuesta del Ministro de Hacienda y de acuerdo con el Consejo de Ministros,

Vengo en autorizar a aquél para que presente a las Cortes Constituyentes un proyecto de ley sobre concesión de un crédito extraordinario de 23.888 pesetas 81 céntimos a un capítulo adicional del vigente Presupuesto de gastos de la Sección 2.ª, "Ministerio de Estado", con destino a satisfacer los haberes devengados por los Embajadores de Méjico y Chile durante el ejercicio económico de 1931, en sustitución del suplemento de crédito de igual cuantía otorgado por la ley de 6 del actual al figurado en el capítulo tercero, artículo 1.º del presupuesto del propio Departamento ministerial.

Dado en Madrid a veintidós de Enero de mil novecientos treinta y dos.

NICETO ALCALA-ZAMORA Y TORRES

El Ministro de Hacienda,
JAIME CARNER ROMEU

A LAS CORTES CONSTITUYENTES

El Ministro de Hacienda, de acuerdo con el Consejo de Ministros, tiene el honor de someter a la deliberación y acuerdo de las Cortes el siguiente

PROYECTO DE LEY

Artículo único. El suplemento de crédito de 23.888,81 pesetas concedido por la ley de 6 del actual al consignado en el capítulo 3.º, artículo 1.º del presupuesto del Ministerio de Estado con destino a satisfacer los haberes de los Embajadores de Méjico y Chile, se entenderá otorgado, con el carácter de crédito extraordinario, a un capítulo adicional del vigente presupuesto del propio Ministerio, con destino a satisfacer los haberes devengados por los expresados funcionarios durante el ejercicio económico de 1931.

Madrid, veintidós de Enero de mil novecientos treinta y dos.

El Ministro de Hacienda,
JAIME CARNER ROMEU

MINISTERIO DE JUSTICIA

DECRETO

El artículo 26 de la Constitución de la República española declara disueltas aquellas Ordenes religiosas que estatutariamente impongan, además de los tres votos canónicos, otro especial de obediencia a autoridad distinta de la legítima del Estado, debiendo ser nacionalizados sus bienes y afectados a fines benéficos y docentes.

Es función del Gobierno ejecutar las decisiones que la potestad legislativa hubiere adoptado en el ejercicio de la soberanía nacional y refiriéndose concretamente el precepto constitucional a la Compañía de Jesús, que se distingue de todas las demás Ordenes religiosas por la obediencia especial a la Santa Sede, como lo demuestran, entre innumerables documentos, la Bula de Paulo III, que sirve de fundamento canónico a la institución de la Compañía y las propias Constituciones de ésta, que de modo eminente la consagran al servicio de la Sede Apostólica, a propuesta del Ministro de Justicia y de acuerdo con el Consejo de Ministros,

Vengo en disponer lo siguiente:

Artículo 1.º Queda disuelta en el territorio español la Compañía de Jesús. El Estado no reconoce personalidad jurídica al mencionado instituto religioso, ni a sus provincias canónicas, casas, residencias, colegios o cualesquiera otros organismos directa o indirectamente dependientes de la Compañía.

Artículo 2.º Los religiosos y novicios de la Compañía de Jesús cesarán en la vida común dentro del territorio nacional en el término de diez días, a contar de la publicación del presente Decreto. Transcurrido dicho término, los Gobernadores civiles darán cuenta al Gobierno del cumplimiento de esta disposición.

Los miembros de la disuelta Compañía no podrán en lo sucesivo convivir en un mismo domicilio en forma manifiesta ni encubierta, ni reunirse o asociarse para continuar la extinguida personalidad de aquélla.

Artículo 3.º A partir de la publicación de este Decreto no realizarán las entidades mencionadas en el artículo 1.º, ni ninguno de sus miembros por sí o por persona interpuesta, ya sea a título lucrativo, ya a título oneroso, actos de libre disposición de los bienes propios de la Compañía o poseídos por ella.

Artículo 4.º En el plazo de cinco días, los Gobernadores civiles remitirán a la Presidencia del Consejo relación triplicada de las casas ocupadas o que lo hubieren estado hasta el 15 de Abril de 1931, por religiosos o novicios de la Compañía de Jesús, con mención nominal de sus superiores provinciales y locales.

Artículo 5.º Los bienes de la Compañía pasan a ser propiedad del Estado, el cual los destinará a fines benéficos y docentes.

Artículo 6.º Los Registradores de la Propiedad remitirán al Ministerio de Justicia, en el plazo de diez días, relación detallada de todos los bienes inmuebles y derechos reales inscritos a nombre de la Compañía de Jesús, con expresión de los gravámenes que afecten a unos y otros.

Dentro del mismo plazo, los establecimientos de crédito, entidades bancarias, Compañías anónimas y otras Empresas de carácter civil o mercantil, así como los particulares, enviarán al Ministerio de Hacienda relación circunstanciada de los depósitos en valores, cuentas corrientes, efectos públicos, títulos y cualesquiera otros bienes mobiliarios pertenecientes a la citada Compañía que se encuentren en su poder.

Artículo 7.º A los efectos del presente Decreto, se instituye un Patronato, compuesto por un delegado de la Presidencia del Consejo de Ministros, otro por cada uno de los Ministerios de Estado, Justicia, Hacienda, Gobernación e Instrucción pública; un representante del Consejo de Instrucción pública; otro de la Junta Superior de Beneficencia y un Oficial Letrado del Consejo de Estado. Los organismos respectivos procederán al nombramiento de sus delegados o representantes en el plazo de cinco días.

El Patronato se constituirá dentro de los cinco siguientes, previa convocatoria del Delegado de la Presidencia del Consejo. Este será Presidente del Patronato y Secretario el Oficial Letrado del Consejo de Estado.

Artículo 8.º Corresponde a dicho Patronato:

1.º Formalizar el inventario de todos los bienes muebles e inmuebles de la Compañía, bajo la fe de Notario público.

2.º Comprobar la condición jurídica de los bienes que, sin aparecer a nombre de la Compañía de Jesús, se halle en posesión de la misma y proceder a su reivindicación e incautación.

3.º Ocupar y administrar los bienes nacionalizados.

4.º Elevar al Gobierno propuesta sobre el destino que haya de darse a los mismos.

Los distintos órganos de la Administración facilitarán al Patronato los medios que éste recabe para el cumplimiento de su cometido.

Artículo 9.º Las iglesias de la Compañía, sus oratorios y objetos afectos al culto, con exclusión de todo otro edificio o parte del mismo no destinado estrictamente a aquél se cederán en uso, previo inventario a los Ordinarios de las diócesis en que radiquen, a condición de no emplear en el servicio de los citados templos a individuos de la disuelta Compañía. El uso que se transfiere a la jurisdicción eclesiástica ordinaria nunca podrá ser invocado como título de prescripción.

Artículo 10. Los Superiores provinciales y locales o quienes en cada caso desempeñen sus funciones serán personalmente responsables:

1.º De la cesación efectiva de la vida en común en las casas cuyo gobierno les esté confiado, a tenor de lo dispuesto en el artículo 2.º

2.º De la infracción de lo dispuesto en el artículo 3.º

3.º De toda ocultación cometida en las investigaciones ordenadas para llevar a cabo lo preceptuado en el artículo 4.º y en los apartados 1.º y 2.º del 8.º

4.º De la resistencia que en los locales de la Compañía pudiera oponerse a las Autoridades encargadas de la ejecución de este Decreto.

Dado en Madrid a veintitrés de Enero de mil novecientos treinta y dos.

NICETO ALCALA-ZAMORA Y TORRES

El Ministro de Justicia,
ALVARO DE ALBORNOZ Y LIMINIANA

MINISTERIO DE LA GUERRA

DECRETO

A propuesta del Ministro de la Guerra y de acuerdo con el Consejo de Ministros,

Vengo en decretar lo siguiente:

Artículo único. Se autoriza la celebración de un concurso de arriendo para el de un local con destino a la Caja de Recluta número 51 y Junta de clasificación, con arreglo a las condiciones fijadas en el acta de la Junta de arriendos de Lugo.

Dado en Madrid a veintiuno de Enero de mil novecientos treinta y dos.

NICETO ALCALA-ZAMORA Y TORRES

El Presidente del Consejo de Ministros,
Ministro de la Guerra,
MANUEL AZAÑA

Fue realmente espectacular y sonada la decisión de disolver la Compañía de Jesús que apareció en la "Gaceta" del 24 de enero de 1932. El argumento principal fue el del cuarto voto, que contravenía el artículo 26 de la Constitución. No hay duda, sin embargo, que influyó el sentido de revancha contra la gran prepotencia que habían adquirido los jesuitas y contra su definida línea de actuación secular.

El Vaticano seguía con inquietud la marcha del régimen instalado en España. Pío XI pudo darse pronto cuenta de que se habían acabado los años de catolicismo oficial que garantizó la Monarquía. Ahora la Constitución ponía a Roma en una coyuntura muy distinta, realmente seria, para la marcha de las mutuas relaciones que se verían alteradas por distintos incidentes.

Las masas obreras se manifiestan, hacen huelgas, provocan y si viene al caso se lanzan al asalto. Por eso, en enero de 1932 se hizo necesario reforzar la guardia de las cárceles en prevención de posibles manifestaciones pro presos sociales.

Monseñor Tedeschini vivió momentos difíciles por su nunciatura ante el Gobierno español. Con motivo de la disolución legal de la Compañía de Jesús presentó una enérgica protesta.

29 enero 1932

Monseñor Tedeschini, Nuncio de la Santa Sede, presenta una nota de protesta contra la disolución de la Compañía de Jesús.
Protesta masiva de los diputados católicos en la Cámara por la disolución de la Compañía de Jesús.

31 enero 1932

Consulta previa de los Ayuntamientos vascos sobre el Estatuto.

1 febrero 1932

Demófilo de Buen Lozano es nombrado presidente del Patronato encargado de administrar los bienes incautados por el Estado a la Compañía de Jesús.

Los bienes incautados a la Compañía pasaban al Estado, "el cual los destinará a fines benéficos y docentes". Al efecto se constituyó un Patronato, para hacerse cargo de su administración. Azaña con los componentes del mismo.

¿Por qué la República se empeñó en una inoportuna y desintegradora política religiosa? La secularización de los cementerios sólo sirvió para enrarecer el ambiente y dificultar el entendimiento general.

El destierro se utilizó muchas veces como pena y como medida de seguridad. A Villa Cisneros fueron deportados, por ejemplo, los anarquistas de la Cuenca del Alto Llobregat. Liquidada su sublevación fueron embarcados un centenar de ellos en el "Buenos Aires" y transportados a las inhóspitas tierras saharianas.

El general Sanjurjo es designado para un cargo de gran responsabilidad dentro de las fuerzas armadas. En la fotografía, en la toma de posesión como Director General de Carabineros.

La propaganda política abarcaba toda España. Los partidos no cejaban. Acción Nacional celebró un congreso en Granada que motivó varios incidentes. Gil Robles en un momento del acto.

La República hizo hincapié en las formas democráticas. El Parlamento se convirtió en el símbolo supremo del sistema. Sin embargo, precisamente en él, hubieron de producirse abundantes episodios contrarios a tal espíritu. Ni todo el país estaba por esos métodos ni quienes los apoyaban sabían a veces hacer uso correcto de ellos. Episodio sonado fue el ocurrido el 26 de febrero cuando, desde la tribuna pública, fue arrojada una piedra contra el banco azul por un joven "contestatario". En la fotografía se indican los lugares desde donde se arrojó y adonde fue a caer. Solamente se encontraban en la sala Largo Caballero y Carner.

5 febrero 1932

El general Sanjurjo pasa a ocupar la Dirección General de Carabineros. El general don Miguel Cabanellas es nombrado para dirigir la de la Guardia Civil.

6 febrero 1932

Es aprobado el proyecto de secularización de cementerios. «Los cementerios municipales serán comunes para todos los ciudadanos sin diferencias fundadas en motivos confesionales.»
Se crea el Consorcio de Industrias Militares.

10 febrero 1932

Las Cortes otorgan un voto de confianza al Gobierno por la represión del movimiento revolucionario del Llobregat.

11 febrero 1932

Sale del puerto de Barcelona el vapor «Buenos Aires», con 108 deportados anarcosindicalistas que participaron en los sucesos de la cuenca minera del Llobregat. El destino del buque se mantuvo en secreto; más tarde se supo que fue Bata.

20 febrero 1932

Escisión del partido radical-socialista. El diputado alicantino Botella Asensi capitanea un nuevo partido político al que denomina de Izquierda Radical-Socialista.

21 febrero 1932

Mitin radical en la plaza de toros Monumental de Madrid, ante 40.000 personas.
Gil Robles, en la plaza de toros de Sevilla, dirige la palabra a 20.000 personas.

24 febrero 1932

Se aprueba la ley del divorcio.

26 febrero 1932

Desde la Tribuna del Congreso es arrojada una piedra contra el Banco Azul. En ese momento sólo estaban presentes Carner y Largo Caballero.
Con graves incidentes, se celebra el Congreso de Acción Nacional, en Granada.

5 marzo 1932

Complot anarcosindicalista en Jaca.

7 marzo 1932

Se suprime el Capítulo de gastos del Tribunal de la Rota.

La crisis de autoridad pública tuvo consecuencias nefastas. La calle fue, en múltiples ocasiones, disputada a tiros por bandos contrarios. Llegó a extremos insólitos la osadía entre gentes civilizadas. He aquí un ejemplo: en Valencia los revoltosos vuelcan un tranvía.

La inquietud general del país afectó en gran manera a la Universidad. Las más diversas tendencias tenían representantes en profesores y alumnos. Las luchas les envolvieron de manera trágica. Disturbios estudiantiles en la Universidad de Madrid.

Su aspecto venerable, lleno de dignidad, trasluce la grandeza de ánimo de uno de los mejores educadores de la España del siglo XX. Manuel Bartolomé Cossío, discípulo predilecto de Giner de los Ríos y alma de la Institución Libre de Enseñanza, a su muerte. Se le distinguiría, en 1934, con el título de "Ciudadano de Honor" de la República.

Del talante de José Antonio es buen ejemplo el incidente habido con el general Queipo de Llano, por cuestión de opiniones sobre D. Miguel Primo de Rivera. José Antonio dio una bofetada a Queipo. Como oficial de complemento que era quedó privado del empleo por decisión del Consejo de Guerra a que fue sometido. Su hermano Miguel y su primo Sancho Dávila, también procesados, salieron absueltos. En la foto, acompañados del capitán Urzáiz, su defensor.

Es conocido el éxito popular que solían tener los mítines convocados por los partidos políticos. Los teatros, las plazas de toros se colmaban de gentes entusiastas. Pero había veces que no se alcanzaba el eco esperado y entonces la lucha política, que no admitía tregua, acudía a recursos bien poco dignos, como el truco fotográfico. En la foto, amañada, Lerroux aparece hablando a una gran masa que, obsérvese bien, se encuentra mirando en sentido contrario.

Indalecio Prieto, personaje primero entre los que hicieron política en los años de la Segunda República. Entre burgués y revolucionario, dotado de una gran inteligencia, hubiera podido ofrecer su solución personal, más factible por moderada, si la coyuntura política del momento hubiese sido más favorable. Fue otro de los grandes personajes de "nadie" difícil de encasillar para la historia y de aceptar como suyo por los propios grupos políticos contemporáneos.

8 marzo 1932

El coronel de la Legión Juan Mateo Pérez Alejo es muerto a tiros en Ceuta por un ex sargento legionario.
Un grupo de huelguistas dispara sobre un camión ocupado por guardias de Asalto.

9 marzo 1932

Se discute en el Congreso una proposición de los diputados de la oposición pidiendo que fuese levantada la suspensión de algunos diarios sancionados por el Gobierno.
Se aprueba una ley en virtud de la cual se conceden al Ministro de la Guerra facultades para pasar a los generales a la reserva, para dar de baja de las nóminas a los retirados si incurriesen en algún acto definido en el artículo 1.º de la Ley de Defensa de la República y para suprimir las publicaciones militares.

10 marzo 1932

Huelga general en Córdoba.
Los Sindicatos Únicos rompen con el Gobierno.

11 marzo 1932

Se decreta el cese de los catedráticos de Religión, suprimiéndose esta asignatura de los centros docentes.

14 marzo 1932

Se presenta en el Congreso, para su discusión, el proyecto de ley de Bases para la Reforma Agraria.

16 marzo 1932

Las Cofradías sevillanas reunidas en Cabildo deciden no salir en la Semana Santa, por el espíritu anticlerical reinante y la falta de apoyo gubernamental.
Las Cortes nombran una Comisión encargada de investigar los cargos que desempeñan los diputados en empresas relacionadas con el Estado.
El Ministro de Obras Públicas, Indalecio Prieto, propone el abandono de las obras ferroviarias.

Curiosa fotografía que reúne a Azaña, ministro de la Guerra y decidido debelador del Ejército tradicional español, con caballeros de la Militar Orden de San Hermenegildo entre los que se encuentran primeras figuras como el general Sanjurjo.

Semana Santa en España con los fervores de siempre, pero entre las sombras inquietantes de aquellos momentos de tensión política y social y de inseguridad pública. Hubo cofradías que decidieron no salir; otras que lo hicieron fueron recibidas con petardos y con piedras.

19 marzo 1932

El asesino de Eduardo Dato, Ramón Casanellas, es detenido en Carmona (Sevilla). Cinco días después cruza la frontera francesa.

24 marzo 1932

En Sevilla, durante la procesión del Jueves Santo, elementos revolucionarios apedrean la imagen del Cristo de las Aguas. Disparos y petardos contra la de la Virgen de la Estrella.

25 marzo 1932

Reaparece el periódico de Acción Nacional «El Debate», después de estar suspendido sesenta y cuatro días.

27 marzo 1932

Viaje del Presidente de la República a Cartagena. Inaugura el pantano de Caramilla (Murcia).
A bordo del «Almirante Cervera», recorre el señor Alcalá Zamora las Islas Baleares.

2 abril 1932

Ledesma Ramos organiza una conferencia en el Ateneo de Madrid. Con camisa negra y corbata roja, el jefe de las Juntas Ofensivas Nacional Sindicalistas habla de «Fascismo contra Marxismo».

4 abril 1932

En Chipiona (Cádiz), elementos anarquistas intentan asaltar el cuartel de carabineros.

5 abril 1932

El Jefe del Estado firma en Valencia un decreto referente a los privilegios de autonomía y jurisdicción del Tribunal de las Aguas. Al día siguiente inaugura el pantano «Blasco Ibáñez», en Utiel.

6 abril 1932

Disturbios en la Universidad de Madrid. Los desórdenes aumentan en los días sucesivos; los estudiantes quieren romper la exclusividad de la F.U.E. (Federación Universitaria Escolar).

Alcalá Zamora en viaje oficial. En Alicante asiste a la inauguración de obras en el puerto.

Ramiro Ledesma Ramos, una de las figuras políticas jóvenes más caracterizadas del momento. Conocedor del nazismo por su estancia en Alemania, creó en nuestro país la revista "La Conquista del Estado". Juntamente con Onésimo Redondo fundó las J.O.N.S. en diciembre de 1931, movimiento que, por algún tiempo, llegó a conectarse con Falange Española bajo la jefatura del propio José Antonio.

Los universitarios, con mayor sensibilidad social y política, se hicieron siempre eco de los problemas graves que vivía la nación. Las autoridades académicas y las políticas debieron conectar sus esfuerzos para restablecer la normalidad en más de una ocasión. En la foto, Fernando de los Ríos, ministro de Instrucción Pública, Sánchez Albornoz (X), rector de la Universidad de Madrid, y Giral.

8 abril 1932

Lectura en las Cortes Constituyentes del dictamen de la Comisión especial del Estatuto Catalán.
En la madrileña Glorieta de Bilbao es asaltada la sucursal del Banco de Vizcaya.
Se aprueba, por decreto, la Ley del Timbre del Estado.

9 abril 1932

En el Congreso se da lectura del dictamen sobre el Estatuto Catalán.
Escándalo en el Parlamento con motivo de las delegaciones de Trabajo.

12 abril 1932

A pesar de la buena cosecha de trigo registrada, el Gobierno autoriza la importación de 300.000 toneladas.

El crucero "Baleares", que tantas glorias adquiriría durante la guerra, es botado el 20 de abril en los astilleros de El Ferrol.

Los comunistas continuaban en un plano modesto casi olvidado, pero sin que por ello estuvieran ociosos. En Carmona es detenido Manuel Delicado, delegado del Partido Comunista de Barcelona, precisamente cuando viajaba hacia Sevilla para asistir al cuarto congreso del Partido. Con él fueron detenidos seis comunistas más, entre ellos Ramón Casanellas, asesino de Dato, María Luisa Mechel, su compañera, y José Persontán.

Cada primero de mayo se convertía en la fecha motor del movimiento obrerista. Agitadores comunistas que fueron detenidos con motivo de esta conmemoración.

19 abril 1932

En Sevilla, el obrero electricista Fernando Gimeno intenta agredir con un martillo al ministro de la Gobernación.

20 abril 1932

Es botado en El Ferrol el crucero «Baleares».

24 abril 1932

Mitin celebrado por la Unión de Derechas en la plaza de toros de Palma de Mallorca.

28 abril 1932

Huelga general en Melilla.

29 abril 1932

Acción Nacional adopta el nombre de Acción Popular. El Consejo de Ministros del día 23 prohibe a las Organizaciones sociales y políticas el empleo del calificativo de «Nacional».

1 mayo 1932

Incidentes en casi todas las poblaciones españolas. Paro absoluto en Madrid.
Campaña contra el Estatuto Catalán.

5 mayo 1932

Decreto por el que se modifica el impuesto de derechos reales.

África es una de las claves de nuestra historia contemporánea. Las relaciones con Marruecos, unas veces mejores que otras, fueron especialmente cuidadas por la República. En el Palacio Nacional se celebra una solemne recepción en honor del Jalifa. En la fotografía de la derecha, el Presidente de la República, el Jefe del Gobierno y el Ministro de Estado junto con otras personalidades que asistieron al acto. En la fotografía inferior, S.A.I. el Jalifa sale de Madrid camino de Sevilla para continuar su visita oficial. En la estación de Mediodía saluda a la bandera de la Compañía que le rinde honores.

Los ministros de Hacienda y Obras Públicas visitan las minas de Almadén. Carner y Prieto adoptan la indumentaria de los mineros, y se fotografían en su compañía. Las masas pesaban mucho en la vida política y los políticos nunca perdían ocasión de halagarlas.

6 mayo 1932

Comienza a discutirse la totalidad del proyecto de ley sobre Reforma Agraria.
En este mismo día se abre también la discusión de la totalidad del Estatuto Catalán.

8 mayo 1932

Bajo la presidencia de Luis Bello, comienza a discutirse el Estatuto Catalán.
Huelga general en Toledo.

10 mayo 1932

Se clausura la Universidad de Valladolid. En Zaragoza chocan los estudiantes con la fuerza pública.

El Presidente de la República acude a inaugurar nuevas instalaciones en el Museo de Arte Moderno y en la Biblioteca Nacional. Le acompañaron los ministros de Estado e Instrucción Pública y asistieron eminentes figuras de las letras como Sánchez Albornoz.

11 mayo 1932

Se lee en las Cortes el proyecto de ley sobre matrimonio civil.
José María Albiñana es detenido y deportado a Martiladrán, en plenas Hurdes.

13 mayo 1932

Ley por la que se establecen los efectivos de tropas del ejército de Africa por recluta voluntaria.
El ministro de Trabajo deroga la ley de Términos municipales.
En Cuenca se celebran elecciones parciales para elegir siete concejales. La coalición derechista gana seis puestos.
Relaciones comerciales con la Unión Soviética.

14 mayo 1932

Maciá se declara opuesto a que la mujer vote en Cataluña en las primeras elecciones.

17 mayo 1932

Un arsenal de bombas de gran potencia es descubierto en Morón (Sevilla).

Eduardo Ortega y Gasset dio categoría en política a los apellidos que su hermano José hiciera universalmente famosos en filosofía. Duro oponente de la Dictadura, sufrió destierro por tal motivo; con la República, militó en el Partido Radical Socialista y fue Gobernador Civil de Madrid.

El 11 de mayo, el doctor Albiñana era desterrado a Las Hurdes. Político derechista, jefe del partido nacionalista, fue diputado por Burgos en 1933 y en 1936. Su línea conservadora chocó en múltiples ocasiones con la revolucionaria política republicana. Preso en la cárcel Modelo, fue uno de los que en ella murieron fusilados en agosto de 1936 cuando la chusma apasionada invadió el establecimiento penitenciario.

Clara Campoamor, una de las figuras femeninas más interesantes de la época republicana. Diputado a las Constituyentes y destacada figura del movimiento feminista en España.

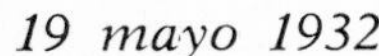

19 mayo 1932

Un plan revolucionario organizado en Sevilla por la CNT es desarticulado por la policía, que captura gran cantidad de bombas y dinamita.

22 mayo 1932

Sale de Las Hurdes el Dr. Albiñana, después de haber pasado unos días deportado por orden del Gobierno.

26 mayo 1932

El Vicario General de Vitoria declara en el exilio que «no cometen pecado» quienes voten el Estatuto vasco.

29 mayo 1932

El Presidente del Consejo de Ministros expone ante la Cámara la opinión del Gobierno respecto al Estatuto Catalán.

Mayo 1932

Escisión en el partido radical-socialista. Eduardo Ortega y Gasset y Botella Asensi abandonan el partido formando la Izquierda radical-socialista.

La República, en uso de su soberanía, estableció nuevas condecoraciones nacionales para distinguir a las personalidades acreedoras de ello. Fueron creados la Placa y el Collar de la "Orden de la República" que nos muestran las fotografías.

En la Rioja, en el pueblo de San Vicente de la Sonsierra, las fuerzas del Gobierno son recibidas con banderas blancas después de los disturbios habidos.

El terrorismo que invadió la totalidad de la nación se desarrolló mediante las más diversas y extrañas maneras. En un local obrero de Gijón se encontró este "artefacto" tan curioso.

Proliferan las revueltas en Andalucía. En Bujalance intentaron ocupar el Ayuntamiento, que defendieron el alcalde y los guardias municipales.

La inseguridad pública y el terrorismo reinante en el país improvisaban arsenales de bombas en cualquier lugar insospechado. Restos de una casa de campo en Alfajar tras la explosión de unas bombas que guardaban allí los anarquistas.

1 junio 1932

Se concede autonomía a la Universidad de Barcelona.

2 junio 1932

Los diputados José Ortega y Gasset y Melquiades Álvarez atacan el Estatuto Catalán.

7 junio 1932

Huelga general en Talavera.
La población penal en España es superior a la capacidad de sus Centros.

8 junio 1932

Se aprueba el procesamiento de Calvo Sotelo, March y Amado por creerse que se habían cometido ciertas irregularidades en la concesión del monopolio de tabacos en las plazas de soberanía de Marruecos.

10 junio 1932

Juan March ingresa en la cárcel Modelo de Madrid.

11 junio 1932

Carrasco Formiguera es separado de la minoría catalana por falta de disciplina.

12 junio 1932

El Gobernador de Oviedo ordena la clausura del Centro de Acción Popular y la detención de las personas que integran su junta directiva.

14 junio 1932

En la plaza de toros de Salamanca surge el Bloque Agrario de la provincia.
Decreto por el que se dispone la incautación de los bienes privados de Alfonso XIII.
Es detenido en Santa Cruz de Tenerife el general Orgaz.

15 junio 1932

El artículo 1.º del Estatuto Catalán es aprobado por 172 votos contra 12.
Ingresa en la prisión de Alcalá de Henares Juan March y Ordinas. Se le exige una fianza de 6.000.000 de pesetas.

Las fuerzas del orden registran a los transeúntes en plena calle. Eran medidas corrientes en una situación en la que la inseguridad pública también se había hecho cotidiana.

Político afiliado al Partido Radical Socialista, Palomo Aguado (en el centro, con las manos cruzadas) encontró en el sistema republicano la cumbre de su carrera ministerial. En la foto, Palomo Aguado Gobernador Civil de Madrid.

16 junio 1932

Por suponérsele complicado en un complot monárquico es detenido en Barcelona, por orden del Ministro de la Gobernación, el teniente general Emilio Barrera. Ingresa en Prisiones Militares de Madrid.

19 junio 1932

En un mitin radical-socialista celebrado en Avila el Ministro de Justicia hace unas declaraciones que el Ejército considera injuriosas.
En el Teatro Gayarre de Pamplona, se celebra la Asamblea de Ayuntamientos vasco-navarros para la aprobación del Estatuto.

20 junio 1932

Se dicta auto de procesamiento y prisión incondicional contra el barón de Mora, Alfonso Barrera y Dulio Cola.

21 junio 1932

Se acuerda en la Cámara que el Tribunal Mixto de Responsabilidades lo componga veintiún diputados.

22 junio 1932

Los generales Barrera y Milans del Bosch protestan enérgicamente contra las declaraciones de Alvaro de Albornoz en Avila.

23 junio 1932

Se aprueba el artículo segundo del Estatuto de Cataluña. El general Barrera es puesto en libertad.

24 junio 1932

El Consejo de Instrucción Pública se transforma en Consejo Nacional de Cultura.

27 junio 1932

Maniobras militares celebradas en el campamento de Carabanchel. El general Goded dirigió la palabra en la clausura, terminando su discurso con un «¡Viva España y nada más!». El teniente coronel Mangada hizo público con su silencio su repulsa ante el grito final. Al replicarle el general se despojó de su guerrera; ante este acto, el jefe de la División general Villegas ordena su ingreso en Prisiones Militares.
Se constituye en Ávila el Bloque Agrario.

30 junio 1932

En un hotel de Madrid es agredido el diputado catalanista Ventura Gassol. El agresor, José Blanes, le corta algunos mechones.

Ventura Gassol, consejero de la Generalidad, inseparable e imprescindible contraste de Maciá, fue objeto de una agresión que consistió en cortarle unos mechones de pelo. Su enérgica respuesta le permitió seguir disfrutando su larga melena como se puede observar en la fotografía, en la que comenta el suceso.

Azaña, como ministro de la Guerra, asiste a unas maniobras militares realizadas en Carabanchel en julio de 1932. Su preocupación por los asuntos militares quedaba patente una vez más.

Alcalá Zamora parecía el colmo de las felicidades humanas. En pleno fulgor de su estrella política se le concedía un sillón en la Academia de la Lengua para ocupar la vacante de Francos Rodríguez. Su discurso versó sobre "El Derecho en el teatro". Con García Sanchís, "Azorín", Azaña, Sánchez Toca, entre otros.

Ferviente republicano fue el teniente coronel Mangada, apasionadamente comprometido en política. Su republicanismo le convirtió en figura muy popular, llegando a general en tiempo de la guerra. En el verano de 1932 protagonizó un ruidoso incidente cuando, en el banquete celebrado tras las maniobras de Carabanchel, respondió con un muy vehemente "¡Viva la República!" al "¡Viva España y nada más!" que lanzara Goded.

1 julio 1932

Se suspende indefinidamente el periódico «El Imparcial».

7 julio 1932

El Gobierno suspende el periódico «La Correspondencia de España».

8 julio 1932

En Villa de Don Fadrique (Toledo) se produce un choque con la Guardia Civil. Cuatro muertos, entre ellos un guardia, y dieciséis heridos. Las turbas incendieron las cosechas a la llegada de los nuevos refuerzos para sofocar el motín.

10 julio 1932

Empiezan en casi toda España las campañas derechistas.

11 julio 1932

Naufraga el crucero «Blas de Lezo», en la costa Cantábrica.

15 julio 1932

Réplica de Lerroux a un manifiesto socialista.

En Villa de Don Fadrique, Toledo, se produjo en el verano de 1932 un levantamiento que costó cuatro muertos y varios heridos. He aquí el momento en que se rinden los cabecillas.

El Director General de la Guardia Civil, general Cabanellas, que había sucedido a Sanjurjo en el cargo, llega a Villa de Don Fadrique con motivo de los disturbios acaecidos.

El crucero "Blas de Lezo" que naufragó en la costa Cantábrica en el mes de julio de 1932.

Más violencia en el país. En el pueblo riojano de Briones se produjo una sublevación anarquista. Las fuerzas de Asalto registran las casas en busca de los responsables.

Al cese del general Goded como jefe del Estado Mayor Central, fue nombrado para tal puesto el general Masquelet, a quien vemos a la izquierda de la fotografía.

En Villanueva de la Serena otro brote de violencia con la represión obligada. Un periodista se informa de los pormenores del caso.

La guardia de Asalto debía de estar entrenada, puesto que sus actuaciones se solicitaban a cada momento. He aquí un simulacro de carga. A raíz de de los sucesos del 10 de agosto se trató del aumento de sus efectivos.

La diputado socialista Margarita Nelken. De origen alemán, fue una de las pocas figuras femeninas a quien cupieron importantes responsabilidades políticas en los años treinta. De espíritu combativo, fue una decidida luchadora en pro de la revolución.

Toma de posesión de un nuevo Director General de Seguridad, en esta ocasión Arturo Menéndez. Las dificultades del cargo, bien patentes cuando lo aceptó, se agravarían aún más con motivo de la sublevación del 10 de agosto en Madrid a la que Menéndez se enfrentó con toda energía hasta conseguir aplastarla. A su derecha, Casares Quiroga y Herráiz, director general saliente, y a su izquierda, el comisario Maqueda.

Desde 1926 era Franco general de brigada. Figuraba en los primeros puestos para el ascenso a general de división cuando, en enero de 1933, por un decreto, fue postergado y "congelado" en la cola. No ascendería ya hasta que llegase al Ministerio de la Guerra Diego Hidalgo, en 1934. La fotografía nos lo muestra al lado de Azaña cuando éste, siendo ministro de la Guerra, visitó La Coruña en donde Franco era comandante militar a más de jefe de la XV Brigada de Infantería. Es evidente el contraste de ánimo entre Azaña, el demoledor del Ejército, y Franco, el general más joven del país. Al político le interesaba que se le viera en su compañía y pidió que se le fotografiase con el general. A la izquierda, el jefe de la VIII División, general Vera Valdés.

El centralismo vibró con pasión en los años republicanos, cuando la autonomía consiguió audiencia y logros inusitados. El Estatuto Catalán fue, sin duda, la personalización de todos los temores autonomistas. Contra él y en pro de "la integridad nacional" no habrían de faltar mítines de protesta. He aquí a los oradores que intervinieron en uno. De izquierda a derecha, González de Guerra, Martínez Reus, Azpeitia, González de Gregorio, Royo Villanova y Requejo.

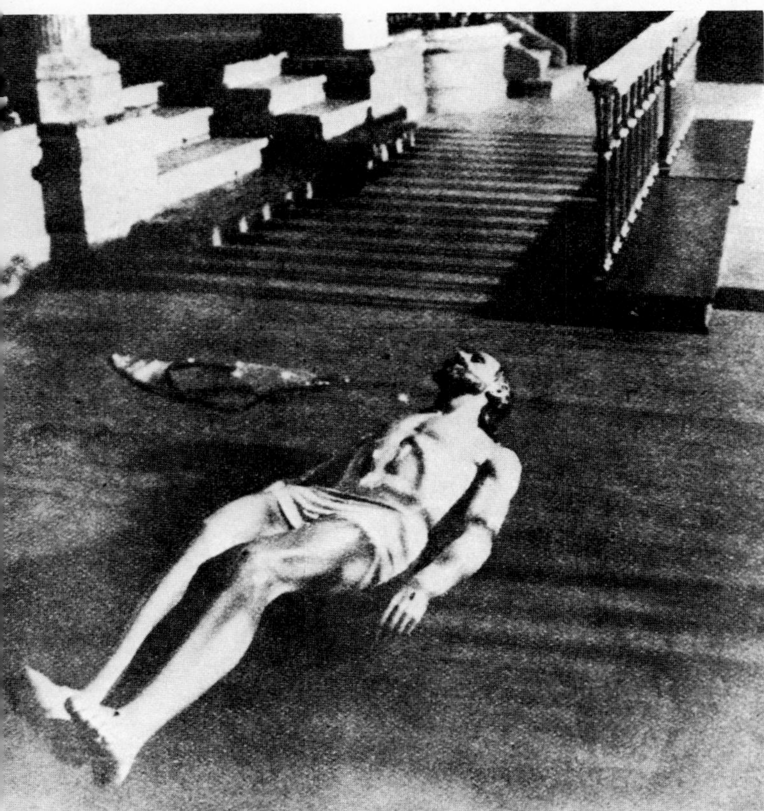

19 julio 1932

El Jefe del Gobierno, acompañado del Ministro de la Gobernación, visita La Coruña.

24 julio 1932

Asamblea católica en Cabezón de la Sal (Santander).

27 julio 1932

En la plaza de toros de Madrid, se organiza un mitin en el que intervienen Royo Villanova, González Guerra, Requejo y De Gregorio, para protesar contra el Estatuto Catalán.

3 agosto 1932

Se suprime el servicio eclesiástico de la Armada.

Impresionante fotografía compuesta por la impiedad y el odio religioso. Una profanación en el cúmulo de las llevadas a cabo en nuestra patria por un pueblo capaz de todos los extremismos. Rota la urna en que se hallaba, la imagen fue abandonada en el suelo después de haber sido despojada.

La marcha de los acontecimientos determinó, en agosto de 1932, un auténtico golpe de fuerza contra la República por parte de las derechas, en un claro intento de evitar que culminasen los proyectos de Reforma Agraria y Estatuto Catalán y de subvertir el régimen salido de abril del 31. A la izquierda, el general Sanjurjo en Sevilla con el jefe de la División, González y González; debajo de estas líneas, con el general de Ingenieros García de la Herranz (de paisano), el teniente coronel de la Guardia Civil Varea y Justo Sanjurjo; detrás, Esteban Infantes.

Sublevación del 10 de agosto en Sevilla. En plena calle, con las armas a punto, se da lectura al bando de guerra del general Sanjurjo.

El teniente general Emilio Barrera fue el principal responsable del 10 de agosto en Madrid. Dos meses antes había participado en un complot monárquico en Barcelona pero salió en seguida de la cárcel.

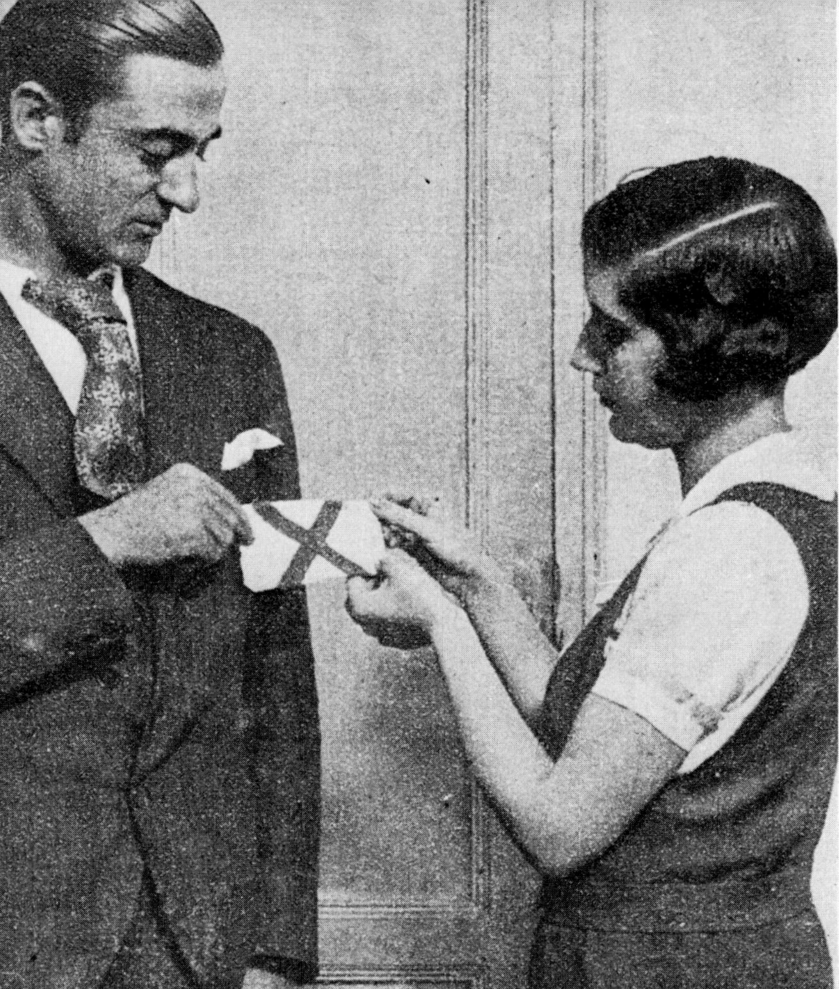

Este fue el distintivo que usaron los comprometidos en el levantamiento del 10 de agosto. Se trata de un brazalete con un aspa y los colores blanco y verde.

Los objetivos principales de la sublevación fueron, en Madrid, el Ministerio de la Guerra y el Palacio de Comunicaciones. En ambos encontraron resistencia, pero de manera especial en el primero, en torno al cual se entabló un tiroteo entre asaltantes y defensores como muestra la fotografía.

6 agosto 1932

En Atarfe (Granada), es asesinado el presidente del Sindicato Agrario.

7 agosto 1932

Bajo la presidencia del Jefe del Estado se celebra en el palacio de la Granja Consejo de Ministros.

9 agosto 1932

A las cuatro de la tarde, salen de Madrid con dirección a Sevilla el teniente general Sanjurjo, su hijo Justo y el teniente coronel Esteban Infantes.

10 agosto 1932

En Madrid, grupos armados del Ejército y paisanos se sublevan contra el Gobierno e intentan tomar el Ministerio de la Guerra y el Palacio de Comunicaciones, fracasando en el cometido. El jefe supremo del levantamiento del «10 de agosto», el teniente general Barrera, logra, un mes más tarde, pasar la frontera francesa.
En Sevilla, el general Sanjurjo domina la situación, declarando el estado de guerra en toda la región andaluza. A las 9 de la mañana las tropas ocupan las centrales de Telégrafos, Teléfonos, Radio y Estaciones ferroviarias sin la menor oposición. A primeras horas de la noche recibe el general la noticia del fracaso de la sublevación en el resto de España y que tropas gubernamentales avanzan sobre Sevilla. Ante la negativa de la oficialidad a salir a combatir, Sanjurjo marcha a Huelva para presentarse a las autoridades.

11 agosto 1932

A las 20,30, ingresa el general Sanjurjo en la Dirección General de Seguridad. Al concluir el interrogatorio es trasladado a Prisiones Militares de San Francisco.
Diez muertos y dieciocho heridos fue el balance de la jornada, en Madrid.
El Gobierno ordena la suspensión de los diarios «ABC», «El Debate», «El Siglo Futuro», «Diario Universal» y el «Mundo» y de la revista «Marte».
La iglesia granadina de San Nicolás, mezquita árabe de valor incalculable, es incendiada y destruida.

13 agosto 1932

Se suprime la Dirección General de Carabineros.
El Gobierno disuelve el Cuarto Tercio de la Guardia Civil, que secundó la rebeldía de Sanjurjo.

16 agosto 1932

Se suprime la Dirección General de la Guardia Civil.

17 agosto 1932

Proyecto de ley de expropiación de fincas rústicas. Este proyecto de ley, que se discutió el día siguiente y fue aprobado por 262 votos contra 14, afectaba a la propiedad de cuantas personas naturales y jurídicas intervinieron en el complot del día diez.

17 agosto 1932

El Presidente de la República visita Santander.

18 agosto 1932

Colisión en Letux (Zaragoza) de elementos tradicionalistas y republicanos. Resultan muertos el alcalde José Artiga y Francisco Tello.

Sanjurjo fracasó en Sevilla. En torno a su sublevación la fotografía recoge un episodio curioso. El alcalde de la primera ciudad andaluza, Fernández de la Bandera, muestra a varios diputados, entre los que se encuentra Sediles, condenado a muerte tras la sublevación de Jaca, el fajín de general perdido por Sanjurjo.

Cuartel de la Remonta de Madrid que es parte de la historia del 10 de agosto. De aquí salieron los comprometidos en el movimiento destinado a derrocar el gobierno republicano.

La casa de los marqueses de Esquivel, en Sevilla, sirvió a Sanjurjo a modo de cuartel general. Fracasada la sublevación fue incendiada como represalia.

Por su eficaz intervención en la represión del alzamiento del 10 de agosto en Madrid, Casares Quiroga felicita a las tropas. La República había conseguido sortear un serio peligro y mostraba su reconocimiento a los leales. En la fotografía, en segundo término, Arturo Menéndez, Director General de Seguridad.

Los principales responsables fueron detenidos y juzgados. Sanjurjo fue condenado a la pena capital, que al final se le conmutó por la de prisión perpetua y para cumplirla pasó al penal del Dueso en Santoña. La fotografía muestra a Sanjurjo con el característico atuendo de presidiario en el patio del penal rodeado de otros reclusos.

23 agosto 1932

Se crea en Santander la Universidad Internacional de Verano en el antiguo Palacio Real de la Magdalena.
Es aprobado el artículo 2.º del Estatuto, por 191 votos contra 112.

24 agosto 1932

Proyecto de ley por el que se autoriza al Ministro de la Gobernación para aumentar el número de guardias en 2.500, con el fin de intensificar la defensa de la República.
En el Tribunal Supremo tiene lugar la vista contra el general Sanjurjo. Es condenado a muerte.

25 agosto 1932

Los ministros del Gobierno, a excepción de Casares Quiroga, se declaran a favor del indulto del general Sanjurjo, que firma el Presidente de la República.

29 agosto 1932

El cargo de Gobernador General de Cataluña coincidirá en la persona del Comisario General de Orden Público, nombrado por la Generalidad.

31 agosto 1932

Sin discusión, quedan aprobadas las Bases XVI, XVII y XIX de la Reforma Agraria.

A San Sebastián acudió el Presidente de la República para firmar el Estatuto de Cataluña. Con los ministros, recorriendo diversos lugares de la ciudad.

A su llegada a San Sebastián, Alcalá Zamora vuelve a encontrarse con Fernando Sasiaín, alcalde de la ciudad que había presidido el histórico pacto que lleva su nombre.

2 septiembre 1932

En Puertollano, grupos de obreros parados saquean los comercios. La fuerza pública, al impedir los desmanes, hace dos muertos y cuatro heridos.
Se aprueba un proyecto de ley sobre jubilación de los funcionarios de la carrera judicial y fiscal. Muchos magistrados, jueces y fiscales, sospechosos de monarquismo, fueron jubilados.

6 septiembre 1932

Se aprueba el proyecto de reforma del Código Penal de 1870. Se suprimen la pena de muerte y las de cadena y reclusión perpetuas.

7 septiembre 1932

Se aprueban las Bases VII, XXIII y XXIV de la Reforma Agraria.
Proyecto de ley relativo al destino que se ha de dar a los bienes de la Compañía de Jesús.

9 septiembre 1932

Queda aprobado el proyecto de Reforma Agraria por 318 votos contra 19.
Es aprobado el Estatuto Catalán por 334 votos a favor contra 24.

10 septiembre 1932

Llega a San Sebastián el Presidente de la República.
Las Cortes aplazan sus sesiones hasta el 1 de octubre.

11 septiembre 1932

Homenaje en Barcelona en honor al Conseller Casanova.

14 septiembre 1932

Es incendiada y destruida la iglesia parroquial de Doña Mencía.

15 septiembre 1932

En el Palacio de la Diputación, Alcalá-Zamora firma el Estatuto Catalán, con asistencia de los representantes de Cataluña y del país vasconavarro. Están presentes los ministros de Hacienda y Agricultura.

de catorce Diputados por circunscripción.

Mientras no legisle sobre materias de su competencia, continuarán en vigor las leyes actuales del Estado que a dichas materias se refieren, correspondiendo su aplicación a las autoridades y organismos de la Generalidad, con las facultades asignadas actualmente a las del Estado.

Y nos honramos en comunicarlo a V. E. a los efectos prevenidos en el artículo 83 de la vigente Constitución de la República española.

Palacio de las Cortes 9 de septiembre de 1932.

Visto lo decretado y sancionado por las Cortes, promúlguese la Ley. San Ildefonso 15 septiembre 1932.
Niceto Alcalá Zamora

Sr. Presidente de la República española.

Instantánea de la firma del Estatuto de Cataluña por el Presidente de la República.

Fragmento final del Estatuto. A su pie el "promúlguese" con la firma del primer mandatario del país.

Alcalá Zamora se fotografía con los parlamentarios catalanes después de la firma del Estatuto.

La República exigió responsabilidades a la Dictadura y montó todo un proceso en contra. Franchy Roca presidió el tribunal encargado de juzgar a los colaboradores del general Primo de Rivera. El veredicto les fue adverso. Los generales procesados, Ardanaz, Mayandía, Federico Berenguer, Cavalcanti, Saro, Aizpuru y García Reyes.

22 septiembre 1932

En el Senado se ve la causa contra los generales y ministros civiles de los Directorios de Primo de Rivera. El tribunal, constituido por 21 diputados de la Comisión de Responsabilidades, lo preside Franchy Roca.
Sale de Cádiz el «España número 5» con destino a los arenales de Villa Cisneros, con 138 deportados a bordo, implicados en la sublevación del 10 de agosto.

23 septiembre 1932

Creación del Instituto de Reforma Agraria.

24 septiembre 1932

El Jefe del Gobierno visita Barcelona para hacer entrega a la Generalidad del Estatuto.

1 octubre 1932

Las Cortes reanudan sus sesiones con la lectura de la Ley de Incompatibilidades.

Más de un centenar de los complicados en el levantamiento del 10 de agosto fueron deportados a Villa Cisneros. Este es el barco, el "España 5", que les llevó al destierro.

LA VANGUARDIA

BARCELONA

NOTAS GRÁFICAS — Martes 27 de Septiembre de 1932 — OCHO PÁGINAS

EL JEFE DEL GOBIERNO EN BARCELONA

El señor Azaña revista en la plaza de Cataluña las tropas que le rindieron honores a su llegada al hotel donde se hospeda. (Fot. Sagarra)

El Presidente del Consejo se trasladó a Barcelona para hacer entrega del Estatuto de Cataluña. El viaje era el remate de la labor gubernamental en pro de la autonomía. Maciá le esperaba en la estación de Barcelona y le acompañó en coche descubierto hasta el Palacio de la Generalidad, tal como muestra la fotografía, en la página anterior a la izquierda. En la fotografía inmediata, Azaña y Maciá acompañados de diversas personalidades, entre ellas Carlos Esplá y Arturo Menéndez, gobernador civil de Barcelona y director general de Seguridad, respectivamente. A la derecha de estas líneas, reproducción de la portada de "La Vanguardia" en la que Azaña aparece revistando las tropas que le rindieron honores a su llegada al hotel donde se hospedaba.

Desde la Presidencia de la República, Alcalá Zamora vela por la Constitución y cumple con sus otras obligaciones menores, las de representación oficial. Pocas veces sería más feliz dentro de estos actos que en el que nos muestra la fotografía, cuando viajó a Priego, Córdoba, su villa natal, para inaugurar una pomposa exposición de muestras.

Reunión de personalidades catalanas, parlamentarios todos. en torno a la figura central de Maciá. De izquierda a derecha: Corominas, Carner, Maciá, Serra, Gassol, Companys y Hurtado.

El Ejército de la República, sobre las nuevas coordenadas de la reforma de Azaña, procuraba mantenerse bien preparado. El Presidente de la República presencia las maniobras del Pisuerga. Le acompañan diversos agregados militares extranjeros.

La vida privada de Azaña, sus sentimientos, sus ilusiones, sus temores, suelen quedar siempre perdidos entre su intensa vida pública. Podría uno preguntarse cuál era la más auténtica y espontánea. En la fotografía, con su esposa.

La imponente figura del Dr. Marañón, genial en tantos campos —medicina, letras...— tiene también un interesante perfil político como exponente de las inquietudes de la intelectualidad española de la época. Formó con Ortega y Pérez de Ayala el trío que encabezó el movimiento al Servicio de la República, que, desde la ilusionada teoría, pensó resolver los endémicos males del país. En la foto en compañía de Pío Baroja.

Los monárquicos alfonsinos se organizaron eficazmente para resistir dentro y fuera del juego político republicano. Aparte de las coyunturales alianzas con otras corrientes derechistas, desarrollaron una línea propia que tuvo como órgano de acción a Renovación Española. Goicoechea fue su figura principal desde los primeros momentos.

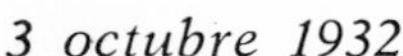

3 octubre 1932

Comienza en las Cortes la discusión sobre el cese de los concejales elegidos por el artículo 29; las vacantes se cubrirán por designación gubernativa. El diputado radical Guerra del Río inicia la campaña de oposición, pidiendo inmediatas elecciones municipales.
Dimisión del Consejo de la Generalidad. El nuevo gabinete quedó constituido del siguiente modo:

Presidencia y Agricul.	Francisco Maciá y Llusá
Inst. Púb.	Ventura Gassol Rovira
Gobernación	José Terradellas Joan
Economía	Manuel Serra Moret
Trabajo	Javier Casals
As. Soc. y San.	Antonio Xirau Palau
Just. y Der.	Pedro Comas
Hacienda	Carlos Pi y Suñer
Obras Púb.	Juan Lluhí y Vallescá

6 octubre 1932

Se inician unas maniobras militares en la cuenca del Pisuerga. Asiste el ministro de la Guerra en compañía del general Rodríguez Barrio, que dirige las operaciones.

11 octubre 1932

Es detenido Antonio Goicoechea, ex-ministro monárquico, a consecuencia de un mitin celebrado en Gijón. Ingresa en la Cárcel Modelo de Madrid. Días más tarde se le traslada a la ciudad asturiana.

13 octubre 1932

El Presidente de la República autoriza la lectura en las Cortes del proyecto de ley contra las Congregaciones religiosas.
Paro en la industria textil de Barcelona.

14 octubre 1932

En Cogollos de la Vega, Granada, es dispersada a tiros una procesión. Un muerto y varios heridos.

15 octubre 1932

En Lérida, se reúne por primera vez el Gobierno de la Generalidad.
El grupo «Al Servicio de la República» decide disolverse. Casi todos los componentes pasan a Acción Republicana.

16 octubre 1932

Un muerto y varios heridos es el resultado de un choque entre socialistas y nacionalistas vascos, en Vizcaya.

18 octubre 1932

El diputado salmantino Gil-Robles interpela al Gobierno. Afirma, refiriéndose a la Agricultura, que «los salarios que se imponen son más altos que en ninguna otra nación de Europa, siendo nuestra economía mucho más pobre».
Carner presenta a la Cámara los primeros presupuestos normales de la República, relativos al año 1933. Presenta asimismo un proyecto de ley de impuesto progresivo sobre la renta, que se aprueba en poco menos de una hora.

En viaje de amistad, el Presidente del Gobierno francés E. Herriot llega a Madrid. A pesar de algunas manifestaciones en contra, su estancia cumplió los intrascendentes objetivos previstos. En la fotografía, acompañado del Presidente de las Cortes y componentes de la Mesa, así como del embajador francés en España.

A pesar de la brevedad de su viaje, el jefe del Gobierno francés visitó Toledo y algunos otros lugares de las cercanías de la capital. Mantuvo contactos oficiales con el Presidente del Gobierno y con el de la República, tal como muestran las fotografías.

21 octubre 1932

Arden las iglesias parroquiales de Geresa y Marchena en la provincia de Sevilla.

22 octubre 1932

Primera Asamblea de Acción Popular.

30 octubre 1932

El Jefe del Gobierno francés, Eduardo Herriot, visita España.

1 noviembre 1932

En Valencia se celebra una asamblea de alcaldes para estudiar un proyecto de Estatuto para la Región.

2 noviembre 1932

El Jefe del Gobierno francés firma en Toledo tres convenios sobre materia laboral. Por la noche regresa a su país.

9 noviembre 1932

Las minorías radical-socialista, Acción Republicana, Izquierda Catalana y Federación Republicana Gallega, crean la Federación de Izquierdas Republicanas Parlamentarias.

Victoria Kent preside el Comité de la Federación de Partidos de Izquierda Republicana. Era hora de apretar las filas con vistas a una actuación eficaz en el Parlamento.

La República mantiene relaciones con el fascismo italiano de Mussolini. En la foto, Alcalá Zamora y Zulueta, ministro de Estado, conversan con Guariglia, embajador de Italia en el Gobierno español.

Cambó ha sido reivindicado como uno de los mejores políticos españoles del siglo. Su figura, hecha en Cataluña en los problemas catalanistas, trascendió a ambos círculos y pareció que iba a ser la solución en los más críticos momentos del reinado de Alfonso XIII. Después, apenas contó. En la fotografía, en un discurso político.

Para agasajar a los parlamentarios defensores del Estatuto se celebraron festejos en diversos lugares de Cataluña. Giral y Margarita Nelken bailan la sardana en el Pirineo catalán.

Los problemas en el campo cultural eran ingentes. La República intentó hallarles solución aunque sean discutibles los métodos empleados. Siendo ministro de Instrucción Pública Fernando de los Ríos, se inaugura en San Sebastián el Museo de San Telmo. En el acto, acompañado de las autoridades locales.

El país vibraba ante los acontecimientos políticos y la propaganda se desbordaba por todas partes en busca de votos. Un buen ejemplo en Cataluña con motivo de las elecciones al Parlamento de la Generalidad.

14 noviembre 1932

En Asturias, a consecuencia de un excedente de 350.000 toneladas de carbón, se anuncia el despido de obreros. En las minas de Mieres es licenciado todo el personal. En Duro de la Felguera anuncian lo mismo. En Turón son despedidos 600 mineros. El Sindicato Minero da orden de huelga en toda Asturias. El Gobierno propone la adquisición por el Estado de 100.000 toneladas de menudos para los servicios de los Ministerios de Obras Públicas, Guerra y Marina. El día 19, los dirigentes sindicales dan órdenes a sus afiliados para que vuelvan al trabajo.

16 noviembre 1932

Huelga general en Sevilla.

20 noviembre 1932

El Presidente Provisional de la Generalidad, Francisco Maciá, convoca elecciones generales en Cataluña. De los 87 escaños que componen la Cámara, la Izquierda Republicana, coaligada con la Unión Socialista, obtiene 57. Se nombra un diputado por cada 40.000 habitantes.

23 noviembre 1932

Los radicales exigen se discuta la ley de Garantías Constitucionales.
Un grupo de diputados presenta una proposición pidiendo que hasta que se constituya el Tribunal de Garantías se nombre una Comisión que recoja las reclamaciones por infracción de la Constitución.
Huelga general en Granada.

25 noviembre 1932

El partido Radical-Socialista anuncia su deseo de que persista la colaboración del partido Socialista con las izquierdas republicanas.

29 noviembre 1932

Reaparece el diario monárquico «ABC», suspendido a raíz de los sucesos del 10 de agosto. La sanción gubernativa supuso una pérdida de más de dos millones de pesetas.

1 diciembre 1932

El Ministerio de Instrucción Pública dicta una orden

Azaña sintió gran interés por los temas militares. Su labor cuando ocupó el Ministerio de la Guerra tuvo gran repercusión. En la fotografía, con el Presidente de la República en la entrega de despachos a los nuevos oficiales.

para dedicar los locales docentes a la enseñanza nocturna de adultos.

5 diciembre 1932

La Federación obrera declara la huelga general en Salamanca.

6 diciembre 1932

Inauguración del Parlamento Catalán. Es elegido Presidente de la Generalidad Francisco Maciá y del Parlamento Luis Companys.
El Gobierno de la Generalidad presenta la dimisión al Presidente. El nuevo Consejo queda constituido así:

Obras Públicas	Juan Lluhí Vallescá
Gobernación	José Tarradellas Joan
Hacienda	Carlos Pi y Suñer
Trab. y Asis. So.	Javier Casals
Cultura	Ventura Gassol Rovira
Agricul. y Econo.	Antonio Xirau Palau
Justicia	Pedro Comas

7 diciembre 1932

Paro en las minas de León y Palencia.
Huelga general en Gijón.

17 diciembre 1932

Se reúnen los autonomistas gallegos para proceder al estudio de un Estatuto.

Día de la apertura del Parlamento en Cataluña. Los diputados junto a las primeras autoridades catalanas.

Momento de la solemne apertura del Parlamento catalán, bajo la presidencia de Companys.

Maciá, presidente del Gobierno de la Generalidad. Su línea política de obstinado catalanismo daría ocasión a numerosas fricciones con el Gobierno central a pesar de que algunos de los miembros catalanes, como Pi y Suñer y Lluhí Vallescá, llegasen a figurar como ministros en el Gobierno de la nación.

18 diciembre 1932

Antonio Goicoechea, en un mitin celebrado en el cine Monumental de Madrid, se muestra partidario de la unión de las derechas.

19 diciembre 1932

El comunista Adame, de regreso de Rusia, es detenido y encarcelado en Sevilla.

22 diciembre 1932

Se concede a Méjico un crédito de setenta millones de pesetas para la construcción de buques de guerra y mercantes en astilleros españoles.

25 diciembre 1932

Un incendio destruye los almacenes «El Siglo», de Barcelona.

28 diciembre 1932

En Barcelona se descubre un complot revolucionario, en el que aparecen complicados comunistas de diversas provincias.

31 diciembre 1932

Veintinueve confinados logran evadirse de Villa Cisneros en la goleta francesa «Aviateur Le Brix».
198 huelgas laborales registra el año 1932.

1933. EL DECLIVE DEL BIENIO AZAÑISTA

El año 1933 se abrió con un triste suceso que iba a conmover a la opinión nacional y a traer graves consecuencias políticas en cuanto que habría de incidir muy desfavorablemente en el prestigio del azañismo. En el pueblo gaditano de Casas Viejas saltó una violenta sublevación anarquista que el Gobierno reprimió con la más inusitada violencia. Hubo fusilamientos, "ley de fugas" y hasta parece ser que "tiros a la barriga". Azaña como jefe del Gobierno y Casares Quiroga como jefe de la Gobernación resultaban los principales responsables y por ello los más criticados dentro y fuera del Parlamento.

1 enero 1933

En Barcelona se descubre un depósito de municiones. Estallan en La Felguera bombas de gran potencia.

8 enero 1933

Se inicia un movimiento revolucionario en las principales provincias españolas. Bombas colocadas en la puerta de la Jefatura de Policía de Barcelona fueron la señal de ataque. En Zaragoza, Sevilla, Bilbao y Madrid los anarquistas intentan asaltar cuarteles.

11 enero 1933

En Casas Viejas, se reciben órdenes de Sevilla, Jerez y otros puntos para contribuir a la implantación del comunismo libertario en España. Un sargento y un guardia Civil mueren al repeler un ataque al cuartel. Guardias de Asalto entran en el pueblo a tiro limpio, causando bajas. Al día siguiente los rebeldes se hacen fuertes en la choza de un vecino apodado «Seisdedos», que es incendiada. Son fusilados once detenidos en represalia por el asesinato de un guardia de Asalto.

13 enero 1933

Llegan a Cezimbra (Portugal) los evadidos de Villa Cisneros.

15 enero 1933

Embarcan en el «España número 5», con rumbo a Cádiz, gran parte de los confinados en Villa Cisneros, que ingresan en la Cárcel Modelo, excepto los militares, los cuales pasan a Prisiones de San Francisco.

A la derecha, el capitán Rojas, principal protagonista de la dura represión llevada a cabo en Casas Viejas. "Así cumplía —se disculpó el capitán— lo que me habían mandado». A la izquierda, el teniente Fernández Artal que acudió con refuerzos desde Medina Sidonia.

El héroe trágico de Casas Viejas fue un vecino apodado "Seisdedos". La choza donde se hizo fuerte hubo de ser destruida para acabar con su resistencia. He aquí los restos.

En Casas Viejas hubo muy distintos responsables. De comparsa actuó una masa campesina, miserable y resabiada, que personificó una bomba de odio masivo. Las fuerzas del orden efectuaron numerosas detenciones como ésta, de hombres sufridos y callados que se habían convertido en rebeldes sin freno.

Ya en marcha el régimen autonómico, Maciá dirigió la política de la Generalidad hasta su muerte. He aquí el gobierno que constituyó el 24 de enero de 1933. De izquierda a derecha: Casals, Corominas, Pi y Suñer, Maciá, Gassol, Selvas y Dencàs. Falta el ministro de la Gobernación José Irla.

17 enero 1933

La policía descubre en el Sindicato Único de Logroño una fábrica de explosivos.

18 enero 1933

En una fundición de Igualada se encuentran 3.000 bombas y varias cajas de explosivos.

19 enero 1933

Rodríguez Piñero dimite su cargo en la Comisión de Responsabilidades para March y Calvo Sotelo.

24 enero 1933

Nuevo Gobierno de la Generalidad:

Justicia y Der.	Pedro Corominas
Gobernación	José Irla
Hacienda	Carlos Pi y Suñer
Cultura	Ventura Gassol Rovira
Agricul. y Econ.	Juan Selvas Carné
Trabajo y O. P.	Francisco Casal
San. y Asis. Soc.	José Dencás Puigdollers

El asunto de Casas Viejas llegó a tomar estado parlamentario. Una comisión de diputados fue encargada de llevar a cabo las investigaciones oficiales. He aquí a sus componentes; de izquierda a derecha: Puig Ferrater, Botella Asensi, Casanueva, Lara, Jiménez Asúa, González Uña, García y Bravo y Poza Juncal.

La ley de Congregaciones galvanizó a la opinión derechista. Las posiciones se extremaron. Diputados agrarios y vascos se reúnen para coordinar sus esfuerzos en contra de ella. Para todos era evidente que la coalición era una necesidad del momento. De izquierda a derecha: Fanjul, Calderón, Martínez de Velasco y Horn. Detrás: Gil Robles, Casanueva, Cano, Gonzálvez, Royo Villanova, Ortiz de Solórzano, Cid y Beunza.

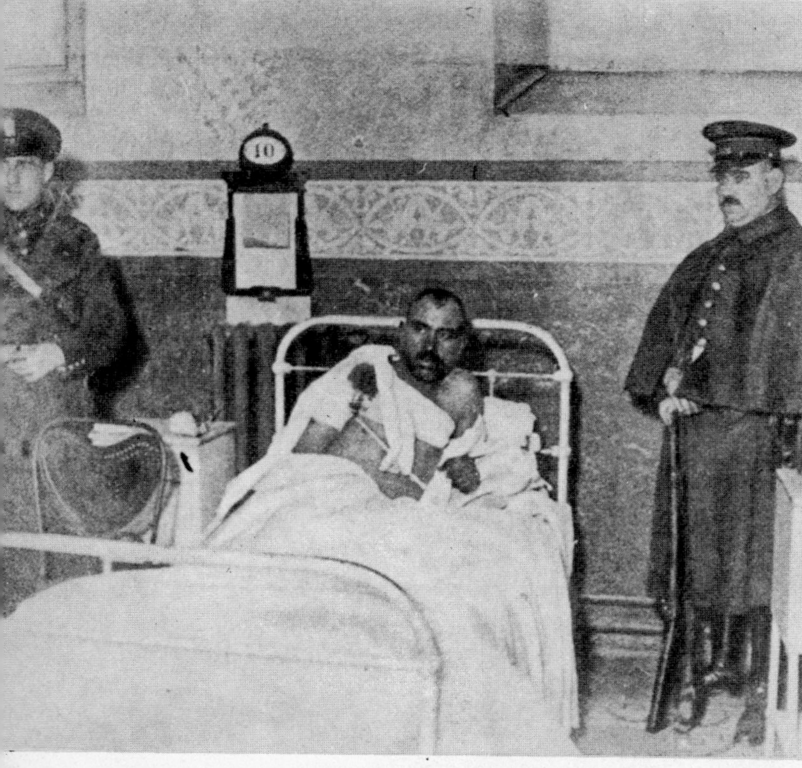

En el mes de enero, en un tiroteo en las Ramblas de la Ciudad Condal es herido Ivan Rutmikoff, súbdito ruso. Sería muy interesante conocer el trasfondo. ¿Estaba ya entonces Rusia muy lejos de España?

1 febrero 1933

Se reanudan las sesiones parlamentarias. Abre el debate Eduardo Ortega y Gasset sobre los sucesos de Casas Viejas.

2 febrero 1933

Discusión del proyecto de ley de Confesiones y Congregaciones religiosas.
La Lliga Regionalista cambia de nombre; estrena el de Lliga Catalana.
Azaña responde en el debate sobre Casas Viejas.

6 febrero 1933

Los partidos de derechas se reúnen para protestar contra el proyecto de Ley de Congregaciones.

8 febrero 1933

Se nombra una Comisión parlamentaria para investigar los sucesos de Casas Viejas. La comisión estaba integrada por los diputados siguientes: Manuel Muñoz Martínez, Juan Puig Ferrater, Gabriel Franco López, Joaquín Poza Juncal, Fernando González Uña, Cándido Casanueva y Gorjón, Antonio Lara y Zárate, Juan Botella Asensi y Luis Jiménez de Asúa.
El Ayuntamiento de Bilbao acuerda la demolición del monumento al Sagrado Corazón. El pueblo expresa su indignación. El Gobernador civil sanciona a los diarios «La Gaceta del Norte» y «Euzkadi». El fervor religioso consiguió dejar en suspenso el derribo.
Hasta la fecha, las Cortes de la República llevan aprobadas 273 leyes.

9 febrero 1933

Don Ángel Herrera Oria, director durante 21 años de «El Debate», cesa en el cargo, pasando a desempeñar la presidencia de la Junta Central de Acción Católica. Le sustutye don Francisco de Luis Díaz.

12 febrero 1933

Huelga en Vigo, donde la mayoría de los obreros metalúrgicos estaban en paro forzoso.

14 febrero 1933

En el «Frontón de Madrid» se celebra un homenaje en honor al Jefe del Gobierno.

Después de los acontecimientos de Casas Viejas y de la ley de Congregaciones Religiosas, la coalición gubernamental quiso simbolizar su cohesión en un banquete de fraternidad que se celebró en la Frontón Madrid. De izquierda a derecha: De los Ríos, Giral, Ramos, Azaña, Serrano Batanero, Domingo, Ruiz Funes, Largo Caballero, Bugeda y Prieto.

18 febrero 1933

En Algorta es asaltada la sucursal del Banco de Bilbao, llevándose los atracadores 30.000 pesetas.

22 febrero 1933

En Badajoz, un patrono dispara contra los obreros que le exigían los jornales de unas labores practicadas y resultan nueve heridos. Al ser detenido, los obreros intentaron lincharle, evitándolo la Guardia Civil.
En Palencia se declara la huelga general en protesta contra el paro obrero. Varios heridos.

24 febrero 1933

Se encarga interinamente de la cartera de Hacienda Azaña, por enfermedad del titular, aquejado de un cáncer de garganta.

Los tradicionalistas inauguraron en los primeros días de 1933 el Casino Carlista. Presidió el acto Juan Pérez Nájera.

Víctor Pradera, genuino representante del conservadurismo español, que fue importante personaje político de las derechas. Tras una conferencia en el Cine Monumental en febrero de 1933.

El anarquismo español sufrió divergencias internas. En 1931 un grupo de anarquistas, "el de los treinta", fue expulsado de la CNT por desacuerdos en el modo y ocasión de llevar a cabo la revolución. Ángel Pestaña se salió de la CNT y fundó, en 1933, el Partido Sindicalista, de extrema izquierda pero dotado de un gran sentido realista y verdaderamente oportunista. Por ello aceptó la colaboración parlamentaria a fin de poder influir en la política. En las Cortes de 1936 obtuvo un escaño por Cádiz.

28 febrero 1933

Congrego Nacional de Acción Popular. Se hace público el programa de la C.E.D.A. (Confederación Española de Derechas Autónomas).

1 marzo 1933

Antonio Goicoechea expone en el teatro de la Comedia el programa de «Renovación Española», partido de la derecha monárquica.
Disminuye en un 35 por ciento la riqueza ganadera de Badajoz.
La policía descubre un depósito de explosivos en Palencia.

3 marzo 1933

Los radicales piden al Gobierno que ponga a disposición de las Cortes los documentos que obran en su poder con el fin de esclarecer lo sucedido en Casas Viejas.

4 marzo 1933

Se levanta provisionalmente el arresto a los cinco capitanes de Asalto. El capitán Rojas continúa en prisión.
Consejo de Guerra en el Ministerio de Marina por el hundimiento del crucero «Blas de Lezo». La sentencia es absolutoria para todos los procesados.

5 marzo 1933

Dimite el Director General de Seguridad Arturo Menéndez. Le sustituye Manuel Andrés Casaus, Gobernador Civil de Zaragoza.
Se constituye la Confederación Española de Derechas Autónomas (C.E.D.A.).
Clausura del Congreso Nacional de Acción Popular.
Universitarios de Madrid forman un sindicato afiliado a las Juntas Ofensivas Nacional Sindicalistas.

El comandante de Regulares de Melilla, Miguel Rodrigo, héroe de la guerra de África, fue distinguido con la más alta condecoración militar, la Cruz Laureada de San Fernando, que le fue impuesta por Moles, Alto Comisario de España en Marruecos.

Sólo de cuando en cuando, pero a base de aldabonazos geniales, España ha logrado ser considerada en su auténtica categoría en el panorama universal de los últimos tiempos. Fue en una de estas ocasiones cuando a Juan de la Cierva y Codorniu, hijo del ministro monárquico e inventor del autogiro, se le concedió la Medalla de Oro de la Aeronáutica Internacional, en reconocimiento a su excepcional valía. En la fotografía, en compañía de su familia.

Para Alto Comisario de España en Marruecos fue elegido Juan Moles, antiguo Gobernador Civil de Barcelona. Abogado, republicano leal, tenía un cierto aspecto moruno, según opinaban sus contemporáneos, que por ello le auguraban una feliz gestión en el norte de África. En compañía del Jalifa.

A principios de marzo de 1933 surgía la CEDA, quizás el partido más poderoso y organizado de las derechas. Gil Robles asumía la dirección. En la foto aparece después del acto de clausura del Congreso del que salió el nuevo partido. De izquierda a derecha: Dimas Madariaga, Lucia, Gil-Robles, Pabón y Álvarez Robles. Sentada, Francisca Bohigas.

Fragmento del primero y único número de "El Fascio". José Antonio participó en su creación apareciendo Delgado Barreto como director.

EL FASCIO

AÑO 1 — HAZ HISPANO — NUM. 1

Apartado de Correos 546 — Madrid, 16 de marzo de 1933 — Oficinas: Av. Pi y Margall, 18

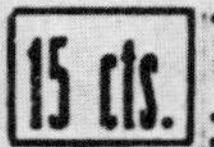

15 cts.

EL MARXISMO ES EL REVERSO DE LA CIVILIZACION

Propósitos claros y misión concreta

El solo anuncio de la publicación de EL FASCIO ha tenido una doble eficacia: sacudir la conciencia del pueblo español y remover la bilis de los que luchan para que ese pueblo español no pueda ser dueño de sus propios destinos. Nos satisfacen por igual los dos resultados, acreditativos de que vamos a trabajar en terreno con admirable preparación y de que los adversarios —generalmente ignorantes de la doctrina, los procedimientos y las finalidades del movimiento— atribuyan al propósito toda la trascendencia de una iniciativa que encaja en el momento nacional y puede alcanzar vuelos insospechados hasta hace poco.

Pero a nosotros nos importa mucho impedir, prematuramente, que los exégetas de mala fe, capaces de tergiversar, porque es su única arma defensiva, incluso el pensamiento que no les ha sido revelado, engañen al público. Y por eso, remitiendo al lector, en cuanto a programa, a los "Puntos de partida" que aparecen concretados en la página tercera, limitamos estas líneas a unas aclaraciones imprescindibles.

No viene EL FASCIO a implantar, organizar y dirigir el fascismo en España. La misión periodística, apartada de todo caudillaje, es de aliento a las voluntades predispuestas, de difusión de las ideas y de comunicación entre aquellos que las profesen afines. No pensamos en jefaturas ni nos creemos presuntos inspiradores de aquellos que puedan asumirlas. Estamos limpios de ambición.

Nos encontramos, sencillamente, con el panorama político español que no es de hoy, sino de muchos años, porque no ha dependido de la forma de un régimen, sino de un sistema abominable, sólo interrumpido en muy breves etapas.

Ya por el año 1922, comentando los preludios de la revolución italiana, un escritor monárquico, que por entonces destacó en la Prensa española, con fuertes caracteres, su seudónimo de "El Duque de O", decía en un artículo titulado "La significación fascista y el anhelo español", reproducido ha poco en un folleto, lo que sigue:

A la juventud española

1921 — 1931

1923 — 1933

BRERO

EL ALTO AL CAOS, por ORBEGOZO

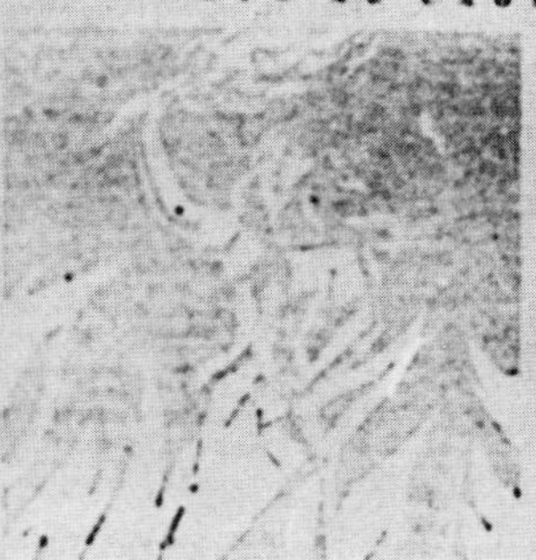

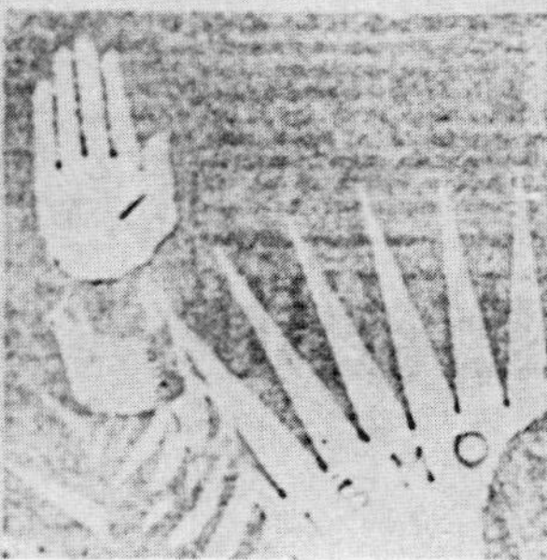

En abril de 1933 llegaba a Madrid, para pronunciar una serie de conferencias, A. Kerensky. Importante figura de la historia contemporánea rusa que había servido de puente a la implantación del comunismo, era el ejemplo vivo de las componendas sin resultados eficaces para contener la marea extremista.

Mitin derechista en el Frontón Euskalduna de Bilbao en el que, entre otras personalidades, habló Goicoechea. Obsérvese el detalle de que, al fondo, campea el emblema del yugo y las flechas, tan significativo de nuestro pasado histórico y vuelto a utilizar en nuestros tiempos.

En ocasiones las armas de los sublevados resultaban extrañas y heterogéneas. Buen ejemplo es este "alijo" cogido en Bétera (Valencia).

9 marzo 1933

Se decreta el cese del general Queipo de Llano en la Jefatura de la Casa Militar del Presidente de la República.

11 marzo 1933

Ingresa en Prisiones Militares el ex Director General de Seguridad Arturo Menéndez.

15 marzo 1933

La Federación Económica de Andalucía expone al Jefe del Gobierno la gravedad económica y social que atraviesa la región.

16 marzo 1933

Se da por concluido el debate parlamentario sobre Casas Viejas, obteniendo el Gobierno la confianza por 210 votos contra 1.
Aparece «El Fascio», semanario dirigido por don Manuel Delgado Barreto. Entre los redactores se encuentran José Antonio Primo de Rivera, Ramiro Ledesma, Rafael Sánchez Mazas, Juan Aparicio y E. Giménez Caballero.

18 marzo 1933

Asalto a la Caja Municipal de Ahorros de Deusto.

20 marzo 1933

Una manifestación izquierdista impide se celebre un acto organizado por Renovación Española. Entre los manifestantes y la fuerza pública se entabla un tiroteo, del que resultan siete heridos.

22 marzo 1933

Se aprueba por unanimidad el dictamen sobre la ley de Incompatibilidades.

25 marzo 1933

Es asesinado el alcalde de Belalcázar (Córdoba) Pedro José Delgado.

La rivalidad política se teñía una vez más de violencia. En Ronda, agitadores callejeros apedrearon e intentaron quemar los locales de Acción Popular.

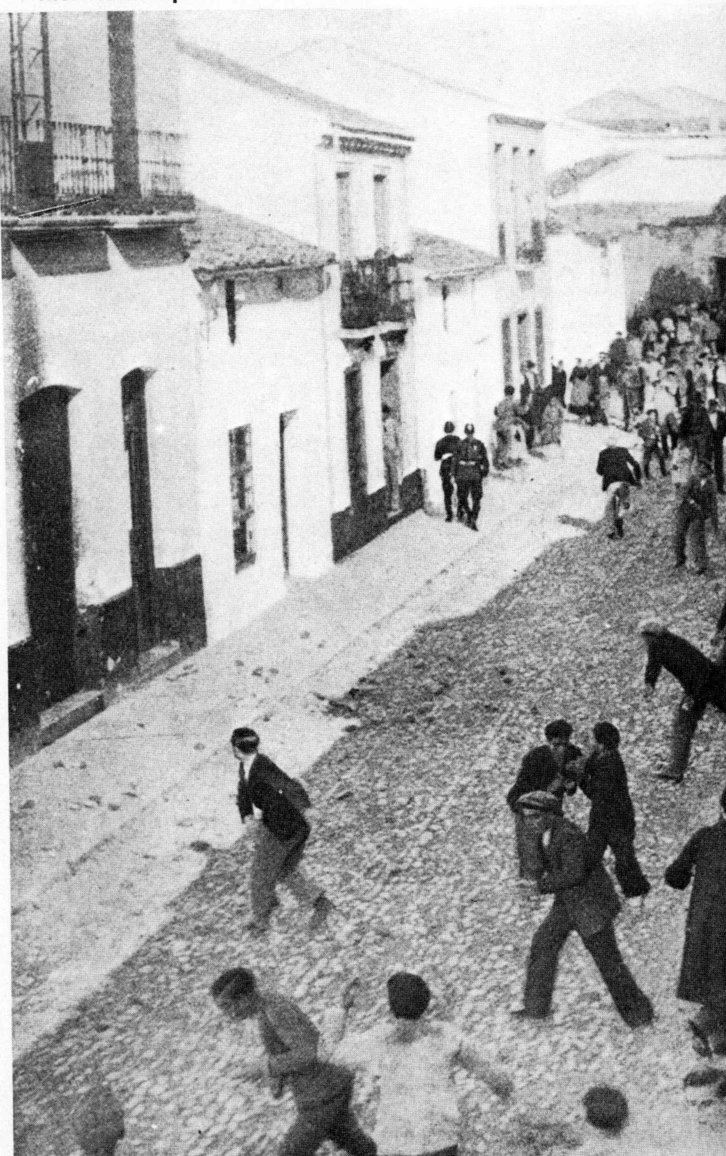

Impresionante aspecto de la plaza de toros de Bilbao. Azaña, Prieto y Marcelino Domingo hablaron ante más de treinta mil personas. Los partidos de izquierda se movían sin tregua para fomentar una cohesión que ya se presentía como imprescindible para poder hacer frente al auge de las derechas.

En la ley las mujeres ya eran otras: podían votar, podían defender y exponer sus opiniones. Pero, ¿realmente eran otras? Elecciones municipales para sustituir a los concejales designados por el artículo 29.

El Dr. Gomá y Tomás, obispo de Tarazona, es elevado a la Sede de Toledo. Dirigió a la Iglesia española en uno de los más graves y difíciles momentos de su historia.

Todavía hoy son los "Nuevos Ministerios". Pero fue la República quien los comenzó. Madrid vive el acontecimiento. El Presidente de la República colocando la primera piedra, en presencia de Prieto, Azaña, Julián Besteiro y Álvaro de Albornoz.

Feria de abril en Sevilla. Esta es "Miss Feria" 1933, elegida en el Casino Radical. En la fotografía, entre Martínez Barrio y el alcalde de la ciudad Fernández Labandera.

La popularidad de Prieto fue grande, en especial en el país vasco, en donde había hecho toda su carrera política. Con motivo de su visita a Ondárroa se hizo esta curiosa fotografía rodeado de sus admiradores.

30 marzo 1933

Proyecto de ley para exigir responsabilidades al Presidente de la República.

1 abril 1933

En Basauri es asaltado el Banco de Vizcaya, apoderándose los atracadores de 45.000 pesetas.

3 abril 1933

Elementos de izquierdas intentan incendiar el local de Juventud Católica en Santander.

6 abril 1933

Publica la «Gaceta» una lista de propietarios cuyas fincas van a ser tratadas para su expropiación.

8 abril 1933

Se lee en las Cortes el proyecto de ley de Orden Público. Se suspenden las sesiones hasta el día 25.

9 abril 1933

En la plaza de toros de Bilbao se celebra un grandioso mitin organizado por los partidos gubernamentales para contrarrestar la propaganda de la oposición.

12 abril 1933

El Obispo Múgica es autorizado para regresar a su diócesis, después de permanecer dos años desterrado en Francia.

13 abril 1933

Manifestación de los «rabassaires» en Barcelona.
Se descubre un arsenal de armas en Sevilla.

14 abril 1933

El obispo de Tarazona, Dr. Gomá y Tomá, es elevado a la Sede Metropolitana de Toledo.
Festividad del Viernes Santo; en casi ninguna ciudad española salen las procesiones a la calle.
En La Felguera estallan bombas. Huelgas en las minas de Mieres.

17 abril 1933

Son tiroteados en Sevilla cinco jóvenes de la CNT y muerto uno de ellos por un grupo de pistoleros.
Estalla una bomba en Sevilla, en el domicilio del presidente de la Federación Económica de Andalucía. Los autores del atentado tirotean a los guardias, hiriendo a uno de ellos.

18 abril 1933

En la Solana (Ciudad Real) es asesinado el sacerdote García Torrijos.

19 abril 1933

Se crea la «Asociación de Amigos de Rusia».

23 abril 1933

Elecciones municipales para sustituir a los concejales designados por el artículo 29. En estas elecciones las mujeres acuden por primera vez a las urnas. Triunfo aplastante de la oposición que consigue un total de 10.983 puestos, mientras que los partidos gubernamentales logran en conjunto 4.048.

Los sucesos de Casas Viejas levantaron enorme revuelo en el Parlamento. Como consecuencia se llegó a detener, por sus posibles responsabilidades en el asunto, al propio Director General de Seguridad, Arturo Menéndez, quien unos años más tarde, en guerra, tendría un trágico fin. En la foto, en compañía de oficiales de la Guardia de Asalto.

El Presidente de la República visita Marruecos. En la fotografía, con el coronel Molina, jefe del Tercio.

Alcalá Zamora llega a Bilbao en compañía del ministro de Obras Públicas. Algunas manifestaciones estropearon la vistosidad del programa. El Presidente de la República acompañado del alcalde de Bilbao, Ercoreca, del diputado Irujo, de Rafael Sánchez Guerra y de Prieto.

Todo el país participaba en la inquietud política, lo mismo en la capital que en las provincias. En Alicante, una manifestación de ciudadanos que protesta por la obstrucción parlamentaria.

1 mayo 1933

Los socialistas deciden no conmemorar la Fiesta del Trabajo. En Madrid se manifiestan los comunistas. Disturbios en Castellón, Sevilla, La Coruña y Cádiz.

2 mayo 1933

Azaña propone una tregua en la obstrucción de los radicales y partidos de la oposición hasta que se aprueben las dos leyes: la de Congregaciones religiosas y la del Tribunal de Garantías Constitucionales.
El Presidente de la República, acompañado del Ministro de Obras Públicas, visita Bilbao.

3 mayo 1933

Mientras Alcalá-Zamora visitaba una factoría de Bilbao, grupos de mujeres se manifiestan pidiendo la libertad de los detenidos políticos. Son dispersados por los guardias de Asalto. Al día siguiente se declara la huelga general, regresando el Presidente a Madrid.

5 mayo 1933

Los presos del Penal del Puerto de Santa María declaran la huelga del hambre.

6 mayo 1933

Huelga general provocada por la C.N.T. y la F.A.I., en Salamanca y La Coruña.
El Gobierno suspende los diarios «Mundo Obrero» y «CNT».
Aparece «JONS»; la nueva revista tiene como colaboradores a Ramiro Ledesma, Onésimo Redondo, Raimundo Fernández Cuesta, José María de Areilza, Jesús Ercilla, Juan Aparicio y Emiliano Aguado.

8 mayo 1933

Es detenido el general Goded y confinado más tarde en Las Palmas.
Choque entre jonsistas y partidarios de la F.U.E.

10 mayo 1933

Disturbios en la Universidad Central. Seguidores de las J.O.N.S. se enfrentan con la policía. Tiros y heridos.

17 mayo 1933

Se aprueba la Ley de Congregaciones religiosas por 278 votos contra 50. Los radicales votaron con el Gobierno. Esta Ley declaraba propiedad pública los templos y monasterios; la Enseñanza Media en las órdenes religiosas debía cesar el 1 de octubre y la primaria el 1 de enero de 1934.
El Consejo de Ministros fija las normas para el plebiscito del Estatuto Gallego.

Monseñor Tedeschini, Nuncio de Su Santidad, y el Jefe del Gobierno. Rostros tensos, igual que se ponían las relaciones entre ambos poderes con motivo del Proyecto de Ley de Confesiones y Congregaciones Religiosas.

En mayo de 1933 Madrid servía de lugar de reunión al Comité Permanente de Letras y Artes de la Sociedad de Naciones. La capital de España y la intelectualidad española se prestigiaba por ello y de modo muy especial con la asistencia de personalidades de rango universal, cual la egregia Mme. Curie, que aparece en la fotografía en primer término a la izquierda.

18 mayo 1933

Se discute en el Congreso la Ley del Tribunal de Garantías.

20 mayo 1933

Pedro Caravaca, secretario de la Federación Económica de Andalucía, es asesinado a tiros en plena calle de Sevilla.
El Consejo Provincial del Partido Radical-socialista, de Madrid, acuerda expulsar a Pérez-Madrigal y exigirle que renuncie al acta.

21 mayo 1933

La policía descubre un depósito de armas en Madrid.

1 junio 1933

En las Cortes se lee el proyecto de reforma de la Ley Electoral de 8 de agosto de 1907.

2 junio 1933

El Presidente de la República firma el decreto aprobando la Ley de Congregaciones.
Las Cortes aprueban por 90 votos contra 51, una disposición adicional al dictamen sobre el Tribunal de Garantías.
Los obispos españoles suscriben en Roma una carta colectiva, en la que ponen de manifiesto su disconformidad ante las medidas anticlericales adoptadas por el Gobierno.

3 junio 1933

El Papa Pío XI promulga la Encíclica «Dilectissima nobis», en la que denuncia con profundo dolor la Ley de Confesiones y Congregaciones, la disolución de las Ordenes religiosas que hacían votos de obediencia a una autoridad distinta del Estado, etc.
Huelga de campesinos en Sevilla y Jaén.
Congreso Radical-Socialista.

4 junio 1933

Huelga general en Sevilla, provocada por la U.G.T.

7 junio 1933

Se aprueba la Ley de Constitución y Estructuración del Tribunal de Garantías.

8 junio 1933

CRISIS

El día 8 por la mañana, el Gobierno celebró Consejo en Palacio. A la salida, Prieto, ministro de Obras Públicas, dictó a los periodistas la siguiente «nota oficiosa»: «El señor Presidente del Consejo de Ministros ha propuesto al Sr. Presidente de la República la sustitución del señor Carner en la cartera de Hacienda y la división en dos del Ministerio de Agricultura, Industria y Comercio por estimar el Gobierno indispensables ambas medidas. El señor Presidente de la República manifestó que, sin prejuzgar su resolución sobre esta propuesta, necesitaba consultar previamente a los representantes de las fuerzas políticas. El Gobierno, estimando que esta manifestación del Sr. Presidente de la República implicaba una negación de confianza, presentó en el acto la dimisión total».
Aquella misma tarde empieza la tramitación; a las cuatro se comunica a las Cortes la crisis ministerial y a las cinco comienzan las consultas convocadas por el Presidente de la República.
Las causas de la crisis fueron controvertidas, lo que estaba claro es que Azaña no buscaba sólo la reorganización del Gabinete sino «abrir paso a la cuestión política», superando la obstrucción sistemática que venía haciendo la situación insostenible. Sin embargo, corrió también la versión de que la causa principal la constituyeron los acuerdos del Congreso del Partido Radical-Socialista en el sentido de recomendar a Azaña que en el Consejo de Ministros que había de celebrarse al día siguiente el Gobierno pidiera al Presidente de la República una rati-

ficación clara y terminante de la confianza con objeto de reorganizar el Gobierno e iniciar una activa política de izquierda. Por su parte, Rodrigo Soriano fue de la opinión de que «el Gobierno tenía la espada dentro desde lo de Casas Viejas y era natural que cayera de un momento a otro», y más con la táctica de obstrucción con que últimamente venía tropezando.

Las consultas empezaron a las cinco de la tarde del mismo día 8, y continuaron el día siguiente. Lerroux aconsejó una concentración republicana sin socialistas; Remigio Cabello, que acudió por el Partido Socialista, una concentración de izquierdas presidida por Azaña, mientras que Salmerón aconsejó una de republicanos y socialistas. Santaló, Gómez Paratcha y Ruiz Funes insistieron ante el Presidente de la República en la necesidad de perfilar claramente el carácter izquierdista de la República; Unamuno, que también fue consultado, juzgó la crisis más que de Gobierno, de las Cortes, y en consecuencia declaró que su opinión era que, cuanto antes, debían de celebrarse elecciones generales. Todo lo contrario opinaron otros políticos consultados, entre ellos Ossorio y Gallardo, que abogó por mantener vivas las actuales Cortes.

La gran incógnita estaba en saber si en el nuevo Gobierno tendrían cabida los radicales. En principio, Azaña no quiso definirse e insistió en la necesidad de mantener la coalición republicano-socialista. En cuanto a Lerroux, declaró, después de la consulta, que los radicales seguirían sin colaborar, al igual que habían hecho con el gobierno anterior, para no incurrir en contradicciones.

Después de las consultas, los veinte políticos citados se habían dividido en torno a la cuestión de la disolución o mantenimiento de las Cortes. Por el mantenimiento se pronunciaron: Besteiro, Cabello, Salmerón, Santaló, Ruiz Funes, Gómez Paratcha, Franchy Roca, Iranzo, Botella Asensi, Ossorio y Gallardo, Sánchez Román, José Ortega y Gasset, Gregorio Marañón y Amadeo Hurtado. Por la disolución votaron: Santiago Alba, Melquiades Álvarez, Unamuno y Maura.

El primero en ser encargado de formar Gobierno fue Besteiro, quien, de inmediato, lo declinó. Fue entonces encargado Indalecio Prieto, quien no decidió hasta haber consultado con los organismos superiores del Partido Socialista. Por fin al día siguiente, día 10, declaró que aceptaba el encargo poniéndose rápidamente a realizar gestiones. Acción Republicana, el Partido Radical-socialista, la ORGA y los partidos catalanes le prometieron su colaboración, pero no los federales. Como por otro lado no logró romper la frialdad socialista, Prieto decidió abandonar el encargo.

Se reanudan las consultas. Después de encargar a Lerroux, es designado Domingo para el intento; la persistente negativa de los federales le hace también fracasar. Por fin Azaña se encarga de resolver la crisis con la formación de un Gobierno idéntico al anterior, sin otra novedad que incluir al grupo federal que había creado tantos problemas con sus taxativas condiciones.

Fernando de los Ríos evocaba en su apellido el más rancio liberalismo. Sobrino de Giner de los Ríos, catedrático de Derecho y ministro en el Gobierno provisional de la República. Su figura aportaba al nuevo régimen el tono progresista intelectual con ribetes de socialismo utópico, aunque el político malagueño estuviese oficialmente adscrito al socialismo. Tuvo amplia intervención en las tareas diplomáticas y en especial en París en los momentos difíciles del Alzamiento y de la política de "No intervención".

El 12 se publica la lista del segundo Gobierno de Azaña:

PRESIDENCIA y Guerra	Manuel Azaña Díaz (Acción Republicana)
Estado	Fernando de los Ríos Urruti (Socialista)
Justicia	Álvaro de Albornoz y Liminiana (Rad.-Social.)
Gobernación	Santiago Casares Quiroga (ORGA)
Marina	Luis Companys Jover (Izquierda Catalana)
Hacienda	Agustín Viñuales Pardo (Independiente)
Instruc. Pública y B. A.	Francisco J. Barnés Salinas (Radical-Social.)
Trabajo y Previsión Social	Francisco Largo Caballero (Socialista)
Obras Públicas	Indalecio Prieto Tuero (Socialista)
Agricultura	Marcelino Domingo Sanjuán (Radical-Social.)
Industria y Comercio	José Franchy Roca (Federal)

A comienzos de 1933 se producen importantes acontecimientos en la sucesión al trono español. Alfonso, príncipe de Asturias, renunciaba a sus derechos el 11 de junio de 1933 y se casaba con la señorita cubana Edelmira Sampedro; al poco tiempo, el 21 de junio de 1933, era Jaime, sordomudo, el que hacía renuncia "por mí y cuantos descendientes pudiera tener". Al mes siguiente, Alfonso XIII ofrecía los derechos al tercero de sus hijos, Juan, que tenía a bien aceptarlos. La fotografía recoge el momento del matrimonio del primogónito de D. Alfonso.

11 junio 1933

El Príncipe de Asturias renuncia a sus derechos al trono de España.
El avión «Cuatro Vientos» aterriza en Camagüey, después de cuarenta horas de vuelo. El avión partió de Sevilla, pilotado por los capitanes españoles Barberán y Collar.

14 junio 1933

Se presenta en las Cortes el nuevo Gobierno de Azaña. El Jefe del equipo ministerial inicia el debate de la crisis.
Miguel Maura, al frente del Partido Republicano Conservador, declara la guerra al Gobierno y anuncia que su minoría se retira del Parlamento. Acusa al equipo ministerial de faccioso, dictatorial e insurrecto.

15 junio 1933

Muere asesinado un guardia de Asalto al practicar un registro en las oficinas del Sindicato Unico.

16 junio 1933

Invasión de fincas en Cataluña.

19 junio 1933

En la Sala Sexta del Tribunal Supremo comienza a verse el sumario instruido por los sucesos del diez de agosto.

20 junio 1933

El Presidente del Consejo cierra el debate político pidiendo a la Cámara si tenía el suficiente apoyo parlamentario para continuar gobernando. Por 188 votos a favor contra 6 le es otorgada la confianza.
Desaparece el avión «Cuatro Vientos», cuando se dirigía a Méjico.

21 junio 1933

En la iglesia de Ouchy (Lausanne) se celebra, sin la asistencia de sus padres, la boda de don Alfonso de Borbón y Battenberg con doña Edelmira Sampedro.
Los militares encartados en el proceso por los sucesos de agosto del 32 provocan un incidente al ser trasladados al Palacio de Justicia para la vista de la causa, negándose a salir de la prisión.

23 junio 1933

Son condenados a diez y veintidós años de prisión respectivamente los generales Cavalcanti y Fernández Pérez, por el levantamiento militar del mes de agosto.
Festividad del Sagrado Corazón. La mayoría de las poblaciones españolas aparecen engalanadas como protesta contra la política anticlerical seguida por el Gobierno.

27 junio 1933

Mitin tradicionalista en Zaragoza, en el que intervienen Lamamié de Clairac y Esteban Bilbao. A la salida se producen disturbios: treinta heridos.
Se da lectura en la Cámara al dictamen sobre la ley de Orden Público.

"El país no está económica ni socialmente preparado para un Gobierno socialista", declaraba Besteiro en Mieres. Su sensatez no cundiría sin embargo entre los líderes y masas de su partido, decididos a la revolución sin dilaciones.

Alborotos, fuerza pública, detenciones, heridos, a veces muertos. Disturbios a la salida de un mitin tradicionalista en Zaragoza.

Eminente barcelonés, Anguera de Sojo (en el centro del sofá, con gafas), que perteneció a Acción Catalana y después a la Lliga, acaba en las filas de Acción Popular. En la foto como Fiscal General de la República.

2 julio 1933

El profesor Besteiro declara en Mieres que «el país no está económica ni socialmente preparado para un Gobierno socialista».

3 julio 1933

Se fija el plazo mínimo de dos años de residencia en Cataluña para ser admitido un obrero en cualquier clase de trabajo.

4 julio 1933

Se pone a discusión en las Cortes la reforma de la ley electoral de 8 de agosto de 1907.

8 julio 1933

Llega a España, para organizar el Frente Antifascista, Henri Barbusse, emisario de la Tercera Internacional.

Basilio Álvarez, sacerdote gallego, político de vieja solera, que perteneció al partido lerrouxista y fue dos veces diputado por Orense. En uno de sus acalorados discursos.

12 julio 1933

Se rechaza una proposición en la que se pedía la derogación de la Ley de Términos Municipales.

13 julio 1933

Es elegido Presidente del Tribunal de Garantías Álvaro de Albornoz y Liminiana. La elección hizo que quedara vacante el Ministerio de Justicia.

14 julio 1933

Se encarga de la cartera de Justicia el Ministro de la Gobernación Santiago Casares Quiroga.
En el Ateneo madrileño se celebra un acto al que asisten como invitados Barbusse y Marty, comunistas franceses, y la diputado laborista inglesa Miss Wikinson.
Tres jóvenes jonsistas asaltan la «Asociación de Amigos de la U.R.S.S.», y después de atar y amordazar a cuantos se encuentran en el edificio, se llevan la documentación que buscaban sin que nadie se lo impida.

17 julio 1933

Los copríncipes de Andorra modifican la Ley Electoral.

18 julio 1933

Con escasa concurrencia de diputados se inicia la discusión del proyecto de Ley de Arrendamientos Rústicos. En el momento de comenzar la discusión se presentaron más de doscientas enmiendas.
Consejo de Guerra de los encartados de Castilblanco. Las penas de muerte son conmutadas.

21 julio 1933

Asamblea del Partido Republicano Conservador celebrada en el teatro María Guerrero de Madrid.

22 julio 1933

Se acuerda, en Consejo de Ministros, el traspaso a Cataluña de la Contribución Territorial.
Gordón Ordás, en un mitin celebrado en el teatro de la Comedia de Madrid, pide a los socialistas que abandonen el poder.

24 julio 1933

Se ve en el Tribunal Supremo la causa contra los generales Fernández Pérez y Cavalcanti, por el levantamiento en Madrid del diez de agosto último.

25 julio 1933

Se aprueba la ley sobre Orden Público.
Consejo de Guerra en Tarrasa para juzgar a los revolucionarios de la cuenca del Llobregat.

27 julio 1933

Se promulga la nueva Ley Electoral. Para ser elegidos, los candidatos debían de reunir el cuarenta por ciento de los sufragios emitidos; en caso contrario pasaban a la segunda vuelta si obtenían el mínimo del ocho por ciento del censo. Para formar circunscripción especial, las capitales habrían de tener 150.000 habitantes en lugar de 100.000. Introducción del voto femenino.
El Gobierno español firma el reconocimiento oficial con la Unión Soviética.

No fue cosa fácil la constitución definitiva del Tribunal de Garantías, que habría de fallar sobre la constitucionalidad de los actos de Gobierno. Por fin se logró bajo la presidencia de Álvaro de Albornoz.

El obispo de Seo de Urgel y el Prefecto de los Pirineos Orientales presiden, como copríncipes, el Consejo de los Valles de Andorra.

En San Ildefonso (Segovia) se ofrece un homenaje a Alcalá Zamora. El Presidente de la República agradeciendo el acto.

Tras los sucesos de Castilblanco los acusados sufrieron Consejo de Guerra.

En julio de 1933, tres años antes de estallar la guerra, llegaba a nuestro país un personaje tan significativo en el campo del comunismo internacional como H. Barbusse. Le enviaba la III Internacional para acelerar en España la organización del "frente antifascista". Otro síntoma de cómo iban enzarzándose las cosas para provocar el caos político final que llevó al enfrentamiento de julio de 1936.

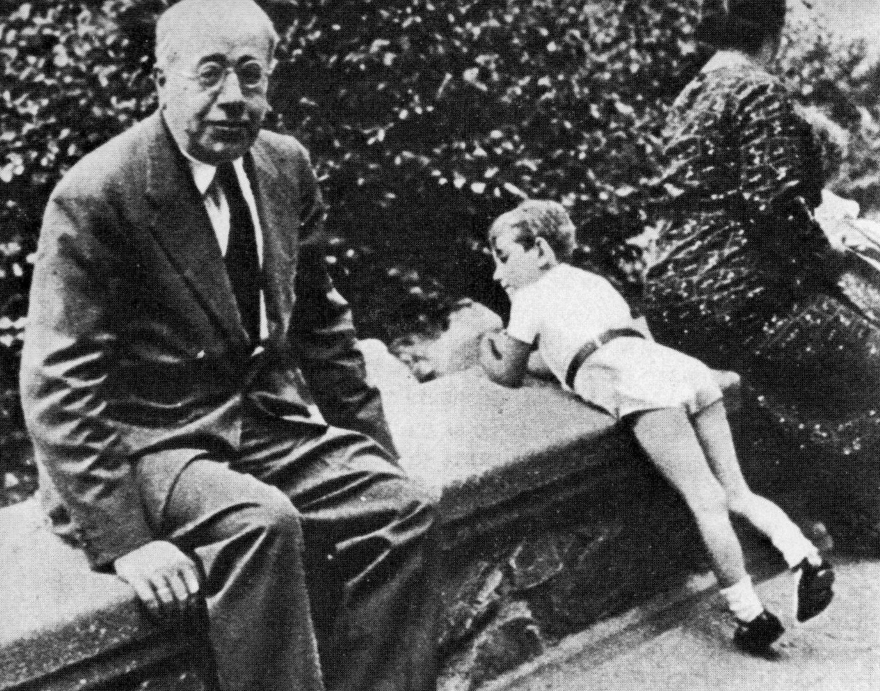

¡Cuántas veces no se sentiría Azaña fatigado! Fatiga física y fatiga política. Sobre todo la que le habría de producir una España que se le iba por un lado y por otro sin que fuera capaz de evitarlo.

Maciá viaja a Madrid para entrevistarse con el Gobierno. Es recibido por el ministro de la Gobernación, con el que luego trataría de la cuestión del traspaso de los servicios de Orden Público a la Generalidad.

28 julio 1933

Se reorganiza la Dirección General de la Guardia Civil, con 19 tercios.

29 julio 1933

Se firma el decreto que confiere a Cataluña la autonomía respecto a la Contribución Territorial.

1 agosto 1933

El teniente coronel Mangada, acusado de insulto a superior, es absuelto por el Consejo de Guerra.

4 agosto 1933

En Sevilla, la policía y guardias de seguridad sostienen un tiroteo con los comunistas reunidos en la Casa del Pueblo. Detención de un centenar de afiliados.

6 agosto 1933

Bajo la presidencia de don Teodoro Olarte, se reúnen en asamblea las Comisiones Gestoras de las provincias vascongadas para conocer el proyecto del nuevo Estatuto. Es aprobado por 249 votos contra 33.

7 agosto 1933

Delegados autonomistas vascos y gallegos son recibidos como huéspedes de honor en Barcelona.

9 agosto 1933

Gran número de cortijos arden en Casas Viejas y Medina Sidonia.

11 agosto 1933

Es derogada la Ley de Defensa de la República.

12 agosto 1933

En Torrelodones, el Ministro de Trabajo clausura la Escuela de Verano para jóvenes socialistas.

17 agosto 1933

En España se encuentran sin trabajo más de 300.000 campesinos y 250.000 con sólo tres jornadas a la semana. Se presenta a las Cortes el proyecto de Ley para el funcionamiento de los servicios del Ministerio de Industria y Comercio.

19 agosto 1933

Disturbios en Andorra. Francia envía fuerzas para imponer el orden.

22 agosto 1933

Se declara el estado de prevención en Sevilla.

30 agosto 1933

El Gobierno de Madrid acuerda traspasar al de Cataluña los servicios de Orden Público.

3 septiembre 1933

Comienza en Asturias la huelga general minera decretada por la U.G.T.

4 septiembre 1933

Elecciones para cubrir quince vacantes de vocales regionales del Tribunal de Garantías. El resultado es adverso al Gobierno, que solamente consigue cinco puestos.

Los hermanos Miralles son absueltos de los cargos que se les imputaban. Habían pasado dos años encarcelados tras su participación en los sucesos de mayo de 1931. Monárquicos alfonsinos, destacados por sus métodos directos, se distinguieron siempre en primera fila de la lucha, tanto durante la República, como luego en la guerra.

5 septiembre 1933

Un centenar de extremistas eibarreses llegados a Deva en autobús se lanzan al asalto de un local donde se iba a celebrar un mitin filofascista. El acto tuvo que ser suspendido.

6 septiembre 1933

El Jefe de la minoría radical pide la dimisión del Gobierno.

8 septiembre 1933

CRISIS

Ante la derrota sufrida por el Gobierno en la elección de vocales regionales del Tribunal de Garantías, Azaña plantea al Presidente de la República la cuestión de confianza, pero el señor Alcalá-Zamora anuncia su propósito de abrir inmediatamente las consultas. Se plantea la crisis y el Jefe del Estado comienza las consultas llamando a Palacio a los jefes de grupo y personalidades con algún relieve político.

Terminadas las consultas el Jefe del Estado procede solucionar la crisis con la formación de un nuevo Gobierno de concentración puramente republicano.

El día 9 recibió el señor Lerroux el encargo de formar el equipo ministerial. Cumple el encargo solicitando el concurso de las personas, sin consultar a los partidos.

El 12, quedó constituido el primer Gobierno Lerroux. El Ministro de Estado designado por el jefe radical, don Claudio Sánchez de Albornoz, de Acción Republicana, se encontraba en Argentina.

El papel de Lerroux en el segundo bienio fue el de coordinador de las fuerzas extremas, que cada día se distanciaban más entre sí. Consultando a Besteiro en los momentos anteriores a la formación de un gobierno de concentración.

En septiembre de 1933 consumía Azaña dos largos y preciosos años de mandato político en el Ministerio de la Guerra. Su labor, desde el Palacio de Buenavista, fue intensa y trascendental para el republicanismo. De momento supuso, entre otras cosas, el aglutinamiento de la oposición que muy poco tiempo después iba a conseguir hacerse con el sistema.

El Gobierno hizo su presentación ante las Cortes el 2 de octubre. A pesar de ello firmó decretos y órdenes sin haber recibido la confianza del Parlamento.
El Gobierno Lerroux quedó constituido de la siguiente forma:

PRESIDENCIA	Alejandro Lerroux García (Radical)
Estado	Claudio Sánchez Albornoz (Acción Republicana)
Justicia	Juan Botella Asensi (Izquierda Radical-socialista)
Gobernación	Diego Martínez Barrio (Radical)
Guerra	Juan José Rocha García (Radical)
Marina	Vicente Iranzo Enguita (Independiente)
Hacienda	Antonio de Lara y Zárate (Radical)
Inst. Púb. y B. A.	Domingo Barnés Salinas
Trab. y Prev. So.	Ricardo Samper Ibáñez (Radical)
Obras Públicas	Rafael Guerra del Río (Radical)
Agricultura	Ramón Feced Gresa
Indus. y Comer.	Laureano Gómez Paratcha (ORGA)
Comunicaciones	Miguel Santaló y Parvorell (Esquerra)

Especial prisa tuvo la joven República en mostrarse opuesta a la más rancia tradición religiosa del país. Las medidas atentatorias contra la Iglesia provocaron serias reacciones y una acusada tirantez con la Santa Sede. Cuando la República designó a Zulueta como embajador, el Vaticano le negó el placet. En septiembre de 1933 fue nombrado embajador en Berlín. En la fotografía llega a presentar sus cartas credenciales.

De la nueva crisis surgió el primer gobierno Lerroux en el que Rocha tuvo la cartera de Guerra. Foto de la toma de posesión rodeado de altos jefes militares. Con los generales Rodríguez del Barrio, Cabanellas, Ruiz Trillo y Castelló.

Si no como partido, sí gracias a algunas de sus individualidades, la minoría Radical Socialista contó en la marcha de la República. Recuérdese a Marcelino Domingo o Álvaro de Albornoz, presentes en esta foto colectiva del Partido. Ellos dos, junto con otros 34 diputados se escindieron el 23 de septiembre de 1933 para fundar el partido Radical-Socialista Independiente. El amplio espectro de fuerzas existentes se incrementó con las divisiones dentro de los propios partidos. Esta atomización de fuerzas contribuyó al fracaso del régimen republicano. En la fotografía inferior, Marcelino Domingo rodeado de periodistas.

10 septiembre 1933

Segunda vuelta en las elecciones para cubrir los puestos de vocales en el Tribunal de Garantías Constitucionales.

14 septiembre 1933

El Gobierno dispone en Consejo de Ministros poner en libertad a los detenidos que no estén sujetos a procedimiento judicial.

16 septiembre 1933

El directorio de la Esquerra Catalana inhabilita por tres años a los diputados Layret y Loperena, que votaron por la libertad provisional de Juan March.

17 septiembre 1933

Se convoca en Madrid una Asamblea Nacional Agraria. La U.G.T. responde con una huelga de veinticuatro horas.

23 septiembre 1933

Marcelino Domingo abandona las filas del Partido Radical-Socialista y funda el Radical-Socialista Independiente.

27 septiembre 1933

Gil Robles pide, en Oviedo, la formación de un frente antimarxista.

29 septiembre 1933

El Gobierno Lerroux hace público su programa.

30 septiembre 1933

La Unión de Rabassaires se separa de la Esquerra de Cataluña.

2 octubre 1933

Se reanudan las sesiones con la presentación del Gobierno Lerroux.

3 octubre 1933

Se lee en la Cámara una proposición, firmada por un grupo de socialistas, de desconfianza al Gobierno, que fue aprobada por 187 votos contra 91.

4 octubre 1933

CRISIS

A las diez de la mañana el Presidente de la República abrió las consultas, concentrándose éstas en el tema de la disolución de las Cortes Constituyentes y convocatoria de nuevas elecciones. Fueron llamados a Palacio: Bestei-

El poder judicial, último respaldo de todo régimen político, acabaría siendo afectado por la crisis total que envolvió progresivamente al país. Sin embargo, la República lo cuidó con gran respeto y esmero, ensalzando su prestigio. En septiembre de 1933 Antonio Marsá, del Partido Radical, fue nombrado Fiscal General de la República. En la fotografía, el primero de la izquierda en compañía de Botella Asensi, Alcalá Zamora y Lerroux.

Maura entró con ilusión en el régimen republicano y se aplicó de verdad. Sin embargo, la realidad política nueva le acabaría por desbordar, sin anular del todo su actividad que se mantuvo en mítines, artículos, participación en consultas, etc. Maura en un discurso en el Cine de la Ópera.

El presidente del Gobierno Alejandro Lerroux anuncia, desde el banco azul, la nueva crisis gubernamental y su decisión de dimitir.

Sánchez Román, ilustre jurista que mantuvo en política una línea de tono estrictamente republicano. Tomó parte en el Pacto de San Sebastián y después militó en la Agrupación al Servicio de la República. Cuando fue disuelta fundó el Partido Nacional Republicano, en el que continuó trabajando por las esencias del republicanismo. Esta tónica le llevó a no sumarse a la coalición política del Frente Popular, que tan claramente desvirtuaba todo lo que se había soñado en abril de 1931. En la crisis de octubre de 1933, Sánchez Román intentó formar gobierno sin conseguirlo.

ro, Ruiz Funes, Domingo, Cabello, Suert, Santaló, Franchy Roca, Gordón Ordás y Ossorio y Gallardo, que aconsejaron la no disolución de las Cortes, mientras que Botella Asensi, Soriano, Casares Quiroga, Maura, Castrillo, Abadal, Unamuno, Pedregal, Sánchez Román, Marañón, S. Alba, Hurtado e Iranzo fueron partidarios de decretar su disolución y hacer una apelación al Cuerpo electoral con un Gobierno de concentración republicana.

A las diez de la noche, Sánchez Román recibió el encargo de formar Gobierno. Los radicales le niegan su colaboración si en el Gobierno participaba alguna representación socialista, por lo cual Sánchez Román declinó el mandato presidencial.

El encargo de resolver la crisis pasó seguidamente a Pedregal, ex ministro de la Monarquía, que no encontró el apoyo de las minorías.

Le sustituyó en la misión de formar Gobierno Gregorio Marañón, que encontró los mismos obstáculos que sus antecesores.

Fracasado el empeño de Marañón, el Jefe del Estado le hace el conferimiento al anciano catedrático de Derecho Internacional Adolfo Posada, que renunció a los primeros intentos que hizo.

Por fin, a las 11 de la noche del día 6, Alcalá-Zamora llamó al ministro dimisionario de la Gobernación Martínez Barrio. Se le presentaban serios problemas, como el veto de los radicales a los socialistas y la interpretación que éstos daban al artículo 75 de la Constitución.

Alrededor de las 5 de la madrugada del día 8 y tras vencer todos los inconvenientes, los partidos de Acción Republicana, ORGA, Esquerra y Radical-Socialista acordaban colaborar en el Gobierno.

El bienio izquierdista llegaba a su fin. La crisis de octubre derivó prácticamente en un callejón sin salida. Las Cortes serían disueltas después. Alcalá Zamora agotó antes todos los recursos. Gregorio Marañón fue encargado de formar Gobierno, después que otros lo hubiesen intentado.

La lista se hace pública a las cuatro de la tarde:

PRESIDENCIA	Diego Martínez Barrio (Radical)
Estado	Claudio Sánchez Albornoz Menduiña (Acción Republicana)
Justicia	Juan Botella Asensi (Izquierda radical-socialista)
Gobernación	Manuel Rico Avello (Independiente)
Hacienda	Antonio de Lara y Zárate (Radical)
Guerra	Vicente Iranzo Enguita (Independiente)
Marina	Leandro Pita Romero (ORGA)
Instruc. Públ. y B. A.	Domingo Barnés Salinas (Radical-socialista independiente)
Trabajo y Pre. Soc.	Carlos Pi y Suñer (Esquerra)
Agricultura	Cirilo del Río Rodríguez (Progresista)
Obras Públicas	Rafael Guerra del Río (Radical)
Industria y Com.	Félix Gordón Ordás (Radical-socialista)
Comunicaciones	Emilio Palomo Aguado (Radical-socialista independiente)

El Consejo de la Generalidad se declara en crisis el 4 de octubre por dimisión del Consejero Amadeo Aragay. Se forma nuevo Gobierno:

Primer Consejero	Miguel Santaló y Parvorell
Justicia y Der.	Pedro Corominas y Muntanya
Gobernación	Pedro Albert Mestre
Hacienda	Carlos Pi y Suñer
Cultura	Ventura Gassol Rovira
Sanidad	José Dencás Puigdollers
Agricultura	Juan Ventosa Roig
Trab. y O. P.	Martín Barrera y Maresma.

5 octubre 1933

El Presidente de la República, a petición del Consejo de la Generalidad, firma el estado de prevención en Cataluña con motivo de una huelga de gas, agua y electricidad.

En la crisis del primer Gobierno de Lerroux, intentó formar un nuevo Gabinete, entre otros, Posada, al que vemos saliendo de Palacio con el encargo. Catedrático jubilado y extraparlamentario, no llegaría a conseguir la empresa. Sería por fin Martínez Barrio quien lo lograse.

Dimite Lerroux y Martínez Barrio forma un Gobierno de transición que serviría para preparar las elecciones. Con el decreto de disolución en manos del político andaluz, el jefe del Partido Radical quedaba suelto para presentar batalla en las urnas. Botella Asensi, Guerra del Río, Sánchez Albornoz, Lerroux, Martínez Barrio, Lara y Publio Suárez.

El 9 de octubre se disuelven las Cortes. Con tiempo, Gil Robles venía preparando una coalición de las derechas a fin de luchar codo a codo en las elecciones consiguientes. La foto nos muestra el Comité Ejecutivo que nombró al efecto. Sáinz Rodríguez, Lamamié de Clairac, Gil Robles, Martínez de Velasco, Calderón y Royo Villanova.

A finales del 33 las posturas se distanciaban en vísperas de las elecciones. El Tribunal de Garantías no admite en su seno a Víctor Pradera, a pesar de sus acaloradas protestas. Ya en la calle, es aclamado por sus seguidores.

9 octubre 1933

El Jefe del Estado firma, a favor del Presidente del Consejo de Ministros, el decreto de disolución de las Cortes. Se convocan elecciones generales para el día 19 de noviembre, fijándose para el 8 de diciembre la apertura del nuevo Parlamento.
La CEDA decide unirse en la lucha electoral con el resto de las derechas.

12 octubre 1933

La TYRE, CEDA y los agrarios crean una comisión ejecutiva electoral.

15 octubre 1933

Comienza oficialmente en toda España la campaña de propaganda electoral.

20 octubre 1933

El Presidente del Tribunal de Garantías Constitucionales declara nula la elección de Víctor Pradera, designado vocal por Navarra. Entre gritos de protesta, Pradera responde que considera arbitraria la decisión del Tribunal, siendo expulsado de la Sala y negándose a ser conducido por la Guardia Civil. Es proclamado en la siguiente sesión. El tribunal anula las actas de Calvo Sotelo, del Moral, March, Pedregal y Cortés Villasana.
Los ex ministros Prieto, Largo Caballero y de los Ríos defienden su labor ministerial en un mitin celebrado en el Cine Europa de Madrid.

22 octubre 1933

Desfilan ante el Presidente de la Generalidad 10.000 «escamots» (vigilantes) en el Estadio de Montjuich.
Se celebran en toda España centenares de mítines, preparando la campaña electoral.

24 octubre 1933

Un grupo de «escamots», entre los que se encuentra el hijo del alcalde de Barcelona, asaltan, pistola en mano, la imprenta del semanario «Be Negre».
La CNT exhorta a su afiliados a no votar en las elecciones generales de noviembre.

26 octubre 1933

Las derechas se preparan para la lucha electoral. Se hace pública la candidatura por la circunscripción de Madrid: Gil Robles, Marín Lázaro y José María Valiente por Acción Popular, Antonio Goicoechea y José Calvo Sotelo por Renovación Española; Agrarios: Royo Villanova, Alfonso Rodríguez Jurado y, por el grupo Independiente, J. Ignacio Luca de Tena, Jiménez de la Puente y Juan Pujol.

26 octubre 1933

Choques violentos entre afiliados socialistas y cenetistas: tres muertos y varios heridos.
Explota una bomba de gran potencia en un laboratorio anarquista en Barcelona.

29 octubre 1933

A las 11 de la mañana se celebra en el Teatro de la Comedia un acto considerado como fundacional en el que tomaron parte José Antonio, García Valdecasas y Ruiz de Alda.

José Antonio personificó las inquietudes y anhelos de una buena parte de la juventud del momento. Su actividad política quedó aprisionada entre las acusaciones de señorito y revolucionario. Pero su sinceridad quedó patente en la hora suprema del sacrificio final. José Antonio concretó su línea política en un partido que se llamó Falange Española. La nueva organización saltaba a la palestra política nacional en un momento bien crítico. Su especial carácter la hizo destacarse de las concepciones y métodos políticos al uso, y por ello se convirtió en la esperanza de muchos, sobre todo jóvenes que buscaban salidas nuevas a aquel sistema que se enrarecía por momentos. Un aspecto del mitin fundacional en el Teatro de la Comedia.

LA LEY DEL EMBUDO ES LEY BURGUESA

SOCIALISTA!

DERECHAS

La democracia tiene un pintoresco trasfondo derivado de la libertad y la participación general en que se basa. Empieza a hacerse real desde antes de concretarse en un Gobierno. La propaganda electoral libre, una de sus más caras notas, se desborda a través de todas las técnicas y medios posibles. Durante la República, las elecciones conocieron intensas campañas. Los carteles constituyeron arma fundamental para la captación de votos. Presentamos una serie de ellos, unos representativos que se comentan por sí solos, en cuanto a ideas, pasión y calidad artística. No son, sin embargo, sino anuncio de lo que serán los que después, mucho más profusamente, se utilizarán durante la guerra.

Los medios estudiantiles fueron una buena caja de resonancia de la tensión general que existía en el país. He aquí una muestra: disturbios en la Facultad de Medicina de San Carlos. Las fuerzas del orden cachean a los futuros médicos en la puerta de la Facultad.

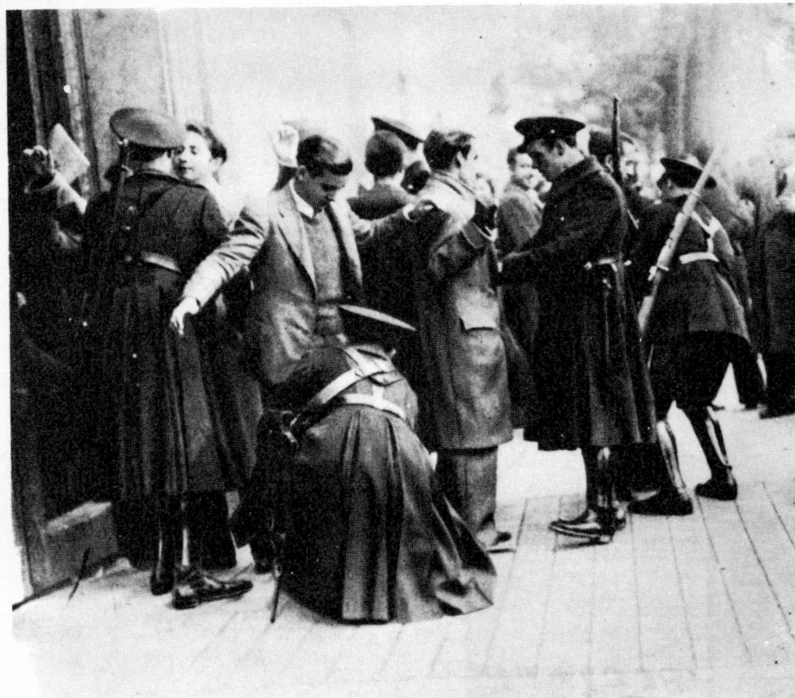

Miembros de la Falange en el homenaje tributado a Eugenio Montes. De izquierda a derecha: Rosa Aramburu, Ruiz de Alda, José Antonio, Eugenio Montes, Sánchez Mazas y Fernández Cuesta. Detrás, el segundo de la izquierda, Goya, y el último de la derecha Juan Manuel Fanjul.

Juan March, protagonista de un insólito episodio. En compañía del propio alcaide se fuga de la Cárcel de Alcalá de Henares. Sobre estas líneas, a su llegada a Gibraltar. A la derecha, una vista de la prisión.

1 noviembre 1933

Es declarado en Madrid el estado de prevención a consecuencia de una huelga del ramo de la construcción.
El Gobierno de Madrid traspasa al de la Generalidad los servicios de Justicia.

2 noviembre 1933

Son presentados los Estatutos del Sindicato Español Universitario (S.E.U.) en la Dirección General de Seguridad. Fueron denegados.

3 noviembre 1933

Don Juan March se fuga de la cárcel de Alcalá de Henares junto con el alcaide y el oficial del Cuerpo de Prisiones.

Las elecciones de noviembre del 33 son el gozne sobre el que se pasa del bienio azañista al bienio derechista. He aquí algunas instantáneas que recogen el momento en que acuden a votar personalidades diversas: Lerroux, el duque de Alba y el obispo de Madrid-Alcalá.

4 noviembre 1933

En un mitin celebrado en Pamplona, Azaña elogia el Estatuto catalán.
Los republicanos de izquierda aconsejan la no participación en las urnas.

5 noviembre 1933

Se somete a plebiscito el Estatuto Vasco. Votaron 459.255 electores a favor del Estatuto y 14.196 en contra. Los tradicionalistas, republicanos y socialistas se abstuvieron.

7 noviembre 1933

Se celebran en España más de 3.000 actos políticos.

9 noviembre 1933

En Santiago de Compostela, un grupo de republicanos destruye la tirada del semanario «Unidad».

15 noviembre 1933

Mitin cedista en el cine madrileño de la Opera, en el que Gil Robles presenta a los candidatos de su partido.

17 noviembre 1933

En Barcelona se produce un incidente entre un grupo de monárquicos y el Consejero de la Generalidad, Dencás.

18 noviembre 1933

En el pueblo cordobés de Salobreña, los socialistas agreden a dos policías, entablándose un tiroteo del que resultan cuatro muertos.

19 noviembre 1933

Elecciones generales. Fueron a las urnas 8.711.136 españoles, que suponen el 67,45 por ciento del censo. Triunfo arrollador de las derechas. En 14 circunscripciones, por no llegar los candidatos al cuarenta por ciento de los votos exigidos por la ley, se habría de repetir la elección.

Los votos eran decisivos. Para aprovecharlos todos se recurre a métodos heroicos. Una anciana imposibilitada es llevada a las urnas.

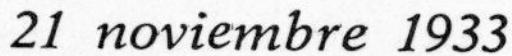

Los años de la República que se habían vivido no habían dejado indiferente a nadie. Los acontecimientos habían sido muy reveladores. Sobre todo en la cuestión religiosa. En las urnas estaba ahora el remedio y por eso se movilizaron en masa curas y monjas, incluso las de clausura.

21 noviembre 1933

Los comunistas intentan asaltar la Casa del Pueblo en Madrid.

29 noviembre 1933

Presenta la dimisión el ministro de Justicia Botella Asensi; se hace cargo interinamente de la cartera el de Instrucción Pública, Domingo Barnés.
Es nombrado general de la primera brigada de Infantería el general José Miaja Menant.

1 diciembre 1933

La minoría agraria acuerda prestar apoyo dentro del Parlamento a cualquier Gobierno de derechas.
Estallan en Barcelona dos bombas resultando varios heridos.

2 diciembre 1933

El Presidente de la República decreta el estado de prevención en Cataluña.

3 diciembre 1933

Segunda vuelta en las elecciones. Los partidos centroderechas vuelven a triunfar. En Madrid capital ganan los socialistas 13 puestos y las derechas 4.
El nuevo Parlamento quedaba compuesto:

C.E.D.A.	115
Agrarios	36
Tradicional.	20
Renov. Esp.	15
Independ.	18
Naciona. Vasc.	12
Naciona. Esp.	1
	217

Radicales	102
Lliga Cat.	26
Conservador	18
Liberal Dem.	9
Progresistas	3
	158

El mundo de la política se movilizó por completo con motivo de las elecciones. Los colegios electorales se vieron muy concurridos. Largo Caballero visita las distintas mesas para recoger impresiones.

Socialistas	60
Esquerra	18
ORGA	6
Acción Repub.	5
Radical-soc. Ind.	3
Radical-soc. (ortodoxo)	1
Comunistas	1
Federales	1
Unión Soc. Cat.	1
	96

El Partido Radical, sin tener gran talla, fue de los que más juego dio en el régimen republicano. La minoría radical reunida en torno a su patriarcal jefe tras el triunfo de las elecciones. Sentados: Guerra del Río, Torres Campañá, Lerroux, M. Barrio y Lara. De pie: Antonio Marsá, Sigfrido Blasco, Hidalgo Durán, Salazar, Abad Conde, Armasa, Eloy Vaquero, Fernando Gasset y Carreres.

Cada casa un arsenal; cada día un problema de orden público. Siempre la violencia desatada, dispuesta a arrollar vidas y bienes. Grave y difícil problema con oscuro trasfondo al que no llegó a dar solución el expedito medio del fusil represor.

A finales de noviembre de 1933 el general Miaja era nombrado general de la Primera Brigada de Infantería. Sus probados servicios a la República y las circunstancias que este régimen habría de vivir llevarían años después a Miaja a un primerísimo plano que por entonces ni él mismo podría, quizá, sospechar.

Si la República trajo la libertad, no supo administrarla bien. Se sucedieron los desmanes públicos; fueron continuas las huelgas. Obreros del ramo de la construcción son detenidos en Barcelona.

Diversas figuras políticas de la monarquía, incluso varios ministros, continuaron teniendo importantes puestos en el régimen republicano por gracia del sistema democrático de las urnas, detalle que se comenta por sí solo. Así Santiago Alba, ex ministro alfonsino, que fue presidente de las Cortes de la República.

4 diciembre 1933

Estado de prevención en toda España.

6 diciembre 1933

La C.E.D.A. decide defender su programa político en las Cortes independientemente de otros partidos.

7 diciembre 1933

El Ministro de la Gobernación ordena a los Gobernadores civiles redoblen la vigilancia ante un posible movimiento revolucionario en toda España.
Aparece «F.E.», órgano de Falange Española.

8 diciembre 1933

Sesión inaugural de las nuevas Cortes, bajo la Presidencia del diputado de más edad, Honorio Riesgo.

9 diciembre 1933

En Barbastro se inicia un movimiento revolucionario que se extiende por casi toda España. La fuerza pública descubre arsenales de bombas, armas y municiones en Zaragoza, Huesca, Gijón, Logroño y Almería. En Barcelona estallan bombas. Los anarquistas Durruti y Ascaso intervienen en los desórdenes de Zaragoza. Por la noche continúan los desmanes en Galicia y región levantina.
Es elegido Presidente de las Cortes Santiago Alba Bonifaz por 234 votos.
Se constituye la Mesa de las Cortes:
Vicepresidentes Cándido Casanueva Gorjón
Gregorio Arranz Olalla
Pedro Rahola Molinas
Fernando Suárez de Tangil y Angulo
Secretarios Edmundo Alfaro Gironda
Antonio Taboada Tundidor
Dimas Madariaga Almendros
Ramón Lamoneda Fernández.

10 diciembre 1933

El Presidente de la República decreta el estado de alarma en todo el territorio nacional. Continúan con gran intensidad las revueltas iniciadas el día anterior. En Granada, se incendia el convento de las Tomasas y de Santa Inés, la iglesia de San Cristóbal y la ermita del Cristo del Ebro.
Huelgas en todo el Levante español. Una bomba ocasiona el descarrilamiento del rápido Barcelona-Sevilla en Puzol (Valencia), resultando 20 muertos.
En Villanueva de la Serena (Badajoz), un sargento de Infantería con un grupo de soldados y quince vecinos se hacen fuertes en las oficinas de la Caja de Reclutas. Al intentar reducir a los rebeldes mueren un guardia civil y un sargento del Ejército. Una compañía de Asalto y otra de ametralladoras cercaron a los revoltosos que fueron reducidos al día siguiente, muriendo siete de los sitiados.

11 diciembre 1933

En Bujalance (Córdoba), obreros anarquistas apuñalan a un guardia civil; seguidamente tratan de asaltar el Ayuntamiento. Llegan refuerzos de Córdoba que hacen seis muertos entre los amotinados.
Los socialistas declaran que son ajenos al movimiento anarquista.

12 diciembre 1933

El ex ministro socialista Prieto declara que el movimiento revolucionario fue provocado por la C.N.T. y la F.A.I.

14 diciembre 1933

La C.N.T. invita a los obreros a que vayan a la huelga.
De la cárcel de Barcelona se fugan 58 reclusos.
La fuerza pública logra sofocar la insurrección. Noventa muertos y cerca de 200 heridos fue el balance de víctimas de los últimos sucesos.

Con las derechas en el poder tras las elecciones de noviembre de 1933, se recrudeció la violencia por parte de las izquierdas, sobre todo la extrema anarquista. He aquí un detalle. En Puzol, pueblo valenciano, descarrila el rápido Barcelona-Sevilla al ser volado un puente por elementos anarquistas.

16 diciembre 1933

CRISIS

El mes de noviembre se presentó muy agitado en toda España. Graves sucesos revolucionarios conmocionaron al país y hubo necesidad de declarar el estado de alarma en toda la nación. No obstante, se produjeron levantamientos en distintas partes, que culminaron en los habidos en Aragón, de manera especial en Zaragoza, feudo de la C.N.T.

Esta crítica situación fue la que hizo demorar la entrega del mandato ministerial que, en buena ley, debiera haberse efectuado con anterioridad a la apertura de las Cortes. Pero una vez restablecida la calma y el orden, el Gobierno decidió plantear la crisis sin más dilaciones. En el Consejo de Ministros del día 14 aun no quedó abierta la crisis; se ratificó a Martínez Barrio el voto de confianza para que él mismo fuera quien eligiera el momento más oportuno para el planteamiento. El Presidente decidió esperar a la mañana del día 16 para hacer oficial el cese de su Gabinete.

La tramitación de la crisis se caracterizó por su rapidez y por su seguridad en las gestiones, sin las dudas y vacilaciones que fueron normales en otras muchas.

El Presidente de la República llamó a Palacio para las consultas a Santiago Alba, Besteiro, Azaña, Lerroux, Maura, Negrín, Melquiades Álvarez, Cambó, Martínez de Velasco, Gil Robles y Horn. Ninguno llamó especialmente la atención por su presencia salvo Gil Robles, que era llamado por primera vez, lo que demostraba que el Presidente de la República reconocía la fuerza política de la C.E.D.A. y la consideraba decisiva en la marcha política de la República.

Las izquierdas recomendaron un Gobierno integrado por republicanos sin contactos dudosos de acatamiento y fidelidad al Régimen; al tiempo que abogaron por la disolución del Parlamento. Por su parte, las derechas, en general, se manifestaron por un Gabinete presidido por Lerroux como representante del partido auténticamente republicano más numeroso y se obstinaron en negar apoyo a ningún otro.

Gil Robles abundó en esta opinión, matizando que la solución sería un gobierno de centro con los radicales como eje y con complementos de los partidos de derechas.

Los agrarios se negaron a participar oficialmente en el nuevo Gabinete aunque, como solución intermedia, ofrecieron a Cid para la cartera de Comunicaciones, a título personal, no por el partido. Cambó se negó también a colaborar; la Lliga, sin embargo, ofreció sus votos a Lerroux.

En vista de todo ello el Presidente de la República dio el encargo de formar nuevo Gobierno a Lerroux, quien puso en seguida manos a la obra, para lo que hubo de realizar una serie de consultas previas. Maura, Cambó y Martínez de Velasco ofrecieron su personal apoyo parlamentario, pero no el oficial de sus respectivos partidos.

Alcalá Zamora abre consulta tras la nueva crisis gubernamental. Por Palacio desfilan representantes de todas las tendencias. Gil Robles sale de la consulta, después de la dimisión de Martínez Barrio. Por primera vez era llamado el jefe de la CEDA.

Incluso sin consultar a algunos de los nuevos ministros, el jefe radical confeccionó por fin el Gabinete. Algunos eran de su propio partido y no fue necesario; otros habían sido designados por sus jefes políticos respectivos. Rico Avello, por ejemplo, fue llamado cuando ya estaban reunidos los nuevos consejeros y sólo aceptó después de larga discusión. Pita Romero, sorprendido por el nombramiento, pidió tiempo para consultar a su jefe político Casares Quiroga. Aceptó por fin, pero aclarando que lo hacía a título personal sin que su participación supusiese la de su partido, la ORGA, en el Gobierno.
A las ocho de la tarde, pudo hacer pública Lerroux la composición del nuevo Gabinete ministerial. He aquí los que lo integraban:

Presidencia	Alejandro Lerroux García (Radical)
Estado	Leandro Pita Romero (Independiente)
Justicia	Ramón Álvarez Valdés (Liberal Demócrata)
Gobernación	Manuel Rico Avello (Independiente)
Guerra	Diego Martínez Barrio (Radical)
Marina	Juan José Rocha García (Radical)
Hacienda	Antonio de Lara y Zárate (Radical)
Instrucción Pública y B. A.	José Pareja Yébenes (Radical)
Obras Públicas	Rafael Guerra del Río (Radical)
Trabajo y Previsión Social	José Estadella Arnó (Radical)
Industria y Comercio	Ricardo Samper Ibáñez (Radical)
Comunicaciones	José María Cid y Ruiz Zorrilla (Agrario)
Agricultura	Cirilo del Río Rodríguez (Progresista).

Un resumen vivo y sustancioso del espectro político español. Reunión de los jefes de las minorías parlamentarias. Álvarez Valdés, Santaló, Amós Salvador, Gil Robles, Rahola, Martínez de Velasco, Maura, Conde de Rodezno, Martínez Barrio, Goicoechea y Largo Caballero.

Goicoechea preside una reunión de diputados de Renovación Española y tradicionalistas. Con Goicoechea, el conde de Rodezno y Víctor Pradera, en la mesa.

Maciá fallece en diciembre de 1933. Había sido la encarnación de las reivindicaciones autonomistas catalanas. Una instantánea de su entierro.

Representantes de las provincias vascongadas acuden a Madrid para presentar el anteproyecto del Estatuto para el País Vasco. El alcalde de San Sebastián, Fernando Sasiain, hace entrega del mismo al Presidente de las Cortes en presencia del Jefe del Gobierno. A la izquierda, Leizaola. Segundo de la derecha, José Antonio Aguirre, que más tarde sería su primer y último Presidente.

19 diciembre 1933

El segundo Gobierno Lerroux se presenta a las Cortes.

22 diciembre 1933

La Comisión Gestora, presidida por el alcalde de San Sebastián Sasiain, hace entrega a los Presidentes de la República y de las Cortes de ejemplares del Estatuto Vasco.
La Junta Permanente de la Comunidad de Ayuntamientos de Álava solicita la separación de esta provincia del Estatuto, siguiendo el ejemplo de Navarra que se separó días antes.

25 diciembre 1933

A las 11 de la mañana fallece en su residencia oficial, a consecuencia de una oclusión intestinal, el Presidente de la Generalidad Francisco Maciá y Llusá.

28 diciembre 1933

Constitución definitiva de la Cámara. Se ratifica el nombramiento de Presidente de las Cortes a don Santiago Alba por 217 votos y 17 en blanco.
Se aprueba un crédito de 736.092 pesetas para los gastos del Tribunal de Garantías Constitucionales.

31 diciembre 1933

Don Luis Companys Jover es elegido Presidente de la Generalidad de Cataluña por 56 votos.
El Instituto de Reforma Agraria había distribuido, desde su constitución, 110.956 hectáreas.

Bien puede hablarse de "azañismo" y "lerrouxismo" como corrientes fundamentales del republicanismo español; y bien pudieran contrastarse en una mutua apreciación de sombras y luces, de las que ambos tuvieron. La trayectoria política de Lerroux, más vieja y más repleta, contrastaba también en su mayor espontaneidad con la fría y calculada de Azaña, sesudamente preparada y programada para su realización. Durante el primer bienio, los azañistas en el poder sufrieron una casi obstrucción por parte del lerrouxismo, cuenta que sería devuelta en el segundo, pero a la inversa.

La congénita picaresca del país. La gente de la calle feliz ante la burlona representación en nieve de Azaña.

Parece que Madariaga intentó una vez más la difícil adecuación entre lo español y lo europeo. Intelectual, humanista, cosmopolita auténtico, no hay duda que lo logró en su persona. Sin embargo, no tuvo éxito en su ardua labor como representante de España ante la Sociedad de Naciones. La rotunda peculiaridad hispana desarmó sus apriorísticos esquemas de europeísmo, lo que le ha servido de eterna lamentación.

1934. OCTUBRE SANGRIENTO

En torno a Luis Companys, las primeras figuras de la política catalana que integran el primer Consejo de la Generalidad por él presidido. De izquierda a derecha: Comorera, Martí Barrera, Lluhí Vallescá, Companys, Gassol, Selves, Dencás y Martín Esteve.

3 enero 1934

Nuevo Gobierno de la Generalidad:

PRESIDENTE	Luis Companys Jover
Cultura	Ventura Gassol Rovira
Trabajo O. P.	Martín Barrera y Maresma
Gobernación	Juan Selvas Carné
Hacienda	Martín Esteve Grau
Sanidad A. S.	José Dencás Puigdollers
Eco. Agric.	Juan Comorera Solé
Just. Dere.	Juan Lluhí Vallescá.

4 enero 1934

Sesión necrológica en las Cortes Españolas, dedicada a Maciá; se producen altercados por la intervención del Dr. Albiñana.

7 enero 1934

El general Sanjurjo es trasladado, en el cañonero «Cánovas del Castillo», del penal del Dueso al castillo de Santa Catalina (Cádiz).
El Presidente de la Generalidad organiza un mitin en la plaza de toros de Barcelona con las intervenciones de C. Quiroga, Nicolau, Domingo, Prieto y Azaña.

El Ateneo de Madrid fue una de las instituciones culturales de más solera del país en aquellos años. Eminentes intelectuales y políticos pertenecieron a él. Se convirtió así en pieza clave de la marcha cultural y política de España. De sus bibliotecas, de sus tertulias, del ambiente de gran categoría que supo mantener salieron ideas y hombres trascendentales para nuestra marcha cultural y política.

Bendición de un banderín emblema de la Derecha Regional Valenciana. La importancia de este partido, del que fue Lucia figura principal, llegó a ser considerable en el conjunto de los de derechas en cuanto que estuvo en la misma base y fundamento de la CEDA, la organización política más disciplinada y eficaz que nunca las derechas han tenido en España.

11 enero 1934

Sale el segundo número de «F.E.». Es asesinado el estudiante Francisco de Paula Sampol cuando acababa de comprar el periódico.

12 enero 1934

El Congreso adopta el acuerdo de constituir una nueva Comisión de Responsabilidades.

14 enero 1934

Elecciones municipales en Cataluña. Son derrotados los radicales. Las izquierdas coaligadas obtuvieron 162.616 votos, la Lliga 132.942. En tercer lugar se hallaban los radicales con 21.088 votos y los comunistas con 1.504.
Juan Moles cesa en el cargo de Alto Comisario de España en Marruecos.

17 enero 1934

El Ministro de la Gobernación da cuenta ante la Cámara de los sucesos anarcosindicalistas del mes de diciembre último. Declara que la revolución tenía por finalidad destruir el Estado y apoderarse de la nación.

18 enero 1934

Se retira la Lliga del Parlamento Catalán.
La C.E.D.A. presenta ante las Cortes una proposición de ley para la creación del seguro contra el paro normal involuntario obrero.
Se fija en 145.000 hombres el máximo contingente militar de tropas del Ejército de la Península, Baleares, Canarias y de Africa para el año económico de 1934.
El ex Gobernador Civil de Sevilla, Varela Valverde, declara que muchos republicanos secundaron el movimiento de agosto de 1932 y, al ver el fracaso, solicitaron la cabeza del general Sanjurjo.

20 enero 1934

Huelga general en Bilbao. Protesta de los huelguistas contra una conferencia pronunciada por Federico García Sanchís.

La República llegó para Largo Caballero en la madurez de su vida y de su carrera política. Prohombre del socialismo desde siempre, se había convertido en uno de sus pilares y como tal figuraría en el nuevo sistema político del 14 de abril. Sus ideas orientaron al socialismo español por caminos muy definidos, incluso en abierta oposición con otros importantes personajes del partido. En enero de 1934, Besteiro dimite de la jefatura de la U.G.T. y Largo Caballero pasa a sustituirle, con consecuencias trascendentales para la marcha de la línea revolucionaria de su grupo, ya en este mismo año.

El entonces cardenal Pacelli visita nuestro país. El que como Papa Pío XII tomaría decidida postura en la guerra civil española por el lado nacional, muestra ahora su faceta de inteligente diplomático negociador de la Iglesia frente al laicismo de que la República española se había teñido durante el primer bienio. En las fotos, al bajar del barco precedido de Pita Romero y seguido del general Batet, en Barcelona; y saludando a la bandera una vez en tierra.

23 enero 1934

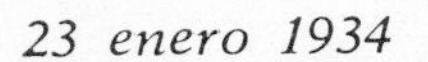

Terminadas las elecciones generales y puesto fin a la subversión anarcosindicalista, dimite el Ministro de la Gobernación, que pasa a desempeñar la Alta Comisaría de España en Marruecos. Le sustituye el ministro de la Guerra, Martínez Barrio; la vacante que deja éste la cubre Diego Hidalgo Durán.
Martínez de Velasco declara aceptar el régimen republicano y servir a la República para servir mejor a España. El conde de Romanones, Fanjul, Calderón, Martínez de Aragón y Gonsálvez se dan de baja en el grupo de los agrarios.
Largo Caballero llega a Barcelona para tratar de formar el frente único revolucionario.

25 enero 1934

A consecuencia de un atentado contra el estudiante Manuel Baselga, el Rector de la Universidad de Zaragoza clausura el Centro de la F.U.E. Los falangistas asaltan los locales de la F.U.E. en Sevilla. Agustín Aznar, a la cabeza de tres centurias, asalta el centro de la F.U.E. en la Facultad de Medicina de Madrid. Varios guardias de Seguridad resultaron heridos.

27 enero 1934

Dimiten Besteiro y los miembros del Comité Ejecutivo de la U.G.T.

A principios de 1934, en enero, Rico Avello pasaba a Alto Comisario de España en Marruecos. Acababa de ser sustituido en el Ministerio de la Gobernación por Martínez Barrio, en el segundo Gabinete de Lerroux, puesto desde el que había controlado las tensas elecciones y los brotes revolucionarios anarcosindicalistas de finales de año.

La audacia y la osadía se manifestaban a todas horas; la política enardecía a las gentes como en pocas ocasiones. Golpes arriesgados, a veces sólo por prestigio o por orgullo. En la Casa del Pueblo de Madrid fue colocada una bandera con un explosivo "¡Viva el Fascio!".

Las represalias continuas hicieron mártires en los dos bandos. Matías Montero lo fue para la Falange. Por primera vez en público, los reunidos en sus funerales saludan brazo en alto.

30 enero 1934

Es elegido presidente de la Ejecutiva de la U.G.T. Anastasio de Gracia, y secretario Largo Caballero.

31 enero 1934

El ministro de Justicia presenta en el Congreso el proyecto de amnstía a favor de Calvo Sotelo y el Conde de Guadalhorce.

En Castellón es agredida la fuerza pública al intentar disolver una manifestación de huelguistas. Un muerto y varios heridos.

1 febrero 1934

Interpelaciones sobre los incidentes escolares, pidiéndose que se suspenda la F.U.E. El ministro de Instrucción Pública afirma que no hay precepto legal para ello.

En el Parlamento de la Generalidad Companys enjuicia duramente la posición abstencionista de la Lliga.

Por la noche hace explosión una bomba de gran potencia en las oficinas del «Financiero», donde se edita el periódico de Falange Española, resultando heridos cinco empleados.

En Salamanca se produce una colisión entre un grupo de estudiantes de Falange Española y otro de obreros.

fensiva Nacional
dicalista
ONS"
Ejecutivo Central
ADRID

BASES APROBADAS DEL ACUERDO ENTRE "JONS" Y F.E.

1º- Creación del movimiento politico "FALANJE ESPANOLA DE LAS JUNTAS DE OFENSIVA NACIONAL SINDICALISTA ". Lo fundan F.E. y JONS reunidos.

e considera inprescindible que el nuevo movimiento insista en forjars na personalidad politica que no se preste a confusionismos con los gr os derechistas.

nenaje de las jerarquias de F.E y JONS. Recusacion en los mandos del nuevo movimiento de los camaradas mayores de 45 años.

firmacion Nacional-Sindicalista en un sentido de accion directa revolu ionaria.

l nuevo movimiento ha de ser organizado de modo preferente por los ac uales jerarqas Jonsistas en Galicia, Valladolid y Bilbao, y de acuerdo nmediato con las actuales organizaciones de F.E. en Barcelona, Valenci ranada, Badajoz y sus zonas.

l emblema del nuevo movimiento ha de ser el de las Flechas y el Yugo onsista y la bandera la actual de las JONS: Roja y Negra.

Elaboracion de un programa concreto Nacional-Sindicalista donde aparez- an defendidas y justificadas las bases fundamentales del nuevo movimien o : UNIDAD, ACCION DIRECTA, ANTI-MARXISMO, y UNA LINEA ECONOMICA REVOLU IONARIA QUE ASEGUREN LA REDENCION DE LA POBLACION OBRERA, CAMPESINA y DE PEQUEÑOS INDUSTRIALES.

Madrid a 13 de Febrero de 1934

Por F.E.

Por JONS
Ramiro Ledesma

La juventud nutrió de vida a los partidos. Pero algunos fueron jóvenes porque la juventud les prefirió claramente. Así sucedió con los de José Antonio y Ramiro Ledesma. Su inquietud ante tan críticas circunstancias les acercó en una acción conjunta para la oposición. He aquí el documento que firmaron para fusionar su partido.

José Antonio y Ledesma reunidos con Ruiz de Alda.

5 febrero 1934

Asegura Gil Robles en Sevilla que dentro del Parlamento había que elegir entre dos caminos: el de facilitar gobiernos de centro o ser una fuerza anárquica que hiciera imposible la labor del Poder público.

7 febrero 1934

En el balcón de la Casa del Pueblo de Madrid aparece una bandera de Falange en la que destaca FE. Viva el Faccio.
Gil Robles plantea en las Cortes la cuestión del Orden Público.

8 febrero 1934

El Gobierno ordena el desarme general de toda la población civil de España.

9 febrero 1934

Es asesinado en la calle Mendizábal, hoy Víctor Pradera, el estudiante falangista Matías Montero cuando vendía la revista «F.E.».
La Esquerra amenaza con independizar a Cataluña si se llegaba a implantar una República de derechas.

11 febrero 1934

Se decreta la expulsión de los campesinos de las fincas dedicadas a cultivo intensivo.

13 febrero 1934

Fusión de las J.O.N.S. con Falange Española. La dirección la ostenta una Junta de Mando compuesta de siete miembros, más un triunvirato ejecutivo.

14 febrero 1934

Manifestaciones comunistas en Madrid; tiroteos contra la fuerza pública.
La C.N.T. emplaza a los socialistas para que expresen si están dispuestos a una revolución que acabe con el capitalismo y con el Estado.

15 febrero 1934

El Gobierno dedica un homenaje al inventor del autogiro, Juan de la Cierva.

20 febrero 1934

Para defenderse de los sindicatos, los patronos industriales y del comercio de toda España sientan las bases para organizar un frente único en defensa de sus intereses.

22 febrero 1934

El Parlamento Catalán aprueba la Ley de Contratos de Cultivo que dio lugar a serios incidentes entre el Gobierno de la República y el de la Generalidad.

23 febrero 1934

Acción Popular presenta en la Cámara una proposición de ley para pedir la revisión de la ley de Reforma Agraria.

24 febrero 1934

El ministro de Comunicaciones disuelve el Comité de Ambulantes.

27 febrero 1934

Comienza a discutirse en la Cámara el Estatuto Vasco, tratándose previamente de la validez del plebiscito alavés.

En Madrid se declara la huelga general. Las masas se lanzan a las calles. La fuerza pública en una carga en la Puerta del Sol.

La muerte de Maciá, gran patriarca del catalanismo, conmociona la región. Las solemnidades oficiales y el probado sentimiento popular le acompañaron hasta la tumba. A las dos o tres semanas, sin embargo, las fuerzas anticatalanistas también se "sumaron" al triste acontecimiento: las coronas que reposaban sobre su tumba fueron quemadas en un acto de cobarde profanación anónima, de que da una idea la fotografía.

28 febrero 1934

CRISIS

Los ministros de Gobernación y Hacienda presentan la dimisión de sus cargos por insuperables divergencias de criterio con el resto del Gabinete. En verdad bien puede decirse que la crisis tuvo su auténtica iniciación en la reunión anterior tenida por los radicales y en la que Martínez Barrio manifestó su desacuerdo con la nueva línea de aperturismo hacia la derecha. El político sevillano, líder del izquierdismo radical, optó, en consecuencia, por dimitir de su cartera ministerial, la de Gobernación.

La cuestión de confianza quedaba planteada. A Lerroux se le presentaba una doble solución con arreglo a los preceptos constitucionales: crisis total o crisis parcial. En el primer caso, el Jefe del Estado dispone todo lo necesario para un relevo gubernamental; en el segundo, se trata de una simple sustitución de nombres que propone el presidente del Consejo.

Al día siguiente Lerroux planteó la crisis parcial para reemplazar a Martínez Barrio y a Lara, ministros dimisionarios. El Presidente de la República podía ratificar su confianza en Lerroux y entonces éste haría la sustitución de los dimitidos. Lerroux propuso la entrada de Salazar Alonso y de Marraco.

Sin embargo, Alcalá-Zamora no estuvo de acuerdo con el criterio del Presidente del Consejo y optó por dar a la crisis un carácter más amplio del que pretendía el jefe dimisionario. Por juzgar que las carteras vacantes eran de una categoría excepcional y por tanto de amplias consecuencias, decidió Alcalá-Zamora abrir la crisis total y manifestó su deseo de consultar a los jefes de las minorías parlamentarias. Consecuentemente, el Jefe del Gobierno presentó la dimisión y al momento se inició el período de consultas para gestionar la formación del nuevo ministerio.

Por palacio fueron desfilando las principales figuras políticas. Martínez Barrio insistió en volver a formar un gobierno a base de los radicales pero matizando estrictamente la colaboración que sólo debería ofrecerse a políticos inequívocamente republicanos. En parecidos términos se expresó también Besteiro cuando habló de excluir a los partidos de dudosa lealtad al régimen vigente. Azaña acudió a Palacio casi por obligación, pero lleno de pesimismo sobre la solución a adoptar. Manifestó que le parecía casi imposible formar un gobierno auténticamente republicano con las Cortes entonces existentes.

Estas vinieron a ser las más comunes opiniones. Los socialistas, más concretos, se atrevieron a aconsejar, como solución ideal, la disolución del Parlamento, aunque en último caso pasasen por la formación de un nuevo Gabinete en el que se hubiese cribado bien a sus componentes sobre la base del más leal y comprobado republicanismo.

Por otro extremo se tendió a aconsejar un Gobierno centro que pudiese contar con la mayoría derechista del Parlamento. Así opinaron Santiago Alba y Melquiades Álvarez, por ejemplo. Martínez de Velasco, en línea semejante, ofreció a Lerroux la colaboración de su partido si se encargaba de formar un nuevo Gabinete. También Gil

Robles apoyó esta proposición animando a la solución Lerroux. Por su parte, Cambó hizo patente su sentido realista al abogar porque se apoyase a aquel gobierno que fuese auténtica solución al momento político porque pudiera contar con la asistencia política suficiente como para mantenerse y poder gobernar sin trabas. Maura prefirió, en cambio, no colaborar por no tener ninguna confianza en los gobiernos minoritarios y por juzgarlos de muy graves consecuencias.
Lerroux seguía pensando que era su partido el único que podía ofrecer una salida a aquel momento crítico, siempre que contase con mayoría parlamentaria. En este sentido contaba con los treinta diputados agrarios y los diez de la minoría liberal demócrata que, sumados a los ciento uno de su propio partido, le daban ciento cuarenta y un votos en las Cortes. Sin embargo, aún quedaba por debajo de la coalición C.E.D.A.-Lliga, puesto que entre ambos venían a sumar 143 diputados, de ellos ciento diecisiete de la propia C.E.D.A. Quería decir esto que para contar con mayoría absoluta en la Cámara tenía que buscar su apoyo, lo cual evidenciaba la necesidad de tenerlos en cuenta a la hora de confeccionar el nuevo ministerio.
Con el mandato presidencial en su poder, Lerroux comenzó a gestionar su tercer Gabinete. Ofreció la cartera de Instrucción Pública a Marañón, Cardenar y Hernando sin que ninguno aceptase. Por fin, encontró la solución en la simple sustitución de tres ministros, como pensaba desde el principio.
El día 3, Lerroux facilitaba la lista de su ministerio. Era este:

PRESIDENCIA	Alejandro Lerroux García (Radical)
Estado	Leandro Pita Romero (Independiente)
Justicia	Ramón Álvarez Valdés (Liberal Demócrata)
Gobernación	Rafael Salazar Alonso (Radical)
Guerra	Diego Hidalgo Durán (Radical).
Marina	Juan José Rocha García (Radical)
Hacienda	Manuel Marraco Ramón (Radical)
Instruc. Públi. y B. A.	Salvador de Madariaga Rojo (Independiente)
Trabajo y Prev. Soc.	José Estadella Arnó (Radical)
Obras Públicas	Rafael Guerra del Río (Radical)
Indust. y Comercio	Ricardo Samper Ibáñez (Radical)
Comunicaciones	José María Cid y Ruiz Zorrilla (Agrario)
Agricultura	Cirilo del Río Rodríguez (Progresista)

El obrerismo fue una de las fuerzas más viva del Partido Socialista. La Casa del Pueblo se convirtió en una institución básica de su organización. Esta es la de la calle del Piamonte, en Madrid, que estuvo a punto de ser asaltada por los comunistas rivales del socialismo.

La constitución de este Gobierno sólo contaba con 141 diputados, y la Lliga y la C.E.D.A., con cuyas fuerzas no se había contado, reunían 143.

2 marzo 1934

Los nacionalistas vascos reciben en Bilbao con entusiasmo a los diputados Aguirre, Robles y Aranguiz, e impiden desembarcar al tradicionalista Oreja Elósegui.

4 marzo 1934

En el Teatro Calderón de Valladolid se celebra un mitin de proclamación de Falange Española y de las J.O.N.S. Tomaron parte José Antonio, Ledesma, Onésimo Redondo, Gutiérrez Palma, Martínez Bedoya y Ruiz de Alda. A la salida del mitin, es herido de gravedad, muriendo más tarde, el estudiante Angel Abella.

4 marzo 1934

Homenaje del partido radical a su jefe político Lerroux con motivo de cumplir sus setenta años.

5 marzo 1934

El Gobierno interviene contra la política de la Casa del Pueblo, que ya ha impedido la publicación del diario «ABC».

6 marzo 1934

El personal de todos los periódicos de Madrid, excepto «El Socialista» y «La Lucha», anuncia la huelga para el día 11.

7 marzo 1934

Se presenta en la Cámara el Gobierno, que es interpelado por Prieto.

8 marzo 1934

Declaración del estado de alarma en toda España.
Se discute un proyecto de ley ampliando las plantillas de los Cuerpos de Seguridad y de la Guardia Civil.

En las elecciones se puso punto final a dos años de marcha hacia la izquierda. El país se plantó y decidió la rectificación. España gritó un "¡basta ya!" como parece decir Gil Robles, recabando su hora en la ocasión de experimentar soluciones nuevas.

9 marzo 1934

En la calle madrileña de Fuencarral, cae asesinado el obrero jonsista Ángel Montesinos.

10 marzo 1934

El Fiscal de la República informa que en tres años se han perdido jornales por valor de 231 millones de pesetas a causa de 1.500 huelgas.

11 marzo 1934

La Casa del Pueblo acuerda la huelga de Artes Gráficas, en Madrid. «Prensa Española», propietaria del diario «ABC», decide suspender la publicación del periódico y de la revista «Blanco y Negro».

12 marzo 1934

Huelga general en Madrid de Artes Gráficas.

13 marzo 1934

Se publica «El Debate» y por la noche «La Epoca».

14 marzo 1934

El diario «ABC» reanuda su publicación, con lo que dio por fracasada la huelga.

15 marzo 1934

Empieza a discutirse el proyecto de ley relativo a los haberes pasivos del clero. Las derechas defienden el dictamen de la Comisión de Justicia, que considera al clero como funcionario público y por lo tanto tiene derecho a cobrar la excedencia. Los diputados de Izquierda Republicana y socialistas presentan innumerables enmiendas.

20 marzo 1934

En Rivera de Asturias los vecinos asaltan el Ayuntamiento, y las autoridades de la provincia ordenan la detención de todos los concejales.

21 marzo 1934

Se aprueba el plan de construcciones navales urgentes. El Parlamento Catalán aprueba la Ley de Contratos de Cultivo.

23 marzo 1934

El ministro de Justicia da lectura a un proyecto de amnistía de los delitos políticos y sociales anteriores al 3 de diciembre de 1933.

24 marzo 1934

Es asesinado en la calle de Augusto Figueroa de Madrid el estudiante Jesús Hernández Rodríguez.
En las cercanías de Barcelona la policía descubre un laboratorio de explosivos y líquidos inflamables utilizados por extremistas.

27 marzo 1934

Se restablece la pena de muerte.

Maciá y Companys, los dos hombres clave del autonomismo catalán. Con el primero, lo consiguió Cataluña; con el segundo, su sucesor, lo perdió. Ante la tumba de Maciá, Luis Companys parece simbolizar la continuidad luchadora por un empeño desorbitado que al final fracasó.

La frecuencia de las huelgas trajo a los odiados esquiroles; otras veces eran sólo voluntarios que, por interés político, de partido, suplían a los huelguistas circunstancialmente. En la fotografía, jóvenes derechistas ante la huelga de Artes Gráficas.

Terminaba el primer bienio y con él la experiencia social azañista. Las cosas no habían rodado muy felizmente y el balance no era fácil de hacer. Prieto, en el teatro Pardiñas, intentaba la justificación y hacía nuevos planes, corregidos por la experiencia, para un próximo futuro en que volviera a haber ocasión de gobernar.

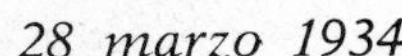

28 marzo 1934

La C.N.T., secundada por los socialistas, declara la huelga general en Zaragoza, como réplica al restablecimiento en España de la pena de muerte.

31 marzo 1934

Goicoechea, Olazábal, Lizarza y el general Barrera se reúnen en Roma con el jefe del Gobierno italiano, Mussolini.

2 abril 1934

Azaña, Marcelino Domingo y Casares Quiroga fusionan sus partidos en uno que se denomina Izquierda Republicana. Es elegido presidente el primero.

4 abril 1934

Se aprueba el proyecto de ley relativo a los haberes pasivos del clero por 21 votos contra 6. Los diputados radicales Marco Miranda y Just se separan del partido, renunciando a sus actas.
Los obreros de la fábrica militar de Trubia se declaran en huelga y el Gobernador detiene a la directiva de la U.G.T.

6 abril 1934

Se levanta el estado de prevención y alarma en toda España.

8 abril 1934

El coronel Osvaldo Fernando Capaz Montes ocupa el territorio africano de Ifni.

11 abril 1934

Atentado contra José Antonio Primo de Rivera.

Con un brillante y documentado discurso sobre "Las ideas biológicas del Padre Feijoó" Gregorio Marañón hacía su entrada en la Academia Española de la Lengua. En la foto, en compañía del Presidente de la República, también académico, y del director de la entidad, Menéndez Pidal.

Un momento del desfile conmemorativo del tercer aniversario de la República, celebrado en Madrid. Las tropas pasan ante la tribuna presidencial.

El Presidente de la República viaja a Palma de Mallorca para asistir a unas maniobras de la escuadra. La fotografía nos lo muestra a bordo del "Jaime I", acompañado por el general Franco, a su llegada a la capital.

El Gobierno de la Generalidad, en cumplimiento del Estatuto, fue recibiendo paso a paso el ejercicio de su autonomía. En la fotografía se pasa revista a la fuerza de Asalto después del traspaso de los servicios del Orden Público. Con Companys, en primer término el general Batet entre el Subsecretario de la Gobernación y el Director General de Seguridad, Benzo y Valdivia, respectivamente.

Maniobras militares en el Jarama. El Presidente de la República y el Ministro de la Guerra, Diego Hidalgo, acudieron a presenciarlas.

14 abril 1934

Desfile militar para conmemorar el tercer aniversario de la República. El Gobierno distingue a Manuel Bartolomé Cossío con el título de ciudadano de honor de la República.

15 abril 1934

En Valencia se produce una colisión entre estudiantes falangistas y de la F.U.E.

17 abril 1934

El ministro de Justicia presenta la dimisión de su cargo ante la conmoción que produjo en las Cortes al comparar, en la sesión del veintitrés de marzo, la sublevación de Jaca con la del 10 de agosto, declarándose el ministro contrario a todo levantamiento. Es designado ministro de Justicia el de Instrucción Pública Salvador de Madariaga.

19 abril 1934

Se aprueba el proyecto de Amnistía de los delitos políticos y sociales anteriores al 14 de abril. Los socialistas consiguen ampliar la fecha tope hasta el 23 de marzo en lugar del 3 de diciembre. La Comisión fija la fecha del aniversario de la República. La ley se aprueba por 269 votos contra 1.

20 abril 1934

En la inauguración del Congreso de la Juventud de Acción Popular se registraron ataques a los asambleístas que llegaron de provincias. Heridos graves y un muerto: el joven de la C.E.D.A. Roca Ortega.
El presidente de la República firma la Ley de Amnistía. El general Sanjurjo es puesto en libertad en virtud de dicha ley, trasladándose a Portugal.

Desde el Penal del Dueso, Sanjurjo fue trasladado al Castillo de Santa Catalina de Cádiz. Allí le llegó la hora de la amnistía y de la libertad. En Gibraltar, Sanjurjo embarcó rumbo a Lisboa y en Estoril se establecería con su familia. Arriba, el general poco antes de descender del barco en que realizó el viaje. A la derecha, en su residencia de Estoril rodeado de su familia y de un grupo de amigos.

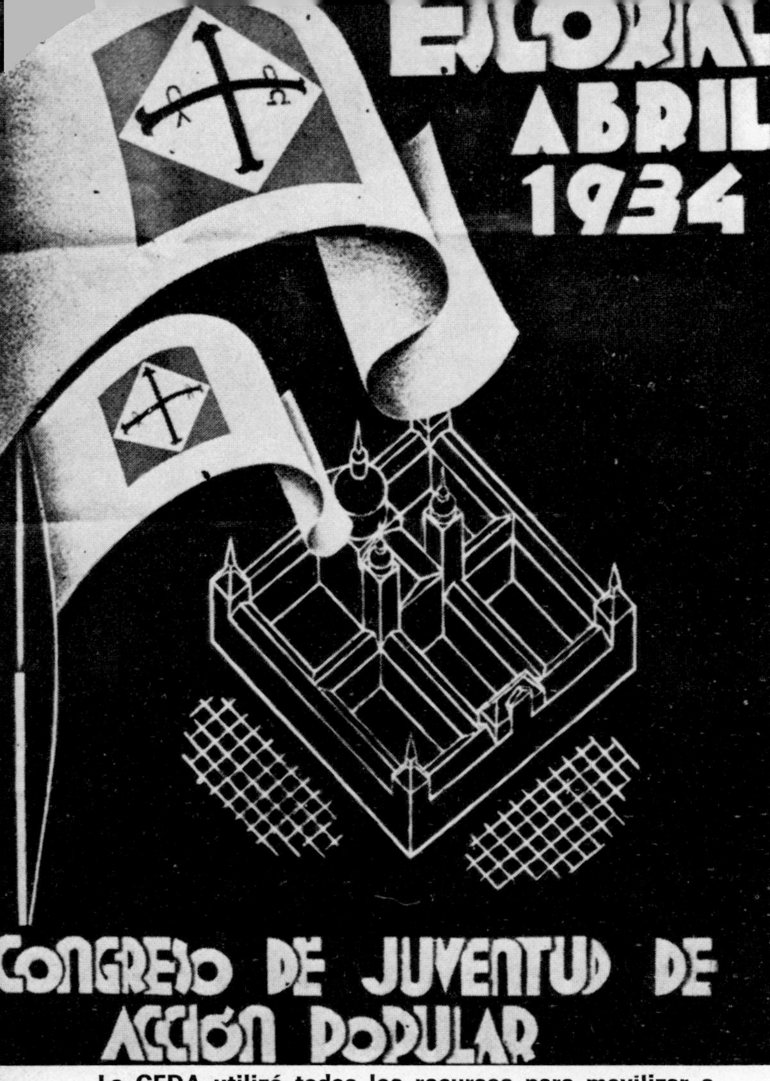

En abril de 1934 Acción Popular reúne a sus jóvenes en El Escorial. Reinó el entusiasmo del "Jefe" y se estrenó saludo e himno con letra de José María Pemán.

La CEDA utilizó todos los recursos para movilizar a la gran masa derechista o conservadora en general que aún existía en el país. Pensó en llegar a ser su portavoz real, con lo cual hubiera alcanzado una fortaleza de excepción en el concierto político del republicanismo español. Mítines, concentraciones, carteles, radio, etc., fueron utilizados hábilmente. En este caso para hacer propaganda de la J.A.P. en El Escorial.

Un aspecto de la concentración de las Juventudes de Acción Popular en la explanada del Monasterio. Gil Robles arengó a sus seguidores que vibraron en entusiasmo y disciplina.

La República tuvo mucho de guerra aunque no estuviese aún declarada. En ella está la explicación del estallido del 36. El ejército patrulla las calles de Zaragoza ante la amenaza anarquista.

Hasta salieron tanques a la calle. La violencia se había convertido en el único recurso. Los estados de alarma se sucedían inevitablemente como única manera de controlar la situación.

22 abril 1934

Gran concentración de la Juventud de Acción Popular en El Escorial. Después de una misa en la explanada, se da lectura de los diecinueve puntos del programa de la J.A.P.
Estallan dos bombas en los talleres de F.E., en la calle de Ibiza. Cinco de los obreros resultaron heridos.

24 abril 1934

Huelga general en Valencia y Zaragoza.

25 abril 1934

CRISIS

Desde la crisis del mes anterior la pervivencia del Gabinete no venía siendo nada fácil. Consiguió remontar, con grandes problemas, la cuestión de la ley de haberes del clero que al final fue aprobada por el decidido apoyo de la C.E.D.A., que recurrió incluso al recurso excepcional de la «guillotina» para conseguirlo.
A primeros de abril, el día 10, se empezó a discutir el proyecto de amnistía, cuestión que trajo imprevistas y graves consecuencias a la hora de distinguir, a efectos de amnistía, entre los sucesos del 10 de agosto de 1932 y los del 10 de diciembre de 1933. La actuación del ministro de Justicia. Álvarez Valdés, y unas alusiones a la sublevación de Jaca dieron pie a una hábil maniobra de Prieto y del coro izquierdista que obligaría al ministro a dimitir. Le sustituyó interinamente Salvador de Madariaga que figuraba en el Gabinete en la Cartera de Instrucción Pública. Por fin, el día 20 se aprobaba la Ley de Amnistía con un solo voto en contra.
El gran problema se planteó cuando el Presidente de la República se negó a promulgarla tal como se la presentaban las Cortes. Por estar en desacuerdo con algunos puntos de ella y en uso de las facultades que le confería el artículo 3 de la Constitución manifestó su intención de devolverla al Parlamento. El Gobierno, no obstante, resistió a los propósitos de Alcalá-Zamora y se mantuvo en que, según el artículo 84, sus actos y mandatos no adquirían obligatoriedad sin el refrendo ministerial y éste nadie se prestó a concedérselo.
El 24 de abril el Presidente de la República acababa firmando la ley pero, a título personal, sin ningún refrendo, enviaba al Parlamento una larga justificación a despecho de Cortes y Gobierno.
Las cosas se pusieron al rojo y estuvo en peligro el propio Alcalá-Zamora, hasta que Lerroux optó por no llegar tan lejos y sacrificar a su propio Gabinete. En el Consejo de Ministros del 25 quedó planteada la crisis total. El Gabinete presentó su dimisión colectiva a S.E.
La resolución de la crisis resultó muy laboriosa y al tercer día de consultas aún no se entreveía la solución. El

Presidente de la República se había pronunciado en contra de la disolución de las Cortes, pero al mismo tiempo mostraba claramente su deseo de postergar a Lerroux y no darle el encargo de formar el nuevo Gobierno.
Por otro lado los radicales, para curarse en salud, anunciaron que no darían ministros ni colaboración a ningún ministerio que no estuviese presidido por su jefe. Con estas condiciones no se presentaba fácil la solución.
Las opiniones de las personalidades que pasaron por Palacio fueron diversas, pero predominaron las que seguían defendiendo un gobierno de concentración y el mantenimiento de las Cortes. Así se pronunciaron Martínez de Velasco, Melquiades Álvarez, Cirilo del Río, Cambó, Pita Romero y Salvador de Madariaga, entre otros. Hubo también los que pensaron en la disolución parlamentaria como última salida, en caso extremo. Por ejemplo, Barcia, Gordón y Botella Asensi.
Por su parte, Horn, jefe de la minoría nacionalista vasca, ofreció su apoyo a un gobierno que se comprometiera a la aprobación del estatuto vasco.
A últimas horas del 25, Gil Robles, Cambó y Martínez de Velasco, reunidos para tratar del problema político, coincidieron en que la solución había de ser un Gobierno de centro derecha.
En general, estaba claro que la actitud de los grupos que formaban la mayoría parlamentaria se orientaba a facilitar cualquier solución con Lerroux a la cabeza, y a no colaborar en caso distinto. Desde luego, la C.E.D.A. ponía más condiciones que los agrarios, dispuestos, en principio, a colaborar con cualquier gobierno que tuviese una orientación parecida a la del anterior.
Alcalá-Zamora llama inesperadamente a Samper y le ofrece el encargo de formar gobierno, el día 27. El político radical quiso, antes de comprometerse, consultar con Lerroux, su jefe político, que sin demora le dio su aprobación.
La nota que Samper recibió le encargaba textualmente «formar un nuevo Gobierno que se propusiera, con la colaboración de las Cortes, seguir la política de conciliación nacional y defensa de la República y dar solución a los problemas económicos y sociales y de legislación complementaria de la fundamental que están planteados». Se insistía al final en que procurase una «amplia concentración de partidos manifiestamente republicanos».
Comenzó Samper sus gestiones con buen pie. Maura le prometió su apoyo con algunas condiciones; Martínez de Velasco también le ofreció el de su minoría y el suyo personal; lo mismo Melquiades Álvarez. Gil Robles se prestó a la colaboración parlamentaria sin pedir participación personal en el Gobierno.
Tras cuatro jornadas, el día 28 quedaba resuelta la crisis política. Samper podía presentar la siguiente lista ministerial:

PRESIDENCIA	Ricardo Samper Ibáñez (Radical)
Estado	Leandro Pita Romero (Independiente)
Justicia	Vicente Cantos Figuerola (Radical)
Gobernación	Rafael Salazar Alonso (Radical)
Guerra	Diego Hidalgo Durán (Radical)
Marina	Juan José Rocha García
Hacienda	Manuel Marraco y Ramón (Radical)
Instruc. Pública y B. A.	Filiberto Villalobos González (Liberal Demócrata)
Obras Públicas	Rafael Guerra del Río
Trabajo, Sanidad y Prev.	José Estadella Arnó (Radical)
Industria y Comercio	Vicente Iranzo Enguita (Independiente)
Agricultura	Cirilo del Río Rodríguez (Progresista)
Comunicaciones	José María Cid y Ruiz Zorrilla (Agrario)

La figura de Gil Robles estuvo presente en todas las consultas que siguieron a las crisis durante el bienio derechista. Sin embargo, no llegó a formar gobierno a pesar de que contaba con mayoría en el Parlamento. A su salida de una consulta.

España ampliaba sus tierras en África. Se reverdecían las glorias ultramarinas de nuestros mejores tiempos. El coronel Capaz ocupa el territorio de Ifni. Héroe de unos días, de nada le valió a la hora de la verdad, cuando fue fusilado en los primeros días del Alzamiento por los mismos republicanos. En la foto, en la tierra recién tomada.

El republicanismo reposado, con solera, de Azaña mal podía compaginarse con el de Miguel Maura, más como de ocasión. Sus figuras contrastan vivamente desde los mismos días de abril del 31. No podría Maura mantenerse por mucho tiempo en el nuevo camino en el que se había embarcado. Acabaría quedándose rezagado y apartado de la marcha política del país.

Calvo Sotelo regresa del destierro gracias a la amnistía. Y ocupa su escaño. Las Cortes conocieron de su combatibidad, de su lealtad a unos principios y de su consecuente actuación por ello. Gran orador, insobornable crítico, fue la voz y el símbolo de media España enfrentada a la otra media. Su guerra privada y su final sangriento constituyeron el anticipo de otro a escala nacional. Diputado a las Cortes Constituyentes, Calvo Sotelo no llegaría a tomar posesión. Sin embargo, a primeros de mayo de 1934 puede por fin incorporarse al Parlamento. Diputados derechistas en un banquete de homenaje.

Espectacular alijo de armas requisado por el gobierno. Fueron muchas las ocasiones en que esto sucedió, consecuencia de la oposición política, violenta y apasionada.

Falange no cejó en la lucha ni en el golpe osado. Muchos de sus miembros cayeron en la refriega o después, en las viles represalias a sangre fría. En Pamplona durante el entierro del falangista Martínez de Espronceda.

26 abril 1934

Numerosos actos de sabotaje en Zaragoza y Valencia.

30 abril 1934

El nuevo Gobierno celebra su primera reunión ministerial.

1 mayo 1934

Se presenta el Gobierno a las Cortes.
Manifestación antifascista en Barcelona. La presiden los consejeros de la Generalidad Gassol y Dencás.

2 mayo 1934

El pretendiente carlista nombra secretario general de la Comunión Tradicionalista a Manuel Fal Conde.
Las fuerzas vivas de Zaragoza acuerdan trasladarse a Madrid para solicitar la intervención directa del Gobierno.

3 mayo 1934

Llega a Madrid, procedente de París, Yanguas Messía, acogiéndose a la Ley de Amnistía.

4 mayo 1934

Calvo Sotelo llega a Madrid.
Samper firma el recurso del Gobierno de la República contra la ley de Contratos de Cultivo ante el Tribunal de Garantías.

7 mayo 1934

El Gobierno prohibe el traslado de los hijos de los huelguista de Zaragoza a Madrid y Barcelona.

8 mayo 1934

Se promulga una ley en virtud de la cual los sumarios y diligencias instruidos por la Comisión de Responsabilidades de las Cortes Constituyentes pasan al Tribunal Supremo de Justicia.
Se aprueba el acta de Calvo Sotelo y se proclama diputado al conde de Guadalhorce.

9 mayo 1934

Calvo Sotelo se posesiona de su escaño en el Parlamento.
El Gobierno entabla recurso ante el Tribunal de Garantías Constitucionales contra la Ley de Contratos de Cultivo aprobada por el Parlamento Catalán.

11 mayo 1934

Prieto interpela al Gobierno sobre el intercambio de arroz y maíz. Por esta cuestión logran los socialistas la dimisión del Gobernador del Banco Exterior de España.

12 mayo 1934

Vuelve Zaragoza a la normalidad después de treinta y cinco días de huelga general.
El ministro de la Gobernación ordena la clausura de los locales de la F.U.E. y de las J.O.N.S.
Dos individuos irrumpen en un centro socialista hiriendo a un obrero metalúrgico.

13 mayo 1934

Gil Robles declara a «El Debate» que su partido está dispuesto a servir y defender a la República.

En el seno del Partido Radical llegaría a producirse la escisión por obra de Martínez Barrio. Hubo, sin embargo, diálogos y discusiones previas en un deseo de llegar a evitarla sin que fuera ello posible. La fotografía nos muestra a los prohombres radicales reunidos en torno a una mesa en una de estas ocasiones. Lara, Martínez Barrio, Guerra del Río, Lerroux y Rocha sentados. De pie, Torres Campañá.

La escisión del Partido Radical, termina por llevarse a cabo. Lerroux rodeado de la parte que le permaneció fiel.

Martínez Barrio acaudilló a los disidentes, que tomaron el nombre de Partido Radical demócrata.

Espectacular y catastrófica voladura de la casa de un pirotécnico, en Alicante. El oficio justificaba hasta cierto punto la presencia de explosivos, pero los rumores apuntaron a la existencia de depósitos de dinamita, de responsabilidad anarquista.

Los jefes de la oposición derechista reunidos en las Cortes. En primer plano, de derecha a izquierda, Calvo Sotelo, Honorio Maura y Goicoechea, que llevaron a cabo una calculada obstrucción al Gobierno Samper.

14 mayo 1934

En Villarubia de Ciudad Real, los guardias municipales disparan sobre el vecindario, que se manifestaba contra el alcalde, ocasionando dos muertos y ocho heridos.

16 mayo 1934

Se produce en el Partido Radical la secesión de Martínez Barrio, que forma el Partido Radical Demócrata.

22 mayo 1934

Comienza la vista por los sucesos de Casas Viejas. El capitán Rojas y Arturo Menéndez sostienen un emocionante careo.

24 mayo 1934

El Parlamento deroga la Ley de Términos Municipales.

28 mayo 1934

El ministro de la Gobernación publica un decreto en el que se declara servicio público la recolección de la cosecha, declarando ilegales las huelgas que afectan a estas labores.

29 mayo 1934

Samper, necesitado del apoyo de las derechas, pide a la Cámara vote su confianza al Gobierno por las medidas adoptadas ante la anunciada huelga de campesinos.

Demostración falangista en el aeródromo del Club del Aire. Interrumpida por la Guardia Civil, José Antonio se declara absoluto responsable. Se impusieron multas a él y a otros participantes.

La muerte de Juanita Rico, militante socialista, es un ejemplo típico de las represalias a que se sometieron los distintos bandos. Asesinatos para vengar asesinatos ante la ineficacia gubernamental. Un momento del entierro.

1 junio 1934

Se ve en el Tribunal de Garantías Constitucionales el recurso contra la Ley de Contratos de Cultivos, cuya inconstitucionalidad impugna el Fiscal de la República Lorenzo Gallardo.

3 junio 1934

Demostración falangista en el Aeródromo del Club del Aire. Toman parte ocho centurias. El Ministro de la Gobernación impone multas de 10.000 pesetas a José Antonio Primo de Rivera, Ruiz de Alda, Ledesma, Fernández Cuesta y Ansaldo.

4 junio 1934

Los diputados Oriol de la Puerta (C.E.D.A.) y Tirado (socialista) se agreden en la Cámara.

6 junio 1934

Es asesinado el general Fernando Berenguer.

9 junio 1934

El Tribunal de Garantías declara anticonstitucional la ley de Contratos de Cultivo aprobada por la Generalidad.
Es agredido a tiros el doctor Luque.

10 junio 1934

El joven falangista Juan Cuéllar es muerto en un choque con los socialistas en el Pardo. Por la noche, en la calle Eloy Gonzalo, es asesinada Juanita Rico y heridos graves dos hermanos de ésta. Son detenidos Alfonso Merry del Val y Alberto Ruiz. Semanas más tarde son puestos en libertad.
Desde un taxi se hacen varios disparos sobre un Centro de Esquerra en Barcelona. Dos heridos.

Vascos y catalanes marcharon muy al compás. Ambos siguieron el mismo ritmo nacionalista. Tras el fallo de la Ley de Contratos de Cultivo los dos grupos abandonaron juntos sus escaños en el Congreso.

La Generalidad corrió demasiado en sus afanes autonomistas. La Ley de Contratos de Cultivo la enfrentó con el Gobierno, que falló en contra. Las manifestaciones de protesta abundaron. He aquí una de "rabassaires", en Barcelona.

12 junio 1934

Los diputados catalanes y vascos abandonan sus escaños en las Cortes, a excepción de los de la Lliga, como protesta por la sentencia del Tribunal de Garantías Constitucionales.

19 junio 1934

Son robadas las joyas de la Virgen de Guadalupe, patrona de Ubeda (Jaén).

24 junio 1934

Comienzan las represalias por el asesinato de Juanita Rico. Dos falangistas son heridos de gravedad en la calle Marqués del Riscal.

25 junio 1934

El Consejero de Gobernación de la Generalidad publica una orden en el «Boletín Oficial» disolviendo los Somatenes.

27 junio 1934

En el Consejo de Ministros se acuerda considerar nula la ley de Cultivos votada en Barcelona el día 12.

28 junio 1934

Los diputados tradicionalistas y de Renovación Española empiezan su labor de obstrucción contra el Gobierno Samper.

30 junio 1934

Se aprueba el proyecto de Presupuestos para el segundo semestre. Sumaban los gastos 4.680.006.000 pesetas y los ingresos 4.653.000.000 pesetas.

3 julio 1934

Aprueban las Cortes los suplicatorios para procesar a los diputados Lozano Ruiz por tráfico ilícito de armas y Primo de Rivera por tenencia ilícita de armas y por la reunión en el aeródromo del Club del Aire en Entremera.

Las relaciones con la Santa Sede pasaron por momentos delicados durante la República. En la foto, el nuevo embajador, Pita Romero, tras la presentación de sus cartas credenciales.

El nacionalismo vasco se envalentonaba en paralelo con el catalán. En agosto de 1934 se trató de elegir, por los ayuntamientos, una Comisión Ejecutiva que defendiese los intereses nacionalistas. El alcalde de Bilbao y los concejales salen del Ayuntamiento después que el Gobernador suspendiese las elecciones.

4 julio 1934

Logra el Gobierno un voto de confianza en el asunto catalán, por 191 votos contra 62.
Se acuerda en la Cámara que se suspenda toda actividad judicial contra los diputados hasta que terminen su mandato electoral.
El Tribunal Supremo acuerda la reincorporación al Ejército del capitán Justo Sanjurjo.

7 julio 1934

En la barriada madrileña de Cuatro Caminos son agredidos a puñaladas y a tiros dos afiliados a Falange Española.

9 julio 1934

Disminuye la influencia del partido socialista ante la tentativa de formar el Frente Único Obrero, que preconiza Largo Caballero.

10 julio 1934

Los «rabassaires» se incautan de las cosechas.

14 julio 1934

El Gobierno Samper ofrece a Companys una fórmula jurídica para un nuevo Reglamento de la Ley de Contratos de Cultivo.

16 julio 1934

En Barcelona se organiza una manifestación para protestar contra las detenciones de José Aymá, director de «La Nació Catalana», y de Camilo Bofill, como autores de unos artículos en los que se atacaba al Gobierno de la República.

19 julio 1934

Companys asegura que la Ley de Contratos de Cultivo, se adecuará a la Constitución y al Estatuto.

24 julio 1934

Sin modificaciones en ninguno de los puntos sustanciales se publica el nuevo Reglamento de la Ley de Contratos de Cultivo.

26 julio 1934

Los nacionalistas catalanes prenden fuego al Palacio de Justicia de Barcelona durante la vista de la causa contra el abogado Camilo Bofill.

3 agosto 1934

El Tribunal de Urgencia absuelve a cuarenta y dos falangistas, que habían sido detenidos por la policía en la sede de F.E.

5 agosto 1934

En San Sebastián, se reúne la minoría parlamentaria vasca para solidarizarse con los Ayuntamientos.

7 agosto 1934

El Presidente de la República realiza una gira de siete días por Galicia.

11 agosto 1934

El general Gil Yuste es arrestado en un castillo.

12 agosto 1934

El gobernador de Vizcaya Ángel Velarte prohibe las elecciones indirectas para designar una Comisión Gestora. Se producen tumultos en las tres provincias vascas. El alcalde de Bilbao es sustituido.
En Deusto, se descubre la lápida que da el nombre de Maciá a la Avenida de España.
Muere en un accidente automovilístico en Krumpendorf (Austria) don Gonzalo de Borbón, hijo menor de don Alfonso XIII.

16 agosto 1934

En Bilbao está paralizada la vida municipal y nadie quiere hacerse cargo de la Alcaldía.

17 agosto 1934

Es detenido un soldado que, en complicidad con elementos de la F.A.I., sustraía armas del cuartel.

20 agosto 1934

Al reunirse la Comisión elegida por los Ayuntamientos, la fuerza pública detiene a ochenta y siete personas, entre ellas a los sacerdotes Aristimuño y Laborda.

22 agosto 1934

La Generalidad prohibe la entrada de trigos y harinas españoles en la Región sin la previa autorización de la Junta Central de Contratación.

24 agosto 1934

Regresa a Madrid, de su viaje de bodas, Gil Robles.

25 agosto 1934

El consejero de la Generalidad, José Dencás, visita al ministro de la Gobernación y al de la Guerra.

26 agosto 1934

Se anuncia una Asamblea de parlamentarios en Zumárraga, que no autoriza el Gobierno. Se aplaza para el día 2 de septiembre, invitando a ella a los parlamentarios catalanes.

La marea nacionalista ascendía en el País Vasco y producía una serie de incidentes a escala gubernativa. El alcalde de Bilbao, Ercoreca, resultó destituido. Saliendo del Ayuntamiento.

Mítines, estudios y consultas se sucedieron. En esta ocasión Zumárraga acoge a los parlamentarios vascos y catalanes. Prieto a la cabeza de los mismos.

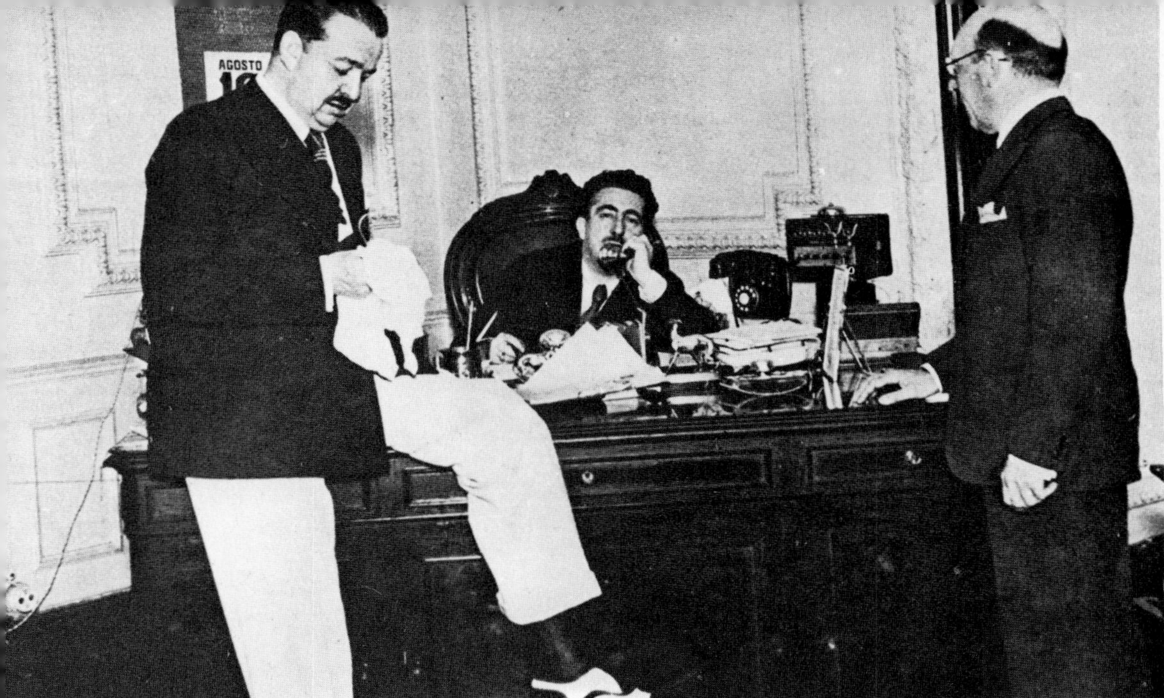

El malestar público cundía por todo el país. El año treinta y cuatro fue especialmente difícil en este sentido. Las revueltas en el País Vasco llegaron a inquietar seriamente al gobierno. En espera de noticias sobre el curso de los acontecimientos vemos reunidos, de izquierda a derecha, a los tres grandes responsables: Hidalgo, ministro de la Guerra, Salazar Alonso, ministro de la Gobernación y Samper, jefe del Gobierno.

Al cesar Arturo Menéndez en la Dirección General de Seguridad fue sustituido por Manuel Andrés Casaus. Periodista, director de "La Prensa", de San Sebastián, Casaus moriría asesinado en esta ciudad el 11 de septiembre de 1934. Como un eslabón más en la cadena de muertes vengadoras de otras muertes. Trágica cadena que iba ciñéndose implacable día a día en grave amenaza para el mismo ser de España.

27 agosto 1934

La Esquerra presta su solidaridad al País Vasco.

31 agosto 1934

Es asesinado Joaquín de Grado, miembro del comité central de las Juventudes Comunistas.
Un grupo de socialistas asalta el local de Acción Popular de Bilbao y causa grandes destrozos en el mobiliario. Los asaltantes iban armados con pistolas.

1 septiembre 1934

Los comunistas intentan celebrar una manifestación y se enfrentan con los guardias de Asalto. Cinco heridos.

2 septiembre 1934

Fuerzas de Asalto y de la Guardia Civil impiden a los alcaldes de Bilbao y a los concejales el viaje por tren a Zumárraga, respetando a los veintiséis parlamentarios vascos y catalanes que se trasladaron a dicha villa. La Asamblea anunciada por los Ayuntamientos fue declarada facciosa por el Gobierno.

4 septiembre 1934

El Comité Ejecutivo de los municipios vascos acuerda la dimisión colectiva de todos los Ayuntamientos del País Vasco.

5 septiembre 1934

Asalto al Instituto Agrícola Catalán de San Isidro.

6 septiembre 1934

Se intenta asaltar la cárcel de San Sebastián.

7 septiembre 1934

Los concejales vascos acuerdan querellarse contra el Gobernador ante el Tribunal de Garantías Constitucionales.
Se dicta auto de procesamiento y prisión contra el alcalde de Bilbao.
Es asesinado el guardia de Seguridad Victoriano Barroso.

8 septiembre 1934

La Dirección General de Seguridad clausura la Casa del Pueblo de Madrid.
Jornada roja en Madrid. Paro absoluto en la capital de España.
Se celebra en el cine Monumental de Madrid una Asamblea organizada por el Instituto Agrícola Catalán de San Isidro de Barcelona, a la que asisten gran número de terratenientes.

9 septiembre 1934

Asamblea de Acción Popular en Covadonga; los revolucionarios contestan con una huelga general, que paraliza todos los servicios.

10 septiembre 1934

Es asesinado Manuel Carrión Damborenea, jefe local de la Falange de San Sebastián.
En represalia es muerto el ex Director General de Seguridad Manuel Andrés Casaus.

El Parlamento y la misma opinión pública vibraron en torno al asunto del "Turquesa". El alijo de armas transportado por el barco fue un aldabonazo para unos y una prueba evidente de lo que se preparaba para otros. Las izquierdas pretendían asaltar el poder; en efecto, la intentona revolucionaria no esperaría sino hasta el mes de octubre. En la foto, el "Turquesa" atracado en puerto.

Para exaltar al máximo a los mártires de la República en el levantamiento de Jaca, se llegó a planear la instalación de sus restos en la mismísima Puerta de Alcalá, de Madrid, lo que al final no se llevaría a cabo. Esta es la lápida destinada a tal efecto.

En septiembre de 1934 se hubo de recurrir a la convocatoria de la Junta Mixta de Seguridad de Cataluña ante los graves disturbios sucedidos, como consecuencia del proceso celebrado en la Audiencia de Barcelona contra el letrado Xammar. De izquierda a derecha: Carrera, Dencás, Salazar, Martí Esteve, Valdivia y el Director General de la Guardia Civil.

11 septiembre 1934

Se descubre un alijo de armas en el puerto de San Esteban de Pravia (Asturias) destinado a los socialistas.
El Pleno del Comité Central del Partido Comunista ingresa en las Alianzas Obreras y Campesinas.

12 septiembre 1934

El diario «ABC» publica la noticia de que el general Franco, después de conferenciar con el jefe del Gobierno, rechaza la cartera de Guerra o la Subsecretaría.

13 septiembre 1934

El Ministro de la Gobernación convoca la Junta mixta de Seguridad de Cataluña.

14 septiembre 1934

El Gobierno suspende el traslado de los restos mortales de los capitanes Galán y García Hernández.

16 septiembre 1934

El alcalde de Bilbao y treinta y un concejales son trasladados a la cárcel de Burgos y nueve días más tarde regresan a la capital vizcaína.

19 septiembre 1934

La Guardia Civil sorprende, en el campo de deportes de la Ciudad Universitaria, a un grupo de personas descargando armas y explosivos de un camión. Es detenido un dirigente de la F.U.E.

23 septiembre 1934

El Gobierno declara el estado de alarma en toda España.

24 septiembre 1934

El presidente de la República asiste en Valladolid a la apertura del Consejo Nacional de Riegos.
En Oviedo, un grupo de socialistas apalea a un falangista que correspondió con su saludo al que hicieron los primeros con el puño en alto.

27 septiembre 1934

Maniobras militares en León dirigidas por el Inspector General del Ejército López Ochoa y los generales de Estado Mayor Masquelet y Martínez Cabrera. Asisten a las maniobras el Presidente de la República y el ministro de la Guerra.

29 septiembre 1934

Para asistir a la última lección de la vida académica de Unamuno se trasladan a Salamanca Alcalá-Zamora y varios ministros. Se tributa un homenaje al rector de la Universidad.

1 octubre 1934

CRISIS

El año 34 estaba a punto de cerrarse con una línea política caracterizada por los gobiernos de componendas, para ir tirando, pero sin una fortaleza suficiente en el Parlamento como para perdurar y llevar a cabo una labor eficaz. En octubre se iba a producir la sexta crisis en el corto plazo de un año.
El gran problema estaba en la disparidad habida hasta entonces entre la naturaleza de los gobiernos y la naturaleza de las Cortes, en las que la C.E.D.A. era la minoría con mayor número de escaños hasta el punto de ser, en la práctica, el auténtico árbitro de la situación. Sin embargo, hasta entonces tal realidad no se había reflejado de manera adecuada en la constitución de ningún Gabinete. Alcalá-Zamora había venido jugando la baza inocua y transitoria de los radicales y sólo la personalidad de Lerroux había sido capaz de llevarla a efecto y de ir manteniendo los gobiernos.
En abril se había constituido el último Gabinete con Samper a la cabeza y como un eslabón más de la táctica política que se venía usando. Ya en septiembre, en una asamblea de la J.A.P. en Covadonga, Gil Robles advirtió que no consentiría más que continuase aquel estado de cosas y reclamó para la C.E.D.A. el puesto a que tenía absoluto derecho en consecuencia con la composición de la Cámara.
Gil Robles, en la apertura del Parlamento, se levantó para proceder a un duro ataque contra la labor del Gobierno Samper y manifestar su negativa a que siguiese aquel estado de provisionalidad política, tan perjudicial para el país y para el mismo régimen. Samper, desasistido de todos los partidos e incluso abandonado de sus mismos ministros, dos de los cuales abandonaron el banco azul en aquella misma sesión, declaró oficialmente la crisis.

Todo un hito de nuestra cultura contemporánea, Miguel de Unamuno recibe el título de Rector vitalicio de la Universidad de Salamanca, una vez jubilado. Con Alcalá Zamora.

Varias veces acudió Alcalá Zamora a Lerroux como única salida. Los periodistas le rodean con ocasión de haber sido encargado de formar un nuevo Gobierno. En este cuarto ministerio, dio entrada a tres ministros cedistas, motivo que soliviantó a las izquierdas y coadyuvó a desencadenar la revolución. En la segunda fotografía, Aizpún y Fernández Giménez, ministros entrantes de Justicia y Agricultura, respectivamente.

Se abren las consultas de rigor, en Palacio. Acuden los principales dirigentes. A las nueve y media de la mañana del día 2 se iniciaban con la visita de Santiago Alba, Presidente de las Cortes, que se manifestó en contra de la disolución del Parlamento y partidario de constituir un Gabinete que contase con mayoría parlamentaria, en torno al Partido Radical.

Poco después llegaba a Palacio Julián Besteiro. El ex Presidente de la Cámara opinó que Acción Popular no podía entrar a formar parte del Gobierno en cuanto que tenía «en su programa aspiraciones que no se pueden armonizar con el espíritu y la letra de la Constitución. Tendrán para ello que rectificar lo fundamental de su programa y obtener la aquiescencia del cuerpo electoral o conseguir la reforma de la Constitución».

Azaña, que se hallaba en Barcelona, evacuó su consulta por teléfono. Insistió en la necesidad de oponerse al acceso al poder de partidos que no consideraba republicanos. Esta misma opinión mantuvo Martínez Barrio, pero añadiendo que se diera al nuevo Gobierno el decreto de disolución de Cortes, punto éste que fue el verdadero caballo de batalla de las consultas. Otros políticos, como Maura, Sánchez Román y Augusto Barcia, también abogaron por la disolución y por una criba de republicanismo auténtico. Sin embargo, hombres como Martínez de Velasco, Cambó, Melquiades Álvarez y Pita Romero se inclinaron no por disolver y sí llegar a constituir un Gobierno con la suficiente mayoría como para gobernar de una vez con autoridad y garantías de pervivencia que dieran cierta continuidad a la gestión política.

Hubo otros consultados que disintieron de estas líneas generales por sus apreciaciones más particulares. Así, Ramón Vicuña, de la minoría vasca, que aconsejó la entrada de un Gabinete de política «franca y lealmente autonomista»; Fernando de los Ríos que, con energía, pidió el poder para el partido socialista y estimó imposible, en términos constitucionales, dar entrada en el poder a partidos como Acción Popular.

La más esperada consulta fue la de Gil Robles. Como era lógico, aconsejó la formación de un Gobierno mayoritario que respondiese en su composición a la composición misma de la mayoría parlamentaria.

Terminadas las consultas, el presidente dimisionario, Samper, acudió a Palacio; al poco tiempo se supo que se había decidido encargar la formación del nuevo Gabinete al jefe del Partido Radical, Lerroux.

La nota oficial facilitada decía así: «Terminadas las con-

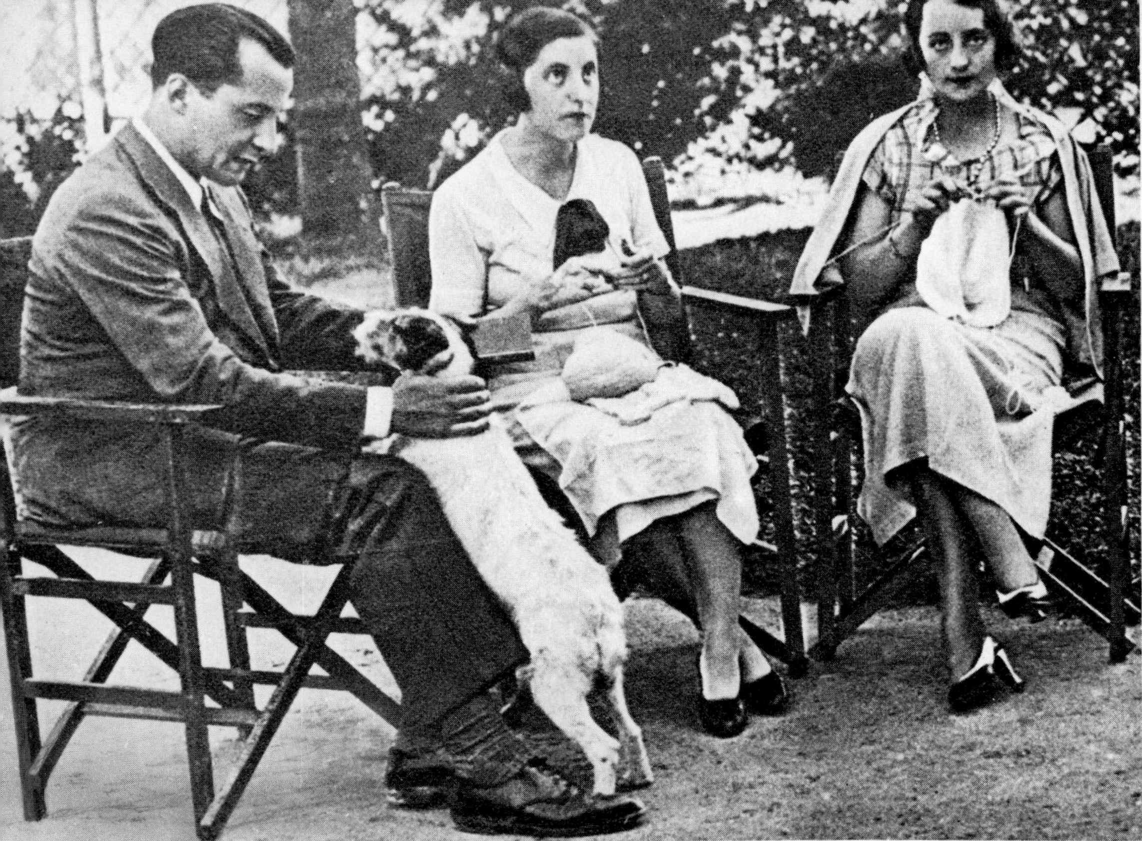

En la intimidad familiar, José Antonio acompañado de sus hermanas Pilar y Carmen, aprovechando el descanso parlamentario.

sultas, el Presidente encarga la formación de un Gobierno de concentración, con amplitud y autoridad que facilite el concurso de las fuerzas parlamentarias. El encargo le ha sido hecho al Sr. Lerroux, quien procurará hacer llegar a los diversos partidos el deseo de convivencia dentro de la legalidad republicana, que es la aspiración nacional».

Para la confección de su ministerio Lerroux tuvo especialmente presente la actitud de Gil Robles. Si se juzgó prematura y muy peligrosa la participación del jefe de la C.E.D.A., sí que se dio en cambio entrada a tres cedistas para las carteras de Justicia, Trabajo y Agricultura. En la tarde del día 3, Lerroux hizo pública la composición de su Gabinete. Apenas conocida, se declara la huelga general en toda España como protesta por la inclusión de los tres ministros de la C.E.D.A.

El Gobierno quedó constituido de la siguiente forma:

PRESIDENCIA	Alejandro Lerroux García (Radical)
Estado	Ricardo Samper Ibáñez (Radical)
Justicia	Rafael Aizpún Santafé (C.E.D.A.)
Guerra	Diego Hidalgo Durán (Radical)
Gobernación	Eloy Vaquero Cantillo (Radical)
Marina	Juan José Rocha García (Radical).
Hacienda	Manuel Marraco y Ramón (Radical)
Instruc. Pública y B. A.	Filiberto Villalobos González (Liberal demócrata)
Trabajo, Sanidad y Prev. Soc.	José Oriol Anguera de Sojo (C.E.D.A.)
Obras Públicas	José María Cid y Ruiz Zorrilla (Agrario)
Indust. y Comercio	Andrés Orozco Batista (Radical)
Comunicaciones	César Jalón Aragón (Radical)
Agricultura	Manuel Giménez Fernández (C.E.D.A.)
Sin Cartera	José Martínez de Velasco (Agrario)
Sin Cartera	Leandro Pita Romero (Independiente)

GOVERN DE LA GENERALITAT
DE CATALUNYA

CATALANS:

Les forces monarquitzants i feixistes que d'un temps ençà pretenien trair la República, han aconseguit el seu objectiu i han assaltat el Poder.

Els partits i els homes que han fet públiques manifestacions contra les migrades llibertats de la nostra terra, i els nuclis polítics que prediquen constantment l'odi i la guerra a Catalunya, constitueixen avui el suport de les actuals institucions.

Els fets que s'han produit donen a tots els ciutadans la clara sensació que la República en els seus fonamentals postulats democràtics es troba en gravíssim perill.

Totes les forces autènticament republicanes d'Espanya i els sectors socials avençats, sense distinció ni excepció, s'han aixecat en armes contra l'audaç temptativa feixista.

La Catalunya liberal, democràtica i republicana, no pot estar absent de la protesta que triomfa arreu del país, ni pot silenciar la seva veu de solidaritat amb els germans que, en les terres hispanes, lluiten fins amorir per la llibertat i pel dret. Catalunya arbora la seva bandera, crida a tothom al compliment del deure i a la obediència absoluta al Govern de la Genralitat, que des d'aquest moment trenca tota relació amb les institucions falsejades.

En aquesta hora solemne, en nom del poble i del Parlament, el Govern que presideixo assumeix totes les facultats del Poder a Catalunya, proclama l'ESTAT CATALÀ de la República Federal Espanyola i en establir i fortificar la relació amb els dirigents de la protesta general contra el feixisme, els invita a establir a Catalunya el Govern Provisional de la República, que trobarà en el nostre poble català el més generós impuls de fraternitat en el comú anhel de bastir una República Federal lliure i magnífica..

El Govern de Catalunya estarà en tot moment en contacte amb el poble. Aspirem a establir a Catalunya el reducte indestructible de les essències de la República. Invito tots els catalans a l'obediència al Govern i a que ningú no desacati les seves ordres. Amb l'entusiasme i la disciplina del poble, ens sentim forts i invencibles. Mantindrem a ratlla a tothom, però cal que cadascú es contingui subjectant-se a la disciplina i a la consigna dels dirigents. El Govern, des d'aquest moment, obrarà amb energia inexorable perquè ningú no tracti de perturbar ni pugui comprometre els objectius patriòtics de la seva actitud.

CATALANS: L'hora és greu i gloriosa. L'esperit del President Macià, restaurador de la Generalitat, ens acompanya. Cadascú al seu lloc i Catalunya i la República al cor de tots.

Visca la República i Visca la llibertat!

En los meses finales de 1934 España vivió gravísimos momentos. Era el aviso más claro de cómo se planteaban las cosas. Proclama declarando el "Estat Catalá", firmada por el Gobierno de la Generalidad.

OVERN DE LA GENERALITAT
DE CATALUNYA

Excm. senyor.

Com a President del Govern de Catalunya, requereixo a V. E. perquè amb la força que comana es posi a les meves ordres per a servir a la República Federal que acabo de proclamar.

Palau de la Generalitat, 6 d'octubre del 934

Excm. senyor Domènec Batet, General de Catalunya.

Companys había proclamado la República Federal. Le quedaba la baza definitiva que era la decisión del general Batet. El Presidente le conmina a ponerse a sus órdenes. La negativa del general a sumarse, hundiría la revolución de octubre en Cataluña.

5 octubre 1934

La huelga se agrava en Gijón. Paro general en Salamanca, Sevilla, Córdoba, Palencia, Barcelona y Valencia. Huelgas parciales en Bilbao, Murcia, San Sebastián, Jaén y Segovia. En Madrid, fuerzas del Ejército conducen los tranvías y autobuses, atendiendo a la fabricación del pan y al servicio del Metro. Intento de asalto al cuartel núm. 6 de la capital de España.
En Barcelona se reúnen los consejeros de la Generalidad tomando el acuerdo de proclamar el Estado Catalán. Companys envía una comunicación escrita al general Batet. Éste contesta con la declaración del estado de guerra.

5 al 7 octubre 1934

Asamblea Nacional de Falange, que preside José Antonio. Se aprueba el programa definitivo de Falange Española compuesto de 27 puntos. Adopta la camisa azul mahón como prenda de uniforme que es usada por primera vez para celebrar el triunfo de las fuerzas gubernamentales en Barcelona.

6 octubre 1934

En Barcelona, el Pleno del Ayuntamiento acuerda, por 22 votos contra 8, adherirse al Presidente y al Gobierno de la Generalidad. Un piquete de Infantería fija en la plaza de la República el bando de Guerra. Se disparan algunos cañonazos contra la Generalidad y el Ayuntamiento.
Oviedo queda incomunicada con el resto de la nación; las comunicaciones telegráficas y telefónicas son cortadas y las líneas de ferrocarriles interceptadas. El general López Ochoa parte para Asturias.
Los revolucionarios dominan completamente Mieres.
En Madrid, la Guardia Civil practica cuarenta detenciones en Carabanchel. La Policía clausura los centros socialistas. Dos muertos, entre ellos un niño, y varios heridos en la calle de Guzmán el Bueno. En Colmenar Viejo se registran dos muertos y numerosos heridos.
Es asesinado en Mondragón el diputado tradicionalista Oreja Elósegui.

En la fachada de la Generalidad de Barcelona se fija el bando del estado de guerra.

La furia y la irresponsabilidad de las masas, su sadismo antireligioso, ocasionaron las más reprobables profanaciones y los más lamentables destrozos de obras de arte. Alguna imagen, como esta de Bembibre, en la provincia de León, se salvó por las más pintorescas circunstancias. Incluso se la llevaron como protectora a las barricadas.

Las barricadas urbanas surgieron por doquier en la revolución de octubre. He aquí dos de las muchas que se levantaron en Barcelona.

En Barcelona, la sublevación fue rápidamente sometida. Un grupo de detenidos por su participación en los sucesos.

7 octubre 1934

A las 5,45 de la mañana se rinden los defensores de la Generalidad de Cataluña. Luis Companys y algunos consejeros de la Generalidad son detenidos.
En la iglesia parroquial de Mieres son depositados unos 10.000 fusiles por los revoltosos.

7 al 11 octubre 1934

En Oviedo son destruidas la Universidad, la Fábrica de Armas, varias manzanas de casas, sufriendo la Catedral grandes desperfectos, así como el Instituto, el teatro Campoamor y el hotel Covadonga.

7 octubre 1934

En Madrid, continúa la huelga general. Tiroteo contra la Comisaría de Policía de Buenavista y la Dirección General de Seguridad. Se detiene a 250 personas.

8 octubre 1934

El crucero «Libertad» bombardea algunos puntos de Gijón.
Tiroteo en el Parque Móvil de Seguridad de Madrid, contra el cuartel de María Cristina y contra la estación de tranvías de Cuatro Caminos. Dos guardias muertos por los revolucionarios.
Normalidad en Barcelona. Es entregado el Gobierno de la Generalidad al coronel de Intendencia Francisco Jiménez Arenas y el Ayuntamiento al nuevo alcalde teniente coronel, también de Intendencia, José Martínez Herrera.

La ola revolucionaria de octubre tuvo sus centros en Asturias y Cataluña pero no dejó de salpicar a otras partes. En Valencia hubo tiros, sangre y otros graves desmanes. En Alcudia de Carlet los insurrectos queman tranquilamente, en plena calle, el archivo municipal.

El primer bienio que tanto reformó, liquidó, entre otras cosas, la pena de muerte en España. Medida política, y desde luego efectiva, que en el segundo bienio hubo de ser revocada para acentuar la rigurosidad del Código Penal a fin de cortar el caos general en que se iba sumiendo el país. La decisión, no tan popular como la que la había liquidado, provocó protestas en el país y entre otras una huelga general en Zaragoza.

Gaceta de Madrid.—Núm. 290 17 Octubre 1934 379

interesado la sentencia recaída en el expediente administrativo judicial de reintegro, instruido contra D. Ventura Moreno González, Cartero mayor que fué de Linares.—Página 408.

Llamando y emplazando a D. Juan Ramón Ayala Arellano. — Página 408.

Dirección general de Telecomunicación.—*Citando y emplazando a don Juan Pérez Gluck, funcionario del Cuerpo técnico de Telégrafos.—Página 408.*

ANEXO ÚNICO. — SUBASTAS. — ADMINISTRACIÓN PROVINCIAL. — ANUNCIOS DE PREVIO PGO.—EDICTOS.—CUADROS ESTADÍSTICS.

MINISTERIO DE JUSTICIA

EL PRESIDENTE DE LA REPUBLICA ESPAÑOLA,

A todos los que la presente vieren y entendieren, sabed:

Que las CORTES han decretado y sancionado la siguiente

LEY

Artículo 1.° El que con propósito de perturbar el orden público, aterrorizar a los habitantes de una población o realizar alguna venganza de carácter social, utilizara substancias explosivas o inflamables o empleare cualquier otro medio o artificio proporcionado y suficiente para producir graves daños, originar accidentes ferroviarios o en otros medios de locomoción terrestre o aérea, será castigado:

Primero. Con la pena de reclusión mayor a muerte cuando resultare alguna persona muerta o con lesiones de las que define y sanciona el artículo 423 del Código penal en los números primero y segundo.

Segundo. Con la de reclusión mayor si de resultas del hecho hubiere quedado alguna persona lesionada con las características definidas en el número tercero del precitado artículo 423 o hubiere riesgo inminente de que sufrieran lesiones varias personas reunidas en el sitio en que el estrago se produjera.

Tercero. Con la de presidio menor a presidio mayor, cuando fuere cualquiera otro el efecto producido por el delito.

Artículo 2.° El que, sin la debida autorización, fabricare, tuviere o transportare materias explosivas o inflamables, o aunque las poseyera de un modo legítimo las expendiere o facilitare sin suficientes previas garantías a los que luego las emplearen para cometer los delitos que define el artículo anterior, será castigado con las penas de arresto mayor en su grado máximo a presidio mayor.

Artículo 3.° El que sin inducir directamente a otros a ejecutar el delito castigado en el artículo 1.° provocase públicamente a cometerlo o hiciere la apología de esta infracción o de su autor, será castigado con la pena de arresto mayor en su grado máximo a prisión menor.

Artículo 4.° El que formare parte de una asociación o colectividad organizada o interviniere en una conspiración que tuviere por objeto cometer los delitos previstos en el artículo 1.°, será castigado con la pena de prisión menor.

Artículo 5.° El robo con violencia o intimidación en las personas ejecutado por dos o más malhechores, cuando alguno de ellos llevare armas y del hecho resultase homicidio o lesiones de las a que se refiere el número 1.° del artículo 1.° de esta Ley, será castigado con la pena de reclusión mayor a muerte.

Cuando resultasen víctimas con lesiones graves comprendidas en los números 3.° y siguientes del artículo 423 del Código penal, el Tribunal, teniendo en cuenta la alarma producida, el estado de alteración del orden público que pudiese existir cuando el hecho se realizare, los antecedentes de los delincuentes y las demás circunstancias que hubieran podido influir en el propósito criminal, podrá aplicar la pena de reclusión mayor o las que respectivamente establece el artículo 494 del vigente Código penal.

Artículo 6.° El conocimiento de las causas por los delitos a que esta Ley se refiere corresponderá a los Tribunales de Derecho de la jurisdicción ordinaria, salvo el caso de declaración del estado de guerra, en que se estará a lo dispuesto en la ley de Orden público, siguiéndose en su tramitación el procedimiento establecido en los artículos 68 y siguientes de la referida Ley, aun cuando no estén declarados el estado de prevención o de alarma.

Será de aplicación en su caso lo prevenido en los artículos 145 y 947 de la ley de Enjuiciamiento criminal. Si en los supuestos a que se refieren esos preceptos el procesado o procesados no designaren Abogado defensor o renunciaren al designado y fuere preciso el nombramiento de oficio, éste sólo podrá recaer en Letrados que lleven más de diez años en el ejercicio de la profesión y paguen cuota igual o superior a la fija.

En la aplicación de las penas establecidas en los artículos anteriores los Tribunales procederán conforme a su prudente arbitrio, dentro de los límites legales, sin perjuicio de la facultad que para imponer penas en grado inferior concedan las disposiciones generales del Código penal.

Para la ejecución de las penas no reguladas en las leyes vigentes se considera que se hallan en vigor los artículos 102 al 105 del Código penal de 1870 y reforma de 9 de Abril de 1900.

Artículo final. La presente Ley comenzará a regir al día siguiente de su publicación en la GACETA DE MADRID; sólo estará en vigor durante un año, a contar desde dicha fecha, y será de aplicación ineludible a todos los hechos cometidos durante el plazo de su vigencia. La prórroga de ésta únicamente podrá decretarse por medio de una Ley.

Quedan totalmente derogados cuantos preceptos legales se opongan a su exacta aplicación.

Por tanto,

Mando a todos los ciudadanos que coadyuven al cumplimiento de esta Ley, así como a todos los Tribunales y Autoridades que la hagan cumplir.

Madrid a once de Octubre de mil novecientos treinta y cuatro.

NICETO ALCALA-ZAMORA Y TORRES

El Ministro de Justicia,
RAFAEL AIZPÚN SANTAFÉ.

MINISTERIO DE HACIENDA

EL PRESIDENTE DE LA REPUBLICA ESPAÑOLA,

A todos los que la presente vieren y entendieren, sabed:

Que las CORTES han decretado y sancionado la siguiente

LEY

Artículo 1.° Se aumenta el personal de los Cuerpos de Seguridad, Vigilancia y Vigilantes Conductores en la forma que se detalla en el artículo siguiente.

Artículo 2.° Se concede un crédito extraordinario de 46.819.830,49 pesetas, imputable a varios capítulos adicionales de la Sección 6.ª del vigente presupuesto de gastos de "Obligaciones de los Departamentos ministeriales", Ministerio de la Gobernación, con la distribución y detalle que a continuación se expresa:

9 octubre 1934

Reapertura del Parlamento. Ausencia de la minoría socialista y de los republicanos conservadores. Se restablece la pena de muerte.
Azaña es detenido en Barcelona.
La mayoría de los dirigentes revolucionarios están detenidos, entre ellos Luis Prieto, hijo del ex ministro socialista. El número de detenciones en este día se eleva a 300.

En Zaragoza, reanudan el trabajo los obreros afectos a la U.G.T.

10 octubre 1934

Es clausurada la redacción de «El Socialista». Se multiplican las detenciones en Madrid.
Aparece la aviación en Mieres lanzando bombas, que causan doce muertos y veinte heridos.

López Ochoa dirigió la lucha contra la revolución en Asturias y pactó la rendición. El general fue recibido por el Gobierno, que le concedió la Gran Cruz Laureada de San Fernando. Su lealtad a la República como en el caso del general Batet, habría de ser causa de su muerte, cuando llegó la guerra, a manos de las masas extremistas, en Madrid. En la foto, revistando a sus tropas en Asturias.

La gravedad de los acontecimientos y la fuerte resistencia de los sublevados obligó a utilizar los más drásticos sistemas de represión. El ejército actuó sin dilación. En Oviedo se da lectura a un bando militar.

Era lo cierto que los mineros asturianos, hartos de miseria, buenos conocedores de su agreste terreno y expertos dinamiteros, eran muy difíciles de reducir. El Gobierno usó todos los medios. Entre ellos el de la propaganda desmoralizadora.

Rebeldes de Asturia

¡Rendíos!

Es la única manera de salvar vuestras vidas. rendición sin condiciones y la entrega de las arm antes de veinticuatro horas.

España entera, con todas sus fuerzas, va cont vosotros, dispuesta a aplastaros sin piedad, com justo castigo a vuestra criminal locura.

La Generalidad de Cataluña se rindió a las tropa españolas en la madrugada del domingo. Company y sus cómplices esperan en la cárcel el fallo de l justicia.

No queda una huelga en toda España. Esta solos y vais a ser las victimas de la revolución ven cida y fracasada.

Todo el daño que os han hecho los bombardeo del aire y las armas de las tropas, son nada más qu un simple aviso del que recibiréis implacablemente si antes de ponerse el sol no habeis depuesto la re beldía y entregado las armas. Después, iremos con tra vosotros hasta destruiros, sin tregua ni perdón

¡RENDIOS AL GOBIERNO DE ESPAÑA!

¡VIVA LA REPUBLICA!

Comité Revolucionario de Alianza de
Obreros y Campesinos de Asturias

CAMARADAS:

Ha llegado el momento de hablar claro. Ante la magnitud de estro movimiento, ya triunfante, en toda España, solo os recomendamos un último esfuerzo: nada más quedan pequeños focos de emigos, que se esfuerzan en resistir inútilmente la arrolladora erza de la ~~Revolución. Hoy~~ podemos deciros que Cataluña está mpletamente en poder de nuestros camaradas.

En Madrid, Valencia, Zaragoza, Andalucía, Extremadura, Gaía, Vizcaya y el resto de España solo quedan pequeños focos de emigos, como os acabamos de decir.

El cañonero Dato y otros buques de guerra, se han puesto servicio de la Revolución.

Urge pues para terminar de una vez con esta situación, en que respecta a Oviedo, dar el último empujón a los defensores del pitalismo moribundo.

No hacer caso en absoluto de los pasquines que arrojan.

oy 13 Oct EL COMITE REVOLUCIONARIO

Propaganda gubernamental y contrarréplica revolucionaria. La moral es decisiva en las guerras. El Comité Revolucionario intenta difundirla y avisa que no se presten oídos al enemigo.

Luis de Sirval, seudónimo de Luis Higón Rosell, fue uno de los mártires que las izquierdas sacaron de la revolución de Asturias. Periodista de Madrid, fue detenido en Oviedo y murió en la cárcel. Lo extraño de su muerte sirvió para montar una campaña de propaganda internacional.

11 octubre 1934

La columna del general López Ochoa llega a Oviedo, después de reducir a los rebeldes en Avilés.
La aviación gubernamental lanza proclamas invitando a rendirse a los revolucionarios y comunicándoles la toma de la Generalidad.
Continúan en Madrid las detenciones. Los enfermos del Hospital de San Juan de Dios se amotinan.

12 octubre 1934

El general López Ochoa ordena el asalto a la estación del Norte, hospital y fábrica de armas, principales núcleos de rebeldes. La operación se realizó conjuntamente con la aviación y la artillería.
En la capital de España la policía detiene a 350 personas. Los servicios públicos van intensificándose.

14 octubre 1934

Largo Caballero es detenido en Madrid e incomunicado en la enfermería de la Cárcel Modelo. Puede considerarse extinguida la huelga revolucionaria.

15 octubre 1934

La aviación lanza proclamas en Mieres anunciando la toma de Oviedo por las fuerzas del Gobierno.

17 octubre 1934

Termina la revolución en Mieres, con 50 muertos y 56 heridos como balance.
Muere en Madrid don Santiago Ramón y Cajal, premio Nobel de Medicina.

21 octubre 1934

El periodista Luis Higon Rosell («Luis Sirval») es muerto a tiros en los calabozos de la Comisaría de Investigación y Vigilancia de Oviedo por el oficial búlgaro Dimitri Ivanoff.

La liquidación de la revolución de octubre en Asturias se remató concienzudamente. Los responsables fueron perseguidos y juzgados; el material bélico recuperado y vuelto a sus lugares.

22 octubre 1934

Llega a Barcelona el Ministro de Marina para informarse de los sucesos de Barcelona.

23 octubre 1934

Llega a Barcelona Gil Robles.

24 octubre 1934

Llegan a Asturias los ministros de la Guerra, Obras Públicas y Justicia, acompañados del jefe del Estado Mayor Central general Franco.
Los ministros de la Guerra, Justicia y Obras Públicas recorren las calles de Oviedo, comprobando la magnitud de los destrozos sufridos.

31 octubre 1934

Consejo de Ministros para tratar de los sumarios de los revolucionarios por los sucesos de Asturias y Cataluña.

1 noviembre 1934

Lerroux declara a la prensa que en el Consejo de Ministros se han recibido sumarios de 22 penas de muerte. Declara igualmente que el número de bajas de la fuerza pública en toda España es de 220 muertos, 743 heridos y 46 desaparecidos.

2 noviembre 1934

Publica la «Gaceta» una orden nombrando delegado del Ministerio de la Guerra en Asturias al comandante de la Guardia Civil Lisardo Doval Bravo.

5 noviembre 1934

Reapertura de las Cortes. Martínez Barrio, Barcia Trelles, Sánchez Román y Maura acuerdan no asistir a las sesiones parlamentarias mientras se mantenga en vigor la censura de prensa.
Se indulta de la pena de muerte al teniente coronel Juan Ricart, al comandante Pérez Farrás, al capitán Federico Escofet y a diecisiete paisanos.

7 noviembre 1934

En Gijón y León, respectivamente, son fusilados Nacedo Canales y Guerra Pardo.

8 noviembre 1934

El diputado Fernández Ladreda asegura en el Congreso

El Congreso vibró como pocas veces con los debates llenos de pasión a resultas de la revolución de octubre y de las medidas adoptadas por el Gobierno. Contra la CEDA resonaron los más violentos ataques de la oposición. El clima de tensión alcanzó cotas inusitadas; la fuerza pública vigiló atentamente.

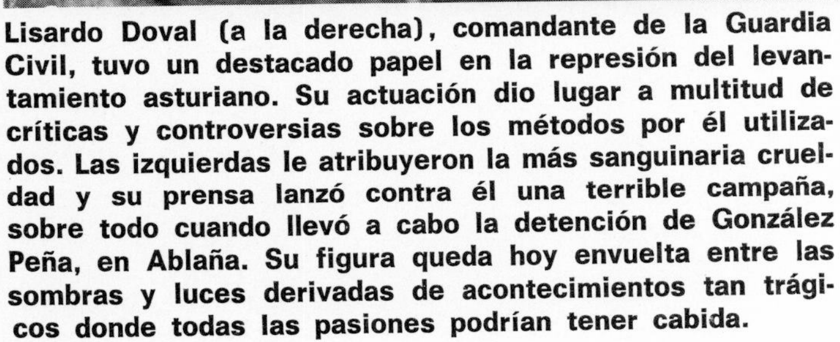

Lisardo Doval (a la derecha), comandante de la Guardia Civil, tuvo un destacado papel en la represión del levantamiento asturiano. Su actuación dio lugar a multitud de críticas y controversias sobre los métodos por él utilizados. Las izquierdas le atribuyeron la más sanguinaria crueldad y su prensa lanzó contra él una terrible campaña, sobre todo cuando llevó a cabo la detención de González Peña, en Ablaña. Su figura queda hoy envuelta entre las sombras y luces derivadas de acontecimientos tan trágicos donde todas las pasiones podrían tener cabida.

La amplitud del movimiento de octubre se tradujo, a su fin, en un elevado número de procesos. He aquí algunos de los afectados. El teniente Máximo Moreno, participaría dos años más tarde en el asesinato de Calvo Sotelo. Con él el guardia de Asalto José Del Rey y el suboficial de Ingenieros Vicente Peruca.

que el ex gobernador de Asturias, Rico Rivas, anunció al Gobierno lo que iba a ocurrir y el Presidente del Consejo hizo caso omiso a sus advertencias.
En Barcelona son arrojadas al mar diecisiete toneladas de armas y municiones. El vapor «Argentina» es habilitado como cárcel flotante, en vista de la insuficiencia del vapor «Uruguay».

13 noviembre 1934

El comandante Doval llega a Madrid para conferenciar con el Gobierno.

16 noviembre 1934

Dimisión de los ministros de Estado y Guerra; son encargados de las respectivas carteras Rocha García y Lerroux.

20 noviembre 1934

La Cámara concede suplicatorio para procesar al diputado socialista por Oviedo, Teodomiro Menéndez.

29 noviembre 1934

Proyecto de ley sobre el régimen transitorio de Cataluña. Las minorías monárquicas piden la derogación del Estatuto Catalán.

30 noviembre 1934

El marqués de la Eliseda, diputado y miembro del Consejo Nacional de F.E. y de las J.O.N.S., se separa de Falange.

3 diciembre 1934

Es detenido el jefe de la rebelión asturiana y diputado socialista Ramón González Peña en una casa del pueblo de Ablaña (Mieres).

8 diciembre 1934

Termina la actuación, como delegado del Ministerio de la Guerra en Asturias y León, del comandante Lisardo Doval.

11 diciembre 1934

Es detenido el sargento Diego Vázquez, dirigente revolucionario de Asturias.

12 diciembre 1934

El Consejo de Ministros acuerda presentar a las Cortes un proyecto de ley modificando el Código de Justicia Militar para acelerar los trámites judiciales en los Consejos de Guerra.

13 diciembre 1934

Es anulada la sentencia que condenó al capitán Rojas por los sucesos de Casas Viejas. Azaña y Casares Quiroga declaran como testigos.

Azaña estuvo preso en el destructor "Sánchez Barcaiztegui", por su responsabilidad en la sublevación de octubre, hasta finales de año en que, sobreseída su causa, fue puesto en libertad.

Fernando Gasset es nombrado Presidente del Tribunal de Garantías Constitucionales, uno de los supremos cargos jurídicos de la República.

El coronel Capaz, cuya gloria va unida a nuestras posesiones africanas, es ascendido a general. En la fotografía entre el Jalifa y Rico Avello, Alto Comisario de España en Marruecos.

14 diciembre 1934

El diputado de la C.E.D.A., Salmón, se adhiere al homenaje que las izquierdas tributan en la Cámara a Galán y García Hernández.
Acaba la discusión sobre el Estatuto Catalán, que será restablecido gradualmente.
El número de parados en toda España asciende a 629.730.

19 diciembre 1934

En Asturias se tramitan 902 causas por los sucesos de octubre.

20 diciembre 1934

Es elegido Presidente del Tribunal de Garantías Constitucionales Fernando Gasset.

21 diciembre 1934

Se aprueba el suplicatorio para procesar al diputado González Peña y se acuerda asimismo no considerar diputado, para estos efectos, a Companys.
Es aprobado el proyecto de reorganización del Tribunal Supremo.

27 diciembre 1934

En el Consejo de Ministros es designado Gobernador General de Cataluña Portela Valladares.

28 diciembre 1934

Azaña y Bello, presos en Barcelona en el destructor «Sánchez Barcaiztegui» el primero y en el «Uruguay» el segundo, son puestos en libertad.

29 diciembre 1934

Dimite el ministro de Instrucción Pública y Bellas Artes don Filiberto Villalobos. Se hace cargo de la cartera vacante Joaquín Dualde y Gómez.
El diputado socialista Teodomiro Menéndez intenta suicidarse arrojándose al patio de la cárcel.

La trayectoria de Calvo Sotelo sirvió para poner en plena evidencia la inviabilidad de aquel régimen republicano. Su persona aglutinó a la extrema derecha; la izquierda también tuvo quién la llevase al otro extremo. En medio quedó algo que casi nadie tenía por suyo: la República. Calvo Sotelo exponiendo el ideario del Bloque Nacional.

1935. LAS DERECHAS SENTENCIADAS

Después de los sucesos del 6 de octubre fue nombrado Gobernador General de Cataluña Portela Valladares. A la derecha, el coronel Jiménez Arenas, Gobernador General accidental, y a la izquierda, el general Batet, de la Cuarta División, que había reprimido la sublevación.

4 enero 1935

El Tribunal de Garantías acuerda el procesamiento de Luis Companys.

6 enero 1935

Anuncia Martínez Barrio la necesidad de crear un frente único para luchar contra los enemigos de la República del 14 de abril.

7 enero 1935

Son trasladados a la Cárcel Modelo de Madrid los Consejeros de la Generalidad detenidos en el «Uruguay».

10 enero 1935

Cesan los ministros sin cartera Martínez de Velasco y Pita Romero.
El Gobierno Militar impuesto en Cataluña a raíz de los sucesos del 6 de octubre traspasa sus poderes a Portela Valladares, nombrado Gobernador General.

11 enero 1935

Gil Robles y Lerroux llegan a un acuerdo de colaboración.
La Auditoría de Guerra dispone la disolución del Sindicato Minero Asturiano, organización socialista.

A consecuencia de la revolución de octubre, los miembros del Gobierno de la Generalidad son internados en la Cárcel Modelo. De izquierda a derecha: Mestre, Martín Esteve, Companys, Lluhí Vallescá, Comorera, Martín Barrera y Ventura Gassol.

DIARIO GRAFICO DE LA NOCHE — Lunes, 14 enero 1935. S. e. Año I.—Núm. 1 — ALFONSO XI, 4. — MADRID — Teléfono 21099 (Quince líneas). — FRANQUEO CONCERTADO

ya

En este número: Pág. 2.—Cuento de Luis Fernández de Sevilla. 3.—Ultima hora. 7.—Reportaje de Víctor de la Serna. Gestas de españoles contemporáneos. Un fundador de ciudades en el Pacífico. 11.—Deportes.
12 PAGINAS.—10 CENTIMOS

LERROUX Y GIL ROBLES HABLAN PARA "YA"

En las próximas elecciones triunfará el patriotismo

La C. E. D. A. aceptaría el poder con estas Cortes

"A la política centro-derecha le resta todavía gran tarea"

LAS CONFERENCIAS DE ESTOS DIAS SERAN PROVECHOSAS

Con el texto de unas cuartillas autógrafas, con las que gentilmente han querido honrar este primer número de YA los señores Lerroux y Gil Robles—los dos polos sobre que gira la actualidad política—, encabezamos las columnas de nuestra información nacional. El lector podrá conocer, de modo auténtico, cómo ven ambos jefes el momento actual, sus dificultades y preocupaciones, los partidos políticos, el resultado de las conferencias de estos días, las próximas elecciones, el peligro revolucionario, la revisión constitucional y el porvenir no remoto.

Reconocidos, les cedemos la palabra.

Dice don Alejandro Lerroux:

El partido socialista no es de orden, ni de espíritu gubernamental, ni de consistencia, puesto que lo han desbordado los demagogos; ni de disciplina, puesto que sus masas no han obedecido la autoridad ni la tradición de sus jefes y su historia.

El partido radical es el único regulador, moderador y compensador en la hora revolucionaria actual. Su misión no termina con la revisión constitucional, que no será estación de término, sino de tránsito a un período republicano de evolución, adaptación y consolidación.

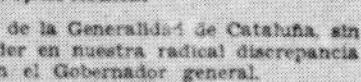

Las dificultades actuales se superarán si los hombres piensan más en la Patria y en la República que en sus partidos y en sus partidarios. Estoy pensando que si el partido radical hubiese traído a las Cortes la representación parlamentaria que le correspondía, es decir, la mayor de las minorías, su eficacia sería, como rector de la política centro-derecha, indiscutible.

Las conferencias de estos días tendrán consecuencias provechosas si los amigos de los conferenciantes ponen su disciplina y su abnegación a la altura de ellos. Hay que salvar al país de la anarquía mansa como de la demagogia turbulenta. Las próximas elecciones serán el resultado del triunfo del patriotismo, y el partido radical aceptará en ellas las colaboraciones de las organizaciones que hayan tomado posiciones dentro de la legalidad republicana.

Subsiste el espíritu revolucionario, pero se ha conjurado el peligro. Ese espíritu, como violencia, está vencido. Procuremos que no desaparezca como impulso espiritual.

No se puede pensar en la reforma del artículo 1.° de la Constitución. En cambio, es necesario revisar otros, lo que se hará sin prisa: cuando el molde en las manos deje satisfechos a los autores de la obra.

Mis mayores preocupaciones son la defensa nacional y el renacimiento económico. El problema de más urgente realización, el del orden público.

... no de la Generalidad de Cataluña, sin ceder en nuestra radical discrepancia con el Gobernador general.

No creo en el peligro revolucionario si por el Gobierno se da sensación de firmeza en las sanciones, se realiza un desarme total y se impide que las organizaciones obreras se salgan de su actividad sindical.

En abril deben renovarse todos los ayuntamientos, previa una ley electoral más justa que la vigente. Y conste que no nos inspira miedo alguno. Con ellas triunfamos y volveríamos a triunfar.

GIL ROBLES

Dice don José María Gil Robles:

La situación de la Ceda se ha afianzado desde las elecciones hasta aquí, a pesar de la dificilísima política que se ha visto obligada a realizar. Adquiere cada día más madurez y homogeneidad y un sentido agudo de la responsabilidad. La opinión sensata está cada vez más con nosotros, aparte de crecientes núcleos de trabajadores atraídos por la valentía de nuestro programa social cristiano.

El efecto producido por los ataques de los monárquicos es insignificante. Muchos de los atacantes quedarían aterrados si supieran que abandonábamos nuestra táctica. ¡Qué cosas se sabrían si yo rebuscara en mi archivo cartas y documentos de los que se ensañan con la política de nuestro partido!

La política centro-derecha tiene todavía que realizar una gran tarea. La experiencia señala el gran peligro de las oscilaciones pendulares bruscas.

Mis preocupaciones: el orden público, que hay que mantener inexorablemente; la liquidación de las responsabilidades del movimiento revolucionario; el paro obrero; política enérgica de economías y reorganización administrativa; reforma de la legislación agraria; repoblación forestal; creación del Ejército, hoy prácticamente inexistente.

Aceptaremos puestos en el Gobierno [illegible]

La C. E. D. A. aceptaría, sin vacilar, el Poder con estas Cortes. Estoy seguro de que el partido radical observaría conmigo la misma leal actitud que la C. E. D. A. observó con él.

A la C. E. D. A. le preocupa sólo el cambio de orientación y ritmo en la política del Gobierno. Frente al porvenir me siento plenamente optimista.

¡BRAVO, DON RAFAEL!, por Orbegozo
—Pero qué muy bien. ¿Qué es eso de ensuciar las hermosas calles de Madrid, tirando papelitos?

EL SARRE SERA DE ALEMANIA POR EFECTO DEL PLEBISCITO

El jefe del Frente Alemán, Pirro, con el jefe de los grupos locales, Johann Zeuner, y el segundo jefe del Frente Alemán, Nietmann, pasan revista a los 350.000 alemanes del Sarre, en una manifestación celebrada recientemente.

El noventa por ciento de votos, a favor

Orden y tranquilidad

Mañana, el escrutinio

(DE NUESTRO ENVIADO ESPECIAL FRANCISCO LUCIENTES)

SARREBRUCK, 14 (1 t.)—Victoria aplastante del Frente Alemán. Los expertos ecuánimes pronostican un 90 por 100 de votos a su favor. Los secuaces de Roechling se aventuran hasta un 95 por 100, y sus enemigos... ¿Pero es que el Frente Alemán tiene enemigos? Max Braun, el propio Max Braun, con el cual hablé anoche, me decía:

«Sólo sé que he luchado sin tregua. En los últimos quince días apenas he dormido una hora. ¿Resultado? Lo ignoro. La realidad de las elecciones es que, fuera de Alemania, no se ha visto, no se ha de ver nunca una simulación semejante. El terror «nazi» ha operado a sus anchas. Dispuso de la Policía, de cuatrocientos automóviles del Correo alemán... De cualquier modo, el escrutinio debe constituir una alegría para Hitler.» Todo esto dicho desmayadamente. Estábamos en la sala de reuniones del Frente Común. Una sala pequeña, pobre, triste, junto a un patinillo donde se amontonaba la nieve. Con Max Braun, el hombre más odiado del Sarre, asisten a la conversación Fritz Pfordt, dos o tres segundones y algunos curas. Había un ambiente melancólico de derrota, un ambiente de funeral. De funeral, así es. Estos hombres perdieron ayer su causa, y prevén que en un mañana muy próximo perderán sus cabezas.

El jefe comunista Fritz Pfordt me informa de algunas novedades. Habla en voz baja. ¿Comprenderán los revolucionarios españoles alguna vez su lenguaje y su actitud? «Ahora los «nazis» se dedican a la provocación», me dice. «En algunos lugares apalean a sus mismos camaradas. Hace un momento, en Neuenkirchen, han arrojado una bomba contra el Círculo del Frente Alemán.»

Con un tipo de mentalidad muy F. A. I., es decir, muy español, comento: «¡Mientras tiren contra ellos!» Max Braun me arguye rápido: «¡Oh, no! Interesa que el triunfo moral del Frente Común no se disminuya. La Sociedad de Naciones velará por nosotros. Hemos de conseguir que no nos falte razón.»

Rigorismo de la elección

¿Violencias? ¿Coacciones? ¿Dónde? He permanecido en la calle todo el día: desde las ocho y media de la mañana, en que comenzó la votación, hasta las dos de la madrugada, instante en que las urnas guardadoras del futuro político del Sarre recluían su esencia democrática en la Walpurg. Esencia democrática—¡ironía de la diplomacia europea!—que se llevaron custodiadas por tanques y tropas de Italia. Recorría en "auto" distintos pueblos. Almorcé en la patria del mariscal Ney, en Sarrelouis, reducto de la pobre causa francesa, y en ningún lado se observaba otra cosa que una paz definitiva, una paz de domingo inglés.

(Continúa en la página 8.)

Doña Beatriz de Borbón, que hoy ha contraído matrimonio en Roma con el príncipe de Torlonia

El príncipe de Torlonia, que hoy ha contraído matrimonio en Roma con doña Beatriz de Borbón

Ya saluda cordialmente a la Prensa.

Expresa sus fervientes deseos de convivir amistosamente con los demás colegas.

Y su afán por contribuir a cuanto signifique valoración y prestigio del periodismo español.

En segunda plana,

"EL CRIMEN DEL TEATRO"

novela policiaca, por Gordón Daviot. Se interesará hasta apasionarle.

Luciérnagas

Mi preocupación

Ya es materialmente imposible volverse atrás. Aquí estamos. El nerviosismo de los ensayos ha desaparecido ahogado por la sangre fría que se apodera de uno en los momentos decisivos de la vida.

Pero todos estamos un poquitín preocupados. Aunque uno quiera echar fuera del cerebro a las preocupaciones, siempre hay alguna que se queda agazapada en un rincón, sin moverse, con la intención de pasar desapercibida.

Cada uno, pues, tenemos en este instante nuestra preocupación. La mía es la del primer centenario de «YA».

La labor del periodista vive poco. Raros son los lectores que recuerdan un artículo publicado ocho días antes. A los quince días ya no lo recuerdan ni uno solo, y si se presenta la excepción, el lector recordará mal el artículo e infaliblemente se lo achacará a un autor distinto del que lo firmaba.

Pero este caso es diferente. Esta primera plana de «YA» que el lector tiene ante su vista, se reproducirá seguramente el día 14 de enero de 2035. Al cumplir sus cien primeros años este periódico que hoy nace, tendrá que lanzar un número extraordinario conmemorativo. ¿Y cómo va a faltar la reproducción fotográfica de su primera página?

Esta es mi preocupación, mi gran preocupación en estos momentos. ¿Qué les parecerá nuestro trabajo a los hombres de 2035? ¿Habrá adelantado tanto, para entonces, la Prensa diaria que este esfuerzo de hoy parezca una cosa baladí y de poca importancia? Por el contrario, ¿el trabajo de hoy parecerá una proeza entonces?

Como yo supongo que en 2035 todavía viviremos la Redacción en pleno, en el primer caso nos dará mucha vergüenza ver que nos tratan con piadosa conmiseración.

En el segundo, también sentiremos el sonrojo en nuestras mejillas cuando nos lleven, a todos tan viejecitos, a las recepciones oficiales, llenas de discursos, imposición de medallas, emparedados, cigarros puros y copas de Jerez.

Nos sonrojaremos porque ya nos será imposible alternar. Nos estarán prohibidos el tabaco y el alcohol. Sólo podremos comer purés y, naturalmente, en una recepción oficial no nos van a obsequiar con puré de lentejas.

Tendremos que conformarnos, siendo los héroes de la fiesta, con ver cómo los que la disfrutan son los demás.

Por eso yo me adelanto a los acontecimientos, elevo mi copa y lanzo el brindis que no podré lanzar entonces:

«Por mis lectores del año 2035».

Angel G. DALMAU

Después de leer YA hará esta observación

Su vista descansa. La lectura ha actuado como sedante para los nervios ópticos.

Porque el papel en que se imprime YA tiene la coloración prescrita por eminentes oculistas ingleses como ideal para la lectura, lo mismo a la luz natural que a la luz artificial.

YA no sólo le informa, sino que, a la vez, le proporciona el placer de la lectura.

El gobernador civil de Madrid, don Javier Morata, a quien tributaron ayer, en Alicante, un cálido homenaje. (Foto archivo.)

Arde un pueblo entero en el Japón

DOS MIL PERSONAS SIN ALBERGUE

Quinientas casas destruídas

TOKIO, 14.—La localidad de Shakai ha sido destruída por un incendio. Dos mil personas han quedado sin hogar, pues han sido arrasadas las quinientas casas que integraban el pueblo.

Nuevo avión en la línea a Valencia

BIMOTOR, DE 400 H. P., Y SEIS PLAZAS

Un nuevo avión recorrerá la línea a Valencia. Se llama "Dragón", posee dos motores de 200 caballos cada uno, sistema "Syst"i Tiene seis plazas y un tercio más de velocidad que los otros de la línea: hará el vuelo a Valencia, en hora y media.

Por vez primera ha partido de Barajas a Valencia, esta tarde, a las dos, con cinco pasajeros.

La afluencia de publicidad y la demanda de ejemplares en cantidad que rebasa los cálculos que habíamos hecho, nos han impuesto, por esta vez, la necesidad que no puede ser eludida, de anticipar la hora de cierre de este número, alterando el horario que teníamos previsto y estudiado.

Esta anormalidad producida por una adhesión del público que nos enorgullece, nos obliga también a más para lo sucesivo

MAÑANA:
"Hacia la alta atmósfera"
Artículo de
EMILIO HERRERA

El día 14 de enero de 1935 aparecía un nuevo diario de la tarde: "YA". Su historia se inicia en tiempos turbulentos y difíciles, pero la fidelidad a unas ideas se mantuvo por encima de todo, en una trayectoria que llega hasta nuestros mismos días y es de sobra conocida.

Pich y Pon recibe el bastón de mando de Alcalde de Barcelona de manos del teniente coronel Martínez Herrera, alcalde accidental. A la derecha de la fotografía, Serraclara; en el extremo izquierdo, José M.ª Pi Suñer, secretario del Ayuntamiento; junto a Pich y Pon, Jiménez Arenas.

Como última salvaguarda de la nación, el Ejército fue siempre estimado y honrado. A principios de 1935 se le rindió un solemne homenaje, acto patriótico que presidió Rocha, ministro de Marina.

12 enero 1935

Pich y Pon, del Partido Radical, es nombrado alcalde de Barcelona.

14 enero 1935

Sale en Madrid el periódico «Ya», diario de la noche que dirige Vicente Gallego.
La princesa Beatriz contrae matrimonio con el príncipe Alejandro de Torlonia.

15 enero 1935

Se hace pública una nota suscrita por Ledesma, Álvarez de Sotomayor y Onésimo Redondo en la que declaran rota la fusión con Falange.

17 enero 1935

Se reúnen en el domicilio de Azaña los componentes del Consejo Nacional de Izquierda Republicana.

20 enero 1935

Se reanudan las sesiones en las Cortes. Los monárquicos solicitan del Gobierno una declaración sobre la forma en que se había operado la reorganización ministerial.
Homenaje al Ejército en Barcelona. Lo preside el Ministro de Marina, Rocha.

21 enero 1935

En el teatro Bretón, de Salamanca, Sánchez Mazas afirma que el número de afiliados a Falange es de 50.000 miembros.

Emparentan Alcalá Zamora y Queipo de Llano. La boda de sus hijos Niceto y Ernestina, fue un acontecimiento que sobrepasó los ámbitos familiares. Entre los dos prohombres se entablarían nuevas relaciones políticas con motivo de las nuevas relaciones familiares.

En febrero de 1935 un consejo de guerra condenaba a muerte a Teodomiro Menéndez por un delito de rebelión militar. Destacado socialista desde los tiempos de Alfonso XIII, había tenido máxima responsabilidad en la revolución de octubre asturiana, pero conseguiría el indulto al igual que la mayor parte de los encartados. Por segunda vez salvó la vida, después de ser preso en Montjuich, al acabar la guerra, en compañía de otros altos dirigentes republicanos que allí fueron fusilados.

Un nuevo ministro de Marina, Abad Conde, toma posesión de su cargo. A su lado aparece Rocha, ministro saliente. Ambos eran radicales y ninguno profesional de la marina, como venía sucediendo hasta entonces. El primero lo sería el almirante Salas, sucesor de Abad Conde; más tarde Azarola.

Entierro de José Sánchez-Guerra. Había sido ministro con la monarquía, pero se manifestó contrario a la solución dictatorial de Primo de Rivera en el año 1923. Su viejo liberalismo siguió presente en las primeras Cortes republicanas al figurar en ellas como único diputado por la minoría de Unión Liberal Parlamentaria.

Dos destacadas figuras militares, Millán Astray y Capaz, revistando las fuerzas con motivo de un desfile celebrado en Ceuta en homenaje al Ejército.

23 enero 1935

Reorganización del Gabinete Lerroux. Rocha, ministro de Marina y Encargado de la Cartera de Estado, dimite de la primera y queda con la segunda. Ocupa el Ministerio de Marina Gerardo Abad Conde, afiliado al partido de Lerroux.

El Gobierno levanta el estado de guerra en toda España menos en los territorios generales de Asturias y Cataluña y en las provincias de Madrid, Zaragoza, Teruel, Huesca, Navarra, Guipúzcoa, Vizcaya, Palencia, Santander, León y plazas de soberanía de Melilla y Ceuta.

25 enero 1935

José Antonio Primo de Rivera combate duramente en las Cortes al Gobierno.

26 enero 1935

Fallece José Sánchez Guerra Martínez, ex Presidente del Consejo de Ministros durante la Monarquía.

1 febrero 1935

Cambó critica, en un discurso pronunciado en Tarrasa, los viajes de propaganda política que Gil Robles realiza en Cataluña para proclamar la incapacidad política de los catalanistas.

Se cumple en Oviedo la sentencia recaída sobre el sargento Diego Vázquez y el paisano Jesús Argüelles, figuras destacadas del movimiento de Asturias.

3 febrero 1935

Importante discurso de Gil Robles en Tarragona.

5 febrero 1935

Se prorroga el estado de guerra.

6 febrero 1935

El Ministro de la Gobernación lee a las Cortes un proyecto de Ley de Prensa.

9 febrero 1935

Consejo de guerra contra el diputado socialista Teodomiro Menéndez. Es condenado a muerte; más tarde se le concede el indulto.

CONGRESO.—EXTRACTO OFICIAL NUM. 160 — 23

internacional no es necesario que lo demostremos porque lo conocéis sobradamente. Queda también justificado de qué modo atan los votos de obediencia y secreto, y conviene tenerlo en cuenta porque después relacionaremos los hechos con ejemplos palpitantes de la vida actual de la masonería dentro del Ejército.

El Sr. **PRESIDENTE:** Ruego a S. S. que no olvide que sólo tiene veinte minutos a su disposición.

El Sr. **CANO LÓPEZ:** Supongo que S. S. me concederá un poco de benevolencia.

El Sr. **PRESIDENTE:** No puedo concedérsela. **(Rumores y protestas.)** La cortesía es algo recíproco y yo no tengo obligación de guardársela a quien no me la guarda.

El Sr. **CANO LÓPEZ:** Yo la he tenido siempre para S. S.

El Sr. **PRESIDENTE:** Me encierro dentro del Reglamento. **(Se reproducen los rumores y las protestas.)**

El Sr. **CANO LÓPEZ:** Haga S. S. lo que quiera. Lo que yo lamentaré es que la Presidencia, involuntariamente, pueda estorbar también, con esta mutilación de la palabra, el que conozca la Cámara hechos de una trascendencia enorme.

El Sr. **PRESIDENTE:** Puede decir S. S., dentro del tiempo reglamentario, todo lo que quiera.

El Sr. **CANO LÓPEZ:** Aprovecharé todo lo que pueda.

Veamos si la influencia masónica en España es o no decisiva. La intromisión de la masonería en el Ejército ha causado grandes trastornos y puede causar peligros inmensos que es posible desemboquen en verdaderos conflictos internacionales. Sobre ello voy a leeros, muy a la ligera, una lista, no de todos los jefes y oficiales que pertenecen a la masonería, en cuyo caso no terminaría en muchas horas, sino de los generales con mando que a ella pertenecen. Oídla bien.

De los veintiún generales de división son masones los siguientes: López Ochoa, Miguel Cabanellas, Gómez Morato (el protector de López Bravo), Riquelme, Núñez de Prado, Sánchez Ocaña, Gómez Caminero, Villa-Abrille y Molero, sin poder precisar si lo son otros dos muy importantes; no los cito porque no tengo datos. De los generales de brigada lo son, por lo menos, Urbano, Llano, Miajas, Cruz Boullosa, Pozas, Martínez Cabrera, Jiménez, López Gómez, Martínez Monje, Castelló, Romerales y Fernández Ampón. **(El Sr. Guerra del Río: Agregue S. S. todos ésos. Señalando a una de las lápidas que hay a la derecha de la Presidencia.)** Y todos ésos. No los había citado porque no viven. **(Rumores.—El señor Presidente reclama orden.)**

Los Ministros de la Guerra de la República, por medio de sus camarillas masónicas y de sus gabinetes militares, han protegido y amparado toda la organización masónica de los militares, llevando a los altos cargos, a los puestos de más delicadas funciones a los militares masones, muchas veces con menosprecio de las virtudes singulares de los generales que no lo son y que por eso han sido postergados. De esto trataremos también después, al hablar de la combinación de altos mandos militares que se ha publicado. **(El Sr. Marco Miranda:** Eso hay que probarlo de otra manera. **(Rumores.)** Ya lo probaré. **(El señor Marco Miranda:** Seguramente que no.) No podré hacerlo, si SS. SS. no quieren que se lea aquí todo.

En Barcelona, que es uno de los sitios donde hay más masones, lo son—está comprobado—todos estos señores: general López Ochoa...

El Sr. **PRESIDENTE: Llamo al Sr. Cano López** la atención. Su señoría se está refiriendo a personas ausentes que ocupan cargos de responsabilidad. **(Rumores encontrados.)**

El Sr. **CANO LÓPEZ:** Naturalmente. Por eso lo hago. **(Rumores y protestas.)**

El Sr. **PRESIDENTE:** Guarden silencio los Sres. Diputados. Por encima de toda prescripción reglamentaria hay un sentimiento de delicadeza, que yo invoco al dirigirme a S. S. Se está refiriendo S. S. a personas que no pueden contestarle en este instante y a hechos respecto de los cuales no hay posibilidad ninguna tampoco de apreciar en el acto su exactitud.

El Sr. **MARCO MIRANDA:** Y al Ejército **(Rumores.)**

El Sr. **PRESIDENTE:** ¡Orden, Sres. Diputados! Y está S. S. afirmando hechos que no se halla ahora la Cámara—repito—en situación de apreciar si son ciertos o no. Lo dejo a su propia idea del respeto que todos debemos al honor ajeno.

El Sr. **CANO LÓPEZ:** Señor Alba, no hay derecho a coartar de tal modo la expresión de mi pensamiento. Yo digo lo siguiente: ¿Juzga su señoría que es un delito ser masón?

El Sr. **PRESIDENTE:** Yo no juzgo nada.

El Sr. **CANO LÓPEZ:** Entonces no tiene su señoría por qué evitar que yo diga qué militares son masones. **(Rumores y protestas.—El señor Presidente agita la campanilla, reclamando orden.)**

El Sr. **PRESIDENTE:** Lo que digo a su señoría es que no se puede referir, como lo está haciendo, a personas ausentes.

El Sr. **CANO LÓPEZ:** Yo he de justificar la importancia que tiene la masonería en el Ejército.

El Sr. **PRESIDENTE:** Su señoría puede defender una tesis como quiera: con las palabras más vivas y con los conceptos más severos; pero lo que no debe hacer, a mi juicio, es citar nombres, lanzándoles ligeramente a la crítica sin más pruebas. **(Protestas.)** ¡Orden, señores Diputados!

El Sr. **CANO LÓPEZ:** Yo necesito demostrar a la Cámara la influencia masónica dentro del Ejército y lo que ella significa. **(El Sr. Comín pronuncia palabras que no se perciben con claridad.)**

El Sr. **PRESIDENTE:** Ruego al Sr. Comín que no se instituya en presidente del debate, por muchas razones.

El Sr. **COMÍN:** Yo no estoy interviniendo en el debate; mantengo rectamente el fuero de los Diputados. **(Rumores.)**

Las relaciones entre la República española y el Reich alemán se intensificaron durante el año 1935, en especial después de la firma de un importante convenio comercial a principios de año. Esta línea perduraría y tendría abundantes frutos al llegar los años de guerra. En la fotografía, a la izquierda, el ministro de Industria y Comercio, Orozco, tras el banquete ofrecido al embajador alemán conde de Welczeck para celebrar la firma del convenio.

En la sesión celebrada por las Cortes españolas el día 15 de febrero de 1935, Cano López, diputado derechista, presentó una proposición no de ley relativa a la infiltración de la masonería en los Institutos armados. Firmada por una serie de diputados, se pedía en ella al Gobierno que adoptase las medidas necesarias "para que ningún miembro de los cuerpos armados de la Nación pueda pertenecer a la masonería". Después de largo debate, con intervención principal del ministro de la Gobernación, la proposición fue aprobada en votación nominal.

El general Cabanellas es investido, por el ministro de la Gobernación, de su nuevo cargo de Inspector General de la Guardia Civil. Sucedía en él al general Bedia. Entre ambos el ministro de la Gobernación Eloy Vaquero.

15 febrero 1935

El diputado Cano López denuncia en el Parlamento la infiltración de la masonería en el Ejército.
Se celebra en Oviedo el Consejo de guerra contra el diputado González Peña, acusado de ser el cabecilla de la sublevación de Asturias.

20 febrero 1935

Oposición de los diputados no gubernamentales al discutir la Ley de Arrendamientos Rústicos que obliga al Ministro de Agricultura a plantear la cuestión de confianza.

21 febrero 1935

Se aprueba por unanimidad el acta de acusación contra Azaña y Casares Quiroga por haber facilitado armas para una sublevación en Portugal.
El trigo extranjero puesto en puerto español cuesta 17 pesetas; el nacional cuesta exactamente el doble, según concreta Ventosa.
Varios centenares de cultivadores manchegos irrumpen en el Congreso manifestando que no se marcharán hasta que se cumpla lo que se les prometió.

22 febrero 1935

Se aprueba la Ley del Trigo que regula el mercado.

23 febrero 1935

Se acuerda la libertad provisional del alcalde y concejales de Barcelona que participaron en la sublevación de octubre.

26 febrero 1935

Queda redactado el dictamen sobre el proyecto de ley de Reforma del Tribunal Supremo.

28 febrero 1935

El ministro de Agricultura lee el proyecto que regula la producción azucarera.

3 marzo 1935

Don Jaime de Borbón contrae matrimonio con Emmanuela Dampierre.
Discurso de José Antonio, con motivo del primer aniversario de la fusión de Falange Española y J.O.N.S.

El día 13 de marzo de 1935, en la iglesia de San Ignacio, en Roma, Jaime de Borbón contraía matrimonio morganático con la señorita Emmanuela Dampierre Ruspoli. El infante español, sordomudo, renunció a sus derechos al trono y así contribuyó a desplazarlos hacia su hermano Juan.

Ante el consejo de guerra, las pruebas acusaron a González Peña como el máximo responsable de la revolución de octubre en Asturias. Fue condenado a muerte, pero al mes siguiente conseguía el indulto. Los ministros cedistas se opusieron tenazmente a ello y precipitaron la crisis. En la fotografía, rodeado de guardias civiles que consiguieron su captura.

Surgía en marzo de 1935, el día 21, el diario "Arriba", portavoz del movimiento falangista. En adelante su eco resonaría en todo el país como parte bien activa en el rodar político de la nación.

Arriba

Núm. 1 — 21 Marzo, 1935 — Año I

Unidad de destino

Se debe partir del concepto de "unidad de destino". La definición de que la Falange ha partido es la exacta. Es la única que rige sin error ante la historia y la filosofía. En este punto de partida se armoniza el fin de la Patria con la universalidad y el fin último y sobrenatural del hombre. Y todos los errores de tipo racista, nacionalista, materialista o utilitario se eliminan. Decir "unidad de destino" equivale a decir "QUE LA PATRIA NO ES EL TERRITORIO, NI LA RAZA, SINO LA UNIDAD DE DESTINO ORIENTADA HACIA SU NORTE UNIVERSAL". Desde la fundación de Falange ésta ha sido su afirmación fundamental. Para nosotros sobre la misma lengua, sobre la variedad de las lenguas, está la unidad de destino, donde todo nos cabe del albor de Castilla al Imperio, sobre diversos continentes.

Reconducir a unidad y plenitud la multiplicidad [illegible] orden de España es nuestra tarea firme, neta, per[illegible]rante e impasible. Nadie podrá formular su patriotismo [illegible] manera [illegible] total. España es en sí clara y transparente, y [illegible] se hace clara y transparente. Esto es lo esencial. [illegible] que no puede ser una especie de abstracción puram[illegible] angélica, metafísica. Es también humana. La superiorida[illegible] orgánica de lo humano estriba en el íntimo y continuo [illegible] cambio de fuerzas y fluencias, en el principio activo de [illegible] que circula, corre y retorna a sí mismo del centro a la periferia y de la periferia al centro. España es para nosotros una unidad orgánica superior, tan diversa de la uniformidad centralista del siglo pasado como de la uniformidad autonomista que escinde las mismas facultades en diversos compartimentos. Ni autonomismo viejo, ni viejo centralismo. Nuestro sistema de unidad y variedad —que iremos exponiendo— se funda en la organicidad y reciprocidad de centro y periferia, en la universalidad y distinción de miembros y tejidos en lo territorial, en lo social, en lo histórico. Nuestra unidad es más radical y más viva que la de los centralistas anticuados. Nuestra variedad, más ordenada y más fructífera que la de los autonomistas anticuados. Nada nos es común con las tesis de una y otra banda. Para eso sentimos demasiada homogeneidad con la raíz de aquel incremento armonioso que se llama Imperio. Nuestro propósito no es repetir en este punto esa deplorable retórica pululante en torno a la España Imperial. Nuestra concepción del Imperio es otra y no va a la guardarropía y hojarasca, sino a las raíces y cimientos. No es indumentaria y palabrería sino arquitectónica, cruda, luminosa, esquinada. No sirve para los periódicos ni para las empresas teatrales, sino para formar penosamente, difícilmente y tercamente la conciencia, el modo de ser, el estilo de una nueva casta de españoles.

Una falsa ciencia predominantemente experimental, positiva, laica, referente, de modo exclusivo a las cosas existenciales, ha creado ese concepto fragmentario del mundo y del hombre, de la sociedad y de la Patria, al cual se someten —entre oportunistas e incautos— los señores Gil Robles y Anguera de Sojo al defender el Estatuto. Sólo la ciencia de verdad, la que no olvida las esencias, vuelve a crear un concepto unitario del mundo y del hombre, de la sociedad y de la Patria. El pecado original de España, como el pecado original del hombre, conduce a la aplicación destructiva y culpable del principio general de escisión. Porque creemos en la unidad del género humano como armónica conciliación de las grandes unidades civilizadas de la historia, donde España es una e indivisible. A lo largo de siglos, el lado bueno de España —el lado civil, heroico, religioso, original y limpio— es el que ha mirado hacia la unidad de destino, imponiendo en el mayor apogeo de su historia la tesis católica de la unidad del género humano. A lo largo de siglos también, el lado malo de España —el lado incivil, antiheroico, irreligioso, obtuso y sucio— es el que ha mirado hacia la dispersión y rotura del destino. Una Patria debe proponerse la imitación de las grandes cosas espirituales y vivas. Y todo lo que es divino y viviente, todo lo que es orgánico mira hacia la unidad. El apóstol Pablo, el paladín de la unidad, aquel a quien vemos con las manos posadas en el pomo de una gran espada, es el que dió la primera voz católica para decir "España", para nombrar sobre todas las divisiones esta indivisible unidad de destino. Unidad. Esta es la potencia de Dios y del hombre, de la Familia y de la Patria.

Ahora, de la Patria quieren hacer leña como de árbol seco y podrido. Pero nosotros somos sobre el viejo tronco, en parte carcomido, el renuevo, el ramo milagrosamente fresco que continúa y salva el ser del árbol. Es la savia la que grita en nosotros al retornar. ¡Arriba España! Arriba, pues, su savia, su esencia en nosotros. Queremos ser, sobre la España vieja, el ramo a la vez fresco y antiquísimo de la España nueva. ¡Arriba España!

España estancada

Ni ambición nacional ni justicia social. El Parlamento sestea. Setecientos mil parados pregonan el fracaso de un orden económico y político. Tragedia y palabrería. Llamamiento.

España se ha perdido a sí misma; esta es su tragedia. Vive un simulacro de vida que no conduce a ninguna parte. Dos cosas forman una patria: como asiento físico, una comunidad humana de existencia; como vínculo espiritual, un destino común. España carece de las dos cosas. El asiento físico de España, de la comunidad de españoles, es absolutamente indefendible. Tenemos un territorio enorme, en el que hay muchísimo por hacer, y, sin embargo, millones de habitantes viven peor que los cerdos en las cochiqueras. No ya los parados del todo, esos 700.000 españoles cuya existencia es un milagro, sino los pequeños labradores, arrendatarios o propietarios de minifundios, que recogen al año veinte o treinta fanegas de trigo; y los campesinos andaluces, que cobran al año cien jornales; y los habitantes en los suburbios de la misma capital, hacinados en casas infectas, en que los más rudimentarios servicios higiénicos se comparten entre cuarenta familias. Esto mientras engordan armeros, intermediarios, administradores, banqueros, propietarios, rentistas, consejeros de grandes Empresas y toda esa muchedumbre ociosa que parece ser el remate de un país apoplético de gran capitalismo y no la dorada envoltura de nuestra pobre y ancha y esquilmada España.

Sobre esa base económica está asentado el pueblo español. ¿Y qué misión colectiva lo mantiene unido? Nadie lo sabe. Por eso, menos cada vez, piensa nadie en remediar su mal remediando a España, sino escaparse del mal común lo mejor que pueda. Cada clase por su lado, insolidaria con las demás. Cada región, cada comarca por su lado. Como en un barco que zozobra, todos parecen haber oído la voz de: "sálvese el que pueda". Cuando lo que hay que salvar es el barco.

* * *

La alegría del 14 de abril no fué la que expresaron los camiones cargados de carne humana y engalanados de rojo. Aquéllo fué lo de menos y lo de los menos. La callada alegría del 14 de abril fué la que sintieron en las casas millones de españoles al imaginarse el principio de una nueva ruta abierta y soleada. Fué una alegría un poco melancólica; no en balde se iban viejos símbolos que fueron gloriosos en otro tiempo. Pero, en compensación, el 14 de abril anunciaba las dos cosas de las que está huérfana España: un orden social nuevo, hasta el fondo, que redimiera a sus gentes sufridas de la miseria en que se arrastran, y un quehacer colectivo: el de levantar el Estado nuevo, el de acometer la empresa de rehacerse, todos unidos en el mismo afán.

"La tremenda responsabilidad de los hombres del 14 de abril estriba en haber malogrado aquella esperanza colectiva; en haber deformado el sentido de su revolución. Ahora se pretende enredar a Azaña y a Casares Quiroga en un fangoso proceso sobre si consintieron o no el traslado de armas a Portugal. ¡Qué estupidez! Las derechas, dejadas de la mano de Dios, no ven que ese equivale a la glorificación de Azaña. Si después de tantas abominaciones contra el bienio resulta que lo único punible es aquella irregularidad ¿quién osará en adelante vituperarla? Esos torpes leguleyos de las derechas, que aún no han visto cómo los procesos políticos de responsabilidades se vuelven siempre contra los acusadores, marchan alegremente hacia el zarzal de la acusación por lo del alijo. Allá ellas. Nuestra acusación contra los hombres del bienio es bien otra: "Tuvisteis a España en vuestras manos, entregada, durante dos años. La tuvisteis blanda como cera. Pudisteis llevar a cabo la verdadera revolución española y preferisteis reemplazarla por una política de secta, de disgregación, de vejaciones inútiles, de exasperación espiritual. Por culpa vuestra volvió España a manos de las viejas gentes reaccionarias, deseosas de escamotear la revolución. Eso sí que no se os perdonará."

* * *

¿Alijo de armas? ¡Bah! El capítulo de cargos del bienio terrible es mucho más grave:

Primero. Estatuto de Cataluña. Era urgente retribuir a la Esquerra por su ayuda política. Se la retribuyó con un trozo de España. No se dió al Estatuto después de bien asegurado en todo el pueblo español —comprendido el de Cataluña— una fuerte conciencia de unidad. Se dió aprisa y corriendo, con criminal largueza, entregándolo todo, incluso los instrumentos para afirmar en el alma de la infancia catalana una emoción separatista. El Estatuto hizo posible la rebelión de la Generalidad, frustrada por la cobardía de los rebeldes. Aquel fué el momento de los fusilamientos por la pe[illegible], y no estas zarandajas del alijo.

Segundo. Destrucción del Ejército. No se hizo con criterio nacional. No se emprendió la reforma profunda que el Ejército necesitaba.

Tercero. Ofensa de los sentimientos religiosos. Fué una verdadera complacencia en la mortificación. Se llegó a la blasfemia, a la persecución por profesar ideas religiosas, al apogeo de un anticlericalismo soez, ya barrido del mundo.

Cuarto. Burla de la reforma agraria. Porque la reforma agraria *no se hizo*. Todo quedó en su promulgación. Para que no faltase la característica del bienio, se añadió a última hora una norma excepcional, injusta, basada no en razones económico-sociales, sino en un impulso de rencor. Pero casi todo quedó en palabras. Un poco de indisciplina en el campo durante unos meses, y nada más. Después, los campesinos siguieron viviendo su miseria y el régimen de la tierra casi como estaba.

Quinto. Desquiciamiento económico. La política del bienio no fué, ciertamente, una política anticapitalista. Nunca fueron tan mimados los Bancos y las grandes Empresas. Aumentaron las emisiones de valores públicos y con ellas, naturalmente, las personas que viven del cupón, sin trabajar. Pero como esto se

(Continúa en la página 2)

Precio: 20 cts.

5 marzo 1935

El general Franco sale para Marruecos para hacerse cargo de la jefatura de las fuerzas de Africa.

10 marzo 1935

Casares Quiroga y Azaña son acusados en el Parlamento por el asunto del «Turquesa».

11 marzo 1935

La Lliga se propone demostrar que el «6 de octubre» fue un agravio para todos los españoles.

14 marzo 1935

Se aprueba la Ley de Arrendamientos Rústicos.

21 marzo 1935

Aparece el primer número del semanario «Arriba». José Antonio publica un artículo titulado «Unidad de destinos».

22 marzo 1935

La Cámara acuerda, por mayoría, la propuesta acusatoria contra Azaña y Casares Quiroga por el asunto del «Turquesa» y del «Consorcio de Industrias Militares».

Otra de las personalidades políticas a quienes salpicaron las responsabilidades del octubre revolucionario fue Largo Caballero. Sufrió la cárcel mientras que Prieto, con mayor habilidad, consiguió escapar del país. Una vez libertado, le vemos en compañía de sus hijas y Jiménez de Asúa.

Cuatro horas empleó Azaña en su justificación y defensa ante las Cortes. Las pruebas para condenarle en el asunto del "Turquesa" y en el del "Consorcio de Industrias Militares" no resultaron decisivas.

Volvía Franco a África aunque hubiera de ser por poco tiempo. Se le nombraba jefe de las fuerzas militares de aquellas tierras en las que había dejado parte tan sustanciosa de su vida y adonde tendría que volver años después para vivir una de sus horas supremas. En la fotografía, con el Alto Comisario Rico Avello y el general Capaz.

Giménez Fernández llegó con la CEDA a las responsabilidades ministeriales. Su labor desde el Ministerio de Agricultura estuvo presidida por un claro sentido realista. Con gran decisión intentó poner manos a uno de los problemas más graves de la nación, el de la reforma agraria, sin que las difíciles circunstancias y los apasionados contradictores le permitieran hacer nada definitivo. En Gandía, la gran ciudad naranjera, acude a presenciar el embarque de la fruta reina del agro español.

El general Romerales y el interventor Burgos reciben, en el aeropuerto de Tauima de Melilla, a Cid, ministro de Obras Públicas.

26 marzo 1935

Se plantea en Consejo de Ministros el problema del indulto a los responsables de la revolución de octubre. Son partidarios de la ejecución de la sentencia los tres ministros de la C.E.D.A., Dualde y Cid. A favor del indulto los siete ministros radicales.

CRISIS

El gravísimo episodio que fue la revolución de octubre de 1934 iba a verse rematado por una cuestión, la de las penas de muerte, que traería grandes complicaciones políticas.

González Peña, auténtico generalísimo de la revolución, fue condenado a la pena capital por un consejo de guerra celebrado en el cuartel Pelayo, de Oviedo, el 15 de febrero de 1935. Su ejecución sería sin duda todo un símbolo de vigor de la justicia y de fortaleza del Gobierno frente a la subversión; su indulto, el más claro exponente de la situación de debilidad e intriga política que cundía en las alturas gubernamentales.

En estas líneas planteó la C.E.D.A. la cuestión a Lerroux, haciéndole bien patente su absoluta oposición al indulto, lo que consideraría causa de oposición al Gobierno y de crisis ministerial.

Las intrigas y presiones que se desarrollaron y en las que el Presidente de la República llevó parte muy primordial consiguieron al fin lo que la opinión derechista se temía y lo que la férrea voluntad de la C.E.D.A. no pudo evitar: González Peña fue indultado. Como se había anunciado, la C.E.D.A. se retiró del ministerio y con ella los representantes agrario y liberal demócrata, según tenían acordado sus jefes Gil Robles, Martínez de Velasco y Melquiades Álvarez.

Fue inevitable la crisis. Al punto Alcalá-Zamora inició las consultas admitiendo incluso a los que sólo hacía unos meses se habían alzado contra el régimen vigente. Estaba claro que el quid de la cuestión era la postura de Gil Robles, por otro lado bien conocida ya. Con la provocación de la crisis anterior y con las diversas manifestaciones públicas que de sus intenciones había hecho, la C.E.D.A. dejó bien claro que no permitiría más componendas dilatorias de la formación de un Gabinete que de una vez reflejara, en estricta justicia, la realidad del Parlamento y de la distribución de fuerzas de él.

A pesar de tan rotunda y merecida postura, el Presidente de la República no quiso aceptar la realidad y se dispuso a intentar una serie de maniobras, siempre antes que dar paso a las peticiones de Gil Robles. Fue entonces cuando encargó la formación de Gobierno a Martínez de Velasco en un intento de romper el bloque derechista en torno a Gil Robles. El jefe agrario, a pesar de su buena voluntad no lo consiguió, pues le invalidó la cerrada negativa

Al caer el cuarto gobierno Lerroux, acudieron a consulta, entre otros, los líderes derechistas. Gil Robles pidió que las carteras del nuevo ministerio se repartieran proporcionalmente, según el número de puestos en el Parlamento. El Presidente de la República, sin embargo, volvió a resistirse y encargó a Lerroux la confección del nuevo gabinete. En la foto, con Melquiades Álvarez y Martínez de Velasco.

Melquiades Álvarez, viejo político que enlazaba en su figura y en su actuación política los años de la monarquía con los nuevos bajo el signo republicano. El "melquiadismo" vino a ser un exponente de la vieja tradición liberal moderada, gente de orden, de vieja raigambre, que actuó en estos momentos, de manera casi simbólica, a través de la figura de su jefe, de gran prestigio pero que ahora ya sólo representaba poco más que a la región asturiana. Dada su escasa potencia actuó casi siempre al lado de la CEDA.

presidencial a transigir con el deseo de la C.E.D.A. de exigir en el nuevo Gabinete el número de carteras en proporción a su fuerza en la Cámara.
Estaba claro que sin la C.E.D.A. nada se podía solucionar. Así lo vio Martínez de Velasco y desistió de su empeño. No lo hizo, en cambio, Alcalá-Zamora, que dispuesto a resistir en sus trece prefirió usar de la más absurda y débil solución: la de buscar de nuevo a Lerroux para que montase un ministerio de puras circunstancias que salvase lo que parecía un bache insuperable, ayudándole con un decreto de suspensión de Cortes por un mes, para al menos garantizarle ese plazo de vida y pasar la efemérides nacional que era el aniversario de la República.
El día 3 de abril, Lerroux hacía público su Gabinete. Lo componían sus propios seguidores y una serie de amigos del propio Alcalá-Zamora que se habían prestado a ayudarle. Basta observar que ocho de sus componentes ni siquiera eran diputados. Aparentemente era la C.E.D.A. la derrotada. Victoria pírrica desde luego, ya que por el mismo Presidente de la República quedaba reconocida la imposibilidad de que el Gobierno se presentase ante las Cortes, que por eso se las suspendían.
El quinto Gobierno Lerroux quedó así constituido:

PRESIDENCIA	Alejandro Lerroux García (Radical)
Estado	Juan José Rocha García (Radical)
Justicia	Vicente Cantos Figuerola (Radical)
Guerra	General Carlos Masquelet Lacaci
Marina	Viceal. Francisco Javier Salas González
Gobernación	Manuel Portela Valladares (Independiente)
Inst. Púb. y Bellas Artes	Ramón Prieto Bances
Obras Públicas	Rafael Guerra del Río (Radical)
Trab. Sanidad y Previs.	Eloy Vaquero Cantillo (Radical)
Agricultura	Juan José Benayas y Sánchez Cabezudo
Industria y Comercio	Manuel Marraco y Ramón (Radical)
Comunicaciones	César Jalón Aragón (Radical)
Hacienda	Alfredo Zabala Lafora

Portela Valladares se hace cargo de su cartera de Gobernación en el quinto gabinete Lerroux. En la foto, entre Vaquero, a su derecha, y Pablo Blanco, ministro y subsecretario salientes.

Los aniversarios de la instauración de la República se celebraron con gran pompa oficial. Entre los actos obligados figuraba siempre el imponente desfile militar que era presenciado por el Gobierno y el pueblo.

3 abril 1935

Portela Valladares, al ser nombrado ministro de la Gobernación, dimite del cargo de Gobernador General de Cataluña. Le sustituye interinamente Pich y Pon.

9 abril 1935

Se reúne el Consejo Nacional de la C.E.D.A., que ratifica unánimemente su confianza a su jefe Gil Robles, lo que venía a ser ratificar la postura de intransigencia y emplazar la vida del Gobierno de Lerroux.

11 abril 1935

Son devueltos a Cataluña todos los servicios, excepto el de Orden Público.

Pleno del Tribunal de Garantías.
El Gobierno francés se niega a la extradición del ex consejero de la Generalidad, Dencás.

12 abril 1935

La Izquierda Republicana, el Partido Nacional Republicano y la Unión Republicana firman el «Manifiesto de conjunción política».

13 abril 1935

Cuarto aniversario de la República. Se levanta el estado de guerra sustituyéndolo por el de alarma. Se impone la gran Cruz de San Fernando a los generales Batet y López Ochoa.

Los generales Batet y López Ochoa llevaron a cabo, respectivamente, la represión en Cataluña y en Asturias contra los sublevados de octubre de 1934. Por su meritoria actuación, el Gobierno de la República les distinguió con sendas Grandes Cruces Laureadas. Ambos tendrían un trágico fin en los primeros días de la guerra civil.

21 abril 1935

En el Frontón Betis de Sevilla, Renovación Española celebra un mitin en el que toman la palabra Víctor Pradera, Luca de Tena y Calvo Sotelo. Este último afirma que no concibe una contrarrevolución hecha con el himno de Riego.

22 abril 1935

En Sevilla, después de un mitin, son detenidos ciento once afiliados tradicionalistas.

24 abril 1935

El diputado socialista Teodomiro Menéndez es trasladado del Hospital de Oviedo al Penal del Dueso.

26 abril 1935

Indalecio Prieto, desde París, pide a la Comisión Ejecutiva del Partido Socialista una urgente alianza de los partidos de izquierda previendo, para fechas próximas, la disolución de las Cortes.

29 abril 1935

Falangistas sevillanos son expulsados a pedradas y palos por un centenar de obreros del pueblo Aznarcollar, al intentar vender el semanario «Arriba». Al día siguiente en número de veintiuno acuden con el mismo propósito y ante una nueva acometida pasan a la ofensiva. Al final, dos muertos, uno por cada bando, y varios heridos.

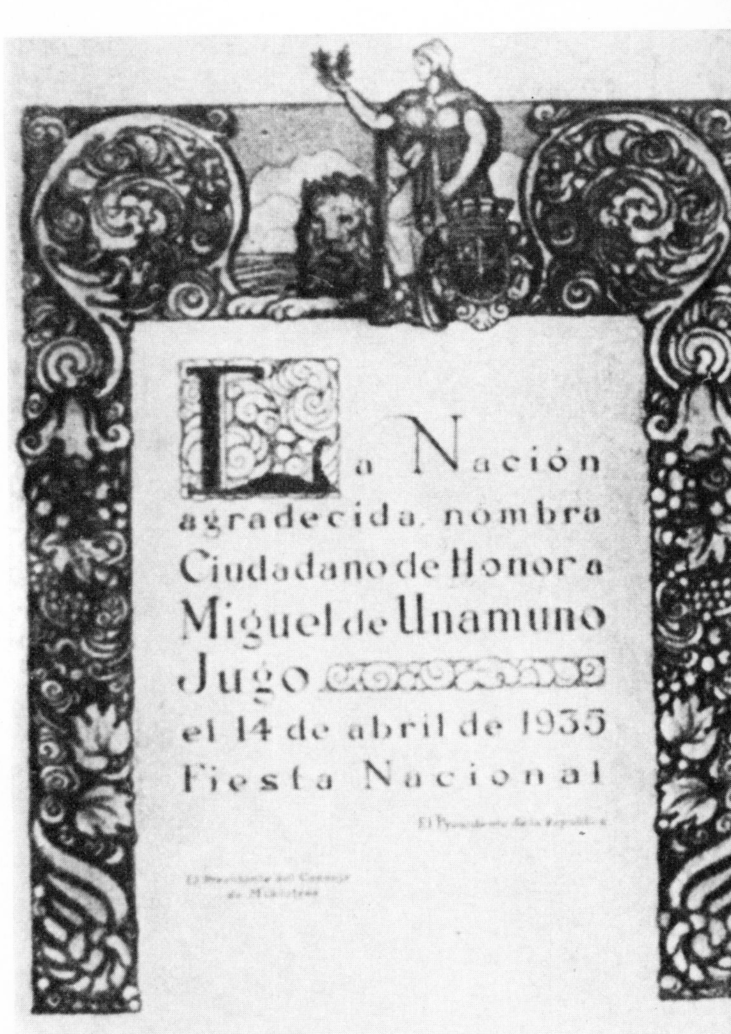

La Nación agradecida nombra Ciudadano de Honor a Miguel de Unamuno Jugo el 14 de abril de 1935 Fiesta Nacional

Miguel de Unamuno, rebelde genial de la filosofía y de la vida, consiguió el título de "Ciudadano de Honor", la más alta distinción que la República concedía. Preclaro representante de la cultura española, excepcional muestra de nuestro genio y talante, catedrático y rector de la Universidad de Salamanca, sufrió los años críticos de la República y poco más que adivinó los de la guerra civil, al morir en los últimos días de 1936, cuando España parecía también a punto de fenecer.

Lerroux era de nuevo palpitante actualidad, ahora con motivo de su dimisión. El jefe radical se había convertido en pieza imprescindible para montar gabinetes en los años del segundo bienio.

La minoría socialista nunca dejó de pensar en llegar a ser gran mayoría. Largo Caballero, en esta idea, prefirió a las masas y por ello suscitó conflictos internos dentro del Partido Socialista perdiendo algunos de sus fieles seguidores.

3 mayo 1935

Nuevo Gobierno de la Generalidad:

Obras Públicas	Vallés Pujals
Economía	Sedó
Gobernación	Luis Jover
Trabajo	José María Torrens
Inst. Pública	Durán y Ventosa
Sanidad	Huguet

La actuación del Partido Agrario en el segundo bienio fue ocasión de discrepancias para alguno de sus afiliados. Concretamente Royo Villanova acabó por separarse antes de entrar en el sexto gobierno de Lerroux.

Falange Española inicia la campaña propagandística; su fundador habla en la Ciudad Condal sobre Sindicalismo.

CRISIS

Antes de abrirse las Cortes, Lerroux decide presentar la dimisión basándose en la falta de apoyo parlamentario de los partidos agrario y cedista. Sin la colaboración de este último, al Gobierno que presidía no le resultaba fácil sostenerse, pues su representación en la Cámara era exigua comparada con la mayoría que encabezaba Gil Robles.

Se abren las consultas. Martínez Barrio, Marial Mundet, de los Ríos y Maura aconsejaron un Gobierno de concentración republicana y disolución de las Cortes.

El equipo que aconseja las derechas debe de estar compuesto a base de una amplia mayoría parlamentaria. Insiste Gil Robles en la proporcionalidad en el reparto de las carteras, reservándose su partido la de Guerra.

Alcalá-Zamora considera conveniente ampliar las consultas. Se evacúan, volviendo los jefes de minorías a reconsiderar su postura primitiva, por lo que el primer dignatario de la República se encuentra ante la disyuntiva de aceptar un Gobierno mayoritario o disolver las Cortes.

Se decide al fin por la primera opción encargando, para resolver la crisis, a Lerroux, que rápidamente compone su sexto Gobierno:

Presidencia	Alejandro Lerroux García (Radical)
Estado	Juan José Rocha García (Radical)
Justicia	Cándido Casanueva y Gorjón (C.E.D.A.)
Gobernación	Manuel Portela Valladares (Independiente)
Hacienda	Joaquín Chapaprieta Torregrosa (Independiente)
Guerra	José María Gil Robles Quiñones (C.E.D.A.)
Marina	Antonio Royo Villanova (Agrario)
Inst. Púb. y Bellas Artes	Joaquín Dualde Gómez (Liberal demócrata)
Trab., Sanidad y Prev. Social	Federico Salmón Amorín (C.E.D.A.)
Obras Públicas	Manuel Marraco y Ramón (Radical)
Agricultura	Nicasio Velayos Velayos (Agrario)
Comunicaciones	Luis Lucia Lucia (C.E.D.A.)
Industria y Comercio	Rafael Aizpún Santafé (C.E.D.A.)

Crisis tras crisis, consulta tras consulta. Siendo tan frecuentes no podían ser muy eficaces. Pero Alcalá Zamora no prescindía de ellas. Gil Robles después de evacuar su consulta, comentando con Aizpún y Marraco.

Cuando por fin Gil Robles entra en el Gobierno, lo hace como ministro de la Guerra. Algo tan significativo que levantó terribles críticas y amenazas de la oposición. Acompañado por los generales Miaja, Peña, Virgilio Cabanellas y López Gómez.

Los monárquicos mantuvieron en pie su bandera en torno al Bloque Nacional. Entre sus miembros cabe citar al Marqués de Luca de Tena, que aparece en un mitin.

Se reunía en Toledo la XIV promoción de Infantería. Había dejado la Academia en 1910 y ahora volvía a ella para celebrar sus bodas de plata. De entre sus componentes uno especialmente distinguido, el general Franco, al que estaban reservados las más altas responsabilidades y los más altos destinos.

Gil Robles en el Ministerio de la Guerra confió a Franco un puesto de gran responsabilidad en el ejército, el de Jefe del Alto Estado Mayor Central. Desde él llevaría a cabo una interesante labor en pro de la revitalización de las fuerzas armadas.

6 mayo 1935

Se ve en el Supremo la causa contra los generales Berenguer y Fernández Heredia, Auditor y Vocales que condenaron a muerte en Consejo de Guerra a los capitanes Galán y García Hernández. Los encausados son absueltos por el Pleno del Tribunal Supremo de Justicia.

8 mayo 1935

Se presenta el Gobierno en las Cortes. Por 198 votos contra 22 es aprobada la declaración ministerial.

9 mayo 1935

La Unión Republicana, el Partido Republicano Nacional, la Esquerra y el Republicano Conservador deciden entorpecer la labor parlamentaria del Gobierno.

15 mayo 1935

La minoría socialista acuerda abstenerse en las tareas legislativas en tanto no se levante la centura de prensa.

16 mayo 1935

El general Franco es nombrado Jefe del Estado Mayor Central del Ejército. El general Fanjul, Subsecretario del Ministerio de la Guerra, y Goded, director de Aeronáutica.

17 mayo 1935

El Tribunal Supremo firma sentencia en la causa seguida por los fusilamientos de Galán y García Hernández. Se absuelve a los procesados con todos los pronunciamientos favorables.

Los regímenes autoritarios conocieron su mejor esplendor con la subida de Hitler al poder. El poderoso régimen nazi, su triunfo arrollador, hubo de influir más o menos directamente en todos los países y por tanto en España, donde las derechas pasaban por entonces a gobernar la República.

Gil Robles contó en su puesto ministerial con un disciplinado equipo. En él figuraba el general Fanjul como subsecretario. Fotografiados juntos en una visita a Burgos.

Brazos levantados hacia adelante; masas humanas detrás de ellos. Disciplina y pasión. Momentos críticos. El cine Madrid después de un discurso de José Antonio.

Los años treinta dieron, como pocos, ocasión a las heroicidades. J. I. Pombo cruzó el Atlántico en avioneta. Aquí aparece tras su aterrizaje en Barajas.

El Partido Comunista no alcanzó en España gran notoriedad hasta la guerra. Durante los años anteriores de la República, llevó una existencia gris con actuaciones intrascendentes, en general, pasando sus principales dirigentes poco menos que inadvertidos, a excepción de La Pasionaria. José Díaz, antiguo anarquista, que figuraba como Secretario General, venía ya por entonces trabajando en el triunfo del Partido precisamente en la línea de un frente popular que luego se adoptaría. En este año de 1935, en un mitin en el Monumental de Madrid, ya expuso esta táctica de unidad izquierdista como la más adecuada para lograr la victoria política.

22 mayo 1935

Se recibe la noticia de la feliz llegada a Natal (Brasil) del aviador español Juan Ignacio Pombo, que hizo la travesía del Atlántico desde Bathurst (Gambia) de donde había partido a la una de la madrugada del 21, aterrizando en Natal a las 6,15 de la tarde del mismo día.

26 mayo 1935

Grandioso mitin celebrado por las izquierdas en el campo de deportes de Mestalla (Valencia), en el cual Azaña examina la labor del Gobierno.

27 mayo 1935

Se ve la causa contra Companys y los ex consejeros de la Generalidad de Cataluña.

2 junio 1935

El Secretario General del Partido Comunista propone, en un mitin celebrado en el Cine Monumental, la creación del Frente Popular.

3 junio 1935

Choque entre socialistas y partidarios de Renovación Española en un mitin en Novallas (Zaragoza).

6 junio 1935

Se propone una prórroga de treinta días del estado de alarma en Asturias, Cataluña, Madrid, Zaragoza, Guipúzcoa, Vizcaya, León, Huesca, Navarra, Palencia, Santander, Teruel, Ceuta y Melilla y el estado de prevención en las demás provincias españolas.

7 junio 1935

En Consejo de Ministros se dispone suspender todos los actos de propaganda de socialistas y monárquicos.

En el estadio de Mestalla, habla Azaña ante más de medio centenar de miles de personas. El acto político, organizado con la participación socialista, fue un toque de clarín para las derechas, que vieron de manera bien palpable la próxima coalición frentepopulista dirigida al asalto del poder. Azaña enardeció a las masas apelando a las consabidas reivindicaciones izquierdistas, sin pararse en barras. Ya no era necesario el disimulo cuando todo el mundo había comprendido la maniobra de conjunción de izquierdas. Dos momentos del acto.

En el Parador de Gredos se reunió la Junta Política de Falange. José Antonio hizo un análisis realista de las circunstancias y alentó a todos para enfrentarse con los acontecimientos decisivos que ya claramente preveía. En el centro de la fotografía, José Antonio. A su derecha y detrás, Bravo; a continuación, Raimundo Fernández Cuesta y Aguilar. A su izquierda, en primer plano, Valdés.

En aras del patriotismo, José Antonio defendió la "dialéctica de los puños y las pistolas". Falange no rehusó el riesgo de las armas. Ejercicios de tiro en Gredos.

8 junio 1935

El general Martínez Anido es reintegrado en el Ejército.

11 junio 1935

Asesinato del diputado socialista por Badajoz Pedro Rubio Heredia.

23 junio 1935

Son trasladados de la cárcel celular al Penal de Santa María los ex consejeros de la Generalidad Companys, Lluhí Vallescá y Comorera. Gassol, Barrera Esteve y Mestres pasaron al de Cartagena; todos ellos condenados el día seis por los sucesos de octubre del 34 en Barcelona.

24 junio 1935

El Presidente de la República autoriza la presentación a las Cortes del proyecto de reforma constitucional.

25 junio 1935

La ciudad de Salamanca rinde un homenaje a Gil Robles y a Casanueva en el que toma parte el Jefe del Gobierno.

26 junio 1935

Desorden social, huelgas de servicios públicos, que motivan un rápido viaje a Barcelona del Ministro de la Guerra acompañado del de Gobernación.
Es aprobada la Ley Municipal.

Los principales dirigentes de la revolución de octubre en Cataluña fueron juzgados por sus responsabilidades y encarcelados. En la fotografía, que recoge un momento del juicio, aparecen en el banco de los acusados: Companys, Lluhí y Vallescá, Martín Esteve, Gassol y Mestre.

El general Martínez Anido, que había sido apartado y anulado en la etapa socialazañista, por su clara significación durante el reinado de Alfonso XIII, volvió a ser reintegrado a su cargo en el ejército durante el segundo bienio. Habían, sin duda, cambiado los tiempos, aunque todos tuvieran bandera tricolor y gorro frigio.

Los que habían saboreado el poder en Cataluña sufrieron la condición humillante del recluso con todas sus consecuencias, según muestra bien expresivamente la fotografía. En el penal del Puerto de Santa María, Companys, Lluhí y Comorera acompañados de sus vigilantes.

En Segovia, Gil Robles entrega los despachos a los nuevos oficiales de Artillería, acompañado por el general Franco. La revitalización del ejército llevada a cabo por el jefe cedista sería decisiva luego para el alzamiento del 36.

29 junio 1935

Es declarado el estado de guerra en Barcelona y su provincia.

30 junio 1935

Concentración cedista en Medina del Campo y en el Campo de Mestalla (Valencia). Gil Robles asiste a ambos actos.

4 julio 1935

Lerroux lee en las Cortes el proyecto de reforma de la Constitución que afectaría a cuarenta y dos artículos. El proyecto no fue aprobado.
Los jefes de los partidos del bloque gubernamental se reúnen para estudiar la política parlamentaria a seguir.

7 julio 1935

Mitin del partido radical en el campo de Mestalla. Dirigen la palabra Lerroux y Samper.

13 julio 1935

Discurso de Azaña en un acto de izquierdas, en el campo de Lasesarre de Bilbao.

20 julio 1935

En las Cortes son absueltos de toda responsabilidad Azaña y Casares Quiroga.

22 julio 1935

Maniobras militares en Riosa, Asturias. Asisten Gil Robles, con los generales Franco, Fanjul y Goded y el coronel Aranda.

23 julio 1935

Se celebra el VII Congreso de la Komintern, asistiendo como delegados José Díaz, Jesús Hernández, Vicente Uribe, Dolores Ibárruri, Antonio Mije y Pedro Checa, en representación del comunismo español.
Comienza a discutirse la reforma de la Ley de Reforma Agraria.

Gil Robles y el general Franco en un descanso de las maniobras celebradas en Riosa. Les acompaña el diputado cedista Fernández Ladreda.

26 julio 1935

Es aprobada la Ley de Reforma de la Reforma Agraria. Se retiran de la Cámara las minorías de izquierdas después de haber dado una nota haciendo constar su disconformidad con la reforma de la Reforma Agraria.
Se cierran las Cortes, en cuya etapa legislativa se aprobaron 12 leyes.

1 agosto 1935

El ministro de Hacienda presenta en Consejo los planes de la Ley de Restricciones, por la que se suprimen tres Ministerios y se fusionan los de Agricultura e Industria.

7 agosto 1935

Cae asesinado el falangista Antonio Corpas. Dos días más tarde sus correligionarios, en represalia, matan a tiros a unos comunistas.

8 agosto 1935

El teniente Dimitri Ivanoff, que dio muerte al periodista Sirval, es condenado a seis meses y un día de prisión correcional.

12 agosto 1935

Portela prohibe la prolongación de funciones de todos los Ayuntamientos elegidos el 12 de abril de 1931.

27 agosto 1935

Se clausura el VII Congreso de la Komintern (Internacional Comunista).

28 agosto 1935

Alfonso XIII visita en Puchheim, Austria, a don Alfonso Carlos.

30 agosto 1935

Se fuga de Barcelona el ex presidente del Parlamento catalán, Juan Casanova, que bajo fianza gozaba de libertad provisional.

1 septiembre 1935

Concentración de la J.A.P. en Santiago de Compostela, en la que Gil Robles pide una nueva Constitución.

8 septiembre 1935

Martínez Barrio pronuncia en Cádiz un discurso en el que se declara contrario a cualquier revisión constitucional.
Los radicales catalanes organizan un homenaje a su jefe político con el título de «Día de Lerroux».

En Barcelona hasta llegó a haber un "día de Lerroux". Cataluña va, como ninguna otra región española, ligada a la vida política del jefe radical. Homenaje ante el Palacio de Muntjuich.

Incluso contra los elementos vibró fuerte el sentido político y disciplinado de las Juventudes Gallegas de Acción Popular. Concentración en Santiago de Compostela.

Eugenio Montes, hombre de letras y destacada figura falangista, recibe un solemne homenaje en el hotel Ritz, al que asisten principales figuras políticas de las derechas, entre otros José Antonio, Luca de Tena, Conde de Rodezno y Goicoechea.

La expresiva y apasionada palabra de José Antonio se derramó en innumerables actos políticos como medio eficacísimo de propaganda y de llamada a la lucha por la consecución de unos ideales que buscaban una solución para España.

13 septiembre 1935

El ministro de Marina, Royo Villanova, se opone al traspaso de los Servicios de Obras Públicas a la Generalidad.

19 septiembre 1935

Se aprueban las reformas del ministro de Hacienda.

CRISIS

El problema del traspaso de Servicios a la Generalidad supuso un motivo de grave fricción en el Gobierno. Los ministros agrarios Royo Villanova y Velayos se negaron a que se llevara a cabo y en su firmeza llegaron a la dimisión de sus ministerios aparte de que hubiese otra serie de discrepancias con los demás miembros del Gabinete y la línea política que se seguía.

Ambas bajas dieron ocasión a una nueva crisis. Tuvo además Lerroux otras razones para justificar tal expediente, entre ellas la necesidad de reajustar el Gobierno de acuerdo con la reciente Ley de Restricciones. El día 20 el jefe radical planteaba la cuestión, en un momento muy delicado, cuando el país se acercaba a unas elecciones.

Alcalá-Zamora inicia las consabidas consultas. El mismo día 20 desfilaron por Palacio diversos políticos. Jiménez de Asúa y Barcia aconsejaron la disolución de las Cortes y la constitución de un nuevo Gabinete de depurado republicanismo para potenciar al país en la difícil situación internacional del momento.

Al día siguiente hubo consultas en sesiones de mañana y tarde e incluso algunas más que se evacuaron por teléfono —caso de Unamuno, Pedregal y Amadeo Hurtado— por hallarse ausentes de la capital.

De los nueve políticos que por la mañana acudieron a Palacio, sólo tres aconsejaron al Presidente la celebración

Alcalá Zamora y Gil Robles protagonizaron la marcha del segundo bienio republicano. Sus encontradas opiniones esterilizaron unos años decisivos para el definitivo encarrilamiento de una auténtica República. Pero desde entonces ya "no fue posible la paz". Alcalá Zamora y Gil Robles en el viaje de inauguración del primer automotor de Madrid a Toledo.

de elecciones legislativas. Martínez Barrio se manifestó por un Gobierno de concentración republicana que buscase la paz en el país a base de las disposiciones gubernativas necesarias y que con respecto a la situación internacional se mostrase del todo leal al Pacto de la Sociedad de Naciones. Por último, como medida definitiva para abrir nuevas perspectivas al país, convocar elecciones legislativas.

Septiembre de 1935 trajo una crisis más. Otra vez, para no exacerbar los ánimos, Alcalá Zamora ignora a los jefes de las principales minorías y adjudica el encargo de formar gobierno a Chapaprieta. Al salir de Palacio con el encargo.

Cambó acudió en representación de la Lliga. En su nota aconsejó la formación de un Gobierno capaz de vivir con las Cortes existentes para lo que debía procurar una ampliación de la base política dentro de lo posible.

La minoría vasca opinó por boca de Irazusta no romper la normalidad política para lo que aconsejaba la automática ratificación de confianza a Lerroux. Por su parte, Chapaprieta insistió en la continuidad sobre todo desde su ángulo particular, el de Hacienda, con el propósito de que pudiese seguir su marcha el plan financiero programado. Sánchez Román, que llegó a Palacio a las doce de la mañana, resumió su consejo en «cambio de política, nuevo parlamento y gobierno republicano».

Santaló en su nota hizo una exposición de la situación política nacional con referencias a los problemas generales de la República y a los particulares del autonomismo catalán. Las elecciones generales le parecieron el único camino. Era sin duda un momento político importante para Cataluña, después de la ley de dos de enero que había declarado en suspenso el Estatuto. Los rumores de que la Lliga podría entrar a colaborar con el nuevo Gabinete, en tan anómala situación para el catalanismo, agudizaron el recelo de la Esquerra.

Por la tarde del día 21 siguió el desfile de personalidades por Palacio. Marañón, Ossorio y Gallardo y González Posada coincidieron en apreciar la gravedad de la situación internacional en cuyo marco se hacía más explosiva la inquietud pública y la excepcionalidad constitucional que vivía España. Aconsejaban un gobierno sensato, republicano auténtico, que eludiese los extremismos y que fuese reconquistando la normalidad en todos los órdenes.

Al final de la jornada «Ya» resumía la situación, en tres soluciones: «Mantenimiento de la situación para los partidos gubernamentales. Ampliación y ensanchamiento para los independientes o para los aspirantes. Disolución y cambio radical de política para las oposiciones».

En general, la prensa se manifestó en uno u otro sentido. «La Nación» hacía un llamamiento a las «fuerzas políticas de orden»; «Heraldo de Madrid» abogaba por «un Gobierno que reivindique la República y restablezca la concordia social»; «ABC» advertía contra la maniobra de un llamado gobierno nacional y «El Debate» urgía salir del intervalo sin sentido que la crisis suponía.

El día 22 el Presidente de la República daba normas a Santiago Alba para que intentase constituir un nuevo Gabinete. En este propósito visitó a los jefes del grupo gubernamental —Gil Robles, Melquiades Álvarez, Lerroux y Martínez de Velasco— para recabar su apoyo. Pensó en ampliar la base mediante la ayuda de Cambó, Maura, Martínez Barrio y Barcia. Sin embargo, los propósitos de Santiago Alba fracasaron. Entonces Alcalá-Zamora acude a Chapaprieta, que conservando la cartera de Hacienda consigue presidir un Gabinete de base de elementos de la C.E.D.A., agrarios, radicales y de la Lliga.

Fue así:

PRESIDENCIA y Hacienda	Joaquín Chapaprieta Torregrosa (Independiente)
Estado	Alejandro Lerroux García (Radical)
Trab. Justic. y Sanidad	Federico Salmón Amorín (C.E.D.A.)
Gobernación	Joaquín de Pablo-Blanco y Torres (Radical)
Guerra	José María Gil Robles Quiñones (C.E.D.A.)
Marina	Pedro Rahola Molinas (Lliga)
Instrucción Pública y B. A.	Juan José Rocha García (Radical)
Obras Públicas y Comunicaciones	Luis Lucia Lucia
Agric. Indust. y Comer.	José Martínez de Velasco (Agrario)

Chapaprieta, Presidente del Gobierno, reunido con los jefes de los partidos gubernamentales. De izquierda a derecha: Melquiades Álvarez, Gil Robles, el propio Chapaprieta, Lerroux, Martínez de Velasco y Rahola.

Lerroux fue el hombre que sirvió para cuajar los gobiernos puente de 1934. Las derechas le rinden un homenaje. En la fotografía, con Gil Robles, Santiago Alba y Chapaprieta.

La corona de España había venido a parar al último de los hijos varones de Alfonso XIII gracias a la serie de renuncias de los anteriores. El conde de Barcelona, Juan de Borbón, contrae matrimonio con Mercedes de Borbón el día 12 de octubre de 1935, en Roma.

27 septiembre 1935

Entran en vigor los 17 decretos de la Ley de Restricciones Económicas y reorganización de los Servicios de Administración.
Se discute la Ley Electoral.

1 octubre 1935

El Jefe del Gobierno, tras hacer la declaración ministerial, da principio al debate político en torno a la última crisis.

3 octubre 1935

El diputado por Orense, Basilio Álvarez, se separa del Partido Radical, dimitiendo al mismo tiempo de su puesto de vocal del Tribunal de Garantías Constitucionales.

9 octubre 1935

Es asesinado, en Santa Cruz de Tenerife, el Gobernador accidental Fernández Díaz.

9 octubre 1935

En el Hotel Ritz de Madrid, el Presidente de las Cortes, el Jefe del Gobierno y todos los ministros ofrecen un homenaje a Lerroux.

10 octubre 1935

Empiezan a circular los primeros rumores sobre un sensacional juego de ruleta que se había introducido en España, cuya autorización había gestionado el holandés Daniel Strauss.

11 octubre 1935

Decide el Gobierno restablecer la normalidad constitucional en 25 provincias, conservando el estado de alarma en Cataluña, Asturias, Zaragoza, Madrid, León, Vizcaya, Palencia y Santa Cruz de Tenerife.

El asunto del "straperlo" forma parte de la eterna picaresca española. Su repercusión fue decisiva para la descalificación política del Partido Radical. Strauss y Perle, los dos responsables del asunto, fotografiados con unos boxeadores. Strauss el segundo por la izquierda; el cuarto Perle.

El escándalo armado por el juego de Strauss y Perle conmovió a la opinión pública y dio pie a múltiples maquinaciones. Hubo al tiempo un enfoque y un tratamiento oficial del caso que llevó a cabo una comisión parlamentaria. He aquí otra muestra de los pintorescos personajes encartados. Con su clientela de actores y deportistas, recibidos por Pi y Suñer.

Las salpicaduras del estraperlo fueron nefastas. Incluso aquellos que, tras el proceso, quedaron libres de acusación y culpa, resultaron dañados gravemente en su prestigio político. Salazar Alonso, uno de ellos, decidió dimitir de su cargo de alcalde de Madrid.

12 octubre 1935

Entierro de la mujer de Largo Caballero, fallecida en un sanatorio a consecuencia de una enfermedad crónica.
Juan de Borbón y Battenberg contrae matrimonio con María de las Mercedes de Borbón y Orleans, en la basílica romana de Santa María de los Ángeles.

13 octubre 1935

Cambó defiende al Gobierno en un mitin celebrado en Barcelona.
Concentración socialista en Madrid.

15 octubre 1935

El ministro de Hacienda presenta en las Cortes el proyecto de Presupuesto para el año 1936.

19 octubre 1935

Dimite el Alcalde de Madrid, Salazar Alonso, implicado en el asunto del «Straperlo».

20 octubre 1935

En el Campo de Comillas de Madrid se celebra un grandioso mitin izquierdista en el que Azaña pronuncia un discurso.

22 octubre 1935

Goicoechea y Pérez Madrigal plantean en el Parlamento el asunto del «Straperlo». Se nombra una Comisión encargada de investigar lo relativo a los permisos para el juego.

23 octubre 1935

Regresa clandestinamente a España Indalecio Prieto.

25 octubre 1935

Se presenta en la Mesa de la Cámara el dictamen de la Comisión sobre el «Straperlo».

26 octubre 1935

La Comisión investigadora emitió dictamen tras estudiar la documentación, compuesta de una carta de Daniel Strauss y hasta 26 pruebas de haber estado en tratos y relación con ciertos gobernadores para establecer en España el juego de azar, y que llegó a establecerse en Formentor y San Sebastián.

28 octubre 1935

Es destituido, por estar afectado en el escándalo del «Straperlo», el alcalde de Barcelona y Gobernador General de Cataluña, Pich y Pon, quedando al frente de dichos puestos, interinamente, el presidente de la Audiencia, Eduardo Alonso y Alonso. Se demuestra la inocencia de Alejandro Lerroux.

29 octubre 1935

CRISIS

El escandaloso asunto del «Straperlo» vino a empeorar la difícil situación política del país. Fue una habilísima maniobra de las izquierdas, sobre la base de un suceso real y sobre el giro particular que le dio el Presidente de la República, que acabó con la descalificación de los radicales y en última instancia cercenó la posibilidad de que llegase por fin a cuajar una República derechista.
Strauss denuncia el asunto al propio Presidente de la República. Llevado a las Cortes, se nombra al punto una Comisión parlamentaria para su investigación. La maniobra de las izquierdas para dinamitar al bloque gubernamental seguía su marcha.
La Comisión emitió dictamen a favor de la veracidad de la denuncia, encartando como cómplices a una serie de personalidades radicales, aunque no al mismo Lerroux.
Durante todo el día 28 fue grande la expectación por saber cuál sería el resultado de la votación del dictamen de la Comisión, en el Parlamento, después que el Consejo había ya acordado hacerlo suyo.
Lerroux por gran mayoría y Salazar Alonso por tres votos fueron exculpados. Al día siguiente, 29, se produce la crisis, que fue total, sin limitarse a la sustitución de los ministros radicales.

Gran concentración izquierdista en el madrileño campo de Comillas. Con estos actos se iba enardeciendo a las masas de ambos bandos, camino del extremismo que en su día desembocaría en graves enfrentamientos. Varios cientos de miles de personas oyeron consignas de violencia y de guerra, que pronto tendrían ocasión de practicar. Azaña se dirige a las masas. Un expresivo gesto de su oratoria que se desbordó apasionada por más de dos horas.

El problema político fue llevado el mismo día al Jefe del Estado, según acuerdo del Consejo. La tramitación resultó bien rápida. Chapaprieta, jefe del Gabinete caído, visitó al Presidente de la República para tratar de la cuestión de confianza, y como sin ningún problema le fuese ratificada, de inmediato se puso a la obra de componer un nuevo equipo gubernamental, en la esperanza de presentarlo aquel mismo día a las Cortes.

Su principal cuidado fue mantener en vigor el bloque gubernamental que venía dando vida a los gobiernos anteriores. Lo consiguió con el apoyo de Lerroux, Gil Robles y Martínez de Velasco. Se decidió por sustituir a los ministros radicales, Rocha y Lerroux, por otras figuras de segunda fila del mismo partido, tales Usabiaga y Bardají, que pasaron a ocupar la cartera de Agricultura y Comercio y la de Instrucción Pública y Bellas Artes respectivamente.

Los radicales se consideraron satisfechos con esta solución y contaron además con un tercer miembro radical en el Gobierno, De Pablo-Blanco en el Ministerio de la Gobernación. Martínez de Velasco pasaba a Estado.

El día 30 de octubre el nuevo gabinete se presentaba ante las Cortes. Definitivamente quedaba así:

Crisis y consultas al canto. Desfilan por Palacio las personalidades políticas más destacadas o los intelectuales o los amigos personales del Presidente de la República como lo era Cirilo del Río, a quien vemos en la fotografía a la salida de Palacio.

PRESIDENCIA y Hacienda	Joaquín Chapaprieta Torregrosa (Independiente)
Estado	José Martínez de Velasco (Agrario)
Trabajo, Justicia, Sanidad	Federico Salmón Amorín (C.E.D.A.)
Gobernación	Joaquín de Pablo-Blanco y Torres (Radical)
Guerra	José María Gil Robles Quiñones (C.E.D.A.)
Marina	Pablo Rahola Molinas (Lliga)
Inst. Pública y Bellas Art.	Luis Bardají López (Radical)
Obras Públicas-Comunicaciones	Luis Lucia Lucia (C.E.D.A.)
Agricul., Indust., Comercio	Juan Usabiaga Lasquivar (Radical)

Varela llega al generalato. En su nueva categoría iba a participar decisivamente en el grupo de los sublevados contra el Gobierno de la República y después en la marcha de la contienda civil.

Pich y Pon quedó implicado en el turbio asunto de Strauss, por lo que fue destituido del cargo de Gobernador General de Cataluña.

La República nombra a Ignacio Villalonga Gobernador General de Cataluña. A su derecha, en los actos de toma de posesión, el general Sánchez Ocaña, jefe de la Cuarta División.

La propuesta de acusación calificando de anticonstitucional la suspensión de las Cortes presentada por las derechas fue aprobada por unanimidad. Calvo Sotelo comenta el asunto con otros diputados. A la izquierda, Lamamié de Clairac; detrás, Serrano Suñer.

El asunto Nombela fue otro de los escándalos administrativos que tuvieron graves repercusiones para el prestigio del Partido Radical. En torno al Inspector General de Colonias, Antonio Nombela, y a la sociedad África Occidental surgió un delicado asunto en el que se barajaban tres millones de pesetas. Ello dio lugar a la intervención del Parlamento en demanda de aclaraciones y exigencia de responsabilidades.

Moreno Calvo, Subsecretario de la Presidencia, fue declarado culpable en el asunto Nombela después de laboriosas investigaciones llevadas a cabo por una comisión nombrada al efecto.

J. Pérez Madrigal (sentado) ocupó un escaño en las Constituyentes como diputado radicalsocialista y volvió a figurar en la segunda y tercera legislaturas, aunque en ambas como miembro de la minoría radical. Se distinguió entre los "jabalíes" por su especial fogosidad y vehemencia en las intervenciones parlamentarias. Al estallar la guerra civil se pasó inmediatamente a los nacionales.

Los procesos consecuentes a la revolución de octubre dieron lugar a largos debates y tensiones definitivas en el Gobierno. Un momento del proceso contra Largo Caballero. El Fiscal de la República, Valencia Gamazo, durante su intervención.

31 octubre 1935

Chapaprieta presenta a las Cortes su segundo Gobierno, consiguiendo la confianza de la Cámara por 163 votos contra 17.

2 noviembre 1935

Asciende al Generalato el bilaureado coronel Varela.

3 noviembre 1935

Concentración tradicionalista en el Monasterio de Montserrat presidida por Fal Conde.

6 noviembre 1935

Asesinato de dos falangistas en Sevilla.

9 noviembre 1935

Rumores de una coalición progresista-cedista.

10 noviembre 1935

En un acto celebrado en el «Frontón Urumea» de San Sebastián, Calvo Sotelo ataca al Presidente de la República.

12 noviembre 1935

Pérez Madrigal acusa al Jefe del Gobierno de estar en connivencia con ciertas empresas financieras, criticándole su actitud con respecto al «asunto Strauss».

16 noviembre 1935

Los radicales intentan solventar las dificultades que la descomposición de su partido podría originar al Gobierno.
En el Ministerio de la Guerra tiene lugar una reunión entre el Presidente de la República y los jefes del grupo gubernamental.
Se clausura el II Consejo Nacional de F.E. y de las J.O.N.S. Discurso de José Antonio.

19 noviembre 1935

El cedista Ignacio Villalonga es nombrado Gobernador General de Cataluña.

21 noviembre 1935

El Gobierno obtiene el quórum en varias votaciones, proporcionándole cierta tregua que aprovecha para avanzar en la tarea legislativa.

25 noviembre 1935

Se ve la causa contra el socialista Largo Caballero.

28 noviembre 1935

Anuncia el capitán Nombela ciertas irregularidades que afectan a varios ministros del Gabinete y a ciertas personalidades del Partido Radical. Lo de mayor importancia de la denuncia de Nombela se refería a una petición de indemnización, suscrita por «África Occidental, S. A.», que él como inspector General de Colonias se negó a pagar. Nombela fue destituido de su cargo, anomalía que denunció a Gil-Robles. Se nombra una Comisión parlamentaria compuesta por veintiún diputados.
Calvo Sotelo manifiesta en el Congreso que prefiere una «España antes roja que rota».

30 noviembre 1935

Largo Caballero es absuelto por el Tribunal Supremo.

1 diciembre 1935

La «Comisión de los Veintiuno» demuestra que el asunto Nombela tendría serias derivaciones para el Gobierno.

4 diciembre 1935

Divergencias de pareceres entre Chapaprieta y Gil Robles sobre la obra económica del primero.
Calvo Sotelo interpela al Gobierno acerca del separatismo vasco.

6 diciembre 1935

Se conoce el dictamen sobre la denuncia Nombela, el cual no contentó a nadie por su imprecisión, señalando vagamente la responsabilidad política de Moreno Calvo, subsecretario de la Presidencia. Se prueba la inocencia de Lerroux.

7 diciembre 1935

Se da por terminado, después de acalorado debate, el asunto Nombela.

CRISIS

Los planes de Chapaprieta desde el Ministerio de Hacienda, tendentes a la nivelación del presupuesto, encontraron diversa oposición a derecha e izquierda. En el mitin del 20 de octubre en Comillas, Azaña hizo una demoledora crítica; en el parlamento, la C.E.D.A. iba a darle el golpe definitivo y a promover la dimisión del Gabinete. En las Cortes, Chapaprieta hizo una defensa a ultranza de sus planes. Subrayó que habían sido aprobados unánimemente por el Consejo de Ministros y que ahora no contaba con la asistencia de la mayoría para realizar su obra económica. Aunque veía inminente la dimisión, solicitó que, al menos, lo esencial de sus planes fuese respetado y que fuesen las Cortes las que se pronunciasen por votación sobre los proyectos del timbre y utilidades y sobre los artículos, ya aprobados, del proyecto de derechos reales.

Martínez de Velasco y De Pablo-Blanco elogiaron la labor de Chapaprieta y pidieron apoyo para él. De Pablo increpó directamente a Gil Robles por su postura al respecto, que era la definitiva para la resolución del asunto. Gil Robles expuso su deseo de apoyar a Chapaprieta y su obra, pero siempre que éste accediera a algunas modificaciones en el proyecto de derechos reales, que Acción Popular consideraba iban en contra de su doctrina. El Jefe del Consejo aclaró que ya había hecho concesiones hasta el límite que consideraba infranqueable y que de ningún modo podía aceptar las exigencias formuladas por Gil Robles, antes de lo cual estaba dispuesto a plantear la crisis total. En efecto, así fue. Chapaprieta se entrevistó con Alcalá-Zamora. Le informó de la situación y en el acto notificó la dimisión en pleno del Gobierno. Se llegaba a una nueva disolución gubernamental y no había sido ajeno a ella el triste «asunto Nombela», nuevo escándalo que volvió a salpicar a las derechas en el Gobierno y que iba a abrir un nuevo resquicio a la irrupción próxima del izquierdismo del Frente Popular

El curso de los acontecimientos tomaba síntomas muy alarmantes a finales de 1935. El desgobierno general que sufría el país se hacía evidente en todos los campos. A su aire medraban las corrientes separatistas, cuando Calvo Sotelo interpeló al Gobierno y se manifestó antes partidario de "una España roja que rota".

De inmediato se iniciaron las consultas. La mayoría de los consultados estuvo contra la disolución de las Cortes; en concreto, los componentes del bloque gubernamental se pronunciaron por buscar una solución a base de mantener el mismo Parlamento.

A las cuatro de la tarde del día 9 empezaron las consultas. Chapaprieta aconsejó un Gobierno con la mayor amplitud posible para que pudiese seguir trabajando con la misma Cámara parlamentaria. Gil Robles, Alba, Melquiades Álvarez y Cambó opinaron a favor de no disolver las Cortes, al igual que Lerroux, que ofreció la colaboración radical a cualquier persona del bloque. Besteiro y Martínez Barrio, en cambio, abogaron por la disolución de la Cámara y un Gobierno imparcial para hacer las elecciones.

El día 10 continuaron las consultas. Samper apoyó la continuación del Gobierno mientras que Santaló aconseja variar la orientación política. Chapaprieta, en sus declaraciones, expuso cómo el Presidente de la República había tenido gran interés en hacer constar que la crisis no tenía estado parlamentario, sino que había surgido por discrepancias en el seno del Gobierno y de ninguna manera porque se le hubiese acabado la confianza presidencial. Por su parte se manifestó partidario que se formase un amplio gobierno que pudiera continuar la obra legislativa que quedaba cortada.

Abilio Calderón manifestó que debían seguir las Cortes; Cirilo del Río, Iranzo, Unamuno y Portela, por su parte,

A finales de 1935 la situación llegaba a un punto álgido. Caía Chapaprieta y Alcalá Zamora no encontraba sustituto porque Gil Robles se había decidido a acabar con las componendas. El Presidente de la República propone a Martínez de Velasco que forme Gobierno, lo que no consigue. Consultando con Gil Robles.

aconsejaron disolverlas, por considerarlas agotadas. Azaña evacuó por carta su consulta, al igual que Barcia. Como resultado de las consultas es encargado de formar Gobierno Martínez de Velasco, cosa que no se presentaba fácil. En seguida se planteó el dilema de intentar ampliar la base o de ceñirse al bloque centroderechista. Se presentaba problemática la colaboración de la Lliga, los radicales seguían defendiendo la idea de que el encargado debía pertenecer a un partido de largo abolengo republicano o si no que tuviese el mayor número en la Cámara; Abilio Calderón y la minoría independiente condicionaban su colaboración a la entrada personal de Gil Robles.

Con este panorama, Martínez de Velasco empieza sus gestiones. Primero visita al Congreso; luego se entrevista con Chapaprieta y después con Gil Robles; Melquiades Álvarez se le ofreció incondicionalmente. A medianoche Martínez de Velasco, al salir del Palacio Nacional, anunció que había fracasado en sus intentos y que declinaba el encargo. Argumentó que habían contribuido a su determinación las declaraciones atribuidas a Santiago Alba de que, conforme a un dictamen de la Secretaría Técnica de la Cámara, en interpretación del artículo 58 de la Constitución, las Cortes no podían permanecer cerradas más de quince días. Aunque Alba desmintió tales rumores la declinación ya era un hecho inevitable.

Otra vez volvieron las consultas. Desfilan de nuevo Chapaprieta, Melquiades Álvarez, Samper, De Pablo, Maura, Portela, Martínez Barrio, Cambó, Del Río y Ossorio. Los encargos se van anulando voluntariamente a las pocas horas, en vista de la imposibilidad de hallar solución. El día 12 lo intentó Maura, pero con idéntico resultado; tampoco Chapaprieta tuvo éxito. Por fin se le ofrece el encargo a Portela. Visita a Chapaprieta y también a Cambó, que con algunas condiciones le entregó su apoyo con lo que contribuyó a la solución final. Desde el mismo Palacio, hizo varias gestiones por teléfono. Contó con la colaboración de De Pablo, pero quedaba por aclarar la del Partido Radical, del que aquél se encontraba desligado desde hacía bastante tiempo. Se contó con Becerra, como técnico, con lo que ya había un radical aunque sólo fuese a título personal su colaboración, por cuanto Lerroux le había desautorizado a hacerlo en nombre del Partido.

La solución Portela llevaba aparejada la entrega del decreto de disolución de las Cortes. Otra salida hubiera sido un Gobierno cedista, en cuanto que era este partido el más numeroso en la Cámara. Pero ello levantaba el más firme recelo de los socialistas y de muchos republicanos, por el temor a que pudiese llevar a cabo una reforma constitucional mediante un simple voto de la mayoría en el Parlamento. Con la decisión adoptada quedaba deshecho el bloque de centro derecha.

La solución suponía el postergar de modo escandaloso a la C.E.D.A.; se calificó de auténtico golpe de Estado. Por ello, con su fortaleza, la C.E.D.A. se decidió a presentar la más cerrada oposición al nuevo Gobierno y a las maniobras del Presidente de la República. Al mismo tiempo empezaba a prepararse para las próximas elecciones, desligándose de los centristas que habían preferido colaborar con Portela.

El nuevo Gobierno, al que se le presentaban difíciles problemas, quedó así:

Portela Valladares fue la última carta de Alcalá Zamora en la crisis de diciembre de 1935, y aún así carta muy decisiva. Con la presidencia, Portela recibió el decreto de disolución de las Cortes. En la fotografía le vemos con Miguel Maura, que no aceptó una gestión conjunta.

Presidencia y Gobernación	Manuel Portela Valladares (Independiente)
Estado	José Martínez de Velasco (Agrario)
Trabajo, Justicia y Sanidad	Alfredo Martínez García-Argüelles (Libe. dem.)
Guerra	General Nicolás Molero Lobo
Marina	Vicealmirante Francisco Javier de Salas y González
Hacienda	Joaquín Chapaprieta Torregrosa (Independiente)
Inst. Públ. y Bellas Artes	Manuel Becerra Fernández (Radical disidente)
Obras Púb. y Comunicaciones	Cirilo del Río Rodríguez (Progresista)
Agricul., Industria y Comercio	Joaquín de Pablo-Blanco y Torres (Radical disidente)
Sin Cartera	Pedro Rahola Molinas (Lliga Regionalista)

15 diciembre 1935

Reaparece el periódico «El Socialista», que había sido suspendido por los sucesos de octubre de 1934.

En la serie de violencias y asesinatos que cundían en el país fue uno más el muy sonado del falangista Corpa por el comunista Jerónimo Mesa. Sin embargo, en el Frontón Betis, José Antonio habló en favor del acusado para solicitar su indulto.

La CEDA veía anulada la vía de actuación legal cuando salió del Gobierno sin haber conseguido la reforma de la Constitución. Gil Robles trata de la situación con su minoría.

16 diciembre 1935

El Presidente de la República propone al nuevo Gobierno el decreto de disolución del Parlamento.
Largo Caballero dimite de la presidencia del Partido Socialista, por discrepancias con el Comité Nacional sobre las elecciones.
Gil Robles critica la formación del Gobierno.

17 diciembre 1935

Se suspenden las sesiones de Cortes hasta el día 28.

18 diciembre 1935

Es nombrado Gobernador General de Cataluña Félix Escalas.

20 diciembre 1935

El Pretendiente Tradicionalista Alfonso Carlos establece el Consejo de la Comunión bajo la presidencia de Fal Conde. Lo componen Esteban Bilbao, Manuel Senante, Luis Hernando, Lorenzo María Oller y Lamamié de Clairac.

22 diciembre 1935

Royo Villanova se separa del Partido Agrario.

23 diciembre 1935

En el «Frontón Betis» de Sevilla, José Antonio pide el indulto de Jerónimo Mesa, asesino del falangista Corpas.

27 diciembre 1935

Gil Robles expone la formación de un frente contrarrevolucionario.

30 diciembre 1935

CRISIS

El Gobierno Portela empezó a naufragar en su enfrentamiento con el cerrado ataque que presentaba la C.E.D.A. Algunos de sus miembros, temiendo el desamparo cedista en la futura consulta electoral, contribuyeron a desunir al Gabinete y a provocar la ruptura.
El día 30, se reúnen los ministros en Palacio. Al ser leído por el Jefe del Gobierno el decreto de disolución de las Cortes, se planteó una tirante disensión que caldeó los ánimos hasta llegar al insulto personal. Los miembros del Gobierno se enfrentaban entre sí. Era la crisis.
Alcalá-Zamora, sin tardar, ratifica a Portela Valladares su confianza y le invita a formar nuevo Gobierno. En una nota, el Presidente de la República aclaró que había prescindido de las acostumbradas consultas dada la proximidad de las anteriores y sus nulos resultados.
Portela acepta el encargo y apenas si hace gestiones para ganarse a Miguel Maura, lo que no consigue.
Elabora un Gobierno de centro, visto con benevolencia por las izquierdas y con hostilidad por las derechas.
Quedó formado de este modo:

Presidencia y Gobernación	Manuel Portela Valladares (Centro)
Estado	Joaquín Urzaiz Cadaval (Progresista)
Trabajo, Justic., Sanidad	Manuel Becerra Fernández (Centro)
Guerra	General Nicolás Molero Lobo
Marina	Contralm. Antonio Azarola Gresillón
Hacienda	Manuel Rico Avello (Independiente)
Instrucción Pública y B. A.	Filiberto Villalobos González (Centro)
Obras Públicas y Comunic.	Cirilo del Río Rodríguez (Progresista)
Agri., Indust. y Comercio	José María Álvarez Mendizábal y Bonilla (Independiente)

1936. EL ESTALLIDO

Portela Valladares sale de entrevistarse con el Presidente de la República. Es portador del decreto de disolución de las Cortes, medida excepcional a la que se creyó oportuno recurrir dada la situación política del país. Tal medida contribuiría a quemar etapas hacia el enfrentamiento.

Calvo Sotelo conversando sobre la marcha de los acontecimientos políticos, que tomaba graves caracteres con motivo del decreto que suspendía las sesiones de Cortes por treinta días.

1 enero 1936

Decreto por el que se prorrogan por un trimestre los presupuestos de 1935.
Se suspenden, por treinta días, las sesiones de las Cortes.

4 enero 1936

Gil-Robles califica de inconstitucional la suspensión de las Cortes.

6 enero 1936

Ante los rumores de un complot militar, el ministro de Agricultura pronuncia frases despectivas para el Ejército.

7 enero 1936

Se firma el decreto de disolución de las Cortes y el de convocatoria de las nuevas.
Se decreta igualmente el restablecimiento de la normalidad constitucional en toda España.

Violento discurso de Maura en la Comisión Permanente por la otorgación del decreto de disolución a Portela Valladares. Se retiran del local Martínez Barrio, Sánchez Albornoz, Santaló y Rodríguez Pérez, por no estar de acuerdo con las palabras que Maura dirige al Presidente de la República.

10 enero 1936

Choque violento entre falangistas y socialistas: un muerto y varios heridos.
Nombramiento del teniente coronel Alejandro Utrilla como Inspector Jefe Militar de los Requetés navarros.

11 enero 1936

Pacto entre socialistas y comunistas.

12 enero 1936

Mitin socialista en el Cine Europa de Madrid. Largo Caballero apunta las finalidades de su partido en las próximas elecciones.
Las minorías tradicionalistas y de Renovación Española tributan un homenaje a Calvo Sotelo.

La disolución de las Cortes abría, de inmediato, paso a las izquierdas coaligadas en un frente popular para el asalto definitivo al poder. Abría un nuevo turno al extremismo, ahora de signo contrario; abría, en definitiva, paso a la guerra. Azaña, con la periodista Singerman, comentando la actualidad política.

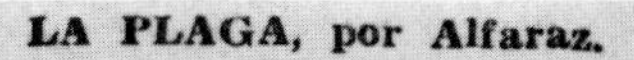

LA PLAGA, por Alfaraz.

¿Hacia dónde irá ahora la plaga de la langosta?

Mucha ironía y poco respeto como tónica de las relaciones públicas. Cada día la prensa hacía gala de una crítica despiadada para el contrario. En este caso Alfaraz, desde "Mundo Obrero", contra las derechas a raíz del establecimiento del Frente Popular.

José Antonio en un mitin en Santander. Le vemos en compañía de Rosario Pereda.

Hasta la vuelta de Companys, amnistiado por el Frente Popular, los gobiernos de la Generalidad se limitan a puras gestiones sin mayor transcendencia. El Consejo reunido con un nuevo Presidente, Félix Escalas. De izq. a dcha: Alejandro Gallard, Sabatés, Félix Escalas, Durán y Ventosa, Vallés y Pujals y Felipe Beltrán y Güell.

EL FASCISMO POR DENTRO.-F. E. DE LAS JONS: ORGANIZACION DEL CRIMEN AL SERVICIO DEL CAPITALISMO

Los fascistas dirigen una banda de atracadores.

La Patronal actúa en la sombra.-Descubrimos sus manejos.-Alvargonzález lanza la consigna «Atracad a todo bicho viviente para que culpen a los obreros».-Jhonny, protegido por el marqués de Villamagna, vuelve al mando; se compromete a liquidar a los revolucionarios.-Un extranjero, detenido por reunión clandestina, no es expulsado, ¿quién protege?-Vitórica, señalado para ser atracado.-Mateo, atracador habitual.

La Prensa es uno de los fenómenos más significativos de nuestro siglo. Cuando llega a ser como esta cabecera de «Mundo Obrero», que presentamos, no se necesitan comentarios para hacerse cargo de la situación que se vive.

La oposición del carlismo seguía vigente; sus aspiraciones y la suprema representación quedaban ahora personificadas en Alfonso Carlos. En enero de 1936 designó regente a su sobrino Javier de Borbón y Parma, que ni siquiera era español, lo que vino a crear tensiones internas en el carlismo.

15 enero 1936

Se publica el manifiesto del Frente Popular. Sánchez Román se retira del Bloque.
Colisiones en Madrid entre falangistas y socialistas.

23 enero 1936

El infante Alfonso Carlos declara en un documento que sigue latente y sin solución el pleito de la sucesión dinástica, y nombra Regente a su sobrino Javier de Borbón Parma.

25 enero 1936

El Gobierno designa al general Franco para representarle en los funerales de Jorge V de Inglaterra.

29 enero 1936

Portela Valladares define la actuación de los centristas.

31 enero 1936

Largo Caballero es designado candidato socialista en la antevotación celebrada en la Casa del Pueblo.

A las derechas se les viene encima la revolución y aun así hay quienes no lo ven o no lo valoran. La realidad de un frente popular aglutinado en la tarea común de destruirlos estaba más que claro; sin embargo, la constitución de otro frente antirrevolucionario no llegó a verificarse. Hubo campañas electorales, pero no hubo campaña unida. La CEDA batalló lo indecible, pero "los trescientos" no los consiguieron y las izquierdas llegaron al poder.

CANDIDATURA del
FRENTE NACIONAL CONTRARREVOLUCIONAR
POR MADRID (CAPITAL

José María Gil Robles Quiñones
José Calvo Sotelo
Antonio Royo Villanova
Angel Velarde García
Román Oyarzun Oyarzun
Rafael Marín Lázaro
Luis María de Zunzunegui Moreno
Honorio Riesgo García
Mariano Serrano Mendicute
Gabriel Montero Labrandero
Antonio Bermúdez Cañete
Luis Martínez de Galinsoga y de Laserna
Ernesto Giménez Caballero

Estaba bien claro que en las elecciones de febrero se iba a decidir el destino de España. Nadie se recataba en airearlo en sus discursos. He aquí una candidatura derechista.

En febrero de 1936 la propaganda electoral jugó un importante papel. Derechas e izquierdas desplegaron costosas campañas por todo el país. La Ceda destacó por lo intenso y organizado de su acción propagandística. En la Puerta del Sol de Madrid, enorme cartelón de la coalición derechista.

2 febrero 1936

José Antonio pronuncia su último discurso electoral. Lo celebra en el Cine Europa. Declara que no acatará el resultado de las elecciones.

5 febrero 1936

El Frente Nacional Contrarrevolucionario hace pública la candidatura por Madrid. Falange Española no está incluida.

15 febrero 1936

La población penal en España se eleva a 20.446 reclusos.

16 febrero 1936

Se celebra el primer turno en las elecciones. El segundo se fija para el primer domingo de marzo.
Por la noche, se conoce el triunfo del Frente Popular en las cuatro circunscripciones catalanas y en Madrid.
El Gobernador General de Cataluña, Félix Escalas, pide ser relevado, ocupando el puesto Juan Moles.

17 febrero 1936

Ante el desbordamiento de las masas, se declara el estado de alarma en toda España. El general Franco se entrevista con el Jefe del Gobierno.
Amotinamientos en los penales de San Juan de los Reyes (Valencia) y el de Cartagena. En este último muere un vigilante.

Se clamaba por la victoria a cualquier precio al margen de las papeletas. Largo Caballero no se recató en declarar que no sería aceptado un resultado adverso; por su parte José Antonio, en su último discurso electoral en el Cine Europa de Madrid el 12 de febrero, manifestó que "...la Falange relegará con sus fuerzas las actas de escrutinio al último lugar del menosprecio". ¿Qué podía significar aquello sino la guerra abierta y acercándose a paso de gigante?

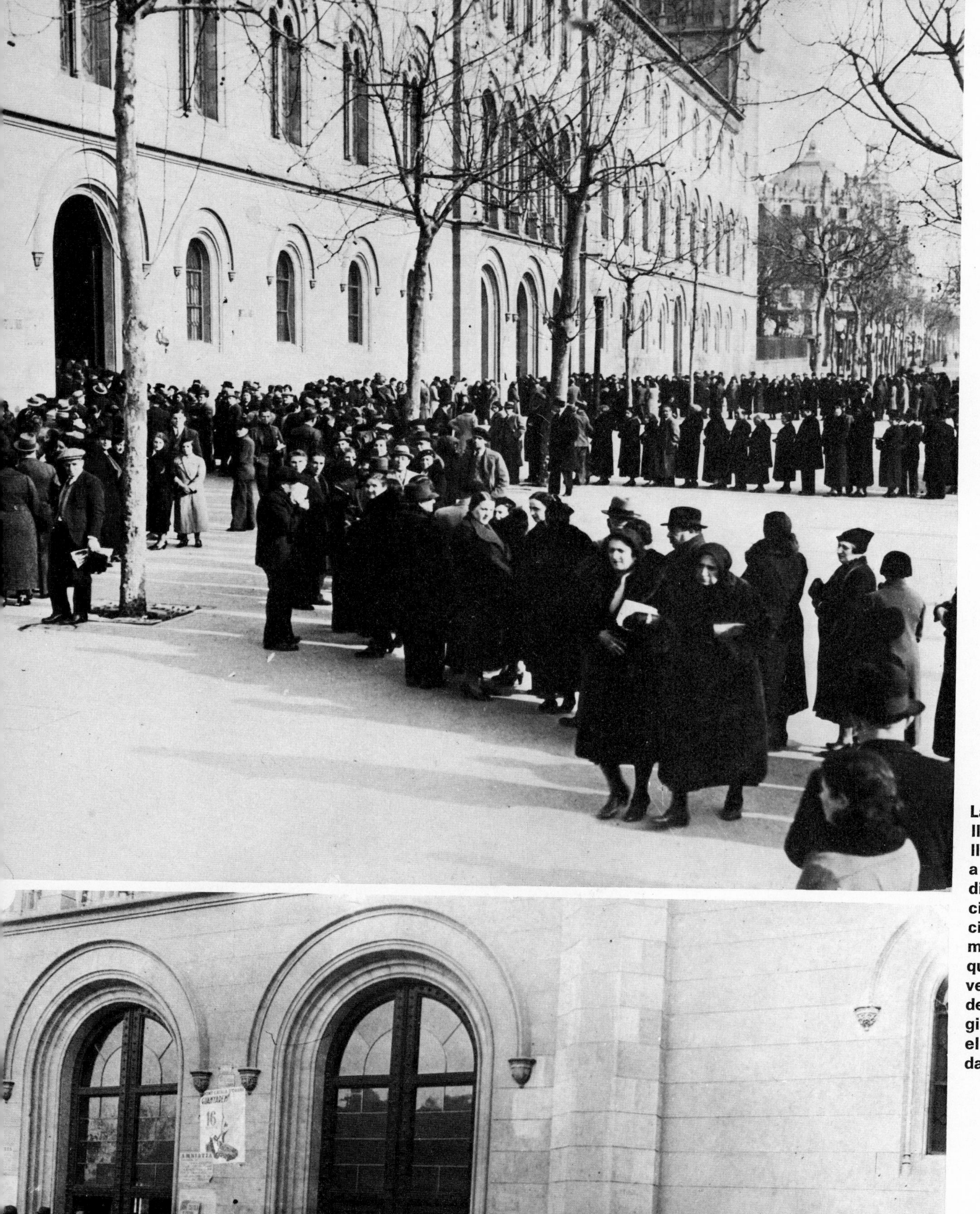

Las elecciones se desarrollaron en un clima hosco, lleno de tensiones, presto a estallar. Las gentes acudieron a dar su voto conscientes de la trascendencia del momento, aunque muchos quizá dudasen de que algo se pudiera resolver ya en las urnas. Filas de votantes ante el colegio electoral instalado en el edificio de la Universidad de Barcelona.

La unión de las izquierdas dio vida al Frente Popular, que triunfó en las elecciones del 36. Se inauguraba una nueva etapa política; la República daba un nuevo bandazo. Una manifestación por el triunfo del Frente Popular. La encabeza Largo Caballero con Martínez Barrio, Álvaro de Albornoz y Pedro Rico. A la derecha de Largo, De Francisco.

En Madrid se reúne un inmenso gentío, en la plaza de la Cibeles, para celebrar la victoria izquierdista.

Otra muestra de la alegría de las masas por las calles de Madrid. Un hermano de Fermín Galán dirige la palabra en la Puerta del Sol.

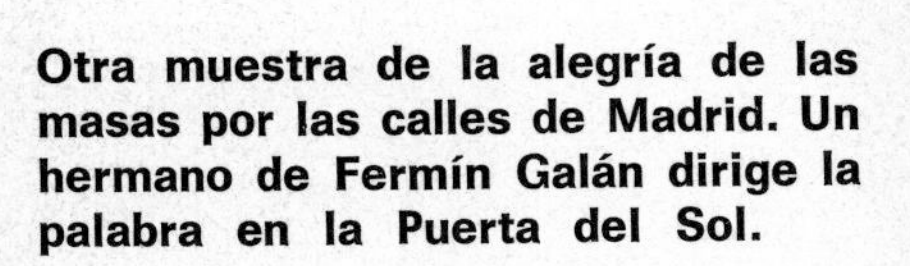

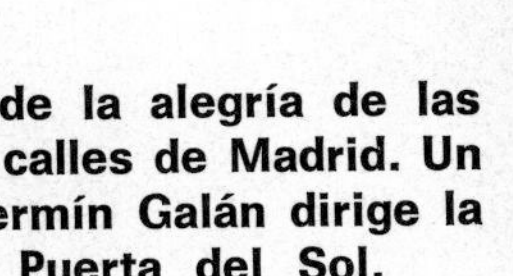

19 febrero 1936

CRISIS

En un clima tenso de auténtica guerra civil, después de la más desaforada e inusitada propaganda por parte de todos los partidos, vinieron a celebrarse las elecciones el domingo 16 de febrero. Con un inmenso despliegue de fuerzas de orden público fueron desarrollándose, ante una expectación general por conocer los resultados.

La victoria del Frente Popular suponía un nuevo y violento giro en la política del país. «El Debate» reconocía la eficacia de la coalición amplísima lograda por las izquierdas, que había sido la causa de su victoria, puesto que la C.E.D.A había ganado puestos, aunque en conjunto las derechas estuviesen más desunidas y en el número total en el parlamento hubiesen descendido. «El Sol» por su parte se mostraba optimista y veía en la violenta variación de la opinión pública la oscilación pendular normal en una democracia, pero que al fin debía tender al equilibrio. «ABC» advertía del significado estrictamente revolucionario que tenía el triunfo del Frente Popular, donde el elemento republicano nada tendría que hacer. «Política» hablaba de triunfo espléndido y esperanzador, de reivindicación del 14 de abril, y en muy parecidos términos se expresaba «El Liberal».

La impaciencia del Frente Popular por tomar el gobierno era incontenible. Inmediatamente, el día 19, se reunió un consejo de ministros extraordinario para tratar de la situación. Portela recibió un voto de confianza para que actuara según su criterio en lo relativo a la dimisión y a la transmisión de poderes.

Aquella misma mañana volvió a reunirse el consejo en Palacio bajo la presidencia del Presidente de la República. De él salió la crisis total, y la decisión de formar un nuevo gabinete, reduciendo al máximo las consultas, que fuese reflejo del nuevo parlamento.

Junto a la decisión oficial estaba la impaciencia del ambiente que, en general, pedía la rápida entrega del Gobierno al Frente Popular para «cumplir la voluntad nacional», al decir de muchos diarios. La opinión más generalizada era la de que sería encargado Azaña de formar Gobierno. El mismo Martínez Barrio se manifestó en este sentido por considerarle el político más prestigioso de la República y el jefe republicano que había logrado el mayor número de diputados en las elecciones. Con ello cortaba los rumores de que sería él mismo el encargado porque parecía ser que Azaña se resistía a aceptar.

Pronto se saldría de dudas, pues las gestiones para montar el nuevo Gobierno empezaron en seguida. El Gabinete de Prensa de la Presidencia de la República anunció que habían empezado con las consultas a Portela y a Cirilo del Río quienes se habían manifestado por un «gabinete de izquierda». Posteriormente opinaron el ex presidente de la Cámara y destacados jefes de minorías y políticos como Lerroux, Chapaprieta, Besteiro, Martínez Barrio, Cambó y Azaña. Aquella misma noche el Presidente de la República encargaba a Azaña la formación del nuevo Gabinete. En su consulta el líder republicano se había manifestado por un gobierno que pudiera tener mayoría en el nuevo parlamento y que pudiera realizar el programa que había hecho posible la formación y el triunfo del Frente Popular.

El gobierno que reunió Azaña era todo él de republicanos, nueve de ellos de su propio partido. Los socialistas permanecieron fuera según táctica convenida, apoyándose para el relevo cuando juzgaran acabada la labor republicana y oportuno el momento para seguir adelante en la revolución socialista.

Pudo ser el último entre dos grandes líderes de la revolución de octubre. Sendas penas de muerte les sentenciaron. Pero no se cumplieron en ninguno de los dos casos, ni en el de González Peña, ni en el de Pérez Farrás. He aquí a los dos dirigentes perdonados, que volvieron a significarse por su combatividad al llegar la guerra.

Sin terminar aún el mes de febrero el Frente Popular determinó destinar lejos de Madrid los generales Franco y Goded. Sus nuevos puestos fueron, respectivamente, las comandancias Militares de Canarias y Baleares. Llegada del general Franco a su nuevo destino.

PRESIDENCIA	Manuel Azaña Díaz (Izquierda Republicana)
Estado	Augusto Barcia Trelles (Izq. Republicana)
Justicia	Antonio de Lara y Zárate (Unión Republicana)
Gobernación	Amós Salvador Carrera (Izquierda Republicana)
Guerra	General Carlos Masquelet Lacaci
Marina	José Giral Pereira (Izquierda Republicana)
Hacienda	Gabriel Franco López (Izquierda Republicana)
Inst. Púb. y Bellas Artes	Marcelino Domingo Sanjuán (Izquierda Republicana)
Obras Públicas	Santiago Casares Quiroga (Izquierda Republicana)
Agricultura	Mariano Ruiz-Funes García (Izquierda Republicana)
Trabajo-Sanidad-Prev. Social	Enrique Ramos Ramos (Izquierda Republicana)
Comunicaciones-Marina Merc.	Manuel Blasco Garzón (Unión Republicana)
Industria y Comercio	Plácido Álvarez Buylla y Lozana (Independiente)

Con el triunfo en las urnas del bloque izquierdista se suceden las destituciones de los seguidores del bienio derrotado. Pedro Rico, nombrado de nuevo para la alcaldía madrileña es ovacionado al descender del coche, momentos antes de tomar posesión del Ayuntamiento.

Para las once de la mañana del día 20 se convocó el primer consejo de ministros que acabó pasado el mediodía. Se despacharon asuntos de carácter administrativo y se examinó la situación poltica del momento. Ruiz Funes, ministro de Agricultura, quedó encargado de la cartera de Industria y Comercio hasta la llegada a Madrid de Álvarez Buylla.

20 febrero 1936

En una manifestación separatista ocurrida en Barcelona, se produce un muerto y varios heridos.

21 febrero 1936

En varios puntos de España se intentan incendiar iglesias.
En Asturias se persigue a personas de significación derechista que durante la revolución de octubre estuvieron al lado de la fuerza pública.

22 febrero 1936

El Diario Oficial del Ministerio de la Guerra publica el cese del general Franco como Jefe del Estado Mayor Central del Ejército. Se le nombra comandante militar de las islas Canarias. El general Goded es destinado a las Baleares, y el mando de la División de Valladolid se le da al general Molero.
Amnistía general a los presos políticos.

23 febrero 1936

Los ex consejeros de la Generalidad son puestos en libertad, así como Pérez Farrás, Escofet, Salas, González Peña y Bosch Gimpera.
José Antonio Primo de Rivera transmite instrucciones a las Jefaturas territoriales y ordena que se mantengan sus afiliados al margen de toda acción.

24 febrero 1936

Se reúne la Comisión Permanente del Parlamento catalán, presidida por Casanova, que regresó de Francia cuando se decretó la amnistía.

26 febrero 1936

Sale la lista oficial de las elecciones. La Cámara queda constituida de la siguiente forma:

Socialistas	99
Ceda	88
Izquierda Republicana	87
Unión Republicana	39
Esquerra	36
Comunistas	17
Centro	16
Bloque Nacional	13
Lliga	12
Agrarios	11
Nacionalistas Vascos	10
Tradicionalistas	9
Progresistas	6
Radicales	4
Republicanos Conservadores	3
Independientes de Derecha	3
Mesócrata	1
Varios	6
	470
Vacantes	3
Total	473

27 febrero 1936

La Diputación Permanente de las Cortes aprueba un decreto de apertura del Parlamento Catalán.

28 febrero 1936

El general Mola cesa en el mando de la Jefatura Superior del Ejército de Marruecos, que se otorga a Gómez Morato.

29 febrero 1936

El Socorro Rojo Internacional celebra un mitin en la Plaza de Toros de Madrid.

El Presidente de la República firma un decreto de amnistía político social, obligando a las entidades patronales, tanto públicas como privadas, a readmitir a todos los obreros que hubiesen sido despedidos por sus ideas o por haber participado en huelgas políticas a partir de primero de enero de 1934.

En la sesión preparatoria de las Cortes ya quedó bien patente el tono de agresividad que las iba a caracterizar. Ramón de Carranza, que la presidió, se niega a vitorear a la República y provoca una apasionada reacción frentepopulista.

Con el Frente Popular vuelve de manera oficial al poder el republicanismo de izquierda, pura táctica de las fuerzas revolucionarias que sólo esperaban el momento preciso para desatarse. Sin embargo, las formas políticas fueron muy respetadas. Incluso se concedió la Presidencia de las Cortes a Martínez Barrio. En la foto, pronunciando el discurso de inauguración.

Las mutuas acusaciones de falseamiento de los votos se resolvieron, a la hora de la verdad, según el dictado de los que ya tenían los resortes del poder. Las izquierdas montaron una Comisión de Actas que se empeñó en algunos asuntos muy espinosos. Los de Granada desataron un terrible escándalo y su anulación supuso la retirada de la Comisión de los representantes de derechas. Ni el entendimiento ni la convicción parecían ya posibles. En la foto, Indalecio Prieto firma, en el bar del Congreso, la anulación de las actas granadinas.

Desde la Presidencia, Alcalá Zamora intervino activamente en la marcha política del país. Fue algo más que una mera cabeza visible y moderadora. En sus actuaciones pesó mucho su propia visión y luchó por hacerla sentir. Amigo de las crisis largas, de interminables consultas, Alcalá Zamora se iría perfilando tanto en su particular postura que, en cuanto hubo ocasión, se fue a por su anulación política.

1 marzo 1936

Se celebran en Vizcaya, Guipúzcoa, Álava, Soria y Castellón las elecciones de la segunda vuelta, por no haber alcanzado ninguna candidatura el número de votos que la ley prescribe.

2 marzo 1936

Barcelona dispensa a Companys un grandioso homenaje, con motivo de su salida de la cárcel.

4 marzo 1936

Entra en vigor el Estatuto Catalán.

6 marzo 1936

El general Mola sale de Ceuta con destino a Pamplona. Unos pistoleros asesinan a los falangistas Urra Goñi y Ramón Faisán. Unas horas más tarde, en represalia, varios comunistas caían acribillados a balazos.

10 marzo 1936

La Sala Sexta del Tribunal Supremo dicta auto de procesamiento y prisión contra el general López Ochoa por los sucesos de Asturias.
En Logroño tiene lugar un choque entre campesinos y militares del que resultaron cuatro muertos.
Huelga general en Granada, con quema de varias iglesias.

11 marzo 1936

Entrevista del general Franco con José Antonio Primo de Rivera, en casa de Serrano Suñer.
Incendio en el Convento de las Hermanas Pastoras en Vallecas.

12 marzo 1936

En Madrid, son asesinados dos estudiantes derechistas.

13 marzo 1936

Atentado contra el diputado socialista Jiménez de Asúa. Muere a balazos el policía Jesús Gisbert que le acompañaba.
«Mundo Obrero» exige la «completa eliminación» de Falange Española.
Arde la iglesia de San Luis, en Madrid.

14 marzo 1936

Falange Española y de las JONS es declarada fuera de la ley. En Madrid, es detenido José Antonio Primo de Rivera y conducido a la Dirección General de Seguridad; se le acusa de tenencia ilícita de armas.
El general Mola llega a Pamplona para hacerse cargo del Gobierno Militar y de la Jefatura de la 12 Brigada de Infantería.

15 marzo 1936

Sesión preparatoria de las nuevas Cortes. Es nombrado presidente interino Martínez Barrio.

17 marzo 1936

Se constituye la Comisión de Actas. Presidente: Indalecio Prieto. Vicepresidente: Baeza Medina. Secretario: Jerónimo Gomariz Latorre. Vicesecretario: Martínez Cartón. Como primera providencia se anularon treinta y dos actas.
José Antonio es trasladado a los calabozos de la Cárcel Modelo.

24 marzo 1936

Asesinato del ex ministro de Trabajo Alfredo Martínez García-Argüelles, afiliado al partido Liberal Demócrata.

31 marzo 1936

Son anuladas las actas de Granada. La Ceda, Renovación Española y Tradicionalistas anuncian su retirada del Parlamento.

3 abril 1936

Se constituyen las segundas Cortes ordinarias. Martínez Barrio es elegido Presidente por 287 votos y tres papeletas en blanco.
Se presenta en la Cámara una proposición firmada por socialistas, comunistas y Esquerra Catalana, encaminada a examinar la disolución de las anteriores Cortes. Indalecio Prieto, en nombre de la minoría socialista, declara que la disolución no había sido necesaria y por tanto considera agotado el mandato presidencial de Alcalá-Zamora, según el artículo 81 de la Constitución.
Se suspenden indefinidamente las elecciones municipales con el fin de que los grupos parlamentarios asistan a los debates sobre la prerrogativa del Presidente.

7 abril 1936

La Mesa del Congreso se traslada al Palacio Nacional para hacer entrega al Secretario General de la Presidencia, Sánchez Guerra, de la destitución de Alcalá Zamora, como Presidente de la República. Conforme el artículo 74 de la Constitución, promete el cargo de Presidente Provisional de la República Martínez Barrio, ocupando la Presidencia del Congreso Luiz Jiménez de Asúa. Se suspenden las Sesiones hasta el día 15.

12 abril 1936

Primera vuelta de las elecciones municipales. El día 26, la segunda.

13 abril 1936

Sale en viaje oficial, hacia Pamplona, el general Queipo de Llano. Mola le visita en la Comandancia de Carabineros.
Es asesinado el magistrado del Tribunal Supremo, Manuel Pedregal, que había sido ponente en la causa instruida por el atentado contra Jiménez de Asúa.

Reforma agraria, por ALFARAZ

ARTICULO
81

Alfaraz

—¡El último asentamiento!

El humor de Alfaraz vio así la destitución de Alcalá Zamora en virtud del artículo 81 de la Constitución que limitaba a dos las veces que podía disolver las Cortes.

Tras la destitución de Alcalá Zamora, Martínez Barrio, como Presidente de las Cortes, pasó a ocupar interinamente la Presidencia de la nación. El nuevo Presidente en los actos de conmemoración del quinto aniversario de la República. En la fotografía le acompaña el General Masquelet.

Tribuna presidencial en el desfile que se celebró en Madrid para conmemorar el quinto aniversario de la proclamación de la República.

Llegaba para la República un nuevo 14 de abril. Aunque oficialmente se tenían programados los festejos y actos conmemorativos de rigor, las circunstancias eran en este aniversario distintas de las anteriores. El ambiente se hallaba muy caldeado; la intransigencia mutua cundía; la violencia enseñoreaba las calles. El desfile militar fue el acto que dio ocasión a mayores incidentes: protestas, provocaciones, silbidos e incluso tiroteos, con heridos (arriba). Uno de ellos fue el alférez de la Guardia Civil A. Reyes que murió al momento. Con motivo de su entierro (abajo) aún habría que lamentar varias muertes debido a la auténtica batalla que se produjo entre acompañantes y provocadores salidos al paso. Eran víctimas ya de la guerra civil en que España entraba fatalmente.

14 abril 1936

Desfile con motivo del quinto aniversario de la proclamación de la República. Bajo la tribuna presidencial estalla un petardo. Es muerto a tiros el alférez de la Guardia Civil Antonio de los Reyes, al parecer porque se creyó que había apuntado con su pistola a la Tribuna del Presidente.

15 abril 1936

Azaña lee en las Cortes la declaración ministerial.

16 abril 1936

Entierro del alférez Reyes; la Guardia de Asalto disuelve una manifestación, en la que el teniente Castillo hiere de un tiro al tradicionalista Luis Llaguno.

17 abril 1936

Cesa en el ministerio de la Gobernación Amós Salvador. Se encarga interinamente de la cartera Casares Quiroga.

18 abril 1936

La Cámara aprueba, por 200 votos contra cuatro, un proyecto de ley por el que los generales, jefes y oficiales del Ejército y de la Armada retirados podrán ser desposeídos de sus haberes y del uso de uniforme siempre que intervengan en actos políticos, propagandas y reuniones clandestinas.

20 abril 1936

El general Sanjurjo designa representante suyo en España al general Mola.

La euforia revolucionaria se desbordó impune aunque en aquel Primero de Mayor tuviera su día más señalado. Desfiles, mítines y editoriales de prensa anunciaban el inmediato triunfo de la revolución. En tal ambiente, sólo vino a desentonar la voz de Prieto en un discurso pronunciado en Cuenca. Después de reconocer el "desquiciamiento" de España como el más grave nunca vivido en nuestra historia, abogó por la restauración del orden público y de la convivencia democrática. "Por ahí no se va al socialismo —afirmó, refiriéndose al desorden y a la violencia—, aparte de que con ello se provoca la reacción del contrario y se favorece el clima de subversión que ya cunde entre el elemento militar". Sus referencias a este punto le llevaron a hablar del general Franco como la figura más idónea para "acaudillar con el máximo de probabilidades" tal intento; Franco podría "ser el caudillo de una subversión militar", aunque reconociese no tener ninguna prueba al respecto ni sospechar de sus intenciones.

José Antonio profesaba sin pausa en la lucha política. A finales de abril se vio la causa contra Falange Española, acusada de asociación ilegal. Rechazó el tribunal tal cargo y proclamó la legalidad falangista, aunque los encartados hubieran de seguir en la cárcel pendientes de otros procesos.

26 abril 1936

Triunfo del Frente Popular en las elecciones de compromisarios.

28 abril 1936

Mueren asesinados en Barcelona, al salir de su domicilio, Miguel Badía, antiguo Jefe de la Policía de la Generalidad, y su hermano José.

30 abril 1936

Se ve la causa contra José Antonio y otros directivos de Falange, ante el Tribunal de Urgencia de Madrid. Fallo absolutorio. José Antonio continúa detenido por habérsele iniciado proceso por injurias al director general de Seguridad.

1 mayo 1936

Discurso de Indalecio Prieto en Cuenca.
Segundo Congreso de la C.N.T. en Zaragoza.

2 mayo 1936

Se hace público un atentado contra Azaña ocurrido el año 1935.

3 mayo 1936

Corre por Madrid el bulo de los caramelos envenenados, repartidos por damas de la catequesis.
Nuevas elecciones de diputados en Cuenca y Granada.

4 mayo 1936

En Madrid, arden la iglesia parroquial de Cuatro Caminos, el Instituto Salesiano y la capilla del colegio del Ave María. En varias barriadas son incendiadas iglesias. José Antonio redacta un manifiesto dirigido al Ejército.

8 mayo 1936

Muere a tiros, en la calle de Lista de Madrid, el capitán de Ingenieros Carlos Faraudo, instructor de las Juventudes Socialistas.

10 mayo 1936

CRISIS

Instaurado en el poder el Frente Popular, España pasa a vivir los meses finales de la disolución del sistema democrático a manos de los más violentos extremismos.

Desde su nuevo puesto, Azaña intenta dirigir la evolución política manteniendo el tono republicano. Pero bien imposible iba a resultar ante las intenciones, públicamente declaradas, de las fuerzas de extrema izquierda de caminar sin pausa hacia la dictadura del proletariado.

En esta táctica de las izquierdas se sitúa como un hito importante la destitución por las Cortes de Alcalá Zamora como Presidente de la República. Hábil maniobra encabezada por Prieto, iba a suponer la eliminación de un elemento molesto para los nuevos dueños de la política al tiempo que el confinamiento en las altas y dulces cumbres de la Presidencia de la República del único político del Frente Popular capaz de hacer frente a la revolución desatada: Manuel Azaña.

En el Palacio de Cristal del Retiro Azaña es elegido Presidente de la República. Un momento de la reunión de compromisarios.

El 3 de abril se lee en las Cortes una proposición dirigida a conseguir la destitución del Presidente de la República. El argumento de base que se esgrime es el artículo 81 de la Constitución. Se consideraba descalificado a Alcalá Zamora porque había disuelto las Cortes por segunda vez y con ello había agotado sus facultades para nuevas disoluciones. Después del inevitable debate y gracias a la prisa que le infundió Prieto, sin más trámites se pasó a la votación que por 238 votos contra 5 aprobó el decreto de destitución, el día 7 de abril. En las Cortes se suspende la sesión para efectuar la comunicación a Alcalá Zamora. A continuación se reanuda para declarar a Martínez Barrio Presidente interino, como Presidente de las Cortes que era, todo según preveía la Constitución. Azaña dimite formulariamente y al instante ve renovada la confianza presidencial.

Todo parecía felicidad en las Cortes mientras en el país todo era violencia, destrucción y desorden. La República quedaba ahora en una situación de interinidad de la que había que sacarla en seguida mediante el nombramiento del nuevo presidente. Por todas partes se preveía como triunfador a Azaña, único personaje a quien apoyaba el Frente Popular. Efectivamente, Manuel Azaña resultó ser candidato único, abandonado el empeño por las derechas, y como se preveía, nuevo Presidente de la República. El que figuraba como gran moderador del Frente Popular era elevado al más alto sitial del Estado el día 10 de mayo de 1936, tras una votación en la que obtuvo 754 votos de los 847 participantes. En el mismo día dimite de su cargo de jefe del Gobierno y pasa a ser sustituido por Barcia Trelles que figuraba como ministro de Estado. El día 11, investido Azaña, Barcia presentó la dimisión. Quedaba planteada la crisis. El 12 por la mañana empezaron las consultas.

Todo el abanico político español fue escuchado en Palacio. Las consultas de los jefes de minorías abarcaron desde los comunistas a los cedistas.

La minoria comunista propugnaba un gobierno republicano capaz de actuar con la máxima energía y rapidez, para poner en marcha el programa de febrero. En Izquierda Republicana quedaba bien patente la división interna que hasta estos momentos había permanecido tapada gracias a la figura de Azaña, perfecto aglutinante del partido. Entre Casares Quiroga y Marcelino Domingo se hizo imposible la colaboración.

Acudió en primer lugar a Palacio Martínez Barrio, el cual aconsejó al Presidente de la República la formación de un Gobierno republicano afecto al programa del Frente Popular. En el mismo criterio vino a abundar en su consejo Fernández Clérigo, que dio el nombre de Izquierda Republicana. Insistió en que el encargo de constituir el gabinete fuese de este partido.

En nombre de la Esquerra opinó Corominas y lo hizo para defender un ministerio en el que entrase la mayor parte posible de grupos del Frente Popular. A su vez, Pedro Rico, por Unión Republicana, vino a remachar estos mismos criterios. El Partido Socialista, por boca de De Francisco, pidió al Presidente de la República «un Gobierno republicano capaz de llevar a una rápida realización el programa del Frente Popular con la máxima decisión, atendiendo los anhelos de las masas obreras que lealmente le sostienen y concentrando muy particularmente su atención en la lucha contra las actividades de las organizaciones fascistas que siguen oponiendo al triunfo del Frente Popular el ejercicio del terror».

Azaña al salir de su casa de la calle Serrano y a su llegada al Palacio del Congreso para prometer el cargo.

Acudieron también otros jefes de minorías. Portela, jefe del Partido del Centro, aconsejó un gobierno similar al anterior que tuviese especial cuidado en restaurar el orden público; Ventosa, por la Lliga, se manifestó partidario de un Gabinete acorde con el resultado de las elecciones del 16 de febrero, pero respetuoso con todas las minorías a fin de ganar su colaboración, única manera de acabar con el ambiente de guerra civil y de «cerrar el período revolucionario sustituyéndolo por un régimen firme y estable de normalidad republicana».

Maura y luego Gil Robles insistieron en evitar extremismos y en restaurar el imperio de la ley, igual para todos; en términos parecidos habló Cid, por el Partido Agrario. Con él acabaron las consultas y a continuación se verificó la entrevista del Presidente de la República con el Jefe del Gobierno dimisionario, Barcia Trelles.

Eran casi las dos de la tarde cuando llegó Prieto a palacio. Azaña le ofreció el encargo de formar Gobierno pero de inmediato Prieto declinó el encargo, arguyendo que su aceptación sólo sería motivo de nuevas pugnas dentro del Partido Socialista sin que llegara a contar con su apoyo abierto.

Con posterioridad fue encargado Martínez Barrio, pero también prefirió no aceptar por considerar casi imposible la formación de un gabinete de concentración republicana. Realmente, la solución Martínez Barrio era mejor dejarla en reserva como la última solución moderada de concentración que podría ofrecerse andando el tiempo. Si, como era de prever, las cosas se extremaban peligrosamente. Si hubiese aceptado se hubiesen agotado las salidas moderadas para el futuro; de esta manera constituye su baza una reserva política capaz de aglutinar un ministerio de amplitud nacional.

A media tarde los rumores apuntaban hacia Casares Quiroga como el político encargado de formar gobierno. Además de adecuarse su significación a la requerida por la mayor parte de los consultados, contaba con la plena confianza de Azaña. En efecto, así fue. Casares Quiroga aceptó y en seguida empezó las gestiones para organizar su ministerio. Hubo varios ministros que rehusaron continuar, siendo particularmente notoria la negativa de Marcelino Domingo a integrarse en el nuevo gabinete que intentaba constituirse. La Esquerra, en cambio, aceptó la colaboración y continuó en el gobierno representada por Lluhí Vallescá.

El ministerio que el dia 13 formó el político gallego quedaba así compuesto:

Presidencia y Guerra	Santiago Casares Quiroga (Izquierda Republicana)
Estado	Augusto Barcia Trelles (Izquierda Republicana)
Justicia	Manuel Blasco Garzón (Izquierda Republicana)
Gobernación	Juan Moles Ormella (Independiente)
Marina	José Giral Pereira (Izquierda Republicana)
Hacienda	Enrique Ramos Ramos (Izquierda Republicana)
Instruc. Pública y Bellas Artes	Francisco Barnés Salinas (Izquierda Republicana)
Obras Públicas	Antonio Velao Oñate (Izquierda Republicana)
Agricultura	Mariano Ruiz-Funes García (Izquierda Republicana)
Traba-Sanidad-Previsión Social	Juan Lluhí Vallescá (Esquerra Catalana)
Industria y Comercio	Plácido Álvarez-Buylla y Lozana (Independiente)
Comunicaciones y Marina Mercante	Bernardo Giner de los Ríos García (Unión Rep.)

Solemne promesa del nuevo Presidente de la República. Azaña llegaba a la cumbre de su carrera y España alcanzaba la cima de su desintegración política. Juntos habían empezado el camino del republicanismo y juntos sucumbirían por su causa.

Cuando Azaña entra en el dorado aislamiento de la Presidencia de la República, Casares Quiroga forma Gobierno. El político gallego va a personificar en las Cortes el extremismo desatado, hasta llegar incluso a declarar «que contra el fascismo el Gobierno es beligerante». En el banco azul, Casares Quiroga con su equipo ministerial.

El mismo día 13 dimite Juan Moles como Alto Comisario de España en Marruecos, tomando posesión de la cartera de Gobernación el 15; hasta entonces se encarga interinamente del ministerio Casares Quiroga.

14 mayo 1936

En Barcelona se inicia el Congreso de la «Unió de Rabassaires».

16 mayo 1936

Apertura de las segundas Cortes ordinarias.

18 mayo 1936

En Alcalá de Henares, un grupo de oficiales de dos regimientos se enfrentan con el pueblo, produciéndose disturbios. El Gobierno dispone el traslado del regimiento a otra localidad. Setenta y dos oficiales se resisten a cumplir la orden originándose un conato de sublevación. Parte de la oficialidad es arrestada.

19 mayo 1936

Se presenta a las Cortes el Gobierno de Casares Quiroga, que se declara beligerante contra el fascismo.

20 mayo 1936

Gil Robles propone la petición de un estatuto de autonomía para Castilla y León.

26 mayo 1936

Crisis en el Gobierno de la Generalidad.

La propaganda comunista inundó España. Carteles, folletos, asociaciones... todo se orientó según la paciente táctica de progresiva ocupación del poder, verdadera revolución subterránea que quedó bien clara en el caso español. Acto organizado por los Amigos de la Unión Soviética.

Cuando todo se venía abajo por momentos, todavía, en las Cortes, Gil Robles y Calvo Sotelo luchaban por conseguir del Gobierno autoridad y justicia para traer las cosas a su sitio. En sus discursos, las citas de catástrofes de todo tipo convertidas en cotidianas, resultaban abrumadoras. Sin embargo, no habrían de servir para nada porque ya había pasado la hora de las soluciones parlamentarias. El jefe de la CEDA en un discurso.

28 mayo 1936

José Antonio es condenado a cinco meses de arresto por el delito de tenencia ilícita de armas.

29 mayo 1936

La Guardia Civil, al reprimir un motín en Yeste, Albacete, es agredida, viéndose obligada a defenderse a duras penas. Diecinueve muertos y treinta y ocho heridos.

31 mayo 1936

El diputado a Cortes, Raimundo García, llega a Estoril para entrevistarse con el general Sanjurjo.

1 junio 1936

José Antonio promete a Mola apoyar la conspiración militar aportando 4.000 falangistas.

4 junio 1936

Llega a Navarra el Director General de Seguridad, con el propósito de comprobar la certeza de una denuncia sobre unos cargamentos de armas.

5 junio 1936

Traslado secreto de José Antonio a la cárcel de Alicante. Ingresa en ella el día 9.

9 junio 1936

Se fusionan las Juventudes socialistas, comunistas, Partido Proletario Catalán y el de la Unión Socialista de Cataluña.

11 junio 1936

Mola se entrevista con el Delegado Nacional de Requetés, Zamanillo, que entrega la nota donde se indican los puntos bajo los cuales los tradicionalistas irían al Movimiento.

13 junio 1936

Choque violento entre comunistas y anarquistas en Málaga.

Batet es nombrado general de la División de Burgos.

14 junio 1936

Entrevista Mola-Cabanellas.

16 junio 1936

Debate en las Cortes. Gil Robles exhorta al Gobierno a poner fin a la anarquía. Calvo Sotelo, reprocha al Presidente del Gobierno, Casares Quiroga, su falta de autoridad ante la anarquía reinante e insinúa la posibilidad de que los militares se subleven.

18 junio 1936

Huelga en Barcelona, que afecta al ramo del Comercio y al de la Industria.

21 junio 1936

Como protesta por la actuación política de Falange Española, se declara la huelga general en Valladolid.

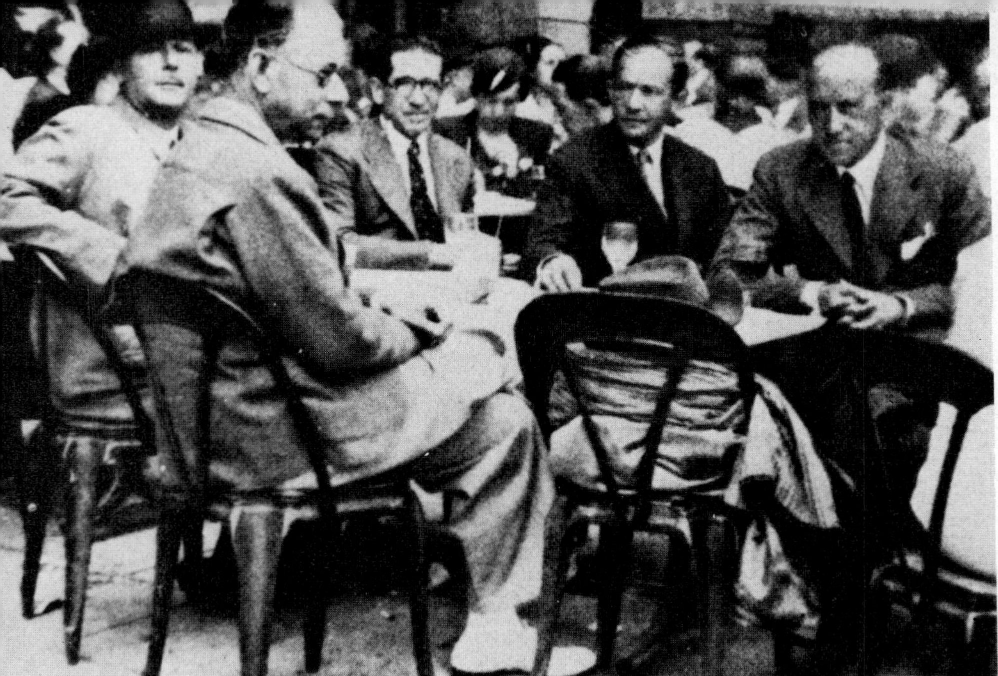

El general Mola, militar inteligente, con inclinaciones literarias, hombre bien significado para el izquierdismo. Fue figura trascendental en la preparación del Alzamiento; "el Director" llevó a buen fin la conspiración al conseguir reunir el acuerdo de la mayor parte de las fuerzas derechistas. En la fotografía le vemos en la Plaza del Castillo de Pamplona. De izquierda a derecha: comandante Fernández Cordón (con sombrero), general Mola, Ramón Mola y capitanes Marías y Vizcaíno.

José Antonio con su atuendo de jurista. De envidiable porvenir, su vocación política y su total compromiso le apartaron del normal ejercicio de la profesión. Sin embargo, asumió su propia defensa cuando fue juzgado por el tribunal republicano que le condenó.

23 junio 1936

El general Franco escribe al Ministro de la Guerra, para advertirle que los frecuentes traslados de altos cargos militares constituían una amenaza para la buena disciplina del Ejército.

28 junio 1936

Plebiscito, en Galicia, pro Estatuto de autonomía.

1 julio 1936

Calvo Sotelo y Cid exponen en las Cortes la situación caótica en que se encuentra el campo español.

2 julio 1936

Son acribillados a balazos dos falangistas que se encontraban en la terraza de un café de la calle de Torrijos de Madrid. Por la tarde, dos hombres que salían de la Casa del Pueblo, caían muertos por un grupo de pistoleros.

6 julio 1936

Por indicación del científico Juan de la Cierva, Bolín contrata en la Olley Air Service un De Havilland Dragon Rapide, de siete plazas, matrícula G-ACYR y dos motores Gispys Wright.

7 julio 1936

El general Kindelán sostiene una conferencia con el general Mola.

8 julio 1936

Varios cientos de falangistas son arrestados en toda España. Es detenido el Jefe Local de Falange de Madrid Fernández Cuesta.

En la carretera de Pozuelo, se encuentra asesinado a José María Sánchez Gallego.

10 julio 1936

Seis falangistas invaden el estudio de Radio Unión de Valencia, anunciando «que dentro de unos días saldrá a la calle la revolución nacional-sindicalista».

En tiempo del Frente Popular, Azaña y Companys ocupaban sendas presidencias. Hasta aquí los dos habían sufrido fuertes reveses en la consecución de sus planes. Sin embargo, ahora, cuando Companys se ve con magníficas perspectivas con el triunfo de febrero, Azaña se encuentra aislado en la cumbre, demasiado alejado del fluir diario de los acontecimientos, sintiendo pasada su hora y defraudadas sus ilusiones.

Los tiempos inmediatos a julio del 36 fueron de una intensa actividad clandestina para ultimar los preparativos del Alzamiento. Las maniobras militares supusieron una buena ocasión para comunicar consignas y planes. El general Franco entre los jefes y oficiales que participaron en las maniobras de La Esperanza, en Tenerife.

En África iba a iniciarse el alzamiento militar. Un momento del banquete con motivo de la clausura de las maniobras del Llano Amarillo que sirvió para poner a punto el plan. El general Romerales, con el Alto Comisario Arturo Álvarez Buylla y el Residente francés.

La muerte del teniente de Asalto José Castillo sucedió en la noche del 12 de julio; en la del 13 la de Calvo Sotelo. Trágicos sucesos que demostraban, como nada, lo insostenible de la situación nacional.

11 julio 1936

Sale de Londres el Dragon Rapide que habría de llevar al general Franco a Casablanca. Su piloto, el capitán Bebb, había sido contratado por Luis Bolín.

12 julio 1936

A las nueve de la noche muere asesinado en la calle madrileña de Augusto Figueroa, el teniente Castillo, instructor de la Juventud Socialista.
La Comunión Tradicionalista ordena no secundar un movimiento que no fuera exclusivamente carlista.
Se dan por terminadas las maniobras militares en el Llano Amarillo, con un brillante desfile. Se cierra la fiesta con un banquete en el que se da el grito de ¡CAFE! (Camaradas Arriba Falange Española).

13 julio 1936

A las tres de la madrugada muere asesinado Calvo Sotelo.

MADRID DIA 15 DE JULIO DE 1936 NUMERO SUELTO 15 CENTS.

ABC

DIARIO ILUSTRADO. AÑO TRIGESIMOSEGUNDO. N.° 10.340

SUSCRIPCION: MADRID, UN MES, 2,50 PESETAS. PROVINCIAS: TRES MESES, 12. AMERICA Y PORTUGAL: TRES MESES, 12,50. EXTRANJERO: TRES MESES, 30 PESETAS. REDACCION Y ADMINISTRACION: SERRANO, 61, MADRID. APARTADO N.° 43

†

EL EXCELENTISIMO SEÑOR

DON JOSE CALVO SOTELO

Ex ministro de Hacienda, Diputado a Cortes

Murió asesinado en la madrugada del 13 de julio de 1936

R. I. P.

Su familia, las fuerzas nacionales que representaba, sus amigos y correligionarios,

RUEGAN una oración por el eterno descanso de su alma.

Las derechas y en especial los monárquicos perdían su más cualificado dirigente. ABC daba en primera página la muerte de Calvo Sotelo.

La muerte de Calvo Sotelo era el sublime refrendo de lo que había sido su vida. Para España era el aldabonazo final. Hasta los ciegos pudieron ver que todo se había acabado en el campo de la política. Las armas pasaban a protagonizar la etapa decisiva.

La camioneta n.° 17 de la Dirección General de Seguridad, tristemente célebre por haberse perpetrado en ella la muerte de Calvo Sotelo.

Prieto, que en su discurso de Cuenca ya había dado importancia a los rumores de subversión militar, volvió a mostrar su preocupación al respecto en «El Liberal» de Bilbao del 14 de julio. Comentando el asesinato de Calvo Sotelo, lo consideró como un golpe definitivo a la posibilidad de entendimiento, a la vez que como máxima provocación que serviría para acabar de cuajar la conspiración contra el Gobierno.

Decididos los planes del Alzamiento, correspondía a Franco hacerse cargo del ejército de África. El salto desde Las Palmas lo efectuaría en un avión —el Dragón Rapide— contratado para el caso. La justificación para pasar desde Tenerife a Las Palmas la encontró pintiparada en el fortuito accidente que costó la vida al general Balmes, Gobernador militar de Las Palmas. La asistencia al entierro justificó el abandono de Tenerife y el viaje a Las Palmas en donde iniciaría la etapa más decisiva de su propia vida y la de la España misma. En la fotografía retrospectiva, Franco con el general Balmes a su derecha.

14 julio 1936

Indalecio Prieto escribe en el «Liberal» de Bilbao: «La muerte trágica del señor Calvo Sotelo, servirá para provocar la sublevación de que tanto se habla».

El Gobierno ordena la clausura de los centros monárquicos, carlistas y anarquistas. Suspende los periódicos de derecha YA y Época, por publicar narraciones del sensacionalista asesinato de Calvo Sotelo.

Llega a Tenerife el diplomático Sangroniz con el fin de informar al general Franco de la llegada a Las Palmas del Dragon Rapide, para trasladarle a Marruecos, e informarle sobre las últimas novedades relacionadas con el Movimiento.

Edificio de la Comisión de Límites de África, en Melilla, de interés histórico, ya que en él se inició el Alzamiento a las 4,20 de la tarde del día 17, según conmemora una lápida instalada en su fachada.

DIARIO APOLITICO
DEFENSOR DE LOS INTERESES
DE ESPAÑA EN MARRUECOS

EL TELEGRAMA DEL RIF

Año XXXIV.—Número 12.[illegible] — Fundador: CÁNDIDO LOBERA Y GIRELA — Melilla.-Sábado 18 de Julio de 1936

Don Francisco Franco Bahamonde, General de División y Jefe de las Fuerzas Armadas de Africa,

HAGO SABER:

Una vez más el Ejército, unido a las demás fuerzas de la Nación, se ha visto obligado a recoger el anhelo de la gran mayoria de españoles que veian con amargura infinita desaparecer lo que a todos puede unirnos en un ideal común: ESPAÑA.

Se trata de restablecer el imperio del ORDEN dentro de la REPUBLICA, no solamente en sus apariencias o signos exteriores, si no también en su misma esencia; para ello precisa obrar con JUSTICIA que no repara en clases ni categorias sociales, a las que ni se halaga, ni se persigue, cesando de estar dividido el pais en dos grupos, el de los que disfrutan del poder y el de los que eran atropellados en sus derechos, aún tratándose de leyes hechas por los mismos que las vulneraron: la conducta de cada uno guiará la conducta que con relación a él seguirá la AUTORIDAD, otro elemento desaparecido de nuestra nación y que es indispensable en toda colectividad humana, tanto si es en régimen democrático, como si es en régimen soviético, en donde llegara a su máximo rigor. El restablecimiento de este principio de AUTORIDAD, olvidado en los últimos años, exige inexcusablemente que los castigos sean ejemplares, por la seriedad con que se impondrán y la rapidez con que se llevarán a cabo sin titubeos ni vacilaciones.

Por lo que afecta al elemento obrero, queda garantizada la libertad de trabajo, no admitiéndose coacciones ni de una parte ni de otra. Las aspiraciones de patronos y obreros serán estudiadas y resueltas con la mayor justicia posible, en un plan de cooperación, confiando en que la sensatez de los últimos y la caridad de los primeros, hermanándose con la razón, la justicia y el patriotismo sabrán conducir las luchas sociales a un terreno de comprensión con beneficio para todos y para el país. El que voluntariamente se niegue a coopetar o dificulte la consecución de estos fines será el que primera y principalmente sufrirá las consecuencias.

Para llevar a cabo la labor anunciada rápidamente,

Ordeno y mando:

Art. 1.° Queda declarado el ESTADO DE GUERRA en todo el territorio de MARRUECOS, y como primera consecuencia, militarizadas todas las fuerzas armadas, sea cualquiera la Autoridad de quien dependian anteriormente con los deberes y atribuciones que competan a las del Ejército y sujetas igualmente al Código de Justicia Militar.

Ar. 2.° No precisará intimación ni aviso para repeler por la fuerza agresiones a las fuerzas indicadas anteriormente, ni a los locales o edificios que sean custodiados por aquellas, así como los atentados y «sabotages» a vias y medios de comunicación y transporte de toda clase, y a los servicios de agua,gas, y electricidad y articulos de primera necesidad. Se tendrá en cuenta la misma norma para impedir los intentos de fuga de los detenidos.

Art. 3.° Quedan sometidos a la jurisdicción de guerra y tramitados por PROCEDIMIENTO SUMARISIMO.

a) Los hechos comprendidos en el art. anterior.

b) Los delitos de rebelión, sedición y los conexos de ambos, los de atentados y resistencia a los agentes de la autoridad; los de desacato, injuria, calumnia, amenaza y menosprecio a los anteriores o a personal militar o militarizados que lleven distintivo de tal, cualquiera que sea el medio empleado, así como los mismos delitos cometidos contra el personal civil que desempeña funciones de servicio público.

c) Los de tenencia ilícita de armas o cualquier otro objeto de agresión utilizado o utilizable por las fuerzas armadas con fines de lucha o destrucción. A los efectos de este apartado quedan caducadas todas las licencias de uso de armas concedidas con anterioridad a esta fecha, Las nuevas serán tramitadas y despachadas en la forma que oportunamente se señalará.

Art. 4.° Se considerarán también como autores de los delitos anteriores los incitadores, agentes de enlaces, repartidores de hojas y proclamas clandestinas o subversivas, los dirigentes de las entidades que patrocinen, fomenten o aconsejen tales delitos, asi como todos los que directa o indirectamente contribuyan a su comisión y preparación, así como los que directa o indirectamente tomen parte en atracos y robos a mano armada o empleen para cometerlos cualquier otra coacción o violencia.

Art. 5.° Quedan totalmente prohibidos los LOCKOUTS y HUELGAS. Se considerará como sedición el abandono de trabajo y serán principalmente responsables los dirigentes de las asociaciones o sindicatos a que pertenezcan los huelguistas, aun cuando simplemente adopten la actitud de «brazos caidos».

Art. 6.° Queda prohibido el uso de banderas, insignias, uniformes, distintivos y análogos que sean contrarios a este bando y al espiritu que lo inspira, así como el canto de himnos de análoga significacion.

Art. 7.° Se prohiben igualmente las reuniones de cualquier clase que sean, aun cuando tengan lugar en sitios públicos como restaurantes o cáfés, así como las manifestaciones públicas.

Art. 8.° Serán depuestas las autoridades principales o subordinadas que no ofrezcan confianza o no presten el auxilio debido y sustituidas por las que designe.

Art. 9.° Quedan en suspenso todas las leyes o disposiciones que no tengan fuerzas de tales en todo el territorio nacional, exceptos aquellas que por su antigüedad sean ya tradicionales. Las consultas resolverán los casos dudosos.

Art. 10. Los reclutas en Caja y los soldados de 1.ª y 2.ª situación de servicio activo y los de reserva que sean acusados de delitos comprendidos en este bando o en el Código de Justicia Militar quedan sometidos a la jurisdicción de Guerra.

Art .11. Los jefes más caracterizados o más antiguos de la Guardia Civil, Carabineros, Seguridad y Asalto, con mando y a falta de ellos los Cuerpos forales, Mozos de Escuadra, etc., etc., (donde existan) se harán cargo del mando civil en los territorios de su demarcación, siempre que en ellos no haya fuerzas del Ejército a quienes compete en primer lugar.

Art. 12. Quedan sometidas a la CENSURA MILITAR todas las publicaciones impresas de cualquier clase que sean, para la difusión de noticias, se utilizará la radio-difusión y los periódicos, los cuales tienen la obligación de reservar en el lugar que se les indique, espacio suficiente para la inserción de las noticias oficiales únicas que sobre orden público y política podrán insertarse. También quedan sometidas a la censura todas las comunicaciones eléctricas, urbanas e interurbanas.

Art. 13.º Queda prohibido, por el momento, el funcionamiento de todas las estaciones RADIO-EMISORAS PARTICULARES de onda corta o extracorta, incurriendo los infractores en los delitos indicados en los artículos 3.º y 4.º.

Art. 14.º Ante el bien supremo de la Patria quedan en suspenso todas las garantías individuales establecidas en la Constitución, aun cuando no se haya consignado especialmente en este Bando.

Art. 15.º A los efectos legales, este Bando surtirá efecto inmediatamente después de su publicación.

POR ULTIMO: espero la colaboración activa de todas las personas patrióticas, amantes del orden y de la paz que suspiraban por este movimiento, sin necesidad de que sean requeridas especialmente para ello, ya que siendo sin duda estas personas la mayoría, por comodidad, falta de valor cívico o por carencia de un aglutinante que aunara los esfuerzos de todos, hemos sido dominados hasta ahora por unas minorias audaces sujetas a órdenes de internacionales de indole varia, pero todas igualmente antiespañolas. Por esto termino con un solo clamor que deseo sea sentido por todos los corazones y repetido por todas las voluntades.

¡VIVA ESPAÑA!

Primera página del «Telegrama del Rif», de Melilla, «La Adelantada del Movimiento», del 18 de julio, en la que se inserta el comunicado del general Franco sobre el hecho del Alzamiento, sus motivos y la nueva situación creada.

15 julio 1936

Decreto suspendiendo las sesiones de Cortes. El Gobierno se ve en la necesidad de reunir la Diputación Permanente para hacer aprobar la prórroga de alarma.
Los tradicionalistas y los partidarios de Renovación Española se retiran del Parlamento. Gil Robles declara: «¡Nos expulsáis de la legalidad!».

16 julio 1936

El general Balmes, comandante militar de Las Palmas, muere al dispararsele una pistola.
Por orden del Ministro de la Guerra, el general Varela es arrestado en el Castillo de Santa Catalina (Cádiz).

17 julio 1936

La guarnición de Melilla inicia el alzamiento contra el Gobierno del Frente Popular.

18 julio 1936

Voluntarios de Renovación Española capitaneados por los hermanos Miralles ocupan el puerto de Somosierra. Con rumbo a Melilla, parten de Cartagena tres destructores para combatir el alzamiento.
Proclamación del estado de guerra en Las Palmas. El general Franco se dirige por radio a los españoles.
En Sevilla, Málaga y Córdoba se declara el estado de guerra.
El Gobierno destituye a todos los jefes con mando en Marruecos.

19 julio 1936

El general Franco llega a Tetuán y se hace cargo del mando del Ejército de África. Triunfa la sublevación en Mallorca, Huesca y Cáceres, fracasando en Málaga.
Aranda destituye al gobernador civil de Oviedo y se subleva en nombre de la República. Llegan a Sevilla 500 legionarios.
El general Mola declara el estado de guerra en Pamplona. Sale hacia Madrid una columna navarra al mando del teniente coronel García Escámez.

Francisco Franco, el hombre que decidió la suerte de España. La magnitud de su obra ha provocado las más encontradas opiniones. La Historia le contará entre los grandes hombres del siglo XX.

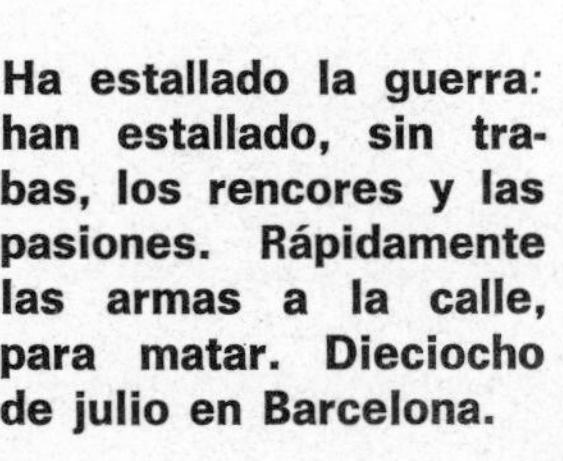

Ha estallado la guerra: han estallado, sin trabas, los rencores y las pasiones. Rápidamente las armas a la calle, para matar. Dieciocho de julio en Barcelona.

Trincheras improvisadas, defensores improvisados. En cualquier calle de cualquier ciudad, el resentimiento mezclado con la ignorancia levantó barricadas circunstanciales de este tipo.

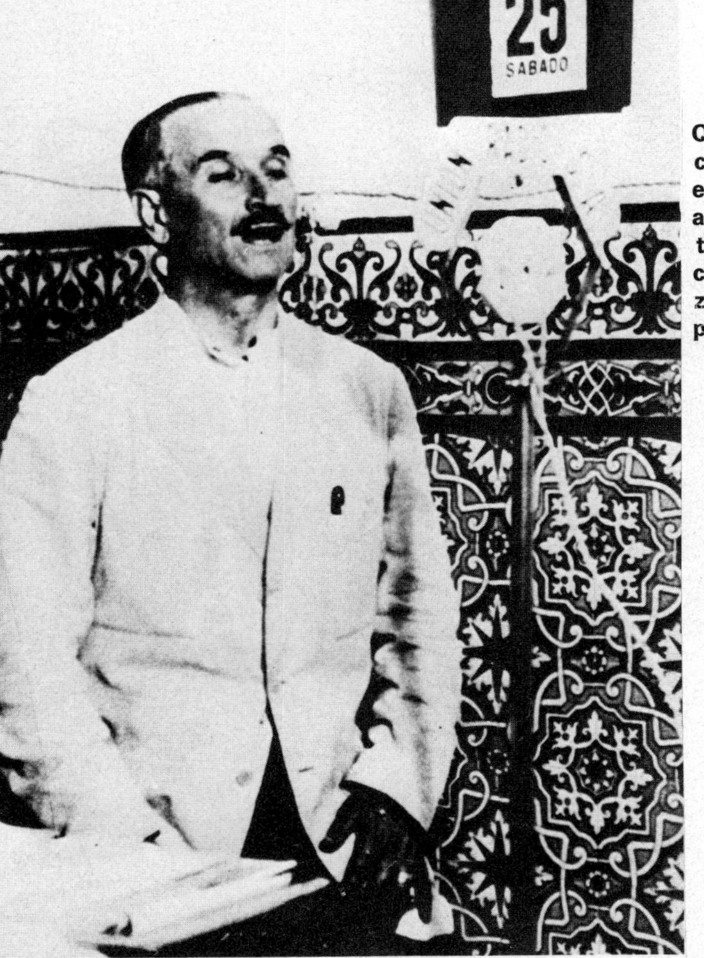

Queipo de Llano se encargó del Alzamiento en Sevilla. Gracias a su arrojo y a una feliz estratagema consiguió, con unas mínimas fuerzas, ganar la ciudad para los nacionales.

El general Caballenas tuvo a su cargo el Alzamiento en Zaragoza. Casares Quiroga le presionó, fiado en su republicanismo, pero se mantuvo fiel a los sublevados. Más tarde fue presidente de la Junta de Defensa que se estableció en Burgos a los pocos días del 18 de julio.

CRISIS

Al estallar la sublevación, Casares Quiroga no se dio idea exacta de su importancia. Mas una vez que fue consciente de su magnitud y transcendencia presentó la dimisión a Azaña. El Presidente de la República se debatía en una situación incierta y apremiante. Para salir del paso encargó a Martínez Barrio la formación de un Gobierno de conciliación que hiciese posible un acuerdo con los dirigentes del alzamiento.

Martínez Barrio aceptó el encargo y en la noche del 18 al 19 formó un Gabinete cuya lista se publicó en la «Gaceta» de este último día junto con su propia dimisión. Había durado unas horas. El político andaluz contó con Sánchez Román y con Domingo pero no con Prieto, por imposición de su partido.

El Gobierno «relámpago» que había constituido Martínez Barrio era así:

El general Goded no consiguió hacer triunfar el Alzamiento en Barcelona. Todo lo perdió. En el Consejo de Guerra que lo condenó a muerte. A su izquierda, el general Burriel.

PRESIDENCIA	Diego Martínez Barrio (Unión Republicana)
Estado	Justino de Azcárate y Flórez
Justicia	Manuel Blasco Garzón (Unión Republicana)
Gobernación	Augusto Barcia Trelles (Izquierda Republicana)
Guerra	José Miaja Menant
Marina	José Giral Pereira (Izquierda Republicana)
Hacienda	Enrique Ramos Ramos (Izquierda Republicana)
Inst. Pública y Bellas Artes	Marcelino Domingo Sanjuán (Izquierda Repub.)
Obras Públicas	Antonio de Lara y Zárate (Unión Republicana)
Agricultura	Ramón Feced Gresa (Izquierda Republicana)
Trabajo, Sanidad y Previsión	Bernardo Giner de los Ríos García (Unión Repub.)
Industria y Comercio	Plácido Álvarez-Buylla y Lozana
Comunicaciones y Marina Merc.	Juan Lluhí Vallescá (Esquerra Republicana)
Sin Cartera	Felipe Sánchez-Román Gallifa

Franco se pone al frente del Ejército de África. Desde el primer momento su papel fue decisivo para el éxito del Alzamiento. Por las calles de Ceuta.

Martínez Barrio, en vista de las escasas posibilidades de mediación que se le ofrecían, juzgó irremisible la guerra y presentó la dimisión al Presidente de la República.
Azaña actuó sin dilación hasta el punto de que, en la misma «Gaceta» del 19 de julio, se publicó el nombramiento del nuevo Gobierno. Después de haberse negado Ruiz-Funes, recibe el encargo Giral. El nuevo Presidente, hombre voluntarioso, pero poco enérgico, compuso un Gabinete puramente republicano, dejando fuera a socialistas, anarquistas y comunistas. De esta manera los auténticos responsables de la revolución se encontraron a sus anchas, con las espaldas cubiertas y sin las responsabilidades derivadas de la participación en el Poder.
El nuevo Gobierno no podía durar mucho: se veía ahogado por las circunstancias que rebasaban ya su escasa significación revolucionaria. Su primera medida, sin embargo, fue la entrega de armas a los milicianos; con ella se diluyó su autoridad efectiva.
La composición del Gabinete, proclamada por radio el 19, era ésta:

Los generales Fanjul y Núñez de Prado. Dos insignes militares dentro del drama español del año 36. Dos hombres forjados en los mismos campos de batalla. Apresados por sus convicciones políticas, los dos tuvieron el mismo fin trágico: uno por unirse a la sublevación y el otro por negarse a ella. En la foto, saliendo del Ministerio en la toma de posesión de Gil-Robles como ministro de la Guerra. Mayo de 1935

Presidencia y Marina	José Giral Pereira (Izquierda Republicana)
Estado	Augusto Barcia Trelles (Izq. Rep.)
Justicia	Manuel Blasco Garzón (Unión Republicana)
Gobernación	General Sebastián Pozas Perea
Guerra	General Luis Castelló Pantoja
Hacienda	Enrique Ramos Ramos (Izquierda Repub.)
Inst. Pública y B. A.	Francisco Barnés Salinas (Izq. Rep.)
Obras Públicas	Antonio Volao Oñate (el día 21; Iz. Rep.)
Agricultura	Mariano Ruiz-Funes García (Izquier. Rep.)
Trab. Sanidad y Prev.	Juan Lluhí Vallescá (Esquerra Republic.)
Industria y Comercio	Plácido Álvarez-Buylla y Lozana
Comunicaciones y Mar. Mer.	Bernardo Giner de los Ríos García (U. R.)

En ausencia del ministro de Agricultura se encarga interinamente de la cartera Giral, hasta el día 21 de agosto que regresa el titular.

20 julio 1936

En Pamplona se constituye la Junta Carlista de Guerra. García Escámez se hace con Logroño. Fracasa el alzamiento en Madrid y en Barcelona, mientras que la mayor parte de las provincias del Norte permanecen fieles al Gobierno. Moscardó se encierra en el Alcázar de Toledo. En Cascaes (Portugal), muere el general Sanjurjo al incendiarse el avión en que regresaba a España para ponerse al frente del alzamiento. Queipo de Llano domina la situación en Sevilla.

Un episodio del destino que tuvieron las fuerzas del mar. Para escapar de Melilla, cuna del Alzamiento, la tripulación del torpedero «N.° 14» tuvo que quemar incluso los muebles del barco.

Peligrosas, por amorfas, son las masas. Más peligrosas aún, si poseen armas y una mente fanatizada. Un torrente que no conoce barreras y todo lo desborda. Como desbordó los cauces políticos republicanos derivando hacia el extremismo pleno. El Gobierno Giral dio, por fin, la orden de armar al pueblo, que tan insistentemente se había solicitado, y a la que no accedió el anterior equipo de Casares Quiroga. Las responsabilidades de los fusilamientos en masa, crímenes aislados y atropellos sin cuento, recaerían, sin lugar a dudas, sobre los dirigentes políticos del momento, que tomaron tan insensata medida.

Con la adhesión del carlismo navarro, Mola logró un elemento decisivo para el éxito del Alzamiento. Esta es la Comandancia militar de Pamplona, en la que el general fraguó la conspiración militar.

Al estallar el Alzamiento, Mola, de acuerdo con los planes establecidos, quedó al frente de la zona norte y asumió el mando de las provincias de Burgos, Santander, Guipúzcoa, Vizcaya, Álava, Navarra, Logroño y Palencia. Fruto de sus laboriosas gestiones con los dirigentes del Tradicionalismo fue la incorporación de los requetés a la lucha armada. La actuación de los requetés fue decisiva en la contienda. Su estampa, con la boina roja, fue una de las más características del bando nacional. En la fotografía inferior derecha, Mola pasa revista a una formación de voluntarios navarros carlistas.

ON EMILIO MOLA VIDAL

GENERAL DE BRIGADA

Hago saber:

or exigirlo imperiosa, ineludible e inaplazablemente por encima de toda nsideración, la salvación de España en trance inminente de sumirse en desenfrenada situación de desorden, he resuelto asumir por mi Autori- mando de las provincias de Burgos, Santander, Guipuzcoa, Vizcaya, Alava, ra, Logroño y Palencia, que constituyen el territorio de esta División, en e queda a partir de este momento declarado el estado de guerra. Y por ello,

Ordeno y Mando;

[illegible]

Pamplona, 19 de Julio de 1936.

Es bien conocido nuestro general atraso cultural y sus orígenes. No lo es tanto la afición española a escribir en todas partes. Menos aún la manera de casar e interpretar tales extremos. He aquí un tren proletario que resultó insuficiente para dar cabida a nuestra congénita expresividad (Málaga, 19 de julio de 1936).

La enorme mole del cuartel de la Montaña de Madrid sufrió un serio quebranto ante el ataque de las masas enardecidas de los primeros instantes del Alzamiento. Una significativa muestra de la violencia que revistió el asalto al cuartel.

La embestida humana que sufrió el Cuartel de la Montaña; el sadismo, la barbarie, el odio desatado... ¿cómo explicar si no tales aberraciones humanas?

El populacho se ha hecho con el Cuartel de la Montaña. Campa a sus anchas por el interior; dispone y administra. Sobre todo ansía armas y los miles de cerrojos que se guardaban en el Cuartel y que se pudieron sustraer de sus manos.

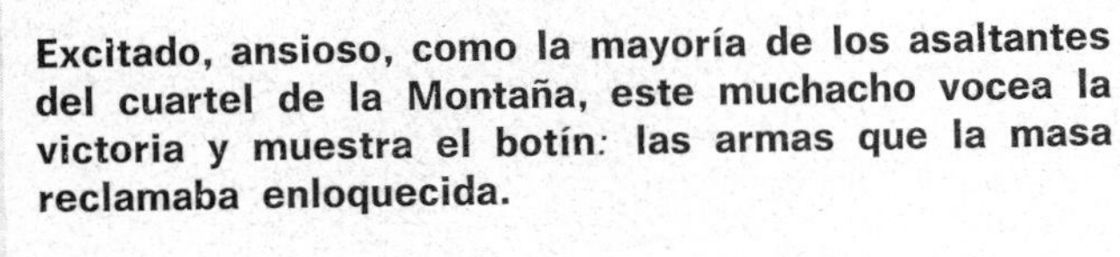

Excitado, ansioso, como la mayoría de los asaltantes del cuartel de la Montaña, este muchacho vocea la victoria y muestra el botín: las armas que la masa reclamaba enloquecida.

El fanatismo, sin control, campa a sus anchas. En el campo religioso se produjeron tristes ejemplos. Macabro espectáculo el de estas momias expuestas en las Salesas de Barcelona contempladas por una muchedumbre en la que el puño cerrado preside el acontecimiento.

Del feliz exilio portugués se preparaba a partir Sanjurjo, dispuesto a reanudar su actividad militar y política. Habría de convertirse en jefe del Alzamiento. El piloto monárquico Ansaldo acudió a Portugal para transportarle. Sanjurjo se despide de sus amigos, sin saber que lo hacía por última vez. La avioneta cayó incendiada a poco de despegar y el general murió carbonizado.

Tropas de Vicálvaro cruzan la capital entre las aclamaciones del pueblo madrileño.

Soldados republicanos que dejan la ciudad y la vida cotidiana para marchar a la lucha. Valor y miedo en sus pechos imaginando ya la dura prueba del frente. Columna republicana que parte de Barcelona hacia el frente de Aragón.

La tumba de Onésimo Redondo, velada por falangistas. Su muerte en Labajos (Segovia) supuso un duro golpe para la España nacional. Falange perdió una de sus principales figuras.

21 julio 1936

Las fuerzas gubernamentales contraatacan en Somosierra y en Toledo y dominan la sublevación en Almería. Aranda se pone en Oviedo al lado del alzamiento, y resiste los ataques de los mineros. De Valladolid y Segovia salen columnas para el Alto del León.

22 julio 1936

La sublevación triunfa prácticamente en toda Galicia. García Escámez llega a Soria. Los nacionales se enfrentan en el Alto del León con los gubernamentales.
En Labajos es herido de muerte Onésimo Redondo.

23 julio 1936

El general Mola constituye la Junta de Defensa Nacional, siendo nombrado presidente el general Cabanellas.
Sale de Barcelona una primera expedición de milicianos para combatir en el frente de Aragón. En Toledo los gubernamentales invitan a la rendición a Moscardó intimidándole con la muerte de su hijo.
En Alicante fracasa la sublevación.

24 julio 1936

Las fuerzas del general Riquelme y del teniente coronel García Escámez chocan en Somosierra.
Los nacionales progresan política y militarmente. La Junta de Defensa publica su programa político. Una misión dirigida por Goicoechea vuela a Roma para negociar con Mussolini. Los sublevados controlan Granada.

La Armada quedó al lado republicano por la actitud decidida de la marinería. He aquí al radiotelegrafista Benjamín Balboa, cuya actuación tuvo una importancia decisiva. En agosto llegaría a ocupar el cargo de subsecretario de Marina.

La centurias de F.E. y de las J.O.N.S. llevaron el peso de muchas operaciones durante la guerra. En las primeras dejaron a muchos de sus miembros en el Alto del León. Bravo, desde Salamanca arenga a los falangistas que marchan a la Sierra.

25 julio 1936

El general Franco es nombrado jefe de los ejércitos de Marruecos y Sur de España y Mola jefe de los ejércitos del Norte.
Las fuerzas gubernamentales presionan fuerte en Somosierra y en Toledo. Una columna anarquista mandada por Durruti ocupa Caspe. En Albacete es aplastada la sublevación. Ceuta es bombardeada.
El Gobierno recibe los primeros aviones de Francia.
Hitler y Mussolini conceden ayuda bélica a Franco.

26 julio 1936

El Consejo de la Generalidad dispone la semana de cuarenta horas de trabajo.
Llega al Alto del León el general Ponte. Sale una columna de Vitoria hacia Somosierra mandada por el comandante Crespo.

27 julio 1936

Cruentos combates en el Alto del León.
La aviación gubernamental bombardea Córdoba.
Los nacionales ocupan Somosierra.
Se asesina por primera vez a un prelado: el obispo de Sigüenza.

28 julio 1936

Se intensifican los ataques contra los sublevados en el cuartel de Simancas de Gijón.
Sale de Pamplona el tercio requeté de Montejurra para el frente de Guipúzcoa.

29 julio 1936

Martínez Barrio hace un llamamiento a los sublevados para que se rindan.
El general Mola visita el frente de Somosierra en los momentos más críticos de la lucha. Huelva cae en manos de los nacionales.
Los gubernamentales reconquistan el pueblo de Navafría.

Los Junker-52 que Alemania envió a Franco, eran aviones de transporte. Llevaron a cabo misiones sin cuenta durante la guerra y fueron utilizados por muchos años después.

El Alzamiento francasó en Albacete, aunque no sin resistencias, en especial en el cuartel de la Guardia Civil, cuyo patio muestra la fotografía. Controlada la ciudad, el Gobierno de la República la destinaría a base de entrenamiento de las Brigadas Internacionales.

La figura de la miliciana constituye, en el fondo, un problema de difícil interpretación. ¿Era el prototipo de mujer de "izquierda", o cosa aparte? ¿Cuál fue su talante? ¿Cuál su destino? ¿Es justa la triste aureola que consiguió?

30 julio 1936

Llegan a Nador, próximo a Melilla, nueve bombarderos italianos.
El general Kindelán es designado por el general Franco jefe del Ejército del Aire.
Sale de Zaragoza una columna para combatir a las milicias catalanas mandadas por el comandante Pérez Farrás.

Los días siguientes al alzamiento militar fueron de una intensa actividad bélica. Con gran rapidez empezaron a realizarse planes y cubrirse objetivos. Así, en menos de una semana los nacionales se presentaban en los pasos del Sistema Central dispuestos a saltar sobre Madrid. Pero a la Sierra acudieron los milicianos decididos a luchar y frenar su avance. La euforia de los primeros momentos de la salida de Madrid, acabó convirtiéndose en miedo y dolor ante la realidad de las balas y los bombardeos. El 25 de julio, las fuerzas nacionales se hacían con el paso de Somosierra como días antes habían alcanzado el Alto del León.

Estampa de los primeros días del movimiento. Camiones y cañones en marcha hacia las cumbres del Guadarrama.

La Sierra de Guadarrama, la de los pinares y los riscos que cantaron los poetas y que gozaron los madrileños, pasó a ser escenario de muerte y desolación. Por sus cuestas y sus barrancos caminaron hombres violentos, con fusil y bombas de mano, dispuestos a jugárselo todo. En el Alto del León las tropas nacionales y las republicanas libraron algunos de los más duros combates de toda la guerra por la posesión de Madrid.

Los generales Riquelme y Castelló permanecieron fieles a la República y se convirtieron en figuras capitales del ejército republicano en los primeros meses de guerra. Después quedaron anulados: Riquelme tras su fracaso en contener la marcha sobre Madrid de las tropas nacionales; Castelló, cuando, después de llegar a ministro de la Guerra, se volvió loco impresionado por la crueldad y la violencia desatados en todo el país y cebados de manera especial en su propia familia.

Las milicias populares dieron a sus batallones nombres de líderes del movimiento proletario. Margarita Nelken mereció dar su nombre a uno de ellos. En un discurso pronunciado con motivo de la entrega de una bandera.

La hoz y el martillo, símbolo comunista, quedan vivificados de manera impresionante en esta fotografía de plena guerra. El Partido Comunista de España seguía extendiendo su influencia por campos y ciudades. La miseria y el atraso de nuestro agrio posibilitaron una propaganda demagógica al socaire de una guerra civil.

1 agosto 1936

Capitulan los militares sublevados en Valencia.
Los nacionales ocupan Guadarrama.
Nuevo Gobierno de la Generalidad de Cataluña:

PRESIDENTE	Juan Casanova (Esquerra Republicana)
Justicia	José Quero (Esq. Rep.)
Gobernación	José María España (Esquerra Rep.)
Hacienda	Martí Esteve (Acción Catalana Republicana)
Cultura	Ventura Gassol (Esquerra Rep.)
Obras Públicas	Pedro Mestres (Esq. Rep.)
Trabajo	Luis Prunes (Esq. Rep.)
Economía	Juan Comorera (Partido Socialista Unificado)
Agricultura	José Calvet (Unión de Rabassaires)
Sanidad	Martín Rouret (Esquerra Republicana)
Servicios Públicos	Juan Cerdeña (Esq. Republicana)
Defensa	Teniente Coronel de Aviación Felipe Díaz Andino
Abastecimientos	Estanislao Ruiz Ponsetti (P. S. U.)
Comunicaciones	Rafael Vidiella (Partido Socialista Unificado)
Asistencia Social	Juan Puig Ferrater (Esq. Rep.)

López Ochoa, general republicano que intervino en la represión de octubre del 34. Su destino sería trágico al estallar la guerra. Murió en los primeros días, a manos de las turbas.

La capital de España centró todos los afanes bélicos en los primeros momentos. En todos sus frentes la guerra y las pasiones desatadas causaron destrozos y atropellos. Cerca de Madrid se encuentra el Cerro de los Ángeles sobre el que el fervor religioso español había levantado, en tiempos de la Monarquía, un imponente monumento al Corazón de Jesús y a Él se le había consagrado solemnemente el país. Tras el fervor y la piedad, el aborrecimiento religioso y la profanación sádica vinieron a liquidar la obra levantada. El monumento fue destruido y sus figuras religiosas mutiladas o vilmente profanadas.

2 agosto 1936

Sale de Sevilla la columna Asensio.
El Gobierno de la República crea los Batallones de Voluntarios con mandos militares.
Giral intenta comprar armas en Alemania.

3 agosto 1936

Es bombardeado el Pilar de Zaragoza, pero ninguna de las bombas estalla.
La aviación republicana ataca Mallorca.
El Gobierno de Madrid se incauta de los ferrocarriles.
Sale de Sevilla la columna Castejón con dirección a Extremadura.

5 agosto 1936

Operación aeronaval para pasar el estrecho de Gibraltar las tropas de África. El convoy lo componen cinco barcos con tropas y municiones.
El general nacionalista Ponte pasa a la ofensiva desde el Alto del León.
El obispo de Barbastro es ejecutado en Urrea, y en Lérida fusilan al suyo en el cementerio junto a otros significados católicos.

El coronel Mangada, ardiente republicano, participó desde el primer momento en la contienda aunque con más pasión que acento. Actuó con los milicianos madrileños en las campañas de la Sierra con resultados nada notables. Su figura, muy popular, fue eclipsándose rápidamente.

En los planes del Alzamiento existía un punto especialmente difícil: el paso del estrecho por las fuerzas de África. Se contaban con escasos medios. El "Churruca" pasó una primera expedición hasta Cádiz.

El acorazado "Jaime I" permaneció fiel a la República. Desde los primeros días tuvo una destacada actuación. Participó en el bombardeo de Melilla.

6 agosto 1936

Se hacen los últimos preparativos en Barcelona para llevar a cabo un desembarco en Mallorca.
Dimite el ministro de la Guerra; es sustituido por el general Juan Hernández Saravia.
El general Franco aterriza en Sevilla, donde establece su cuartel general. Castejón ocupa Zafra.
El general Riquelme es designado jefe del Ejército republicano del Centro.
Dimite el Gobierno de la Generalidad. Se constituye un nuevo Consejo.

7 agosto 1936

Es volado el monumento al Sagrado Corazón de Jesús del Cerro de los Ángeles, en Madrid, inaugurado por Alfonso XIII en 1919.
El Gobierno francés autoriza el alistamiento de voluntarios para combatir en España.

España, pródiga en héroes anónimos, se ve superpoblada de pruebas epigráficas sobre la conducta singular y ejemplar de muchos de sus hombres guerreros. Lápidas, placas de estuco y columnas graníticas son instrumentos de perpetuación de proezas. El teniente coronel Reviso, que aperece en la instantánea retrospectiva de la guerra de África fue en la contienda civil un héroe anónimo, al decir del silencio de la crónica de sus hechos militares. Murió fusilado en Málaga en los primeros días del Alzamiento.

Las fronteras acrecentaron su actividad al estallar la guerra. Cierre, vigilancia especial, trasiego continuo de los que huían, muchas veces con lo puesto o a lo más con un pequeño equipaje.

8 agosto 1936

Las columnas republicanas procedentes de Barcelona y Valencia ocupan Formentera e Ibiza.
En la zona nacional se incorporan a filas los reemplazos de 1933, 1934 y 1935.
En Cuenca es pasado por las armas el obispo Cruz Laplana.

9 agosto 1936

El Gobierno de la República declara zona de bloqueo el norte de África.
Francia cierra su frontera con España.

10 agosto 1936

Nota del Gobierno de Madrid sobre la política de No Intervención.

11 agosto 1936

Las tropas de Yagüe ocupan la ciudad de Mérida, sobre el Guadiana.
El general Mola conquista Tolosa.

12 agosto 1936

El Gobierno de la República decreta la clausura de instituciones religiosas.
Son ejecutados los generales Goded y Fernández Burriel en el castillo de Montjuich.
Llegan a Barcelona 500 voluntarios de las Brigadas Internacionales.

14 agosto 1936

Se toma Badajoz, nudo clave para enlazar los ejércitos del Sur y del Norte.
Suiza no se adhiere a la nota francesa sobre la No Intervención.

En la expedición a Ibiza se destacó el capitán Uribarry. A su regreso a Valencia se le recibe con alborozo y corresponde con el saludo característico.

La zona de Extremadura era un nudo importante en los primeros momentos de la guerra, pues por ella se iban a conectar los ejércitos del Norte y del Sur. La toma de Badajoz por Yagüe fue el golpe definitivo para lograr el plan. El episodio fue heroico, pero ha quedado envuelto entre el horror y la sangre abundante que corrió.

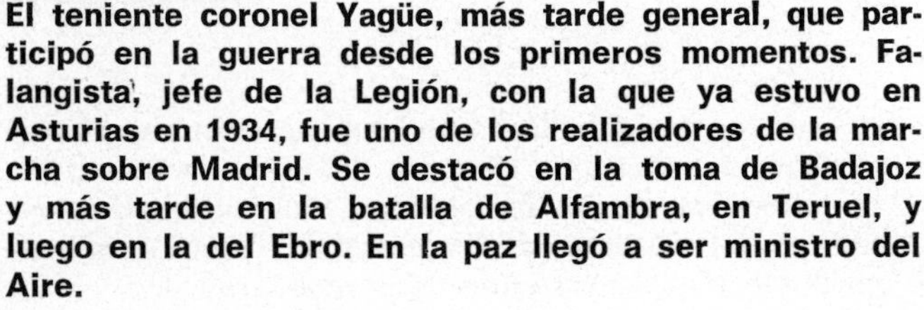

El teniente coronel Yagüe, más tarde general, que participó en la guerra desde los primeros momentos. Falangista, jefe de la Legión, con la que ya estuvo en Asturias en 1934, fue uno de los realizadores de la marcha sobre Madrid. Se destacó en la toma de Badajoz y más tarde en la batalla de Alfambra, en Teruel, y luego en la del Ebro. En la paz llegó a ser ministro del Aire.

El pueblo de Almendralejo fue tomado en el camino hacia Badajoz, pero no sin ofrecer gran resistencia. Esta es la iglesia de la Purificación, en cuya torre unos cuantos milicianos se hicieron fuertes hasta el punto de tener que desalojarlos con dinamita. Estado en que quedó después del trágico episodio.

García Lorca, excelsa alma de poeta, alcalzó la gloria con su obra literaria, genial interpretación del espíritu popular andaluz. Su muerte, llena de sombras, truncó una vida plena de esperanzas.

15 agosto 1936

En Sevilla es izada la bandera roja y gualda en el balcón del Ayuntamiento.
El Gobierno de la República fija el haber de los soldados y milicianos en diez pesetas.

16 agosto 1936

El general Miaja es nombrado jefe de la III División gubernamental.
El capitán Bayo desembarca en Mallorca, al frente de 6.000 milicianos.

17 agosto 1936

En Madrid son ejecutados el general Fanjul y el coronel Fernández Quintana.

19 agosto 1936

Es ejecutado en Viznar, Granada, el poeta García Lorca.

21 agosto 1936

El cuartel de Simancas, Gijón, cae en poder del ejército popular.

22 agosto 1936

Deja el ministerio de Marina Giral, le sustituye Francisco Matz y Sánchez.
Miguel de Unamuno es desposeído de su título de rector vitalicio de la Universidad de Salamanca, por un decreto del Ministerio de Instrucción Pública.

23 agosto 1936

En la Cárcel Modelo de Madrid son ejecutadas una serie de personalidades contrarias al Frente Popular, entre ellas Martínez Velasco, Melquiades Álvarez, Ruiz de Alda, Albiñana y Fernando Primo de Rivera.
La URSS se adhiere a la política de No Intervención.

24 agosto 1936

Alemania e Italia formalizan con sus firmas el Pacto de No Intervención.

25 agosto 1936

Llega a Barcelona el cónsul ruso Antonov Ovsenko.

26 agosto 1936

Franco traslada su cuartel general a Cáceres.
Los nacionales ocupan las minas de Río Tinto.

28 agosto 1936

Primer bombardeo aéreo sobre Madrid.
Stalin prohibe el tráfico de armas a España.

Heroísmo sin cuento, derrochado a raudales en nuestra guerra. Heroísmo anónimo, de cada día, de cada soldado; heroísmo de excepción, de auténtica gesta, en algunos momentos. Uno de ellos sin duda, el del Cuartel de Simancas de Gijón, donde el valor y el sacrificio alcanzaron cotas imperecederas.

En la Cárcel Modelo de Madrid se llegaron a reunir varios miles de presos políticos a raíz del Alzamiento. Entre ellos estaban muchos personajes derechistas. A finales de agosto se declaro un incendio que dio buen pretexto para las represalias y las arbitrariedades: más de medio centenar fueron fusilados, entre ellos Martínez de Velasco, Ruiz de Alda, Fernando Primo de Rivera, Albiñana y Melquiades Álvarez.

Antonov Ovsenko a su llegada a Barcelona, como cónsul ruso en la ciudad, es recibido por el Presidente de la Generalidad.

Los bombardeos aterrorizaban a la población. Los ataques de la aviación solían ser avisados con sirenas. La gente corría a los refugios. He aquí uno hecho expresamente; otros muchos se improvisaron más rudimentariamente.

A finales de agosto de 1936, llegaba a España el embajador soviético. Con Rosemberg vendría ya todo un equipo de expertos para intensificar las influencias rusas en los asuntos de España.

Dibujo de Kin, alusivo a las intenciones soviéticas en España. "Las Meninas", joya del arte hispano, presidiendo el despacho de Stalin. "Lo que dicen ellos y lo que decimos nosotros".

Iván Maisky, representante de la URSS en el Comité de "No Intervención", desarrolló una tesonera defensa de la República española, acusando las clandestinas ayudas a los nacionales y abogando por la legitimidad del Gobierno republicano y su derecho a ser ayudado. A su derecha Kagan, delegado soviético en las Naciones Unidas.

29 agosto 1936

Se restablece la bandera roja y gualda en la zona nacional.
Llega a Madrid el embajador de la URSS, Rosenberg.

31 agosto 1936

El Pacto de No Intervención es aceptado por la mayoría de las naciones europeas.

2 septiembre 1936

Beorlegui toma San Marcial, llave de Irún.

3 septiembre 1936

Asensio Cabanillas ocupa Talavera de la Reina.

4 septiembre 1936

Asensio Torrado, sustituye al general Riquelme en el mando del Ejército del Centro republicano.
Fracasa la expedición del capitán Bayo que había intentado hacerse con Mallorca.

El general Riquelme, que no logró contener el avance del Ejército nacional por el Tajo hacia Madrid.

La influencia comunista se acrecentó con la guerra. Castro Delgado llegó a configurar la fuerza más eficaz y preparada: el Quinto Regimiento. En la foto, con el comandante Barbado, a su izquierda.

CRISIS

La situación empeoraba por momentos. Se hacía indispensable organizar con toda rapidez la lucha para poder resistir con eficacia el avance del ejército de África.
Giral comprendió que su Gobierno estaba desbordado por la ola revolucionaria y presentó su dimisión al Presidente de la República. Azaña supo calibrar bien las circunstancias y llamó para formar Gobierno a Largo Caballero, líder de la revolución y, en consecuencia, el más indicado para encauzarla.
El paso era decisivo puesto que con él se acababa del todo la ficción de un Gobierno republicano burgués, al tiempo que se daba entrada a los comunistas. Prieto se opuso en redondo a fin de no asustar a los gobiernos europeos, de tono liberal burgués, y seguir contando con su simpatía y su posible ayuda. Sin embargo, Largo Caballero había decidido acabar con todo colaboracionismo y asumir personalmente el control del poder para organizar la victoria revolucionaria.
El nuevo Gobierno quedaba constituido así:

Presidencia y Guerra	Francisco Largo Caballero (Socialista)
Estado	Julio Álvarez del Vayo (Socialista)
Justicia	Mariano Ruiz-Funes García (Izquierda Repub.)
Gobernación	Ángel Galarza Gago (Socialista)
Marina y Aire	Indalecio Prieto Tuero (Socialista)
Hacienda	Juan Negrín López (Socialista)
Instrución Públ. y Bellas Artes	Jesús Hernández Tomás (Comunista)
Obras Públicas	Vicente Uribe Galdeano (interino)
Industria y Comercio	Anastasio de Gracia Villarrubia (Socialista)
Agricultura	Vicente Uribe Galdeano (Comunista)
Trabaj. Sanidad y Previsión	José Tomás y Piera (Esquerra Republicana)
Comunicaciones y Marina Mer.	Bernardo Giner de los Ríos García (Unión Rep.)
Sin Cartera	José Giral Pereira (Izquierda Republicana)

La rápida y victoriosa marcha sobre Madrid se remataba brillantemente con la toma de Talavera por Yagüe el día 4 de septiembre. El avance, valle del Tajo adelante, había sido arrollador. Desde Talavera el camino se presentaba ya, prácticamente, expedito hasta Madrid, el objetivo último de toda aquella larga marcha de guerra. El golpe se acusó bien por parte de la República. Como consecuencia caía Giral y subía Largo Caballero, la figura suprema de la revolución.

5 septiembre 1936

Beorlegui toma Irún.
Primer gran éxodo de españoles hacia Francia.

6 septiembre 1936

En San Sebastián es fusilado Víctor Pradera.

8 septiembre 1936

El comandante Rojo parlamenta con Moscardó en el Alcázar de Toledo.

9 septiembre 1936

Primera reunión en Londres del Comité de No Intervención.

13 septiembre 1936

Beorlegui entra en San Sebastián.
El ministro de Hacienda, Negrín, es autorizado a ocultar el oro del Banco de España.

14 septiembre 1936

El capitán Cortés asume el mando de la defensa del Santuario de la Virgen de la Cabeza.
La columna de Martín Alonso ocupa Grado.

15 septiembre 1936

Cesa Vicente Uribe como ministro interino de Obras Públicas, siendo nombrado para desempeñar dicho cargo Julio Gimeno, afiliado a Izquierda Republicana.

16 septiembre 1936

Las fuerzas nacionales del Sur ocupan Ronda (Málaga).
Llega al puerto de Barcelona un barco cargado de material ruso.
El Santuario de la Virgen de la Cabeza, asediado por las fuerzas del Gobierno, empieza a sufrir bombardeos.

19 septiembre 1936

Los nacionales reconquistan Ibiza.
El Gobierno de Largo Caballero nombra director del Museo del Prado al pintor malagueño Pablo Ruiz Picasso.

El Partido Comunista tuvo en Jesús Hernández una de sus mejores figuras. Activista desde su más temprana edad, dotado de gran inteligencia, se encumbró a la primera fila del comunismo español. Desde la cartera de Instrucción Pública y Bellas Artes ejerció la más eficaz labor en pro de las ideas marxistas. Figura estrafalaria; gafas de aire intelectual, gesto apasionado, Hernández llegó a las gentes y supo contagiar de su color revolucionario.

Meses de asedio, de resistencia incierta a vida o muerte en el Alcázar de Toledo. Estampa arquitectónica, desafiante, que también superó las duras pruebas.

La expedición de las Baleares pretendió ser algo serio, aunque no salió bien. En el desembarco en Mallorca tomó parte el «Almirante Miranda», protegiendo a las tropas con su artillería.

El capitán Bayo logró desembarcar en la isla de Mallorca y hacer algunas pequeñas incursiones pero sin trascendencia. Pronto fue rechazado y Mallorca siguió en manos nacionales.

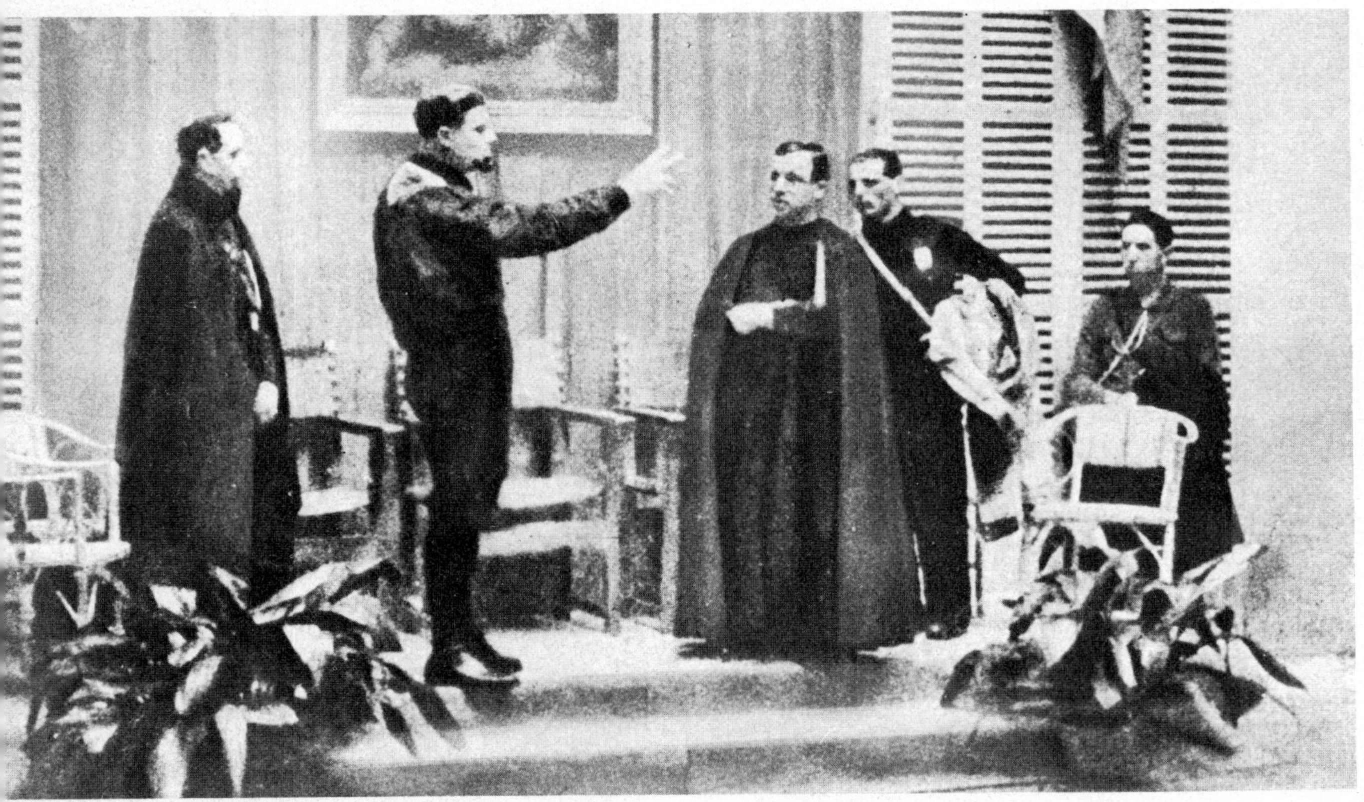

Arconovaldo Banaccorsi, llamado el "conde Rossi", fue el jefe de los fascistas que acudieron en auxilio de Mallorca, contra el capitán Bayo. Su extraña figura se hizo legendaria en la isla.

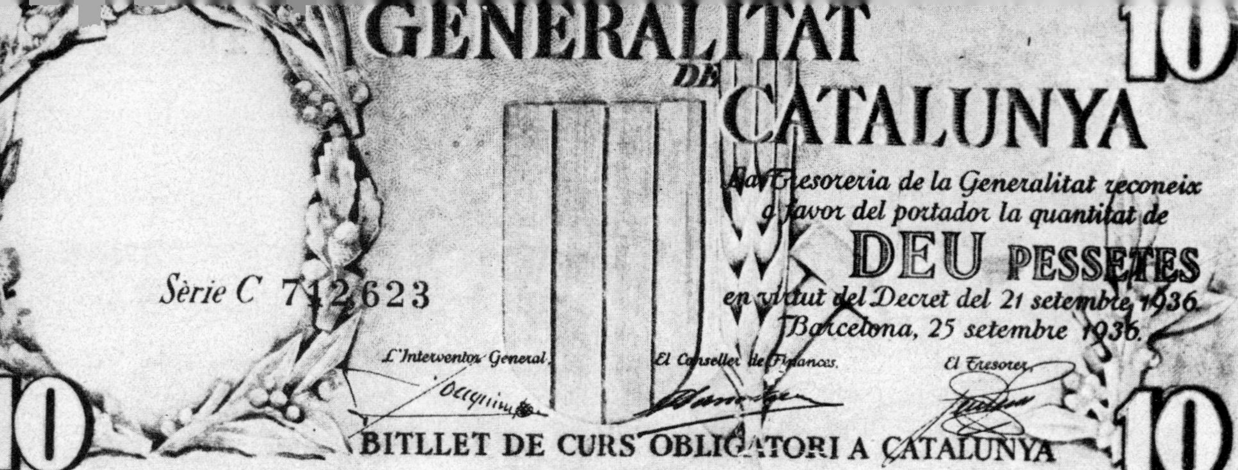

Billete emitido por la Generalidad, de curso obligatorio en Cataluña.

Marcelino Pascua, el primer embajador de España en Moscú. En la trascendental importancia que, surgida la guerra, adquirieron las relaciones hispanosoviéticas le correspondieron grandes responsabilidades. Así en el confuso asunto del oro español y en la negociación de la ayuda rusa a la República para continuar la guerra. A su izquierda Krestinski, Comisario del Pueblo adjunto de Asuntos Extranjeros de la URSS.

La guerra hizo de catalizador en la importancia política del Partido Comunista. Siendo minoritario, llegaría a tener un papel primordial en su desarrollo. En el cine Monumental se celebra un mitin comunista.

21 septiembre 1936

Los generales Cabanellas, Orgaz, Queipo de Llano, Saliquet, Dávila, Kindelán, Franco, Mola y Gil Yuste y los coroneles Moreno Calderón y Montaner se reúnen en una finca próxima a Salamanca, y acuerdan elegir al General Franco como jefe único y supremo de las fuerzas nacionales.

22 septiembre 1936

Uruguay rompe las relaciones diplomáticas con Madrid. En la Guinea española los gubernamentales se enfrentan con la población sublevada.

25 septiembre 1936

Es nombrado ministro sin Cartera Manuel Irujo y Ollo, nacionalista vasco.
La flota republicana pasa del Mediterráneo al Cantábrico.

26 septiembre 1936

Se crea la embajada de España en Moscú.

28 septiembre 1936

El general Varela entra en el Alcázar de Toledo.

La defensa del Alcazar es una lección práctica de moral militar un poco más compleja y de mayor duración que las que diariamente se daban en las aulas de aquel histórico edificio a nuestros caballeros cadetes.

Es un hecho, resultado del choque espantoso entre dos ideales, uno puro y otro bastardo, cuyo final no podía ser sino nuestro triunfo, comprendiendo también en este concepto nuestro total aniquilamiento si hubiese sobrevenido. La lección de moral estaba dada cualquiera que hubiese sido nuestro final en el Alcazar en el que no cabía ni la entrega ni la rendición.

Aquel maravilloso instrumento musical formado por mil y pico de voces humanas que vibraban al mismo tiempo y al unísono, era tan completo, tan ajustado y sus registros funcionaban tan a la perfección que durante aquella audición, un poco larga sin duda, no hubo una sola discordancia, la armonía fué absoluta, constante. La victoria era así segura ¿A qué costa? No importaba a cuanto, a mucha, era preciso, venció el ideal puro y honrado, venció la Patria.

Cuando contempléis sobre el cielo toledano el perfil majestuoso de las ruinas del Alcazar recoged vuestra emoción para escribir con ella sobre aquellos sillares abatidos por la metralla una oración por los que cayeron y la declaración solemne de nuestra fe en Dios y en España

José Moscardó

Carta autógrafa del general Moscardó, llena de emoción, relativa a la propia gesta del Alcázar toledano.

El general Moscardó, que protagonizó la más heroica resistencia. Con la liberación, la esperanza. La España de Franco se apuntaba un sonoro éxito y una buena compensación moral.

En Burgos, el día uno de octubre de 1936. El general Franco era nombrado Jefe del Estado y Generalísimo de los Ejércitos. Los nacionales se fortalecerían en la unidad de mando y esfuerzos, cosa que no lograron los republicanos. El Generalísimo presidiendo un desfile.

La multitud asiste al acto, aclama a Franco, personalización de todas sus esperanzas.

29 septiembre 1936

La Junta de Defensa Nacional decreta el nombramiento de Jefe del Estado y Generalísimo de los Ejércitos a favor del general Franco.
Bautismo de fuego del crucero nacional «Canarias»: hunde en combate al destructor «Almirante Ferrándiz».

30 septiembre 1936

La flota republicana se refugia en Bilbao.

Llega a Burgos el general Franco.

1 octubre 1936

En la Capitanía General de Burgos, Franco es investido oficialmente de los plenos poderes que se le habían otorgado.
Los anarquistas llegan a las puertas de Huesca.
Las Cortes republicanas se reúnen, menguadas, en Valencia. Se aprueba el Estatuto Vasco.

Placa que conmemora la exaltación de Franco a la Jefatura Suprema del Estado y de los Ejércitos.

3 octubre 1936

Franco crea la Junta Técnica del Estado:

Presidente	General Fidel Dávila Arrondo
Secretario de Guerra	General Germán Gil Yuste
Gobernador General	General Francisco Fermoso Blanco
Secretario de Relaciones Exteriores	Francisco Serra Bonastre
Secretario General	Nicolás Franco Bahamonde.

4 octubre 1936

Los gubernamentales atacan intensamente Oviedo.

6 octubre 1936

Álava, Guipúzcoa y Vizcaya se constituyen en región autónoma adoptando la denominación de País Vasco.
Miaja es sustituido en el mando de la III División por el general Gómez Caminero.
Rusia propone el envío de una delegación a la frontera hispano portuguesa.

7 octubre 1936

Rusia se separa del Pacto de No Intervención.

8 octubre 1936

El general Varela llega a 11 kms. de Madrid.
Se constituye el Gobierno de Euzkadi:

Presidencia y Defensa	José Antonio de Aguirre y Lecube
Gobernación	Telesforo Monzón
Hacienda	Heliodoro Latorre
Justicia y Cultura	Jesús María Leizaola
Obras Públicas	Juan de Astigarrabía
Trab. Prev. y Comunicac.	Juan de los Toyos
Asistencia Social	Juan Gracia
Industria	Santiago Aznar
Agricultura	Gonzalo Nardiz
Sanidad	Alfredo Espinosa
Comercio y Abastecimientos	Ramón María Aldasoro

José Antonio Aguirre, dirigente del nacionalismo vasco. Hombre muy popular en su tierra, supo conexionar los esfuerzos para llegar a conseguir la autonomía. Fue presidente de Euzkadi.

La guerra en Oviedo tuvo especiales características por la excepcional importancia de la provincia en cuanto a su potencia industrial y la masa de su población obrera muy politizada. La lucha fue dura por el control de la zona. En la fotografía una de las posiciones clave, la del cementerio de San Pedro de los Arcos, que dominaba las vías a León y a la Manjoya, con su fábrica de armas.

Miguel de Unamuno, uno de los personajes más universales de la intelectualidad española de la primera parte de siglo. De espíritu liberal, rebelde, bien afecto a la República que le distinguió con el título de Ciudadano de Honor. Era rector de la Universidad de Salamanca y allí permaneció durante la guerra. La República le destituyó de su cargo. Por esta época su intervención más sonada fue la que le enfrentó con Millán Astray en un acto cultural que presidía.

El general Aranda, coronel cuando estalló el Alzamiento, fue el héroe de Oviedo. De gran inteligencia y capacidad militar, supo hacerse con la ciudad en dificilísimas condiciones, después de engañar a los principales dirigentes obreristas. Durante la guerra tomó parte en las principales campañas, en especial en las del Norte y en las de Teruel y en el frente de Aragón. Tomó Valencia al final de la contienda. En la foto con los coroneles Ortega y Martín Moreno.

9 octubre 1936

Llegan al puerto de Alicante 650 voluntarios de las Brigadas Internacionales.

10 octubre 1936

Fusilamientos en Valencia.

12 octubre 1936

Barcelona recibe a los primeros miembros de las Brigadas Internacionales.
Incidente en Salamanca entre Miguel de Unamuno y Millán Astray.

13 octubre 1936

El general Pozas es nombrado jefe de la I División gubernamental en sustitución del general Castelló.

Decreto nacional contra los especuladores.

14 octubre 1936

Llega a Barcelona el buque ruso Ziryanin.

15 octubre 1936

Largo Caballero crea el Comisariado de guerra.

17 octubre 1936

Las columnas gallegas, al mando de Martín Alonso, entran en Oviedo levantando el cerco.

18 octubre 1936

Los nacionales conquistan Illescas, en la provincia de Toledo.

A. Eden, político británico a quien puede considerarse el inventor del sistema de "No Intervención". Suyo fue el proyecto de mediación entre las partes en lucha, a base de un Gobierno "neutro", que no llegó a ser aceptado.

Rusia fue la gran valedera de la República. Sus barcos eran frecuentes en los puertos republicanos, con diversos tipos de cargamentos, en especial, armas.

22 octubre 1936

Miaja toma el mando de la I División.

23 octubre 1936

Portugal rompe sus relaciones diplomáticas con el Gobierno de Madrid.

25 octubre 1936

Sale de Cartagena un cargamento de 510 toneladas de oro con destino a la Unión Soviética.

28 octubre 1936

Miguel de Unamuno es destituido de su cargo de rector de la Universidad de Salamanca.

29 octubre 1936

En Madrid son fusilados Ramiro de Maeztu y Ledesma Ramos.

31 octubre 1936

En Francia se organizan reclutas de voluntarios para luchar en España.

1 noviembre 1936

Eden reconoce el fracaso de la política de No Intervención, y afirma que no concederá los derechos de beligerancia a las fuerzas que luchan contra el Gobierno de la República.

2 noviembre 1936

Los nacionales conquistan Brunete. Bombardeo aéreo sobre Bilbao.

La personalidad literaria de Ramiro de Maeztu, miembro de la generación del 98, está de sobra consagrada. Políticamente, la línea de Maeztu varió de las primeras veleidades anarquistas a teorizante de derechas, inspirador ideológico de Acción Española. Fue fusilado a finales de octubre de 1936.

4 noviembre 1936

Las fuerzas de Franco ocupan Getafe, Alcorcón y Leganés, encontrándose a las puertas de Madrid.

CRISIS

Al iniciarse el mes de noviembre aún no conocía freno la marcha victoriosa de los nacionales por el Tajo. Madrid se presentaba a los ojos del propio Largo Caballero como la próxima victoria de los ejércitos de Franco.

Su eficacia para organizar la resistencia contaba con varios factores en contra: la oposición sorda de los comunistas, la desatención de los anarquistas y su propia obsesión por llevar a cabo la revolución restando esfuerzos a la primordial necesidad de ganar la guerra. Cuando las fuerzas de Franco llegaron a las puertas de la capital, la reacción no se hizo esperar. Largo Caballero consiguió, por fin, la colaboración de la CNT en el Gobierno que quedaba así, en teoría, integrado por las tres fuerzas revolucionarias más representativas: socialistas, comunistas y anarquistas.

Con la entrada de los nuevos ministros anarquistas, el Gobierno quedó constituido de la siguiente forma:

PRESIDENCIA y Guerra	Francisco Largo Caballero (Socialista)
Estado	Julio Álvarez del Vayo (Socialista)
Justicia	Juan García Oliver (C.N.T.)
Gobernación	Ángel Galarza Gago (Socialista)
Marina y Aire	Indalecio Prieto Tuero (Socialista)
Hacienda	Juan Negrín López (Socialista)
Inst. Púb. y Bellas Artes	Jesús Hernández Tomás (Comunista)
Agricultura	Vicente Uribe Galdeano (Comunista)
Obras Públicas	Julio Just Gimeno (Izquierda Republicana)
Trabajo y Previsión	Anastasio de Gracia Villarrubia (Socialista)
Sanidad y Asistencia Social	Federica Montseny Mañé (C.N.T.)
Industria	Juan Peyró Belis (C.N.T.)
Comercio	Juan López Sánchez (C.N.T.)
Comunicaciones y Mar. Mer.	Bernardo Giner de los Ríos García (U. R.)
Propaganda	Carlos Esplá Rizo (Izquierda Republicana)
Sin Cartera	José Giral Pereira (Izquierda Republicana)
Sin Cartera	Jaime Ayguadé y Miró (Esquerra Republicana)
Sin Cartera	Manuel Irujo y Ollo (Nacionalista Vasco)

Los planes de los nacionales marchaban a la perfección. Se saltó el estrecho, se llegó a Extremadura y se continuó la marcha incontenible hacia Madrid, por el valle del Tajo. El éxito fue continuado hasta avistar la capital. Pero a sus puertas, se detuvo el avance por varios años.

En la difícil coyuntura de noviembre de 1936, cuando las tropas nacionales se habían presentado a las puertas de Madrid, sin que nadie pareciese capaz de contenerlas, se buscó, por parte republicana, una más amplia coalición gubernamental para fortalecer la resistencia. Entraron en el plan los anarquistas, a pesar su táctica de no participación en el poder. Fue interesante la experiencia de dos anarquistas en sendas carteras ministeriales, en especial la de García Oliver en la de Justicia, caso bien insólito. Por su parte, Federica Montseny, como ministro de Sanidad, contribuyó a la aplicación oficial de las amplias ideas libertarias. A la izquierda, Ayguadé.

A primeros de noviembre de 1936 las tropas nacionales veían Madrid desde sus trincheras; pero no las abandonaron para entrar, hasta el último momento de la guerra. La defensa y el cerco de Madrid dieron lugar a los más diversos episodios. Aunque el Gobierno acabó por abandonar la capital para trasladarse a Valencia, fue durante toda la guerra el centro moral de la España republicana y en ella la propaganda alcanzó sus notas más agudas.

ASOCIACION DE AMIGOS DE LA UNION SOVIETICA

En 1919 miraban los obreros de todo el mundo a Petrogrado.

Hoy miran a Madrid.

¡MADRID, SE FUERTE!

Hoy eres el corazón del mundo que trabaja.

¡CADA PULSACION PARA LA DEFENSA DE MADRID!

UNION POLIGRAFICA, Bravo Murillo, 31.-Teléfonos 31225 y 36252

El general Varela había hecho su carrera en África, en donde consiguió por dos veces la laureada de San Fernando. Llegó a general antes de iniciarse la guerra. Participó en los planes del Alzamiento y en las primeras campañas en Andalucía. Él fue quien liberó el Alcazar de Toiedo. Se distinguió en el cerco de Madrid y en especial en la contraofensiva de Brunete.

Madrid. Meses y meses de guerra e incertidumbre. Las tropas enemigas a la puerta, bombardean la ciudad. La Junta de Defensa presidida por el general Miaja (el quinto por la derecha, con gafas) fue la que llevó la grave responsabilidad de resistir cuando todos salían huyendo de la quema.

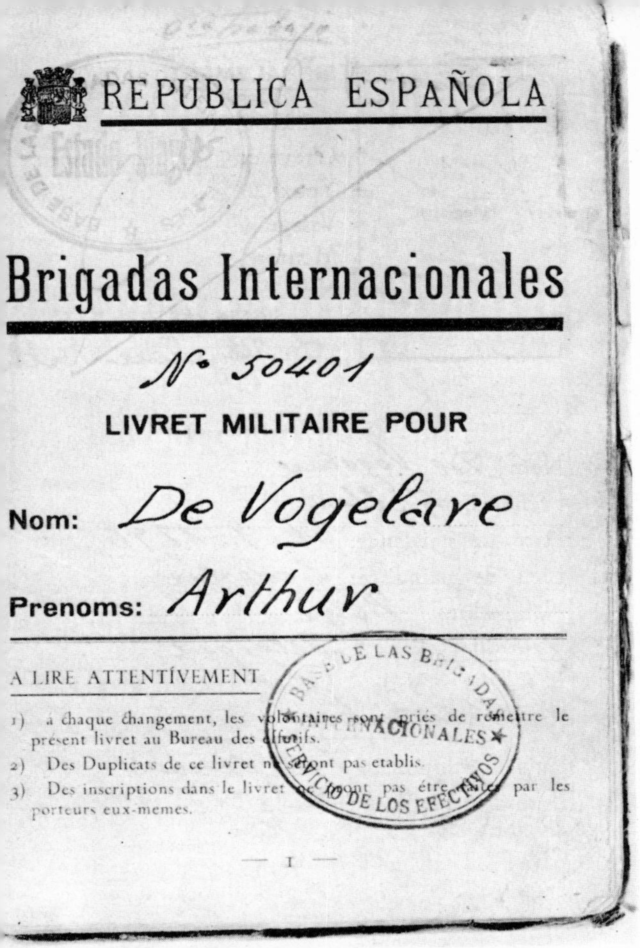

REPUBLICA ESPAÑOLA

Brigadas Internacionales

Nº 50401

LIVRET MILITAIRE POUR

Nom: De Vogelare

Prenoms: Arthur

A LIRE ATTENTIVEMENT

1) à chaque changement, les volontaires sont priés de remettre le présent livret au Bureau des effectifs.
2) Des Duplicats de ce livret ne sont pas etablis.
3) Des inscriptions dans le livret ne peuvent pas être faites par les porteurs eux-memes.

— 1 —

6 noviembre 1936

El general Miaja se hace cargo de la Junta de Defensa de Madrid.
Los nacionales toman el Cerro de los Ángeles, Carabanchel Alto y Villaverde.
El oro español llega al puerto de Odesa, al sur de Rusia.
El gobierno republicano, juzgando insegura la situación de la capital, decide trasladarse a Valencia.

7 noviembre 1936

Los nacionales ocupan los puentes de Segovia y Princesa. Se estabiliza el frente de Madrid ante la llegada de los primeros contingentes de las Brigadas Internacionales.

Aparte de planes y acuerdos internacionales de "no intervención", la realidad fue la participación abundante de diversas partes para ayudar a uno u otro bando. El comunismo internacional por mano de Rusia, principalmente, intervino de forma muy activa. El gran recurso fue la recluta de voluntarios, en su mayoría comunistas, para ayudar al gobierno de la República. Que constituyeron las brigadas internacionales. El principal centro de reclutamiento estaba en París, y en Albacete la base de organización y entrenamiento. En los primeros días de noviembre participaron ya en la defensa de Madrid; salieron de nuestro país en noviembre de 1938, después de haber prestado una ayuda inapreciable a la causa republicana.

Madrid fue abordada, por la Casa de Campo y la Ciudad Universitaria, por las tropas que confluían desde Toledo y desde la sierra. Esta zona fue escenario de la más dura violencia. Las huellas todavía pueden apreciarse hoy por aquellos parajes. Trincheras próximas al lago de la Casa de Campo.

Lo interminable de una lucha que se concibió como de poco tiempo hizo que, sobre la marcha, se tuvieran que ir creando muchas cosas que se presentaban como necesarias para continuar adelante. En la España nacional hubo necesidad de formar mandos militares nuevos que completasen el número de los profesionales. Los «Alféreces provisionales», con una instrucción de urgencia y un valor a toda prueba fueron piezas humildes, pero fundamentales, para el triunfo final, que muchos sellaron con sus vidas. Jura de bandera de sargentos.

La capital de la República resiste. Del lado de la Ciudad Universitaria viene el peligro principal. En la Moncloa, trincheras que son muy batidas. Al fondo la Cárcel Modelo, de tanta actualidad y ajetreo en estos años de la República y la guerra.

La llamada Legión Cóndor constituyó una de las más eficaces ayudas de Alemania a los nacionales. En noviembre de 1936, se organizó en España al mando del general von Sperrle. La constituían unos diecisiete mil hombres y una amplia dotación de material bélico. Usó bombarderos Junker y cazas Heinkel y Messerchmitt. Participó en importantes acciones aéreas, entre otras las del bombardeo de Guernica.

La proximidad de las fuerzas nacionales enardecía los ánimos de los combatientes de Madrid, pero también dio lugar a cobardes represalias en las personas indefensas de los presos políticos. De las cárceles de Madrid salieron por centenares para ser fusilados en masa, en especial en el pueblo de Paracuellos del Jarama. En la fotografía, familiares orando, en los primeros días de la victoria nacional.

8 noviembre 1936

Fusilamientos en masa en Paracuellos del Jarama.
El Gobierno de Franco obtiene el reconocimiento de Guatemala y El Salvador.

10 noviembre 1936

El Comité de No Intervención informa que no hay pruebas de ayuda germano-italiana al Gobierno de Franco.
El General Varela ocupa el Vértice de Garabitas en la Casa de Campo.

14 noviembre 1936

Con la llegada de las XI y XII Brigadas Internacionales, los nacionales detienen su avance sobre Madrid fijando el frente en la Ciudad Universitaria.

15 noviembre 1936

Los nacionales entran en el Parque del Oeste de Madrid.
Llegan los primeros componentes alemanes de la Legión Cóndor.

El asedio de Madrid, cobró especial dureza en la zona Universitaria. La desolación y las ruinas constituían las notas del paisaje. Pero la sensibilidad del fotógrafo ha sabido aminorarlas. Ingeniosa vista de la Casa de Velázquez.

16 noviembre 1936

Las tropas de Franco ocupan la Casa de Velázquez y la Escuela de Ingenieros Agrónomos.

17 noviembre 1936

Las fuerzas que operan en Madrid encuentran fuerte resistencia en el Hospital Clínico.

18 noviembre 1936

El Gobierno de Burgos es reconocido por Alemania e Italia.

19 noviembre 1936

Muere Durruti en la Ciudad Universitaria.

20 noviembre 1936

José Antonio es fusilado en la cárcel de Alicante.

24 noviembre 1936

La Junta de Defensa de Madrid se incauta de las embajadas de Alemania e Italia.

28 noviembre 1936

Muñoz Seca es fusilado en Madrid.

Desde marzo de 1936 arrastró cárcel José Antonio, por los motivos más fútiles que le iban acumulando breves condenas. El 5 de junio es trasladado a la prisión de Alicante en donde sería fusilado el 20 de noviembre.

SALVOCONDUCTO

Expedido a favor de Abundio [illegible] Rivas
que marcha desde ésta Ciudad a Madrid y regresar [illegible]
esperando de las autoridades Militares no pongan impedimento alguno.

¡Arriba España!

Talavera de la Reina 8 de Octbre de 1936.

El Teniente Coronel Comandante Militar.

[illegible]

La guerra en marcha, todo fueron medidas de seguridad y policía. Los desplazamientos por el propio país se llevaron con absoluto control. He aquí un salvoconducto de los que se expedían en la España nacional.

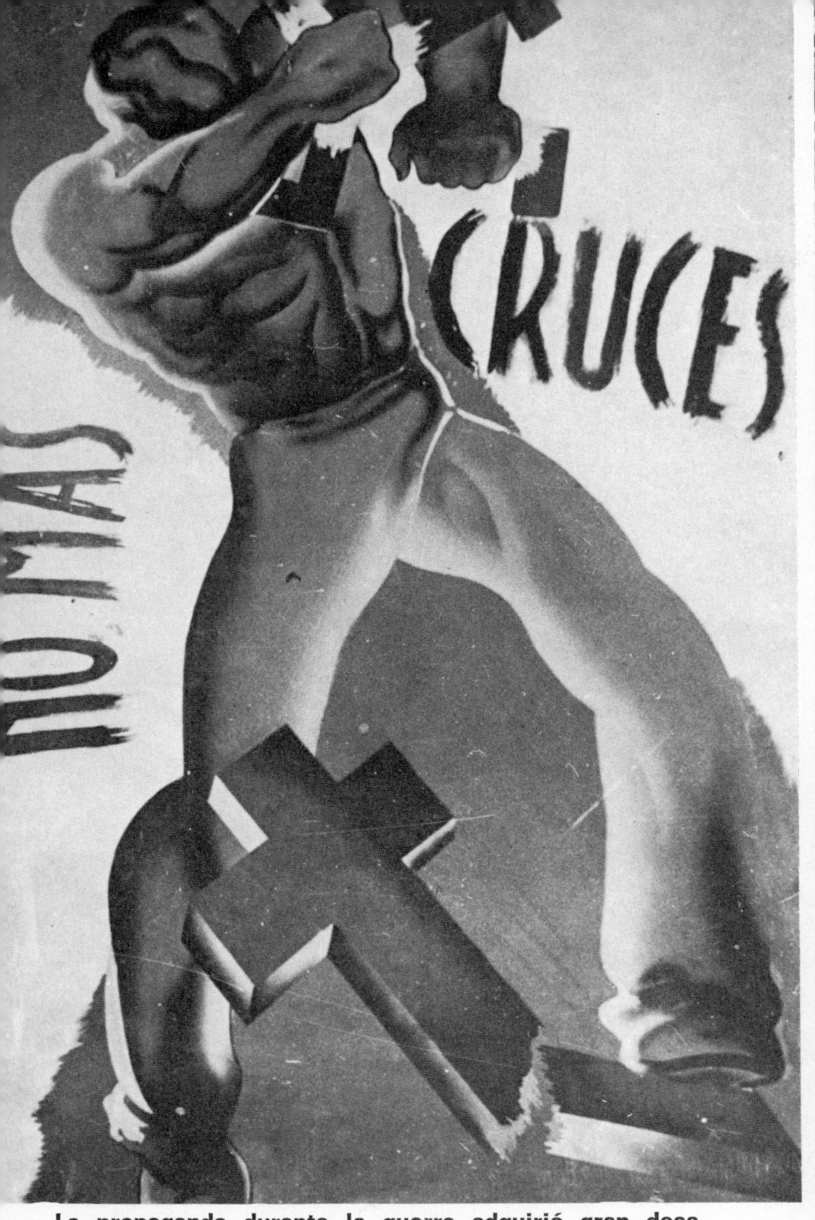

La propaganda durante la guerra adquirió gran desarrollo en ambos bandos. En el lado republicano los carteles fueron uno de los elementos más utilizados, y constituyen una fuente gráfica insustituible para la comprensión del ambiente de la guerra.

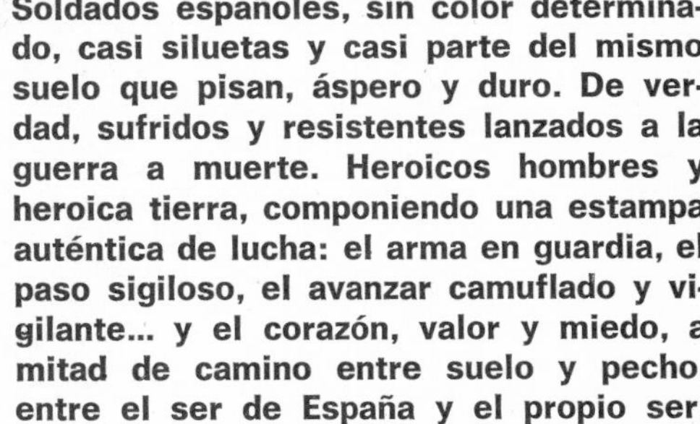

Soldados españoles, sin color determinado, casi siluetas y casi parte del mismo suelo que pisan, áspero y duro. De verdad, sufridos y resistentes lanzados a la guerra a muerte. Heroicos hombres y heroica tierra, componiendo una estampa auténtica de lucha: el arma en guardia, el paso sigiloso, el avanzar camuflado y vigilante... y el corazón, valor y miedo, a mitad de camino entre suelo y pecho, entre el ser de España y el propio ser.

Venido del frente de Aragón al de Madrid para allí encontrar la muerte. Este fue el final de Durruti, el líder anarquista más luchador y popular. Después de batirse en los frentes de la Ciudad Universitaria y de la Casa de Campo, murió el 21 de noviembre en plena batalla. Con él sucumbía toda una manera de entender y vivir el anarquismo. Su entierro, en Barcelona, fue multitudinario.

La guerra, sin final previsible, obligaba a una organización más pensada de la España nacional. Los generales Franco y Mola se dan cita en Burgos.

Martínez Barrio y los demás componentes de la Mesa Presidencial de las Cortes de la República, que siguieron reuniéndose periódicamente durante la guerra. En esta ocasión, en Valencia el primero de diciembre de 1936.

Gentes con susto, con gran miedo, estos que pierden la garantía de la embajada del Perú para pasar a engrosar la masa anónima de los encarcelados. Embajadas de Madrid, repletas de asilados, escenario de tantas esperanzas y tantos temores. Soldados republicanos vigilan un camión cargado de estas gentes.

El mercante soviético "Komsomol", que después de descargar en Valencia fue hundido por el crucero "Canarias".

El crucero "Canarias" fue uno de los más poderosos con que contó la marina nacional. En la foto queda bien patente su envergadura y la dotación artillera que llevaba.

1 diciembre 1936
Las Cortes se reúnen en Valencia.

4 diciembre 1936
La Legación de Finlandia en Madrid es asaltada, siendo detenidos más de un millar de refugiados.

5 diciembre 1936
En la zona nacional se da un decreto por el que se declara cesantes a todos los funcionarios contrarios al alzamiento.

6 diciembre 1936
Fuerte bombardeo aéreo del puerto de Barcelona.

10 diciembre 1936
La U.G.T. anuncia su fusión con la C.N.T.

11 diciembre 1936
Álvarez del Vayo acusa, en la Sociedad de Naciones, a Alemania e Italia de ayudar a Franco.

14 diciembre 1936
El crucero «Canarias» hunde al buque soviético Konsomol.

Socorro Rojo Internacional

COMITE DE LA SECCION SUR

MAGDALENA, 7 — MADRID

ANTIFASCISTAS:

Llamarse hermano del pueblo ruso y no hacerse partícipe del dolor que le aqueja con el hundimiento del "KOMSOMOL", es crimen imperdonable.

Entrega tu donativo a la Sección Sur del Socorro Rojo Internacional y restituye la pérdida que hoy lamentan los camaradas rusos por el vandalismo fascista.

Imp. del S. R. I.—Abascal, 22

El hundimiento del mercante ruso "Komsomol", dio lugar a grandes manifestaciones de solidaridad con la Unión Soviética. He aquí una muestra de la campaña promovida a su favor.

16 diciembre 1936

Se van desarrollando las batallas en torno a Madrid. Los nacionales toman Boadilla del Monte.
Largo Caballero crea la Escuela Superior de Guerra.

17 diciembre 1936

Nuevo Gobierno de la Generalidad de Cataluña:

Hacienda	José Terradellas (Esquerra Republicana)
Defensa	Francisco Isgleas (C.N.T.)
Economía	Diego Abad de Santillán (C.N.T.)
Servicios Públicos	Juan José Doménech (C.N.T.)
Sanidad y Asistencia Soc.	Pedro Herrera (C.N.T.)
Abastecimientos	Juan Comorera (U.G.T.)
Trabajo y Obras Públ.	Miguel Valdés (U.G.T.)
Justicia	Rafael Vidiella (U.G.T.)
Seguridad Interior	Artemio Ayguadé (Esquerra Republicana)
Cultura	Antonio María Sbert (Esquerra Republicana)
Agricultura	José Calvet (Unión de Rabassaires)

Guerra civil con implicaciones internacionales fue la nuestra del 36. El "donjulianismo" español que provocó la intromisión extranjera desde ambos lados es una cuestión capital en la comprensión de la guerra española. Soldados de la división "Littorio" venidos a España a luchar por la causa nacionalista, y la heterogénea masa de internacionales puesta al servicio de un extremismo insólito.

Las batallas en torno a Madrid fueron aislando poco a poco a la capital. Los frentes, sin embargo, vieron actividad casi por toda la guerra. Un aspecto del frente de Arganda.

Alusión de Kin al tráfico de armas y a la farsa diplomática que envolvía todas estas realidades. "El comité de Barcelona regresa de una gestión "diplomática" en Francia".

Mucho fue lo que la guerra supuso en el pasado y en el futuro urbanístico de Madrid. La ciudad fue bombardeada por largos años, destruida en gran parte. Las bombas llovían sobre sus casas y calles y el conjunto urbano iba desmoronándose. Sin embargo, sus habitantes resistían e incluso se iban familiarizando con aquellas cosas. Gigantesco e imponente socavón producido por una bomba en la Puerta del Sol esquina a Alcalá.

Los frentes de Madrid recibieron constantes visitas de los líderes políticos para aunar a los combatientes con su presencia. Largo Caballero en visita a las trincheras acompañado de un grupo de milicianos. Detrás del ministro, y con el mismo modelo de "mono", Wenceslao Carrillo.

En Madrid, la embajada inglesa cubre el tejado con su bandera en un intento de prevenir posibles bombardeos.

20 diciembre 1936

La Marina Nacional pone en servicio el crucero «Baleares».

23 diciembre 1936

Llegan a Cádiz 6.000 legionarios italianos.

26 diciembre 1936

El general Miaja prohibe circular por Madrid con armas largas de fuego.

31 diciembre 1936

Miguel de Unamuno muere en Salamanca.

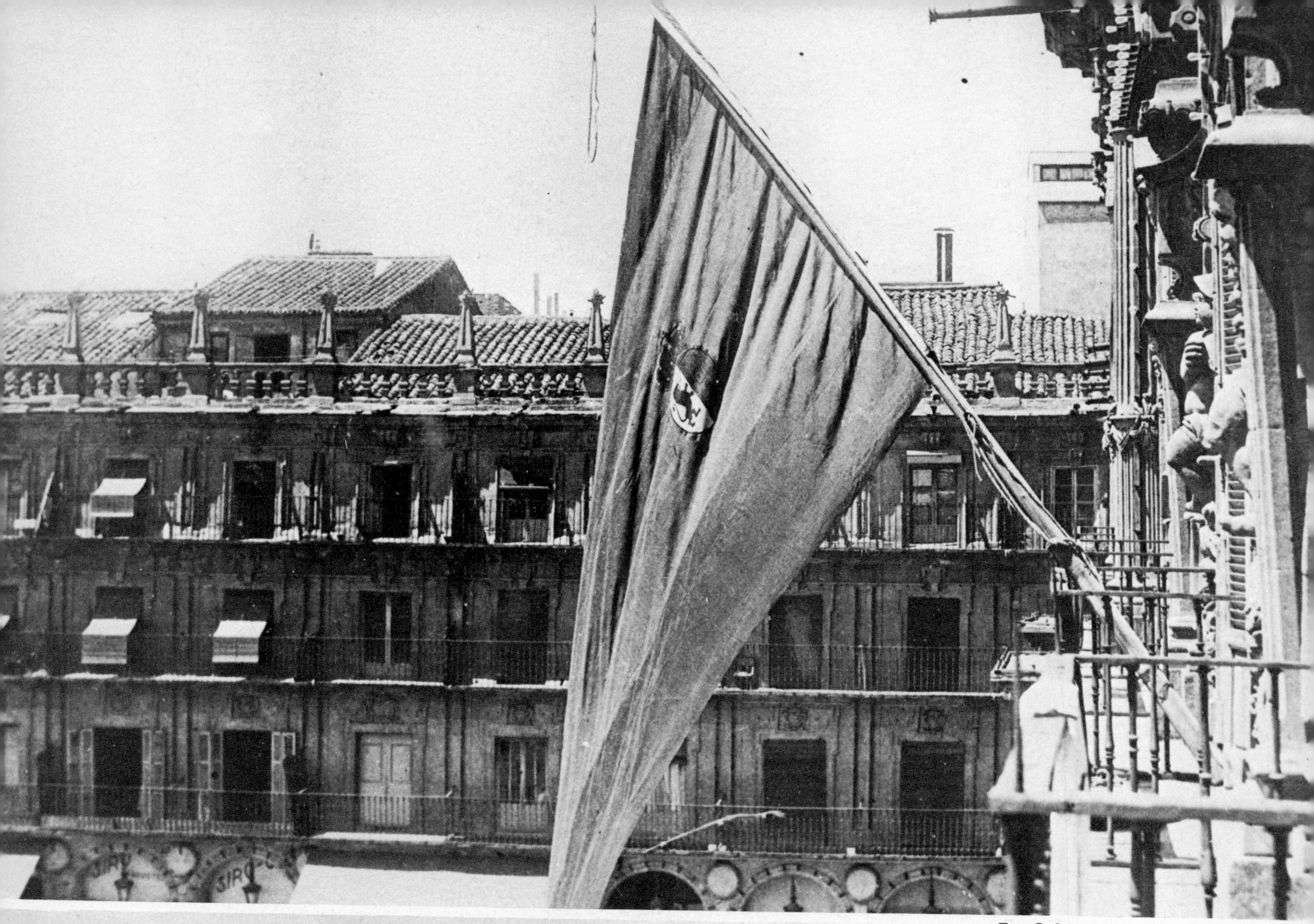

En Salamanca estableció el Generalísimo Franco su sede. En el Ayuntamiento ondea la bandera nacional, enmarcada por la gran categoría artística de su magnífica plaza barroca.

En el Parque del Oeste sólo hay desolación y sangre. O árboles muertos o moribundos. Frente de Madrid con guerra permanente en sus entrañas.

1937. COMUNISMO CONTRA ANARQUISMO

La ofensiva contra Málaga comenzó en enero de 1937. Las tropas de Franco buscaban una salida al Mediterráneo y Queipo de Llano la dirigió con éxito con el apoyo de la marina. Un aspecto de la ciudad.

Antequera, en la provincia de Málaga, sufrió grandes destrozos por los bombardeos. Bien patentes quedan en los edificios de esta calle.

1 enero 1937

A la altura de Santander, encalla el mercante republicano «Sotón».
Las tropas nacionales se apoderan de Porcuna, en la provincia de Jaén.

3 enero 1937

Importante avance nacionalista en la carretera de La Coruña, en el sector centro, ocupándose Villafranca del Castillo.

4 enero 1937

Continúa la ofensiva del día anterior, tomándose la línea Villanueva del Pardillo-Majadahonda.

5 enero 1937

El Gobierno de la Generalidad de Cataluña proclama el racionamiento de guerra.
Se hunde en Málaga un barco gubernamental al chocar con una mina.

Sobre los hermanos José y Luis Alcalá Zamora debió de pesar lógicamente la significación de su apellido. Hombres jóvenes, en pocos años las circunstancias históricas les hicieron vivir una larga evolución política, aunque siempre desde la cumbre. El desairado fin de su padre y el trágico desenlace nacional no serán leves experiencias. José, a la izquierda, acabó, en aquella vorágine, ingresando en el Partido Comunista.

6 enero 1937

En el Mediterráneo, el petrolero «Campuzano» es apresado por el «Canarias».

7 enero 1937

Las tropas nacionales que operan en el frente de Madrid, llegan hasta Pozuelo de Alarcón.

En el Cantábrico, el «Tutonia» captura un barco ruso cargado de provisiones para Bilbao.

8 enero 1937

Ocupación de Aravaca por los nacionales.

9 enero 1937

El presidente de los EE. UU. prohíbe la venta de armas a los contendientes en la guerra de España.

10 enero 1937

El Gobierno decreta la evacuación de la población civil de Madrid.

11 enero 1937

El «Canarias» y el «Almirante Cervera» operan a la altura de Málaga.

12 enero 1937

Es sofocado un amotinamiento anarquista en Bilbao.

14 enero 1937

Llegan a Estepona, Málaga, las fuerzas nacionales.

Al fracasar el asalto a Madrid se pasó a una nueva táctica: las batallas en torno a Madrid. Así se tomaría Pozuelo de Alarcón, pueblo situado a las puertas de la capital: aquí vemos los rigores que sufrió.

El barrio de Argüelles fue auténtica vanguardia, a poca distancia de la Ciudad Universitaria. Las trincheras abundaron en sus calles como, por ejemplo, estas de la de Altamirano.

Las tropas nacionales que combaten en el frente andaluz se hacen con otro pueblo. En la fotografía se ven las defensas improvisadas.

17 enero 1937

El Presidente de la República se instala en Valencia. Los nacionales ocupan Marbella.

19 enero 1937

Reconquista por los nacionales del Cerro de los Ángeles. El Gobierno de Burgos crea la emisora de Radio Nacional de España.

21 enero 1937

El Gobierno francés decreta el embargo de armas y el envío de voluntarios a España.

22 enero 1937

Los nacionales ocupan Alhama de Granada.

Las tropas Carlistas del teniente coronel Redondo que se distinguieron en el frente de Andalucía por su valor y su combatividad.

Andalucía se había destacado por la actividad de su proletariado campesino, en su mayoría afecto al anarquismo. Al tomar los pueblos, los nacionales efectuaban numerosas detenciones.

Las batallas en torno a la capital irían dando resultados positivos. Zona de Puerta de Hierro, en la carretera de La Coruña, que sería escenario de violentos combates.

Como las bombas no respetan nada ni a nadie y los madrileños aman extrañablemente a "La Cibeles" se cuidan de protegerla bien. Curiosa estampa la de la espaciosa plaza de marco con esta especie de túmulo gris en el centro. No parece la misma, como si la diosa hubiese ocultado también ese mágico encanto que siempre le dio fama y entusiasmo a sus devotos madrileños. Divina Cibeles capaz de vivir imperturbable la guerra y la paz.

Símbolos imperantes en la España de entonces: estrella roja, hoz y martillo. Manifestación comunista.

El fusil, el cañón, el mortero, la ametralladora... no tienen descanso. Los hombres las mandan, las azuzan contra los hombres. Escenas como ésta, jalonan la vida de España por un trienio. Legionarios disparando con un mortero.

Los jefes de las Brigadas Internacionales recibieron todas las consideraciones y honores correspondientes. Algunos ostentaron la graduación de general y se equiparon con los distintivos del cargo. He aquí al conocido por general Kleber, comunista de vieja solera, veterano de mil guerras, que incluso figuraba en las nóminas del gobierno republicano.

Las Brigadas Internacionales constituyeron una considerable ayuda para la España republicana. Su actuación en el frente de Madrid fue muy eficaz. Estuvieron en el país hasta los últimos meses de la guerra.

La bella capital malagueña sufrió grandes destrucciones ya antes del asalto nacional, por sus propios defensores. Un incendio en el centro urbano.

Las carreras hacia los refugios, con el corazón sobrecogido, suelen ser de los recuerdos imborrables, como los de estos niños que se asoman semiajenos al peligro.

Las tropas nacionales en movimiento hacia Málaga, ofensiva que acabaría victoriosamente.

Jefes de las brigadas internacionales en el frente del Jarama. La batalla del Jarama fue un hito importante en la táctica de cerco de Madrid.

4 febrero 1937

El general Martín Alonso es nombrado jefe de las fuerzas que operan en el frente de Asturias.

5 febrero 1937

Gran ofensiva nacionalista sobre Málaga.

6 febrero 1937

Se inicia la ofensiva nacional hacia el río Jarama, ocupando Marañosa y Ciempozuelos.

8 febrero 1937

Entrada de los nacionales en Málaga.
Se reúnen en Lisboa carlistas y falangistas en un intento de llegar a la fusión de ambos partidos.

11 febrero 1937

La Generalidad llama a filas a las quintas de 1934 y 1935.

Maurice Thorez, jefe del partido comunista francés, visita el frente. Su actividad en favor de la República se tradujo además en actos de propaganda en su país que iban destinados a recaudar fondos y a influir en la postura francesa en el asunto de la "No Intervención".

En Valencia, el Jefe del Gobierno Largo Caballero habla a los componentes de una manifestación.

Aquello que pareció cosa breve se convertía en una larga y devastadora guerra. Se fueron sucediendo nuevas levas de hombres para la lucha. Llegan a Valencia nuevos reclutas para el ejército republicano.

Temple heroico del soldado español entre la paradoja de conservar y jugarse la vida a un tiempo. La gloria inmarcesible del héroe y la elemental necesidad de la subsistencia vividas vertiginosamente, sin saber cómo ni cuándo. El héroe de luego, es el fregón de ahora. Momento del rancho en un campamento.

Aquí sobra el comentario. Ya tiene la foto dos "pies". Tan separados, tan incompatibles, que hacían imposible que España pudiera caminar con tales andaduras.

12 febrero 1937

Acometida comunista dirigida hacia las fuerzas del bloque gubernamental, en especial contra el POUM, CNT y socialistas.

15 febrero 1937

El general Miaja asume el mando en el sector del Jarama.

17 febrero 1937

El Gobierno de Valencia ordena la incorporación a filas de los reemplazos de 1932 a 1936.

18 febrero 1937

Nuevo intento fallido de unión de falangistas y carlistas.

20 febrero 1937

El Comité de No Intervención prohíbe el alistamiento de voluntarios con destino a España.
El ministro de la Guerra destituye de sus cargos a varios comunistas.

21 febrero 1937

Ataque republicano contra Oviedo.

23 febrero 1937

Las fuerzas de Miaja abandonan el vértice Pingarrón.

24 febrero 1937

La prensa comunista ataca fuertemente a Largo Caballero.

27 febrero 1937

Se establece por decreto el antiguo Himno Nacional, conocido por Marcha Granadera. Se declaran cantos nacionales los himnos de Falange Española, Oriamendi y el de La Legión.
El Gobierno republicano suspende el periódico anarcosindicalista «Nosotros».

Llegado a España como corresponsal, en los primeros meses del año 1937, Hemingway se convirtió en un decidido defensor y propagandista de la República. La guerra española inspiró diversas obras suyas entre las que alcanzó fama universal: "Por quién doblan las campanas".

28 febrero 1937

Termina la batalla del Jarama.

1 marzo 1937

Roberto Cantalupo presenta sus credenciales al Generalísimo Franco, como embajador italiano.

La aviación jugó un papel decisivo. Aparatos alemanes, italianos, rusos, etcétera, atronaron con sus motores y sus bombas el suelo español. Aviones republicanos.

Los tristemente populares "ratas", que tan destacado papel tuvieron durante la guerra. De fabricación rusa, su nombre era Polikarpov I-16.

Escuadrillas de aparatos De Havilland DH-9, otro de los aviones que tomaron parte en nuestra guerra.

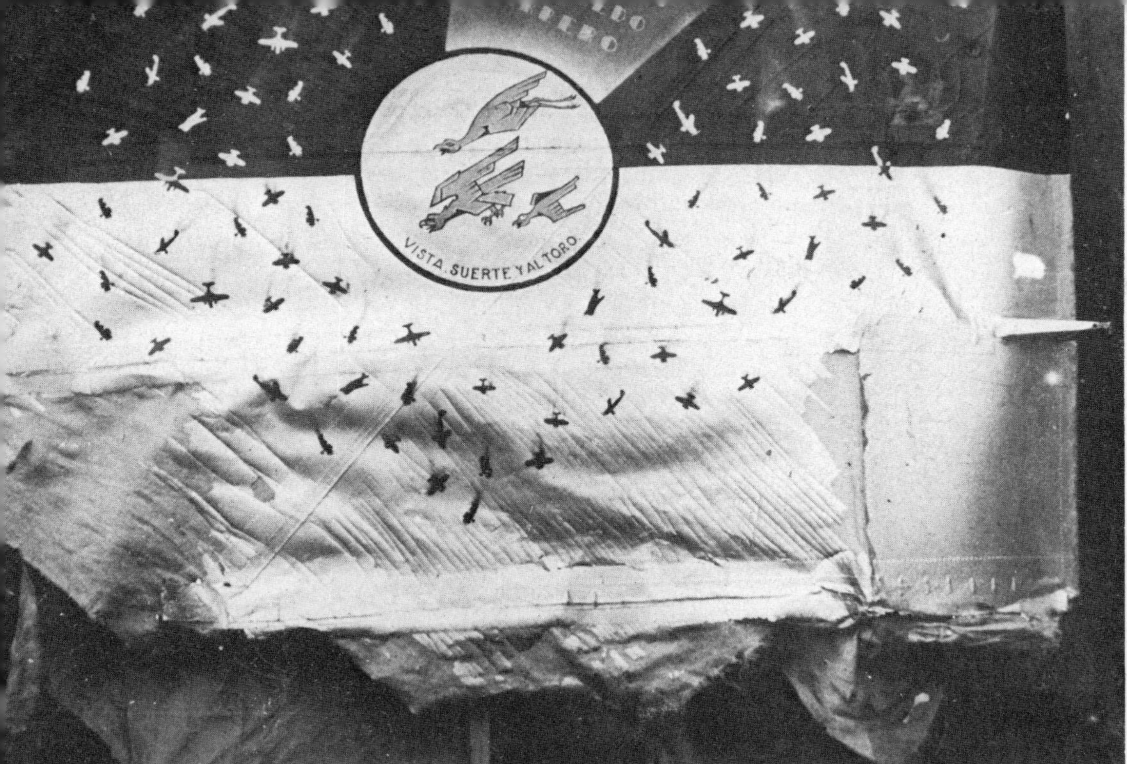

La escuadrilla de García Morato, con el lema "Vista, suerte y al toro", se hizo famosa entre toda la aviación nacional. En la foto, el plano de un aparato ruso, derribado, que se utilizó para señalar los aviones enemigos que se iban anulando.

Sobre una disciplinada organización, el comunismo desarrolló una osada propaganda como medio de captación y como elemento capital para mantener la lucha. La resistencia madrileña se espoleó en todos los tonos y en todos los tamaños; la efigie de Stalin cubrió muchos metros cuadrados y prometió mucha ayuda.

Tiempo de guerra civil, de divisiones intestinas que quedan en una u otra zona por pura casualidad. A lo largo de toda la contienda vino luego produciéndose un acoplamiento más afín a las apetencias particulares. Evadidos hubo en las dos partes que arriesgaron doblemente por pasarse a los "suyos", por convicción personal, por miedo, por influencia de la propaganda, por oportunismo. El evadido tiene auténtica categoría para figurar entre los personajes de la novelística sobre nuestra guerra. En la foto Álvarez del Vayo, ministro de Estado, en un acto en el Olympia de Valencia en el que participaron diversos evadidos.

El general W. von Faupel, combatiente de la primera guerra mundial, fue el primer encargado de negocios alemán en la España nacionalista. Ascendido más tarde a la categoría de embajador, gestionó con Jordana una serie de concesiones y preferencias económicas para nuestro país.

Dolores Ibárruri, "Pasionaria", figura consustancial a la historia de nuestros años treinta, no fue sólo la vociferante mujer que alentó a la revolución por encima de todo. Degeneró en el extremismo comunista y su línea demoledora encontró el momento y el abono propicios dentro del campo y del ambiente frentepopulista.

Símbolos, carteles, vivas a Rusia en el Pleno del Partido Comunista de España, en marzo de 1937. Los comunistas reorganizan sus fuerzas y consolidan sus posiciones. Los ataques empiezan a dirigirse contra el POUM.

En Guadalajara, las tropas italianas vinculadas al Ejército nacional fueron derrotadas. El mal estado del terreno y el empuje desesperado de los gubernamentales ocasionaron el desastre. Un aspecto del frente.

3 marzo 1937

El embajador alemán von Faupel, presenta sus cartas credenciales en Salamanca.

4 marzo 1937

El Gobierno de la República acepta la propuesta de retirar los voluntarios extranjeros que combaten en los dos bandos.

5 marzo 1937

El Pleno del Partido Comunista Español pide el fin del POUM.

8 marzo 1937

Comienza la ofensiva nacional en Guadalajara.
Goicoechea disuelve «Renovación Española».
El «Mar Cantábrico» es capturado con un importante cargamento bélico procedente de EE. UU. y Méjico destinado a los gubernamentales.

9 marzo 1937

Los italianos toman Almadrones, en el sector de Guadalajara, marchando hacia Brihuega.

10 marzo 1937

Las tropas del general italiano Roatta entran en Brihuega.

13 marzo 1937

Vicente Rojo es nombrado jefe del Estado Mayor del Ejército del Centro.

18 marzo 1937

Los republicanos ocupan Brihuega.

20 marzo 1937

Companys denuncia que el Gobierno de la Generalidad atraviesa una grave crisis por falta de autoridad.

23 marzo 1937

Termina la batalla de Guadalajara.
El «Boletín Oficial del Estado», publica una ley obligando a todos los particulares, Bancos y sociedades a ceder al Estado las divisas extranjeras.
Rusia acusa a Italia de haber enviado a España 60.000 combatientes.

"El Campesino" en la plaza de Trijueque, comentando con otros jefes los últimos incidentes de la ofensiva de Guadalajara.

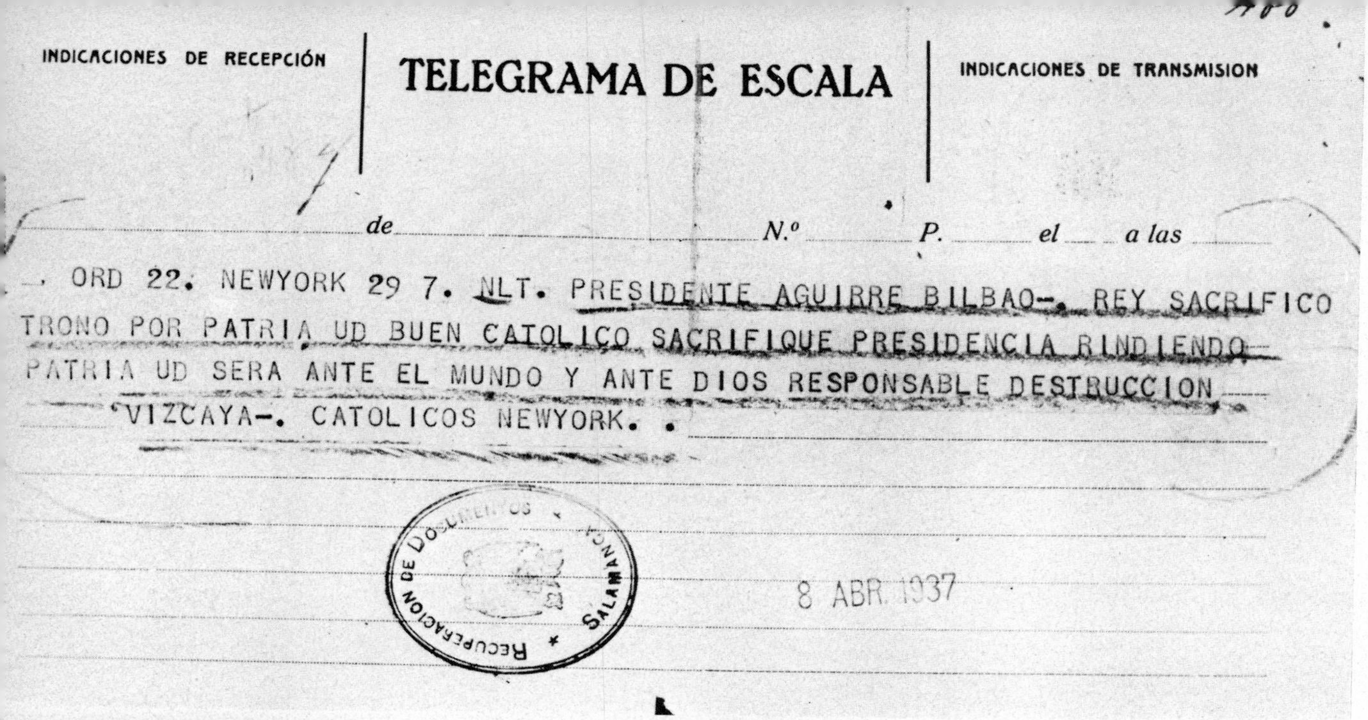

INDICACIONES DE RECEPCIÓN

TELEGRAMA DE ESCALA

INDICACIONES DE TRANSMISION

de ... N.º ... P. ... el ... a las ...

ORD 22. NEWYORK 29 7. NLT. PRESIDENTE AGUIRRE BILBAO-. REY SACRIFICO TRONO POR PATRIA UD BUEN CATOLICO SACRIFIQUE PRESIDENCIA RINDIENDO PATRIA UD SERA ANTE EL MUNDO Y ANTE DIOS RESPONSABLE DESTRUCCION VIZCAYA-. CATOLICOS NEWYORK. .

8 ABR. 1937

Los católicos norteamericanos enviaron este significativo telegrama al jefe del Gobierno vasco, Aguirre, para presionar sobre su conducta.

Bandera de Cataluña, convertida en símbolo de un nacionalismo que tuvo su realización más plena en los tiempos de la República y de la guerra.

El comunismo volcado sobre España, buscando en la lucha objetivos propios, ajenos al interés nacional. Al dictado soviético armas y hombres laboraron por decidir el conflicto bélico a su favor. Se pusieron en juego infinitos recursos y se enviaron destacados personajes internacionales. En la foto, junto a Valdés y Líster vemos a P. Nenni y al comandante "Carlos" (Vidali).

27 marzo 1937

Dimiten los ministros anarquistas de la Generalidad.

31 marzo 1937

El general Mola inicia la ofensiva del norte.
Protocolo secreto entre Alemania y la España Nacional.

1 abril 1937

Queda resuelta la crisis del Consejo de la Generalidad.

3 abril 1937

La aviación republicana ataca al acorazado «España» en el Mar Cantábrico.

4 abril 1937

«La Batalla», órgano central del P.O.U.M., ataca a los comunistas.

6 abril 1937

El crucero «Almirante Cervera» detiene al mercante inglés «Thorpehall» con provisiones para Bilbao.

9 abril 1937

El general Miaja intensifica las operaciones en el sector centro para desarticular la ofensiva nacional en el norte.
Franco impone el bloqueo a los puertos del Cantábrico.

10 abril 1937

El Gobierno inglés limita la protección a sus mercantes hasta tres millas de las aguas jurisdiccionales.

12 abril 1937

De madrugada los republicanos toman por sorpresa el monte de Santa Quiteria entre Huesca y Zaragoza.

13 abril 1937

La «Gaceta de la República» publica un decreto por el que toman estado legal los matrimonios celebrados con posterioridad al 18 de julio de 1936, ante cualquier autoridad, por militares o milicianos con capacidad para contraer matrimonio, muertos en campaña o prestando servicios.
Los nacionales reconquistan el Monte Santa Quiteria.
La aviación nacionalista ensaya por primera vez los ataques en cadena.

16 abril 1937

Composición del nuevo Consejo de la Generalidad presidido por Terradellas:

Presidencia y Finanzas	José Terradellas (Esquerra Republicana)
Defensa	Francisco Isgleas (C.N.T.)
Economía	Andrés Capdevila (C.N.T.)
Servicio Público	Juan J. Doménech (C.N.T.)
Justicia	Juan Comorera (U.G.T.)
Cultura	Antonio María Sbert (Esquerra Catalana)
Agricultura	José Calvet (Unión de Rabassaires)
Sanidad y Asistencia Social	Aurelio Fernández (C.N.T.)
Abastos	José Miret (U.G.T.)
Trabajo y Obras Públicas	Rafael Vidiella (U.G.T.)
Seguridad Interior	Artemio Ayguadé (Esquerra Republicana)

Rostros duros, grave atuendo negro y puñal al cinto, inquietante catadura, los componentes del Batallón de la Muerte, "Malatesta", casi todos anarquistas italianos, desfilan por las calles de Barcelona. Su acción en el frente de Aragón fue una parodia de lo que su aspecto podía hacer presagiar. A las órdenes de Testa y Strafelini llegaron a las cercanías de la posición de Santa Quiteria cuando ya había sido reconquistada por los nacionales y la batalla estaba prácticamente terminada. A partir de este momento, su actuación queda envuelta en el misterio. Lo cierto es que el Batallón se disolvió y dejó de existir sin haber efectuado un solo disparo. Algunos de sus miembros se pasaron a los nacionales pero la mayoría huyó a la retaguardia.

19 abril 1937

El Generalísimo Franco decreta la unificación de las fuerzas políticas de Falange Española y Requetés, con el nombre de F.E.T. y de las J.O.N.S., asumiendo la Jefatura de la nueva entidad política.
El buque inglés «Seven Seas Spray», con provisiones procedentes de Valencia, rompe el bloqueo y entra en el puerto de Bilbao.

20 abril 1937

La 1.ª Brigada de Navarra avanza en el frente vasco por el valle de Aramayona.

21 abril 1937

La prensa nacionalista publica los 26 puntos de F.E.T. y de las J.O.N.S., base del Nuevo Estado.
Gil-Robles acepta el decreto de Unificación.

La ciudad de Guernica fue arrasada por la aviación alemana. El asunto armó un revuelo internacional y puso en entredicho la buena conciencia de sus autores.

La duquesa de Atholl, miembro conservador del Parlamento inglés, tomó partido decidido por la República. La "duquesa roja" visitó España en 1937 y fue agasajada en Barcelona. Escribió, entre otras obras, "Searchlight on Spain", que contribuyó a la propaganda de la causa republicana. En la fotografía, durante su visita a Barcelona en compañía de Jaime Miravitlles.

23 abril 1937

Franco nombra la mitad de los miembros de la Junta Política, establecida por el decreto de unificación. Hedilla declina la presidencia de la Junta Política.

24 abril 1937

Se declara oficial el saludo brazo en alto, conservándose el militar en los actos reglamentarios.

25 abril 1937

«Solidaridad Obrera», diario anarcosindicalista de Barcelona, ataca a los comunistas.

Hedilla y un grupo de falangistas son detenidos en Salamanca.

26 abril 1937

Ataque aéreo nacionalista sobre Guernica. Las tropas del general Mola rebasan los pueblos de Eibar y Ermúa en el sector guipuzcoano.

29 abril 1937

La 4.ª Brigada Navarra entra en Guernica.

30 abril 1937

El acorazado «España» se hunde frente a Santander.

El acorazado "España", un hito más en el heroico historial de la Armada nacional en la guerra. Su magnífica actuación acabó sólo con el hundimiento a la altura de las costas santanderinas.

Nacionales y republicanos casi se tocaban en sus respectivas trincheras, en el frente de Madrid. Por eso se usaron las minas. En la foto, un aspecto de la zona de la carretera de La Coruña con el suelo removido y las casas semidestruidas.

1 mayo 1937

El Gobierno de Valencia crea el arma de Aviación.
Ocupación del Santuario de la Virgen de la Cabeza por la 16.ª Brigada Mixta, después de haber estado cercado desde el 18 de agosto de 1936.

3 mayo 1937

En Barcelona, autoridades de la Generalidad inspeccionan la oficina de Censura de la Compañía Telefónica, reducto de la C.N.T., sospechándose que este grupo anarcosindicalista interceptaba las conversaciones. Empleados de la Telefónica disparan contra la fuerza pública, al intentar ésta tomar el edificio.

4 mayo 1937

Barricadas en Barcelona. La C.N.T., declara la huelga general. Los ministros anarquistas García Oliver y Federica Montseny ordenan la vuelta al trabajo.
El Comité de No Intervención pide a ambos bandos en guerra suspendan los bombardeos a ciudades abiertas.

Cerca de Andújar está el Santuario de la Virgen de la Cabeza. La heroica resistencia de sus defensores, sólo se doblegó ante la destrucción y la muerte. Un aspecto del "cerro de los héroes", con los muros del Santuario.

Hombres, mujeres y niños resistieron hasta el fin bajo las órdenes del capitán Cortés, de la Guardia Civil. En la fotografía, el Santuario acusando los efectos del largo asedio.

Uno de los sectores del cerco que los republicanos pusieron al Santuario de Santa María de la Cabeza, completado con bombardeos artilleros y aéreos. A la izquierda, el diputado comunista, comandante Fernández Cartón. Con prismáticos, el italiano, también comunista, comandante "Carlos".

Los refugiados en el Santuario llevaron consigo a sus familias. He aquí a los hijos del capitán Cortés con el periodista José Quílez.

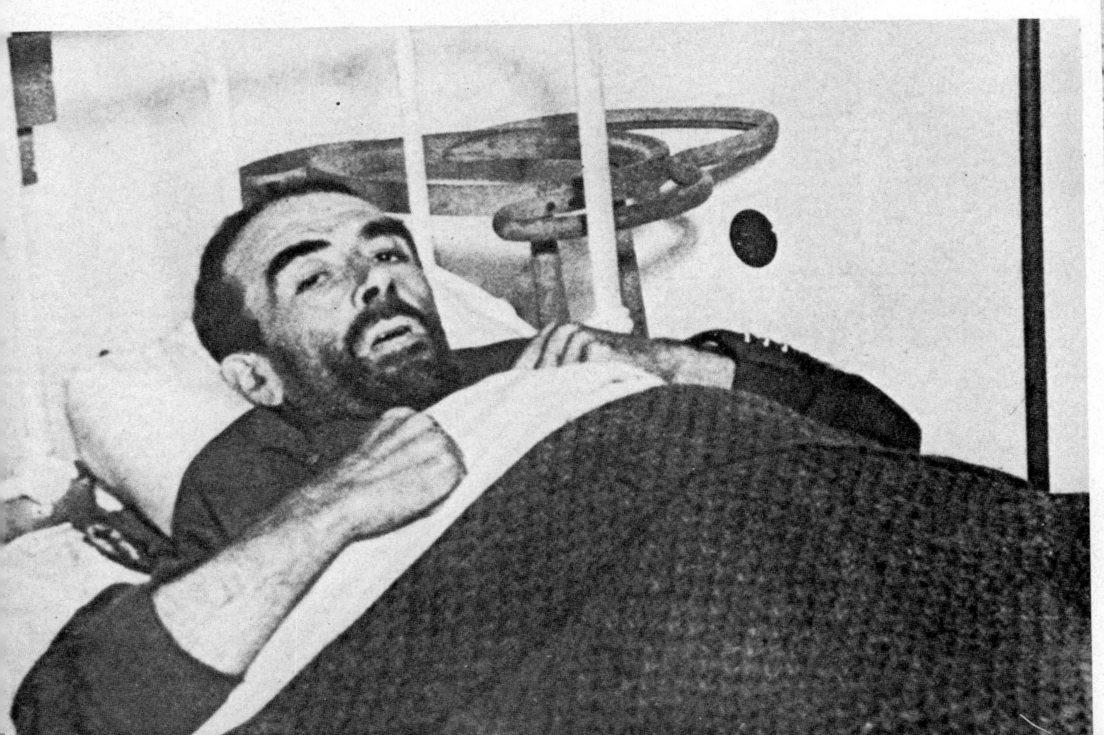

El capitán Cortés, defensor del Santuario. Su resistencia al enemigo, en condiciones increíbles, rayó en lo épico. Su hazaña ha quedado entre las más destacadas de la contienda.

Con motivo de la celebración de un nuevo Primero de Mayo, la República envió una representación a la URSS. Stalin saluda a los delegados españoles.

El partido socialista polaco en su desfile del 1.° de Mayo se une a la lucha del socialismo español. La pancarta dice: "¡No pasarán! Saludamos al pueblo español".

El teniente Alcalá Zamora, hijo del ex presidente de la República, saluda puño en alto, acompañado de otros militares que formaban la delegación que fuera a la URSS para la conmemoración del Primero de Mayo.

5 mayo 1937

Fuerzas del P.O.U.M., C.N.T. y F.A.I. combaten contra las gubernamentales; muere en la refriega el anarquista italiano Camillo Berneri. Los comunistas provocan una crisis en la Generalidad.

6 mayo 1937

Bombardeo aéreo de Zaragoza; la catedral de la Seo es dañada.
El Gobierno de la República declara que asume los servicios de Orden Público en Barcelona.

7 mayo 1937

Prosigue la lucha en Barcelona, intensificándose los ataques a los reductos anarquistas.

8 mayo 1937

Llegan a Barcelona, procedentes de Valencia, 5.000 guardias de Asalto, Seguridad y Carabineros que imponen la calma en la ciudad. 400 muertos y más de 1.000 heridos es el balance de las últimas jornadas de Barcelona
Los comunistas exigen sean castigados los miembros del P.O.U.M.

9 mayo 1937

Se organizan las Capellanías castrenses en la España Nacional.
Hedilla cesa como miembro de la Junta Política de F.E.T. y de las J.O.N.S.

10 mayo 1937

El P.O.U.M. se defiende contra los ataques de la prensa comunista.

12 mayo 1937

Una delegación española presidida por Julián Besteiro asiste a la coronación de Jorge VI de Inglaterra.
El general Monasterio es nombrado jefe de las milicias nacionales.

13 mayo 1937

Los nacionales reconquistan Albarracín.

14 mayo 1937

El Gobierno de Valencia absorbe las funciones de las Conserjerías de Defensa y Gobernación de la Generalidad.

Junto a los grandes periódicos, "Solidaridad Obrera", "CNT", "Tierra y Libertad", otros muchos de menos trascendencia, pero que hablan de la abundancia y diversidad que llegó a tener la prensa anarquista en España.

En Barcelona tuvo especial vitalidad el POUM, al que siguió buena parte del obrerismo. Acusado de desviacionismo, se vio obstaculizado en todos los frentes. En la capital catalana protagonizó graves jornadas en plena guerra, cuando se planeó su liquidación violenta. Sus milicias constituyeron una fuerza eficaz; en la fotografía las vemos formadas en el patio del Cuartel de Lenín.

Jesús Hernández fue uno de los más capaces jefes comunistas. Intervino en todas las intrigas políticas que fueron colocando en primera posición al Partido. Provocó la caída de Largo Caballero y la crisis del Gobierno Negrín en 1938. Salió del ministerio de Instrucción Pública y quedó como Comisario General de Guerra.

Los carteles ayudaron a levantar la moral, a extender consignas o gritos de guerra y, en definitiva, a contribuir a la victoria. Bien significativo es este cartel elegido entre mil: el soldado nacional, enérgico gigante, crecido en la lucha contra tantos elementos a los que se ansiaba barrer de España.

15 mayo 1937

CRISIS

La artificial aglutinación que Largo Caballero había conseguido en su segundo Gobierno no podía durar por mucho tiempo. Las diversas tácticas y ambiciones internas pronto habían de traer una nueva crisis, que sería la caída definitiva del líder socialista.

Era una realidad primordial el peso militar, sobre todo, y también el político que iban adquiriendo los comunistas. Se habían metido en las entrañas del ejército y estaban llevando a cabo una rápida captación. Por otro lado, la victoria de Guadalajara consagró su primacía militar, puesto que suponía la de la ayuda militar soviética que era por entonces ya la principal con que contaba la República.

Sin embargo, Largo Caballero se negaba a dejarse absorber por el comunismo y a variar en sus tácticas de mando y en sus convicciones revolucionarias personales.

El comunismo soviético decretó entonces, dada su irreductibilidad, la eliminación política del «Lenín español». Togliatti discutió con los jefes comunistas españoles el plan y al final se llegó a un acuerdo.

Los anarquistas chocaban también con los comunistas y esta latente animadversión estalló trágicamente en los sucesos de mayo en Barcelona. Por otra parte, Largo Caballero llegaba a la máxima tensión con los comunistas cuando se plantó ante la captación proselitista que estaban haciendo en el ejército y anuló a su principal protagonista, Álvarez del Vayo.

La marcha de la guerra dio pie a los comunistas para lanzar el último golpe contra Largo Caballero. Los nacionales habían dejado los ataques en torno a Madrid y se habían lanzado decididos a acabar con el frente Norte. Se hacía necesaria una ofensiva que desviase sus intenciones. Sobre si habría de ser Extremadura, como proponía el Jefe del Gobierno y ministro de la Guerra, o si habría de ser en Brunete para descongestionar a la capi-

tal, se discutió entre Largo Caballero y los comunistas hasta darle éstos el ultimátum de la no ayuda soviética. Así las cosas, el chispazo que trajo la crisis no se hizo esperar. El 15 de mayo, en un Consejo de Ministros, los comunistas pidieron la disolución del P.O.U.M. Largo Caballero se opuso y contó con el apoyo anarquista. Los ministros comunistas y algunos otros ministros como Álvarez del Vayo y Negrín, se retiraron y declararon la crisis gubernamental. Al día siguiente, 16 de mayo, Largo Caballero anunciaba su dimisión a Azaña.

El Presidente de la República rogó a Largo Caballero que formase un nuevo Gabinete. Lo intentó con una coalición exclusiva de socialistas y anarquistas; pero sus mismos correligionarios le hicieron ver la imposibilidad de prescindir de los comunistas y de la ayuda rusa. En tal incompatibilidad el sacrificado debía ser el líder socialista. Largo Caballero fue sustituido por Negrín, hombre más grato a la U.R.S.S.

El 17 de mayo la «Gaceta» publicaba el nuevo Gabinete, llamado «Gobierno de la Victoria»:

Presidencia y Hacienda y Econom.	Juan Negrín López (Socialista)
Estado	José Giral Pereira (Izquierda Republ.)
Justicia	Manuel Irujo y Ollo (Nacionalista Vasco)
Gobernación	Julián Zugazagoitia Mendieta (Socialista)
Defensa Nacional	Indalecio Prieto Tuero (Socialista)
Instrucción Pública y Sanidad	Jesús Hernández Tomás (Comunista)
Comunic., Trans. y Obras Públicas	Bernardo Giner de los Ríos García (Un. Rep.)
Agricultura	Vicente Uribe Galdeano (Comunista)
Trabajo y Asistencia Social	Jaime Ayguadé y Miró (Esquerra Republicana)

Irujo anuncia su deseo de restablecer el culto católico en la zona republicana.

Leon Griskis, nuevo embajador soviético, presenta en Valencia sus cartas credenciales a Azaña.

Descansa la infantería entre árboles y alambradas. Entre combate y combate los hombres reponen fuerzas porque la lucha continúa agotadora. Breve tranquilidad, corta esperanza en el umbral de una nueva refriega para todos incierta. En los corrillos ya faltan algunos; en la próxima acampada faltarán otros. La guerra sigue implacablemente.

Avances de tropas; cambios de frentes. Pueblos que pasan de uno a otro dominio y que piden paz. Simbólica imagen la de estas gentes humildes, banderas blancas al aire, para recibir a los nuevos ocupantes. Imagen mil veces repetida que fue jalonando la marcha de tres años de guerra o de más de mil días en busca de paz. Trasfondo impresionante de la guerra, el del miedo, la incertidumbre, el hambre, el dolor y la angustia de la población civil.

El 3 de junio, se estrellaba el avión en que Mola había salido de Burgos. Su muerte dio paso a Dávila en la Jefatura del Ejército del Norte. Restos del avión.

29 mayo 1937

El acorazado alemán «Deutschland» es bombardeado por los gubernamentales, cuando se hallaba surto en el puerto de Ibiza.

31 mayo 1937

Alemania e Italia protestan del incidente provocado por el ataque al «Deutschland» y se retiran del control marítimo patrocinado por el Comité de No Intervención.

31 mayo 1937

Buques de guerra alemanes bombardean Almería en represalia del ataque contra el acorazado alemán.

3 junio 1937

El general Mola muere en accidente de aviación cuando sobrevolaba la provincia de Burgos.
El Generalísimo Franco le concede, a título póstumo, la Laureada de San Fernando.

4 junio 1937

El general Dávila es designado para suceder a Mola como jefe del Ejército del Norte.

12 junio 1937

Los nacionales abren brecha en el «Cinturón de Hierro» que defendía Bilbao.

14 junio 1937

Nuevo Gobierno de la Generalidad, en el que Companys prescinde de los anarquistas:

PRESIDENCIA	Luis Companys (Esquerra Republicana Catalana)
Gobern. y Asist. Social	Antonio María Sbert (E.R.C.)
Hacienda	José Terradellas (E.R.C.)
Cultura	Carlos Pi y Suñer (E.R.C.)
Trabajo y Obras Públ.	Rafael Vidiella (Part. Socialista Unific. de Cat.)
Economía	Juan Comorera (P.S.U.C.)
Justicia	Pedro Bosch Gimpera (Acción Catalana Republicana)
Agricultura	José Calvet (Unión de Rabassaires)

Mola, con otros jefes, en campaña, un mes antes de su muerte.

En el País Vasco se experimentaron pronto las nuevas orientaciones del ministro de Justicia, Irujo, encaminadas a una mayor libertad religiosa y de los sacerdotes. Bendición de una bandera.

El general Dávila participó plenamente en el Alzamiento, desde los primeros momentos. Presidió la Junta Administrativa de Burgos, y pasó a ser jefe del Ejército del Norte a la muerte de Mola. De espíritu conservador, profundamente católico, dirigió la ofensiva del Norte y tuvo el mando de Aragón. Fue ministro de Defensa en el primer Gobierno de Franco.

Después de tomada Sevilla, Queipo de Llano participó durante la contienda en otras operaciones bélicas por Andalucía. En la foto, corresponde al recién estrenado saludo oficial falangista.

Incidente grave fue el ocasionado con motivo del bombardeo, por aviones republicanos, del acorazado «Deutschland», de bandera alemana, en el puerto de Ibiza. Las represalias nazis cayeron sobre Almería que sufrió un desastroso bombardeo. El incidente volvía a crear tensiones a escala internacional. Si se vio así fuera de España, aquí Prieto sugirió explotarlo en tal sentido, en un afán de internacionalizar el conflicto intestino español para buscarle mejores derroteros.

EJÉRCITO DEL NORTE
ASTURIAS

ESTADO MAYOR

INSPECCIÓN DE FORTIFICACIÓN

INSTITUTO 15 - Bajo

Núm. 201

FRENTE POPULAR DE ASTURIAS
Departamento de Guerra
SECRETARIA

REGISTRO de ENTRADA
Núm. 34 Fecha 30-6-37

ARCHIVO

RECUPERACIÓN DE DOCUMENTOS · SALAMANCA

Con fecha 10 del presente se ha recibido de la Secretaria Particular del Gobierno General de Asturias y León el siguiente oficio:

"Pongo a su disposicion al ciudadano BERNALDO BALBUEZA PEREZ, Sacerdote detenido en la carcel de Aviles, a fin de que sea destinado a trabajos de fortificacion.-Gijón 10 Junio 1.937.-EL DELEGADO DEL GOBIERNO.-B.Tomás."

Lo que translado a Vd para su empleo, en refugios encomendados a ésa Junta.

Salud y República

Gijón 12 Junio 1.937

EL MAYOR INSPECTOR DE FORTIFICACION

Julio Bertrand

INSPECCIÓN DE FORTIFICACIÓN · ESTADO MAYOR

(del legajo J-57)

S.E.-58

JUNTA DE DEFENSA CIVIL
ARCHIVO.

Documento significativo del trato que solía darse a los presos. Un sacerdote es destinado a trabajos de fortificación.

Tres cabezas principales de la actuación comunista soviética en España: Kolsov y Gabriela, corresponsales soviéticos, y la Pasionaria, comunista española declaradamente prosoviética.

Cualquier lugar es bueno para manifestar el odio al enemigo y hacer propaganda de guerra. Vagones en la estación barcelonesa.

En la España nacional las prácticas religiosas eran masivas, tanto en el Ejército como en la población civil. Prisioneros oyendo misa.

Manuel Azaña, Presidente de la República, saluda a la bandera en un acto oficial, pantalla hacia el exterior de España.

Mata Zalka, escritor húngaro que luchó al frente de las Brigadas Internacionales con el nombre de "General Lukacz". Intervino en la batalla de Guadalajara y en la defensa de Madrid. En el frente de Aragón encontró la muerte en una ofensiva improvisada para diversificar la atención nacional en vísperas de la caída de Bilbao.

Con Durriti y sus anarquistas las tierras aragonesas sintieron, a lo vivo, la revolución. En Caspe, concretamente, se pusieron en marcha las ideas libertarias a la par que se desataba la más furiosa propaganda. El "Libro antifascista" aleccionaba a aquellos campesinos contra ideas y propósitos extraños.

El hierro de Vizcaya forjado para la guerra. Cemento, alambradas, fortificaciones que parecían inexpugnables se montaron en torno a la capital vizcaína. Bilbao se ciñó con "cinturón de hierro" y resistió hasta el fin, aunque no pudiera evitar el avance nacionalista. Un aspecto de las defensas que lo constituían.

La ciudad de Bilbao, defendida por el famoso "Cinturón de hierro" y por el espíritu de resistencia de las masas obreras y del separatismo, cayó sin embargo en manos nacionales el 19 de junio.

En Sevilla una manifestación patriótica vitorea a sus jefes e ironiza sobre el bando contrario. El "cinturón" de hierro bilbaíno cuelga de la pancarta que lo alude.

El general Mola, jefe del Ejército del Norte, no pudo ver la toma de Bilbao. Había muerto pocos días antes. Pero su memoria estaba presente y en su honor se levantó, inmediatamente, este monumento.

15 junio 1937

Hedilla es condenado a muerte por «conspirar contra la seguridad del Estado», según «The Times» de Londres. La sentencia no se lleva a cabo.

16 junio 1937

El dirigente del P.O.U.M., Andrés Nin, es detenido en Barcelona.

19 junio 1937

Los nacionalistas entran en Bilbao.

20 junio 1937

Nin muere en la prisión de Alcalá de Henares.

Andrés Nin, dirigente del POUM, cuya liquidación a mediados de junio de 1937 fue uno de los asuntos más turbios en que se vieron envueltos los comunistas españoles. Acusado de desviacionismo trostkista, Moscú decidió su eliminación para lo cual se montó una farsa de colaboracionismo con Franco que dio pie al encarcelamiento y persecución de sus seguidores y a su propio asesinato el 20 de junio de 1937, después de haber estado preso en Alcalá de Henares.

Placa conmemorativa de los caídos internacionales: "A nuestros camaradas caídos. Nuestra victoria es su venganza. Junio 1937".

La guerra española es, a escala internacional, un episodio decisivo en el prólogo de la Segunda Gran Guerra. Las diversas potencias, en general, intervinieron interesadamente siguiendo su propia línea política. Así lo hizo Neville Chamberlain, jefe del Gobierno británico, obsesionado por la amistad con Mussolini, pieza clave de su política mediterránea.

25 junio 1937

El primer ministro británico, Neville Chamberlain, habla de la guerra de España en la Cámara de los Comunes.

1 julio 1937

Carta Colectiva de los prelados españoles a los obispos de todo el mundo, encabezada por el cardenal Gomá Tomás. No la firman el arzobispo de Tarragona ni el obispo de Vitoria.

Tras la caída de Bilbao, el Presidente del Gobierno vasco, Aguirre, llega a Barcelona para entrevistarse con los dirigentes catalanistas.

Cardenal Gomá, obispo de Tarazona, que sucedió al Cardenal Segura en la Sede primada de Toledo. Encabezó, por su cargo, la carta colectiva del Episcopado español a los obispos del mundo sobre la guerra española.

boletín del norte

ÓRGANO DEL BURÓ DEL NORTE DEL PARTIDO COMUNISTA

Proletarios de todos los países: ¡uníos!

Por no ser comunista, tengo autoridad sobrada para afirmar que SIN ESE ESTRECHO TACTO DE CODOS DE LA U. R. S. S. CON ESPAÑA, LA ESPAÑA LEAL Y LA REPUBLICA HUBIERA DESAPARECIDO. (D. MARTINEZ BARRIO, Presidente del Parlamento español)

Testimonio de Martínez Barrio, que entiende y valora lo que supuso la ayuda soviética para la República. Lo que la República y España suponían para la URSS, es otra cuestión.

El famoso prototipo alemán de caza, Messerschmitt-109, fue usado por la Legión Cóndor y tuvo luego en la Segunda Guerra Mundial su gran momento.

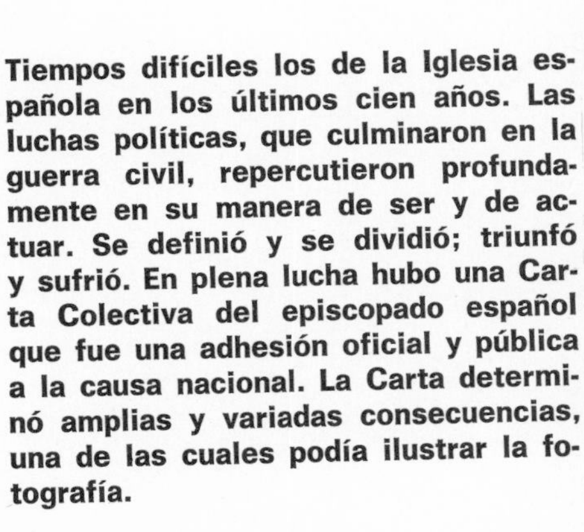

Tiempos difíciles los de la Iglesia española en los últimos cien años. Las luchas políticas, que culminaron en la guerra civil, repercutieron profundamente en su manera de ser y de actuar. Se definió y se dividió; triunfó y sufrió. En plena lucha hubo una Carta Colectiva del episcopado español que fue una adhesión oficial y pública a la causa nacional. La Carta determinó amplias y variadas consecuencias, una de las cuales podía ilustrar la fotografía.

2 julio 1937

Fuertes luchas en la Ciudad Universitaria.
En Madrid se celebra el Congreso de Escritores Antifascistas.
El Gobierno Nacional reclama el derecho a ser reconocido como «beligerante».

6 julio 1937

Las fuerzas republicanas, con el fin de aliviar en el sector norte el avance nacional, atacan en el sector de Brunete.

8 julio 1937

«El Campesino» ocupa Quijorna en la zona de Brunete.

10 julio 1937

Caen en poder de los republicanos, Villanueva del Pardillo y Villafranca del Castillo.

11 julio 1937

Los nacionales recuperan Villafranca del Castillo.

13 julio 1937

El mando nacional recupera Albarracín, en el frente de Teruel.

16 julio 1937

Combates aéreos sobre Brunete.

18 julio 1937

Aniversario del alzamiento. Discursos de Franco y Azaña.

21 julio 1937

Se clausura el Congreso del Partido Socialista, en Valencia.

26 julio 1937

Termina la batalla de Brunete.

La guerra trajo por todas partes muerte y destrucción. La imagen del Hospital Clínico de la Ciudad Universitaria de Madrid es una buena ejemplificación. Objeto de mil bombardeos, se llegó a luchar en sus distintos pisos entre ambos bandos.

En el verano de 1937 se organizó en Madrid el II Congreso Internacional de Escritores Antifascistas al que acudieron relevantes figuras nacionales y extranjeras. Sobre estas líneas, el Presidente del Gobierno en el acto de apertura. A la derecha, un momento del discurso del escritor ruso M. Kolsov, presidente de la delegación soviética en el Congreso y enviado de "Pravda".

Los comunistas quisieron imponer a Largo Caballero la ofensiva de Brunete para descongestionar el cerco de Madrid por el Oeste. La acción se llevó a cabo después de la dimisión de aquél, pero fracasó ante la resistencia del general Varela. En la fotografía, el edificio del Ayuntamiento de Brunete destruido.

El Servicio de Recuperación recoge, en Brunete, el material tomado al ejército rojo.

El general Franco en el frente de Santander, conversando con el general Dávila en el puesto de mando.

Tanque italiano en el frente de Santander. Su conductor se fotografía junto al perro mascota.

4 agosto 1937

El Gobierno republicano deja sin efecto el decreto del 10 de abril regulando los matrimonios.

6 agosto 1937

Cesa la ofensiva nacional en el sector de Albarracín. Indalecio Prieto crea el Servicio de Información Militar (SIM).

7 agosto 1937

Se hacen públicos los Estatutos de F.E.T. y de las J.O.N.S. El Generalísimo Franco responde ante Dios y la Historia.

10 agosto 1937

Negrín disuelve el Consejo de Aragón.

13 agosto 1937

El Gobierno de Valencia prohibe las críticas a la URSS por parte de la prensa anarquista.

16 agosto 1937

Se prohiben en Barcelona los mítines políticos.

18 agosto 1937

Comunistas y socialistas fracasan en un intento de unificar ambos partidos.

Se toman pueblos y ciudades y se hacen por cientos los prisioneros. Las plazas de toros vieron llenos sus ruedos y sus tendidos; llenas de gentes sin risas, sin alegría. Plaza de toros de Santander repleta de presos.

En Belchite, la República provocó una nueva ofensiva de diversión para descongestionar el frente de Santander. Sin embargo, llegó tarde y no evitó la caída de la capital de la Montaña. Los naturales de Belchite, con su alcalde al frente, resistieron heroicamente hasta morir. El pueblo quedó destrozado.

22 agosto 1937

Operaciones gubernamentales en el frente de Aragón.

24 agosto 1937

En Aragón, los republicanos inician la maniobra de Belchite, consiguiendo romper el frente.

26 agosto 1937

Entrada triunfal en Santander de las tropas nacionales.

1 septiembre 1937

Franco envía como Encargado de Negocios cerca de la Santa Sede a Pedro Churruca.

El embajador alemán E. von Stohrer que sucedió al general von Faupel como representante de Hitler ante el Gobierno nacional. Era diplomático de carrera y ya había tenido cargos en España en otros tiempos. Llevó a cabo importantes gestiones para conseguir de Franco concesiones mineras en favor de su país, con vistas ya a la posibilidad de una gran guerra.

6 septiembre 1937

Cae Belchite en poder de los republicanos.

13 septiembre 1937

El Jefe del Gobierno republicano preside en Ginebra la Asamblea de la Sociedad de las Naciones.

14 septiembre 1937

En Nyon se decide hundir todo submarino que ataque a un mercante.

Intervención del Dr. Negrín, Presidente del Gobierno, en la apertura de las Cortes celebradas en Valencia en octubre de 1937.

Los diputados comunistas Uribe, Delicado y Mije, conversando sobre la reunión de las Cortes.

18 septiembre 1937

Anthony Eden declara que la No Intervención ha evitado la guerra europea.

20 septiembre 1937

Fuertes luchas en la Ciudad Universitaria.

24 septiembre 1937

Los Flechas Azules emprenden una contraofensiva contra Zuera.

27 septiembre 1937

El general Solchaga llega al margen derecha del Sella y Ribadesella.

28 septiembre 1937

Termina la batalla de Belchite.

30 septiembre 1937

Italia se adhiere al pacto de Nyon.

1 octubre 1937

La Sociedad de Naciones lamenta el fracaso del Comité de No Intervención en conseguir la retirada de los combatientes no españoles en España.

6 octubre 1937

Contraofensiva nacional en Aragón.

7 octubre 1937

Franco establece el Servicio Social.

12 octubre 1937

El Congreso Comunista decide apoyar al Gobierno presidido por Negrín.

La Pasionaria llena el recinto parlamentario con su voz, con su gesto, plenos de coraje. La minoría comunista combate sin cesar en todos los escenarios.

Por efecto del bombardeo arden unos depósitos de gasolina en Gijón. La campaña del Norte se iba realizando paso a paso. La ruptura del frente norteño era cuestión de días, ya. Su supresión fue decisiva para la victoria nacional.

17 octubre 1937

Largo Caballero se declara contrario a Negrín en la forma que éste dirige la guerra, en un discurso pronunciado en Madrid, en el Cine Pardiñas.
El Nuncio de Su Santidad, Hidelbrando Antoniutti, presenta al Generalísimo Franco sus cartas credenciales.

21 octubre 1937

Las tropas nacionales entran en Gijón y Avilés. Desaparece el frente del Norte.

22 octubre 1937

El duque de Alba es nombrado representante de la España nacional en Inglaterra; Robert Hodgson es nombrado representante de Inglaterra en Salamanca.

28 octubre 1937

Los nacionales rechazan un ataque en el Hospital Clínico.

29 octubre 1937

Yugoslavia reconoce al Gobierno de Franco.

30 octubre 1937

Negrín traslada su residencia a Barcelona.

31 octubre 1937

El almirante Ubiete sustituye a Buiza en el mando de la flota republicana.

2 noviembre 1937

Se establece en Barcelona el Gobierno Vasco.

Robert Hodgson llegó a España a finales de 1937 como agente inglés. Fue el primer embajador de Inglaterra en la España nacional. Intervino al final de la guerra en los intentos de llegar a un acuerdo de rendición por parte del Gobierno Negrín. A su izquierda, Jerraenz; derecha, Pears Ayte.

He aquí dos colosos de la resistencia republicana; los que la montaron a pie firme en el plano político y el militar. El presidente Negrín y el general Rojo fueron los dos grandes protagonistas, aunque no sin mutuos contrastes. El general Rojo fue siempre el hombre cumplidor del deber que luchó de acuerdo con los dictados de su conciencia; el presidente Negrín cedió en cambio a las presiones del comunismo internacional que tuvieron en él un buen agente en nuestro país. Conversando con un oficial de la Brigada de Líster.

Mapa de España en el que se ve gráficamente la marcha de la guerra, distinguiéndose el proceso de las victorias nacionales desde el 18 de julio de 1936.

1er AÑO TRIUNFAL

TERRITORIO CONQUISTADO EN EL 2º AÑO TRIUNFAL

TERRITORIO OCUPA DESDE el 18 de JULIO 1

TERRITORIO CONQUISTA HASTA el 18 de JULIO 1

Por su valor y su destacada actuación desde los primeros días del Alzamiento, las Brigadas Navarras recibieron un homenaje al que asistieron, en Pamplona, importantes jefes militares y en el que se hizo imposición a la provincia de la Cruz Laureada de San Fernando. En la fotografía, los generales García Valiño, Vigón y Solchaga con su ayudante.

Los dirigentes vascos Aguirre e Irujo, conversan en el palacio de su residencia en Barcelona.

En su visita a Madrid, Azaña llegó hasta Alcalá de Henares. Acompañado de las principales personalidades republicanas recorre las calles de la antigua ciudad universitaria, donde había nacido. De izq. a dcha.: Negrín, Giral, Azaña, Prieto, Miaja y Valentín González ("El Campesino").

El Presidente de la República con el general Rojo, en su visita al frente de Madrid.

3 noviembre 1937

En la zona nacional se reorganizan los servicios de orden público.

6 noviembre 1937

El conde de Ciano teme el acercamiento de Inglaterra a Franco.

9 noviembre 1937

Franco concede la Laureada de San Fernando a la provincia de Navarra.

12 noviembre 1937

La C.N.T. retira de todos los Comités de Frente Popular y Frente Popular Antifascista a sus representantes.

18 noviembre 1937

Álvarez del Vayo abandona el cargo de Comisario General de Guerra.

22 noviembre 1937

Regresan a España Negrín y Companys.

En el Real Monasterio de Santa María de las Huelgas, de Burgos, tiene lugar el solemne acto de la jura del Consejo Nacional de FET y de las JONS. Consejeros esperando la llegada del Jefe del Estado. Pilar Primo de Rivera, Queipo de Llano, Muñoz Aguilar, Dávila, Sanz Bachiller, Suevos y Yanguas.

El Generalísimo Franco, jefe nacional de FET y de las JONS, rodeado de los consejeros.

El día uno de diciembre de 1937, el Japón reconocía al Gobierno de Burgos. El nuevo embajador en la presentación de sus credenciales a Franco.

1 diciembre 1937

El Japón reconoce al Gobierno de Burgos.
En el Monasterio de las Huelgas, Burgos, se celebra la jura del Consejo Nacional de F.E.T. y de las J.O.N.S.

6 diciembre 1937

Uruguay reconoce al Gobierno de Franco.

7 diciembre 1937

Los republicanos bombardean Mallorca.

8 diciembre 1937

La aviación nacional bombardea Barcelona, y la republicana el aeródromo de León.

10 diciembre 1937

Combate aéreo sobre el frente de Aragón.

11 diciembre 1937

Muere en Barcelona el dirigente sindicalista Ángel Pestaña.

Dimite el ministro de Justicia, Manuel Irujo, siendo sustituido por Mariano Ansó. Irujo es designado ministro sin cartera.

15 diciembre 1937

Ofensiva republicana sobre Teruel.

17 diciembre 1937

Los gubernamentales cercan Teruel por el oeste.

Ángel Pestaña acaudilló una facción discordante del anarquismo español. En 1933 fundó el Partido Sindicalista que por sus roces con la CNT no participó en el Frente Popular, y tuvo una apagada actuación durante la guerra. A la izquierda, entierro de Ángel Pestaña. De izq. a dch.: Giner de los Ríos, Companys, Martínez Barrio, Prieto, Casanovas y Julián Zugazagoitia.

Instantánea de la batalla de Teruel. Una bomba hace explosión en las afueras de la ciudad.

Las tropas de la República entran en Teruel. Tanques por las calles.

Los habitantes son evacuados de la ciudad destrozada, en la que sólo quedan ruinas.

22 diciembre 1937

Teruel cae en manos del Ejército Popular. Los defensores se hacen fuertes en algunos edificios. Franco ordena al general Dávila reconquistar la ciudad.

24 diciembre 1937

El intenso frío dificulta las maniobras en Teruel.

30 diciembre 1937

Contraofensiva de los generales Varela y Aranda en Teruel.

31 diciembre 1937

Los nacionales avanzan hacia Teruel. Los gubernamentales abandonan la ciudad durante unas horas, pero los atacantes no se perciben de ello.

La toma de Teruel supuso una gran esperanza para el Gobierno de la República. La propaganda y los diarios se encargaron de corearla para que animase a toda España y saltase al extranjero. La segunda parte, reconquistada por los nacionales, vendría después. Los "forjadores de la victoria": Negrín, Prieto y Rojo.

LA VANGUARDIA

BARCELONA — DIARIO AL SERVICIO DE LA DEMOCRACIA — 15 céntimos

¡Teruel, por la República!

El silencio y la obra

A la caída de la tarde nuestras tropas entraron en la ciudad sitiada

Sólo algún disparo se oía de cuando en cuando dentro del casco de la población

Se han encontrado bastantes insignias de oficiales que se despojaban de ellas al retirarse

El ministro de Defensa ha transmitido instrucciones enérgicas para el mantenimiento del orden, que quedará a cargo del gobernador general de Aragón

Forjadores de la victoria

LOS COMUNICADOS OFICIALES

1938. EL TERRITORIO REPUBLICANO DIVIDIDO

Soldados marroquíes pasaron a luchar a España al lado del general Franco. Gente apasionada y belicosa, fue de gran eficacia en el combate. Su colaboración no puede olvidarse, aunque haya tenido también sus críticas. Soldados moros en campaña.

E. Labonne fue nombrado embajador de Francia a principios de 1938. A la salida del acto de presentación de credenciales al Presidente de la República en Barcelona.

La aviación fue la gran revolución en las armas de combate de la primera parte del siglo. Al llegar la segunda guerra mundial se encontraba ya bien perfeccionada. Antes, en la nuestra, tuvo ya ocasión de mostrar sus posibilidades combativas. Por ambos bandos la aviación fue elemento decisivo en múltiples combates. Aparato caza I-15 usado por los gubernamentales y conocido popularmente por "Chato".

Pueblo de Cazalla después de duros combates. En la fotografía se aprecian las defensas levantadas.

Al solemne acontecimiento de la constitución del Instituto de España, celebrado en enero de 1938, en Salamanca, asistieron las principales personalidades de la zona nacional. En la fotografía vemos al Nuncio de Su Santidad y a los embajadores de Alemania e Italia.

En la batalla de Teruel las gélidas temperaturas, de hasta dieciocho grados bajo cero, no fueron los menores enemigos. Ambos ejércitos se vieron paralizados. Soldado español abrigado para combatir el frío.

Columna de Regulares por las carreteras de Teruel a pesar del temporal de nieve.

El general Rojo, hombre de gran capacidad militar y profundas convicciones, fue uno de los más sólidos pilares del ejército de la República. Fue jefe del Estado Mayor Central. Se había distinguido en la defensa de Madrid. En la fotografía, con el coronel Camacho, en el frente de Teruel.

Cartel de propaganda que advierte y anima a los valencianos a la lucha.

1 enero 1938

La nieve inmoviliza al Ejército nacional en Teruel.

2 enero 1938

El Ejército Popular recupera algunas posiciones perdidas el 31 de diciembre.

6 enero 1938

Bajo la presidencia de Pedro Sáinz Rodríguez, se celebra en Salamanca la jura y constitución del Instituto de España.

8 enero 1938

Se rinden los últimos defensores de Teruel, mandados por el coronel Rey d'Harcourt.

9 enero 1938

Continúa la batalla de Teruel.

10 enero 1938

El Gobierno republicano dispone la retirada de todos los billetes o monedas no emitidos por el Banco de España o el Tesoro Público.

Prieto, ministro de Defensa, recibe en Barcelona a un grupo de laboristas ingleses. En la fotografía, Álvarez del Vayo, Prats, general Rojo, Casanovas, Portela, Ayguadé, Prieto y Giner de los Ríos.

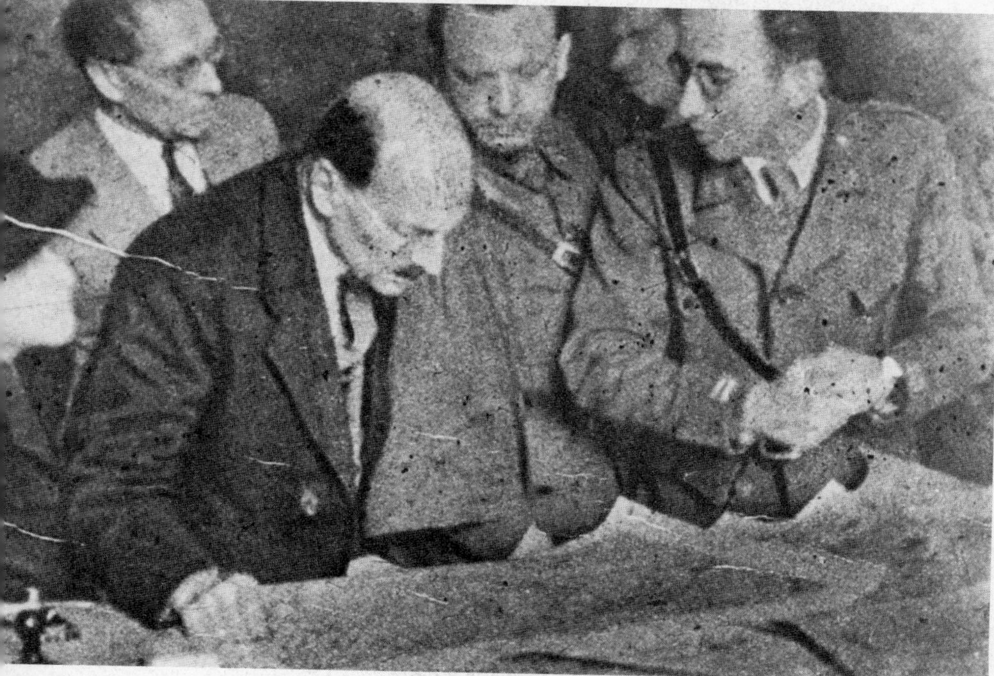

Entre los laboristas ingleses llegados a España por aquellos días figuraba el propio mayor Attlee, jefe del partido. Attlee era un destacado defensor de la ayuda abierta a la República y un crítico implacable de la "No intervención". Una compañía del batallón inglés de las Brigadas Internacionales recibió su nombre. En su viaje a Madrid se interesó por la marcha de la guerra (izquierda). En la foto inferior, aparece en el balcón de la Presidencia junto a Miaja y Giner de los Ríos.

11 enero 1938

Attlee, jefe del partido laborista inglés, llega a Madrid acompañado de un grupo de diputados.

18 enero 1938

Entra en combate en el sector de Teruel el Cuerpo de Ejército de Marruecos al mando del general Yagüe.

22 enero 1938

Los republicanos son lanzados a la orilla izquierda del río Alfambra.

28 enero 1938

Turquía reconoce al Gobierno de Burgos.

Las tropas de Franco se crecen con la victoriosa marcha de la guerra. El bando contrario intenta mejorar su dotación. Fue importante medida la creación de las fuerzas de montaña, gentes especialmente preparadas y pertrechadas. En la fotografía, las blancas tropas del Batallón de Montaña Pirenaico son revistadas por el general Llano de la Encomienda.

He aquí toda una galería de presidentes: Azaña, de la República; Negrín del Consejo; Martínez Barrio de las Cortes y Companys de la Generalidad de Cataluña (de espaldas, saludando a Azaña). Carácteres diversos y convicciones políticas bien distintas, casi contrapuntados, todos metidos bajo la amplia capa de la República. Teoría y prácticas amasadas y confundidas hasta desconcertar a propios y extraños.

Frente de Andalucía. En Huelva las tropas nacionales vadean el río Tinto, cuyo puente había sido volado.

Cuando prácticamente estaba ganada la batalla de Teruel, Franco decidió formar su primer Gobierno. En él participaron representantes del Ejército, la Monarquía, los tradicionalistas y la Falange. Los nuevos ministros juraron su cargo en el Monasterio de las Huelgas, en Burgos. De izq. a dcha.: Serrano Suñer, Martínez Anido, Dávila, Conde de Rodezno, Conde de Jordana, Franco, González Bueno, Peña Boeuf, Sáinz Rodríguez, Fernández Cuesta, Amado y Suances.

30 enero 1938

Decreto por el que se disuelve la Junta Técnica. Se constituye el primer Gobierno nacional:

Presidencia	Francisco Franco Bahamonde
Vicepresidencia y Asuntos Exteriores	Gral. Francisco Gómez Jordana y Souza
Justicia	Tomás Domínguez Arévalo
Defensa Nacional	Gral. Fidel Dávila Arrondo
Orden Público	Severiano Martínez Anido
Interior	Ramón Serrano Suñer
Hacienda	Andrés Amado y Reygondaud de Villabardet
Industria y Comercio	Juan Antonio Suances Fernández
Agricultura	Raimundo Fernández Cuesta y Merelo
Educación Nacional	Pedro Sainz Rodríguez
Obras Públicas	Alfonso Peña Boeuf
Organización y Acción sindical	Pedro González Bueno

El Jefe del Estado se reserva la Jefatura del Gobierno y el mando de los tres Ejércitos.

En los tiempos difíciles de la guerra el general Franco supo llevar a buen término la doble responsabilidad de ser supremo jefe militar y político. Diversas instantáneas de ambas facetas: en el puesto de mando; en el despacho; en el frente.

Las bombas llegaron hasta tierra francesa. En Bourg Madame, una de ellas produjo el hoyo que se aprecia en la fotografía.

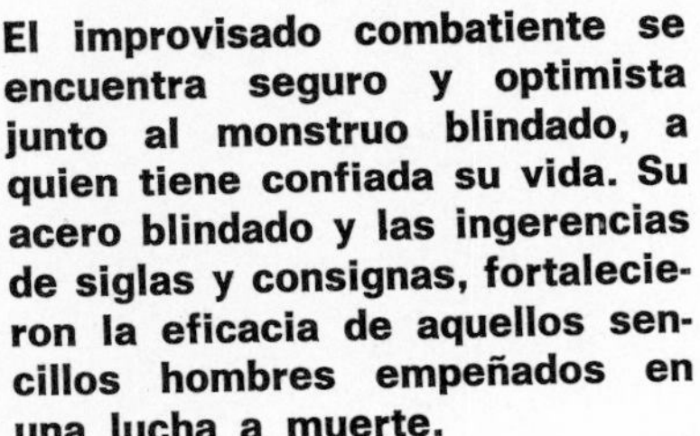
El improvisado combatiente se encuentra seguro y optimista junto al monstruo blindado, a quien tiene confiada su vida. Su acero blindado y las ingerencias de siglas y consignas, fortalecieron la eficacia de aquellos sencillos hombres empeñados en una lucha a muerte.

El frente de Andalucía iba siendo eliminado. Uno tras otro se tomaban los pueblos, a veces tras encarnizada resistencia y con grandes destrozos.

Impresionante instantánea del frente. Hombres transidos de pasión o miedo, lanzados a matar o morir.

El 1 de febrero de 1938 las Cortes de la República se reunieron en Montserrat. La situación era crítica en el frente de Teruel. La gran víctima iba a ser Prieto, ministro de Defensa, al que los comunistas se encargaron de hacer saltar. La Mesa de las Cortes, con Martínez Barrio en la presidencia. A la izquierda de la fotografía, Ramón Lamoneda, y a la derecha, Mariano Joven.

Diputados comunistas en la sesión de Cortes. Su poder era prácticamente omnímodo en estos momentos en que la ayuda de Rusia se había convertido en cuestión vital para seguir resistiendo.

Martínez Barrio, buen burgués y buen republicano, sigue ostentando la presidencia de las Cortes sin verse afectado por las tormentas políticas que se iban desarrollando. Bien venía su estampa y su nombre para seguir manteniendo "lo de República". En la fotografía conversando con Fernando Valera.

Destino gris, deslucido, el de Portela Valladares. Emergió por repesca de Alcalá Zamora y pronto volvió a sumergirse en la inoperancia. Entregó los poderes al Frente Popular, con lo que decidió su suerte personal. Vivió como a remolque la etapa política de la contienda hasta que escapó del país. Con Prieto a la salida de la sesión de Cortes del primero de febrero de 1938.

La batalla de Teruel fue un golpe decisivo para las armas y el prestigio de la República. Prieto quedó descalificado; Franco se perfilaba como el gran vencedor. Conversando con un oficial en el frente de Teruel

1 febrero 1938

Las Cortes republicanas se reúnen en el Monasterio de Montserrat.

2 febrero 1938

Primer decreto del Gobierno de Burgos, que dispone el nuevo escudo de España con la heráldica de los Reyes Católicos y sustituyendo las armas de Sicilia por las del reino de Navarra.

5 febrero 1938

Comienza la batalla del Alfambra dirigida personalmente por Franco.

El general Miaja durante su visita a Barcelona. Fue agasajado por los dirigentes catalanistas. En la foto, a su llegada a la Generalidad, acompañado por Companys, Vidiella, Sbert y Bosch Gimpera.

Soldados nacionales entrando en Teruel.

El aislamiento diplomático de España sería uno de los graves obstáculos a superar después de la guerra. Durante el conflicto ya hubo países, sin embargo, que reconocieron al Gobierno nacional. En la fotografía, el automóvil del Jefe del Estado, con bandera y escudo nacional, aparcado ante la sede del Gobierno en Burgos mientras se espera la llegada del Ministro Plenipotenciario de Guatemala para la presentación de cartas credenciales.

Por sus servicios prestados, el comandante García Morato se hizo acreedor de la más preciada distinción militar, la Cruz Laureada de San Fernando, que luce en la fotografía, acompañado del general Kindelán.

García Morato se hizo famoso por sus proezas como aviador. Con su escuadrilla intervino durante toda la guerra en decisivas operaciones aéreas. Murió tres días después de terminada la guerra en accidente de aviación. De izquierda a derecha: Murcia, Jesús Rubio, Morato, Salas, Guerrero, Vázquez Sarastizábal, Senra, Mendoza, Arístides García, Comas e Ibarreche.

El "Baleares" sucumbió gloriosamente durante la contienda. Era, con el "Canarias", uno de los mejores elementos de la marina nacional.

8 febrero 1938

El Ejército del Norte llega a orillas del Alfambra.

17 febrero 1938

Quince divisiones nacionales cruzan el río Alfambra.

22 febrero 1938

Los generales Aranda y Varela entran en Teruel.

6 marzo 1938

El crucero «Baleares» es hundido por la flota republicana en aguas de Cartagena. Dos destructores británicos acuden en su auxilio.

9 marzo 1938

Se inicia la ofensiva nacional por el sur del Ebro. Doce divisiones rompen el frente enemigo por cuatro sectores. El objetivo de la ofensiva es llegar al Mediterráneo y cortar en dos la zona enemiga.
Se aprueba el Fuero de los Españoles.

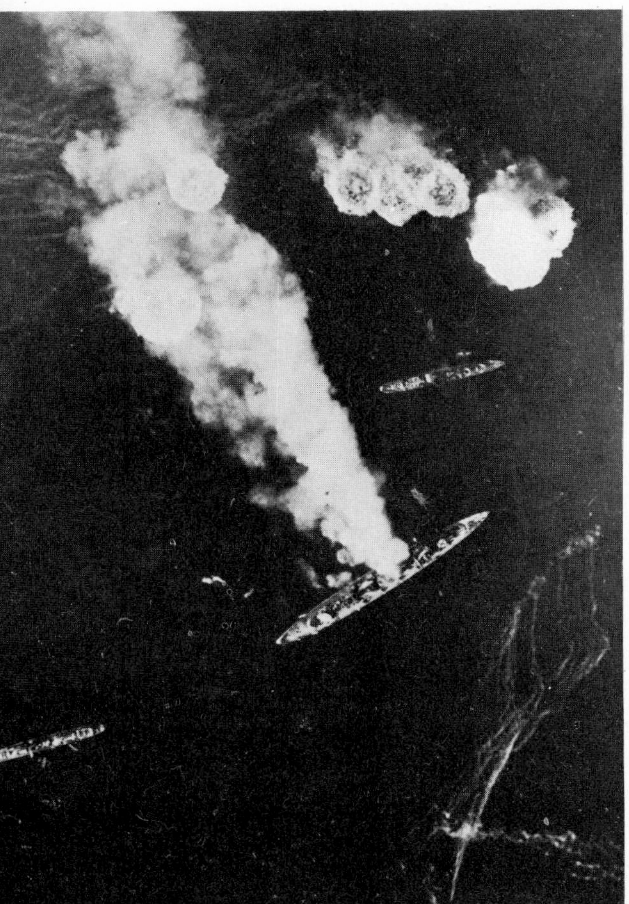

Impresionante fotografía del hundimiento del crucero "Baleares". Su heroísmo y sus decisivos servicios tuvieron este triste final, que por otra parte elevó su historia a categoría de epopeya. Se ven los barcos ingleses que acudieron en auxilio de los náufragos.

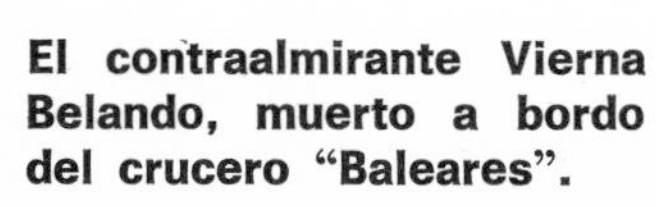

El contraalmirante Vierna Belando, muerto a bordo del crucero "Baleares".

La ofensiva del Norte resultaba incontenible. Ni con el contraataque en Brunete ni después con el de Belchite pudo ser interrumpida. Tras la toma de Belchite, Franco habla a sus tropas.

Las tropas nacionales en las proximidades de Belchite.

10 marzo 1938

La 5.ª Brigada Navarra ocupa Belchite.

12 marzo 1938

Decreto de Franco derogando la Ley de matrimonio civil de 28 de junio de 1932.

13 marzo 1938

El general Rojo fija su cuartel general en Caspe.
Nuevo Gobierno del Frente Popular en Francia, presidido por Leon Blum.

16 marzo 1938

En Barcelona se manifiestan las masas obreras contra cualquier intento de paz negociada.

17 marzo 1938

Se abre de nuevo la frontera francesa para el suministro de material de guerra a la República.
Los nacionales ocupan Caspe.

22 marzo 1938

Se reanuda la ofensiva nacional en Aragón. Campaña del Maestrazgo.

23 marzo 1938

El ministro de Hacienda de la República dicta una orden incautándose de los contenidos en cajas de la banca privada.
Yagüe cruza el Ebro por Quinto.

Los soldados republicanos resistieron en Tardienta encarnizadamente. En la fotografía se observan las defensas preparadas bajo el acueducto.

El general Dávila, que llevó la gran responsabilidad en el frente de Aragón, conversa con el general Yagüe, que tuvo una intervención muy destacada.

Restos de un avión Heinkel abatido en pleno vuelo.

A primeros de abril de 1938, se tomaba Lérida, donde había resistido "El Campesino". Las tropas de Yagüe dueñas de la ciudad. La ofensiva de Cataluña seguía adelante.

"El Campesino" actuó en el frente de Aragón, manteniendo una encarnizada resistencia para defender la ciudad de Lérida, que a pesar de ser tomada por los nacionales sirvió para detener su marcha y dar tiempo a la reorganización de las fuerzas republicanas.

24 marzo 1938

Las fuerzas del general García Valiño y del Cuerpo de Tropas Voluntarias inician una operación hacia el Mediterráneo.

28 marzo 1938

Prieto se inclina a entablar negociaciones de paz.

31 marzo 1938

Las fuerzas del general Yagüe avanzan hacia Lérida.

1 abril 1938

Los republicanos contraatacan en el frente de Aragón.

2 abril 1938

El general García Valiño ocupa Gandesa.

3 abril 1938

El Gobierno republicano se reúne en Barcelona. Indalecio Prieto es acusado poı los comunistas de derrotista.
Las tropas del general Yagüe vencen a las tropas de «El Campesino» y ocupan Lérida.

5 abril 1938

CRISIS

Era ministro de Defensa Nacional Prieto. Los planes comunistas de progresivo control de la guerra, a través del Ejército, seguían adelante. Superado el obstáculo de Largo Caballero, Indalecio Prieto iba a ser otro no menos difícil.
Se intentó ganar al ministro socialista proponiéndole una especie de entente entre socialismo y comunismo y anular a las demás fuerzas presentes en el Gobierno, en especial al anarquismo. Cuando Prieto no se prestó a ello, se puso en marcha una nueva conspiración comunista para anularlo. En el Ejército se empezó a una campaña de descrédito, basada en una realidad, el pesimismo del ministro de Defensa, que daba por perdida la guerra.
Sin embargo, como el propio Prieto argumentó en su defensa ante los ataques comunistas, su convicción personal, pesimista, no tenía que ver con su actuación ministerial. Así lo demostró llevando a cabo una vigorización

magnífica del Ejército hasta ponerlo a punto de combate. Todo lo conseguido decidió luego jugárselo a una carta. La República y él mismo necesitaban un golpe de prestigio espectacular.

Prieto eligió Teruel. Allí llevó su ejército y allí sucumbió ante el de Franco, no sin una encarnizada batalla. La derrota militar de la República fue la derrota política de Prieto. Incluso «El Campesino» ha llegado a decir que se sacrificó la ciudad por hundir al ministro socialista.

La gran derrota aumentó su pesimismo. De paso, arreciaron los ataques comunistas. El propio ministro Hernández escribió varios artículos, firmados como Juan Ventura, pidiendo la anulación de Prieto. Al final, Negrín tuvo que volver a decidir entre las imposiciones de Moscú y su ministro de Defensa. El chantage se impuso inevitablemente y Prieto salió del Ministerio.

El día 5 de abril de 1938, Negrín formaba un nuevo Gobierno —de «Unión Nacional»— que se constituía así:

Escena de dolor y angustia que tanto hubo de prodigarse en la guerra por la causa de la muerte y la destrucción continuas. Llanto de mujer y crueldad de hombre día a día, por tres años.

PRESIDENCIA y Defensa Nacional	Juan Negrín López (Socialista)
Estado	Julio Álvarez del Vayo (Socialista)
Justicia	Ramón González Peña (Socialista)
Gobernación	Paulino Gómez Sáiz
Hacienda y Economía	Francisco Méndez Aspe
Instrucción Pública y Sanidad	Segundo Blanco González
Obras Públicas	Antonio Velao Oñate (Izquierda Repub.)
Agricultura	Vicente Uribe Galdeano (Comunista)
Trabajo y Asistencia Social	Jaime Ayguadé y Miró (Esquerra Republic.)
Comunicaciones y Transportes	Bernardo Giner de los Ríos García (U. R.)
Sin Cartera	José Giral Pereira (Izquierda Republic.)
Sin Cartera	Manuel Irujo y Ollo (Nacional. Vasco)

Kin fue uno de los caricaturistas de más genio. En esta ocasión Negrín lleva, penosamente, la pesada carga de Stalin.

Grupo heterogéneo de prisioneros ingleses y norteamericanos pertenecientes a las Brigadas Internacionales.

El ministro de la Gobernación recibe a los periodistas para hablarles sobre la situación del país.

En la zona de Tremp se luchó encarnizadamente durante varias semanas. Por fin pudo tomarse en mayo de 1938, lo que constituyó un triunfo importante para el avance nacional sobre Cataluña.

El general Alonso Vega, que conquistó Vinaroz, a mediados de abril de 1938, pasea por la playa ante la reconfortante visión del Mediterráneo alcanzado. Se había cubierto un importante objetivo militar: partir en dos a la España republicana.

7 abril 1938

El Cuerpo de Ejército de Navarra conquista Tremp.

8 abril 1938

Toma de Balaguer por los nacionales.

10 abril 1938

Nuevo Gobierno francés presidido por Daladier.

15 abril 1938

Daladier prohibe el suministro de armas a España. A tal efecto cierra la frontera francesa.
El Cuerpo de Ejército de Navarra llega al Mediterráneo por Vinaroz, cortando las comunicaciones de Cataluña con Valencia.
Miaja es nombrado jefe de la Agrupación de Ejércitos del Centro.

19 abril 1938

El general Yagüe conquista Tortosa.

Hasta el final de la guerra fue el general Miaja leal a la República aceptando todos los cargos y todas las misiones. En abril de 1938, cuando la guerra se perdía por momentos y los nacionales llegaban a Vinaroz, aún aceptó Miaja el puesto de comandante en jefe de las zonas Centro y Suroeste. En la fotografía, con el general Cardenal.

Dolores Ibárruri, "La Pasionaria», y José Díaz, Secretario General del Partido Comunista Español. Dos destinos. La velada enemistad que les separaba ya durante la guerra adquiriría caracteres trágicos en el exilio ruso. La estrella de Díaz se eclipsó ante la preponderancia de Dolores Ibárruri, completamente sumisa a los dictados de Moscú. Díaz, desengañado y perseguido, acabaría suicidándose.

El frente de Cataluña, último valladar que oponía la República, se fue salvando con heroísmo, sangre y destrucción. Una vista de la ciudad de Tortosa, sobre el río Ebro.

20 abril 1938

La 62 División, mandada por el general Sagardía, conquista el Valle de Arán hasta los límites fronterizos con Francia.

30 abril 1938

El Gobierno Negrín da a conocer los «13 puntos» de su programa.

3 mayo 1938

Se restablece en la España de Franco la Compañía de Jesús.

11 mayo 1938

Portugal reconoce oficialmente al Gobierno de Franco.

13 mayo 1938

Álvarez del Vayo, representante del Gobierno republicano, pide en la Sociedad de las Naciones el fin de la No Intervención.

14 mayo 1938

Muere en Málaga el general Cabanellas.

16 mayo 1938

El Generalísimo Franco nombra a Yanguas Messía embajador en la Santa Sede.

31 mayo 1938

Franco revista en Vinaroz las dotaciones de los buques de la Escuadra nacional.

1 junio 1938

Intensa ofensiva republicana en Tremp.
Los gubernamentales atacan en el sector de Extremadura.

3 junio 1938

Avance nacional en el Maestrazgo.

Los 13 puntos del Gobierno de la República española

se implantarán por la victoria de nuestros soldados en los campos de batalla y por el trabajo de los hombres y mujeres en la retaguardia.
¡Viva España!
¡Viva la República!

1 La independencia de España.

2 Liberarla de militares extranjeros invasores.

3 República democrática con un Gobierno de plena autoridad.

4 Plebiscito para determinar la estructuración jurídica y social de la República española.

5 Libertades regionales sin menoscabo de la unidad española.

6 Conciencia ciudadana garantizada por el Estado.

7 Garantía de la prop dad legítima y p tección al elemer productor.

8 Democracia campesi y liquidación de propiedad semifeud

9 Legislación social q garantice los derech del trabajador.

10 Mejoramiento cult ral, físico y moral la Raza.

11 Ejército al servicio la Nación, libre d tendencias y partidc

12 Renuncia a la guerr como instrument de política naciona

13 Amplia amnistía par los españoles qu quieran reconstruir engrandecer Españ

El Gobierno del Dr. Negrín ofrecía al país y a la opinión internacional sus sonoros "trece puntos". Era el año 1938, la guerra muy apretada y la fecha el primero de mayo, tan simbólica en sí. Mezcla de idealismo y de realismo propagandístico, se han relacionado con los de Wilson o, por contraste, con el Fuero del Trabajo del gobierno nacional. Las bonitas promesas que encerraban los trece textos legales se utilizaron como un clarinazo a la moral de combate para alcanzar la victoria y la realización de esta moderna utopía. Un revulsivo para un cuerpo agonizante.

En 1938, la guerra casi perdida, las grandes sindicales luchan unidas en un supremo esfuerzo de recuperación. La UGT y CNT superan viejas rencillas ante el grave estado de cosas. Los gritos y consignas "antifascistas" salen al unísono de sus dirigentes. He aquí un mitin organizado por el Comité Local de Enlace UGT-CNT presidido por Wenceslao Carrillo, padre del que sería Secretario General del Partido Comunista Español, el ex ministro Juan López, José García Pradas y Ángel Ramírez.

Las tropas de Franco se adentran por Cataluña y llegan a la frontera francesa. La guerra tocaba a su fin. En la línea fronteriza se fotografían un grupo de oficiales nacionales con un gendarme.

La aviación "toca" a otro barco: el inglés "Penthames".

La alianza con Italia, que no supuso tanto como se ha dicho, se verificó no sólo con la ayuda militar sino también con visitas, homenajes nacionales, conmemoraciones y actos patrióticos. Comisión que marcha a Italia para asistir a los actos de adhesión a España.

Dos barcos de la marina nacional. En primer lugar el "Oviedo", bajo cuya bandera de popa se ve al "Badajoz" que sigue su misma línea.

Junio de 1938. El fin de la guerra parecía estar muy próximo. El Ejército nacional se hallaba empeñado en la ofensiva del Mediterráneo, culminación de la del Maestrazgo. En el sector de Castellón el gene- Martín Alonso y el coronel moro Mizzian (arriba) dirigen la lucha desde su puesto de mando mientras (a la izquierda) la artillería bombardea la capital de la Plana que sería tomada por Aranda el 13 de junio.

13 junio 1938

Las tropas del general Aranda ocupan Castellón.

16 junio 1938

Logra pasar la frontera francesa la 43 División gubernamental.

20 junio 1938

Negrín denuncia, en unas declaraciones a la prensa, intrigas políticas dentro de su Gobierno.

24 junio 1938

El Nuncio de Su Santidad y el embajador portugués presentan sus cartas credenciales a Franco.

25 junio 1938

Orden del Ministerio de Defensa sobre asistencia religiosa a las fuerzas del Ejército republicano.

26 junio 1938

El puerto de Alicante es bombardeado por la aviación nacional.

27 junio 1938

Rusia acepta la propuesta del Comité de No Intervención de retirada de voluntarios extranjeros.

5 julio 1938

Los nacionales ocupan Burriana y rompen las fortificaciones de Nules.

6 julio 1938

El oro depositado en el Banco de Francia durante el bienio social-azañista (1.259 millones de francos oro), no será devuelto al Gobierno de la República, ya que la mayoría de los accionistas radican en la zona nacional.

8 julio 1938

Nules es conquistado por los nacionales.

12 julio 1938

Bombardeo aéreo del puerto de Cartagena.

Barcelona. Uno de tantos homenajes a la URSS. Puños cerrados, notas de La Internacional, discursos envidiando a la revolución soviética a la vez que propagando la ideología comunista. En el centro Companys, a su derecha el cónsul soviético en Barcelona, A. Ovsenko.

Manifestación en Barcelona. Las alusiones y los símbolos comunistas explican su tono.

No fue en el frente de combate sino en el político y diplomático donde Serrano Suñer desarrolló su actividad. Fue el ideólogo del momento, decisivo inspirador de la nueva doctrina política. Autógrafo de Serrano Suñer fechado ocho meses antes de terminada la guerra.

Conmemoramos el segundo aniversario del Azamie
Nacional contra la tiranía y el crimen, seguros
de que el tercer año de guerra que hoy empiez
es el Año de la Victoria y seguros también
de que la sangre de nuestros caídos es la simie
que fructificará en las grandes creaciones de nuestr
Revolución Nacional Sindicalista.

R Serrano Suñer
Burgos, 17 julio 1938.

En Barcelona, en la plaza de la República, Azaña pasa revista a las tropas que le rinden honores en el segundo aniversario de la guerra. El Presidente de la República ha quedado poco más que para actos oficiales, anulado por los extremismos revolucionarios.

18 julio 1938

Discursos de Franco y Azaña, con motivo del aniversario de la guerra.
El Generalísimo Franco es nombrado capitán general del Ejército y de la Armada.

24 julio 1938

Queipo de Llano avanza en el sector de Extremadura y toma los pueblos de Don Benito, Villanueva de la Serena y Castuera.

25 julio 1938

El Ejército republicano del Este desencadena la ofensiva del Ebro. Cruza el río por varios puntos iniciándose la batalla más dura de la guerra.

26 julio 1938

El Ejército popular avanza por el valle del Ebro, paralizando la ofensiva nacional de Levante.

29 julio 1938

Bombardeos aéreos sobre Alicante.

30 julio 1938

Contraataque republicano en el frente de Valencia.

En el frente de Aragón, Franco recibe la visita del embajador de Portugal, Teotonio Pereira. Junto al Jefe del Estado, los generales Dávila y Berti.

Jura de bandera de los alféreces provisionales de Ávila. Momento en que pasa Pemán.

Los nacionales completaban sus máximos esfuerzos hacia Levante y Cataluña con ofensivas en la región extremeña. En julio cae Don Benito, importante pueblo pacense. Los nacionales entrando victoriosos.

El 25 de julio, los republicanos inician la ofensiva del Ebro. El avance inesperado de los milicianos que traspasaron el río fue contenido en los primeros días de agosto. En sus márgenes se luchó encarnizadamente en una de las batallas decisivas de la guerra. Puente ocasional sobre el Ebro, las tropas cruzan el río.

Se lucha a un lado, al otro e incluso en el propio río.

La república luchó desesperadamente por vencer en el Ebro, e incluso hubo un tiempo en que llegó a pensar que sería así. La propaganda animaba aireando las victorias conseguidas.

Valentín González, "El Campesino". Su gran corpulencia unida a su barba y a su atuendo le conferían cierto pintoresquismo que no dejaba de influir en sus soldados.

Líster y Modesto forman con "El Campesino" el trío de los grandes militares comunistas. Participaron en todas las grandes operaciones de la guerra, tales como Brunete, Aragón, Ebro... Modesto tuvo destacada responsabilidad en esta última batalla.

1 agosto 1938

Los nacionales logran contener la ofensiva del enemigo en el Ebro.

7 agosto 1938

Las fuerzas republicanas son obligadas a repasar el Ebro.

9 agosto 1938

Los republicanos atacan Balaguer y cruzan el río Segre.

10 agosto 1938

El Ejército del Centro, mandado por el general Saliquet, avanza en Extremadura.

Más fuerte que el hierro de estas alambradas, el odio que las ha retorcido. España alambrada primero y retorcida de sufrimientos después, hubo de dejar tiras de su piel y sangre de su cuerpo en el largo caminar de tres años por entre ellas.

El Partido Comunista cuidaba mucho su labor de captación entre los jóvenes. Para ello usaba como medios eficaces las actividades juveniles, el uso de símbolos llamativos, de uniformes vistosos. En la foto se ve el aparato exterior dado a un Congreso de la Juventud.

En la ofensiva del Ebro resultaron para el ejército republicano grandes cantidades de muertos y de prisioneros. En Caspe forman en fila los que han sido apresados.

12 agosto 1938

Guerrilleros gubernamentales infiltrados en el sector de Albarracín llegan hasta las fuentes del Guadalquivir y del Tajo.

14 agosto 1938

Lucha encarnizada en la sierra Pándols, conquistada por las tropas de Franco.

17 agosto 1938

Dimiten los ministros republicanos, representantes de Euzkadi y la Generalidad, Jaime Ayguadé y Manuel Irujo, siendo nombrados para sustituirles José Moix y Tomás Bilbao respectivamente.

18 agosto 1938

Negrín marcha a Suiza.

Tanque en marcha hacia la línea de fuego en el frente de Cataluña.

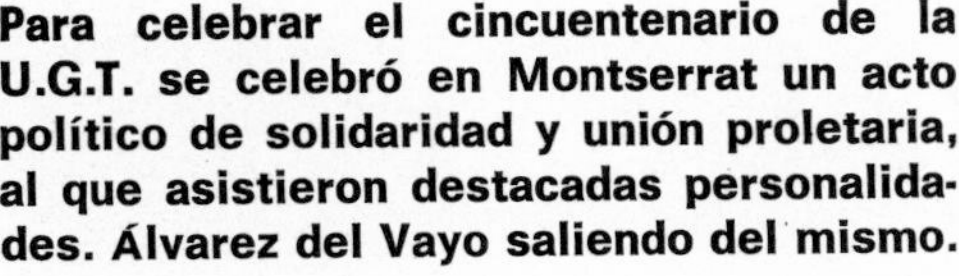

Para celebrar el cincuentenario de la U.G.T. se celebró en Montserrat un acto político de solidaridad y unión proletaria, al que asistieron destacadas personalidades. Álvarez del Vayo saliendo del mismo.

Miembros de su Estado Mayor acompañan al Generalísimo y al general Dávila.

Franco con el general Solchaga y sus ayudantes en las proximidades del puesto de mando, en la provincia de Zaragoza.

Lady Chamberlain, hermana del nuevo jefe del gobierno inglés, visita España. En la foto la vemos en Burgos acompada del comandante José Barroso y del coronel Obregón. A la derecha, de paisano, Jesús Pabón y Merry del Val.

En la zona de Gandesa se desarrolló una de las más importantes batallas de la campaña del Ebro. La 1.ª División de Navarra recibió la Medalla Militar Colectiva. García Valiño pasando revista.

1 septiembre 1938

La hermana del primer ministro británico Chamberlain llega a la España nacional.

3 septiembre 1938

Dos Cuerpos de Ejército nacionales logran romper el frente de Gandesa.

9 septiembre 1938

Se interrumpe la ayuda militar alemana a España.

11 septiembre 1938

Violenta lucha en el sector del Ebro.

15 septiembre 1938

La aviación nacional bombardea el puerto de Almería.

16 septiembre 1938

Bombardeo aéreo del puerto de Barcelona.

18 septiembre 1938

Se inicia el asalto del frente del Ebro en el cruce de la Venta de Camposines.

21 septiembre 1938

Negrín anuncia a las Naciones Unidas la retirada de los voluntarios extranjeros del bando republicano.

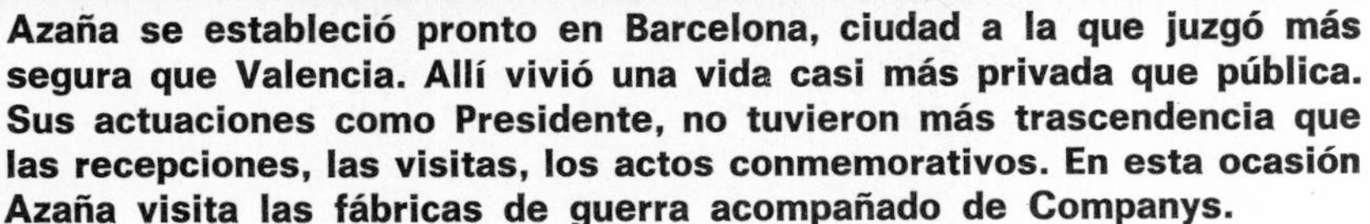

Azaña se estableció pronto en Barcelona, ciudad a la que juzgó más segura que Valencia. Allí vivió una vida casi más privada que pública. Sus actuaciones como Presidente, no tuvieron más trascendencia que las recepciones, las visitas, los actos conmemorativos. En esta ocasión Azaña visita las fábricas de guerra acompañado de Companys.

El Presidente del Gobierno asiste al acto celebrado en honor de Rafael Casanova. En la fotografía, al pie del monumento.

Una vista del pueblo de Valderrobles, en el frente de Aragón, ocupado por las fuerzas nacionales, en su avance.

No se daba abasto a improvisar, a restañar, a taponar. Todo se venía abajo, se acababa como el mismo año 1938. Negrín a la cabecera del banco azul en las Cortes reunidas en el Monasterio de San Cugat del Vallés habla claro de la difícil situación. Se impone la resistencia a pesar de la triste realidad que es la victoria incontenible de los nacionales. No faltaban, sin embargo, quienes ya habían sido ganados por la verdad del momento, y tenían minada su moral de resistencia. De aquí a abril del 39 el desmoronamiento sería rápido e incontenible.

Un aspecto de la Mesa Presidencial de las Cortes, encabezada por Martínez Barrio.

Irujo, ministro de la República y líder del nacionalismo vasco, procuró durante la guerra libertad para el culto católico y seguridad para los sacerdotes. Curiosa fotografía en la que figura como padrino de una boda celebrada, por la iglesia, en Barcelona.

Vistosa formación la constituida por la escolta presidencial, magnífica para realzar la categoría del primer mandatario del país. La República cuida los detalles representativos.

En abril de 1938 se llegaba a un acuerdo para la retirada de voluntarios extranjeros en los dos bandos. En septiembre se anuncia la retirada de los que combatieron al lado de la República. La Sociedad de Naciones envió a España una Comisión supervisora. En la foto, el general finlandés Jalander y el teniente coronel francés Bech.

22 septiembre 1938

Franco se opone a toda mediación para una paz negociada.

23 septiembre 1938

Mussolini no confía en la victoria de las tropas de Franco.
Lucha en el frente de Córdoba.

29 septiembre 1938

Se reúnen en Munich Chamberlain, Daladier, Hitler y Mussolini.

30 septiembre 1938

En San Cugat del Vallés, Barcelona, se reúnen las Cortes republicanas.
La aviación nacional bombardea Valencia y Alicante.

1 octubre 1938

Franco hace pública la certeza de la muerte de José Antonio.
Las Naciones Unidas aceptan supervisar la retirada de las Brigadas Internacionales.

2 octubre 1938

Las divisiones navarras llegan a menos de 1 km de la Venta de Camposines.
En Sabadell se reúnen las Cortes republicanas.

4 octubre 1938

El Gobierno de la República retira a los voluntarios extranjeros de los frentes.

10 octubre 1938

Violentos contraataques republicanos en el Ebro.

La sangrante crudeza de la guerra, sin concesiones, se desborda de este cartel de la Agrupación Socialista Madrileña y exige, implacable, hasta el último aliento en un esfuerzo supremo por la victoria.

14 octubre 1938

Embarca en Cádiz un importante contingente de voluntarios italianos rumbo a su patria.

24 octubre 1938

Comienza en Barcelona el proceso contra el P.O.U.M.

27 octubre 1938

El almirante Canaris se entrevista con Franco.

28 octubre 1938

Muere en accidente de aviación el teniente coronel Ramón Franco Bahamonde, jefe de la Base aérea de Baleares.

Italianos llegaron a guerrear a España enviados por el estado fascista de Mussolini. Variada fue su actuación y diversos sus resultados. Los legionarios italianos, con sus propios generales, participaron en principales acciones de guerra. A finales de 1938 empezaron a regresar a su país; la guerra, varios años internacionalizada, se iba reduciendo a asunto interno ya bien definido, cuando también en Barcelona se despedía a las Brigadas Internacionales. En Cádiz, Queipo de Llano con los generales Bergonzoli y Berti pasa revista a las fuerzas italianas que reciben el saludo de despedida de las gentes cuando ya se encuentran embarcadas.

Las Brigadas Internacionales jugaron un papel importante en nuestra guerra. Su despedida constituyó un gran acontecimiento en Barcelona. Por su parte, en el castillo de Vich, el Gobierno agasajó a los jefes. En la foto, entre otros, el teniente coronel Hans, André Marty, Luigi Gallo y el teniente coronel Matallana.

La última fase de la batalla del Ebro, la gran contraofensiva nacionalista, se inicia el 30 de octubre. Las sierras de Caballs y Pandols son tomadas. Se va entrando en los pueblos: Mora de Ebro, Fatarella, Venta de Camposines... La batalla estaba ganada.

No parecen sino tiempos normales, por lo familiar de la escena. Sin embargo, se trata del entierro del capitán Vicente Eguía, en Barcelona.

31 octubre 1938

Despedida oficial a las Brigadas Internacionales. Negrín obsequia con una comida a los jefes y comisarios en el castillo de Vich.

1 noviembre 1938

Combates aéreos en el frente del Ebro.

3 noviembre 1938

Los nacionales ocupan las sierras de Pándols y Caballs.

7 noviembre 1938

Ataque aéreo de los republicanos sobre Cabra (Córdoba) y Nules.
Los nacionales toman Mora de Ebro y Pinell.

11 noviembre 1938

Las tropas del Generalísimo ocupan Venta de Camposines-Mora.

Negrín supo jugar la baza de la retirada de las Brigadas Internacionales, cuando ya no suponían nada. Su discurso de despedida fue una apología de su dudosa actuación en España.

En el pardo y adusto suelo castellano, entre hielo y brasa, encontraron sepultura muchos miembros de las Brigadas Internacionales. Simples hoyos, sin lápidas, sin flores, acogieron a gentes del más diverso origen. Cementerio de las Brigadas Internacionales en la carretera de Fuencarral al Pardo.

15 noviembre 1938

Desfile y despedida de las Brigadas Internacionales en Barcelona. Discursos de Negrín y Pasionaria.

16 noviembre 1938

Termina la batalla del Ebro, después de ocupar los nacionales Flix y Ribarroja. Los republicanos se retiran al otro lado del Ebro.

20 noviembre 1938

En homenaje a José Antonio aviones nacionales arrojan flores sobre el cementerio de Alicante.

29 noviembre 1938

Actividad aérea de los nacionales sobre Valencia y Barcelona.

La batalla del Ebro, larga de cuatro meses, tenaz y sangrienta, supuso el declive definitivo del ejército de la República. En la fotografía, el general Franco con Dávila y Kindelán.

Flix, sobre el río Ebro, cambió varias veces de bando, durante la batalla. Una vista de las fábricas.

4 diciembre 1938

Las fábricas de material bélico de Badalona y Villanueva son bombardeadas por la aviación nacional.

6 diciembre 1938

«Plan P» del mando republicano, consistente en atacar por el sector centro-sur, incluyendo un desembarco en Motril.

7 diciembre 1938

Negrín señala la gravedad de la situación a los representantes del Frente Popular.

8 diciembre 1938

El presidente del Gobierno de la República crea, por decreto, el Comisariado General de Cultos, encargado de la práctica de actividades religiosas en su zona.

El crucero "Canarias" cañoneó al republicano "José Luis Diez" cuando intentaba atravesar el estrecho y le dejó anulado. En la foto se observa el impacto de los proyectiles.

11 diciembre 1938

El general Miaja y el almirante Buiza se niegan a llevar a efecto el proyectado «Plan P».

15 diciembre 1938

En Barcelona se descubre una red de espionaje a favor del Gobierno de Franco, imponiéndose cerca de 200 penas de muerte.

23 diciembre 1938

Se inicia la campaña de Cataluña. Los nacionales rompen el frente enemigo por cuatro puntos.

24 diciembre 1938

El general Martínez Anido muere en Valladolid.

30 diciembre 1938

Ataque aéreo republicano a la base de Cartagena.

31 diciembre 1938

El minador «Vulvano» pone fuera de combate al destructor «José Luis Díez» en el estrecho de Gibraltar.
Hidalgo de Cisneros gestiona en Rusia la compra de material bélico por valor de más de cien millones de dólares.

1939. EL DERRUMBAMIENTO

Franco se iba haciendo con el dominio del país. Marcha larga, penosa, orlada de muertes la que llevó al ejército nacional desde África hasta los Pirineos.

Las tropas del general Juan Bautista Sánchez entran en Tarragona. La bandera roja y gualda ondea en los edificios oficiales.

5 enero 1939

Ofensiva republicana por Valdesequillo (Córdoba).

6 enero 1939

Las tropas del Ejército popular desencadenan duros ataques por la zona de Extremadura, para contrapesar los éxitos nacionales en Cataluña.

8 enero 1939

Buiza es nombrado jefe de la flota republicana y Ubieta de la base de Mahón.

13 enero 1939

Se toma Tortosa.
Bombardeos aéreos sobre el puerto de Valencia.

15 enero 1939

Los nacionales conquistan Tarragona y Reus.

19 enero 1939

Prosigue el avance nacional por Cataluña.

21 enero 1939

El general García Escamez inicia la contraofensiva en Extremadura.

23 enero 1939

Después de treinta meses de lucha, el gobierno republicano proclama el estado de guerra.

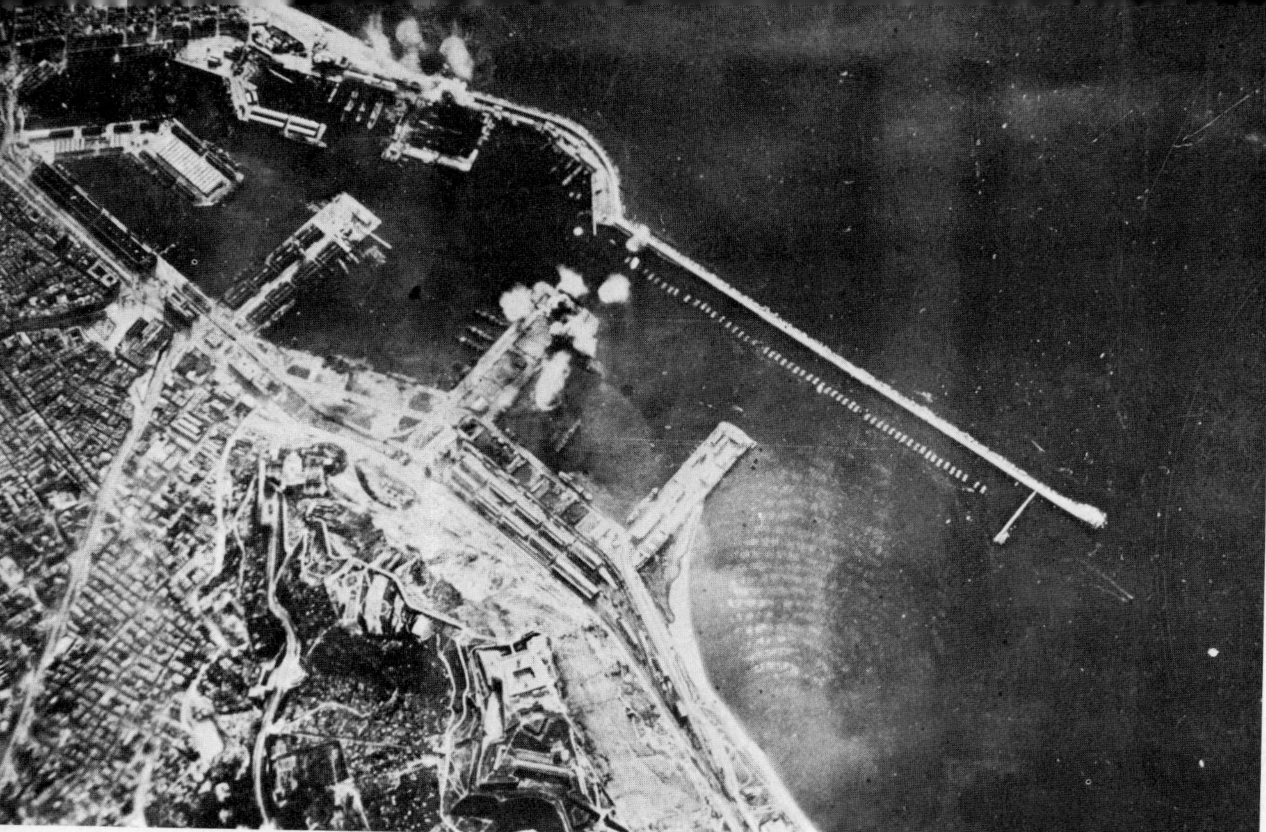

La ciudad de Barcelona fue sede del Gobierno republicano hasta última hora. He aquí una vista del puerto, que fue frecuentemente bombardeado.

La toma de Barcelona era casi el broche final de la guerra. Los nacionales ponen la bandera roja y gualda en la Plaza de Cataluña.

25 enero 1939

El Gobierno republicano abandona Barcelona.
El Estado Mayor de Franco da la cifra de 350.000 prisioneros.

26 enero 1939

Los cuerpos de Ejército de Navarra y Marroquí y la División Littorio entran en Barcelona.
El Gobierno de Negrín fija su residencia en Figueras (Gerona).

27 enero 1939

Sabadell y Badalona caen en poder de las tropas de Franco.
Pasan la frontera francesa gran número de fugitivos republicanos de Cataluña.

31 enero 1939

Los nacionales entran en la provincia de Gerona.
La aviación nacional bombardea varias concentraciones enemigas en Cataluña.

1 febrero 1939

En Figueras se reúnen, por última vez en sueño español, las Cortes de la República.

2 febrero 1939

Contactos republicanos con representantes de Francia e Inglaterra para negociar la paz con Franco.

4 febrero 1939

Se entra en la ciudad de Gerona.
Atraviesan la frontera francesa Azaña, Martínez Barrio, Companys y Aguirre.

5 febrero 1939

Desde la ocupación de Barcelona han cruzado la frontera con Francia 240.000 refugiados.

Tras la victoria del Ebro la ofensiva de Cataluña fue más que otra cosa un paseo militar. Las tropas nacionales entrando en Barcelona por la Diagonal.

Las izquierdas españolas consiguieron mantener la apariencia de gobierno republicano hasta el último momento, mientras la situación activa respondía a características y principios mucho más extremistas. Se procuró contar siempre, a más de con la figura suprema de Azaña, con otra serie de peones de estirpe republicana que entraban de relleno propagandístico en todas las formaciones ministeriales. Vicente Velao, Bilbao Hospitalet y Méndez Aspe llegaron a ministros en estas condiciones y su actividad fue tan anodina y escasa como para resultar sus nombres casi desconocidos. La foto los recoge juntos en la sesión de Cortes celebradas en el Castillo de Figueras el 1 de febrero de 1939, la última que se celebró en tierras de España.

Gerona, última de las capitales catalanas ganadas para los nacionales. Las tropas estacionadas en la calle.

Se pasa un río por un puente improvisado. Faltaba poco más de un mes para acabar la guerra. Las tropas gubernamentales huían en desbandada hacia la frontera.

Teme el soldado en el frente y la mujer, el anciano y el niño en la retaguardia. Luchan y esperan unos y otros. La población civil vive una guerra especialmente cruel e incierta. Para muchos termina con sus propias vidas; para otros con el desarraigo de la evacuación o el exilio. Estampas dolidas todas estas, entre la ternura infantil y la indefensión femenina. Guerra para todos y contra todos; sin distingos, sin consideraciones; sin piedad. Gentes evacuadas, camino adelante.

6 febrero 1939

El coronel republicano Segismundo Casado establece contactos secretos con el Gobierno de Burgos.
Conquista de Seo de Urgel.

7 febrero 1939

Negrín y el general Rojo pasan a Francia.
Miaja es nombrado jefe de las fuerzas republicanas de tierra, mar y aire de la zona Centro-Sur.
Es asesinado el obispo de Teruel, monseñor Polanco. Con él llega a trece el número de prelados asesinados.

9 febrero 1939

Franco firma la ley de responsabilidades políticas.

10 febrero 1939

La guerra en Cataluña ha terminado. El Gobierno de Franco puede anunciar que se controlan todos los pasos catalanes de la frontera con Francia, en Cataluña.
Negrín llega a Alicante procedente de Francia.

19 febrero 1939

Uruguay, al igual que Polonia, reconocen al Gobierno de Burgos.

Victoriosa ofensiva, sin pausa, a través de Cataluña. Por fin el Pirineo, la frontera con Francia. El general Juan B. Sánchez toma contacto oficial con el país vecino. Acompañado de su Estado Mayor pasa revista a tropas francesas en Le Perthus.

La enseña tricolor de la República en su hora morada —ya ni roja ni amarilla— cuando no el triunfo ni la sangre, sino la tristeza y el duelo la teñían, cuando caída, como el régimen que representaba, sólo parecía esperar compasión ante el abandono de los hombres y de las armas. Unos gendarmes contemplan la bandera republicana dejada sobre suelo francés.

Carros republicanos abandonados en la carretera de Perpignán.

Antonio Machado, grande entre los poetas que en España han sido. Catedrático de Instituto —"profesor de lenguas vivas"— conoció a lo vivo el alma del pueblo. Asimiló Castilla y Andalucía, se introdujo en sus entrañas, se intercaló en su ser y por su pluma hablaron sus paisajes, sus cielos y sus desvelos, sus trabajos y sus esperanzas. Su poesía se nutrió de la esencia íntima del ser español que supo captar y dar forma como hombre de recio hispanismo que era. Vivió la guerra, salió del país y al poco falleció: murió de no morir en España.

El Presidente de la República Española

Excmo. Sr. Presidente de las Cortes

Excmo. señor:
Desde que el general en jefe del Estado Mayor Central, direct
ponsable de las operaciones militares, me hizo saber, delante del
dente del Consejo de Ministros que la guerra estaba perdida para l
pública sin remedio alguno y antes de que, a consecuencia de la de
el Gobierno aconsejara y organizara mi salida de España, he cumpli
deber de recomendar y proponer al Gobierno, en la persona de su je
el inmediata ajuste de una paz en condiciones humanitarias, para
a los defensores del régimen y al país entero nuevos y estériles s
ficios. Personalmente he trabajado en ese sentido cuanto mis limit
medios de acción permiten. Nada de positivo he logrado. El reconoc
to de un Gobierno legal en Burgos por parte de las potencias, sing
mente Francia e Inglaterra, me priva la representación jurídica in
cional necesaria para hacer oir a los Gobiernos extranjeros, con l
toridad oficial de mi cargo, lo que no es solamente un dictado de
ciencia de español, sino el anhelo profundo de la inmensa mayoría
nuestro pueblo. Desaparecido el aparato político del Estado, Parla
y representaciones superiores de los partidos, etc., carezco, dent
fuera de España, de los órganos de Consejo y de acción indispensab
para la función presidencial de encauzar la actividad de gobierno
forma que las circunstancias exigen con imperio. En condiciones ta
me es imposible conservar, ni siquiera nominalmente, un cargo al q
renuncié el mismo dia que salí de España porque esperaba ver aprov
do ese lapso de tiempo en bien de la paz.
Pongo, pues, en manos de V.E. como Presidente de las Cortes mi
sión de Presidente de la República, a fin de que V.E. se digne dar
tramitación que sea procedente.
Collonges-sous-Salève, para Paris, 27 de Febrero de 1939

En su residencia de Collonges-sous-Salève (Francia) y con fecha 27 de febrero Azaña firma su dimisión como Presidente de la República. La carta, en sí y por su contenido, es un reflejo expresivo del desmoronamiento de la República y del propio Azaña.

21 febrero 1939

Más de 100.000 hombres desfilan ante el Generalísimo en Barcelona.

Muere en Collioure el poeta Antonio Machado.

25 febrero 1939

Última reunión del Gobierno republicano en Madrid.

27 febrero 1939

Azaña, dimite, desde Francia, como Presidente de la República.

Francia e Inglaterra se suman al reconocimiento del Gobierno de Burgos.

La cantonal Cartagena fue objeto una vez más de audaces golpes de mano. El nombramiento de un comunista, el coronel Francisco Galán, como jefe de la base provoca sublevaciones encadenadas. La confusión, el desastre y el caos son los protagonistas de una guerra civil parcial dentro de otra a punto de terminar. La flota republicana se hace a la mar rumbo a Bizerta; "casadistas" y "negrinistas" se enfrentan por una parte y por otra los falangistas, que aprovechan el momento, entran en escena como tercera fuerza. Vista aérea del puerto de Cartagena.

El comunismo, auténtico trasfondo revolucionario de nuestra guerra, avasalló en aras de sus objetivos incluso a los que teóricamente tuvo como aliados. Si por una parte el comunismo supuso la organización y el abastecimiento para la resistencia, por otra su cada vez más agobiante exclusivismo iría produciendo un creciente malestar interno que traería divisiones y luchas hasta provocar otra guerra civil dentro de la gran lucha nacional. Casado y Álvarez del Vayo, a quienes vemos en la fotografía de la izquierda, representan bien esta división en los últimos momentos de la guerra: el militar de izquierda no comunista que ha luchado contra el "fascismo" pero no para traer el comunismo y el político confuso, comunistizante, que desde el primer momento luchó al dictado de Moscú. Tras la toma de Cataluña la situación quedó del todo decidida, aunque se dividieran las opiniones al respecto dentro de las fuerzas republicanas. Entre quienes abogaban por la resistencia a ultranza y quienes, más realistas, sólo pensaban en buscar la paz, se impuso la decidida acción del coronel Casado que traería el punto final de la contienda. Contra el gobierno de Negrín y contra los comunistas que le apoyaban en la idea de resistir, Casado constituyó el Consejo Nacional de Defensa, se levantó en armas y gracias a la ayuda de los anarquistas y algunos otros elementos no comunistas consiguió precipitar la paz. En la fotografía inferior, Casado (en el centro, con gafas), el comisario Piñuela (a la derecha) y Heliodoro Ruiz (de espaldas).

Miembro destacado y prestigiante del Consejo Nacional de Defensa fue Julián Besteiro. Desde los sótanos del Ministerio de Hacienda, y en presencia de Casado, dirige a la España republicana un mensaje por radio después de haberse constituido el Consejo.

28 febrero 1939

Las Cortes republicanas reunidas en París aceptan la dimisión de Azaña.
Ataque aéreo sobre Valencia y Cartagena.
Yugoslavia reconoce al Gobierno de la España nacional.

1 marzo 1939

Es izada en las embajadas de Londres y París la bandera roja y gualda.
El mariscal francés Pétain es nombrado embajador en España. Grecia y Brasil reconocen al Gobierno Nacional.
Negrín y Casado se entrevistan en Elda.

2 marzo 1939

El almirante Buiza emplaza a Negrín para que dimita antes de cuarenta y ocho horas.

4 marzo 1939

Negrín nombra al comunista Francisco Galán jefe de la base naval de Cartagena.

5 marzo 1939

El coronel Casado constituye el Consejo Nacional de Defensa y se declara contra el Gobierno de Negrín, prestándose a negociar la paz con Franco.

Contra la Junta de Defensa que preside el coronel Casado se desata una ofensiva comunista decidida a continuar la guerra. El coronel Barceló —a quien vemos en la foto acompañando al general Rojo— apoyó la decisión comunista fielmente y se enfrentó a la Junta.

La larga contienda y las necesidades acuciantes dieron ocasión a muchos de manifestar sus condiciones para la profesión militar. A la manera de jefes o caudillos populares, aupados por sus personales dotes de valor o de mando, gentes anónimas, sin historial previo, se convirtieron en altos mandos militares a los que habrían de caber responsabilidades supremas. De las filas anarquistas salieron diversos ejemplos, pero quizá ninguno como Cipriano Mera, antiguo albañil, que demostró auténtica categoría de jefe. En la batalla de Guadalajara intervino decisivamente y tuvo su momento más trascendental en marzo del 39 en las luchas contra los comunistas en Madrid. Su apoyo al coronel Casado decidió la suerte final de la guerra y la salvación de muchas vidas.

6 marzo 1939

El «Castillo de Olite», cargado de tropas nacionales, es hundido al intentar desembarcar en Cartagena.
El Gobierno republicano huye a Francia.

7 marzo 1939

Días trágicos en Madrid por la revuelta de los comunistas contra Casado.
Huye de Cartagena la escuadra republicana, poniendo rumbo a Bizerta (Túnez).

8 marzo 1939

Los anarquistas apoyan a Casado.
Fuerzas nacionales intentan entrar en Madrid por la Casa de Campo, encontrando fuerte resistencia.
Termina la revuelta comunista en Madrid.

Por fin se decidía la suerte de España; tras duros años de guerra los nacionales habían vencido y se aprestaban a entrar triunfalmente en Madrid, símbolo de la resistencia republicana. El Estado Mayor del Generalísimo días antes de la rendición.

Madrid veía la entrada de las tropas que habían permanecido en sus puestos, atrincheradas por casi tres años. La resistencia a ultranza terminaba con la entrega de la ciudad que llevó a cabo el coronel republicano Prada, en la zona de la Ciudad Universitaria, antesala heroica de la capital.

La última guardia. Ante el Palacio Nacional los soldados republicanos se entregaron a los nacionales. Vencedores y vencidos —fusiles hacia abajo apoyados sobre el punto de mira—, españoles clamando por la paz y la concordia.

20 marzo 1939

En el aeródromo de Gamonal, en Burgos, se tantean las condiciones de paz entre los representantes de Casado y de Franco.

24 marzo 1939

Pétain presenta sus cartas credenciales en Burgos.

26 marzo 1939

Casado informa al gobierno de Franco que su aviación se rendirá al día siguiente.

27 marzo 1939

España se adhiere al Pacto Antikomintern.

28 marzo 1939

El Consejo Nacional de Defensa se disuelve. Algunos de sus componentes huyen.
Entra en Madrid la 16 División.

29 marzo 1939

Los nacionales entran en Cuenca, Guadalajara, Ciudad Real, Jaén y Albacete.

Después de tantos meses a las puertas de la ciudad, debió de parecer increíble la entrada en Madrid, tanto para los sitiadores como para los sitiados que les eran afectos. Las calles se llenaron de gentes que aclamaban a los vencedores.

Terminaba la guerra y España se disponía a iniciar el también difícil camino de la paz. No había de ser sencillo integrar a hombres que habían sido capaces de enfrentarse a muerte. Pero con el transcurso de los años las heridas han ido cicatrizando y hoy la guerra queda ya muy lejos.

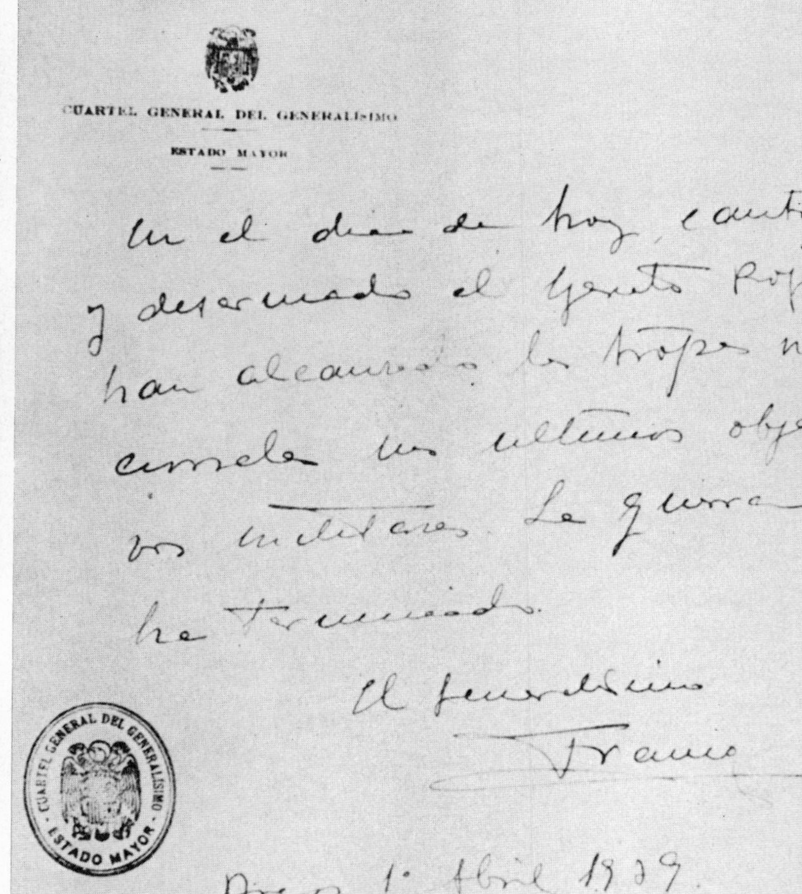

CUARTEL GENERAL DEL GENERALISIMO

ESTADO MAYOR

En el día de hoy, cauti
y desarmado el Ejército Roj
han alcanzado las tropas n
cionales sus últimos obje
vos militares. La guerra
ha terminado.

El Generalísimo

Franco

CUARTEL GENERAL DEL GENERALISIMO · ESTADO MAYOR

Burgos 1º Abril 1939.

El eterno problema de las guerras, el de los prisioneros, tiene siempre una imagen triste y penosa. Su suerte fue diversa, en función de mil circunstancias, y el asunto ha constituido pretexto para acusaciones desde todos los ángulos. Las calles madrileñas contemplaron muy frecuentemente desfiles como el que muestra la fotografía.

Qué difícil reconocer a Miaja sin su uniforme de general y sin su Madrid, por el que tanto dio hasta el último momento. De paisano, uno más —y en París, ciudad extraña—, el general Miaja hubo de pensar en tanta lucha y tanto empeño perdidos, y si lloró o sintió tristeza, ni siquiera mereció el consuelo de sufrirla en tierra patria.

30 marzo 1939

Valencia y Alicante se rinden a las tropas de Franco.

31 marzo 1939

Los nacionales entran en Almería, Murcia y Cartagena. Inicia sus sesiones la diputación permanente de las Cortes republicanas en París.

1 abril 1939

Último parte de guerra del cuartel general de Franco: «En el día de hoy, cautivo y desarmado el Ejército rojo, han alcanzado las tropas nacionales sus últimos objetivos militares. La guerra ha terminado».

En este momento, el régimen derrotado carece de territorio y sus órganos de gobierno inician la larga y confusa etapa del exilio.

Francia se vio invadida por una avalancha de refugiados. También fue refugio para los personajes republicanos y sus familias. En este caso son la esposa y la hija de Companys las que llegan a París, desde Barcelona.

EL EXILIO

Con la dimisión de Azaña, la República había perdido su más significativa figura. Ahora, tras la derrota de sus ejércitos y la huida de sus dirigentes, habían quedado rotos todos los resortes políticos. Aunque resultaba ya muy difícil mantener la ficción de un poder que llevaba años demostrando su ineficacia, tanto los órganos del Gobierno como los partidos continuaron arrogándose unas representaciones que les convertían en hipotético gobierno en el exilio. Dada la situación internacional de aquellos momentos, este gobierno contó con el reconocimiento de algunos estados y se apoyó en la única masa que podía serle adicta: la de los emigrados.

Atendiendo a sus orígenes, la emigración puede ser dividida en tres grupos: la que pasó a Francia por la frontera vasca y por mar, tras la liquidación del frente norte. Una parte se trasladó a la zona republicana y otra permaneció en Francia, sin contar un grupo de niños que fue enviado a la URSS. Otro grupo, el más numeroso, más de trescientas mil personas, lo constituyó el de los que pasaron la frontera francesa al final de la campaña de Cataluña. El destino de la mayoría fue el campo de concentración, en unas pésimas condiciones, mientras los más influyentes permanecieron libres en Francia o se trasladaron a América. Por último, un tercer grupo partió de la zona centro en los últimos días de la guerra. Dada la escasez de transportes —marítimos y aéreos— las plazas fueron ocupadas en su casi totalidad por los políticos, militares y consejeros extranjeros.

La emigración se repartió, en líneas generales, así: Rusia acogió un muy reducido número de personas, a pesar del gran número de solicitudes de entrada que recibió, y todas ellas eran comunistas destacados. Los intelectuales rehicieron sus vidas en América (la mayoría en la América hispana y algunos en los Estados Unidos); la masa de los emigrados sin nombre quedó en Francia. Por último, los que por convicción o por intereses crematísticos siguieron en sus cargos políticos fluctuaron entre México y Francia.

El Dr. Negrín, que a pesar de todo —alzamiento casadista incluido—, seguía titulándose jefe de Gobierno, fundó, recién terminada la guerra, el SERE (Servicio de Evacuación de Republicanos Españoles). Su misión era ayudar a los refugiados. Los fondos provenían de bancos, entidades oficiales, cuentas privadas, y de la venta o pignoración de joyas y obras de arte con un montante total de muchos millones de francos. Aun en esto, y en parte por los grandes intereses económicos que se barajaban, se hicieron patentes las graves disensiones entre los políticos exiliados, de las que las diferencias dentro del Partido Socialista eran una muestra. Prieto, que seguiría una línea de casi constante oposición en toda su vida de exiliado, creó una organización paralela al SERE: la JARE, Junta de Auxilio a los Republicanos Españoles. La actuación de estos organismos mereció, por parte de los propios exiliados, duras críticas sobre el destino de los fondos.

Hasta 1945, la titularidad de las presidencias de República y Cortes es bastante confusa y contestada. Negrín sigue de Jefe de Gobierno y su actuación se dirige a involucrar a España en la contienda mundial. Durante este período, en 1944, se produce el ataque al Valle de Arán por guerrilleros, en su mayoría comunistas y que habían pertenecido al «maquis» francés. La acción fue inmediatamente anulada por el Ejército español.

En 1945 se presionó sobre los asistentes a la Conferencia de San Francisco aunque se hace difícil afirmar que la exclusión de España de la ONU fuera debida a estas presiones. Más bien hay que suponer que tanto este éxito como otros fueron debidos a condicionamientos de la política internacional y a influencias de la URSS que a acciones del gobierno republicano.

En el mes de agosto de este mismo año de 1945, por inspiración del gobierno mexicano, se reúnen Cortes en la capital federal. Dos problemas se presentaban a los reunidos: cubrir los puestos que eran motivo de discusión y eliminar las diferencias entre las distintas facciones en que se dividían los exiliados. El primero se resolvió nombrando a Jiménez de Asúa Presidente de las Cortes y a Diego Martínez Barrio Presidente de la República. Para el segundo no hubo solución y el exilio republicano continuó en su estado de total anarquía. Es preciso notar que, aun desde el punto de vista republicano, se hace difícil aceptar la legalidad de unas Cortes que no alcanzaron el «quórum» necesario.

El Dr. Negrín presentó la dimisión de su gobierno al nuevo presidente y éste la aceptó encargando a Giral la formación de un nuevo Gabinete, lo cual tampoco llevó a la concordia. La retirada de embajadores pudo significar un triunfo para el Gobierno republicano aunque todos hubieron de reconocer más tarde que la medida se había vuelto contra sus propios instigadores.

En enero de 1947, Prieto pasa a la oposición, lo que obliga a Giral a dimitir. Forma gobierno Llopis, que abandona la jefatura al fracasar sus contactos con las potencias democráticas. Le sucede en agosto Álvaro de Albornoz. En 1949 se puede dar por finalizado el «caso español». Al año siguiente, los comunistas atacan violentamente a Albornoz por considerar un fracaso suyo la apertura de conversaciones entre España y los Estados Unidos. Estos ataques y la política de la ONU obligan a Albornoz a dejar el poder; le sustituye Gordón Ordás, que se pone al frente del gobierno exiliado con un programa de reconciliación. En 1960, es el general Emilio Herrera el sucesor. En enero de 1962 fallece Martínez Barrio y Jiménez de Asúa asume la presidencia de la República al tiempo que continúa con la de las Cortes. A los dos meses se pone al frente de la simbólica jefatura un prominente hombre de estudios: Claudio Sánchez de Albornoz, residente en la Argentina. Al fallecer, en 1970, Jiménez de Asúa, le sustituye José Maldonado ocupando la Jefatura del Gobierno Fernando Valera.

El tiempo y la piedad han tendido su manto sobre el cuadro someramente descrito. Las leyes de indulto son hoy día totales. Han sido muchos los que regresaron para definitivo quedar en la patria recobrada. Todavía, como es natural, otros permanecen lejos del hogar común, no siempre por encastillamientos en sus trece, sino envueltos en nuevos aires y empresas.

Quizá sea Araquistain quien haya expresado mejor la lenta agonía del exilio republicano. Las palabras con que cerramos esta cronología, referidas al Partido Socialista, fueron escritas en 1955. El tiempo no ha hecho más que confirmarlas y hacerlas extensivas a los partidos restantes: «...el Partido en el exilio se está muriendo de muerte natural, consumido por la acción del tiempo... Morirán poco a poco los que quedan y acabaremos muriendo todos... los hijos de los emigrados se desinteresan del Partido y la mayoría hasta de España... El Partido... es un cadáver político insepulto».

MINISTROS Y MINISTERIOS

GOBIERNOS PROVISIONALES 14-4-31 a 16-12-31

14-4-31 a 14-10-31 D. NICETO ALCALA-ZAMORA Y TORRES

De izq. a dcha.

Comunicaciones
Diego Martínez Barrio
Fomento
Álvaro de Albornoz y Liminiana
Trabajo y Previsión Social
Francisco Largo Caballero
Gobernación
Miguel Maura Gamazo
Estado
Alejandro Lerroux García
PRESIDENCIA
Niceto Alcalá-Zamora y Torres
Economía
Luis Nicolau d'Olwer
Justicia
Fernando de los Ríos Urruti
Hacienda
Indalecio Prieto Tuero
Instrucción Pública y Bellas Artes
Marcelino Domingo Sanjuán
Guerra
Manuel Azaña Díaz
Marina
Santiago Casares Quiroga

Niceto Alcalá-Zamora y Torres
Presidente de la República y del Gobierno Provisional

Alejandro Lerroux García
Estado

Fernando de los Ríos Urruti
Justicia

Indalecio Prieto Tuero
Hacienda

Manuel Azaña Díaz
Guerra

Luis Nicolau d'Olwer
Economía Nacional

Álvaro de Albornoz y Liminiana
Fomento

Miguel Maura Gamazo
Gobernación

Francisco Largo Caballero
Trabajo y Previsión Social

Santiago Casares Quiroga
Marina

Marcelino Domingo Sanjuán
Instrucción Pública y Bellas Artes

Diego Martínez Barrio
Comunicaciones

14-10-31 a 16-12-31 D. MANUEL AZAÑA DIAZ

José Giral Pereira
Marina

De izq. a dcha.

Economía Nacional
Luis Nicolau d'Olwer
Instrucción Pública y Bellas Artes
Marcelino Domingo Sanjuán
Hacienda
Indalecio Prieto Tuero
PRESIDENCIA y Guerra
Manuel Azaña Díaz
Trabajo y Previsión Social
Francisco Largo Caballero
Marina
José Giral Pereira
Comunicaciones
Diego Martínez Barrio
Gobernación
Santiago Casares Quiroga
Justicia
Fernando Giner de los Ríos
Fomento
Álvaro de Albornoz y Liminiana

Ausente

Estado
Alejandro Lerroux García

Presidente de la República: D. NICETO ALCALA-ZAMORA Y TORRES 11-12-31 a 7-4-36

BIENIO SOCIAL-AZAÑISTA 16-12-31 a 12-9-33

16-12-31 a 12-6-33 AZAÑA

De izq. a dcha., sentados

PRESIDENCIA de la República
Niceto Alcalá-Zamora y Torres

PRESIDENCIA del Gobierno y Guerra
Manuel Azaña Díaz

De pie

Agricultura, Industria y Comercio
Marcelino Domingo Sanjuán

Trabajo y Previsión Social
Francisco Largo Caballero

Gobernación
Santiago Casares Quiroga

Estado
Luis de Zulueta Escolano

Justicia
Álvaro de Albornoz y Liminiana

Hacienda
Jaime Carner Romeu

Obras Públicas
Indalecio Prieto Tuero

Instrucción Pública y Bellas Artes
Fernando de los Ríos Urruti

Marina
José Giral Pereira

Jaime Carner Romeu
Hacienda

Luis de Zulueta Escolano
Estado

De izq. a dcha.

Industria y Comercio
José Franchy Roca
Agricultura
Marcelino Domingo Sanjuán
Trabajo y Previsión Social
Francisco Largo Caballero
Marina
Luis Companys Jover
Instrucción Pública y Bellas Artes
Francisco J. Barnés Salinas
Hacienda
Agustín Viñuales Pardo
PRESIDENCIA y Guerra
Manuel Azaña Díaz
Estado
Fernando de los Ríos Urruti
Justicia
Álvaro de Albornoz y Liminiana
(le sustituye Santiago Casares Quiroga el 14.6.33)
Gobernación
Santiago Casares Quiroga
Obras Públicas
Indalecio Prieto Tuero

José Franchy Roca
Industria y Comercio

Francisco J. Barnés Salinas
Instrucción Pública y Bellas Artes

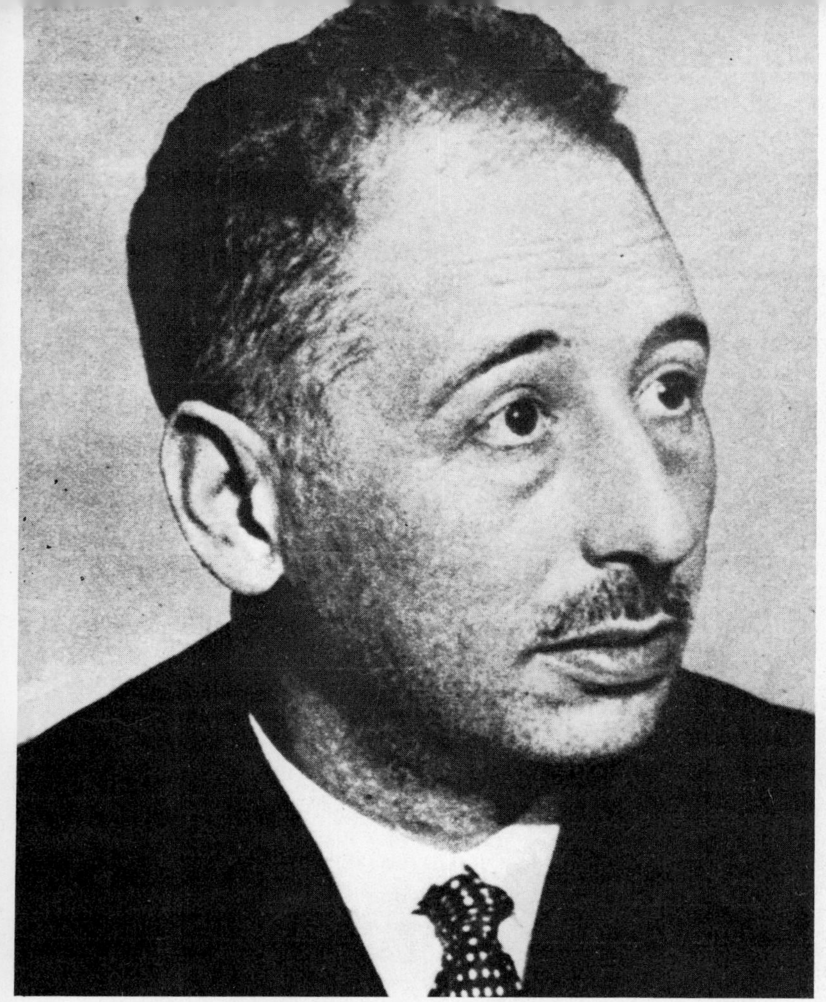

Luis Companys Jover
Marina

Agustín Viñuales Pardo
Hacienda

BIENIO RADICAL-CEDISTA 12-9-33 a 19-2-36

12-9-33 a 8-10-33 1.º LERROUX

De izq. a dcha.

Agricultura
Ramón Feced Gresa
Trabajo y Previsión Social
Ricardo Samper Ibáñez
Marina
Vicente Iranzo Enguita
Guerra
Juan José Rocha García
Gobernación
Diego Martínez Barrio
PRESIDENCIA
Alejandro Lerroux García
Justicia
Juan Botella Asensi
Obras Públicas
Rafael Guerra del Río
Comunicaciones
Miguel Santaló Parvorell
Instrucción Pública y Bellas Artes
Domingo Barnés Salinas
Industria y Comercio
Laureano Gómez Paratcha

Ausentes

Estado
Claudio Sánchez Albornoz
Hacienda
Antonio de Lara y Zárate

Alejandro Lerroux García
Presidencia

Rafael Guerra del Río
Obras Públicas

Laureano Gómez Paratcha
Industria y Comercio

Vicente Iranzo Enguita
Marina

Ricardo Samper Ibáñez
Trabajo y Previsión Social

Miguel Santaló Parvorell
Comunicaciones

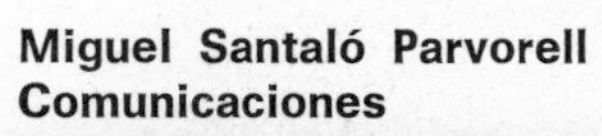

Domingo Barnés Salinas
Instrucción Pública y Bellas Artes

Juan José Rocha García
Guerra

Juan Botella Asensi
Justicia

Antonio de Lara y Zárate
Hacienda

Diego Martínez Barrio
Gobernación

Ramón Feced Gresa
Agricultura

Claudio Sánchez Albornoz Menduiña
Estado

8-10-33 a 16-12-33 MARTINEZ BARRIO

De izq. a dcha., sentados

Hacienda
Antonio de Lara y Zárate

Estado
Claudio Sánchez Albornoz Menduiña

PRESIDENCIA
Diego Martínez Barrio

Justicia
Juan Botella Asensi (sustituido por Domingo Barnés Salinas el 29.11.33)

De pie

Gobernación
Manuel Rico Avello

Industria y Comercio
Félix Gordón Ordás

Comunicaciones
Emilio Palomo Aguado

Obras Públicas
Rafael Guerra del Río

Instrucción Pública y Bellas Artes
Domingo Barnés Salinas

Agricultura
Cirilo del Río Rodríguez

Guerra
Vicente Iranzo Enguita

Marina
Leandro Pita Romero

Ausente

Trabajo y Previsión Social
Carlos Pi y Suñer

Manuel Rico Avello
Gobernación

Leandro Pita Romero
Marina

Félix Gordón Ordás
Industria y Comercio

Cirilo del Río Rodríguez
Agricultura

Carlos Pi y Suñer
Trabajo y Previsión Social

Emilio Palomo Aguado
Comunicaciones

16-12-33 a 3-3-34 2.º LERROUX

De izq. a dch.

Agricultura
Cirilo del Río Rodríguez
Trabajo y Previsión Social
José Estadella Arnó
Gobernación
Manuel Rico Avello (sustituido por Diego Martínez Barrio el 23.1.34)
Marina
Juan José Rocha García
Justicia
Ramón Álvarez Valdés
PRESIDENCIA del Gobierno
Alejandro Lerroux García
PRESIDENCIA de la República
Niceto Alcalá-Zamora Torres
Estado
Leandro Pita Romero
Guerra
Diego Martínez Barrio (sustituido por Diego Hidalgo Durán el 23.1.34)
Hacienda
Antonio de Lara y Zárate
Instrucción Pública y Bellas Artes
José Pareja Yébenes
Comunicaciones
José M.ª Cid y Ruiz Zorrilla
Obras Públicas
Rafael Guerra del Río
Industria y Comercio
Ricardo Samper Ibáñez

José Estadella Arnó
Trabajo y Previsión Social

José M.ª Cid y Ruiz Zorrilla
Comunicaciones

José Pareja Yébenes
Instrucción Pública y Bellas Artes

Diego Hidalgo Durán
Guerra

Ramón Álvarez Valdés
Justicia

Manuel Marraco y Ramón
Hacienda

De izq. a dcha.

Agricultura
Cirilo del Río Rodríguez

Marina
Juan José Rocha García

Guerra
Diego Hidalgo Durán

Gobernación
Rafael Salazar Alonso

Estado
Leandro Pita Romero

PRESIDENCIA
Alejandro Lerroux García

Justicia
Ramón Álvarez Valdés (sustituido por Salvador de Madariaga Rojo el 17.4.34)

Hacienda
Manuel Marraco Ramón

Obras Públicas
Rafael Guerra del Río

Trabajo y Previsión Social
José Estadella Arnó

Comunicaciones
José M.ª Cid y Ruiz Zorrilla

Industria y Comercio
Ricardo Samper Ibáñez

Ausente

Instrucción Pública y Bellas Artes
Salvador de Madariaga y Rojo

Rafael Salazar Alonso
Gobernación

Salvador de Madariaga Rojo
Instrucción Pública y Bellas Artes

28-4-34 a 4-10-34 SAMPER

De izq. a dcha.
Sentados

Hacienda
Manuel Marraco y Ramón
Estado
Leandro Pita Romero
PRESIDENCIA
Ricardo Samper Ibáñez
Justicia
Vicente Cantos Figuerola
Marina
Juan José Rocha García

De pie

Trabajo, Sanidad y Previsión
José Estadella Arnó
Gobernación
Rafael Salazar Alonso
Comunicaciones
José M.ª Cid y Ruiz Zorrilla
Agricultura
Cirilo del Río Rodríguez
Obras Públicas
Rafael Guerra del Río
Instrucción Pública y Bellas Artes
Filiberto Villalobos González
Industria y Comercio
Vicente Iranzo Enguita
Guerra
Diego Hidalgo Durán

Vicente Cantos Figuerola
Justicia

Filiberto Villalobos González
Instrucción Pública y Bellas Artes

De izq. a dcha.

Industria y Comercio
Andrés Orozco Batista
Sin Cartera
Leandro Pita Romero
Agricultura
Manuel Giménez Fernández
Marina
Juan José Rocha García (sustituido por Gerardo Abad Conde el 23.5.35)
Guerra
Diego Hidalgo Durán (sustituido por Alejandro Lerroux García el 16.11.34)
Gobernación
Eloy Vaquero Cantillo
Estado
Ricardo Samper Ibáñez (sustituido por Juan José Rocha García el 16.11.34)
PRESIDENCIA
Alejandro Lerroux García
Justicia
Rafael Aizpún Santafé
Hacienda
Manuel Marraco y Ramón
Obras Públicas
José M.ª Cid y Ruiz Zorrilla
Instrucción Pública y Bellas Artes
Filiberto Villalobos González (sustituido por Joaquín Dualde Gómez el 29.12.34)
Sin Cartera
José Martínez de Velasco
Comunicaciones
César Jalón Aragón

Ausente

Trabajo, Sanidad y Previsión Social
José Oriol Anguera de Sojo

Manuel Giménez Fernández
Agricultura

José Martínez de Velasco
Sin Cartera

Joaquín Dualde Gómez
Instrucción Pública y Bellas Artes

Andrés Orozco Batista
Industria y Comercio

José Oriol Anguera de Sojo
Trabajo, Sanidad y Previsión Social

Eloy Vaquero Cantillo
Gobernación

Gerardo Abad Conde
Marina

Rafael Aizpún Santafé
Justicia

César Jalón Aragón
Comunicaciones

3-4-35 a 6-5-35 5.º LERROUX

De izq. a dcha., sentados
Instrucción Pública y Bellas Artes
Ramón Prieto Bances
Estado
Juan José Rocha García
PRESIDENCIA
Alejandro Lerroux García
Justicia
Vicente Cantos Figuerola
Marina
Viceal. Francisco Javier de Salas y González
De pie
Hacienda
Alfredo Zabala Lafora
Guerra
Gral. Carlos Masquelet Lacaci
Agricultura
Juan José Benayas y Sánchez Cabezudo
Industria y Comercio
Manuel Marraco Ramón
Obras Públicas
Rafael Guerra del Río
Comunicaciones
César Jalón Aragón
Trabajo, Sanidad y Previsión
Eloy Vaquero Cantillo
Ausente
Gobernación
Manuel Portela Valladares

Rafael Guerra del Río
Obras Públicas

Carlos Masquelet Lacaci
Guerra

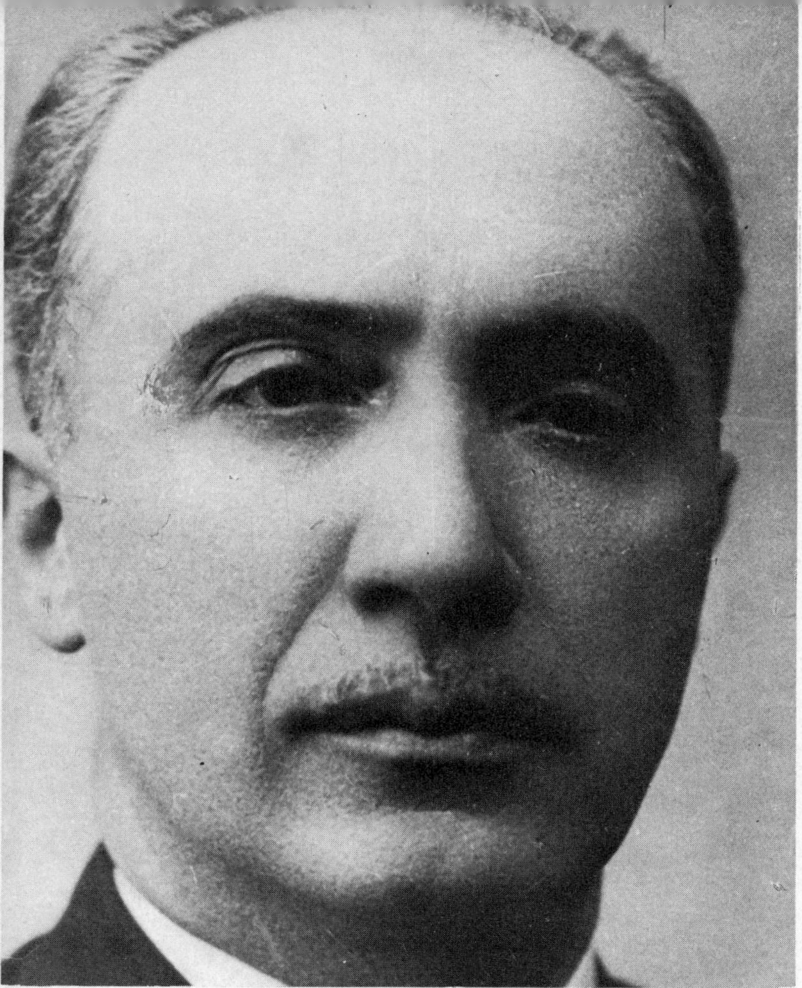

Ramón Prieto Bances
Instrucción Pública y Bellas Artes

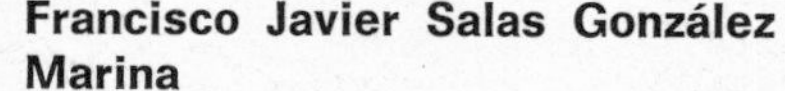

Francisco Javier Salas González
Marina

Vicente Cantos Figuerola
Justicia

Manuel Portela Valladares
Gobernación

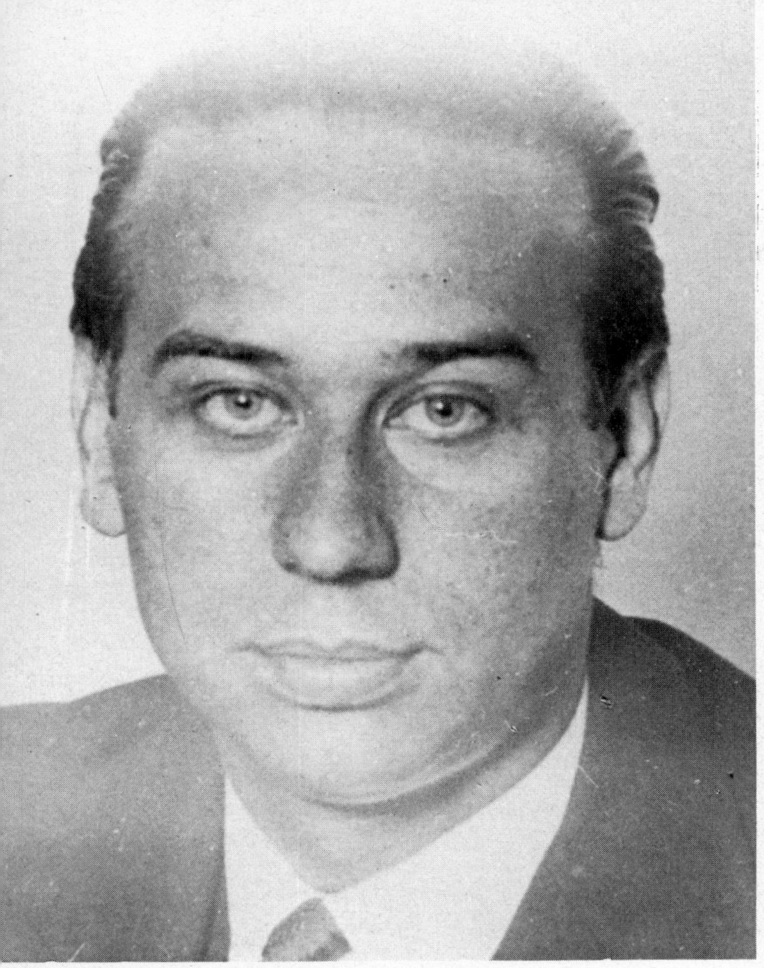

Juan José Benayas y Sánchez Cabezudo
Agricultura

Alfredo Zabala y Lafora
Hacienda

De izq. a dcha.

Industria y Comercio
Rafael Aizpún Santafé
Agricultura
Nicasio Velayos Velayos
Marina
Antonio Royo Villanova
Guerra
José M.ª Gil Robles Quiñones
Gobernación
Manuel Portela Valladares
Estado
Juan José Rocha García
PRESIDENCIA
Alejandro Lerroux García
Justicia
Cándido Casanueva y Gorjón
Hacienda
Joaquín Chapaprieta Torregrosa
Obras Públicas
Manuel Marraco Ramón
Instrucción Pública y Bellas Artes
Joaquín Dualde Gómez
Trabajo, Sanidad y Previsión Social
Federico Salmón Amorín
Comunicaciones
Luis Lucia Lucia

José M.ª Gil Robles Quiñones
Guerra

Federico Salmón Amorín
Trabajo, Sanidad y Previsión Social

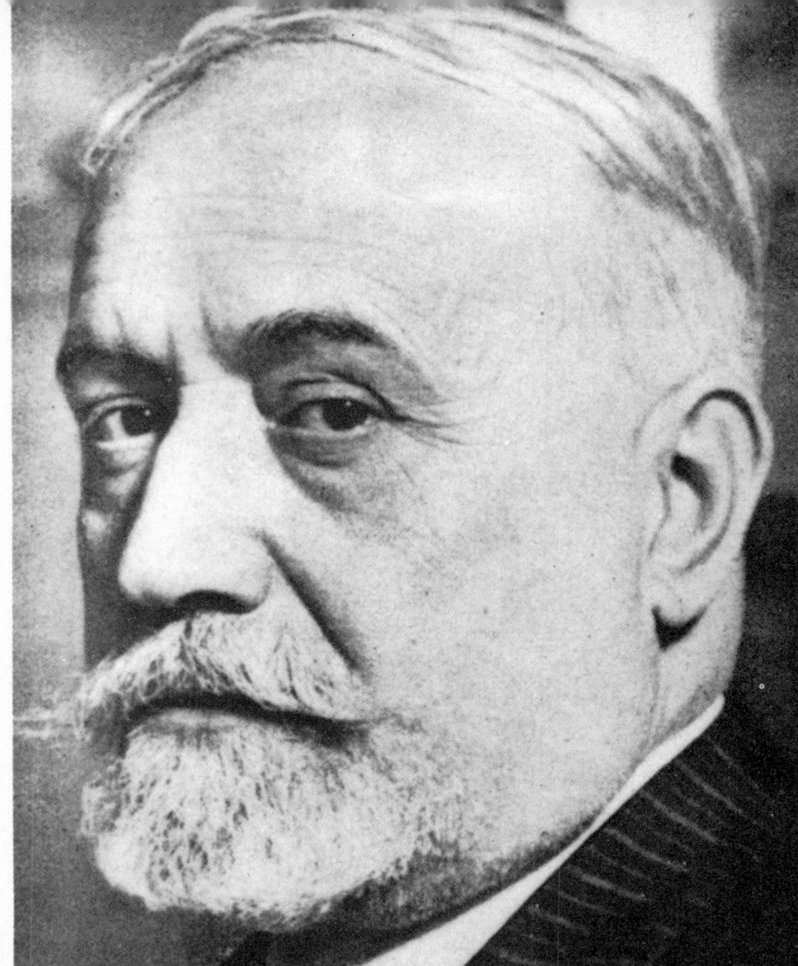

Antonio Royo Villanova
Marina

Luis Lucia Lucia
Comunicaciones

Joaquín Chapaprieta Torregrosa
Hacienda

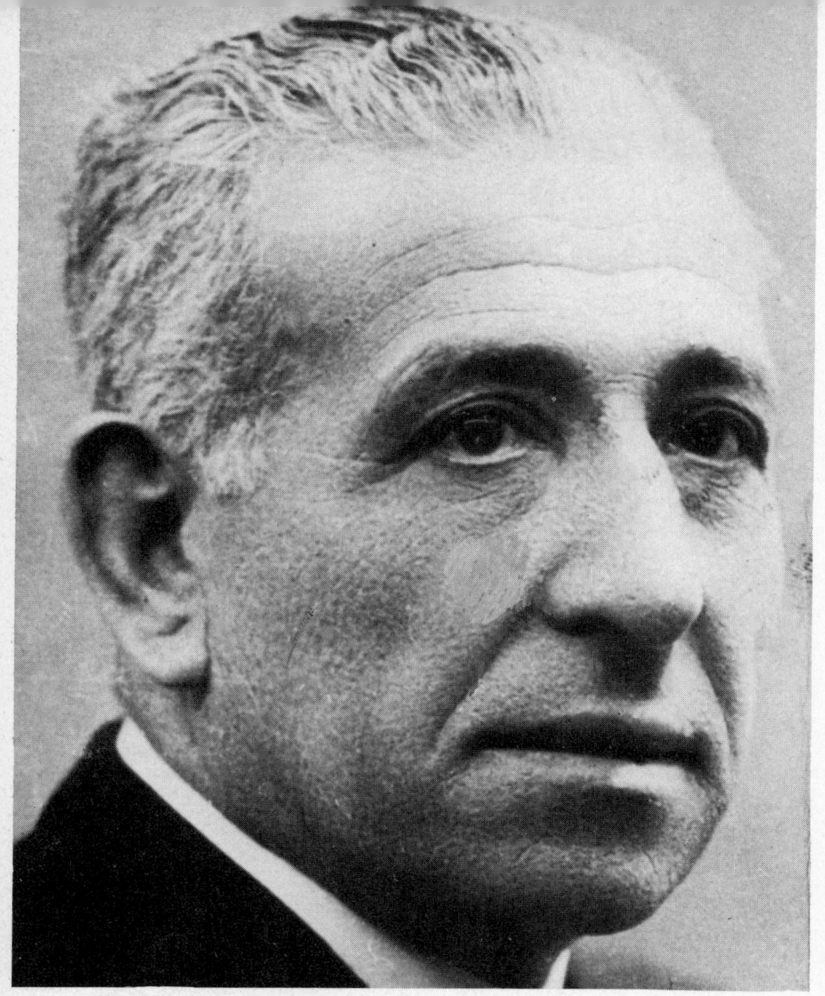

Nicasio Velayos Velayos
Agricultura

Cándido Casanueva y Gorjón
Justicia

25-9-35 a 29-10-35 1.º CHAPAPRIETA

De izq. a dcha.

Guerra
José M.ª Gil Robles Quiñones

Gobernación
Joaquín de Pablo-Blanco y Torres

Estado
Alejandro Lerroux García

PRESIDENCIA y Hacienda
Joaquín Chapaprieta Torregrosa

Trabajo, Justicia y Sanidad
Federico Salmón Amorín

Obras Públicas y Comunicaciones
Luis Lucia Lucia

Instrucción Pública y Bellas Artes
Juan José Rocha y García

Agricultura, Industria y Comercio
José Martínez de Velasco

Ausente

Marina
Pedro Rahola Molinas

Pedro Rahola Molinas
Marina

Joaquín de Pablo-Blanco y Torres
Gobernación

29-10-35 a 14-12-35 2.º CHAPAPRIETA

José Martínez de Velasco
Estado

De izq. a dcha.

Marina
Pedro Rahola Molinas
Guerra
José M.ª Gil Robles Quiñones
Gobernación
Joaquín de Pablo-Blanco y Torres
Estado
José Martínez de Velasco
PRESIDENCIA y Hacienda
Joaquín Chapaprieta Torregrosa
Trabajo, Justicia y Sanidad
Federico Salmón Amorín
Obras Públicas y Comunicaciones
Luis Lucia Lucia
Instrucción Pública y Bellas Artes
Luis Bardají López
Agricultura, Industria y Comercio
Juan Usabiaga Lasquivar

Juan Usabiaga Lasquivar
Agricultura, Industria y Comercio

Juan Bardají López
Instrucción Pública y Bellas Artes

14-12-35 a 30-12-35 1.º PORTELA

De izq. a dcha.

Marina
Viceal. Francisco Javier de Salas y González

Sin Cartera
Pedro Rahola Molinas

Agricultura, Industria y Comercio
Joaquín de Pablo-Blanco y Torres

Estado
José Martínez de Velasco

PRESIDENCIA y Gobernación
Manuel Portela Valladares

Hacienda
Joaquín Chapaprieta Torregrosa

Obras Públicas y Comunicaciones
Cirilo del Río Rodríguez

Instrucción Pública y Bellas Artes
Manuel Becerra Fernández

Ausentes

Guerra
Nicolás Molero Lobo

Trabajo, Justicia y Sanidad
Alfredo Martínez García-Argüelles

Manuel Portela Valladares
Presidencia y Gobernación

Manuel Becerra Fernández
Instrucción Pública y Bellas Artes

Nicolás Molero Lobo
Guerra

Alfredo Martínez García-Argüelles
Trabajo, Justicia y Sanidad

30-12-35 a 19-2-36 2.º PORTELA

Antonio Azarola Gresillón
Marina

De izq. a dcha.

Agricultura, Industria y Comercio
José Álvarez Mendizábal y Bonilla
Guerra
Nicolás Molero López
Estado
Joaquín Urzáiz Cadaval
PRESIDENCIA y Gobernación
Manuel Portela Valladares
Trabajo, Justicia y Sanidad
Manuel Becerra Fernández
Hacienda
Manuel Rico Avello
Obras Públicas y Comunicaciones
Cirilo del Río Rodríguez
Instrucción Pública y Bellas Artes
Filiberto Villalobos González

Ausente

Marina
Contralm. Antonio Azarola Gresillón

José Álvarez Mendizábal y Bonilla
Agricultura, Industria y Comercio

Joaquín Urzáiz Cadaval
Estado

FRENTE POPULAR 19-2-36 a 19-7-36

19-2-36 a 7-4-36 AZAÑA

De izq. a dcha.

Marina
José Giral y Pereira
Guerra
Carlos Masquelet Lacaci (interino, José Miaja Menant)
Gobernación
Amós Salvador Carreras
Estado
Augusto Barcia Trelles
PRESIDENCIA
Manuel Azaña Díaz
Justicia
Antonio de Lara y Zárate
Obras Públicas
Santiago Casares Quiroga
Instrucción Pública y Bellas Artes
Marcelino Domingo Sanjuán
Trabajo, Sanidad y Previsión Social
Enrique Ramos y Ramos

Ausentes

Hacienda
Gabriel Franco López
Agricultura
Mariano Ruiz-Funes García
Industria y Comercio
Plácido Álvarez-Buylla y Lozana
Comunicaciones y Marina Mercante
Manuel Blasco Garzón

Manuel Azaña Díaz
Presidencia

Augusto Barcia Trelles
Estado

Manuel Blasco Garzón
Comunicaciones y Marina Mercante

Amós Salvador Carreras
Gobernación

Plácido Álvarez-Buylla y Lozana
Industria y Comercio

Gabriel Franco López
Hacienda

Enrique Ramos Ramos
Trabajo, Sanidad y Previsión Social

Marcelino Domingo Sanjuán
Instrucción Pública y Bellas Artes

Mariano Ruiz-Funes García
Agricultura

Presidente interino de la República: D. DIEGO MARTINEZ BARRIO 7-4-36 a 11-5-36

7-4-36 a 10-5-36 AZAÑA

PRESIDENCIA
Manuel Azaña Díaz

Estado
Augusto Barcia Trelles

Gobernación
Amós Salvador Carreras (sustituido, interinamente, por Santiago Casares Quiroga el 17.4.36)

Guerra
Carlos Masquelet Lacaci

Justicia
Antonio de Lara y Zárate

Marina
José Giral Pereira

Hacienda
Gabriel Franco López

Instrucción Pública y Bellas Artes
Marcelino Domingo Sanjuán

Obras Públicas
Santiago Casares Quiroga

Trabajo, Sanidad y Previsión Social
Enrique Ramos y Ramos

Agricultura
Mariano Ruiz-Funes García

Industria y Comercio
Plácido Álvarez-Buylla y Lozana

Comunicaciones y Marina Mercante
Manuel Blasco Garzón

10-5-36 a 13-5-36 BARCIA

PRESIDENCIA y Estado
Augusto Barcia Trelles

Justicia
Antonio de Lara y Zárate

Guerra
Carlos Masquelet Lacaci

Marina
José Giral Pereira

Hacienda
Gabriel Franco López

Instrucción Pública y Bellas Artes
Marcelino Domingo Sanjuán

Obras Públicas
Santiago Casares Quiroga

Trabajo, Sanidad y Previsión Social
Enrique Ramos Ramos

Agricultura
Mariano Ruiz-Funes García

Industria y Comercio
Plácido Álvarez-Buylla y Lozana

Comunicaciones y Marina Mercante
Manuel Blasco Garzón

Gobernación
Santiago Casares Quiroga (interino)

Presidente de la República: D. MANUEL AZAÑA DIAZ 11-5-36 a 27-2-39

13-5-36 a 19-7-36 CASARES QUIROGA

De izq. a dcha., sentados

Obras Públicas
Antonio Velao Oñate
Hacienda
Enrique Ramos Ramos
Estado
Augusto Barcia Trelles
PRESIDENCIA y Guerra
Santiago Casares Quiroga
Justicia
Manuel Blasco Garzón
Marina
José Giral Pereira
Instrucción Pública y Bellas Artes
Francisco Barnés Salinas

De pie

Trabajo, Sanidad y Previsión Social
Juan Lluhí Vallescá
Industria y Comercio
Plácido Álvarez-Buylla y Lozana
Agricultura
Mariano Ruiz-Funes García
Comunicaciones y Marina Mercante
Bernardo Giner de los Ríos García

Ausente

Gobernación
Juan Moles Ormella (interino Santiago Casares Quiroga hasta el 15.5.36)

Santiago Casares Quiroga
Presidencia y Guerra

Juan Moles Ormella
Gobernación

Antonio Velao Oñate
Obras Públicas

Bernardo Giner de los Ríos García
Comunicaciones y Marina Mercante

Juan Lluhí Vallescá
Trabajo, Sanidad y Previsión Social

GUERRA CIVIL 19-7-36 a 1-4-39

19-7-36 MARTINEZ BARRIO

PRESIDENCIA
Diego Martínez Barrio
Estado
Justino de Azcárate y Flórez
Justicia
Manuel Blasco Garzón
Guerra
José Miaja Menant
Marina
José Giral Pereira
Hacienda
Enrique Ramos y Ramos
Gobernación
Augusto Barcia Trelles
Instrucción Pública y Bellas Artes
Marcelino Domingo Sanjuán
Obras Públicas
Antonio Lara Zárate
Trabajo, Sanidad y Previsión
Bernardo Giner de los Ríos García
Agricultura
Ramón Feced Gresa
Industria y Comercio
Plácido Álvarez-Buylla y Lozana
Comunicaciones y Marina Mercante
Juan Lluhí Vallescá
Sin Cartera
Felipe Sánchez-Román Gallifa

Justino de Azcárate y Flórez
Estado

José Miaja Menant
Guerra

Felipe Sánchez-Román Gallifa
Sin Cartera

19-7-36 a 4-9-36 GIRAL

PRESIDENCIA
José Giral Pereira

Estado
Augusto Barcia Trelles

Justicia
Manuel Blasco Garzón

Guerra
Luis Castelló Pantoja (sustituido por Juan Hernández Saravia el 6.8.36)

Hacienda
Enrique Ramos Ramos

Gobernación
Sebastián Pozas Perea

Instrucción Pública y Bellas Artes
Francisco Barnés Salinas

Trabajo, Sanidad y Previsión
Juan Lluhí Vallescá

Agricultura
Mariano Ruiz-Funes García (interino José Giral Pereira hasta el 21.8.36)

Industria y Comercio
Plácido Álvarez-Buylla y Lozana

Comunicaciones y Marina Mercante
Bernardo Giner de los Ríos García

Marina
José Giral Pereira (sustituido por Francisco Matz Sánchez el 22.8.36)

Obras Públicas
Antonio Velao Oñate (nombrado el 21.7.36)

Francisco Matz Sánchez
Marina

Luis Castelló Pantoja
Guerra

José Hernández Saravia
Guerra

Santiago Pozas Perea
Gobernación

4-9-36 a 4-11-36 1.º LARGO CABALLERO

De izq. a dcha.

Comunicaciones y Marina Mercante
Bernardo Giner de los Ríos García

Industria y Comercio
Anastasio de Gracia Villarrubia

Trabajo, Sanidad y Previsión
José Tomás y Piera

Sin Cartera
José Giral Pereira

Estado
Julio Álvarez del Vayo

PRESIDENCIA y Guerra
Francisco Largo Caballero

Justicia
Mariano Ruiz-Funes García

Gobernación
Ángel Galarza Gago

Marina y Aire
Indalecio Prieto Tuero

Instrucción Pública y Bellas Artes
Jesús Hernández Tomás

Agricultura
Vicente Uribe Galdeano

Ausentes

Obras Públicas
Julio Just Gimeno (nombrado el 15.9.36; interino hasta esta fecha Vicente Uribe Galdeano)

Hacienda
Juan Negrín López

Sin Cartera
Manuel Irujo y Ollo (nombrado el 25.9.36)

Francisco Largo Caballero
Presidencia y Guerra

Julio Álvarez del Vayo
Estado

Juan Negrín López
Hacienda

Vicente Uribe Galdeano
Agricultura

Ángel Galarza Gago
Gobernación

Indalecio Prieto Tuero
Marina y Aire

José Tomás y Piera
Trabajo, Sanidad y Previsión

Jesús Hernández Tomás
Instrucción Pública y Bellas Artes

Julio Just Gimeno
Obras Públicas

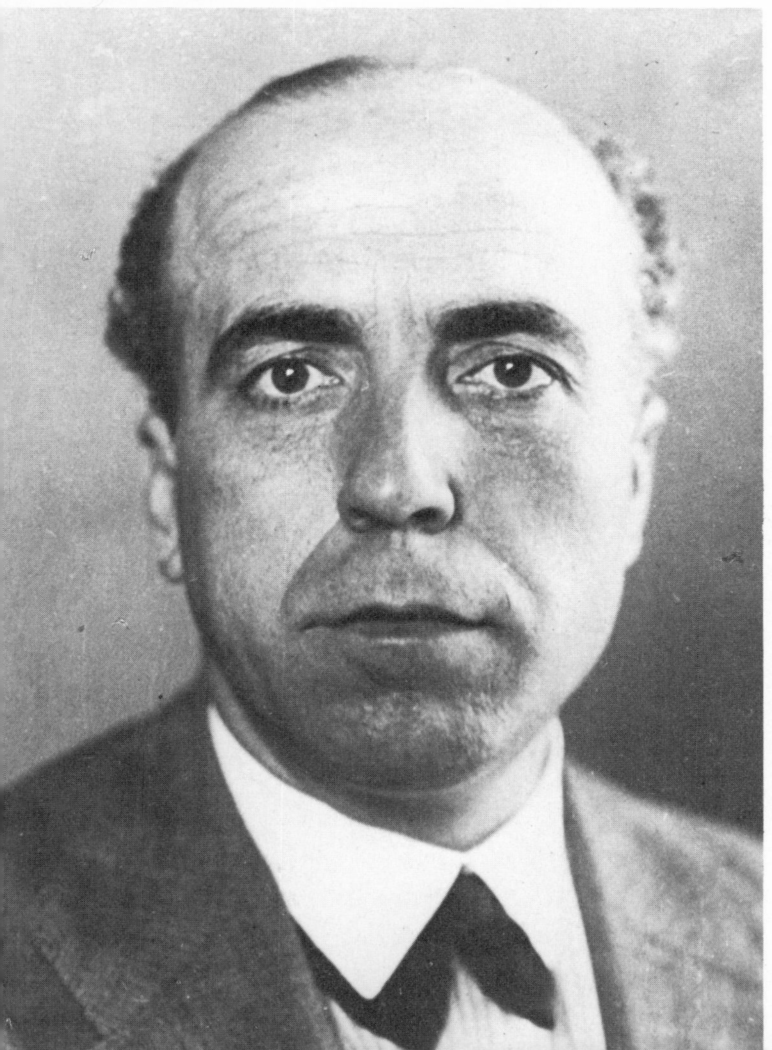

Anastasio de Gracia Villarrubia
Industria y Comercio

Manuel Irujo y Ollo
Sin Cartera

4-11-36 a 17-5-37 2.º LARGO CABALLERO

Primer banco, de dcha. a izq.

PRESIDENCIA y Guerra
Francisco Largo Caballero
Estado
Julio Álvarez del Vayo
Gobernación
Ángel Galarza Gago
Instrucción Pública y Bellas Artes
Jesús Hernández Tomás
Trabajo y Previsión
Anastasio de Gracia Villarrubia
Obras Públicas
Julio Just Gimeno
Hacienda
Juan Negrín López
Comunicaciones y Marina Mercante
Bernardo Giner de los Ríos García
Marina y Aire
Indalecio Prieto Tuero
Propaganda
Carlos Esplá Rizo
Agricultura
Vicente Uribe Galdeano
Sin Cartera
José Giral Pereira
Manuel Irujo y Ollo
Jaime Ayguadé y Miró
Sanidad y Asistencia Social
Federica Montseny Mañé
Industria
Juan Peiró Belis
Comercio
Juan López Sánchez

Ausentes

Justicia
Juan García Oliver

Juan Peiró Belis
Industria

Carlos Esplá Rizo
Propaganda

Juan García Oliver
Justicia

Federica Montseny Mañé
Sanidad y Asistencia Social

Juan López Sánchez
Comercio

Jaime Ayguadé y Miró
Sin Cartera

Juan Negrín López
Presidencia, Hacienda y Economía

De dcha. a izq.

PRESIDENCIA, Hacienda y Economía
Juan Negrín López

Estado
José Giral Pereira

Justicia
Mariano Ansó Zungarren (nombrado el 11-12-37 por dimisión de Manuel Irujo y Ollo)

Defensa Nacional
Indalecio Prieto Tuero

Gobernación
Julián Zugazagoitia Mendieta

Comunicaciones, Transportes y Obras Públicas
Bernardo Giner de los Ríos García

Trabajo y Asistencia Social
Jaime Ayguadé y Miró

Agricultura
Vicente Uribe Galdeano

Instrucción Pública y Sanidad
Jesús Hernández Tomás

Sin Cartera
Manuel Irujo y Ollo (nombrado el 11.12.37; hasta esta fecha era ministro de Justicia)

Mariano Ansó Zungarren
Justicia

Julián Zugazagoitia Mendieta
Gobernación

5-4-38 a 1-4-39 2.º NEGRIN

De dcha. a izq.

PRESIDENCIA y Defensa Nacional
Juan Negrín López

Gobernación
Paulino Gómez Sáiz

Agricultura
Vicente Uribe Galdeano

Instrucción Pública y Sanidad
Segundo Blanco González

Comunicaciones y Transportes
Bernardo Giner de los Ríos García

Obras Públicas
Antonio Velao Oñate

Trabajo y Asistencia Social
José Moix Regás (nombrado el 17.8.38 en sustitución de Jaime Ayguadé y Miró)

Sin Cartera
Tomás Bilbao Hospitalet (nombrado el 17.8.38 en sustitución de Manuel Irujo y Ollo)

Hacienda y Economía
Francisco Méndez Aspe

Sin Cartera
José Giral Pereira

Ausentes

Estado
Julio Álvarez del Vayo

Justicia
Ramón González Peña

Segundo Blanco González
Instrucción Pública y Sanidad

Francisco Méndez Aspe
Hacienda y Economía

Ramón González Peña
Justicia

José Moix Regás
Trabajo y Asistencia Social

Paulino Gómez Sáiz
Gobernación

Tomás Bilbao Hospitalet
Sin Cartera

BIOGRAFIAS DE LOS MINISTROS

ABAD CONDE, Gerardo

Nació en Ordenes (La Coruña) en el año 1881. Abogado y catedrático, intervino en la política como perteneciente al Partido Republicano Radical, en cuyo seno había llegado a ocupar cargos directivos en el Consejo Nacional y posteriormente en el Comité Ejecutivo Nacional del Partido.

De la mano de su jefe político Alejandro Lerroux llegó a concejal del Ayuntamiento de La Coruna en 1915 y dos años más tarde pasó a desempeñar la alcaldía de la ciudad.

Complicado en el movimiento de agosto de 1917, se le abrió proceso en el que figuró acusado como jefe de la rebelión militar en Galicia. En los años siguientes, el lerrouxismo adoptaría una postura más conservadora que se hizo característica en la etapa republicana y de la que fue fiel intérprete y seguidor Abad Conde.

Diputado en las Constituyentes por la provincia de Lugo y miembro de la Diputación Permanente, llegó a ser Presidente del Consejo de Estado. Con Lerroux, fue ministro de Marina, sustituyendo a Rocha García en enero de 1935.

Al estallar la guerra se aisló en su propio domicilio de la calle de Claudio Coello, en Madrid. Allí fueron a buscarle el 29 de agosto de 1936 y le encerraron en la cárcel de Porlier.

Los altos cargos que había ocupado con Lerroux fueron la causa utilizada para abrirle proceso, del que resultaría condenado. El día 10 de septiembre del mismo año, se cumplía la sentencia. En los sótanos de la cárcel fue muerto en unión del diputado radical Fernando Rey y del sacerdote Leoncio Urrutia.

(Ver foto en pág. 380.)

AIZPÚN SANTAFÉ, Rafael

Nació en el año 1889, en Caparroso, en la provincia de Navarra. Se licenció en Derecho en la Universidad de Barcelona.

Militó en las filas mauristas y fue concejal del Ayuntamiento de Pamplona.

Entró en la alta política como diputado en las Cortes Constituyentes por la circunscripción de Navarra. Tomó parte muy activa, desde los escaños de la minoría vasconavarra, en las discusiones de la ley de Confesiones y Congregaciones y del Estatuto vasco.

Presidente del partido de Unión Navarra, pasó a la CEDA, recién fundada por Gil-Robles, llegando a ser vicepresidente y uno de los miembros más significativos del partido. En coalición con las demás fuerzas derechistas de Navarra consiguió un triunfo aplastante en las elecciones de noviembre de 1933.

Llegó a ser ministro de Justicia en el Gabinete que formó Lerroux el día 4 de octubre de 1934, vísperas de la revolución. Precisamente su entrada en el Gobierno junto con otros dos cedistas —Jiménez Fernández en Agricultura y Anguera de Sojo en Trabajo—, fue el chispazo que desató la sublevación de octubre, de antemano bien preparada.

Fue reelegido diputado por Navarra en las elecciones de febrero de 1936.

Cuando estalló la guerra se sumó al Alzamiento Nacional.

(Ver foto en pág. 380.)

ALBORNOZ Y LIMINIANA, Álvaro de

Nació en la villa marinera de Luarca (Asturias) el 13 de junio de 1879. Pasó a Oviedo y en su Universidad se licenció en Derecho. Allí conoció a «Clarín», del que fue discípulo muy estimado.

Con su licenciatura en leyes marchó a Madrid, a hacer los estudios del doctorado. Asistió a las clases de Giner de los Ríos, circunstancia que acabó relacionándole con la Institución Libre de Enseñanza.

Iniciose en la política ya en su propia región, pues hasta 1910 ejerció como abogado en Oviedo. Se mostró de tendencias republicanas radicales por lo que estuvo enfrente del conservadurismo de Melquiades Álvarez. En esta línea acabaría, como otros intelectuales, por integrarse en el Partido Radical de Lerroux.

Llegó a las Cortes en 1910, arropado por su nuevo Partido. Salió diputado por Zaragoza. Sus actuaciones le acreditaron como magnífico parlamentario y entusiasta republicano, motivo éste de disgustos y persecuciones e incluso de encarcelamientos, como el de 1929 en el que estuvo casi un mes incomunicado.

En paralelo desarrollaba Álvaro de Albornoz otra faceta suya, también interesante, la de escritor. Por los años diez escribió algunos libros, como «El Partido Republicano», y colaboró en algunos periódicos madrileños, en especial en «La Libertad» y «El Liberal».

En los años de la Dictadura volvió a la brecha en la actividad política y hubo de sufrir persecuciones pero también, a la larga, compensaciones. Por entonces tenía en Madrid a su sobrino, Severo Ochoa de Albornoz, entonces simple estudiante de medicina, y hoy ilustre premio Nobel.

Instaurada la República, formó parte del primero y segundo Gobiernos Provisionales en los que se le asignó la cartera de Fomento.

Al iniciarse el período constitucional se mantuvo como ministro en el Gobierno de 16 de octubre de 1931, aunque ahora como ministro de Justicia. En este puesto permaneció hasta el 4 de julio de 1933, en que dimitió, ya que fue nombrado Presidente del Tribunal de Garantías Constitucionales, cargo incompatible con el ministerio. Casares Quiroga se encargó entonces de la cartera que dejó vacante.

En los años siguientes de la República siguió participando activamente en la política, aunque su línea iba quedando muy desbordada por las nuevas tendencias del Frente Popular.

La pérdida de la guerra le llevó al destierro. Se refugió en Méjico y allí mantuvo aún sus ilusiones políticas, llegando a presidir uno de los Gobiernos en el exilio. La muerte le llegó el día 20 de octubre de 1954.

(Ver foto en pág. 361.)

ALCALÁ-ZAMORA Y TORRES, Niceto

Doctor en Leyes, dedicado a la política desde los primeros años del siglo. Había nacido en 1880 en la villa de Priego, de la provincia de Córdoba, donde su padre, agricultor acomodado, ocupaba la plaza de Secretario del Ayuntamiento. Muy joven aún, ingresó en el Cuerpo de Oficiales Letrados del Consejo de Estado, cargo con el que compartió sus actividades políticas. Afiliado al partido liberal, que dirigía el conde de Romanones, fue elegido diputado por el distrito de La Carolina, en el año 1905. Su tenacidad, erudición y su barroca locuacidad pública más que su inteligencia, fueron sus mejores armas.

Al separarse el partido liberal el año 1913, Alcalá-Zamora se afilió a la fracción demócrata dirigida por García Prieto, ocupando la Dirección General de Administración Local y la Subsecretaría del Ministerio de la Gobernación. Elevados los liberales demócratas al Poder, en 1917, fue nombrado ministro de Fomento del que saltaría al de Guerra en 1922.

No se entendió con el Dictador, lo que dio ocasión a que su inquietud política se desbordase hacia caminos nuevos e insólitos, los republicanos. Unido a los conspiradores que preparaban el cambio de régimen, se declaró ferviente republicano capaz de garantizar el paso del país al nuevo sistema, sin graves disloques. No hay duda de que su figura política, unida a la de Miguel Maura, era la que más consolaba a la España del régimen anterior y lo que movió a los nuevos gobernantes a colocarle a la cabeza de la República, como la más visible muestra de su espíritu conciliador.

Su capacidad política fue más que nada de relumbrón, sin que realmente se le tomara nunca muy en serio, como demuestran los juicios de algunos contemporáneos.

El 11 de diciembre de 1931, Alcalá-Zamora alcanzaba la cima de su carrera política, al tomar posesión de la Presidencia de la República. De resultas del nuevo cargo tuvo que renunciar a su acta de diputado por Jaén.

Desde el más alto puesto de la nación, presidió años muy difíciles para la República. Vio sucederse gran cantidad de gobiernos y procuró intervenir en la marcha de los acontecimientos. En las crisis era muy dado a las consultas largas, para las que citaba a gran número de personajes.

En el bienio derechista jugó un papel importante en la política con su declarada oposición a la CEDA. A pesar de su mayoría en la Cámara, Alcalá-Zamora no consintió en dar el encargo de formar Gobierno a Gil-Robles. En los últimos momentos acudió a las más inverosímiles soluciones y al final no tuvo más remedio que disolver las Cortes.

Esta decisión suya le sería fatal. Llegado el Frente Popular se vio atacado por los partidos izquierdistas y destituido de la Presidencia de la República. La proposición, encabezada por los socialistas, se basó en el hecho de haber disuelto por segunda vez las Cortes, según se especificaba en la Constitución, en el artículo 81. El día 7 de abril de 1936 era depuesto. Martínez Barrio le sustituirá interinamente. Prácticamente al mes justo, la República nombraba un nuevo Presidente en la persona de Manuel Azaña.

Al estallar la guerra se encontraba viajando por Europa y no volvió a España. Después de una larga odisea —relatada en su libro «441 días. Un viaje azaroso entre Francia y la Argentina»—, se instaló en este país hispanoamericano.

Murió en Buenos Aires en febrero de 1949.

(Ver foto en pág. 359.)

ÁLVAREZ-BUYLLA Y LOZANA, Plácido

De origen asturiano, perteneció a una familia de gran abolengo. Era diplomático de carrera y tuvo cargos importantes con la monarquía. Sin embargo, siempre se destacó por sus ideas republicanas. Perteneció al partido Unión Republicana. Fue Director General de Marruecos y Colonias y siempre estuvo muy vinculado a los asuntos del Protectorado en diversos cargos, al igual que sus hermanos Adolfo y Arturo.

Sin haber sido en ninguna ocasión diputado, Azaña le incluyó en el Gabinete que formó al triunfar el Frente Popular. Ocupó el Ministerio de Industria y Comercio y participó en todos los Gobiernos que se sucedieron en los primeros meses de la guerra. Pero su filiación republicana moderada no casó ya con el tono revolucionario que convenía al Gobierno que constituyó Largo Caballero en septiembre de 1936. De esta manera fue ministro de Industria y Comercio, además de con Azaña, con Barcia, Martínez Barrio, Casares Quiroga y Giral en los sucesivos Gabinetes que entre estas fechas presidieron.

Al reincorporarse a su carrera se le destinó al Consulado General de España en Gibraltar, donde prestó buenos servicios a la República, que allí abastecía a su flota y desde donde partieron muchos ataques contra las plazas del norte de África. Por tan eficaz labor fue nombrado Cónsul General de España en París y en este puesto estaba cuando murió poco antes de acabar la guerra. Sucedió repentinamente; parece ser que a consecuencia de una acalorada discusión tenida con Álvarez del Vayo, sobre la destitución de su hermano Adolfo como Cónsul de España en Bruselas.

(Ver foto en pág. 395.)

ÁLVAREZ MENDIZABAL Y BONILLA, José María

Abogado. Perteneció al Partido Radical. Se mantuvo en plena actividad política durante toda la época de la República al ser elegido diputado por Cuenca en las Cortes Constituyentes y después, por la misma provincia, en las de 1933, desempeñando además el cargo de presidente de la Comisión Permanente de Agricultura.

Siguió fiel a Lerroux, cuando en mayo de 1931 Martínez Barrio proclamó la ruptura del Partido Radical.

Fue subsecretario de Agricultura con Cirilo del Río y con Juan Usabiaga. Al ser nombrado ministro ya estaba separado del Partido Radical.

Su participación en el Gobierno como ministro de Agricultura, Industria y Comercio fue breve y muy de circunstancias. Ocupó la cartera en el segundo Gobierno de Portela Valladares que duró hasta el triunfo del Frente Popular, al que entregó el Poder. Después no volvió a figurar en ningún otro Gabinete.

En febrero de 1936, fue elegido diputado, figurando como Independiente.

En el verano de 1939 se trasladó a Méjico y más tarde a Venezuela.

(Ver foto en pág. 393.)

ÁLVAREZ VALDÉS Y CASTAÑÓN, Ramón

Asturiano nacido en Pola de Siero en el año 1866. Licenciado en Derecho por la Universidad de Oviedo. Secretario de Sala del Gobierno de la Audiencia de Burgos, más tarde sacó plaza de secretario de la Audiencia de Madrid. En 1914 fue elegido diputado por Oviedo hasta el año 1923.

Militó en las filas del Partido Liberal Demócrata de Melquiades Álvarez. Fue diputado a Cortes por Oviedo en las dos ordinarias de 1933 y 1936. A la cartera ministerial llegó en el segundo Gobierno que formó el jefe del Partido Radical. Pero no se mantuvo hasta el final. En abril de 1934 participó en un debate en el que comparó la sublevación de Jaca a la de Sanjurjo del 10 de agosto de 1932. El escándalo y las pro-

testas que desató le movieron a dimitir inmediatamente. El 17 de abril le sustituía en el Ministerio de Justicia Salvador de Madariaga.
Al dejar la cartera de Justicia prosiguió sus actividades financieras como secretario general del Banco Hispano Americano, miembro del Consejo Superior Bancario y Consejero del Banco Hispano Americano y del Español de Crédito.
Al estallar el Alzamiento estaba preso en la Cárcel Modelo de Madrid. Fue uno de los componentes del grupo de altos dirigentes políticos que en ella fueron asesinados. Sucedió el 23 de agosto de 1936.
(Ver foto en pág. 374.)

ÁLVAREZ DEL VAYO, Julio

Nació en Villaviciosa de Odón en 1891. Una de las figuras principales del socialismo español, su actividad política se remonta a los tiempos de su juventud. Por este interés personal y por su propia profesión de periodista viajó por Europa y aprovechó para entrar en contacto con las tendencias más actuales del socialismo y con algunas de sus principales figuras, tales como Rosa Luxemburgo y como Liebknecht, jefe de los socialistas comunistizantes del grupo Espartaco.
En el espectro político español de la Segunda República no es de los más fáciles de encasillar. Naturalmente fue siempre socialista y desde luego del ala más extrema, esto es, seguidor de Largo Caballero. Sin embargo, es cosa bien probada su inclinación primero y luego su servilismo ante el comunismo soviético, a pesar de las explicaciones que ha dado en sus obras autobiográficas «Las batallas de la libertad» y «El último optimista».
Desde 1931 siguió fiel a su jefe, Largo Caballero, en todos los episodios de su trayectoria política. Junto con su cuñado, Araquistain, constituía la plana mayor de la intelectualidad del socialismo avanzado, que se desbordaba a través del diario «El Socialista», cuya dirección tuvo.
Su más relumbrante éxito político lo logró, ya en plena guerra, cuando Largo Caballero llegó al poder y le reservó, precisamente, la cartera de Estado, pues por su europeísmo y por su propia formación y talante era en la que mejor encajaba. Desde el nuevo puesto intervino muy de cerca en todo el conflictivo asunto de la «No Intervención» y al tiempo abrió las compuertas, en lo posible, para la plena influencia posterior del comunismo.
Cayó con Largo Caballero en mayo de 1937 después de haber permanecido en dos gobiernos. Pero sus buenos oficios para con Moscú no fueron en vano. El 5 de abril de 1938 recuperaba la cartera de Estado en el segundo Gobierno Negrín.
Durante la guerra desarrolló una trascendental labor en el campo militar, desde el cargo de Comisario General de Guerra. Estructuró el sistema de comisarios políticos, a la manera soviética, controlados por el P.C. de España. Visitó directamente los frentes y permaneció en el país hasta los últimos momentos de la guerra.
Su actividad política en el exilio ha continuado con sus conferencias y publicaciones, siempre en la misma línea procomunista, lo que al final le ha supuesto la expulsión del Partido Socialista Obrero Español.
(Ver foto en pág. 403.)

ANGUERA DE SOJO, José Oriol

Jurista, nacido en Barcelona en 1879. De ilustre familia, militó en el Partido de Acción Catalana.
Con la República fue nombrado Presidente de la Audiencia Territorial y Gobernador Civil de Barcelona. Por aquellos tiempos se encontraba en plena efervescencia el movimiento obrerista que el anarquismo había llevado a límites de auténtico terror popular. Anguera de Sojo mostró en todo momento energía y criterio para combatirlo. Los barceloneses supieron reconocer su trabajo y le premiaron con la entrega de un bastón de mando adquirido por suscripción popular.
En 1933, tomó posesión del cargo de Fiscal General de la República. Sostuvo las acusaciones contra los encartados en la fallida sublevación del diez de agosto.
Al cesar en este puesto, permaneció en Barcelona, dedicado a sus actividades jurídicas.
Perteneció a la Lliga Regionalista, pero más tarde se afilió a Acción Popular. No fue diputado en ninguna Legislatura. Gran amante del orden, fue decisivo inspirador de las leyes sobre el orden público elaboradas durante el bienio. De profundas convicciones religiosas, trabajó siempre por suavizar las tensiones entre la Iglesia y el Estado.
Combatió con energía la Ley de Contratos de Cultivo, votada por el Parlamento de la Generalidad.
A principios de 1934 se adhirió a la CEDA, aceptando la misión de fundar en Cataluña un partido afiliado a la Confederación Española de Derechas Autónomas.
Fue ministro de Trabajo y Previsión Social en el cuarto Gobierno presidido por Lerroux, de octubre de 1934 a abril de 1935.
Al terminar la guerra se apartó de la política activa, dedicándose al ejercicio de la abogacía. Murió en Barcelona en 1956.
(Ver foto en pág. 379.)

ANSÓ Y ZUNGARREN, Mariano

Nació en Pamplona en enero de 1899.
Político de firme republicanismo que figuró en las filas de Azaña. Perteneció ya al partido de Acción Republicana y fiel a su jefe político pasó después al nuevo, Izquierda Republicana.
Fue diputado por Navarra en las Cortes Constituyentes, siendo nombrado segundo secretario de la Mesa. Alcalde de Pamplona, le sorprendió el Alzamiento en el cargo de presidente de la Comisión de Guerra. En las elecciones de febrero de 1936, entró en el Parlamento como diputado representante de Guipúzcoa.
Era subsecretario de Justicia cuando llegó a la categoría ministerial, en diciembre de 1937, para sustituir a Irujo en el Ministerio de Justicia. Estuvo al frente del departamento hasta primeros de abril, fecha en que Negrín compone su segundo Gobierno dando entrada en Justicia a González Peña, jefe en octubre del 34 de la revolución asturiana.
Al terminar la guerra salió de España, estableciendo su residencia en las proximidades de la frontera francoespañola. En el exilio se pasó al grupo socialista de Negrín y fue el encargado de transmitir al Gobierno español las pruebas documentales del depósito de las reservas españolas de oro en manos de la URSS.
(Ver foto en pág. 410.)

AYGUADÉ Y MIRÓ, Jaime

Nació en Reus en 1882. En Barcelona estudia la carrera de Medicina y en Madrid adquiere el título de doctor.
De sus tiempos estudiantiles arranca su actividad política. En 1909, llega a vicepresidente del Ateneo Enciclopédico Popular de Barcelona. Alterna la actividad política con la profesional. Colabora en «Justicia Social», órgano de la Unión

Socialista de Cataluña; en «L'Opinió», etc. Participa como secretario en las campañas del Comité de Salud Pública e incluso en actividades de más altura como lo fue el Congreso Español Internacional de la Tuberculosis.
Con la Dictadura sufrió prisión por sus actividades políticas, que nunca abandonó, como tampoco las profesionales. Por los mismos años se entregó a una ambiciosa tarea, la edición en catalán de obras de medicina, en la colección que tituló «Monografies Mèdiques».
En agosto de 1930 acudió a la reunión de San Sebastián, que programó la venida de la República, representando al «Estat Català». Fue distinguido miembro del Comité Ejecutivo.
En 1933 fue nombrado alcalde de Barcelona.
Afiliado después a la Esquerra, se mantuvo en acción durante la República para llegar a participar en las tareas de Gobierno ya en los años de la guerra; en el segundo de Largo Caballero como ministro sin cartera, y de Trabajo en los de Negrín. Dimitió por disentir sobre la promulgación de unos decretos que recortaban los poderes del Gobierno de la Generalidad.
Marchó a Francia después de la campaña de Cataluña y luego a América.
Autor de varias publicaciones, entre otras resalta «Cataluña y la Revolución» que aparece en 1932.
Murió en 1945.
(Ver foto en pág. 408.)

AZAÑA DÍAZ, Manuel
Nació en Alcalá de Henares el día 10 de enero de 1880, en un ambiente típicamente conservadurista. Marchó a estudiar con los agustinos a El Escorial y se licenció en Derecho.
Propiamente no existe ningún estudio biográfico de Azaña, aunque tan fundamental personalidad política haya sido tratada, inevitablemente, en la vastísima bibliografía de la República y de la guerra. Sus obras completas, que ahora se editan, llevan amplios estudios sobre su persona y su obra. Sin embargo, Azaña escribió páginas autobiográficas. De sus primeros años se hace eco directo en su novela «El jardín de los frailes», llena de críticas al ambiente y a los sistemas que se usaban en El Escorial. Sus Memorias refieren, en cambio, sus confidencias íntimas, relativas a sus más graves actuaciones políticas. En «La velada en Benicarló» hace una interpretación de conjunto de todas sus responsabilidades políticas hasta el desenlace fatal de la guerra y la ruina de la República.
Con su licenciatura en leyes marcha a París pensionado por la Junta de Ampliación de Estudios. Vuelve a España e ingresa en el Cuerpo de Registros y Notariado.
Grueso, de talla mediana, de rostro poco agraciado y con verrugas, parece ser que constituyó para él todo un trauma psíquico el contraste entre su pobre aspecto físico y su magnífica erudición, su inteligencia y su sensibilidad. Vuelto sobre sí mismo, sobre sus deficiencias, resultó un ser introvertido, huraño y despiadado en sus críticas.
Vivió en Alcalá de Henares y en Madrid, solitario, pues no se casó hasta pasados los cuarenta años, con una hermana de Rivas Cherif. Con una gran afición a la literatura, hizo traducciones y ensayos, dedicando especial atención al estudio de las cuestiones militares, por creer que en la reforma y modernización de nuestro Ejército, al que daba un papel capital en la confortación de nuestra historia, estaba la propia reforma y modernización de España.
Republicano de casta, estuvo afiliado al partido de Melquiades Álvarez, para organizar después el suyo propio, Acción Republicana, que más tarde cambiaría su denominación por la de Izquierda Republicana, al fundirse con los disueltos Partidos Radical Socialista Independiente y O.R.G.A.
Su trabajo fue difícil, en la clandestinidad de la Monarquía y la Dictadura, pero no cejó. Asiduo del Ateneo de Madrid, del que fue secretario y presidente, desde allí desarrolló una amplia labor en pro del republicanismo, hasta ver su triunfo en 1931.
Participó en la dirección del nuevo régimen desde el primer momento. En el Gobierno Provisional ocupó el Ministerio de la Guerra, cartera para la que no tenía rival, por su especial preparación.
Es opinión común que Azaña fue la personificación de la República, con todos los fallos que se quiera. El primer bienio suele llamarse «azañista» porque fue de plena inspiración suya desde la Presidencia del Gobierno, que unía a la cartera de Guerra. En la oposición en el bienio derechista, al llegar las elecciones de febrero su figura fue capital para hacer viable el Frente Popular e instalarle en el Poder. Volvió a la Presidencia del Gobierno hasta que en mayo de 1936 fue nombrado Presidente de la República para sustituir a Alcalá-Zamora.
Totalmente desbordado por las izquierdas, Azaña vivió el período de guerra prácticamente ajeno a la marcha de los acontecimientos.
En febrero de 1939, dimite en Collonges-sous-Salève, Francia, poniendo la Presidencia de la República en manos de Martínez Barrio.
En noviembre de 1940 moría en Montauban.
(Ver foto en pág. 360.)

AZAROLA Y GRESILLON, Antonio
Nació, en 1874, en el seno de una familia de tradición republicana y continuó esta misma línea política, aunque lo fundamental en él era su espíritu liberal y progresista.
Su carrera fue más la de un profesional que la de un político. Llegó a contralmirante y ocupó el mando del arsenal de la base marítima de El Ferrol.
En la etapa en que Giral fue ministro de Marina, Azarola ocupó la Subsecretaría del Departamento.
Llegó a ser ministro de Marina en el segundo Gobierno de Portela Valladares, en las vísperas del Frente Popular. Sin duda, no era su opinión nada acorde con el extremismo que se desató en los años subsiguientes. Pero por otro lado tampoco era partidario de los métodos violentos, por lo que no acabó por decidirse por el Alzamiento. Su honradez le hacía pensar en que todavía las cosas podrían llegar a soluciones por las vías normales, sin tener que sumergir al país en una terrible guerra civil.
Sufrió el triste destino de los que se quedan en medio de las horas graves, cuando hay que tomar partido sin remedio. En los primeros días de la sublevación militar se mantuvo a la expectativa, por lo cual fue acusado cuando, definitivamente, El Ferrol quedó en manos de los nacionales. Se le sometió a juicio sumarísimo y se le condenó a la pena capital que se cumplió el 4 de agosto de 1936. Marchó a pie hacia su último destino y recibió a la muerte con toda valentía, negándose a que le fueran vendados los ojos.
(Ver foto en pág. 392.)

AZCÁRATE Y FLÓREZ, Justino de
Nacido en Madrid el 29 de junio de 1903. Abogado de profesión, militó en política en la «Agrupación al Servicio de la República» que inspiraron Ortega y Gasset, Marañón y Pérez de Ayala. Fue diputado por León en las Cortes Constituyentes y miembro de la Comisión Permanente de Presupuestos.
Sobrino carnal de Gumersindo de Azcárate, desempeñó la Subsecretaría de Justicia siendo titular del departamento Fernando de los Ríos, en el primer Gobierno Provisional de

la República. Posteriormente ocupó el cargo de Subsecretario de Gobernación con Rico Avello al frente del Ministerio, en el Gobierno de transición que compuso Martínez Barrio en otoño del 33. Abandonó la Subsecretaría en enero del 34, una vez que hubo desaparecido el levantamiento anarquista que trajo como consecuencia el estado de excepción.

Al desaparecer la «Agrupación al Servicio de la República» participó en la constitución del Partido Nacional Republicano presidido por Felipe Sánchez-Román.

Se encontraba en la provincia de León cuando fue nombrado ministro de Estado en el Gobierno que compuso Martínez Barrio en la noche del 18 de julio de 1936, no pudiendo trasladarse a Madrid. Fue detenido y permaneció en la cárcel de Valladolid hasta septiembre de 1937, que fue canjeado por Raimundo Fernández-Cuesta.

Permaneció en París participando en la campaña por la Paz Civil con el profesor Mendizábal, Madariaga y otros.

En julio de 1939 se trasladó a Caracas, donde vive; pasa frecuentes temporadas en España.

(Ver foto en pág. 400.)

BARCIA TRELLES, Augusto

Nacido en 1881. Asturiano, de Luarca, estudió la carrera de Derecho en la Universidad de Oviedo. Enamorado de su profesión, llegaría ser una figura preeminente, de categoría internacional.

Muy joven aún, consiguió la cátedra de Historia y Evolución del Socialismo en la Escuela de Estudios Superiores del Ateneo de Madrid, ante jueces tan imponentes como Echegaray, Moret y Azcárate.

Fue cofundador de la Universidad Popular de Madrid y Secretario General del Ateneo.

Viajó por el extranjero y conoció las principales universidades europeas. Se especializó en Derecho Internacional y publicó diversos trabajos sobre la materia, entre ellos una «Codificación Progresiva del Derecho Internacional». En esta línea es de destacar la labor de estudio y reivindicación de la figura del padre Vitoria, que llevó a cabo en pro de la divulgación de su obra en el exterior y del reconocimiento de su categoría de fundador del Derecho Internacional, con ocasión de sus magníficas *Relecciones de Indis*, referentes a los derechos de España en el nuevo continente descubierto.

En 1932, llegó a la presidente del Ateneo. Fue diputado por Almería y perteneció al Partido de Izquierda Republicana. Cuando Azaña vuelve al Gobierno, con el triunfo del Frente Popular, incluye a Barcia en su gobierno como ministro de Estado, asumiendo la jefatura del Consejo de Ministros el 10 de mayo de aquel año, fecha en la que Azaña dimite del cargo para presentarse a las elecciones presidenciales. El 13 de mayo continuaría en el siguiente Gobierno, que presidió Casares Quiroga, como ministro de Estado.

Como fiel azañista, en 1935 fue el defensor del gobierno de Azaña, al debatirse el asunto de las importaciones de trigo que éste había efectuado en 1932, y que entonces volvía a cobrar actualidad en la línea de escándalos del estraperlo y el asunto Nombela.

En los momentos difíciles de la sublevación militar, dimitido Casares Quiroga, Azaña encargó a Martínez Barrio, experto en componendas, intentar cuajar un nuevo gobierno. Llamó a Barcia. Fracasado el intento, Barcia, sin embargo, conseguiría el puesto ministerial con el nuevo jefe, José Giral. Volvió a ocupar la cartera de Estado, aunque esta vez por poco tiempo.

Al acabar la guerra marchó a Argentina donde continuó unido al republicanismo español en el exilio. Fue delegado, en Argentina, de la Junta Española de Liberación constituida por Martínez Barrio, en Méjico. Murió en 1961.

(Ver foto en pág. 395.)

BARDAJÍ LÓPEZ, Luis

Nació en Tarragona en el año 1880. Estudió las carreras de Filosofía y Letras y Derecho en la Universidad de Madrid. Perteneció al Cuerpo de Abogados del Estado, del que pidió la excedencia para dedicarse, en Badajoz, al ejercicio de la abogacía llegando a tener uno de los más acreditados bufetes de la ciudad.

Militó en el Partido Radical. Fue diputado por Badajoz, ostentando la presidencia de la Comisión de Hacienda; desde ésta pasó al ministerio en el segundo Gabinete que presidió Chapaprieta de octubre de 1935 a diciembre del mismo año. Ocupó la cartera de Instrucción Pública y Bellas Artes.

En los comicios de febrero del 36 formó parte de la candidatura antimarxista.

El Alzamiento nacional le sorprendió en Portugal, en donde veraneaba en compañía de su familia. Regresó a España y falleció en Badajoz en febrero de 1942.

(Ver foto en pág. 389.)

BARNÉS Y SALINAS, Domingo

Nació en Sevilla en 1879. Se doctoró en Filosofía y Letras y en Derecho.

Con una gran preparación científica y cultural, llegó a ser Director del Museo Pedagógico Nacional en 1929, después de haber sido secretario del mismo por oposición. El haber llegado a este cargo demuestra su gran categoría. Otros hombres de la Institución Libre de Enseñanza pasaron por él, como el excelso pedagogo Manuel Bartolomé Cossío.

Alternó la actividad cultural con la actividad política. Escribió varios libros, fue redactor del Boletín de la Institución Libre de Enseñanza y participó en algunas actividades de la Sociedad de Naciones por invitación expresa y, en concreto, en la Asamblea del año 1928. Con la Dictadura fue consejero de Instrucción Pública.

En política se inició en las filas del Partido Radical Socialista. Más tarde se pasó al de Izquierda Republicana. No fue diputado en ninguna legislatura, pero llegó a ser ministro en varias ocasiones. Entró por primera vez en el Gabinete presidido por Lerroux en septiembre de 1933, como titular de la cartera de Instrucción Pública y Bellas Artes. En ella continuó cuando Martínez Barrio sucedió a Lerroux al mes siguiente. En este mismo Gobierno tuvo que sustituir a Botella Asensi en el Ministerio de Justicia, cuando dimitió.

Murió en el exilio en el año 1943.

(Ver foto en pág. 369.)

BARNÉS Y SALINAS, Francisco José

Catedrático del Instituto Escuela. Para la elección de las Constituyentes, la provincia de Ávila le otorgó su representación siendo nombrado primer vicepresidente de Mesa. Desempeñó varios cargos, entre ellos el de Vocal de la Diputación Permanente de las Cortes y de la Comisión Permanente de Hacienda.

Como su hermano Domingo, militó en el Partido Radical-Socialista y fue entusiasta de la Institución Libre de Enseñanza. Su anticlericalismo encajó perfectamente en la política del primer bienio, llegando a considerar incompatible la Iglesia con la Ciencia.

Su partido le señala para colaborar en el Gobierno que formó Azaña, en junio de 1933, lo que llevaría consigo la cartera de Instrucción Pública y Bellas Artes. A finales de ese mismo año se separa del Partido Radical-Socialista junto con Marcelino Domingo, pasando a engrosar las filas de Izquierda Republicana, de reciente fundación.

En el Gobierno de Casares Quiroga, en mayo de 1936, Barnés es llamado para desempeñar el Ministerio de Instrucción Pública. En la sesión del día 4 de junio, ataca formalmente a la enseñanza de las Órdenes religiosas, lo que determinó la retirada de la Cámara de los partidos de la oposición.
Nuevamente vuelve a ocupar el mismo ministerio cuando José Giral consigue formar Gobierno en julio de 1936.
Murió en el exilio.
(Ver foto en pág. 365.)

BECERRA Y FERNÁNDEZ, Manuel
Ingeniero de Caminos, Canales y Puertos. Natural de Málaga, nació en el año 1867. Entre otros cargos, desempeñó el de Ingeniero Director de los puertos de Melilla, Chafarina, Castellón y Gijón-Musel, las jefaturas de Obras Públicas de Madrid, etc.
Fue Director General de Ferrocarriles hasta el 18 de abril de 1931 y, más tarde, Subsecretario de Obras Públicas.
En las Cortes Constituyentes figuró como diputado por Lugo. Continuó con esta misma representación en las Cortes de 1933 y en las de 1936. Perteneció al Partido Radical, del que acabó separándose por discrepancias de criterio.
En marzo de 1935 le fue concedida la banda de la Orden de la República.
Llegó a la categoría de ministro en los dos Gobiernos que presidió Portela Valladores. En el primero se encargó del Ministerio de Instrucción Pública y Bellas Artes; en el segundo, hasta la victoria del Frente Popular, tuvo la cartera de Trabajo y Justicia. Político moderado, cuajó en unos gobiernos que llegaron a ser únicamente con estas mismas miras de hacer de centro, entre dos extremos cada vez más distanciados.
Al iniciarse el Alzamiento nacional se encontraba en la provincia de Pontevedra, adhiriéndose a él ante las autoridades militares de dicha provincia.
Falleció en Madrid el 10 de mayo de 1940.
(Ver foto en pág. 390.)

BENAYAS Y SÁNCHEZ CABEZUDO, Juan José
Nació en marzo de 1899 en Torrijos, en la provincia de Toledo. Militó políticamente en el partido progresista cuando éste se constituyó como Derecha Liberal Republicana. Cursó los estudios de Derecho en la Universidad de Madrid. En 1926 ingresa en el Cuerpo de Registradores de la Propiedad, en el que pidió la excedencia para dedicarse a la abogacía, profesión que ejerció en Madrid. En 1930, fue elegido Secretario de Actas de la Real Academia de Jurisprudencia y Legislación, cuando Alcalá-Zamora ocupó su presidencia.
Al constituirse el Instituto de Reforma Agraria fue designado vocal del Consejo Ejecutivo y subdirector jurídico.
En el primer Gobierno Lerroux fue nombrado Director General de Reforma Agraria, cargo que desempeñó hasta que en abril de 1935 fue nombrado ministro de Agricultura.
El Presidente de la República perseveraba en su negativa a dar el Poder a la CEDA, mayoritaria en el Parlamento, pero de dudosa reputación republicana. Sólo esto explica soluciones de Gobierno que hicieron posible la entrada de técnicos extraparlamentarios en el equipo ministerial que compuso el jefe radical en la primavera del 35. Benayas más que nada era un técnico especialista.
Refrendó el Reglamento de Arrendamientos Rústicos y reguló el Registro de Arrendamientos.

Pasó a la zona nacional al producirse el Alzamiento, reingresando en el Cuerpo de Registradores después de once años de excedencia voluntaria.
En 1949 fue elegido procurador en Cortes.
En 1965 fue designado Decano del Ilustre Colegio de Registradores, cargo que desempeñó hasta su jubilación.
Vive en la actualidad en Madrid.
(Ver foto en pág. 383.)

BILBAO HOSPITALET, Tomás
Nacido en 1899. Perteneció al Partido de Acción Nacionalista Vasco. No llegó a ser diputado en ninguna legislatura.
Desempeñó durante algún tiempo el cargo de Cónsul General de España en Perpignan.
Entró a formar parte del Gobierno del Dr. Negrín, ya en los últimos tiempos de la guerra cuando, en agosto de 1938, ocupó el hueco dejado por Irujo. Fue ministro sin cartera hasta el final de la contienda, cuando en compañía de algunos de sus compañeros de Gabinete huyó al vecino país.
En 1940 marchó a Méjico, muriendo en aquella capital en el año 1954.
(Ver foto en pág. 412.)

BLANCO GONZÁLEZ, Segundo
Maestro nacional que desde muy joven se destacó en el mundo confederal comenzando su actuación por el año 1918, época en que se inició el resurgimiento de los Sindicatos.
Su actuación se desarrolló al lado del destacado líder obrerista José María Martínez, que fue su maestro, actuando con él en la defensa de la Alianza y en otras actividades políticas hasta el año 1934, en que su protector murió durante la revolución de Asturias.
Fue miembro del Comité Nacional de la C.N.T. y colaborador de Avelino González, dirigente de la C.N.T., muy significado.
Perteneció al Sindicato Metalúrgico de Gijón y ante el boicot de la Patronal pasó al ramo de la Construcción, haciéndose albañil, y políticamente intervino en la preparación del intento de levantamiento contra la Dictadura, que se denominó «sanjuanada».
Con ocasión de la revolución de Asturias fue hecho prisionero y condenado a muerte, siendo posteriormente indultado.
Al iniciarse la guerra civil asumió el cargo de Presidente de los Consejos de Guerra que se celebraron en Gijón y posteriormente intervino en el Consejo Provincial Soberano de Asturias y León formando parte de la Comisión de Industria con el cargo de consejero.
En el último Gabinete de la República, presidido por Negrín, llegó a entrar en el Gobierno por táctica política de circunstancias, ocupando la cartera de Instrucción Pública, siendo éste su primer cargo político. No había sido diputado.
Con la entrada de Blanco González en el Gobierno volvía la C.N.T. a participar en la gobernación del Estado, después de los graves sucesos del mes de mayo del año anterior, en un intento de equilibrar la tan declarada influencia comunista.
Salió de España al terminar la guerra, refugiándose en Méjico, en donde continuó sus actividades políticas, asistiendo en la capital azteca a las reuniones de las Cortes que celebraron los republicanos en aquella ciudad.
(Ver foto en pág. 411.)

BLASCO GARZÓN, Manuel

Ilustre jurista sevillano, fue diputado radical a Cortes por su ciudad natal en 1933 y en 1936. Personalidad muy conocida en la capital andaluza, de la que había sido alcalde y presidente del Ateneo. Cuando la escisión del Partido Radical se unió al nuevo grupo de Martínez Barrio.

Llegó a ser ministro por primera vez con Azaña en febrero de 1936. En este primer Gobierno del Frente Popular se encargó del Ministerio de Comunicaciones y Marina Mercante. Este mismo puesto tuvo en el Gabinete puente presidido por Barcia del 10 al 13 de mayo de 1936 y automáticamente pasó al que le sucedió, el presidido por Casares Quiroga, que duraría hasta el otro día del Alzamiento militar de julio de 1936. En este Gabinete tuvo la cartera de Justicia.

Blasco Garzón tuvo su último cargo ministerial en el Gobierno Giral de julio a septiembre de 1936, también con la cartera de Justicia. Después, todos los republicanos moderados fueron atropellados por la marea revolucionaria y no tuvieron cabida en el Gobierno de Largo Caballero, que sucedió al de Giral, tras la caída de Talavera y la marcha incontenible de los nacionales por el valle del Tajo hacia la capital.

Más tarde fue nombrado Cónsul General en Buenos Aires. Pasó después a Montevideo. Murió en noviembre de 1954.

(Ver foto en pág. 395.)

BOTELLA ASENSI, Juan

Nació en 1884. Maestro y abogado, figuraba como afiliado al Partido Radical-Socialista cuando se proclamó la República. Fue diputado por Alicante en las Cortes de 1931 y formó parte de la Comisión encargada de redactar la Constitución. Había sido uno de los fundadores de su Partido, pero por divergencias internas se separó de él y se pasó al nuevo grupo político que, con el nombre de Izquierda Radical Socialista, se fundó en tal ocasión y en el que le acompañó Eduardo Ortega y Gasset. La escisión se debió fundamentalmente al desacuerdo existente en torno a la postura religiosa que se manifestaba en la nueva Cámara.

En el primer bienio se desató como duro crítico del Gobierno Azaña y de especial modo a partir del asunto de Casas Viejas, sobre el cual pronunció un violento discurso en el Parlamento.

Ministro de Justicia en el primer Gabinete de Lerroux, de septiembre a octubre de 1933. Consultado por el Presidente de la República, al suceder la crisis, aconsejó la disolución de las Cortes Constituyentes. En el siguiente Gobierno, que fue presidido por Martínez Barrio, mantuvo el mismo cargo ministerial, pero dimitió al no haber conseguido el acta por Alicante, siendo sustituido por Domingo Barnés el 29 de noviembre, antes de que concluyera el Gabinete.

(Ver foto en pág. 369.)

CANTOS FIGUEROLA, Vicente

Nació en Burriana (Castellón de la Plana) el 10 de diciembre de 1868. Abogado, ingresó en el Cuerpo de Registradores de la Propiedad en 1896.

En 1905, inicia su vida política como diputado por el distrito de Lucena del Cid en la provincia de Castellón, militando en el grupo demócrata de Canalejas. En 1913, es nombrado Director General de los Registros y Notariados, y en el Gobierno Nacional de Maura Director General de Comercio, Industria y Trabajo, desempeñando después la Subsecretaría de Fomento.

Incorporado al Partido Radical, fue fiel a Lerroux cuando se produjo la secesión de Martínez Barrio. Fue diputado a Cortes por Castellón en 1931 y en 1933. Figuró como ministro en dos ocasiones; la primera, en el Gobierno que presidió Samper hasta octubre de 1934. Estuvo al frente del Ministerio de Justicia.

La Casa del Pueblo de Madrid fue la obsesión de los Gobiernos del segundo bienio. Cantos resuelve el problema clausurándola de forma incruenta; la temida Casa del Pueblo fue cerrada por infracciones cometidas a la Ley de Contabilidad, ya que no llevaba sus libros en regla.

Volvería a ocupar la cartera de Justicia justamente un año después, en abril de 1935, en el quinto Gobierno presidido por Lerroux.

Iniciada la guerra, se refugió en la Embajada de Turquía. Sale de España y se traslada a los pocos meses a la zona nacional.

Murió en 1943.

(Ver foto en pág. 377.)

CARNER ROMEU, Jaime

Catalán, nacido en Vendrell (Tarragona), en el año 1867. Abogado, alternó la política con el ejercicio de su carrera en la que alcanzó fama.

En los primeros años del siglo fue concejal de Barcelona y diputado a Cortes por su ciudad natal. Su responsabilidad y su afiliación al movimiento de Solidaridad Catalana le convirtieron en oponente acérrimo de la política administrativa de los radicales.

Perteneció al Centro Nacional Catalán, que en 1901 se fusionó con la Unión Regionalista creándose el nuevo partido de la Lliga; entonces Carner es nombrado, junto con Cambó, Prat de la Riba, Rusiñol y Abadal, miembro del directorio. Poco después se separa y asume la presidencia del Centro Nacionalista Republicano, fuerza política que enarboló la bandera de la autonomía catalana dentro del Estado español.

Sus negocios de las industrias lácteas le hicieron millonario y le apartaron de la política. Pero venida la República, Azaña consiguió hacerle volver para encargarle del Ministerio de Hacienda en el Gabinete que formó el 16 de diciembre de 1931. Luchó denodadamente con la intención de nivelar la balanza de pagos. Presentó unos presupuestos muy recortados con notables aumentos tributarios que exigieron durísimos debates en las Cortes hasta ser aprobados.

Su edad y su salud no respondieron a sus planes e ilusiones. A finales de febrero de 1933, se tuvo que retirar a Barcelona, enfermo de muerte. En el siguiente Gobierno fue sustituido por Agustín Viñuales, que era catedrático de Hacienda de la Universidad de Madrid.

Tras una larga enfermedad, murió en 1934.

(Ver foto en pág. 364.)

CASANUEVA Y GORJÓN, Cándido

Nació en Pereña de la Ribera (Salamanca) en 1879. Ingresó en la carrera judicial y fiscal. Obtuvo por oposición, en 1914, plaza de notario en Madrid.

En las elecciones para las Cortes Constituyentes el Bloque Agrario de Salamanca le elige diputado; se distinguió en los debates sobre las leyes agrarias y el proyecto de arrendamientos rústicos, que no llegó a ser ley por su persistente oposición.

Antiguo inspirador de «El Imparcial», intervino en numerosos mítines en compañía de Gil-Robles.

La caída del primer bienio hizo temer a la CEDA una alianza de los radicales con los socialistas, que echaría por tierra

todo el plan político de Gil-Robles ante las elecciones de noviembre de 1933; Casanueva se entrevista con Lerroux, secundando siempre los trazos definidos por su jefe político, para llegar a un acuerdo con los radicales y formar la coalición que presidiría el segundo bienio.
En éste fue Presidente de la Comisión de Actas y de la de Agricultura, así como primer Vicepresidente de las Cortes. En la CEDA se distinguió por su tono conservador. Profesional competentísimo, y especializado en materia agraria, fue el más irreductible oponente de la política avanzada que pretendió poner en marcha Jiménez Fernández cuando ocupó el Ministerio de Agricultura.
Fue ministro en el sexto Gobierno de Lerroux. Se encargó de la cartera de Justicia desde mayo a septiembre de 1935. Falleció en su pueblo natal el 18 de agosto de 1947.
(Ver foto en pág. 386.)

CASARES QUIROGA, Santiago
Nació el 8 de mayo de 1884. Abogado de La Coruña, de posición acomodada, Casares Quiroga, aunque afecto al republicanismo español, representaba, en verdad, la tradición del liberalismo decimonónico ya desgastado.
Desde joven había intervenido en la política, aunque hasta la llegada de la República apenas si había desbordado el marco regional gallego. Con el nuevo régimen fue varias veces ministro, pero nunca olvidó a su región y fue el más ferviente defensor de sus intentos de autonomía. Fue uno de los fundadores de la Organización Republicana Gallega Autónoma. Estuvo comprometido en las primeras intentonas para imponer la República. En los sucesos de Jaca tuvo que ver como encargado de una misión de enlace.
En 1931, la República triunfante le incluyó en su primer Gobierno. Ocupó el Ministerio de Marina. Continuó en el segundo Gobierno Provisional con una nueva cartera, la de Gobernación, que iba a detentar hasta finales del bienio azañista.
La victoria del Frente Popular fue una nueva ocasión para el político gallego.
Azaña vuelve a traerle con él al Gobierno. En el que formó el 19 de febrero de 1936 se le adjudicó el Ministerio de Obras Públicas. Unos meses después, en mayo, Azaña pasa a ser Presidente de la República y Casares accede entonces a la Presidencia del Consejo que aquél había dejado vacante. Se queda también con el Ministerio de la Guerra.
Es este período último el más importante de su carrera política. Masón, anticlerical, de expíritu exaltado, vendría a ser el inevitable oponente de Calvo Sotelo, y a personificar el extremismo violento de aquellos días previos al 18 de julio. Sus actuaciones en las Cortes debieron dejar atónitas a las derechas, por su presión y su violencia que le llevaron a declarar paladinamente «que contra el fascismo el Gobierno es beligerante». después de haber calificado de fascista a media España, sin más. Sus debates con Calvo Sotelo y el trágico fin que éste tuvo, inmediatamente, no han podido por menos de poner en entredicho su responsabilidad, sin que la cuestión pueda tenerse por aclarada.
Al estallar el Alzamiento militar, su liberalismo quedó del todo desbordado. Su postura sensata de no entregar armas al pueblo descontrolado le convirtió a sus ojos en un reaccionario, sin que le quedara otra salida que la dimisión. En la noche del 18 al 19 de julio dimite Casares, fracasa un intento conciliador de Martínez Barrio y cuaja, por fin, un nuevo Gabinete presidido por José Giral.
Huido al extranjero, murió en París el 16 de febrero de 1950. María Casares, su hija, de nacionalidad francesa, ha llegado a ser una de las actrices más cotizadas de Europa.
(Ver foto en pág. 361.)

CASTELLÓ PANTOJA, Luis
Nació en marzo de 1881. A los 19 años ingresó en el Arma de Infantería.
Recién inaugurado el segundo bienio asciende a general de brigada y es nombrado Subsecretario de la Guerra, con Rocha e Iranzo como titulares del departamento.
Al estallar el Movimiento se encontraba al frente de la guarnición de Badajoz, ciudad de gran importancia estratégica por su proximidad a la frontera portuguesa. Abortado el Alzamiento en su provincia, el general Castelló es llamado urgentemente a Madrid para posesionarse del Ministerio de la Guerra en el Gabinete que Giral cuajó el 19 de julio.
El nuevo ministro de la Guerra, ante la importancia de los acontecimientos, decide formar en Valencia columnas expedicionarias para los frentes recién estrenados, decisión que no llegaría a madurar, a causa de trastornos mentales. Pierde la razón cuando se entera de la trágica muerte de su hermano y varios parientes más a manos de los anarquistas. Es sustituido por Hernández Saravia el 6 de agosto.
(Ver foto en pág. 401.)

CID RUIZ-ZORRILLA, José María
Nació en Zamora, el día 11 de octubre de 1882. Doctor en Derecho por la Universidad de Madrid, llegó a ser abogado del Estado.
De tendencia republicana, se enfrentó a la Dictadura de Primo de Rivera, que le destituyó y le trasladó de Zamora a Alicante. Su espíritu combativo no se apagó y para continuar la lucha con más libertad llegó a pedir la excedencia de su profesión.
Consiguió un acta por Zamora, en las Cortes Constituyentes. Con Martínez de Velasco y otros diputados constituyó la minoría agraria, exponente del conservadurismo del campo castellano frente a las nuevas tendencias progresistas republicanas. El Estatuto Catalán, la Ley de Congregaciones, la Reforma Agraria y el proyecto de Arrendamientos rústicos tuvieron enfrente la decidida oposición del abogado zamorano. En noviembre de 1933 obtiene un puesto en las Cortes, por Zamora. Entra a formar parte del Gobierno en el segundo Gabinete presidido por Lerroux, en el Ministerio de Comunicaciones, y continúa en el tercero al frente de la misma cartera.
La crisis de abril de 1934 trajo un nuevo Gobierno, el de Samper, y en él continuó Cid con la cartera de Comunicaciones. Lerroux vuelve a formar Gobierno en octubre de 1934 por invitación de Alcalá-Zamora. En el nuevo equipo continúa, ahora junto a varios de la CEDA. El Ministerio de Comunicaciones lo ocupó César Jalón, del Partido Radical, y Cid pasó al de Obras Públicas.
Se adhirió al Alzamiento Nacional, después de haber asistido, casi en las vísperas, a la sesión de la Diputación Permanente de las Cortes.
En diciembre de 1938 formó parte de la Comisión encargada de demostrar la ilegitimidad de los poderes actuantes en la República Española en 18 de julio de 1936. Murió en 1956.
(Ver foto en pág. 373.)

COMPANYS JOVER, Luis
Nació en la provincia de Lérida, en Tarròs, en 1883. Estudió la carrera de Derecho en Barcelona. Desde muy pronto empezó a sentirse interesado por la política; fue cofundador de la Asociación Escolar Republicana.
De espíritu apasionado, se destacó como comprometido revolucionario, cayendo numerosas veces en prisión. Así, por

ejemplo, en 1909 con motivo de los graves disturbios sucedidos en Barcelona. Su ofensiva revolucionaria fue doble, ya que también la ejerció desde la prensa. Fue primero repórter de «La Publicidad» y llegó más tarde a fundar un nuevo periódico, «La Lucha». Todavía tuvo otra posibilidad de luchar contra el régimen establecido usando de su título de abogado, oficio en el que alcanzó renombre en la defensa de los anarquistas.

En 1917, llegó a conseguir ser concejal del Ayuntamiento de Barcelona en una candidatura de republicanos independientes. Su acción revolucionaria no decayó sino que siguió en pleno vigor, sobre todo cuando se unió en la lucha a Francisco Layret y «El Noy del Sucre».

Al hacerse cargo del poder el general Berenguer renunció al cargo de concejal, sintiendo la proximidad de la República ante la que deseaba aparecer con una limpia y favorable ejecutoria. En seguida de su proclamación empezó a actuar en primera línea, y en nombre de Maciá se apoderó del Gobierno Civil del que desalojó al radical Emiliano Iglesias.

Esforzado catalanista, afiliado a Esquerra Republicana, iría labrando su ascenso político a la sombra de Maciá. Intervino en la redacción del anteproyecto del Estatuto y luchó denodadamente por él en las Cortes. En 1932, llegó a presidir el Parlamento de Cataluña. De junio a septiembre de 1933 fue ministro de Marina, con Azaña. Después, a la muerte de Maciá, consiguió la cima de sus sueños, la presidencia de la Generalidad. El regionalismo daba un paso más hacia el extremismo con la jefatura de Companys. En 1934, proclamó el «Estat Català» dentro de una República Federal Española. Abortada la sublevación, fue condenado a 30 años de prisión. La victoria del Frente Popular supuso la amnistía de muchos políticos de izquierdas. Companys y sus compañeros salieron de la cárcel del Puerto de Santa María para ser aclamados en Barcelona, donde se les recibió apoteósicamente. De nuevo se reintegraba Companys a la presidencia de la Generalidad.

Los anarquistas fueron los dueños de la situación en Barcelona, durante la guerra. Companys siguió figurando, pero perdió el control de la situación. Cuando acabó la guerra se refugió en Francia. Preso y enviado a España, moría fusilado en el castillo de Montjuich, después de haber sido condenado a muerte por un consejo de guerra. Era en el año 1940.

(Ver foto en pág. 366.)

CHAPAPRIETA Y TORREGROSA, Joaquín

El 25 de octubre de 1871 nació en Torrevieja (Alicante). Abogado, tuvo en Madrid uno de los bufetes más famosos de la época.

En 1898, fue diputado provincial por el distrito de Inclusa-Getafe (Madrid). Más tarde, en 1901, llega por primera vez a las Cortes, como diputado por Cieza. Pertenecía al partido de Gasset. Fue senador por La Coruña y presidió diversas comisiones parlamentarias. Fue subsecretario de Gracia y Justicia, ostentando varias Direcciones Generales de la Administración del Estado. Llegó a ministro de Trabajo, con García Prieto.

Con la República, va a tener otra vez actividad política, entrando a formar parte del Gobierno. Lerroux forma su sexto Gobierno en mayo de 1935 y nombra ministro de Hacienda a Chapaprieta, quien se propuso el saneamiento económico del país con un vasto plan de restricciones y reorganizaciones. En septiembre se produce una nueva crisis. Cae Lerroux y el Presidente de la República echa mano de Chapaprieta para formar un nuevo Gobierno, olvidando a los jefes de los partidos mayoritarios, en especial a Gil-Robles.

Chapaprieta conservó la cartera de Hacienda, para poder continuar sus ambiciosos planes. Pero no lo pudo conseguir, pues por momentos se fue haciendo el vacío en torno al Gobierno hasta que hubo de dimitir.

El 14 de diciembre de 1935 formaba Gobierno Portela Valladares. Chapaprieta continuaba encargado de Hacienda. Esta vez casi no tuvo tiempo ni de hacerse a la idea, pues el 30 del mismo mes, tras una nueva crisis, séptima de aquel año, salía del Ministerio y daba paso a Rico Avello.

Murió en Madrid el 15 de octubre de 1951.

(Ver foto en pág. 385.)

DOMINGO SANJUÁN, Marcelino

Nació en Tortosa el 26 de abril de 1884. Hijo de un guardia civil, estudió en Tarragona la carrera de Magisterio; era Domingo hombre muy preocupado por la teoría de la educación. De espíritu anticlerical, sería un decidido defensor de la escuela laica que pudo ver realizada con la República.

En 1919 fue concejal del Ayuntamiento de Tortosa. Durante la Monarquía, su actividad política, contraria al sistema, le produjo persecuciones y encarcelamientos, en especial en la etapa de la Dictadura. En 1913 fue diputado por su ciudad natal. En 1917 fue preso en las Atarazanas de Barcelona por su participación en la huelga general.

Cuando los sucesos de Jaca emigró a Lisboa y desde allí pasó a París donde permaneció hasta la proclamación de la República, al lado de los grandes políticos republicanos exiliados en aquella capital.

En el Gobierno Provisional del 15 de abril participó como ministro de Instrucción Pública y Bellas Artes. Desde este puesto, y en la línea laica tan cara a Azaña y a él mismo, decretó el cierre de los establecimientos religiosos y la supresión del crucifijo en las escuelas. Aunque desarrolló una política de construcciones escolares no pudo compensar el déficit de puestos escolares producido por el cierre anterior.

Continuó en el gobierno cuando Azaña formó el primer Gabinete constitucional en diciembre de 1931. Pasó a desempeñar la cartera de Agricultura, Industria y Comercio. En el siguiente gabinete, también presidido por Azaña, se desgajó la cartera de Agricultura de la de Industria y Comercio. Al nuevo puesto accedió Franchy Roca, y Marcelino Domingo se quedaba en el de Agricultura. Le esperaba un arduo trabajo con el latente problema de la reforma agraria. Era para él «un problema que la República venía obligada a tratar y resolver». El proyecto de reforma fue orientado a tres fines: primero, evitar el paro obrero en el campo; segundo, distribuir la tierra; tercero, racionalizar la economía agraria. Sus esforzados afanes apenas si quedaron en nada cuando perdió el cargo a los pocos meses, en septiembre de 1933. Los gobiernos de derechas se dedicaron a desandar el camino, debatiéndose en el caos de una reforma de la reforma agraria.

Para integrar el primer gobierno del Frente Popular, Azaña vuelve a llamar a Domingo. Aunque de aspecto apático, tenía convicciones republicanas y era un elemento seguro y eficaz. Azaña, que le conocía bien, con su agudeza para calar a la gente le retrata así en sus memorias: «No es que Domingo sea tonto; pero su mente es oratoria y periodística, sin agudeza ni profundidad; no es artista ni técnico: la plástica realista no le atosiga; es bondadoso y débil». Volvió a ocupar la cartera de Instrucción Pública y Bellas Artes. La mantuvo en los tres días que Barcia Trelles se hizo cargo del Gobierno en mayo y volvió a figurar en el mismo puesto en el que intentó Martínez Barrio el 19 de julio de 1936.

Diputado Radicalsocialista por Tarragona en las Constituyentes, no consiguió escaño en las elecciones de 1933. Al unirse al partido encabezado por Azaña, Izquierda Republicana, llegó al Congreso representando la misma circunscripción.

Murió en Tolosa en mayo de 1939.

(Ver foto en pág. 362.)

DUALDE GÓMEZ, Joaquín

Nacido el 15 de agosto de 1875, en Valencia. Se doctoró en Derecho en su propia ciudad y después se trasladó a Sevilla en cuya universidad había ganado la cátedra de Derecho Civil. En 1906 fue trasladado a la universidad de Barcelona, donde llegó a ser Decano del Ilustre Colegio de Abogados en tiempo de la Dictadura de Primo de Rivera.

Su actividad profesional se repartió entre su dedicación a la cátedra y sus publicaciones. Entre ellas: *Una revolución en la lógica del Derecho* y *Concepto en causas de los contrarios.* Fue colaborador de multiples revistas.

En 1923 llegó a las Cortes como diputado por Lérida. Del partido de Melquiades Álvarez, llegó a la categoría de ministro en diciembre de 1934, cuando ocupó la cartera de Instrucción Pública, con ocasión de la vacante producida por Villalobos. Era el cuarto gobierno de Lerroux. Al año siguiente volvió a figurar en un nuevo gobierno, el sexto de Lerroux, y con el mismo puesto ministerial, el de Instrucción Pública y Bellas Artes. Durante el desempeño de este cargo fue nombrado ponente del Proyecto de Reforma presentado por Lerroux. Fue también presidente de la Comisión Jurídica asesora de España.

Los años de guerra los pasó en zona republicana, escondido hasta el final. Murió en Barcelona en el año 1963.

(Ver foto en pág. 379.)

ESPLÁ RIZO, Carlos

Periodista alicantino. Fue colaborador de diversos diarios, entre ellos «La Vanguardia» de Barcelona, «El Pueblo» de Valencia, «El Liberal» y «El Heraldo de Madrid». Colaboró con Vicente Blasco Ibáñez como secretario suyo.

La Dictadura de Primo de Rivera le supuso el destierro por sus ideas republicanas. En París siguió dedicándose al periodismo, adquiriendo cierto renombre como comentarista de política internacional.

Con el triunfo de la República volvió a España y fue nombrado Gobernador Civil de Alicante. Más tarde lo sería de Barcelona.

Su vocación y su preparación periodística le sirvieron para ocupar el cargo de jefe de la Oficina de Prensa, en el Ministerio de Estado. Siendo Gobernador de Barcelona fue elegido diputado de las Cortes Constituyentes y hubo de dimitir del cargo por cuestión de incompatibilidad.

Ocupó el cargo de subsecretario de la Presidencia en el Gobierno Giral.

En noviembre de 1936 entró en el segundo Gobierno de Largo Caballero, desempeñando la cartera de Propaganda. Se exilió en 1939.

(Ver foto en pág. 407.)

ESTADELLA ARNO, José

Nació en Lérida en el año 1880. Estudió la carrera de Medicina y alcanzó el doctorado en 1915, en la Universidad de Madrid.

La Medicina española de principios de siglo produjo una serie de hombres ilustres además en el campo de la literatura. También es éste el caso de José Estadella. Cultivó su lengua vernácula y fue premiado en varios certámenes literarios catalanes. En los Juegos Florales de Barcelona de 1928 obtuvo el título de «Mestre en gay saber», que vino a acreditar su categoría.

Militó en política en el Partido Radical, desde las primeras actuaciones de Lerroux en Barcelona, iniciándose en cargos de su propia provincia. Fue diputado provincial por Balaguer, consejero de la Mancomunidad de Cataluña en la sección de Beneficencia y Sanidad y miembro del Senado.

Cuando se implantó la República obtuvo un acta de diputado en las Cortes Constituyentes por la circunscripción de Lérida. Se manifestó partidario del Estatuto Catalán. Fue Director General de Sanidad en el primer Gobierno de Lerroux.

Durante el bienio radical-cedista, participó en varios Gabinetes. En diciembre de 1933 entró a formar parte del segundo Gobierno presidido por Lerroux. Se le adjudicó la cartera de Trabajo y Previsión Social. Este mismo puesto siguió ocupando en el tercero que compuso su jefe político, y en el Gabinete Samper que le sustituyó a continuación.

Murió en Lérida, en 1951.

(Ver foto en pág. 373.)

FECED GRESA, Ramón

Nació el 4 de diciembre de 1894 en Teruel. Estudió la carrera de Derecho en la Universidad de Zaragoza. En 1920 ingresa por oposición en el Cuerpo de Registradores de la Propiedad y poco después en el Colegio Notarial de Valladolid.

Militó en política en el Partido Radical-socialista, siendo diputado en las Cortes Constituyentes. En el Parlamento presidió la Comisión de Arrendamientos rústicos y la de Agricultura. Siendo Director General de Industria, fue llamado por Lerroux cuando compuso su primer Gobierno, y entró en él como titular del Ministerio de Agricultura.

En 1934 se afilió al Partido Nacional Republicano, presidido por Sánchez-Román. Volvió a ser ministro de Agricultura en el Gabinete que cuajó Martínez Barrio la noche del 18 de julio de 1936.

En agosto de 1936 se refugia en Francia, regresando a España al terminar la guerra. En 1945 fue readmitido en los dos Cuerpos de Registradores y Notarios. Desempeñaba el Registro de Mataró, cuando el 10 de abril de 1959 le sorprendió la muerte.

(Ver foto en pág. 370.)

FRANCO LÓPEZ, Gabriel

Fue diputado por León en las Cortes Constituyentes de 1931, no tuvo representación en las del segundo bienio y volvió a serlo, también por León, en las del Frente Popular en febrero de 1936.

En febrero de 1932, estuvo presente en la Conferencia de Desarme en Ginebra, formando parte de la delegación española presidida por Giral.

Catedrático de Economía y Hacienda de la Universidad de Salamanca, perteneció al Partido de Izquierda Republicana y al encargarse Azaña de formar el primer Gobierno, después del triunfo frentepopulista, dio cabida en él a Gabriel Franco en el puesto de ministro de Hacienda.

Bien preparado en cuestiones de ese departamento, había sido consejero del Banco de España durante el período de las Constituyentes, representando a la República en la conferencia Económica Internacional que se celebró en Londres.

Su nombre ya había sonado como posible sucesor de Carner, cuando el político catalán hubo de abandonar la cartera por enfermedad.

Una vez que estalló la guerra permaneció algún tiempo en el país y, como diputado que era, asistió a algunas sesiones de las Cortes. Mas tarde huyó al extranjero. Desempeñó la cátedra de Hacienda Pública en la Universidad de Puerto Rico. Regresó a España en 1969. Falleció en Madrid en enero de 1972.

(Ver foto en pág. 396.)

FRANCHY ROCA, José

Político canario de larga tradición liberal y republicana. Fue fundador, con Suárez León y Adolfo Miranda, del Partido Republicano Federal, en Las Palmas. Abogado y periodista, fundó el «Tribuno» desde cuyas columnas llevó a cabo intensa propaganda federalista.

Al llegar la República consiguió un acta de diputado en las Cortes Constituyentes, como representante de Las Palmas. En agosto de aquel mismo año de 1931 era fiscal general de la República.

Orador de palabra reposada, llegó a ser ministro con Azaña, en el último Gobierno que presidió en el primer bienio, de junio a septiembre de 1933. Ocupó la cartera de Industria y Comercio.

(Ver foto en pág. 365.)

GALARZA GAGO, Ángel

Periodista. Diputado a Cortes por Zamora en las Constituyentes y en las del Frente Popular, en febrero de 1936. Miembro destacado del Partido Radical-Socialista, figuró como uno de sus representantes en el «Pacto de San Sebastián», junto con Marcelino Domingo y Álvaro de Albornoz. No obstante, a finales de 1933 se separaría de este partido para pasarse al campo socialista.

Con el nuevo régimen de 1931, llegó a ser Fiscal de la República y como tal se encargó de abrir los cuatro grandes procesos contra la Monarquía: el expediente Picasso; las responsabilidades de la Dictadura; la revisión del proceso en que fueron condenados los sublevados de Jaca y la acusación contra la persona del Rey.

Tras las quemas de conventos de mayo de 1931 sucedió a Carlos Blanco como Director General de Seguridad. Fue también subsecretario de Comunicaciones y miembro de la Comisión de Responsabilidades.

En la etapa del Frente Popular se distinguió desde su escaño como enconado adversario de las derechas y en especial contra Calvo Sotelo. En la sesión del primero de julio de 1936 le llegó a increpar de esta manera: «...la violencia puede ser legítima en algún momento. Pensando en Su Señoría encuentro justificado incluso el atentado que le prive de la vida».

El Alzamiento nacional le sorprendió en Zamora y desde allí pasó a Portugal para entrar en la zona gubernamental.

Fue ministro en los dos gobiernos que presidió Largo Caballero en los primeros meses de la guerra. En ambos gabinetes estuvo al frente del departamento de la Gobernación.

Al finalizar la guerra escapó a Méjico.

(Ver foto en pág. 404.)

GARCÍA OLIVER, Juan

Nacido en 1901, en Reus, los acontecimientos fundamentales de nuestra historia de los años 30 fueron vividos por García Oliver con la fuerza, la ilusión y la osadía que da la juventud.

Su vida es una dedicación completa a la revolución. Fanático anarquista, puso los ideales ácratas y libertarios como explicación de toda su vida y a ellos se entregó plenamente.

En el último cuarto del siglo XIX el movimiento anarquista cuajó en España definitivamente, adoptando las orientaciones de Bakunin. Cataluña y Andalucía fueron las regiones donde prendió con más fuerza.

Barcelona, la ciudad española que más experimentaba entonces los problemas derivados de la industrialización, fue la capital del anarquismo. Las graves tensiones laborales fueron derivando en el uso de los métodos mas violentos. En este ambiente va a hacerse la figura de García Oliver.

A principios de los años 30 es ya uno de los principales dirigentes, junto a Federica Montseny, Durruti y Ascaso. Sus objetivos unas veces parecen ingenuos y otras son terriblemente prácticos, pero siempre se tiende a conseguirlos por el terror y la violencia. García Oliver fue un acérrimo defensor de la acción directa como único medio eficaz. La ejemplificó y la defendió de palabra y obra, en el mitin y en el artículo periodístico en el órgano del movimiento «Solidaridad obrera». Fue, sin duda, el verdadero soporte del anarquismo español hasta el final de la guerra.

El terrorista militante, el ácrata idealista y fanático va a ser también un político hábil y eficaz cuando se le presente la ocasión, en plena guerra.

Desde el mismo momento del Alzamiento su figura se agigantó por el hecho de haber sido el principal protagonista en el aplastamiento. Barcelona quedó para la República y García Oliver se convirtió en el dueño de la situación. Desde el Comité de Milicias Antifascistas se hizo con la dirección de toda Cataluña, asumiendo el control del gobierno de la Generalidad, aunque Companys continuase a su frente. Él orientó las actividades militares y las revolucionarias.

La línea pragmática, de colaboracionismo político, que el anarquismo venía desarrollando desde los comienzos del Frente Popular es la que se remata ahora con la presencia de García Oliver al frente de una cartera ministerial. Fue Ministro de Justicia en el segundo gobierno de Largo Caballero. Algo insólito. En su actuación se reflejará su doble faceta de fanatismo violento e idealismo romántico, de siervo de la libertad. Fue capaz de destruir el registro de penados y rebeldes y en contraste de conseguir un mayor respeto de las vidas y libertades de los presos políticos. En última instancia, para él la justicia no eran leyes ni tribunales, sino cuestión de tener corazón.

Como miembro del Consejo de Guerra de Largo Caballero, realizó una labor más eficaz. Era una actividad que le iba mejor. Fue alma de las escuelas de guerra para los oficiales del Ejército Popular. Tanto le absorbió la tarea, que el ministerio quedó prácticamente en manos de Sánchez Roca.

En los graves sucesos de mayo del 37 en Cataluña, intentó ser conciliador entre los suyos y los comunistas. Esta postura significó el final de su influencia en el movimiento anarquista.

Al acabar la guerra se refugió en Guadalajara (Méjico).

(Ver foto en pág. 408.)

GIL ROBLES y QUIÑONES, José María

Nació en Salamanca el 22 de noviembre de 1898, en el seno de una familia de larga tradición conservadora. Su padre, catedrático de la universidad, había sido diputado carlista. Su primera juventud la vivió en el ambiente provinciano conservador de su ciudad natal, mientras estudiaba el bachillerato con los salesianos y luego se licenciaba en Derecho. Se doctoró más tarde en Madrid y consiguió, en 1927, la cátedra de Derecho Político de la Laguna. Pidió la excedencia y entró como redactor en «El Debate».

Sus primeros pasos en la política los dio con Ossorio y Gallardo, en las actividades del naciente Partido Social Popular. Colaboró con Calvo Sotelo durante la dictadura, pero más bien en plan profesional, sin identificarse con el sistema.

Al llegar la República fue elegido diputado por Salamanca para las Cortes Constituyentes. Desde este momento su figura se convierte en pieza fundamental en la marcha del nuevo régimen. Afiliado al partido de Acción Nacional, llegó a su presidencia en octubre de 1931, después de que dimitiera Ángel Herrera Oria, que había sido su inspirador. Gil Robles, desde El Debate y en sus actuaciones públicas había mostrado su capacidad de trabajo y de mando, a más de su preparación profesional y sus dotes de organización.

El nuevo partido luchaba más que por una concreta postura política por las esencias de la tradición cristiana y española: religión, patria, orden, familia y propiedad. Lema tan amplio fue capaz de atraer a un gran sector del país, prácticamente a todas las derechas.

Años después, en 1933, visto ya el cariz que tomaba el nuevo régimen, estas fuerzas van a organizarse en una coalición más eficaz, y con el fin más concreto de una ofensiva política, que los llevará al poder. En mayo de 1933 había nacido la CONFEDERACIÓN ESPAÑOLA DE DERECHAS AUTÓNOMAS, de la conjunción de intereses y objetivos de Acción Popular y de la Derecha Regional Valenciana de Luis Lucia.

El nuevo partido galvanizó a la opinión derechista, que se mostró irresistible en las siguientes elecciones de noviembre del mismo año. La victoria fue suya. Se cerró el bienio azañista y se entró en una nueva etapa de intento de cuajar una república conservadora y derechista.

Gil Robles alcanzó mayoría en el parlamento, por lo que fue el verdadero árbitro de la situación. Sin embargo, adoptó la táctica cautelosa de no copar inmediatamente el gobierno, aunque el apoyo de su partido fuese, por mayoritario, imprescindible para poder gobernar. En octubre de 1934 entraron ya tres cedistas en el gobierno que presidió Lerroux. Por fin, tras la revolución de Asturias, en el sexto Gobierno Lerroux, Gil-Robles entró personalmente a ocupar el Ministerio de la Guerra. En él permanecería con el subsiguiente gabinete, el de Chapaprieta, y a continuación con el segundo que presidió este mismo político.

Con el triunfo del Frente Popular pasó a la oposición, siendo uno de sus miembros más activos. En la reunión de la Diputación Permanente de las Cortes, en la mañana del 15 de julio de 1936, hizo una amplia exposición del estado caótico en que se encontraba España, tras el asesinato de Calvo Sotelo, suscitando vivo debate entre los grupos políticos frentepopulistas. El Alzamiento le sorprendió en Biarritz.

En plena guerra se vio atacado por ambas extremas, una por su significación política, que se tenía por sinónima de fascismo, y la otra cuando declaró que su línea política había estado siempre en «abierta discrepancia doctrinal con el fascismo».

Fijó su residencia en Lisboa una vez terminada la guerra y no regresó a España hasta 1952.

Dedicado a sus actividades profesionales, ha escrito, últimamente, su versión de los acontecimientos políticos en los que fue capital protagonista en una obra titulada «No fue posible la paz».

(Ver foto en pág. 384.)

GIMÉNEZ FERNÁNDEZ, Manuel

Nació en Sevilla en 1896. Abogado y licenciado en Filosofía y Letras con premio extraordinario en ambas licenciaturas.

Buen católico, hombre liberal, estuvo muy interesado en toda la problemática social de su tiempo. Durante la Dictadura de Primo de Rivera fue teniente de alcalde y Delegado de Arbitrios en el Ayuntamiento sevillano.

Afiliado a Acción Popular, fue elegido vocal del Tribunal de Garantías Constitucionales en representación de las Facultades de Derecho y dos meses más tarde, en noviembre de 1933, logró un acta de diputado por la circunscripción de Badajoz.

Entró en el ministerio de Agricultura, como titular, en el cuarto Gobierno de Lerroux, a finales de 1934. Tiempos difíciles en que las posturas se extremaban, sus planes de reforma agraria no tuvieron éxito, a pesar de que resultaron en exceso atrevidos para el ala derechista de su propio partido.

Con la CEDA, fue diputado en las Cortes de 1936, por Segovia.

Murió en su ciudad natal en 1968.

(Ver foto en pág. 378.)

GINER DE LOS RÍOS Y GARCÍA, Bernardo

Arquitecto. Nació en 1888. De espíritu liberal, de acuerdo con su ilustre apellido, fue un militante del republicanismo español. Perteneció a la Agrupación al Servicio de la República, siendo elegido diputado por Málaga en las Cortes Constituyentes. Más tarde pasó al Partido de Unión Republicana, consiguiendo un escaño en las Ordinarias de 1936 por la provincia de Jaén.

En representación de su partido, firmó el Manifiesto del Frente Popular.

Fue ministro en varias y muy distintas ocasiones, lo que demuestra su espíritu mediador, de tono moderado. Por primera vez lo fue con Casares Quiroga, en el Gabinete que sufrió la sublevación del 18 de julio. Tuvo en aquella ocasión la cartera de Comunicaciones. Martínez Barrio, en el gobierno meteórico que forjó y cayó en el mismo 19 de julio, le incluyó como ministro de Trabajo.

Vivió la totalidad de la guerra como ministro. El 18 de julio, entró en el Gabinete que presidió Giral, de nuevo con la cartera de Comunicaciones, la cual fue suya hasta el final de la contienda. Fue ministro en los dos Gobiernos de Largo Caballero y continuó siéndolo en los de Negrín sin ser afectado por el violento trasfondo de las luchas entre socialistas y comunistas para hacerse cargo de la dirección del movimiento revolucionario.

Al final, huyó de España y se refugió en Méjico. Apartado de la política, actuó como secretario técnico en empresas dedicadas a construcciones.

Murió en aquella capital americana en septiembre de 1970.

(Ver foto en pág. 399.)

GIRAL PEREIRA, José

Nació en Santiago de Cuba en 1879. Hizo el bachillerato en Madrid, en el Instituto Cardenal Cisneros. Cursó la carrera de Farmacia y la de Ciencias Físico Químicas. En 1905, alcanzó la cátedra de Química Orgánica de la Facultad de Ciencias de Salamanca. Después pasaría a la cátedra de Madrid, para suceder a su maestro Rodríguez Carracedo, del que fue también continuador en los trabajos de la Escuela de Bioquímica.

Su labor científica fue muy importante. Fue pensionado por el gobierno para ampliar estudios e imponerse en los métodos de enseñanza de la química y las prácticas de laboratorio. Perteneció a la Sección de Oceanografía Física de la Unión Internacional de Geodesia y Geofísica.

Su vocación política se manifestó paralelamente a la científica. En sus años estudiantiles participó en los movimientos progresistas de renovación universitaria. Durante la Dictadura fue varias veces encarcelado, una de ellas con motivo de los sucesos revolucionarios de 1917. Con la República habría de llegar su hora, pero aún pasaría por la cárcel Modelo durante el gobierno del general Berenguer.

Militó en las líneas republicanas, en el partido de Azaña. Fue alto grado de la masonería. El nuevo régimen le nombró gobernador civil de Barcelona, aunque no llegó a ocupar el cargo, y rector de la Universidad de Madrid.

Azaña le encargó de la cartera de Marina en el gobierno provisional, y le mantiene en ella después, hasta su caída en junio de 1933.

Al volver Azaña al poder con el Frente Popular, Giral vuelve a entrar en el gobierno, de nuevo en el Ministerio de Marina. Cuando Azaña pasó a la Presidencia de la República, continuó en el mismo puesto en el gobierno que presidió Casares Quiroga y que llegó hasta el momento del Alzamiento de julio. Martínez Barrio pensó conservarlo en el intento conciliador que fraguó al día siguiente. Precisamente tras su fracaso fue cuando Azaña le designó a él mismo para formar gobierno. Giral presidió un gabinete que apenas contó el mes de vida.

Sin embargo, fueron días decisivos. Entre otras cosas, él decidió la entrega de armas al pueblo, cosa a la que no había accedido Casares Quiroga.
En plena guerra, en los gobiernos de Largo Caballero fue ministro sin cartera, y lo volvió a ser con Negrín de abril a agosto de 1938, fecha en que salió para dar paso a José Moix. Antes, sin embargo, en el primer gobierno Negrín, había ocupado el ministerio de Estado.
Acabada la guerra huyó a París, en donde ostentó la jefatura del gobierno republicano en el exilio. Marchó después a Méjico y allí murió a la edad de 82 años.
(Ver foto en pág. 363.)

GÓMEZ PARATCHA, Laureano
Nació en Villagarcía de Arosa (Pontevedra). Doctor en Medicina, militó en política en las filas de la O.R.G.A., como fiel seguidor de Casares Quiroga. Fue diputado en las Constituyentes por Pontevedra. Al constituirse la Cámara ocupó el cargo de vicepresidente de la Mesa de las Cortes y por acuerdo del grupo gallego asumió la jefatura de la minoría en el Parlamento.
Llegó a ser ministro en el primero de los Gabinetes que presidió Lerroux, en el segundo bienio republicano. Tuvo a su cargo el ministerio de Industria y Comercio.
(Ver foto en pág. 368.)

GÓMEZ SÁIZ, Paulino
Perteneciente al Partido Socialista. Aunque no había sido en ninguna ocasión diputado, llegaría a ser ministro en plena guerra.
Cuando se constituyó la Junta de Defensa de Vizcaya, en agosto de 1936, fue miembro ejecutivo de la misma, en representación de su partido.
Persiguió implacablemente a las derechas en la capital de Vizcaya, siendo jefe superior de policía en aquella región. Cuando se rompió el frente del Norte pasaría a desempeñar el mismo cargo en Barcelona.
Fue Director General de Seguridad hasta abril de 1938 en que el doctor Negrín formó su segundo Gabinete, último de la República y también último de la guerra. La mayoría de los ministros eran socialistas y entre ellos estaba Gómez Sáiz, que ocupó la cartera de Gobernación.
En los últimos días de la guerra, cuando ya el coronel Casado preparaba su enfrentamiento con el Gobierno Negrín, Gómez Sáiz siguió fiel a la República después de intentar inútilmente convencer a la Junta Nacional de Defensa de que desistiera de su actitud de rebeldía. Al no conseguirlo marchó a Valencia y desde la capital levantina buscó refugio en Francia.
Estuvo presente en la mayoría de los actos que se pronunciaban contra el régimen del Generalísimo Franco en los años cuarenta, acompañado de Indalecio Prieto.
(Ver foto en pág. 412.)

GONZÁLEZ PEÑA, Ramón
Nació en Las Regueras, un concejo de Oviedo. Minero de profesión y luego facultativo, había vivido en su propio cuerpo los sacrificios y las miserias del trabajo en la mina.
Su actuación política comenzó en este ambiente laboral de su Asturias en fecha muy temprana. Con dos hermanos suyos se destacó en su labor reivindicadora, constituyéndose en uno de los principales líderes del proletariado minero asturiano. Concejal por el distrito de Ablaña, donde residía, llegó también a ser secretario del Sindicato Minero desde donde desarrolló una fundamental obra de organización socialista.
La Federación Nacional de Mineros le encarga viajar por las cuencas de otras provincias con el fin de hacer proselitismo y despertar una conciencia nacional de clase oprimida y solidaria en sus reivindicaciones. Viajó por las zonas mineras de Sierra Morena, llegando a ser tan popular como en su propia tierra. Tal es así que al llegar la República fue elegido diputado a las Constituyentes por un distrito andaluz, no asturiano, Huelva, circunscripción a la que representaría en las tres legislaturas.
Desde este momento empieza su más importante momento político. En 1933, ya en Asturias, consigue el acta de diputado a Cortes, a pesar de la avalancha triunfante de las derechas. Fue una de las figuras principales de la oposición socialista. Su momento cumbre lo constituyó la revolución de octubre de 1934. Presidió el Comité que organizó la sublevación minera y fue uno de los más altos responsables. Fracasada la revolución, González Peña no fue capturado hasta diciembre, escondido en Ablaña. El juicio se celebró en Oviedo, en el cuartel Pelayo, y González Peña resultó condenado a muerte. Sin embargo, en la grave división interna en que cayó el Gobierno en torno a la ejecución de las penas o los indultos, el líder asturiano se vio favorecido tras un informe del mismo Tribunal Supremo y la buena predisposición del jefe del Gobierno. El gran responsable salía indultado y pasaba a cumplir condena a Burgos. El asunto produjo la dimisión de los ministros cedistas y una nueva crisis que volvería a ser resuelta por los inagotables recursos de Lerroux.
El encierro no fue muy largo. El grito de amnistía que había servido de nexo entre el izquierdismo se hizo realidad al triunfar el Frente Popular. Como otros muchos, González Peña salió de la prisión para volver a reanudar sus actividades. Volvía ahora con la aureola del héroe y en una buena ocasión, cuando el socialismo se debatía entre el moderantismo de Prieto y el extremismo filorevolucionario de Largo Caballero. A González Peña no le fue difícil medrar hasta encaramarse a la máxima altura.
Al llegar la guerra figuró en un plano discreto hasta que en abril de 1938 Negrín contó con él para la cartera de Justicia. La derrota le llevó al exilio, y en Méjico murió en agosto de 1952, a los sesenta y cuatro años.
(Ver foto en pág. 412.)

GORDÓN ORDÁS, Félix
Nació en León en junio de 1885. Hizo la carrera de Veterinaria. Huido de su hogar, vagó libremente hasta enrolarse en una compañía de cómicos. Después, más seriamente, fue profesor auxiliar en la Escuela de Veterinaria de León. Ingresa por oposición en el Cuerpo Técnico Nacional de Inspectores de Higiene y Sanidad Pecuarias, con el número Uno, y quedó nombrado Inspector provincial de Madrid, cargo que desempeñó hasta finales de la Dictadura de Primo de Rivera, en que fue desposeído y trasladado a la Aduana de Puente Barja, pueblecito de 13 vecinos en la frontera hispano portuguesa. Al llegar la República se le confirió el cargo de Inspector General Jefe del Cuerpo con funciones de Presidente del Consejo Superior Pecuario.
Su interés por la política parece que fue muy temprano pues, aun muy niño, intervino en algunos actos conmemorativos de la Primera República.
Encarnación prototípica del republicanismo español, se afilió al Partido radical que luego dejó para militar en el Radical Socialista. Fue diputado en las tres legislaturas por León. Desde las Cortes defendió con tesón los intereses de los veterinarios españoles para los que en una ocasión llegó a solicitar el título de «ingenieros agropecuarios».
Su anticlericalismo le era consustancial. Se distinguió en sus debates sobre el tema en las Cortes y en especial con motivo

de los haberes del clero. Se había negado a bautizar a sus hijos, a los que denominó muy originalmente.
A finales de 1933 llegó, con Martínez Barrio, al ministerio de Industria y Comercio.
Al crearse el Partido de Unión Republicana, por fusión del Partido Radical Demócrata y de una rama del Partido Radical Socialista, fue elegido Secretario General y después ocupó el cargo de Presidente.
En abril de 1936 se le confirió el cargo de Embajador de España en Méjico y en 1938 se le adjudicó también la embajada de Cuba, cargos que siguió desempeñando hasta el final de la guerra.
En el exilio ocupó los cargos de embajador de Guatemala y Panamá en el Gobierno que Giral compuso en Méjico. Desempeñó varias carteras y la de Presidente del Consejo de Ministros con residencia en París, durante nueve años. En 1960 se retiró de la política activa. Falleció en Méjico en enero de 1973.
Ha escrito y publicado numerosos libros, siendo los principales «Mi política en España», editado por el autor en Méjico, tres tomos, y «Mi política fuera de España», cuatro tomos.
(Ver foto en pág. 372.)

GRACIA VILLARRUBIA, Anastasio de
Nació en Toledo y desde muy joven trabajó en el ramo de la construcción como obrero, destacándose por su actuación propagandística en la organización sindical de la Unión General de Trabajadores, y en el Partido Socialista Obrero, en donde desde su ingreso desempeñó cargos directivos.
Orador de fácil palabra, tomó parte en múltiples mítines, tanto en la capital de España como en provincias, habiendo sido en algunas ocasiones perseguido por la dureza empleada en sus discursos.
En enero de 1932, fue designado delegado del Gobierno en el Canal de Lozoya.
Fue diputado por Toledo en las Cortes Constituyentes y sucesivamente por Madrid, capital, en el año 1933, y por Granada en las elecciones que dieron el triunfo al Frente Popular.
Formó parte de la Comisión organizadora de la revolución de Asturias, en octubre de 1934, junto con Largo Caballero y Enrique de Francisco, no pudiendo entrar en Oviedo, para donde salía en ferrocarril, por haber sido detenido por la policía en la estación de Ávila. Pero amparándose en su condición de diputado fue puesto en libertad a su llegada a Madrid.
Cuando Largo Caballero se hizo cargo del Gobierno, en septiembre de 1936, le incluyó en el equipo gubernamental, en el que ostentó el ministerio de Industria y Comercio. Más tarde y en el segundo Gabinete que presidió el dirigente socialista en noviembre del mismo año, se le adjudicó la cartera de Trabajo y Previsión.
Al acabar la guerra huyó de España fijando su residencia en Méjico, donde perteneció a los comités directivos que allí se formaron para ayuda a los exiliados.
Murió en el exilio hace unos años.
(Ver foto en pág. 405.)

GUERRA DEL RÍO, Rafael
Nació en Las Palmas en 1885. Político terriblemente batallador, sus primeros estudios los hizo en su ciudad natal y luego en Cádiz. Para seguir estudios superiores hubo de trasladarse a Madrid. Eligió la Escuela de Ingenieros de Caminos, pero la dureza de los estudios y su ya fuerte afición política le hicieron fracasar, con lo que abandonó el intento y optó por dedicarse más de lleno a las actividades políticas.
Regresó a Las Palmas y allí, junto a los fundadores del Partido Republicano Federal, Franchy Roca y Adolfo Miranda, comenzó su verdadera carrera política. Al tiempo comenzaron sus primeros procesos y encarcelamientos.
Su padre había sido magistrado y él, al final, acabó cursando la carrera de Derecho. Para ello se trasladó a Barcelona. En la capital catalana encontró el ambiente más propicio a su fogosidad política. Se unió a los hombres más significados y combativos del entonces joven Partido Radical y fundó el periódico revolucionario «La Rebeldía», en el que colaboraron todos ellos dándole una terrible virulencia política, lo cual se tradujo en persecuciones y encierros.
Es sabido que los acontecimientos de 1909 fueron realmente graves y muy sintomáticos del estado político y social del país. La responsabilidad de la llamada Semana Trágica se ha de achacar a los elementos anarquistas y con ellos a los radicales que con sus campañas demagógicas hicieron posible el estallido. De resultas de ella varios elementos radicales fueron presos y, por supuesto, Guerra del Río. Permaneció en la cárcel hasta que el nuevo gobierno de Moret concedió la amnistía.
Su actividad política continuó sin pausa. En 1916 fue elegido diputado provincial por Barcelona; estuvo en las filas de Prat de la Riba en los movimientos catalanistas; siguió a Lerroux en sus campañas revolucionarias; participó en los acontecimientos previos a la caída de Romanones. Varias veces dio en la cárcel en Barcelona, en el castillo de Montjuich, hasta que fue desterrado de Cataluña y entonces volvió a su tierra. Allí consiguió nueva acta de diputado por Gran Canaria.
En abril del 31 aún estaba en las Palmas. Fue el primero que proclamó la República en nombre del comité revolucionario. Fue diputado en las constituyentes y se mantuvo luego en las cortes de noviembre de 1933, y en las de 1936 dentro de la minoría republicana radical.
Había sido ya ministro meses antes en el primer gabinete que presidió Lerroux, ocupando el ministerio de Obras Públicas. Esta misma cartera se le adjudicaría en otros sucesivos gobiernos: en el muy breve de Martínez Barrio, a finales del 33; en el segundo y en el tercero de Lerroux, con Samper y por fin en el quinto de Lerroux.
El Alzamiento le sorprendió en Madrid. Pudo escapar a Francia gracias a la ayuda de Prieto. Después de la guerra, volvió a España. Murió en 1955.
(Ver foto en pág. 367.)

HERNÁNDEZ SARAVIA, Juan
Nació en 1880. Ingresó en el Arma de Artillería a los 18 años. Republicano convencido, fue fiel siempre al sistema y colaboró entusiásticamente cuando se impuso en 1931. Era entonces comandante y Azaña le nombró su ayudante cuando ocupó el Ministerio de la Guerra. En 1933 asciende a teniente coronel. Siempre le distinguió el líder republicano y cuando llegó a Presidente de la República le tuvo a su lado en los asuntos más directos, como secretario particular. Su probado republicanismo y su competencia militar le hicieron merecedor de ello.
No colaboró en el bienio derechista e incluso pidió el retiro voluntario. Con el triunfo del Frente Popular y la vuelta de Azaña a la dirección de la política, recobró los ánimos y se incorporó al servicio activo, y con tanta euforia que fue de los que capitaneó a las masas para presionar a Portela a resignar el gobierno rápidamente. Estaba, pues, en la primera línea del republicanismo. Por eso cuando estalló el Alzamiento militar, con el grado de coronel, fue designado subsecretario del Ministerio de la Guerra, del que era titular el general Castelló. Este general, a los pocos días, perdió la razón por efecto de las atrocidades que sufrió su familia, y hubo de ser

internado. Entonces es cuando Hernández Saravia pasó a ser ministro de la Guerra. Era el 6 de agosto de 1936, siendo José Giral presidente del Gobierno.
Por su nuevo puesto, cayeron sobre él las más graves responsabilidades del momento, las de tener que organizar rápidamente un ejército desmantelado, unas milicias desentrenadas e indisciplinadas y al tiempo lanzarlas con toda rapidez a contener el avance nacionalista. Tuvo que dirigir operaciones, improvisar servicios, con una rapidez agobiadora, lo cual le agotó de tal manera que tuvo que ser sustituido sin remedio. Se encargó de la cartera el mismo Largo Caballero, en el Gobierno que formó en septiembre de 1936.
Su labor puramente militar volvió a ser decisiva, ya en plena guerra, para la organización y efectividad del ejército republicano. En Teruel tomó parte importante, alcanzando el generalato al ser tomada esta plaza. Más tarde, en el Ebro, fue también protagonista capital junto con el general Vicente Rojo, responsable supremo. En el Ebro se jugó la suerte final de la contienda. La ofensiva de Cataluña fue incontenible. Hernández Saravia sólo disponía de unos miles de fusiles para resistir y todo fue inútil. Entonces, vencedores los nacionales, huyó al extranjero y fijó su residencia en Méjico.
(Ver foto en pág. 402.)

HERNANDEZ TOMAS, Jesús

Su historial revolucionario será, probablemente, uno de los más repletos de su época. Es casi tan antiguo como su propia vida y de una intensidad asombrosa. Es un auténtico caso de precocidad revolucionaria.
Nació en 1907. Perteneció a las organizaciones infantiles socialistas desde muy niño, y a los 14 años llegó a secretario del Sindicato de Construcción de carruajes de Bilbao. Inmediatamente se pasa más a la izquierda, al comunismo, y se encuentra entre los fundadores del partido en la capital de Vizcaya.
Desde entonces participa de lleno en todas las actividades terroristas: tiroteos, atracos, huelgas y mítines son sus ocupaciones diarias. En esta carrera revolucionaria se señala, como episodio especialmente llamativo, el intento de asesinar a Prieto y de volar su periódico El Liberal, de Bilbao. Era en agosto de 1923. Aun era menor de edad. Entre incidente e incidente, Hernández llega a ser miembro del Comité Central de las Juventudes Comunistas, en 1927. Sigue en la brecha terrorista y sufre varios encarcelamientos hasta que recobra la libertad, en tiempos del gobierno Berenguer.
En 1930 es nombrado miembro del Comité Central del Partido Comunista. Con esta categoría y con motivo de haberse mezclado en graves asuntos políticos, consigue salir del país y se marcha a la URSS. Hasta 1932 permanece en Moscú adiestrándose en las tácticas comunistas. Regresa a España bien pertrechado, y como miembro del Buró Político del P.C.E. Entonces pasa a dirigir e inspirar directamente el periódico Mundo Obrero, portavoz del partido.
Hasta 1936 el PCE no tiene una actividad demasiado notoria. Son los años de organización para el asalto al poder. Con el Frente Popular consigue llegar a diputado y después a ministro de Instrucción Pública y Bellas Artes en los dos gobiernos de Largo Caballero. Intervino en el complot comunista para derrocar al líder del socialismo revolucionario. Él pronunció en Valencia el discurso más virulento y el más decisivo alegato contra Largo Caballero, causa directa de su caída.
Sube al poder Negrín, como el personaje más adecuado para la transición, y Hernández continúa con la cartera de Instrucción Pública, hasta abril del 38 en que aquél forma nuevo gobierno. Entonces se refugió en las actividades militares que los comunistas tenían bien controladas y se convirtió en Comisario de Guerra de la zona centro-sur.
Al acabar la guerra marchó a Orán. Al final se refugió en Moscú. Se le envía a Méjico para organizar a los comunistas refugiados en Hispanoamérica. Cuando, muerto José Díaz, Dolores Ibarruri ocupa la Secretaría General del Partido, se siente tan menospreciado, que sus manejos y protestas le van a llevar, primero a la expulsión del partido y luego a fundar en Belgrado un P.C.E. independiente de Moscú.
En 1946 publicó su obra «Negro y Rojo», y en 1953 «Yo fui ministro de Stalin», interesantes justificaciones de su actuación y alegatos implacables contra socialistas y anarquistas y contra los comunistas vendidos incondicionalmente a Moscú.
(Ver foto en pág. 405.)

HIDALGO DURÁN, Diego

Nació en Los Santos de Maimona, en la provincia de Badajoz, el día 13 de febrero de 1886.
Después de hacer el bachillerato con los jesuitas, pasó a estudiar Derecho en la Universidad de Madrid y más tarde a la de Zaragoza en donde obtiene el Premio Extraordinario de la Licenciatura.
En 1909 ingresa por oposición en el Cuerpo de Notarios, desempeñando sucesivamente las notarías de Moraleja del Vino y de Corrales, en la provincia de Zamora. En 1918, obtiene la excedencia voluntaria y se consagra a trabajos particulares como abogado hasta que en 1922 es nombrado Notario de Pozuelo del Rey, del Colegio Notarial de Madrid.
Afiliado al Partido Radical, fue diputado por Badajoz en las Cortes Constituyentes y luego en las de 1933. En 1931, es nombrado miembro del Tribunal Internacional de Arbitraje de La Haya.
Fue ministro en varios Gobiernos, durante el año 34. Entró en el segundo Gabinete Lerroux, en enero de este año, para sustituir a Martínez Barrio que había dimitido la cartera de Guerra. Al frente de este mismo ministerio continuó en el tercero de Lerroux y más tarde en el cuarto, después de haber permanecido en el intermedio que fue el Gobierno presidido por Samper.
La única vacante de general de división que se produjo durante su permanencia en el Ministerio de la Guerra fue para el general Franco que, en virtud de un decreto dado durante el bienio azañista, en enero de 1933, pasó a la «cola» en el escalafón de generales de brigada. Al estallar la revolución de octubre Diego Hidalgo mantuvo a su lado al general como asesor militar; fue quien decidió el envío de La Legión y Regulares para pacificar la zona sublevada.
El 18 de julio del 36 le sorprendió en Valencia y pudo llegar a Francia disfrazado de marinero, en un buque de guerra de la Armada Argentina.
Al terminar la contienda regresó a España. En 1955 fue nombrado Notario de Madrid.
Murió en enero de 1961.
Sobre sus actuaciones públicas escribió sendos libros: uno en 1929, «Un notario español en Rusia», y otro en 1934, «Por qué fui lanzado del ministerio de la Guerra. Diez meses de actuación ministerial».
(Ver foto en pág. 374.)

IRANZO ENGUITA, Vicente

Nació en Cella (Teruel) el año 1889.
Desde muy joven dedicó sus actividades a la Medicina y a la política. Era también doctor en Derecho, y en Teruel fue presidente del Colegio de Médicos de la capital. Estuvo afiliado al partido «Al servicio de la República» que inspiraron Ortega y Gasset, Marañón y Pérez de Ayala. Cuando fue disuelto figuró en las Cortes como Independiente de Centro,

significándose en sus discursos como elemento moderado frente a los extremismos socialistas.
Fue diputado hasta el advenimiento del Frente Popular, en las Constituyentes y en las Cortes de 1933. Participó como ministro de Marina en el primer Gobierno de Lerroux. En octubre de 1933, caído Lerroux, entró en el nuevo que formó Martínez Barrio. Tuvo en él la cartera de Guerra. Por última vez ocupó un puesto en el banco azul al año siguiente, cuando Samper, a instancias de Alcalá Zamora, contó con Iranzo para el Ministerio de Industria y Comercio.
(Ver foto en pág. 368.)

IRUJO Y OLLO, Manuel
Nombre importante en la historia del nacionalismo vasco. Fue diputado a Cortes por Guipúzcoa en 1933 y 1936, y trabajó mucho en las tareas en pro del estatuto autonómico.
Irujo logró ser ministro ya como representante de los nacionalistas vascos en el Gobierno Central. Por primera vez lo fue con Largo Caballero en septiembre de 1936. En este y en su segundo Gobierno figuró como ministro sin cartera. Siguió en el equipo gubernamental que, a continuación, compuso Negrín, al frente del ministerio de Justicia. Montó entonces el dispositivo necesario para reorganizar los tribunales populares, decretando la restauración de la toga y el birrete, asegurándose de que los presidentes de los tribunales populares fueran jueces de carrera. Antes de la crisis, que sucedió en abril de 1938, ya había sido sustituido por Mariano Ansó. El mismo día fue nombrado ministro sin cartera.
En el segundo gobierno de Negrín volvió a figurar con el mismo cargo ministerial hasta que dimitió a la vez que los autonomistas catalanes, enemistados con Negrín.
Hombre moderado, trató de suavizar los métodos criminales usados en las «checas» y pretendió al mismo tiempo restablecer la libertad de cultos, en plena guerra, siendo duramente atacado por la prensa extremista.
En las Cortes celebradas en el monasterio de San Cugat del Vallés, Manuel Irujo se mostró partidario de la formación de un gobierno capaz de entablar diálogo con el enemigo.
Huyó al extranjero antes de acabar la guerra. A principios de 1939 formaba parte de la Comisión de pueblos ibéricos en el exilio. Participó en agosto de 1945 en un Gobierno encabezado por Giral en Méjico.
(Ver foto en pág. 406.)

JALÓN ARAGÓN, César
Nació en Nalda (Logroño), el 27 de septiembre de 1889.
Funcionario de Correos y periodista, se distinguió como crítico taurino y como informador del Congreso para «El Liberal», por el que trabó íntima amistad con Lerroux.
Fue secretario general en la Directiva de la Asociación de la Prensa de Madrid.
Sin haber sido diputado en ninguna Legislatura, Jalón llegaría a figurar en las más altas esferas políticas. Fue Subsecretario de Comunicaciones en el Gobierno que el jefe radical confeccionó en otoño de 1933, siendo Cid titular del departamento.
Al pasar éste, en octubre del 34, a Obras Públicas, se le confiere a Jalón la cartera de Comunicaciones. Continúa al frente de ella en el siguiente Gabinete Lerroux. Llevó a las Cortes y obtuvo de ellas la derogación de unas leyes aprobadas por las Constituyentes: las «leyes de Bases» de Correos y Telégrafos, de concepción marxista, que no le dejaban gobernar su ministerio.
Se encontraba veraneando en Fuenterrabía cuando se inició, en julio del 36, el Alzamiento nacional, siendo detenido y encarcelado en la prisión de Ondarreta con Víctor Pradera, Honorio Maura, Leopoldo Matos, Beunza y otros prohombres de derecha, corriendo mejor suerte que éstos al ser trasladado a Bilbao, con lo que salvó la vida cuando fue tomada la ciudad del Nervión por las tropas de Franco.
Al terminar la contienda colaboró en el diario «Informaciones», prosiguiendo sus tareas taurinas con el pseudónimo de «Clarito».
(Ver foto en pág. 380.)

JUST GIMENO, Julio
Ingeniero nacido en Valencia. Fue diputado a Cortes por su ciudad natal en 1931 y en 1933, encuadrado en el Partido Radical. Más tarde pasó a formar parte del grupo de Izquierda Republicana, consiguiendo un escaño en las Cortes frentepopulistas.
En 1936, fue elegido miembro del Consejo Superior Interministerial de Guerra.
Ocupó el ministerio de Obras Públicas en los dos gobiernos que presidió Largo Caballero, desde septiembre de 1936, a la caída de Giral, hasta mayo de 1937 en que subió Negrín.
Al terminar la guerra huyó a Francia y luego a Hispanoamérica. Formó parte en varios gobiernos que constituyeron los republicanos en el exilio con más pena que gloria. A la caída de Negrín, en agosto de 1941, Giral compone un Gobierno en el que incluye a Julio Just como ministro del Interior, llegando a ser Presidente interino del Gobierno. En 1947 desempeña la misma cartera en el Gabinete que formó Rodolfo Llopis en el «Ideal Hotel» de París y por último Álvaro de Albornoz le reclama para continuar llevando la cartera del Interior.
Colaboró en el periódico de Toulouse «España Libre».
(Ver foto en pág. 405.)

LARA ZÁRATE, Antonio de
Nació en Santa Cruz de Tenerife. Abogado de gran fama, tuvo intervención en la política muy tempranamente. En 1912 figuró como secretario del Cabildo de Tenerife creado entonces por la ley llamada de Canalejas.
Con la República se trasladó a Madrid al ser elegido diputado a Cortes. Figuró en ellas en el Partido Radical, del cual era primera figura en su tierra canaria desde siempre. En 1933 volvió a ocupar un escaño en el Parlamento.
Lerroux le incluyó en su primer Gobierno como ministro de Hacienda. Esta cartera la mantuvo sin interrupción en los dos gobiernos siguientes, el de Martínez Barrio y el segundo de Lerroux.
Cuando se produjo la escisión del Partido Radical, Antonio Lara siguió al grupo encabezado por Martínez Barrio militando en el recién creado Partido de Unión Republicana, siendo reelegido diputado a Cortes en 1936.
Con el Frente Popular volvió a ocupar un ministerio. Fue el de Justicia, en el Gobierno que formó Azaña en febrero. Esa misma cartera desempeñó los tres días de mayo que duró el subsiguiente Gabinete de Barcia. Por última vez formó parte de un equipo ministerial, poco más que teóricamente, cuando Martínez Barrio se acordó de él, el 19 de julio de 1936, en el Gabinete que cuajó y se diluyó en pocas horas. Al terminar la guerra marchó al exilio.
(Ver foto en pág. 369.)

LARGO CABALLERO, Francisco

Nació en Madrid en 1869. De familia obrera muy humilde hubo de trabajar desde muy temprana edad, perdiendo la ocasión de seguir los estudios que había empezado con los escolapios de San Antón. Pasó por varios oficios para ganarse la vida, entre ellos encuadernador y estuquista.

Sus inquietudes políticas se despertaron en él muy precozmente. Con 21 años ingresó en la UGT y en 1894 en la Agrupación Socialista. Representando al partido consiguió ser elegido concejal del Ayuntamiento madrileño en 1903. Desde esta plataforma, y con el apoyo de Pablo Iglesias, del que había sido hombre de confianza, fue escalando puestos. Llegó a ser vocal del Instituto de Reformas Sociales y más tarde Secretario General de la UGT.

La organización socialista participó decisivamente en la huelga general de 1927. Largo Caballero formó parte del Comité revolucionario organizador y fue por ello condenado a cadena perpetua y preso en Cartagena. Al año siguiente, un acta de diputado le sirvió para pasar directamente a las Cortes con algunos socialistas más.

La Dictadura de Primo de Rivera se le presentó como una auténtica encrucijada. Largo Caballero optó por la colaboración moderada, sin demasiado compromiso, desde el puesto de Consejero de Estado.

Llegado el fin de la Dictadura se dio de lleno a la conspiración antimonárquica. Figuró en el Comité encargado de la lucha y después entró a formar parte del gobierno provisional, una vez instaurada la República. Ocupó el ministerio de Trabajo. Cuando Azaña, a final del año, formó el primer gobierno constitucional mantuvo a Largo Caballero en el mismo puesto y aún en el siguiente gobierno que duró desde junio hasta septiembre de 1933.

Cuando salió del gobierno la situación del socialismo era delicada. El anarquismo ganaba a las masas obreras y Largo Caballero pensó que para atraerlas hacia sí sería el mejor camino poner fin a la colaboración con el republicanismo burgués y adoptar un claro tinte proletario, defensor de la revolución. En adelante, Largo Caballero va a ser la voz que clame por la acción revolucionaria.

En 1934 se comprometió de lleno en la revolución de octubre, siempre pensando en no dejarse pisar el terreno por los anarquistas. Fracasada la revolución, no consiguió escapar, como Prieto, y fue apresado. En la cárcel aprovechó para leer a Marx y Lenin, como guías imprescindibles en su nueva línea revolucionaria. Todo a pesar de que se le había condenado a 30 años de prisión y ya estaba rondando los 70 de edad.

Con la victoria del Frente Popular le llegó la libertad. Se reincorporaba al partido con una euforia revolucionaria digna del más osado jovenzuelo. La secesión en el seno del Socialismo se hacia inevitable. «Claridad» por Largo Caballero y «El Socialista» por Prieto constituían la prueba pública diaria de la ruptura interna con sus constantes ataques.

Cuando estalló la guerra y se quemaron etapas hacia la revolución fue, por todo lo expuesto, Largo Caballero y no Prieto el hombre del momento, y más cuando los mismos comunistas le hacían el juego y le halagaban con el título de «Lenin español».

En septiembre de 1936 se hizo cargo del gobierno para sustituir al de Giral que estaba desbordado. En este primer gabinete y en el que presidió a continuación se reservó al tiempo la cartera de guerra. Cayó en mayo de 1937 por las presiones comunistas, que le consideraban ya como un obstáculo en su camino.

Antes de acabar la guerra huyó al extranjero. Murió en París en 1946.

(Ver foto en pág. 361.)

LERROUX GARCÍA, Alejandro

Hijo de un veterinario andaluz, nació en La Rambla, Córdoba, en 1864. Intentó hacer carrera en el ejército, pero no era su fuerte la disciplina y hubo de abandonar. Más tarde logró la licenciatura en Derecho.

La figura de Lerroux es quizás la más debatida del republicanismo español. Sus detractores son muchos y le han lanzado toda clase de acusaciones e impertinencias.

Después de diversas peripecias, entre ellas una estancia en París, se asentó en Barcelona donde ocupó la dirección del diario «La Publicidad». Desde él y desde otros como «La Rebeldía» se dedicó a una constante labor entre revolucionaria y demagógica. Fundó el Partido Republicano Radical, cuando se vio obligado a abandonar la Unión Republicana. Fue acérrimo enemigo del maurismo y contrario a la neutralidad española en la guerra del 14. Pero al llegar la Dictadura y luego la República se había enfriado mucho su combatividad revolucionaria de los tiempos en que fue titulado «Emperador del Paralelo». Adoptó una línea moderada que acabó desprestigiándole ante el otro bando, el izquierdista.

Al llegar la República participó en el Gobierno Provisional en la cartera de Estado. Pero pronto desapareció de la escena política. Su moderantismo le dio más posibilidades en el bienio derechista, durante todo el cual estuvo en candelero. Llegó a presidir hasta seis gobiernos entre 1933 y 1935, siendo además ministro de Estado en el Gabinete que Chapaprieta presidió de septiembre a octubre de 1935.

Con el Frente Popular quedó totalmente anulado en la escena política, y con él su partido, que había sufrido la disidencia de una importante facción, la de Martínez Barrio, y que se había visto también metido de lleno en el nada claro asunto del «straperlo», durante su época de estancia en el Poder.

Al iniciarse la guerra escogió Portugal como lugar de residencia, regresando a España once años más tarde. Murió en Madrid en junio de 1949.

(Ver foto en pág. 359.)

LÓPEZ SÁNCHEZ, Juan

Nació en Bullas (Murcia) en enero de 1900. A la edad de once años pasó a Barcelona donde llegó a desempeñar el cargo de secretario de la Sociedad de Moldistas y Piedra Artificial, sociedad que pasó como sección al Sindicato de la Construcción cuando se constituyó éste.

En 1920, ingresa en la cárcel después de un encontronazo con dos agentes del «barón Koening». Es puesto en libertad gracias a un indulto, concedido con motivo del vuelo del Plus Ultra de Ramón Franco.

Miembro destacado del sindicalismo, fue uno de los firmantes del manifiesto de los Treinta. Llegó a la primera línea de las responsabilidades políticas, ya a finales de 1936, en el segundo Gabinete de Largo Caballero.

No había participado hasta entonces en ningún cargo político, ni había sido diputado, fiel a la táctica tradicional de la C.N.T. de no colaboración con el Gobierno que, fuese cual fuese, siempre consideraba como poder opresor.

Sin embargo, cuando ante la marcha de los acontecimientos bélicos Largo Caballero pidió la colaboración anarquista, éstos se decidieron a intervenir, en parte para paliar la creciente influencia comunista. Entonces fue cuando Juan López Sánchez tuvo ocasión de llegar a ministro junto con algunos otros miembros tan representativos del anarquismo como Federica Montseny y García Oliver. Ocupó la cartera de Comercio.

Al frente de este departamento cabe destacar la preparación del arreglo comercial con el gobierno francés, arreglo que fue a firmar a París y que puede considerarse la primera salida de un ministro cenetista al escenario internacional.

Fundador, en los primeros días de la guerra, de «Fragua Social».

Al final de la guerra se instaló en Inglaterra hasta el año 1954 que fijó su residencia en la capital mejicana.
Doce años más tarde, en 1966, regresó a España. Murió en Madrid en agosto de 1972.
(Ver foto en pág. 408.)

LUCIA LUCIA, Luis

Nacido en Cuevas de Vinromá, Castellón, estudió la carrera de Derecho y trabajó como pasante del famoso abogado valenciano Manuel Simó. Era carlista por tradición familiar, pero desesperó del tradicionalismo después de la escisión producida por la postura de Vázquez de Mella frente a Don Jaime.
En Valencia dirigió «El Diario de Valencia» con un criterio católico y unas orientaciones políticas liberales que le colocaban en línea muy parecida a la de «El Debate». Jefe de la Derecha Regional Valenciana, acudió a las elecciones del 12 de abril de 1931 con bandera antirrevolucionaria y monárquica. Orador de gran elocuencia, Lucia consigue un acta en las Cortes de 1933 por Valencia capital, ocupando una vicepresidencia de la Cámara. Al final, su partido y Acción Popular acabaron fusionándose muy de acuerdo con las ideas de Lucia a este respecto, expuestas en su obra «En estas horas de transición», publicada en 1929. Tras el congreso de primeros de marzo de 1933 se llegó a la unión y surgió la CEDA, partido el más fuerte de las derechas.
Llegó por primera vez a las responsabilidades ministeriales en mayo de 1935 en el sexto Gobierno de Lerroux. En los dos subsiguientes, que fueron presididos por Chapaprieta, también tuvo participación. En ambos se encargó de la cartera de Obras Públicas que ahora, según la reorganización que había llevado a cabo Chapaprieta, traía aneja la de Comunicaciones.
Reelegido diputado en las elecciones de febrero de 1936, participó plenamente en los preparativos del Alzamiento nacional. El papel que se le designó a su partido en la capital levantina debía de ser fundamental para hacer que triunfase el 18 de julio. Sin embargo, a última hora su insólita actuación hizo que fracasasen tales planes. El mismo 19 de julio, Lucia, desde Benicasim, pone un telegrama al Gobierno de Madrid declarándose «al lado de la autoridad». Fue un bombazo en Madrid y en Valencia de consecuencias decisivas para la marcha de la sublevación. Muchos miembros del partido de Lucia se negaron a reconocer tal decisión, pero no fue suficiente. El general González Carrasco, indeciso ante la nueva situación creada, dio el tiempo suficiente como para que Valencia quedase en manos republicanas.
En diciembre de 1937 fue presentado ante la Comisión de suplicatorios que le identificó con los sublevados por su significación política. Se encontraba en la cárcel de Barcelona cuando entraron los nacionales.
Falleció en Valencia en 1942.
(Ver foto en pág. 385.)

LLUHI VALLESCA, Juan

Abogado nacido en Barcelona en 1897. Desde muy joven intervino en política y destacó en la sociedad barcelonesa por su brillante posición profesional que heredó de su padre, personalidad destacada en Cataluña.
Su actuación en el período de la Dictadura de Primo de Rivera fue de gran actividad y en lo que a política regionalista se refiere se le contó entre los más significados enemigos de Cambó.
Fue uno de los fundadores del Partido de Esquerra Republicana. Teniente de alcalde de Barcelona, llegó a ser Jefe y Consejero de Justicia en el primer Gobierno de la Generalidad de Cataluña.
Participó en las Cortes Constituyentes como diputado por su ciudad natal, siendo elegido miembro de la Diputación Permanente. Por la provincia de Barcelona ocupó un escaño en el Parlamento en 1933 y en 1936.
Defendió la Ley de Contratos de Cultivo aprobada por el Parlamento Catalán y combatida por el Gobierno Central. Tomó parte activa en el movimiento del 6 de octubre de 1934 y una vez pacificada la región fue condenado a cadena perpetua.
Titular del Ministerio de Trabajo en el Gabinete presidido por Casares Quiroga el 13 de mayo de 1936. En el breve episodio que fue el Gobierno de Martínez Barrio, en la noche del 19 de julio, se contó con él para la cartera de Comunicaciones. Pero volvió a su anterior puesto de ministro de Trabajo en el Gobierno definitivo que compuso Giral. Terminada su actuación ministerial, fue nombrado cónsul de España en Tolosa hasta el final de la guerra.
Se refugió en Méjico. Allí murió en 1944.
(Ver foto en pág. 399.)

MADARIAGA ROJO, Salvador de

Hombre cosmopolita, educado en Francia y Gran Bretaña, Madariaga es también un intelectual de talla universal.
Nació en La Coruña en julio de 1886. A los 14 años estudió en el Collège Chaptal de la capital francesa; unos años más tarde pasó a la Escuela Politécnica y a la Nacional de Minas de la misma capital, graduándose en ambos centros como ingeniero de Minas, y regresó a España trabajando en la Compañía del Ferrocarril del Norte. Cambió sus actividades científicas por las letras, que constituían su verdadera vocación. En 1921 ingresa en la Secretaría General de la Sociedad de Naciones y en ella le fue confiada la Sección de Desarme.
Profesor de Literatura Española en la Universidad de Oxford, ha cultivado los más diversos géneros, destacando, en especial, sus ensayos y sus obras históricas. En 1920 publicó en inglés su primera obra, «Shelley and Calderon», a la que han sucedido otras muchas hasta nuestros mismos días.
Por su talante y su formación fue más bien un diplomático que un político.
Al proclamarse la República fue nombrado embajador en Washington y en enero de 1932 pasó a la Embajada de España en París, simultaneando este cargo con el de representante en la Sociedad de Naciones. Fue diputado por La Coruña en 1931. Políticamente militó en la O.R.G.A., de la que se separó más tarde.
Llegó a desempeñar la cartera de ministro en abril de 1934. Fue en el tercer Gobierno Lerroux, como titular de Instrucción Pública y Bellas Artes. Cuando fue designado para este cargo se encontraba de embajador en París. Circunstancialmente se hizo cargo del Ministerio de Justicia cuando dimitió Álvarez Valdés, debido a un aparatoso incidente tenido en la Cámara.
Al estallar la guerra salió del país instalándose en Oxford. Su actitud pretendió ser moderada, en el más puro tono progresista y liberal. Al escribir sobre los acontecimientos se ha mostrado como ajeno a ambos bandos y por encima de ellos, aupado por su internacionalismo. Ni «rebeldes», ni «revolucionarios» han sido de su agrado.
Fue nombrado académico de la Lengua el 20 de mayo de 1936 aunque no llegó a tomar posesión.
En estos tiempos se ha centrado en su trabajo intelectual y se mantiene en la brecha de esta misma línea que siempre le ha caracterizado.
(Ver foto en pág. 376.)

MARRACO RAMÓN, Manuel

Natural de Zaragoza, nació el 16 de junio de 1870. Abogado e industrial, había estudiado la carrera de Derecho en su ciudad natal. Hizo el doctorado en Madrid.

En 1898 ingresó en el Partido Republicano Federal y fue varias veces concejal del Ayuntamiento de Zaragoza y diputado a Cortes en 1918 y luego en las Constituyentes de 1931 en las que ostentó la Vicepresidencia segunda.

Perteneció al Partido de Unión Republicana, fundando más tarde el Republicano Autónomo de Aragón; posteriormente pasó a las filas lerrouxistas. Fue nombrado, por el primer Gobierno de la República, Gobernador del Banco de Crédito Local.

Afiliado al Partido Republicano Radical llegó a ocupar varios cargos ministeriales en diversos gobiernos durante el bienio derechista. Su primer puesto al frente de un Ministerio lo obtuvo en marzo de 1934, en el tercer Gobierno Lerroux. Desempeñaba por entonces el Gobierno del Banco de España y se le adjudicó la cartera de Hacienda. Desde esta fecha hasta septiembre de 1935, que se aleja del Gobierno, formó parte como ministro de Hacienda en el Gabinete Samper y a continuación en el cuarto que presidió Lerroux. En abril de 1935 hubo nueva crisis y otra vez fue encargado el jefe radical de formar Gobierno. Era el quinto que presidía y en él entró Marraco como ministro de Industria y Comercio. Pero aún presidiría Lerroux un sexto Gabinete y una vez más volvería a contar con el político e industrial aragonés. Marraco quedó en esta ocasión con la cartera de Obras Públicas, en atención a los trabajos que, en tiempo de la Dictadura, había llevado a cabo como colaborador del gran ingeniero Lorenzo Pardo en la Confederación Hidrográfica del Ebro.

Es de advertir, efectivamente, que sus actividades económicas y científicas fueron una faceta importantísima de su vida. En 1927 publicó la obra «El pensamiento económico aragonés»; fue colaborador de periódicos y revistas. Después de la guerra civil creó el Banco Agrícola de Aragón, siendo una de las personalidades más notorias e influyentes de la vida económica aragonesa.

(Ver foto en pág. 375.)

MARTÍNEZ BARRIO, Diego

Nació el 25 de noviembre de 1883 en Sevilla. Su instrucción juvenil fue bastante escasa por lo que su formación posterior la hubo de conseguir de una manera autodidáctica, a base de una inteligencia natural. Fue tipógrafo y llegó a tener una modesta imprenta.

Muy joven se inició en las actividades políticas. Afiliado a la Unión Republicana, entró en contacto con Lerroux que sería para él un auténtico padre en la política. Cuando se separó de la Unión Republicana, Martínez Barrio le siguió y tomó parte en la formación del nuevo Partido Radical. Fue concejal del Ayuntamiento de Sevilla. En la masonería alcanzó la categoría de Gran Oriente de España.

Durante la etapa de la Dictadura tomó parte en varias conspiraciones republicanas. Colaboró en la Sanjuanada y en el golpe frustado de Sánchez Guerra. Sin embargo, bien es verdad que hasta el advenimiento de la República apenas si pasó de ser un político provinciano, escasamente conocido fuera de la región andaluza.

Al llegar el 14 de abril Martínez Barrio va a entrar en su buena época. Ya, de momento, toma parte en el Gobierno Provisional. Parece ser que Lerroux exigió a toda costa un puesto para su lugarteniente y al final se le creó la cartera de Comunicaciones. Su estrella política sigue ligada a la de su jefe, por el momento, y la de uno y otro van a estar apagadas durante todo el bienio azañista.

En vísperas de las elecciones del 33, el bienio azañista se deterioraba por momentos, hasta el punto de que en septiembre es sustituido Azaña por Lerroux. Con él llega otra vez Martínez Barrio al poder. En este primer gobierno lerrouxista se le adjudicó la cartera de Gobernación. Un mes después Lerroux dimitía y Alcalá Zamora encargaba formar gobierno al propio Martínez Barrio, al tiempo que le daba el decreto de disolución de las Cortes. Él convocó las elecciones.

Con el nuevo bienio, de predominio cedista, los radicales tuvieron muchas más posibilidades. Lerroux formó su segundo gobierno, y Martínez Barrio volvió a Gobernación. Sin embargo, ya no eran los tiempos de fidelidad ciega y total entendimiento. Lerroux se inclinaba cada vez más hacia las derechas cedistas y una parte de sus seguidores se mostraban disconformes. En mayo de 1934 Martínez Barrio encabeza la escisión del Partido Radical. Con otros trece diputados constituyó el Partido llamado Unión Republicana.

Este viraje fue oportunísimo para prolongar su carrera política en la nueva era del Frente Popular. Cuando es depuesto Alcalá Zamora, Martínez Barrio, como Presidente de las Cortes, llegó a conocer, aunque interinamente, los honores de la Presidencia de la República.

El 19 de julio, dimitido Casares Quiroga, se busca a Martínez Barrio, hábil componedor, para que intente un gobierno aceptable, pero fracasa en su misión y renuncia a las pocas horas.

En el exilio fue presidente de la República. Murió en París a la edad de 79 años.

(Ver foto en pág. 362.)

MARTÍNEZ GARCÍA-ARGÜELLES, Alfredo

Médico asturiano y político procedente del grupo de Melquiades Álvarez. Nació en 1878. Fue diputado a Cortes por Oviedo, designado Vocal de la Comisión Permanente de Industria y Comercio en 1933, y en octubre de 1935 Vicepresidente de las Cortes.

Su carrera política fue breve y de escasa importancia. Su llegada a la categoría ministerial sucedió en el primer Gabinete de Portela Valladares, cuando este político tuvo que acudir a las personas menos significativas para formar Gobierno, dada la total negativa de la CEDA y de las demás facciones derechistas del Parlamento. Sólo duró dieciséis días como ministro de Trabajo, Justicia y Sanidad.

Murió asesinado el 24 de marzo de 1936, en Oviedo.

(Ver foto en pág. 391.)

MARTÍNEZ DE VELASCO Y ESCOBAR, José

Nació en Aranda de Duero (Burgos), el 16 de junio de 1875. Alcanzó muy joven el doctorado en Derecho. A los 23 años era ya letrado del Consejo de Estado.

En 1910 fue elegido diputado a Cortes por el distrito de Riaza, Segovia, y en 1918 llegó al Senado por Burgos. Durante la Dictadura se mantuvo más bien al margen. Sus primeros pasos políticos no en balde los había dado en las filas liberales del partido de Canalejas.

Era subsecretario de Gracia y Justicia en el Gobierno del Almirante Aznar cuando llegó la República. Entonces pasó el ministerio a manos de Fernando de los Ríos. En el nuevo período su actividad política fue bastante intensa como jefe de la minoría agraria, partido del que había sido fundador. Se le adjudicó la vicepresidencia del Congreso.

Participó en las Cortes Constituyentes como diputado por Burgos, y adoptó como táctica de combate la aceptación del nuevo régimen, pero entrando en el juego con su minoría como parte de la oposición derechista. Intervino en los debates sobre la serie de leyes laicas y de reforma agraria que

caracterizaron el bienio azañista, con una postura conservadora, defensora de las tradicionales formas de propiedad agrícola.
En las Cortes de 1933 fue designado presidente del Comité de Enlace de la Unión de Derechas, obteniendo su coalición un resonante triunfo electoral en Burgos. Dentro de esta etapa consiguió llegar a la categoría ministerial. Figuró en el cuarto Gobierno Lerroux como ministro sin cartera y luego, cuando advino el primer gabinete Chapaprieta, desempeñó el llamado ministerio de Economía, según la nueva reforma y que había resultado de la agrupación de las anteriores carteras de Agricultura y de Industria y Comercio. Sin interrupción, pero en un segundo Gobierno Chapaprieta, pasó a ocupar el Ministerio de Estado, en el cual continuó con Portela Valladares hasta su fin en diciembre de 1935.
Durante los sucesos revolucionarios de octubre fue alcalde de Madrid hasta que le sustituyó Salazar Alonso.
Murió asesinado en la Cárcel Modelo de Madrid, el 23 de agosto de 1936.
(Ver foto en pág. 379.)

MASQUELET LACACI, Carlos
Nació en 1871 en la ciudad de El Ferrol. Pertenecía al Arma de Ingenieros. Ostentando el grado de comandante fue profesor de la Academia de Ingenieros y Maquinista de la Armada. Había sido Secretario del Consejo Superior de Guerra y autor del proyecto de la Base Naval de El Ferrol cuyas obras dirigió.
En octubre de 1930 asciende al generalato; al año siguiente el Gobierno Provisional de la República le nombra segundo Jefe del Estado Mayor Central, y en verano del 32, con motivo de su ascenso a divisionario, obtiene la Jefatura de dicho alto centro.
Su primera participación en el Gobierno fue mero trámite, como la de todo el quinto Gabinete Lerroux montado para salir del paso de las críticas circunstancias del indulto de González Peña y de las exigencias definitivas de la CEDA. Sólo duró un mes, lo justo para poder celebrar con brillantez un nuevo aniversario de la República.
Fue con Azaña, victorioso el Frente Popular, cuando tuvo de nuevo un puesto en el banco azul del Parlamento. Otra vez sería suya la cartera de Guerra.
Fue considerado como una de las primeras autoridades del ejército en materia de fortificación y defensa de plazas, dirigiendo la de Madrid cuando las columnas nacionales en un avance victorioso pusieron en grave aprieto la capital, en los primeros meses de la guerra.
(Ver foto en pág. 381.)

MATZ Y SÁNCHEZ, Francisco
General de Artillería de la Armada en el año 1928. Fue jefe de los Servicios Industriales de Artillería. En febrero del 36 ocupó la Secretaría de la Marina Militar hasta la dimisión de Giral, el 22 de agosto del mismo año, como ministro de Marina. Entonces es llamado para ocupar la vacante. La guerra ya había entrado en el segundo mes y el Presidente del Consejo se dio perfecta cuenta de la importancia que tenía la Marina en los difíciles momentos que atravesaba la República. Por ello pensó en un técnico: Francisco Matz.
Su actuación al frente del ministerio fue de poca duración y actividad; la caída de Talavera, en septiembre de aquel año, acabó con el Gabinete Giral, naciendo otro de distinto matiz, presidido por Largo Caballero, en el que se ampliaba la participación de los demás grupos del Frente Popular.
En mayo de 1937 asiste en Londres a la coronación de Jorge VI de Inglaterra formando parte de la comisión presidida por Besteiro en representación del Presidente de la República.
Al final de la guerra salió de España refugiándose en Méjico; estuvo presente en las sesiones de Cortes celebradas en la capital mejicana en agosto de 1945.
(Ver foto en pág. 401.)

MAURA GAMAZO, Miguel
Nacido en Madrid en 1887, era el séptimo hijo de don Antonio Maura, el ilustre político monárquico. Evidentemente, su ascendencia influyó en su vida política.
Su carrera tuvo unos discretos primeros pasos, sin ninguna nota discordante mientras vivió su padre. Simplemente fue concejal por Madrid y luego diputado a Cortes. Con la Dictadura vivió una época gris para su carrera, aunque alguna vez se barajase su nombre para entrar en uno de los gobiernos del momento.
En 1925 murió su padre. De manera insólita empezó a deslizarse de su innato monarquismo hacia un republicanismo más o menos velado, primero, pero luego públicamente reconocido. En la decisiva coyuntura del 14 de abril estuvo con el signo de los tiempos, al igual que Alcalá Zamora, tirando ambos por la borda su pasado monárquico. La justificación de ser el freno interno, conservador, del nuevo régimen nunca sonó como algo muy convincente.
Se formó el Gobierno Provisional y Maura tomó parte en él como ministro de la Gobernación. Si sus intenciones fueron auténticas, no supo, sin embargo, poner el freno que pretendía. Tuvo que vivir los días trágicos de la quema de conventos, de las manifestaciones antimonárquicas, del desorden y la anarquia legalizados. Aunque había estado entre los conspiradores antimonárquicos, en San Sebastián, en la reunión del 17 de agosto de 1930, Maura no tenía nada que hacer en los nuevos tiempos. Así, en octubre del 31, al acabar la vigencia del primer gobierno provisional, desaparece del primer plano de la escena política. Su postura se hacia insostenible dado el cariz que tomaban los acontecimientos y en concreto el carácter de los artículos 26 y 27 de la nueva Constitución que hacían referencia a la Iglesia.
Azaña fue para él la personificación de todos los males, su auténtica contrafigura. Por su parte, el político izquierdista sentía un total desprecio por Miguel Maura.
Siguió siendo diputado a Cortes y asistió a ellas hasta julio del 36. Después se inhibió por completo y se exilió en Méjico. En 1946 volvió a manifestarse a favor de la monarquía, como régimen que volvía a tener las máximas posibilidades. Se apartó después de la política activa y fijó su residencia en Barcelona.
Murió en Zaragoza en 1971.
(Ver foto en pág. 361.)

MÉNDEZ ASPE, Francisco
Abogado y funcionario del Cuerpo pericial del Estado, militó en las filas de Izquierda Republicana.
En los dos primeros Gobiernos del Frente Popular, rigiendo el Ministerio de Trabajo Enrique Ramos, llegó a ostentar la Subsecretaría.
Amigo personal del doctor Negrín, fue nombrado Director General del Tesoro y luego Subsecretario de Hacienda, cargo que desempeñaba cuando fue llamado por el político canario para embarcarle en el último Gobierno que formó, en abril de 1938, y que llegaría al final de la guerra. En aquellos momentos críticos tuvo que recurrir a él para que ocupase el Ministerio de Hacienda.
Acompañado de otros ministros dejó España camino del exi-

lio. Con Moix y Bilbao Hospitalet formó parte, en París, de la delegación especial que actuaba sobre la Junta Oficial del S.E.R.E. (Servicio de Evacuación de Refugiados Españoles).
Salió de la capital francesa poco antes de la ocupación germana.
Estuvo presente en las Cortes celebradas en el Salón del Cabildo de Méjico, en agosto de 1945.
(Ver foto en pág. 411.)

MIAJA MENANT, José
El general Miaja ha sido una de las figuras militares republicanas más populares, por una parte, y más discutida en su conducta, por otra.
Había nacido en Asturias en 1878. Ingresó en la Academia Militar y sin ser un hombre de gran brillantez consiguió ir ascendiendo y en 1936 ya era general. Su carrera la hizo, en parte, en África como la mayoría de sus compañeros.
En tiempos había pertenecido a la Unión Militar Española, pero ahora se mostraba como ferviente republicano, con buenas amistades incluso entre los socialistas. El Alzamiento le sorprendió en Madrid, de cuya región militar era jefe. En el intento de Gobierno conciliador que ideó Martínez Barrio el día 19 de julio, figuraba Miaja como ministro de la Guerra, lo cual es bien sintomático de su significación política moderada y de su carácter bonachón.
Como fiel republicano que era en seguida se tomaron sus servicios. Se le nombró jefe de la Primera División (Madrid) y poco después de la Tercera (Valencia). Participó en la toma de Albacete y después se dirigió a Andalucía a tomar Córdoba. Su fracaso ante el general Varela supuso un eclipse temporal. Se retiró a Valencia, pero pronto volvió a ser solicitado para sustituir a Pozas en la I División.
Se le encargó el mando de la Junta de Defensa de Madrid, a la desesperada. Sin embargo, supo organizar la resistencia y mantener el espíritu de los combatientes como para conseguir frenar el ininterrumpido avance de los nacionales. Dirigió las operaciones e incluso acudió a las trincheras a luchar y a animar con su presencia a los combatientes.
Más tarde, cuando el Gobierno republicano decidió la ofensiva de Brunete, se encargó a Miaja del mando supremo de los dos Cuerpos de Ejército preparados. Por momentos se iba haciendo imprescindible y las circunstancias llegaron a hacer de él un auténtico hombre fuerte.
Al final de la guerra apoyó la postura del coronel Casado frente al Gobierno de Negrín, deseoso del entendimiento con el bando contrario. El fracaso de sus planes le hizo huir a Valencia y desde allí al exilio para nunca más volver. Murió en Méjico en 1958, a los ochenta años de edad.
(Ver foto en pág. 400.)

MOIX REGAS, José
Nació en 1899. Perteneció a la Confederación Nacional de Trabajo y más tarde siguió a Pestaña, cuando éste fundó el grupo de los «treintistas».
Fue uno de los artífices del Partido Socialista Unificado de Cataluña, resultado de la fusión, en julio de 1936, del Partido Comunista Catalán, Unión Socialista de Cataluña, Agrupación Socialista y la Unión General de Trabajadores de Cataluña.
En uno de los Gobiernos de la Generalidad ocupó el cargo de Director General de Trabajo y Alcalde de Sabadell.
Llegó a desempeñar el puesto de ministro de Trabajo y Asistencia Social, que dejó vacante Jaime Ayguadé, el 17 de agosto de 1938.
Colaborador del órgano de su Partido, «Treball».
Cuando el coronel Casado declara ilegal al Gobierno Negrín marcha de España en compañía de varios ministros, refugiándose en Francia y formando parte, más tarde, de la Junta Oficial del S.E.R.E.
Participó en el II Congreso Sindical Mundial.
(Ver foto en pág. 412.)

MOLERO LOBO, Nicolás
Totalmente afecto a Azaña, que le había ascendido al generalato en 1931, cuando era ministro de la Guerra, saltándose a veinticinco nombres anteriores en el escalafón.
A finales de 1933 fue promovido a general de división, siendo nombrado jefe de la Séptima División Orgánica, en Valladolid, hasta que se produjo la crisis ministerial de primeros de diciembre de 1935, última de Chapaprieta. La CEDA se negaba a colaborar si previamente no era aceptado el principio de la proporcionalidad en el reparto de las carteras. Alcalá-Zamora no cedió y, después de varios intentos, encargó a Maura formar nuevo Gobierno. Maura adjudicó la cartera de la Guerra a Molero que, inmediatamente, se puso en viaje para Madrid. Pero al no llegar a cuajar este Gabinete, a Molero se le esfumó la cartera ministerial mientras corría hacia la capital. Al llegar, no sólo se encontró con tan desagradable noticia, sino con que Gil-Robles, aún ministro de la Guerra, le arrestaba por haber abandonado su destino sin permiso. Al flamante «ex ministro» se le imponía un mes de arresto en Pamplona.
Todo se arregló, al fin, cuando Portela, masón como Molero, formó Gobierno y le adjudicó, definitivamente, el Ministerio que apetecía. En él continuó durante el segundo mandato del propio Portela, hasta el triunfo del Frente Popular. Durante su época ministerial se distinguió por sus drásticas medidas que tendieron a republicanizar el Ejército, en sentido contrario a la anterior actuación de Gil-Robles. Destituyó a Fanjul y Goded.
Cuando acabó su gestión ministerial, Molero volvió a su puesto en Valladolid y allí le sorprendió el Alzamiento nacional. El general Saliquet le hizo prisionero y le pidió su adhesión a la causa. Molero se mostró ferviente partidario de la República y fue fusilado. Había nacido en el año 1870.
(Ver foto en pág. 391.)

MOLES ORMELLA, Juan
Nació en Barcelona en 1871. Durante su época de estudiante de Derecho, en su propia ciudad, fundó el semanario «La Universidad», desde el que se destacó por su violento anticlericalismo, en especial contra los jesuitas. Sin embargo, era un buen amigo de Jacinto Verdaguer y él casó a Moles canónicamente.
Ilustre abogado, fue elegido, en 1902, concejal de Barcelona; en las elecciones de Solidaridad Catalana salió elegido diputado a Cortes por el distrito de Lérida y posteriormente senador, por la conjunción republicano-socialista.
Cuando se estableció la Dictadura del general Primo de Rivera se retiró de la política y se dedicó a su profesión de abogado. Defendió a Maciá y a su esposa que en esta época sufrieron procesamiento.
En el primer bienio republicano sustituyó a López Ferrer en el cargo de Alto Comisario de España en Marruecos, para lo que dejó el Gobierno Civil de Barcelona. Volvería a ocupar este cargo, tiempo después, cuando lo dejó Rico Avello y desde él pasaría a ser ministro en el Gabinete formado por Casares Quiroga en mayo de 1936, tras la proclamación de Azaña como Presidente de la República.

Como ministro vivió Moles tiempos difíciles en los que las pasiones estaban ya desatadas hasta el punto de resultar prácticamente incontrolables. Por ello no fue fácil su labor en Gobernación, pues tuvo que enfrentarse entre otros graves asuntos con los que originaron perturbaciones de orden público debido al bulo de los caramelos envenenados, en Madrid, y a los sucesos sangrientos de Yeste, en Albacete.
Murió en 1943.
(Ver foto en pág. 399.)

MONTSENY MAÑÉ, Federica

Personaje fundamental del anarquismo español. Entró en el movimiento ácrata por puro convencimiento, pero preparada por la tradición familiar.
Era hija de Juan Montseny y Federica Mañé, matrimonio de escritores anarquistas conocidos por los seudónimos de Federico Urales y Soledad Gustavo, que educaron a su hija para la continuidad en la lucha. Sus padres eran los editores de la famosa publicación «Revista Blanca». Federica tuvo ocasión de empaparse primero de doctrinarismo libertario y luego de vivirlo en el ambiente propicio de la Barcelona de las primeras décadas del siglo.
Aún menor de edad, ya se dio a la política activa participando en mítines, conferencias y escribiendo en la propia «Revista Blanca». Su sólida formación y su vigor revolucionario hicieron de ella un auténtico líder del anarquismo como cerebro inspirador de los grupos de choque que dirigían hombres tan arriscados como Durruti y García Oliver.
En julio de 1936, tuvo papel capital en el aplastamiento de la sublevación en Barcelona donde los anarquistas fueron los principales actores. Perteneció al Comité Regional de la Confederación Nacional del Trabajo.
Avanzada la guerra, y en la nueva línea colaboracionista adoptada por el anarquismo, aceptó la entraaa en el segundo Gobierno de Largo Caballero formado en noviembre de 1936. Se le asignó la cartera de Sanidad, especialmente creada para ella. Su actividad fue intrascendente aunque sonó con avanzadísimos proyectos cual el de la legalización del aborto, por ejemplo. Salió del Gobierno como arrepentida de su debilidad de haber participado y prometió volver a la línea tradicional ácrata de no colaboración política.
Alentadora del anarquismo durante toda la contienda, al final de ella hubo de huir a Francia. Se instaló en Toulouse con su marido y sus hijos y desde allí ha continuado en la brecha revolucionaria, a base de campañas terroristas y de trabajos periodísticos en «L'Espoir».
(Ver foto en pág. 408.)

NEGRÍN LÓPEZ, Juan

Eminente personaje canario, nacido en el año 1889. Pertenecía a una acomodada familia isleña. Estudió la carrera de Medicina con excepcional aprovechamiento. Ganó por oposición la cátedra de Fisiología de la Facultad de Medicina de la Universidad de Madrid. Había sido discípulo predilecto del propio Ramón y Cajal y fue un digno continuador suyo. Si no llegó al Nobel, sí fue capaz de crear una escuela de la que saldrían alumnos de categoría, tales como Severo Ochoa y Grande Covián.
Su carrera profesional siguió en auge. En el año 1929 era distinguido por la Monarquía. El rey le confió la creación del Patronato de la Ciudad Universitaria. Pero Negrín estaba muy lejos de ser monárquico. Por entonces se afilió al socialismo.
Al llegar la República fue elegido diputado para las Constituyentes. Siguió figurando como tal en el grupo socialista, en 1933 y en 1936. Por ello no se interrumpe su labor profesional. Siguè desempeñando su cátedra y atendiendo con gran cuidado a los alumnos que demostraban su valía, incluso a sus propias expensas.
Dentro del socialismo, Negrín estaba más cerca de la tendencia moderada de Prieto que del revolucionarismo de Largo. Su tradición familiar, su educación y su ambiente social le hacían repudiar la violencia callejera y el sadismo de las masas sin control. Al estallar la guerra, valido de su prestigio, pudo evitar desmanes y atropellos de las turbas, aunque no dejase de correr riesgos.
En septiembre de 1936, Giral hubo de dimitir desbordado por los acontecimientos. Se acudió entonces a Largo Caballero. En el primer Gabinete que formó, de septiembre a noviembre de 1936, participó Negrín como ministro de Hacienda. A finales de octubre, en vista del cariz que tomaban las circunstancias, tuvo parte fundamental en la decisión de enviar el oro del Banco de España a la URSS. En general, su labor trató de contener la inflación en la zona gubernamental, con vistas a hacer frente a los gastos de la guerra.
Al mes siguiente, en noviembre, Largo Caballero forma nuevo Gobierno. Negrín permanece como ministro de Hacienda, dando muestra de gran flexibilidad. Esta nota de su gran prestigio hizo que el comunismo se fijara en él cuando se decidió a hundir a Largo Caballero que no se mostraba demasiado dispuesto a «colaborar». Negrín, precisamente por su socialismo discreto, encajaba mejor que Álvarez del Vayo, más afecto a la URSS, pero demasiado significado para el tránsito.
En mayo de 1937 cesa Largo Caballero. Negrín llega a la Presidencia y se reserva la cartera de Economía y Hacienda. La marcha de la guerra y los manejos del Partido Comunista harían recaer sobre Negrín aún mayores responsabilidades. Tras la pérdida de Teruel, Prieto fue botado del Ministerio de Defensa. Negrín quedaba como la única figura intacta de las izquierdas. Forma un nuevo Gobierno y asume, al tiempo, el Ministerio de Defensa Nacional desde el que lleva a efecto una importante reforma.
Después de las Cortes de Figueras huye a Francia. Desde Toulouse regresa en avión a Alicante. A última hora, después de que Franco no aceptase negociar con él, salió definitivamente de España. Anduvo por Inglaterra y Estados Unidos para al final fijar su residencia en París. Se dedicó al ejercicio de su profesión y al tiempo presidió el Gobierno en el exilio, hasta 1945. Moría en la capital francesa en noviembre de 1956, a los sesenta y siete años de edad.
En su testamento disponía la entrega al Gobierno de Madrid de los documentos relativos al oro español depositado en la URSS por el entonces embajador de la República, Marcelino Pascua, durante la guerra, determinación que le honra y que atenúa en lo que cabe actuaciones anteriores.
(Ver foto en pág. 404.)

NICOLAU D'OLWER, Luis

Nació en Barcelona el 20 de enero de 1888. Hizo sus primeros estudios con los jesuitas y después se licenció en Filosofía y Letras en la Universidad barcelonesa. En Madrid, en 1910, consiguió el título de doctor. En el mismo año terminaba la licenciatura de Derecho.
Impuesto en los estudios clásicos trabajó como Profesor Auxiliar en la Universidad, dedicándole más tiempo que al bufete. Se interesó profundamente por la literatura y la historia catalanas y asistió a las clases de «Estudios Universitarios Catalanes».
Empieza a interesarse seriamente por la política hacia 1917. Se presentó, con la Lliga, a las elecciones municipales de Barcelona y fue concejal desde 1919 a 1923, ocupando la

presidencia de la Comisión de Cultura. Años después se separa de la Lliga, por discrepancias serias en su orientación política, y se incorpora al partido de Acción Catalana desde el que interviene en las elecciones de 1923 a favor del candidato del partido; participó tan de lleno que fue herido en una carga de la policía contra los manifestantes. En las elecciones de la Mancomunidad, que precedieron a la implantación de la Dictadura, resultó elegido diputado por Barcelona.

Hombre inquieto y cultivado, de espíritu liberal, emigró a Francia durante el período dictatorial y allí estuvo en colaboración con el republicanismo exiliado. Estuvo también en Ginebra y allí intervino en la presentación ante la Sociedad de Naciones de la célebre «Requête» de Cataluña.

Caído el régimen de Primo de Rivera, vuelve a Barcelona y al momento entra en plena actividad a través de sus escritos en «La Publicitat». Firmó el Pacto de San Sebastián como representante de Cataluña, volviéndose a exiliar tras los sucesos revolucionarios de diciembre de 1930. Al triunfar la República, le llega a Nicolau D'Olwer su gran momento político. Pasa entonces a formar parte del Gobierno Provisional al frente del Ministerio de Economía. Como miembro del Gobierno intervino en la solución tensa derivada de la proclamación del «Estat Català», abogando por el restablecimiento de la Generalidad de Cataluña.

Figuró como diputado por Barcelona (capital) en las Constituyentes y en las de febrero de 1936. Votó el artículo 26 de la Constitución, sin importarle el cisma que encendería dentro de Acción Catalana. Durante su actuación ministerial mostró también su ánimo revolucionario al lanzar el decreto de cultivo forzoso que abriría la marcha a los posteriores planes de reforma agraria. Su carrera política entró a continuación en una línea cada vez más gris en la que acabaría diluyéndose. Durante la guerra llegó a ser Gobernador del Banco de España y al acabar marchó al extranjero. Fue presidente de la Junta de Auxilio de los Republicanos Españoles (JARE). Se asentó como tantos en Méjico, donde pudo seguir sus actividades políticas. El Gobierno en el exilio formado en 1945 le nombró embajador ante el Gobierno azteca Murió en 1961.

(Ver foto en pág. 360.)

OROZCO Y BATISTA, Andrés

Abogado. Perteneciente al Partido Radical, fue diputado a Cortes por Santa Cruz de Tenerife en las Constituyentes y también en las de 1933; en estas últimas asumiría los cargos de vocal de la Comisión Permanente de Estatutos y de la de Presupuestos.

No había tenido otro renombre político hasta que llegó a ser ministro. En octubre de 1934 se producía una nueva crisis, la sexta en el corto plazo de un año. La CEDA seguía presionando y el Presidente de la República negándose a sus exigencias. En tal situación, Lerroux solucionó la papeleta varias veces. Concretamente formaba ahora su cuarto Gobierno y en él tomó parte Orozco y Batista, como ministro de Industria y Comercio.

Participó en el debate sobre el escandaloso asunto del «straperlo», en octubre del 35, que culminaría con el nombramiento de una Comisión investigadora compuesta por veintiún parlamentarios.

(Ver foto en pág. 379.)

PABLO-BLANCO Y TORRES, Joaquín de

Abogado. Político de tono moderado. En las elecciones de 1913 consigue ser diputado por Córdoba, su ciudad natal.

Perteneció al Partido Radical del que se separó, aunque no de hecho, cuando algunos de sus correligionarios se vieron implicados en el asunto del «straperlo». Era amigo íntimo de Alcalá-Zamora y como ministro de representación personal fue acoplado en varios Gobiernos de los que el Presidente de la República inspiró para salir del paso, en 1935.

Desempeñó las Subsecretarías de Gobernación y Trabajo.

Formó parte de los dos Gobiernos presididos por Chapaprieta como ministro de Gobernación. Ante la obstrucción de la CEDA a los proyectos económicos del político alicantino, se mostró partidario de la crisis total, que daría paso al Gobierno presidido por Portela Valladares en el que regentaría el Ministerio de Agricultura, Industria y Comercio. Días más tarde rompería definitivamente con el grupo encabezado por Lerroux.

En las elecciones de febrero de 1936, los radicales y cedistas se negaron a que se le incluyera en la candidatura contrarrevolucionaria.

En los primeros días de la guerra se refugió en la Embajada de Turquía en Madrid, desde la que pasó a Francia en junio del 37. En 1938, ya enfermo, regresó a España. Falleció en 1947.

(Ver foto en pág. 387.)

PALOMO AGUADO, Emilio

Llegó al Parlamento como diputado por Toledo en las Cortes Constituyentes. Lo volvería a ser en las del Frente Popular con la misma representación.

Procedía del campo del periodismo, en el que había sido director de «El Liberal» de Barcelona. Perteneció al partido Radical-Socialista y más tarde se pasó al de Izquierda Republicana, recién fundado por Azaña.

Tomó parte activa en el complot de la noche de San Juan de 1926, que tuvo su principal foco en el Casino Militar de Madrid, siendo el enlace entre el coronel laureado Segundo García y los comprometidos del movimiento en provincias. Por ello fue encarcelado con Marcelino Domingo, su inseparable e incondicional amigo.

En junio de 1931 fue nombrado Gobernador Civil de Madrid para suceder a Eduardo Ortega y Gasset. En octubre de 1933 fue ministro. Entró a formar parte del Gabinete presidido por Martínez Barrio, después que hiciera crisis el de Lerroux. Tuvo la cartera de Comunicaciones. Anteriormente había ocupado la Subsecretaría de este departamento.

En la Comisión Permanente de las Cortes, de la que formaba parte, reunida en París, bajo la presidencia de Martínez Barrio, el 3 de marzo de 1939, aceptó la renuncia de Azaña como Presidente de la República tras la lectura de la dimisión que se leyó y firmó en Collonges-sous-Salèves el 27 de febrero de 1939.

Al acabar la guerra huyó al extranjero.

(Ver foto en pág. 372.)

PAREJA YÉBENES, José

Nació en Granada el 18 de abril de 1888. Doctor en Medicina, en 1915 gana por oposición la cátedra de Patología Médica de Granada. Fue vicepresidente del Centro Artístico y académico de la de Medicina de su ciudad natal. Al advenimiento de la República ocupó el cargo de rector de la Universidad, por acuerdo unánime del Claustro.

Perteneció a la Agrupación al Servicio de la República, consiguiendo un escaño en el Parlamento por Granada (capital). Cuando Ortega y Gasset disolvió el grupo, pasó a engrosar las filas del Partido Radical, más adecuado para verificar la transición suavemente. El Gobierno que formó Lerroux el

16 de diciembre —segundo que presidió— estuvo compuesto en su mayoría por radicales. Entre ellos Pareja Yébenes, a quien se le adjudicó el Ministerio de Instrucción Pública y Bellas Artes.
Formó parte de la Comisión especial de veintiún diputados para examinar el «affaire» del «straperlo» y el derivado de la denuncia de Nombela.
El 14 de diciembre Portela Valladares recurre al Partido Radical para solicitar la colaboración de Pareja en el Gabinete que estaba formando, recibiendo una violenta negativa.
(Ver foto en pág. 374.)

PEYRÓ BELIS, Juan
Figura importante del anarquismo español, Peyró, vidriero de oficio, en las terribles luchas de principio de siglo en Barcelona fue compañero de andanzas de Durruti y de Ascaso y figuró siempre en la plana mayor del movimiento ácrata español.
Entró como ministro en el segundo Gobierno que presidió Largo Caballero, en noviembre de 1936. Eran los días de las relaciones difíciles con el comunismo español. Largo Caballero, para equilibrar su influencia, gestionó el apoyo de la C.N.T., reacia, por principio, a la colaboración gubernamental. Sin embargo, en esta ocasión, por táctica de circunstancias, varios anarquistas entraron en el Gobierno. A Peyró le correspondió la cartera de Industria.
Al terminar la guerra marchó a Francia, siendo detenido, con otros exiliados, por las fuerzas de ocupación alemanas y entregado al Gobierno español.
Había nacido en 1887 y murió, ejecutado, en 1942.
(Ver foto en pág. 407.)

PI Y SUÑER, Carlos
Nació en Barcelona el 29 de febrero de 1888. Metido por el camino de las ciencias, cursa la carrera de ingeniero industrial. Consiguió plaza en la Escuela de Agricultura de la Mancomunidad de la que más tarde llegó a ser director.
Con sus actividades docentes compaginó las políticas a través de sus colaboraciones en «La Publicitat», sobre todo cuando fue destituido de su plaza, al llegar la Dictadura. Cuando realmente se afilia por primera vez a un partido es al incorporarse a Acción Catalana, en esta misma época, para defender una línea catalanista y republicana. Sin embargo, el estrecho criterio de este partido le llevaría a separarse de él en junio de 1931. En aquellas elecciones sale diputado por Barcelona (provincia).
Durante el primer bienio ostentaría una serie de cargos oficiales. Ocupó la Dirección General de Comercio del Gobierno central y luego el puesto de consejero de Finanzas en el de la Generalidad. En el mismo Gobierno formado por Azaña en junio de 1933 fue subsecretario de Instrucción Pública, con Marcelino Domingo como titular del departamento.
Pasaría por fin a ocupar una cartera ministerial. Le solicitó Martínez Barrio cuando formó Gobierno en octubre de 1933, para el Ministerio de Trabajo y Previsión Social. Había estado antes en Rusia, como miembro de una comisión encargada de estudiar la cuestión del petróleo. Además, a principios del mismo año de 1933 fue nombrado también primer consejero del Gobierno de la Generalidad.
Acabada su actuación ministerial continuó en plena actividad política. Fue alcalde de Barcelona hasta el levantamiento de octubre de 1934. Recuperaría el puesto en mayo de 1936 a la vuelta de Companys tras la amnistía del Frente Popular.
Al acabar la guerra se instaló en Londres; en el año 1950 pasa a Venezuela, ocupando la cátedra de Economía Administrativa en la Universidad Central.
Murió en Caracas en el año 1971. Sus restos fueron trasladados a su ciudad natal.
(Ver foto en pág. 372.)

PITA ROMERO, Leandro
Abogado y periodista de la prensa gallega, nació en Santa Marta de Ortigueira, La Coruña, el 22 de diciembre de 1898, comarca cuyo apoyo electoral le llevó a las Cortes como republicano independiente.
Constituido el Congreso se unió a la minoría parlamentaria «Federación Republicana Gallega», que representaba en el Gobierno Casares Quiroga. Al constituirse el Congreso elegido en 1933, gran parte de los diputados de la minoría gallega se integraron al partido de Izquierda Republicana. Pita Romero no siguió este movimiento regresando a su originaria situación de republicano independiente.
Participó en varios Gobiernos durante el segundo bienio. Ya en octubre de 1933 entró a formar parte del que presidió Martínez Barrio como ministro de Marina a título personal. Por delegación de este Gobierno encabezó la misión que repatrió de Francia los restos del insigne Blasco Ibáñez a la ciudad del Turia.
Al iniciarse las primeras Cortes ordinarias es designado ministro de Estado hasta la caída del gobierno Samper, en octubre de 1934, fecha en que Lerroux cuaja su cuarto Gabinete que le llevaría al puesto de ministro sin cartera.
Embajador ante la Santa Sede desde mayo de 1934 hasta el triunfo del Frente Popular, simultaneó al principio el cargo de ministro con el de diplomático en el Vaticano.
En noviembre del 36 escogió el exilio voluntario en el cual permanece, pasando cortas temporadas de vacaciones en España.
En Argentina ejerce el periodismo y la abogacía que hoy absorbe casi toda su actividad.
(Ver foto en pág. 371.)

PORTELA VALLADARES, Manuel
Político hábil, dado a la intriga y que sólo para ella fue llamado en la época de la República, en la que, verdaderamente, tuvo poco que hacer.
Nació en Pontevedra el 31 de enero de 1867 y estudió la carrera de Derecho en Santiago. En 1898, ingresó en el Cuerpo de Registradores de la Propiedad. Fue Presidente del Tribunal Supremo.
Militó en el partido de Canalejas, en cuyas filas llegó a diputado y luego a Gobernador de Barcelona, en 1911. Reprimió durante su mandato la huelga general y por esta intervención le fue concedida la Gran Cruz del Mérito Militar. En 1923, volvería a serlo, ahora de la mano de Lerroux. Con García Prieto, por esta fecha, fue ministro de Fomento. Era vizconde consorte de Bryas. En la Masonería llegó a la categoría de Gran Maestre.
Con la O.R.G.A. llegó a ser diputado por Lugo. Al disolverse su partido la mayoría de sus miembros pasaron al de Izquierda Republicana. Él se decidiría por uno de nueva denominación: el de Centro.
Después de la revolución de octubre del 34 fue Gobernador General de Cataluña, de cuyo nombramiento discreparon los tres ministros de la CEDA. Lerroux le incluyó en su quinto Gabinete, formado en abril de 1935. Desempeñó la cartera de Gobernación. En este mismo Ministerio continuó en el siguiente Gobierno, el sexto de Lerroux, en el que entró ya Gil-Robles con cuatro cedistas más.
El 14 de diciembre de 1935 Alcalá-Zamora jugó la carta de

Portela para resolver la grave situación política creada por la tensión con Gil-Robles. Con el encargo de formar Gobierno recibió Portela Valladares el Decreto de disolución de las Cortes. Antes de concluir el mes se declaró una nueva crisis ministerial que el Presidente de la República intentó salvar otra vez usando a Portela. Nuevo Gobierno con las mismas mediocridades y Portela va a tener ocasión de transmitir el poder a los nuevos vencedores de las urnas, las izquierdas coaligadas en el Frente Popular. Azaña volvería a reverdecer su gloria y el gobernante gallego se esfumaba de la actualidad política.

Al estallar la guerra, quizás arrepentido de sus indecisiones en la época del triunfo del Frente Popular, y asustado por el desenfreno que tomaban las cosas, se ofreció a Franco. pero fue rechazado. Más tarde, en la reunión de las Cortes celebradas en Valencia, apoyó la política gubernamental.

Al acabar la contienda huyó al extranjero. Murió en el exilio en el año 1952.

(Ver foto en pág. 382.)

POZAS PEREA, Sebastián

Nació en 1880.

Como la mayoría de sus contemporáneos hizo su carrera militar en África, donde acreditó valor y preparación suficientes como para llegar a ser general en la época de la Dictadura. Había ingresado muy joven en el arma de Caballería.

El general Pozas fue de siempre un incondicional de la República, a pesar de que la tradición de su familia era conservadora y lo mismo la del arma a la que pertenecía. Recibió entusiásticamente al nuevo régimen en el 31 y siguió fiel a su defensa en 1936.

Cuando estalló la guerra era Director General de la Guardia Civil y gracias a su orientación republicana gran parte de estas fuerzas siguieron al lado del Gobierno. La confianza que la República tenía en él quedó patente cuando se le adjudicó la cartera de Gobernación en el Gobierno que formó Giral al día siguiente del Alzamiento. Envió a la Guardia Civil de Huelva contra Queipo de Llano, aunque ya es sabido que esta fuerza se sumó a los sublevados. Más afortunado estuvo en Madrid donde, en parte por sus previsiones, fue reprimido el Alzamiento.

Al retirarse el Gobierno a Valencia quedó en Madrid como uno de los grandes responsables del Ejército, lo mismo que Miaja. Se le nombró jefe del Ejército del Centro y como tal actuó en las batallas del Jarama y de Guadalajara. Más tarde pasó a mandar el Ejército del Este, con sede en Cataluña, por lo que tuvo que actuar en la pacificación del levantamiento anarquista sucedido en esta región en mayo de 1937.

Intervino meses más tarde en la operación de Belchite, planeada para desviar la atención nacionalista en el frente Norte que se iba derrumbando por momentos.

El poco éxito conseguido hasta entonces y luego del resultado negativo en Teruel, trajeron su destitución como jefe del Ejército del Este, y en última instancia su apartamiento del primer plano militar. Al terminar la guerra marchó a Francia y más tarde a Méjico, donde murió en 1946.

(Ver foto en pág. 402.)

PRIETO BANCES, Ramón

Nació en Oviedo el 27 de noviembre de 1889. Catedrático de Historia del Derecho de la Universidad de Oviedo, Prieto Bances tuvo más vida de intelectual que de político.

Antes de tener acceso a la cartera ministerial, fue Secretario General de la Junta para Ampliación de Estudios y subsecretario del Ministerio de Instrucción Pública con Madariaga y Villalobos, así como Comisario General de Enseñanza en Cataluña después de la revolución de octubre de 1934, cargo que dimitió en enero de 1935.

Lerroux formó su quinto Gabinete en los primeros días de abril de 1935 después de una larga crisis en la que ni la CEDA ni Alcalá-Zamora cedieron en sus encontradas posiciones. El jefe radical se presentó así al Presidente de la República como la única salida a base de la composición de un Gobierno de puro trámite integrado por técnicos especialistas. Prieto Bances tuvo en él el puesto de ministro de Instrucción Pública y Bellas Artes.

No figuró nunca en un partido político y no fue diputado en ninguna Legislatura.

Murió en Oviedo en febrero de 1972.

(Ver foto en pág. 382.)

PRIETO TUERO, Indalecio

Nació en Oviedo en 1883. Muy niño quedó huérfano y en seguida su familia se estableció en Bilbao. Tan penosas circunstancias apenas le permitieron hacer los primeros estudios. Muy pronto hubo de buscar trabajo. Se colocó de taquígrafo en «La Voz de Vizcaya». Más experimentado, logró ingresar como redactor en «El Liberal». En este periódico haría su carrera. Llegó a ser su director y al final su propietario.

Antes de la Dictadura había sido diputado por Vizcaya, en 1912, y unos años más tarde concejal de Bilbao. Personaje principal del socialismo español, Indalecio Prieto fue uno de los firmantes del Pacto de San Sebastián y colaboró en los sucesos de diciembre de 1930, consiguiendo escapar a Francia, burlando la vigilancia de la policía. En París se encontraba al proclamarse la República.

Al formarse el Gobierno Provisional del 14 de abril de 1931 se le adjudicó la cartera de Hacienda. Alcanzaba la categoría de ministro de Obras Públicas en su primer Gobierno y se mantuvo en este mismo puesto en el segundo, hasta su caída en septiembre de 1933.

Durante el segundo bienio fue una de las principales figuras de la oposición. Participó decisivamente en la preparación de la revolución de octubre de 1934, y huyó al extranjero cuando vio su fracaso. Dentro del socialismo acaudilló el ala moderada, partidario de la colaboración con el republicanismo de izquierda de Azaña. En esta postura tuvo enfrente a Largo Caballero que dirigió a los más avanzados partidarios de la revolución. Inspiró el diario «El Socialista», que fue su auténtico portavoz. Su carácter comunicativo y su locuacidad se desbordaron a raudales en sus intervenciones parlamentarias. «Cuando Prieto se lanza —decía Azaña— ya no oye, ni ve, ni entiende».

En la guerra tuvo una importante participación. Cuando Largo formó Gobierno le incluyó en la cartera de Marina y Aire, y en ella continuó en su segundo Gabinete, hasta mayo de 1937, cuando subió Negrín a la Presidencia. Con el nuevo jefe de Gobierno Prieto cambió de ministerio. Pasó a ocupar otro de máxima responsabilidad, el de Defensa Nacional. Desde aquí realizó una importante labor de reorganización militar que fue capaz de poner a punto un magnífico ejército, el que se jugó a una carta en Teruel. Y perdió. Hubo crisis y salió del ministerio. Su labor había sido, sin embargo, muy positiva. Como Largo Caballero, había sido desbordado y pasaba a la oscuridad, cuando todo quedaba en manos de Negrín, y de los comunistas en última instancia.

Huyó a Méjico cuando acabó la contienda. Allí pasó el resto de su vida. Fundó la J.A.R.E., que se encargó de administrar los fondos que habían sido evacuados en el «Vita». Murió en 1962 en este país americano.

(Ver foto en pág. 360.)

RAHOLA MOLINAS, Pedro

Nació en Rosas (Gerona) en el año 1877. Estudió Derecho en la Universidad de Barcelona. Elegido diputado a Cortes en 1914, sería reelegido en varias ocasiones, siempre con un amplio margen y por la circunscripción barcelonesa. Se distinguió en las interpelaciones sobre los graves acontecimientos de 1917 en esta ciudad, con motivo de la Asamblea de Parlamentarios.

Al llegar la Dictadura era presidente del Ateneo de Barcelona. Por su postura liberal, contraria al nuevo sistema, sufrió varios procesos. En 1931, instaurada la República, fue elegido diputado por Barcelona, capital, para las Cortes Constituyentes por la Lliga Regionalista Catalana. Lo fue también en las dos ordinarias siguientes por la misma circunscripción y partido. Hizo una extensa crítica del proyecto de Ley de Reforma Agraria en el primer bienio.

En septiembre de 1935 formó Gobierno Chapaprieta y en él participó Rahola como ministro de Marina, hasta la caída final en el último mes del año.

Todavía sería Rahola ministro una tercera vez. A Chapaprieta le siguió en la Presidencia Portela Valladares, el último golpe de Alcalá-Zamora antes de la disolución final de las Cortes. En este Gabinete figuró como ministro sin cartera.

Cuando estalló la guerra pudo salir de Barcelona, donde no se encontraba demasiado seguro, según se habían extremado las posturas. Se marchó a Italia y más tarde volvió a España, a la zona nacional. Murió en Barcelona.

(Ver foto en pág. 387.)

RAMOS RAMOS, Enrique

Abogado malagueño nacido en 1873. Fue diputado por su ciudad natal en 1931 y 1936. Afiliado al partido de Izquierda Republicana fue un incondicional azañista. En agosto de 1931 es nombrado fiscal del Tribunal de Cuentas. Era profesor de Derecho Romano de la Universidad Central. Sería subsecretario de la Presidencia durante todo el tiempo que la desempeñó su jefe político.

Cuando triunfó el Frente Popular y se montó un Gobierno discreto de transición encabezado por Azaña, cuajó muy bien la persona de Ramos, burgués liberal, como otros varios de sus componentes. Tuvo el Ministerio de Trabajo.

A partir de entonces, no dejaría las responsabilidades ministeriales hasta entrada la guerra, cuando hizo crisis el Gobierno presidido por Giral. Hasta este momento había sido ministro de Trabajo con Barcia y de Hacienda en los sucesivos presididos por Casares Quiroga, Martínez Barrio y Giral. Durante la guerra, como diputado, participó en la labor de las Cortes. Antes de acabar la contienda salió del país y se estableció en Nueva York, en donde por algún tiempo mantuvo una labor de propaganda en favor de la República. Allí murió en 1969.

(Ver foto en pág. 396.)

RICO AVELLO, Manuel

Abogado asturiano nacido en Luarca en 1887. Estudió en la Universidad de Oviedo y estuvo en colaboración con «Clarín». Fue secretario de la Patronal de mineros y de la Cámara Minera de Asturias, y alcanzó gran renombre por su ecuanimidad y su competencia profesional. Fue después secretario de la Comisión Mixta de Obreros y Patronos de las minas de Asturias. En 1920 fue elegido diputado provincial de Oviedo.

En política perteneció al grupo «Al Servicio de la República» y a su disolución figuró como republicano independiente. Fue diputado a Cortes en dos ocasiones, en 1931 por Oviedo y en 1936 por Murcia (provincia).

Participó en el Gobierno por primera vez en el Gabinete formado por Martínez Barrio, en octubre de 1933, al frente del Ministerio de la Gobernación. Continuó en el segundo que pudo componer Lerroux, con la misma cartera, hasta ser sustituido por Martínez Barrio.

Su presencia como ministro de la Gobernación se hizo sentir en la buena marcha de las elecciones de 1933 en las que procuró una estricta neutralidad por encima de todo manejo partidista. Se encaró también con la efervescencia anarquista de diciembre de este año y cuando dio buen fin a ambos asuntos, ya ministro Lerroux, fue cuando dimitió de su cargo, siendo entonces nombrado Alto Comisario de España en Marruecos.

Una vez más sería ministro. En el segundo Gobierno de Portela Valladares, límite con el Frente Popular, ocupó la cartera de Hacienda.

Al iniciarse el Alzamiento Nacional, fue detenido y encerrado en la Cárcel Modelo. Había de ser una de las víctimas ilustres de la matanza del 22 de agosto de 1936.

(Ver foto en pág. 371.)

RÍO Y RODRÍGUEZ, Cirilo del

Abogado que fue diputado por Ciudad Real en las Cortes Constituyentes y en las de 1933. Era republicano progresista.

Católico practicante, fue contrario a la política laica de las Constituyentes reflejada en el artículo 26 de la Constitución y en la Ley de Congregaciones.

Amigo personal del primer Presidente de la República, su actuación política estuvo, en gran parte, a tenor de esta circunstancia. Debido a ello fue solución para Alcalá-Zamora en muchas ocasiones durante el bienio derechista, cuando se empeñó en no contar con la CEDA, mayoritaria en el Parlamento tras las elecciones del 33. Fueron entonces los radicales y los amigos personales, como Cirilo del Río, los que le permitieron sostener una situación de suyo insostenible.

Entró por primera vez como ministro de Agricultura en el Gobierno de Martínez Barrio de octubre de 1933. Continuó en esta cartera en los sucesivos Gabinetes de Lerroux —segundo y tercero— y Samper. Los días graves de la revolución de octubre acabaron, por necesidad, con este tipo de componendas.

Volvería aún al cargo ministerial por dos veces: en los encargados a Portela, nuevas bazas del Presidente de la República. En ambos regentó el Ministerio de Obras Públicas y Comunicaciones.

(Ver foto en pág. 372.)

RÍOS URRUTI, Fernando de los

Natural de Ronda, Málaga, había nacido el 8 de diciembre de 1879. Sobrino de Francisco Giner de los Ríos, se educó en el ambiente de la Institución Libre de Enseñanza y adquirió una sólida formación al tiempo que un estilo de vida, sobrio y elegante, que le daba un tono distinto del propio del intelectual medio español.

Consiguió la cátedra de Derecho Político de la Universidad de Granada y la desempeñó hasta el advenimiento de la Dictadura. Desde 1919 era diputado socialista y no pudo coexistir con el nuevo régimen, por lo que marchó al extranjero. En los Estados Unidos y en Méjico explicó varios cursos en diversas universidades. Regresó a España en tiempo del Gobierno Berenguer, aureolado de gran prestigio profesional.

Ocupó entonces la cátedra de Estudios Superiores de Ciencias Políticas que había sido creada expresamente para él.
Colaboró activamente en la conspiración contra la monarquía y en 1930 formó parte del Comité Revolucionario, por lo que se le detuvo y procesó. Permaneció en la Cárcel Modelo de Madrid hasta que el Tribunal Supremo de Guerra le condenó, como a sus compañeros, a seis meses de prisión; fue puesto en libertad condicional.
Fue diputado por Granada en las tres legislaturas.
En el Gobierno Provisional se le adjudicó la cartera de Justicia, en la que permaneció hasta que en diciembre del 31 formó Azaña el primer Gobierno Constitucional, en el cual también entró, ocupando esta vez el Ministerio de Instrucción Pública y Bellas Artes. Desde este puesto realizó algunas reformas de tono progresista. Suprimió la Escuela Superior de Magisterio y en su lugar creó la Facultad de Pedagogía, aneja a la de Filosofía y Letras.
Implantó el divorcio, la secularización de cementerios y la libertad de cultos.
En el último Gobierno que presidió Azaña, en el primer bienio republicano, Fernando de los Ríos continuó con un puesto ministerial, en esta postrera ocasión el de Estado. Después no volvería a entrar en ningún otro Gabinete. Fue, en cambio, durante la guerra, representante del Gobierno republicano en Washington.
Murió en el exilio en el año 1949.
(Ver foto en pág. 360.)

ROCHA GARCÍA, Juan José
Abogado. Natural de Cartagena, toda su carrera política la hizo en Barcelona al lado de Lerroux, del que fue secretario político.
Fue elegido concejal de Barcelona en 1916, de cuyo Ayuntamiento llegó a ser alcalde. Diputado a Cortes por Murcia (provincia) en 1933. Desde el advenimiento de la República figuró como embajador en Lisboa hasta que fue nombrado ministro. Lo sería varias veces, tantas como Lerroux formase Gobierno.
Figuró como ministro de la Guerra en el primer Gobierno del jefe radical, que liquidó el bienio azañista. En el segundo y tercero cambió tal cartera por la de Marina, que conservó en el subsiguiente presidido por Samper, de abril a octubre de 1934. Quedó fuera del cuarto Gobierno Lerroux hasta que sustituyó al propio Samper en el Ministerio de Estado, puesto en el que continuó durante los dos últimos Gobiernos de su jefe.
Tan dilatada actuación ministerial tuvo su fin en octubre de 1935, no sin haber participado todavía en otro Gobierno, el primero de Chapaprieta, en el cual figuró al frente del Ministerio de Instrucción Pública y Bellas Artes.
(Ver foto en pág. 369.)

ROYO VILLANOVA, Antonio
Nació en Zaragoza el 12 de junio de 1869. Estudió la carrera de Derecho y llegó a ser catedrático de Derecho Político y Administrativo de la Universidad de Valladolid.
De espíritu liberal, fue diputado y senador durante la Monarquía. Director General de Primera Enseñanza en el año 1913. Mantuvo a ultranza el principio de la libertad de cátedra y enseñanza sin arredrarse ni en los tiempos difíciles de la Dictadura.
En 1922 había sido nombrado senador vitalicio. Sin embargo, no cambió su línea de conducta. Nunca fue demasiado afecto al rey y salió en defensa de la Universidad cuando fue menospreciada por Primo de Rivera. Por ello le fue incoado expediente administrativo.
Al proclamarse la República consiguió acta en las Cortes Constituyentes. Fue diputado agrario por Valladolid. Se distinguió por sus intervenciones en los debates sobre el Estatuto de Cataluña, en los que se mostró ardiente partidario de la unidad total del país. A la categoría ministerial llegó en el sexto Gobierno de Lerroux, de mayo a septiembre de 1935. Ocupó la cartera de Marina.
Murió en 1958 en Madrid.
(Ver foto en pág. 385.)

RUIZ-FUNES GARCÍA, Mariano
Nació en Murcia en 1889. Abogado, llegó a ocupar la cátedra de Derecho Penal en la Universidad murciana. Fue un profesional muy interesado por las cuestiones jurídicas relativas a su provincia, sobre las que publicó varios estudios, tales como «El Derecho consuetudinario en la huerta y el campo de Murcia» y «Derecho consuetudinario y Economía popular de la provincia de Murcia».
En las Cortes Constituyentes fue diputado por su ciudad natal, al tiempo que jefe parlamentario de la minoría de Acción Republicana, partido del que era figura importante. En las Cortes de 1936 volvió a tener representación, esta vez por Vizcaya (capital). Fiel seguidor de Azaña pasó a formar parte de su nuevo partido, Izquierda Republicana. Su republicanismo izquierdista le llevó a manifestarse en contra de la disolución de las Cortes, en 1933, en un deseo de dar más plazo a la realización del azañismo.
Representó a España en el III Congreso Internacional de Derecho Penal que se celebró en 1933.
Embajador en Bruselas. Con el triunfo del Frente Popular y en el Gabinete formado por Azaña, llegó a ser ministro. Tuvo la cartera de Agricultura en esta ocasión y en otras tres más, en los Gobiernos subsiguientes de Barcia, Casares y Giral. Aún continuó en las filas del Gobierno cuando llegó al poder Largo Caballero, después de Giral. En este Gabinete figuró como ministro de Justicia.
Al terminar la guerra huyó a Francia y más tarde a Méjico.
Asistió a las Cortes celebradas en la capital mejicana, en agosto de 1945, por los exiliados republicanos.
La Universidad Nacional de Méjico le ofreció la cátedra de Derecho Penal, y sobre esta materia trabajó en el destierro.
Murió en aquella capital al principio de los años 50.
(Ver foto en pág. 396.)

SALAS GONZÁLEZ, Francisco Javier
Nació en Madrid el 17 de febrero de 1871, ingresando en la Marina a los 16 años.
Intervino en las guerras de Cuba y Marruecos. Fue agregado naval en Roma en los años 1923 a 1927. En Ginebra representó a España, como vocal, en las sesiones de la Comisión de Desarme de la Sociedad de Naciones. Formó parte de comisiones técnicas de la Marina de Europa para estudiar las características de las armadas extranjeras.
En 1928 asciende a contraalmirante, ocupando el cargo de jefe de la Comisión de Marina hasta 1930; al dejar este puesto pasa a desempeñar la jefatura de la Escuadra de Cruceros.
A los pocos meses de proclamarse la República obtiene la graduación de vicealmirante, y es nombrado en octubre de aquel mismo año Jefe del Estado Mayor Central de la Armada, por Casares Quiroga, que ocupaba el Ministerio de Marina.
En enero de 1934, siendo ministro Rocha, fue nombrado Inspector General de la Armada.
Escala el Ministerio en dos ocasiones, en atención a su pro-

bada capacidad profesional y a su inocuidad política, en momentos difíciles del juego de Gobierno que llevaba a cabo Alcalá-Zamora, desde la Presidencia de la República. Lo fue, por primera vez, en el quinto Gabinete de Lerroux en abril de 1935, y por segunda y última, en el primero que formó Portela Valladares, a finales de este mismo año.
El 17 de julio de 1936 le sorprendió en Madrid ocupando el cargo de Jefe del Estado Mayor en el Ministerio de Marina. Su actitud de reserva ante los acontecimientos de última hora dio motivo para que un tribunal popular le condenara a reclusión perpetua. Murió a finales de 1936.
(Ver foto en pág. 382.)

SALAZAR ALONSO, Rafael
Nació en Madrid el 27 de diciembre de 1895. De familia modesta, pero dotado de fuerte voluntad y de viva inteligencia, supo ir elevándose gracias a su propio esfuerzo. A los 15 años se le distinguió con la Cruz de Isabel la Católica por la publicación de una Gramática Francesa.
Hizo estudios superiores. Cultivó las letras y ejerció el periodismo al tiempo que iba haciendo carrera política en las filas del Partido Radical. Escribió un interesante estudio sobre «La justicia bajo la Dictadura» y colaboró en diversos estudios y revistas. Fue cronista de Tribunales.
En 1931 fue elegido concejal del Ayuntamiento de Madrid. Más tarde se le nombró presidente de la Diputación madrileña. Sobre esta base continuó su carrera política. En las Cortes Constituyentes consiguió un acta de diputado por Badajoz. Su actividad fue considerable y entre otros cargos tuvo el de presidente de la Comisión de Justicia. En las elecciones de 1933 volvió a ser diputado por Badajoz.
Llegó a ser ministro por primera vez en el tercer Gobierno de Lerroux, en marzo de 1934, en el que desempeñó la cartera de Gobernación. En este mismo cargo continuó tras la crisis que dio paso al Gobierno Samper y que duró hasta el 4 de octubre de 1934. Clausuró la Casa del Pueblo durante su actuación ministerial. Se desataba la revolución, pero Salazar Alonso ya había denunciado los preparativos, mientras estuvo en Gobernación.
Siendo alcalde de Madrid, se vio implicado en el escándalo del «straperlo», en el que tuvieron parte importantes figuras del Partido Radical. La oposición agitó tan turbio asunto con fines propangandísticos. La gran consecuencia fue el desprestigio y descalificación del partido de Lerroux y además los de algunos personajes en concreto. Salazar Alonso no fue exculpado por escasísimo número de votos. Dimitió la alcaldía madrileña aunque quedó de manifiesto su no participación en el asunto. Ocupó entonces el cargo de Presidente de la Comisión Gestora.
Murió fusilado en Madrid, el 23 de septiembre de 1936.
(Ver foto en pág. 376.)

SALMÓN AMORÍN, Federico
Nació en 1900 en Burriana (Castellón). Estudió Derecho en Valencia y fue uno de los fundadores de la Federación de Estudiantes Católicos.
Periodista y abogado, llegó a ser catedrático de Derecho Público de la Universidad de Murcia y jurisconsulto del Cuerpo de Abogados del Estado. En el plano periodístico destacó como director del diario «La Verdad».
Fue diputado por Murcia en las Cortes de 1933. Pero ya antes había desarrollado una eficaz labor política en las filas católicas de Acción Popular. Al ser declarado excedente de su cátedra en el bienio azañista, después de haber sido trasladado a Teruel, se vino a Madrid, en donde se hizo cargo de la Secretaría de la CEDA y del rectorado del Centro de Estudios Universitarios.
Entró a formar parte del sexto Gobierno de Lerroux, a la vez que Gil-Robles, su jefe político, obtenía la tan solicitada cartera de Guerra. Salmón, que ocupó el Ministerio de Trabajo y Previsión Social, desarrolló una eficaz política contra el paro y en pro de la construcción de viviendas baratas para los trabajadores.
Participó aún en los dos Gobiernos que presidió Chapaprieta al frente del mismo ministerio, solo que con la reforma llevada a cabo por el propio Chapaprieta se convirtió en ministerio de Trabajo, Justicia y Sanidad.
Murió asesinado el 7 de noviembre de 1936. Se cree que fue en Paracuellos del Jarama.
(Ver foto en pág. 385.)

SALVADOR CARRERAS, Amós
Arquitecto perteneciente al grupo de profesionales acomodados y burgueses liberales que formaron en las filas del republicanismo azañista. Fue diputado por Logroño en las Cortes de 1933, desempeñando los puestos de Vocal en la Comisión Permanente de la Presidencia y Gobernación. En las elecciones de febrero de 1936 fue igualmente elegido por Logroño. Viejo amigo de Azaña, militó en el Partido de Izquierda Republicana.
Hijo del que fue ministro liberal durante la Monarquía, formó parte del Gobierno presidido por su jefe político al producirse la victoria del Frente Popular.
Se reunieron en él una serie de miembros del republicanismo izquierdista que hicieron de enlace con la nueva época de tono más extremo. Tuvo Amós Salvador la cartera de Gobernación en estos difíciles momentos en los que las turbas empachadas por la reciente victoria se permitieron toda clase de desmanes y atropellos.
Cogió el camino del exilio al final de la guerra, regresando a España unos años más tarde.
(Ver foto en pág. 395.)

SAMPER IBAÑEZ, Ricardo
Nació en Valencia el 25 de agosto de 1881. De familia humilde, consiguió hacer la carrera de Derecho, trabajando al tiempo para costeársela. Una vez titulado, en 1904, se dedicó al ejercicio de su profesión en Valencia y poco a poco fue alcanzando un sólido prestigio.
Sus actividades políticas fueron tempranas. Perteneció desde siempre al partido de Unión Republicana Autonomista de Valencia, antes Fusión Republicana, bajo la dirección de Blasco Ibáñez. Apoyado por este partido llegó a concejal del Ayuntamiento de Valencia en 1919 y al año siguiente pasó a desempeñar la alcaldía de la ciudad. Fue también elegido diputado provincial, representante de la minoría republicana. Colaboró frecuentemente en el periódico «El Pueblo», y fue presidente del Ateneo Mercantil.
Consiguió un acta de diputado en las Cortes Constituyentes, tras el advenimiento de la República. Representante de Valencia, figuró encuadrado dentro de la minoría radical, bajo la dirección de Lerroux. Intervino en la Comisión encargada del proyecto de Constitución, como representante de los radicales.
En 1933, en las nuevas elecciones, volvió a sacar su acta de diputado por Valencia, esta vez por la capital. Ya había conseguido ser ministro. Le había incluido Lerroux en su primer Gobierno como titular del Ministerio de Trabajo y Previsión

Social, puesto en el que estuvo menos de un mes al caer el Gabinete y disolverse las Cortes. Luego volvió a ser su jefe político quien formase nuevo Gobierno y otra vez contó con Samper. En este segundo Gabinete ocupó el ministerio de Industria y Comercio, cargo en el que perteneció al montarse el tercero de Lerroux, en marzo de 1934.
En breve tiempo se iban sucediendo varias crisis. La próxima llevaría a Samper a la propia presidencia del Gobierno, cuando Alcalá Zamora le encargó formar un nuevo Gabinete. Con el apoyo de los propios radicales y de la CEDA consiguió salir a flote. Pero solo le duró la confianza unos meses. A primeros de octubre, desasistido de sus defensores, se vio obligado a dimitir. Sin embargo, se prestó, por fidelidad a su partido, a colaborar con su sucesor, Lerroux, que formaba ya su cuarto Gobierno. Entró en él como ministro de Estado, pero los debates habidos a cuenta de los sucesos revolucionarios de octubre le decidieron a dimitir, lo mismo que al ministro de la Guerra. Samper fue sustituido por Rocha el día 19 de noviembre de 1934. Murió en 1938.
(Ver foto en pág. 368.)

SÁNCHEZ DEL ALBORNOZ Y MENDUIÑA, Claudio
Nació en Madrid el 7 de abril de 1893. Se doctoró en Historia en la Facultad de Filosofía y Letras de la Capital. Ingresó en el Cuerpo de Archiveros, inmediatamente, y a los veinticinco años era ya catedrático de la Universidad de Barcelona. Pasó después a la de Madrid para suceder al eminente Eduardo de Hinojosa en la cátedra de Historia de España Antigua y Media. En 1932 fue rector de la Universidad de Madrid.
Profesionalmente ha sido y es Sánchez-Albornoz uno de los más ilustres medievalistas españoles de nuestro siglo. Su actividad investigadora y docente ha sido incesante. Primero en España y tras el exilio en Argentina, ha sido su cátedra fuente inagotable de estudios de historia y de formación de una auténtica escuela de medievalistas. Sus ideas, sus descubrimientos, sus interpretaciones quedaron deliciosamente expuestas en el magno documento de la vida de un historiador que es su obra, «España, un enigma histórico».
En paralelo y hasta nuestros días, Sánchez-Albornoz ha sido también un republicano convencido y militante, defensor a ultranza de sus ideas. En 1931 figuró como diputado por Ávila en las Cortes Constituyentes de la República. Perteneció al partido de Acción Republicana, que más tarde cambiaría la denominación por Izquierda Republicana.
En el primer Gobierno Lerroux, se le reservó la cartera de Estado, cuando se encontraba en Argentina dando unas conferencias. En la crisis de octubre de 1933 entró en el Gabinete de Martínez Barrio ocupando la misma cartera.
Era embajador en Lisboa cuando sucedió el Alzamiento. Su situación quedó bastante comprometida, puesto que el Gobierno portugués apoyó claramente la causa nacionalista.
Acabada la guerra marchó al extranjero. Su categoría profesional le hizo ser solicitado por varias universidades. Estuvo primero en la universidad de Burdeos y al estallar la Segunda Gran Guerra prefirió alejarse hasta América. En la Argentina halló su asentamiento definitivo. Primero desde Mendoza y luego desde Buenos Aires ha desarrollado una labor profesional magnífica, en especial desde la revista especializada «Cuadernos de Historia de España».
Su fidelidad política al régimen republicano le hizo aceptar en 1962 el cargo de jefe de Gobierno de la República en el exilio.
En 1970 le fue concedido el premio Feltrinelli, de la Academia de Lincei italiana, en reconocimiento a sus trabajos históricos.
(Ver foto en pág. 370.)

SÁNCHEZ-ROMÁN Y GALLIFA, Felipe
Nació en Madrid en el año 1893. Hijo del que fue ministro de la monarquía en el Gabinete de Montero Ríos, a los 23 años era catedrático por oposición de Derecho Civil de la Universidad de Madrid, sucediendo a su padre en dicha cátedra a su muerte.
Perteneció al Tribunal Permanente de La Haya y fue académico y vicepresidente de la Academia Nacional de Jurisprudencia y Legislación entre otros muchos cargos. Fue también asesor jurídico de la Junta Constructora de la Ciudad Universitaria.
Asistió como invitado, en la tarde del 17 de agosto de 1930, a la reunión del Círculo Republicano de la capital donostiarra, reunión que pasaría a la historia con el nombre de «Pacto de San Sebastián».
Defendió a Largo Caballero, en el juicio que se celebró en Las Salesas, tras la fracasada intentona de Jaca, contra los componentes del llamado Gobierno provisional, detenidos en la Cárcel Modelo.
Figuró en política dentro de la «Agrupación al Servicio de la República», y consiguió un acta de diputado en las Constituyentes por Madrid, capital. Al final del bienio azañista se mostró partidario, en las consultas hechas por el Presidente de la República, de la disolución de las Cortes.
Se declaró contrario al Estatuto de Cataluña.
Al disolverse la Agrupación al Servicio de la República, fundó el Partido Nacional Republicano.
Tras la caída del primer Gobierno Lerroux fue encargado de formar uno de concentración, no encontrando el apoyo suficiente, motivo por el cual declinó el mandato presidencial.
En 1936, su moderantismo le llevó a no firmar el pacto del Frente Popular. Sin embargo, le sirvió para que Martínez Barrio se acordase de él cuando intentó su Gobierno de mediación en la noche del 18 de julio del 36. Se le aseguró el puesto de ministro sin cartera.
En marzo de 1939 fue invitado por el Gobierno mejicano del general Lázaro Cárdenas para dictaminar sobre la Expropiación Petrolera. En el país azteca se le reconoció su gran categoría profesional, fue nombrado Asesor Jurídico del Presidente Ávila Camacho, volviendo a ocupar el mismo puesto con Ruiz Cortines. Enseñó en la Universidad Autónoma de Méjico y fundó el Instituto de Derecho Comparado, el cual no existía en aquel país.
Murió en 1956.
(Ver foto en pág. 400.)

SANTALÓ Y PARVORELL, Miguel
Publicista. Profesor de la Escuela Normal de Gerona, estuvo afiliado, en política, a la Esquerra Catalana, de la que fue jefe en las Cortes. Diputado por Gerona en las tres Legislaturas, participó como Vocal en la Diputación Permanente de las Cortes de 1933 y en las de 1936 de la Comisión del Tribunal de Cuentas y Presupuestos.
Durante el primer bienio republicano, fue director de la Escuela Normal de Maestros de la Generalidad de Cataluña.
Era alcalde de Gerona cuando pasó a formar parte del primer Gobierno de Lerroux como ministro de Comunicaciones, puesto del que hubo de dimitir por sus discrepancias con el jefe Radical. Llamado a consulta, con motivo de la posibilidad de disolución de las Cortes, en 1933, se mostró indeciso, en principio, para pronunciarse después por la liquidación.
Como representante de su partido, ordenó en las Cortes la retirada de la minoría de la Esquerra, por encontrar inaceptable el fallo del Tribunal de Garantías Constitucionales, cuando declaró inconstitucional la Ley de Contratos de Cultivo, fabricada en el Parlamento Catalán.
En la sesión de Cortes que tuvo lugar en San Cugat de Vallés,

atacó duramente al Gobierno Negrín y a su política de resistencia.
Poco antes de terminar la guerra huyó al extranjero.
Murió en 1961.
(Ver foto en pág. 368.)

TOMÁS Y PIERA, José
Político catalán. perteneciente al grupo de la Esquerra Republicana.
Fue diputado por Barcelona (provincia) en 1933 y en 1936, ocupando además en esta ocasión los puestos de secretario de la Diputación Permanente de las Cortes y Vicepresidente de las Comisiones de Estatutos y de Actas y Calidades.
Durante el bienio derechista, al llegar la crisis del 3 de octubre de 1934 fue llamado a consulta por Alcalá Zamora en representación de su partido y, al igual que otros, se pronunció por la disolución de las Cortes.
Subsecretario de Sanidad y Beneficiencia en mayo de 1936. Fue ministro, ya entrada la guerra, en el primer Gobierno presidido por Largo Caballero. Se hizo cargo del ministerio de Trabajo, de septiembre a noviembre de 1936. Después asistió, en su calidad de diputado, a las sesiones de las Cortes republicanas, pero huyó al extranjero antes de acabar la contienda.
(Ver foto en pág. 405.)

URIBE GALDEANO, Vicente
Nacido en Bilbao en 1897, es uno de los personajes políticos más interesantes del comunismo español. De simple metalúrgico llegaría a primera figura de su partido y a ministro en tiempos de la guerra.
Hombre inteligente y práctico, de probada eficacia, completó sus condiciones naturales con el prestigio y la doctrina adquiridos en Moscú, en donde pasó una temporada no muy bien determinada aún. Se convirtió en el inspirador teórico del partido, siempre en la línea moscovita. En 1932 se hizo cargo de la dirección de «Mundo Obrero».
Al estallar la guerra, el comunismo español vio llegar su gran oportunidad. Muchos de sus personajes pasaron entonces a los primeros cargos del país y entre ellos Uribe. La llegada de Largo Caballero al poder, en septiembre de 1936, suponía el paso franco a la revolución. Desde este momento el Partido Comunista estuvo presente en todos los Gobiernos, unas veces por unos de sus cabecillas, otras por otros, pero siempre por Uribe. Largo Caballero le adjudicó la cartera de Agricultura y suya fue hasta el final de la guerra.
Intervino en los dos ministerios de Largo Caballero. Participó luego en el complot para derribar al líder socialista y permaneció en su puesto ministerial con Negrín, superando todas las crisis. Hasta el final de la guerra pudo así llevar a cabo una política agraria, típicamente comunista, que procuró arrancar de los intentos más moderados del republicanismo izquierdista. Participó además en los principales episodios que llevaron al partido comunista a hacerse dueño total de la situación, en especial en el del POUM, en los sucesos de mayo del 37 en Barcelona.
En los últimos tiempos de la guerra, cuando el fin catastrófico se veía llegar por momentos, fue de los que más lucharon por superarlos y de los que resistieron hasta el último instante en un esfuerzo supremo por variar el destino de los acontecimientos. Se opuso al coronel Casado en los últimos días de Madrid y permaneció en su puesto aún después de la salida de Negrín en marzo de 1939. Al final huyó a Cartagena, luego a Orán y desde allí a Moscú. Falleció el 11 de julio de 1961 en Praga, cuando ya no era ni la sombra del gran líder comunista que había asumido tan graves responsabilidades en los destinos de su país.
(Ver foto en pág. 404.)

URZAIZ CADAVAL, Joaquín
Nació el 15 de septiembre del año 1887, en la villa de Nigrán, Pontevedra. Hijo del que fue ministro de la Monarquia, Ángel Urzaiz.
Estudió la carrera de Derecho y en el año 1908 ingresó en el Cuerpo de Abogados del Estado, llegando a ser Decano del mismo.
No había tenido cargos políticos hasta la implantación de la República, en la que fue Subsecretario de Hacienda, siendo ministro Marraco, y posteriormente fue designado para regir la cartera de Estado en el último Gabinete que formó Portela Valladares.
No perteneció a ningún partido político y su actuación en el Gobierno Portela fue solamente en calidad de técnico.
Al producirse el Alzamiento nacional se encontraba veraneando en San Sebastián, teniendo que permanecer en la referida población hasta la llegada de las tropas de Franco. Por ningún bando contendiente se le exigió responsabilidades de tipo alguno en relación con sus actuaciones políticas.
Falleció en Madrid en el año 1957.
(Ver foto en pág. 393.)

USABIAGA LASQUIVAR, Juan
Ingeniero de Ciencia físico-matemática. En 1919, ocupó la cátedra de Ferrocarriles en la Escuela Central de Ingenieros Industriales. En enero de 1932, en unión de Nicolás de Soto, marchó a Francia a estudiar el sistema de autovía. En 1934 obtuvo la Dirección General profesional y técnica y algo más tarde la de presidente del Instituto Nacional de Previsión. Siguió desempeñando altos cargos en la Administración Pública, como el de Director de la Casa de la Moneda y Timbre.
Propietario del diario «La Voz de Guipúzcoa», estaba afiliado al Partido Radical. Fue diputado a las Cortes Constituyentes por su ciudad natal.
Las dimisiones de Lerroux y Rocha en el primer Gobierno Chapaprieta producen una nueva crisis, que se soluciona rellenando ambos puestos con radicales de poca significación. Uno de los huecos lo ocupa Usabiaga, con la cartera de Agricultura, Industria y Comercio.
Mas tarde se mostraría contrario a los planes financieros de Chapaprieta, dando lugar a la crisis total, y con ella a la caída del Gobierno. Ya no volverían los radicales a desempeñar cargo alguno en los sucesivos equipos ministeriales.
(Ver foto en pág. 389.)

VAQUERO CANTILLO, Eloy
Nació en Montalbán de Córdoba el 28 de junio de 1888. Hijo de un labrador, estudió la carrera de Magisterio que ejerció durante algunos años. Tuvo también actividad en el campo del periodismo. Fue redactor del diario cordobés «La Voz» y concejal y alcalde ya con la República; por esta época se hizo abogado.
Jefe del partido Radical de Córdoba y miembro de su Comité Nacional Ejecutivo. Figuró en las Cortes Constituyentes y en

las de 1923, como diputado por Córdoba. Intervino intensamente en los debates de la Reforma Agraria.
Su carrera política la hizo de la mano de su jefe Lerroux, amigo de siempre, por otra parte. Cuando el líder radical formó su primer Gabinete le nombró Director General de Previsión y Acción Social. Después entraría a formar parte de dos gobiernos, el cuarto y el quinto de Lerroux. En el primero regentó el ministerio de Gobernación y en el segundo el de Trabajo y Previsión Social.
Llegada la guerra huyó al extranjero y aún vive alejado de España.
(Ver foto en pág. 380.)

VELAO OÑATE, Antonio
Ingeniero. Figuró en las filas azañistas de Izquierda Republicana. Tuvo sus mejores momentos políticos en la época de su jefe, primer bienio y luego con el Frente Popular. En ambas ocasiones tuvo representación en Cortes: en las de 1931 por Albacete y en las de 1936 por Madrid (capital).
En mayo de 1931, fue nombrado Director General de Ferrocarriles.
Subsecretario de Obras Públicas siendo titular del Departamento Casares Quiroga en el Primer Gobierno del Frente Popular. En el Gabinete del ministro gallego, en marzo de 1936, incluyó en el Gabinete a Velao, incondicional azañista, en la cartera de Obras Públicas. Dos meses duró este Gobierno, pero Velao continuó en el mismo puesto ministerial con Giral, tras el paréntesis de horas que fue el que constituyó Martínez Barrio, en la noche del 19 de julio.
Acabaría la guerra siendo ministro ya que había entrado a formar parte del último Gobierno de Negrín con otros tres republicanos. Tuvo también entonces la cartera de Obras Públicas.
Vivió en Madrid los últimos momentos de la guerra, cuando se preparaba la sublevación del coronel Casado. Desde allí pasó a Valencia y después huyó al extranjero.
(Ver foto en pág. 399.)

VELAYOS VELAYOS, Nicasio
Abogado abulense. Afiliado, durante la Monarquía, a la fracción de Santiago Alba, fue varias veces diputado.
Antiguo liberal, su voz se dejó oír en el Parlamento, con motivo de la huelga revolucionaria del 17, protestando contra las represalias.
Representó a su provincia en las tres Legislaturas republicanas, ocupando los cargos de Vocal de la Comisión de Actas y Calidades en las Cortes abiertas en 1933. En ellas presidió la sesión inaugural porque su acta llegó la primera al Congreso.
Suplente de la Diputación Permanente de las Cortes de 1936.
Figuró en el campo independiente al proclamarse la República pasando, más tarde, a las filas del Partido Agrario de Martínez de Velasco.
Amigo personal de Alcalá-Zamora, su labor en las Cortes del bienio derechista se distinguió por su conservadurismo frente a la política agraria progresista de Giménez Fernández, miembro de la CEDA.
También Velayos tuvo ocasión de enfrentarse personalmente con los difíciles problemas del campo español puesto que llegó a ser ministro de Agricultura, en calidad de técnico. Fue en el sexto Gobierno de Lerroux, de mayo a septiembre de 1935.
(Ver foto en pág. 386.)

VILLALOBOS GONZÁLEZ, Filiberto
Nació en Salvatierra de Tormes, Salamanca, el 7 de octubre de 1879. Estudió la carrera de Medicina. Profesionalmente, el doctor Villalobos fue de excepcional categoría como tisiólogo. A su competencia unió unas magníficas condiciones humanas que le convirtieron en un personaje querido y respetado.
Pero no se agotó su vida en las actividades profesionales. Sus preocupaciones sociales le tuvieron siempre en la brecha y en especial en el tiempo en que fue director de la Caja de Previsión Social de Salamanca, a través de la cual ejerció una auténtica labor de apostolado y de dignificación humana de las gentes más humildes.
Como político perteneció al grupo melquiadista, cuya representación ostentó en el Ayuntamiento, en la Diputación y en el Congreso. Como diputado por el distrito de Béjar, en 1918. Después, con la República, mantuvo todo el tiempo su condición de diputado.
En abril de 1934, Villalobos llegaba al ministerio de Instrucción Pública y Bellas Artes por primera vez. Lo hacía con el Gabinete Samper. Seguiría en la misma cartera en el siguiente, cuarto de Lerroux, hasta que, a finales de año, fue sustituido por Dualde. Pero volvería por tercera vez a ser titular del Ministerio de Instrucción Pública, en el segundo Gobierno de Portela Valladares, el que dio paso al Frente Popular, victorioso en las elecciones de febrero de 1936.
En todas estas ocasiones desarrolló una abnegada labor cultural, orientada con fines de promoción social de las masas. Se preocupó mucho por crear y dotar las escuelas públicas necesarias para posibilitar tales objetivos.
Verdaderamente popular y querido en su Salamanca, allí pasó el resto de su vida hasta su muerte en 1955.
(Ver foto en pág. 377.)

VIÑUALES PARDO, Agustín
Catedrático de Hacienda Pública de la Universidad de Granada. Más tarde pasó a la Universidad Central. Al proclamarse la República fue nombrado director general del Timbre.
Jaime Carner tuvo que dejar la cartera de Hacienda aquejado de una grave enfermedad. Para sustituirle, Azaña recurre a Viñuales, persona de gran autoridad dentro del campo de las finanzas. Abandonó el ministerio al cerrarse el primer bienio.
Se adhirió a la propuesta de Maura de implantarse una dictadura republicana, en julio de 1936, con el fin de atraerse a los militares comprometidos en el Alzamiento Nacional.
Salió de España en plena guerra.
Murió en Madrid en noviembre de 1959.
(Ver foto en pág. 366.)

ZABALA Y LAFORA, Alfredo
Natural de Madrid, nació en 1890. Abogado del Estado y distinguido economista, fue uno de los fundadores del Partido Progresista. Se adhirió a este grupo político en 1930, a raíz del famoso discurso, en Valencia, de Alcalá Zamora.
Al advenir la República, el Gobierno Provisional le nombró Director General de Propiedades y Contribución Territorial y presidente del Consejo de Administración de las Minas de Almadén y Arrayanes, siendo Indalecio Prieto ministro de Hacienda. Dimite el cargo, horas después de ser aprobado el artículo 26 de la Constitución relativo a la cuestión religiosa.

En marzo de 1933 fue nombrado Consejero de Estado y Gobernador del Banco de España en el tercer Gobierno Lerroux y siendo ministro de Hacienda Marraco.
No figuró en las listas de diputados pero llegó no obstante a ser ministro, por sus condiciones profesionales. Cuando Lerroux hubo de formar un nuevo Gobierno —que sería el quinto por él presidido— se buscó más que nada salir del paso y para ello improvisó un equipo de técnicos y especialistas. Tuvo así cabida Zabala y Lafora en el Ministerio de Hacienda que desempeñó por un mes, lo que, evidentemente, da idea de las realizaciones que podría llevar a cabo en tan poco tiempo.
Vive en Madrid.
(Ver foto en pág. 383.)

ZUGAZAGOITIA MENDIETA, Julián
Figura relegada siempre a segundo plano, es de una importancia decisiva en la trayectoria política española de los años treinta, en cuanto que lo fue del socialismo.
De gran solera socialista, inteligente y muy preparado, Zugazagoitia se mostró siempre ecuánime y moderado en la línea política de su partido. Su nombre va inevitablemente unido al de Prieto, cabeza oficial de la postura moderada. Fue director de «El Socialista», portavoz de esta tendencia y defensor arriscado de ella contra el ala ultra de Largo Caballero y «Claridad», que inspiraba otro vasco, no menos comprometido, Araquistain. Rivalidad dialéctica que llegó a ser rivalidad física, cuando vinieron ambos a las manos en la reunión para la elección presidencial de Azaña, en el Palacio de Cristal del Retiro, de Madrid.
En la época de guerra siguió centrado en la labor periodística. «El Socialista», bajo su control, no llegó a perder el sentido mesurado de siempre, a pesar de los extremismos desatados. Se distinguió en la defensa de Madrid.
Cuando Negrín accede al poder en mayo de 1937 le incluye en su primer Gobierno, como ministro de Gobernación. También Prieto formaba en él al frente de la cartera de Defensa Nacional. Su trabajo fue paralelo, como de costumbre, y su criterio pesó en los planes reformistas bélicos de Prieto. Por eso contó Negrın con él cuando, tras una nueva crisis por la derrota de Teruel, Prieto abandonó el ministerio y él mismo se puso a su frente. Entonces Zugazagoitia ocupó la Secretaría General. Sin embargo, estaba claro su escaso porvenir ante el rápido auge del comunismo y en seguida desapareció de la esfera política.
Consiguió huir a Francia, pero no fue ello suficiente. Las autoridades del país vecino le entregaron al Gobierno nacional, que le condenó a muerte. Su fusilamiento se efectuó en la cárcel de Porlier.
Zugazagoitia tuvo tiempo de escribir una «Historia de la Guerra de España», en la que hace un relato totalmente vivo y personal de los acontecimientos. En verdad es un auténtico libro de memorias imprescindible para el historiador.
(Ver foto en pág. 410.)

ZULUETA ESCOLANO, Luis de
Profesor y publicista. Nació en Barcelona en 1878. Su formación cultural fue completada en Universidades extranjeras. Después de doctorarse en Filosofía, fue nombrado profesor de Pedagogía en la Escuela Superior del Magisterio.
En 1910 consigue un acta de diputado por Barcelona y ocho años más tarde por Madrid, figurando en el partido reformista de Melquiades Álvarez hasta poco antes de la caída de la Monarquía, en que se separó de aquél para entrar a formar parte del grupo independiente.
Cuñado de Julián Besteiro, al llegar la República fue nombrado embajador ante la Santa Sede, pero el Vaticano le negó el placet.
Antiguo institucionalista, llegó a las Cortes Constituyentes por la circunscripción de Badajoz. En diciembre de 1931, logró la cartera de Estado en el Gabinete formado por Azaña, y la conservó hasta junio de 1933. Una vez que cesó en este puesto volvió a las actividades diplomáticas al ser nombrado embajador en Berlín.
Al terminar la contienda se refugió en Hispanoamérica. Colaboró en la revista «Cuadernos», del Congreso por la Libertad de la Cultura, y en «El Tiempo», de Bogotá, sobre temas internacionales. Falleció en Nueva York en 1964.
(Ver foto en pág. 364.)

RELACION DE DIPUTADOS

	CONSTITUYENTES 1931	PRIMERAS ORDINARIAS 1933	SEGUNDAS ORDINARIAS 1936
ABAD CONDE, Gerardo	Lugo. Radical		
ABADAL CALDERÓ, Raimundo de	Barcelona (cap.). Lliga		
ABEYTUA PÉREZ-IÑIGO, Isaac	Logroño. Rad. Social.		
ACACIO SANDOVAL, Pedro		Albacete. CEDA	Albacete. CEDA
ACEITUNO CÁMARA, José	Sevilla (pro.). Social.		
ACERO PÉREZ, Amós	Madrid (pro.). Social.		
ACUÑA CARBALLAR, Antonio	Melilla. Socialista	Málaga. Socialista	Málaga. Socialista
ACUÑA Y GÓMEZ DE LA TORRE, José de			Jaén. Mesócrata
ADANEZ HORCAJUELO, Dimas		Toledo. CEDA	Toledo. CEDA
ADANEZ HORCAJUELO, Germán			Valladolid. CEDA
AGUADO MERINO, Crescenciano		Palencia. Socialista	
AGUADO DE MIGUEL, Francisco			Cádiz. Izq. Repub.
AGUILAR CALVO, Juan María			Sevilla (cap.). Iz. Rep.
AGUILLAUME VALDÉS, Manuel		Toledo. Socialista	
AGUIRRE Y LECUBE, José Antonio	Navarra. Vasconava.	Vizcaya (pro.). Nac. V.	Vizcaya (pro.). Nac. V.
AGUSTÍN RODRÍGUEZ, Francisco	Ávila. Radical		
AIZPÚN SANTAFÉ, Rafael	Navarra. Vasconava.	Navarra. CEDA	Navarra. CEDA
ALARCÓN DE LA LASTRA, Luis		Sevilla (pro.). CEDA	
ALBA BONIFAZ, Santiago	Zamora. Independ.	Zamora. Radical	Zamora. Radical
ALBAR CATALÁN, Manuel	Zaragoza (pro.). Soc.		
ALBERCA MONTOYA, Gumersindo	Ciudad Real. Ac. Rep.		
ALBEROLA HERRERA, Rafael		Alicante. CEDA	
ALBERT PEY, Salvador	Gerona. Izq. Catalana		
ALBIÑANA Y SANZ, José María		Burgos. Nac. Español	Burgos. Bloque Nal.
ALBORNOZ Y LIMINIANA, Álvaro de	Oviedo. Rad.-Social.		Oviedo. Independ.
ALCALÁ ESPINOSA, Nícolás		Jaén. Radical	
ALCALÁ-ZAMORA Y TORRES, Niceto	Jaén. Conservador*		
ALCÁZAR GONZÁLEZ ZAMORANO, Manuel	Albacete. Rad.-Social.		
ALDASORO GALARZA, Ramón María	Vizcaya (cap.). Rad-S.		
ALEMANY PUYOL, Luis	Baleares. Independ.		
ALFARO GIRONDA, Edmundo	Albacete. Radical	Albacete. Radical	
ALGORA GORBEA, José	Zaragoza (pro.). Soc. d.		
ALISEDA OLIVARES, José			Badajoz. Socialista
ALMADA RODRÍGUEZ, Rodrigo	Badajoz. Socialista		
ALMAGRO GRACIA, Aurelio	Cuenca. Socialista		Granada. Socialista
ALOMAR VILLALONGA, Gabriel	Baleares. P. Soc. Cat.		
ALONSO DE ARMIÑO Y CALLEJA, Tomás	Burgos. Agrario	Burgos. Agrario	
ALONSO GONZÁLEZ, Bruno	Santander. Socialista	Santander. Socialista	Santander. Socialista
ALONSO GIMENO, Domingo	Toledo. Socialista		
ALONSO RÍOS, Antonio			Pontev. Agr. Gallego
ALONSO RODRÍGUEZ, Elfidio		Sta. Cruz Ten. Radical	Sta. Cruz Ten. U. Rep.
ALONSO ZAPATA, Manuel		Madrid (pro.). Soc.	
ALTABAS Y ALIÓ, Héctor	Valencia (pro.). Rad.		
ALVA VARELA, Federico			Málaga (pro.). U. Rep.

* Hizo renuncia del acta por incompatibilidad.

	CONSTITUYENTES 1931	PRIMERAS ORDINARIAS 1933	SEGUNDAS ORDINARIAS 1936
ÁLVAREZ ÁNGULO, Tomás	Jaén. Socialista	Jaén. Socialista	Jaén. Social.
ÁLVAREZ BUYLLA Y GODINO, José	Oviedo. Radical		
ÁLVAREZ GONZÁLEZ, Melquiades	Valencia (cap.). Lib. D.	Oviedo. Lib. Demóc.	
ÁLVAREZ LARA, León Carlos		Jaén. Agrario	
ÁLVAREZ MENDIZÁBAL Y BONILLA, José María	Cuenca. Radical	Cuenca. Radical	Cuenca. Independ.
ÁLVAREZ RESANO, Julia			Madrid (pro.). Social.
ÁLVAREZ ROBLES, Antonio		León. CEDA	León. CEDA
ÁLVAREZ RODRÍGUEZ, Basilio	Orense. Radical	Orense. Radical	
ÁLVAREZ UGENA Y SÁNCHEZ TEMBLEQUE, Manuel			Toledo. Izq. Rep.
ÁLVAREZ VALDÉS Y CASTAÑÓN, Ramón		Oviedo. Lib. Demóc.	Oviedo. Lib. Demóc.
ÁLVAREZ DEL VAYO, Julio		Madrid (cap.). Social.	Madrid (pro.). Social.
ALVARGONZÁLEZ LANQUÍNE, Romualdo		Oviedo. CEDA	
AMADO REYGONDAUD DE VILLEBARDET, Andrés		Orense. Renov. Esp.	Orense. Bloq. Nal.
AMETLLA Y COLL, Claudio			Barcelona (cap.). Esq.
AMILIBIA MACHIMBARRENA, Miguel			Guipúzcoa. Socialista
AMORES JIMÉNEZ, Luis		Sevilla (pro.). CEDA	
ANDRÉS Y MANSO, José		Salamanca. Socialista	Salamanca. Socialista
ANSÓ ZUNZARREN, Mariano	Navarra. Acción Rep.		Guipúzcoa. Izq. Rep.
ANTUÑA ÁLVAREZ, Graciano			Oviedo. Socialista
APERRIBAY PITA DE VEIGA, Ángel		Coruña. Agrario	
ARAGAY DAVÍ, Amadeo	Barcelona (pro.). Esq.	Barcelona (pro.). Esq.	
ARAMBURU INDA, Francisco	Cádiz. Conservador		
ARANDA FERNÁNDEZ CABALLERO, Fermín	Cádiz. Radical		
ARAQUISTAIN QUEVEDO, Luis	Vizcaya (cap.). Social.	Madrid (cap.). Social.	Madrid (cap.). Social.
ARAUZ PALLARDO, Eugenio	Madrid (pro.). Federal		
ARBONES CASTELLANZUELO, Eugenio	Pontevedra. Social		
ARELLANO DIHINX, Luis		Navarra. Tradicional.	Navarra. Tradicional.
ARIZCÚN MORENO, José		Guadalajara. CEDA	Guadalajara. CEDA
ARMASA BRIALES, Pedro	Málaga (cap.). Radical	Málaga (cap.). Radical	
ARNEDO MONGUILÁN, Antonio			Logroño. CEDA
ARQUEROS GARRIDO, Antonio		Badajoz. Radical	
ARTIGAS ARPÓN, Benito	Soria. Rad.-Social.		Soria. Unión Repub.
ARRANZ OLALLA, Gregorio	Soria. Conservador	Soria. Conservador	Soria. Conservador
ARRAZOLA MADERA, Mariano		Cáceres. Radical	
ARROYO Y GONZÁLEZ DE CHÁVEZ, Andrés de	Sta. C. de Ten. Agrario		
AVIA GARCÍA, Félix		Toledo. CEDA	Toledo. CEDA
AYATS SURRIBAS, José	Gerona. Progresista	Barcelona (cap.). Lliga	
AYESTA MANCHOLA, Julián	Oviedo. Conservador		
AYGUADÉ Y MIRÓ, Jaime	Barcelona (cap.) Esq.	Barcelona (pro.). Esq.	Barcelona (cap.). Esq.
AYUSO E IGLESIAS, Manuel Hilario	Soria. Federal		
AZA GONZÁLEZ ESCALADA, Bernardo		Oviedo. CEDA	Oviedo. CEDA
AZAÑA DÍAZ, Manuel	Valencia (cap.). A. Rep.	Vizcaya (cap.). A. Rep.	
AZAROLA GRESILLÓN, Emilio	Navarra. Rad.-Social.		
AZCÁRATE Y FLÓREZ, Justino de	León. Ag. Serv. Repú.		
AZNAR Y SESERRA, Pedro			Barcelona (cap.). Esq.
AZORÍN IZQUIERDO, Francisco	Córdoba (pro.). Social.		
AZPEITIA ESTEBAN, Mateo		Zaragoza (pro.). CEDA	
AZPIAZU Y ARTAZU, Ubaldo de	Lugo. Radical	Lugo. Radical	
BADÍA MALAGRIDA, Carlos		Gerona. Lliga Cat.	Gerona. Lliga Cat.
BAEZA MEDINA, Emilio	Málaga (pro.). Rad.-So.		Málaga (pro.). Iz. Rep.
BALBONTÍN Y GUTIÉRREZ, José Antonio	Sev. (cap.). Rad.-So. R.		
BALLESTER GONZALVO, José	Toledo. Rad.-Social.		
BALLVÉ Y PALLISÉ, Faustino			Barcel. (cap.). Iz. Rep.
BANZO URREA, Sebastián	Zaragoza (cap.). Rad.		
BAÑERES CATEURA, Juan			Lérida. Esquerra Cat.
BARCIA TRELLES, Augusto		Almería. Ac. Rep.	Almería. Izqd. Repub.
BARDAJÍ LÓPEZ, Luis		Badajoz. Radical	Badajoz. Radical
BARGALLÓ ARDEVOL, Miguel	Guadalajara. Social.		
BARJAU RIERA, Felipe		Barcelona (pro.). Esq.	
BARNÉS SALINAS, Francisco	Ávila. Rad.-Social.		
BARQUERO E HIDALDO BARQUERO, Miguel		Badajoz. Radical	

	CONSTITUYENTES 1931	PRIMERAS ORDINARIAS 1933	SEGUNDAS ORDINARIAS 1936
BARRERA Y ALONSO DE OJEDA, Luis			Melilla. Unión Repub.
BARRERA Y MARESMA, Martín			Barcelona (cap.). Esq.
BARRIO DUQUE, Moisés			Burgos. Izq. Repub.
BARRIOBERO HERRAN, Eduardo	Oviedo. Feder. Indep.		
BARRIOS CAAMAÑO, Pedro			León. CEDA
BARRIOS JIMÉNEZ, Manuel			Sevilla (pro.). Social.
BARROS DE LIS, Severino		Pontevedra. CEDA	Pontevedra. CEDA
BASTERRECHEA ZALDÍVAR, Francisco	Vizcaya (pro.). Vascon.		
BASTOS ANSART, Francisco		Barcelona (cap.). Lliga	
BAU NOLLA, Joaquín		Tarragona. Tradicional	Tarragona. Bloque Na.
BEADE MÉNDEZ, Ramón	Coruña. Fed. Rep. Ga.		Coruña. Socialista
BECA MATEOS, Manuel		Sevilla (pro.). CEDA	
BECERRA FERNÁNDEZ, Manuel	Lugo. Radical	Lugo. Radical	Lugo. Centro
BELTRAN PUEYO, Idelfonso			Huesca. Izq. Repub.
BELLÍ CASTIEL, Epifanio	Lérida. Esquerra C.	Lérida. Esquerra C.	
BELLO TROMPETA, Luis	Madrid (cap.). Ac. Rep.	Lérida. Acción Repub.	
BENÍTEZ DE LUGO Y RODRÍGUEZ, Félix			Sta. Cruz Ten. Centro
BENJUMEA Y BURÍN, Rafael		Zaragoza (cap.) Ren. E.	
BERENGUER CROS, José	Tarragona. Esq. y R.-S.		
BERJANO GÓMEZ, Víctor José			Cáceres. Independ.
BERMEJILLO Y MARTÍNEZ, Manuel			Burgos. CEDA
BERMÚDEZ CAÑETE, Antonio			Madrid (cap.). CEDA
BERMUDO ARDURA, Rafael			Cáceres. Socialista
BERNABEU DE YESTE, Antonio			Albacete. CEDA
BESTEIRO FERNÁNDEZ, Julián	Madrid (cap.). Social.	Madrid (cap.). Social.	Madrid (cap.). Social.
BEÚNZA Y REDÍN, Joaquín	Navarra. Vasconavarro		
BILBAO CASTELLANOS, Crescenciano		Huelva. Socialista	Huelva. Socialista
BILBAO Y ENGUÍA, Esteban de		Navarra. Tradicional.	
BILBATUA ZUBELDIA, Antonio			Pontevedra. Socialista
BLANC RODRÍGUEZ, José María		Albacete. Radical	
BLANCO FERNÁNDEZ, Eduardo			Córdoba. Socialista
BLANCO PÉREZ, Carlos	Cuenca. Conservador		
BLANCO-RAJOY ESPADA, Benito	Coruña. Fed. Rep. Ga.	Coruña. CEDA	Coruña. CEDA
BLANCO RODRÍGUEZ, José		Jaén. Agrario	Jaén. Agrario
BLASCO BLASCO, Sigfrido	Valencia (cap.). Radic.	Valencia (cap.). Radic.	
BLASCO GARZÓN, Manuel		Sevilla (cap.). Radical	Sevilla (cap.). Un. Rep.
BLASCO RONCAL, Miguel			Zaragoza (pro.). CEDA
BLAZQUEZ NIETO, Fermín	Toledo. Socialista	Toledo. Socialista	
BOHIGAS GAVILANES, Francisca		León. CEDA	
BOLÍVAR ESCRIBANO, Cayetano		Málaga (cap.). Comun.	Málaga (cap.). Comun.
BORDAS DE LA CUESTA, José	Barcelona (pro.). Esq.		
BORDERAS PALLARUELO, Julián			Huesca. Socialista
BORT OLMOS, Juan	Valencia (pro.). Radic.		
BORRAJO ESQUÍU, José	Teruel. Radical		
BOSCH MARÍN, Francisco Javier		Valencia (pro.). CEDA	Valencia (pro.). CEDA
BOTELLA ASENSI, Juan	Alicante. Rad. Soc. In.		
BRIANSÓ SALVADÓ, José			Tarragona. Esq. Catal.
BUGEDA MUÑOZ, Jerónimo	Jaén. Socialista	Jaén. Socialista	Jaén. Socialista
BUJALANCE LÓPEZ, Antonio			Cáceres. Socialista
BURGOS DÍAZ, Francisco		Málaga (pro.). Radical	
BURGOS RIESTRA, Inocencio			Oviedo. Socialista
CABANELLAS FERRER, Miguel		Jaén. Radical	
CABELLO TORAL, Remigio	Valladolid. Socialista		
CABRERA CASTRO, Miguel		Córdoba (pro.). CEDA	
CABRERA TOVA, Emilio Antonio	Ciudad Real. Socialista		
CALBO CUADRADO, Rafael			Cádiz. Socialista
CALDERÓN ROJO, Abilio	Palencia. Agrario	Palencia. Agrario	Palencia. Independ.
CALOT SANZ, Juan	Valencia (pro.). Radic.		
CALVET Y MORA, José		Barcelona (pro.). Esq.	Barcelona (pro.). Esq.
CALVIÑO DOMÍNGUEZ, José			Coruña. Izq. Rep.

	CONSTITUYENTES 1931	PRIMERAS ORDINARIAS 1933	SEGUNDAS ORDINARIAS 1936
CALVO SOTELO, José	Orense*	Orense. Renov. Esp.	Orense. Bloque Nal.
CALZADA RODRÍGUEZ, Luciano de la		Valladolid. CEDA	Valladolid. CEDA
CAMARA CENDOYA, Miguel de	Alicante. Radical	Alicante. Radical	
CAMBÓ BATLLE, Francisco		Barcelona (cap.). Lliga	
CAMPALANS PUIG, Rafael	Barcelona (cap.) P.S.C.		
CAMPOAMOR RODRÍGUEZ, Clara	Madrid (pro.). Radical		
CAMPOS VILLAGRÁN, Juan			Cádiz. Socialista
CANALES GONZÁLEZ, Antonio	Cáceres. Socialista		
CANALES GONZÁLEZ, Juan	Cáceres. Socialista		
CANALS ÁLVAREZ, José Antonio			Cádiz. Centro
CANET MENÉNDEZ, José Teodoro	Baleares. Radical	Baleares. Radical	
CANO COLOMA, José	Valencia (pro.). R.-So.		
CANO LÓPEZ, Dionisio		Huelva. Independ.	
CANO DE RUEDA, Rufino	Segovia. Agrario	Segovia. Agrario	Segovia. CEDA
CANTALAPIEDRA GUTIÉRREZ, Blas		Valladolid. CEDA	
CANTOS FIGUEROLA, Vicente	Castellón. Radical	Castellón. Radical	
CANTOS SAIZ DE CARLOS, Ramón		Valencia (pro.). Rad.	
CAÑIZARES PENALBA, Antonio	Ciudad Real. Socialista		
CARDONA SERRA, José	Murcia (pro.). Radical	Murcia (cap.). Radical	
CAREAGA ANDUEZA, Juan Antonio		Vizcaya (cap.). N. Vas.	
CARNER ROMEU, Jaime	Tarragona. Esquerra		
CARRANZA Y FERNÁNDEZ-REGUERA, Ramón		Cádiz. Renov. Esp.	Cádiz. Bloque Nal.
CARRASCAL MARTÍN, Germiniano		Zamora. CEDA	Zamora. CEDA
CARRASCAL MONTERO DE ESPINOSA, Manuel		Badajoz. Radical	
CARRASCO CABEZUELO, José		Guadalajara. Radical	
CARRASCO Y FORMIGUERA, Manuel	Gerona. Catalanista		
CARREÑO VARGAS, Juan	Granada (prov.). Soc.		
CARRERAS PONS, Ramón	Córdoba (pro.). Radic.		
CARRERAS REURA, Francisco	Baleares. Ac. Repub.		
CARRERES BAYARRI, Gerardo	Valencia (pro.). Radic.	Valencia (pro.). Radic.	
CARRETERO RODRÍGUEZ, Víctor Adolfo			Sevilla (pro.). Social.
CARRILLO ALONSO FORJADOR, Wenceslao	Córdoba (pro.). Social.		Córdoba (pro.). Social.
CARRO HERNÁEZ, Leandro			Vizcaya (cap.). Comun.
CASABÓ TORRAS, José María		Tarragona. Lliga Cat.	Tarragona. Lliga Cat.
CASAMAYOR TOSCANO, Federico			Málaga (pro.). Iz. Rep.
CASANELLAS IBARZ, Juan			Gerona. Esquerra Cat.
CASANOVA CONDERANA, Manuel			Cuenca. CEDA
CASANUEVA Y GORJÓN, Cándido	Salamanca. Agrario	Salamanca. CEDA	Salamanca. CEDA
CASANUEVA PICAZO, Valeriano			Salamanca. Socialista
CASARES QUIROGA, Santiago	Coruña. Fed. Rep. Ga.	Coruña. ORGA	Coruña. Izq. Repub.
CASAS JIMÉNEZ, Hermenegildo	Sevilla (cap.). Social.	Córdoba (cap.). Social.	
CASAS SALA, Francisco			Castellón. Izq. Repub.
CASSINELLO BARROETA, Andrés		Almería. CEDA	
CASTAÑO ARÉVALO, Ernesto		Salamanca. CEDA	
CASTAÑO QUIÑONES, Miguel	León. Socialista		
CASTILLO BLASCO, Eduardo			Zaragoza (cap.). Social.
CASTILLO ESTREMERA, Federico	Jaén. Conservador		
CASTILLO FOLACHE, Enrique	Jaén. Conservador	Jaén. Conservador	
CASTRILLO SANTOS, Juan	León. Progresista		
CASTRO BONEL, Honorato de	Zaragoza (pro.) A. Rep.		Zaragoza (pro.). Iz. R.
CASTRO MOLINA, Manuel			Córdoba. Socialista
CASTROVIDO SANZ, Roberto	Madrid (cap.). Ac. Rep.		
CAZORLA SALCEDO, José		Granada. Radical	
CEBALLOS BOTÍN, Pablo			Santander. CEDA
CENTENO GONZÁLEZ, José	Sevilla (prov.). Progre.		
CEREZO SENÍS, Enrique			Valencia (pro.). Social.
CERVERA JIMÉNEZ-ALFARO, Francisco			Ciudad Real. CEDA
CID RUIZ-ZORRILLA, José María	Zamora. Agrario	Zamora. Agrario	Zamora. Agrario
CIMAS LEAL, José		Salamanca. CEDA	Salamanca. CEDA
COCA GONZÁLEZ SAAVEDRA, Fernando	Albacete. Ac. Repub.		

* No prometió el cargo.

	CONSTITUYENTES 1931	PRIMERAS ORDINARIAS 1933	SEGUNDAS ORDINARIAS 1936
COLOMER VIDAL, Julio			Valencia (pro.). CEDA
COMAS JO, Jaime		Barcelona (pro.). Esq.	Barcelona (pro.). Esq.
COMIN SAGÜES, Jesús		Zaragoza (pro.). Trad.	Zaragoza (pro.). Trad.
COMORERA SOLÉ, Juan			Lérida. Esquerra Cat.
COMPANI JIMÉNEZ, Juan	Almería. Federal		Almería. Izq. Repub.
COMPANYS JOVER, Luis	Barcelona (pro.). Esq.	Barcelona (cap.). Esq.	Barcelona (cap.). Esq.
CONTRERAS DUEÑAS, César			León. CEDA
CONTRERAS Y LÓPEZ DE AYALA, Juan de		Segovia. CEDA	Segovia. CEDA
CORDERO BEL, Luis	Huelva. Radical		Huelva. Independiente
CORDERO PÉREZ, Manuel	Madrid (cap.). Social.		
CORNIDE QUIROGA, Luis	Coruña. Fed. Rep. Ga.		La Coruña. Independ.
COROMINAS Y MUNTANYS, Pedro	Lérida. Esquerra		Barcelona (cap.). Esq.
CORRO MONCHO, Ricardo			Granada. Unión Rep.
CORTES VILLASANA, Ricardo	Palencia. Agrario	Palencia. CEDA	Palencia. CEDA
COS SERRANO, José		Jaén. Agrario	
COSSIO, Manuel Bartolomé	Madrid (cap.). Indep.		
CREMADES FONS, Juan José			Alicante. Izq. Repub.
CREMADES ROYO, J. Antonio			Zaragoza (pro.). CEDA
CRESPO ROMERO, Ricardo	Sevilla (pro.). Federal		
CRUZ GARCÍA, Tomás		Sta. Cruz Ten. CEDA	
CUADRAO GARCÍA, Eliseo			Burgos. Izqd. Repub.
CUARTERO PASCUAL, Enrique		Cuenca. CEDA	
CUESTA Y COBO DE LA TORRE, Ramón de la	Burgos. Agrario	Burgos. Agrario	
CHAMBRET BRU, Juan		Valencia (pro.). Radic.	
CHACÓN DE LA MATA, Adolfo	Cádiz. Radical		
CHAPAPRIETA Y TORREGROSA, Joaquín		Alicante. Independ.	Alicante. Independ.
DÁVILA SANCHEZ-MONJE, Benito		Ávila. CEDA	Ávila. CEDA
DAZA DÍAZ DEL CASTILLO, Fermín		Badajoz. Conservador	Badajoz. Centro
DE FRANCISCO JIMÉNEZ, Enrique	Guipúzcoa. Socialista		
DELGADO BENÍTEZ, Rafael			Córdoba. Progresista
DENCAS PUIGDOLLERS, José	Barcelona (cap.). Esq.		
DÍAZ ALONSO, Perfecto	Toledo. Radical		
DÍAZ AMBRONA MORENO, José		Badajoz. Conservador	
DÍAZ CASTRO, Emiliano			Sta. Cruz Ten. Social.
DÍAZ Y DÍAZ VILLAMIL, José María			Lugo. Izq. Republicana
DÍAZ FERNÁNDEZ, José	Oviedo. Rad.-Socialista		Murcia (cap.). Izq. R.
DÍAZ DEL MORAL, Juan	Córdoba (pro.). A. S. R.		
DÍAZ PRADAS, Pío	Huesca. Radical		
DÍAZ RAMOS, José			Madrid (cap.). Comun.
DIEZ PASTOR, Fulgencio		Cáceres. Radical	Cáceres. Unión Repub.
DIEZ DE RIVERA Y CASARES, Ramón			Ciudad Real. CEDA
DOLCET CARMEU, Manuel	Barcelona (pro.). Esq.		
DOMINGO MARTÍNEZ, Andrés	Jaén. Socialista		
DOMINGO SANJUÁN, Marcelino	Tarragona. Rad.-Social.		Tarragona. Izq. Rep.
DOMÍNGUEZ ARÉVALO, Tomás,	Navarra. Vasconavarro	Navarra. Tradicional.	Navarra. Tradicional.
DOMÍNGUEZ BARBERO, José	Sevilla (cap.). Radical		
DORADO LUQUE, Luis			Málaga (cap.). Social.
DUATO CHAPA, José			Valencia (cap.). CEDA
ECHEGUREN OCIO, Carlos		Melilla. Radical	
EGUILEOR ORUETA, Manuel de	Vizcaya (cap.). Vascon.		
ELIZALDE Y SAINZ DE ROBLES, Jesús			Navarra. Tradicional.
ELOLA Y DÍAZ VARELA, Francisco Javier	Lugo. Radical		
ESBRÍ Y FERNÁNDEZ, Enrique	Jaén. Socialista		
ESCANDELL ÚBEDA, Isidro	Valencia (pro.). Social.		Valencia (pro.). Social.
ESCOLANO GONZALVO, Eusebio			Alicante. CEDA
ESCRIBANO IGLESIAS, Roberto			Madrid (pro.). Iz. Rep.
ESCRIBANO LOZANO, Luciano		Cáceres. Radical	
ESPADA GUNTÍN, Luis			Orense. CEDA
ESPARZA GARCÍA, Rafael		Madrid (pro.). CEDA	Madrid (pro.). CEDA

	CONSTITUYENTES 1931	PRIMERAS ORDINARIAS 1933	SEGUNDAS ORDINARIAS 1936
ESPLA RIZO, Carlos .	Alicante. Acción Rep.		Alicante. Izq. Repub.
ESTADELLA ARNÓ, José	Lérida. Radical		
ESTELRICH ARTIGUES, Juan	Gerona. Lliga Catalana	Gerona. Lliga Catalana	Gerona. Lliga Catalana
ESTEVAN MATA, Bartolomé			Teruel. CEDA
ESTÉVANEZ RODRÍGUEZ, Francisco	Burgos. Agrario	Burgos. Tradicional.	
ESTEVE GUAU, Martín	Barcelona (cap.). A. C.		Gerona. Esquerra Cat.
FABRA RIBAS, Antonio	Albacete. Socialista		
FABREGA COELLO, Luis	Orense. Radical		
FABREGA SANTAMARÍA, Luis		Orense. Radical	
FAJARDO FERNANDEZ, Enrique	Granada (pro.). Indep.		
FANJUL GOÑI, Joaquín	Cuenca. Agrario	Cuenca. Agrario	
FATRAS NEIRA, Vicente	Vizcaya (cap.). Rad.-S.		
FE CASTELL, Vicente			Castellón. Izq. Repub.
FECED GRESA, Ramón	Teruel. Rad.-Social.		
FERNANDEZ BALLESTEROS, Alberto			Sevilla (cap.). Social.
FERNANDEZ-BOLAÑOS MORA, Antonio	Málaga (cap.). Social.	Málaga (cap.). Social.	Málaga (cap.). Social.
FERNANDEZ CASTILLEJOS, Federico	Sevilla (pro.). Progres.	Córdoba. Progresista	Córdoba. Progresista
FERNANDEZ CLÉRIGO, Luis	Madrid (pro.). Ac. Rep.		Madrid (pro.). Izq. R.
FERNANDEZ DE CÓRDOBA Y CASTRILLO, Mariano		Segovia. CEDA	
FERNANDEZ DE LA POZA, Herminio	León. Radical		
FERNANDEZ EGOCHEAGA, Eladio	Sevilla (pro.). Social.		
FERNANDEZ Y GARCÍA DE LA VILLA, Rodrigo	Sevilla (cap.). Radical		
FERNANDEZ Y GONZALEZ, Lauro	Santander. Agrario		
FERNANDEZ GUTIÉRREZ, Adolfo		Cáceres. CEDA	
FERNANDEZ DE HEREDIA DEL POZO, Luis		Madrid (pro.). CEDA	Madrid (pro.). CEDA
FERNANDEZ HERNANDEZ, Pedro			Jaén. Izq. Republ.
FERNANDEZ JIMÉNEZ, Ernesto			Granada. Socialista
FERNANDEZ LADREDA MÉNDEZ VALDÉS, José María		Oviedo. CEDA	Oviedo. CEDA
FERNANDEZ MATO, Ramón			Lugo. Centro
FERNANDEZ MARTOS, Laureano		Córdoba. CEDA	
FERNANDEZ MONTES, Amador	Oviedo. Socialista	Oviedo. Socialista	Oviedo. Socialista
FERNANDEZ-OSORIO Y TAFALL, Bibiano	Pontevedra. A. R. Ga.*		Pontevedra. Izq. Rep.
FERNANDEZ QUER, Antonio	Madrid (pro.). Social.		
FERNANDEZ RUANO, Ángel		Málaga (pro.). CEDA	
FERNANDEZ VEGA, Félix			Oviedo. Izq. Repub.
FERNANDEZ DE LA VEGA LOMBAN, Virgilio			Lugo. Centro
FERNANDEZ VILLARRUBIA, Félix	Toledo. Socialista		
FERRER Y BATLLE, Pedro			Barcelona (cap.). Esq.
FERRER DOMINGO, Benigno	Almería. Socialista		Almería. Socialista
FERRET NAVARRO, Juan		Barcelona (pro.). Esq.	
FIGUERDA ALONSO MARTÍNEZ, Álvaro			Guadalajara. Indep.
FIGUEROA O'NEILL, Gonzalo	Murcia (pro.). Ac. Rep.		
FIGUEROA ROJAS, Manuel			Sevilla (pro.). Progres.
FIGUEROA Y TORRES, Álvaro	Guadalajara. Mon. Lib.	Guadalajara. Monárq.	Guadalajara. Mon. Ind.
FINAT Y ESCRIVA DE ROMANÍ, José		Toledo. CEDA	Toledo. CEDA
FLORENSA FARRÉ, Manuel		Lérida. Lliga Catalana	Lérida. Lliga Catalana
FONS JOFRÉ DE VILLEGAS, Bartolomé		Baleares. Lliga Cat.	Baleares. Indep. Der.
FONTAIÑA SARRAPIO, Luis		Pontevedra. Radical	
FRANCO BAHAMONDE, Ramón	Barcelona (cap.). Esq.		
FRANCO LÓPEZ, Gabriel	León. Ac. Repub.		León. Izq. Republ.
FRANCHY ROCA, José	Las Palmas. Federal		
FRAPOLLI RUIZ DE LA HERRAN, Eduardo		Málaga (pro.). Radical	Málaga (pro.). U. Rep.
FUENTES PILA, Santiago		Santander. Ren. Esp.	Santander. Bloque N.
GABARRÓ TORRES, Antonio		Barcelona (cap.). Lliga	
GAFO MUÑIZ, José		Navarra. Ind. (Sind.)	
GALARZA GAGO, Ángel	Zamora. Rad.-Social.		Zamora. Socialista
GALLARDO GALLARDO, Lorenzo		Almería. CEDA	Almería. CEDA
GALLART FOLCH, Alejandro		Barcelona (cap.). Lliga	

* Al constituirse el Congreso se unió a la Federación Republicana Gallega.

	CONSTITUYENTES 1931	PRIMERAS ORDINARIAS 1933	SEGUNDAS ORDINARIAS 1936
GAMAZO ABARCA, Juan Antonio			Valladolid. Bloque N.
GANGA TREMIÑO, Ginés			Alicante. Socialista.
GARCET GRANELL, Bautista			Córdoba. Comunista
GARCÍA ALAS Y GARCÍA ARGÜELLES, Leopoldo	Oviedo. Rad.-Social.		
GARCÍA ATANCE, Manuel		Cádiz. CEDA	
GARCÍA BECERRA, Manuel	Orense. Rad.-Social.		
GARCÍA BERLANGA PARDO, José	Valencia (pro.). Radic.	Valencia (pro.). Radic.	Valencia (pro.). U. Rep
GARCÍA-BRAVO FERRER, Miguel	Sevilla (pro.). Radical	Sevilla (pro.). Conser.	
GARCÍA CUBERTORET, Luis			Cuenca. Socialista
GARCÍA-DUARTE SALCEDO, Rafael	Granada (pro.). Social.		
GARCÍA GALLEGO, Jerónimo	Segovia. Indep.		
GARCÍA Y GARCÍA, Pedro	Valencia (pro.). Social.		Valencia (pro.). Social.
GARCÍA Y GARCÍA, Raimundo		Navarra. Independ.	Navarra. Ind. de Der.
GARCÍA Y GARCÍA LOZANO, Luis	Burgos. Radical		
GARCÍA GUIJARRO, Luis		Valencia (pro.). CEDA	Valencia (pro.). CEDA
GARCÍA HIDALGO VILLANUEVA, Joaquín	Córdoba (cap.). Social.		
GARCÍA MUÑOZ, Salvador			Alicante. Socialista
GARCÍA PIÑOL AGULLÓ, Luis		Lérida. Lliga Cat.	Lérida. Lliga Cat.
GARCÍA PRIETO, Antonio	Málaga (pro.). Social.		
GARCÍA RAMOS, Alfredo		Pontevedra. Indep.	
GARCÍA RAMOS Y SEGUND, José		Coruña. Radical	Coruña. Unión Repub.
GARCÍA RIVES, Joaquín	Valencia (cap.). Radic.		
GARCÍA SANTOS, Celestino	Badajoz. Socialista		
GARCÍA VALDECASAS Y GARCÍA VALDECASAS, Alfso.	Granada (pro.). Ag.S.R.		
GARCÍA VEDOYA, Ángel		Burgos. Tradicional.	
GARROTE Y TEBAR, José	Valladolid. Socialista		
GASPAR LAUSÍN, Mariano		Zaragoza (pro.). Radic.	
GASSET ALZUGARAY, Ricardo			Lugo. Unión Repub.
GASSET LACASAÑA, Fernando	Castellón. Radical		
GASSOL ROVIRA, Ventura	Barcelona (cap.). Esq.		Tarragona. Esquerra
GIL ALBARELLOS, Ángeles		Logroño. CEDA	Logroño. CEDA
GIL CASARES, Felipe		Coruña. CEDA	Coruña. CEDA
GIL Y GIL, Gil	Zaragoza (cap.). Rad.		
GIL-ROBLES Y QUIÑONES DE LEÓN, José María	Salamanca. Agrario	Salamanca. CEDA	Salamanca. CEDA
GIL ROLDÁN MARTÍN, Ramón	Sta. Cruz. Ten. Radic.		
GIMÉNEZ CANGA-ARGÜELLES, Luis		Almería. CEDA	Almería. CEDA
GIMÉNEZ FERNÁNDEZ, Manuel		Badajoz. CEDA	Segovia. CEDA
GINER DE LOS RÍOS Y GARCÍA, Bernardo	Málaga (pro.). A. S. R.		Jaén. Unión Republic.
GIRAL PEREIRA, José	Cáceres. Acción Rep.		Cáceres. Izq. Repub.
GOICOECHEA Y COSCUELLA, Antonio		Cuenca. Renov. Esp.	
GOMARIZ LATORRE, Jerónimo	Alicante. Rad.-Social.		Alicante. nión Rep.
GÓMEZ CHAIX, Pedro	Málaga (pro.). Rad.		
GÓMEZ GONZÁLEZ, Aurelio	Burgos. Agrario	Burgos. Agrario	
GÓMEZ-HIDALGO Y ÁLVAREZ, Francisco			Castellón. Unión Rep.
GÓMEZ JIMÉNEZ, Enrique	Lugo. Conservador	Lugo. Conservador	Lugo. Conservador
GÓMEZ OSORIO, José	Pontevedra. Socialista		
GÓMEZ PARATCHA, Laureano	Pontevedra. A. R. Ga.*		
GÓMEZ ROJI, Ricardo	Burgos. Agrario		
GÓMEZ SAN JOSÉ, Trifón	Madrid (cap.). Social.	Madrid (cap.). Social.	
GÓMEZ SÁNCHEZ, Pedro Vicente	Ciudad Real. Radical		Alicante. Izq. Repub.
GÓMEZ SERRANO, Eliseo		Sevilla (pro.). Radical	Sevilla (pro.). Un. Rep.
GONZÁLEZ Y FERNÁNDEZ DE LA BANDERA, José		Zamora. Conservador	
GONZÁLEZ GARCÍA, Francisco	Coruña. Fed. Rep. Ga.	Coruña. ORGA	Coruña. Izq. Repub.
GONZÁLEZ LÓPEZ, Emilio		Las Palmas. Indep.	
GONZÁLEZ NEGRÍN, Ruperto	Huelva. Socialista	Huelva. Socialista	Huelva. Socialista
GONZÁLEZ PEÑA, Ramón	Alicante. Socialista	Alicante. Socialista	
GONZÁLEZ RAMOS, Manuel		Toledo. CEDA	
GONZÁLEZ SANDOVAL MOGOLLÓN, Julio	Sevilla (cap.). Radical	Sevilla (pro.). Radical	Sevilla (pro.). Un. Rep.
GONZÁLEZ SICILIA, Ramón		Valladolid. Socialista	
GONZÁLEZ SUÁREZ, Eusebio			

* Al constituirse el Congreso se unió a la Federación Republicana Gallega.

	CONSTITUYENTES 1931	PRIMERAS ORDINARIAS 1933	SEGUNDAS ORDINARIAS 1936
GONZÁLEZ TALTABULL, Gabriel			Cádiz. Unión Repub.
GONZÁLEZ UÑA, José Fernando	Cáceres. Ag. Serv. Rep.		
GONZALO SOTO, Julio			Burgos. CEDA
GORDÓN ORDÁS, Félix	León. Radic.-Socialista	León. Radic.-Socialista	León. Unión Repub.
GORTARI ERREA, Miguel	Navarra. Vasconavarro		Navarra. CEDA
GOSÁLVEZ-FUENTES Y MANRESA, Modesto	Cuenca. Agrario	Cuenca. Agrario	Cuenca. Independ.
GRACIA VILLARRUBIA, Anastasio de	Toledo. Socialista	Madrid (cap.). Social.	Granada. Socialista
GRANADO VALDIVIA, Higinio Felipe		Cáceres. Socialista	Cáceres. Socialista
GRANADOS RUIZ, Miguel	Almería. Rad.-Social.		
GRANELL PASCUAL, Juan		Castellón. Tradicion.	
GRAU JASANS, José	Barcelona (pro.). Esq.	Barcelona (pro.). Esq.	
GUALLAR POZA, Antonio	Zaragoza (pro.). R.-So.		
GUALLAR POZA, Santiago	Zaragoza (cap.). Agrar.	Zaragoza (cap.). CEDA	
GUERRA GARCÍA, Juan Bautista			Palencia. CEDA
GUERRA DEL RÍO, Rafael	Las Palmas. Radical	Las Palmas. Radical	Las Palmas. Radical
GUERRERO PERIAGO, Melchor			Murcia (cap.). Social.
GUIANCE PAMPÍN, Amando			Pontevedra. Socialista
GUISASOLA DOMÍNGUEZ, Nicasio		Pontevedra. CEDA	
GUSANO RODRÍGUEZ, César	Palencia. Conservador		
GUTIÉRREZ PRIETO Juan			Huelva. Socialista
GUZMÁN GARCÍA, Manuel			Coruña. Izq. Repub.
HERACLIO BOTANA, Enrique	Pontevedra. Socialista		
HERMIDA VILLELGA, Luis		Badajoz. CEDA	
HERNÁNDEZ RIZO, Vicente	Córdoba (pro.). Social.		
HERNÁNDEZ TOMÁS, Jesús			Córdoba. Comunista
HERNÁNDEZ ZANCAJO, Carlos		Madrid (cap.). Social.	Madrid (cap.). Social.
HIDALGO DURÁN, Diego	Badajoz. Radical	Badajoz. Radical	
HORN AREILZA, José	Vizcaya (cap.) Vascon.	Vizcaya (cap.). N. Vas.	Vizcaya (cap.). N. Vas.
HOZ SALDAÑA, Mariano de la		Zaragoza (pro.). CEDA	
HUESO Y BALLESTER, José María		Madrid (pro.). CEDA	
HURTADO MIRÓ, Amadeo	Barcelona (pro.). Esq.		
IBÁÑEZ MARTÍN, José		Murcia (pro.). CEDA	
IBARRURI GÓMEZ, Dolores			Oviedo. Comunista
IGLESIAS AMBROSIO, Emiliano	Pontevedra. Radical	Pontevedra. Radical	
IGLESIAS CORRAL, Manuel		Coruña. ORGA	
IGUAL PADILLA, Leopoldo		Teruel. Agrario	
ILLANES DEL RÍO, José Luis		Sevilla (pro.). CEDA	
IRANZO ENGUITA, Vicente	Teruel. Ag. Serv. Rep.	Teruel. Ind. de Centro	
IRAZUSTA MUÑOZ, Juan Antonio			Guipúzcoa. Nac. Vasco
IRUJO Y OLLO, Manuel		Guipúzcoa. Nac. Vasco	Guipúzcoa. Nac. Vasco
IZQUIERDO JIMÉNEZ, Enrique		Ciudad Real. Radical	
JAÉN MORENTE, Antonio	Córdoba (pro.). R.-So.		Córdoba (pro.) Iz. Rep.
JAUME ROSELLÓ, Alejandro	Baleares. Socialista		
JÁUREGUI LASANTA, Julio			Vizcaya (cap.). N. Vas.
JENÉ AIXALÁ, Francisco de Paula			Lérida. Esquerra
JIMÉNEZ DE ASÚA, Luis	Granada (pro.) Social.	Madrid (cap.). Social.	Madrid (cap.). Social.
JIMÉNEZ GARCÍA DE LA SERRANA, Manuel	Granada (pro.) Social.		
JIMÉNEZ JIMÉNEZ, Antonio	Barcelona (cap.). Esq.		
JIMÉNEZ MOLINA, Nicolás			Granada. Socialista
JIMÉNEZ MOLINERO, Enrique		Granada. Radical	
JOVEN HERNÁNDEZ, Mariano			Zaragoza (cap.) I. Rep.
JUARROS ORTEGA, César	Madrid (cap.). Progre.		
JULIÁ PERELLÓ, Francisco	Baleares. Radical		
JULIÁN GIL, José María		Teruel. CEDA	Teruel. CEDA
JUNCO TORAL, José A.			Las Palmas. Socialista
JUST JIMENO, Julio	Valencia (pro.). Radic.	Valencia (pro.). Radic.	Valencia (pro.). I. Rep.
KENT Y SIANO, Victoria	Madrid (pro.). Ra.-So.		Jaén. Izq. Repub.
LA CASTA ESPAÑA, Joaquín			Valencia (pro.). U. Rep.

	CONSTITUYENTES 1931	PRIMERAS ORDINARIAS 1933	SEGUNDAS ORDINARIAS 1936
LA-CHICA DAMAS, Manuel		Granada. CEDA	
LABIN BESUITA, Luis			Burgos. Socialista
LAMAMIÉ DE CLAIRAC Y DE LA COLINA, José María	Salamanca. Agrario	Salamanca. Tradicion.	
LAMBÍES GRANCHA, Vicente		Valencia (pro.). Radic.	
LAMONEDA FERNÁNDEZ, Ramón		Granada. Socialista	Granada. Socialista
LANA SARRATA, Casimiro	Huesca. Rad.-Social.		Huesca. Izq. Repub.
LANDABURU Y FERNÁNDEZ DE BETOÑO, F. Javier		Álava. Nac. Vasco.	
LANDROVE LÓPEZ, Federico			Valladolid. Socialista
LANDROVE MOIÑO, Federico		Valladolid. Socialista	
LARA Y ZÁRATE, Antonio	Sta. Cruz Ten. Radical	Sta. Cruz Ten. Radical	Sevilla (pro.) U. Rep.
LAREDO VEGA, Luis			Oviedo. Izq. Repub.
LARGO CABALLERO, Francisco	Madrid (cap.). Social.	Madrid (cap.). Social.	Madrid (cap.). Social.
LASARTE ARANA, José María			Guipúzcoa. Nac. Vasco
LASSO CONDE, Albino			Cuenca. Izq. Repub.
LAUDE ÁLVAREZ, Bernardo		Málaga (pro.). CEDA	Málaga (pro.). CEDA
LAYRET FOIX, Eduardo	Barcelona (pro.). Esq.		
LAZCANO Y MORALES DE SETIÉN, Felipe		Lugo. Monárquico	
LEIZAOLA Y SÁNCHEZ, Jesús María	Guipúzcoa. Vasconav.	Guipúzcoa. Nac. Vasco	
LEJÁRRAGA Y GARCÍA DE MARTÍNEZ SIERRA, María		Granada. Socialista	
LERROUX GARCÍA, Alejandro	Madrid (cap.). Radical	Valencia (cap.). Radic.	
LERROUX Y ROMO DE OCA, Aurelio	Ciudad Real. Radical		
LIS QUIBEN, Víctor		Pontevedra. CEDA	Pontevedra. Bloq. Nal.
LONGUEIRA PATIÑO, Pedro			Coruña. Socialista
LOPERENA ROMÁ, Juan	Tarragona. Esquerra		
LÓPEZ DORIGA MESEGUER, Luis	Granada (pro.). Ra.-S.		
LÓPEZ DE GOICOECHEA E INCHAURRANDIETA, F.	Murcia (pro.). Rad.-So.		Murcia (pro.). U. Rep.
LÓPEZ-MALO ANDRÉS, Aurelio			Cuenca. Izq. Repub.
LÓPEZ OROZCO, Julio María	Alicante. Rad.-Social.		
LÓPEZ PÉREZ, Ángel		Lugo. CEDA	
LÓPEZ QUERO, José			Jaén. Socialista
LÓPEZ RODRÍGUEZ, Santiago			Huelva. Unión Repub.
LÓPEZ VARELA, José	Pontevedra. Radical	Pontevedra. Radical	
LÓPEZ DE VERGARA Y LARRONDO, José V.			Sta. Cruz Ten. CEDA
LORENTE ATIENZA, Manuel	Teruel. Radical*		
LORENZO PARDO, Manuel		Las Palmas. Radical	
LORENZO SANTIAGO, Edmundo	Coruña. Socialista		Coruña. Socialista
LOZANO RUIZ, Juan	Jaén. Socialista	Jaén. Socialista	Jaén. Socialista
LUCIA LUCIA, Luis		Valencia (cap.). CEDA	Valencia (cap.). CEDA
LUNA ANORÍA, Benito		Málaga (pro.). Social.	
LLADÓ VALLÉS, José	Lugo. Independiente		
LLOPIS FERRÁNDIZ, Rodolfo	Alicante. Socialista	Alicante. Socialista	Alicante. Socialista
LLUHÍ VALLESCÁ, Juan	Barcelona (cap.). Esq.		Barcelona (pro.). Esq.
MACIÁ LLUSÁ, Francisco	Lérida. Esquerra C.		
MADARIAGA Y ALMENDROS, Dimas de	Toledo. Agrario	Toledo. CEDA	Toledo. CEDA
MADARIAGA ROJO, Salvador	Coruña. Fed. Rep. Ga.		
MADERO ORTIZ-CICUÉNDEZ, Jesús Salvador		Toledo. CEDA	Toledo. CEDA
MAESTRE ZAPATA, Tomás		Murcia (pro.). CEDA	
MAESTRO SAN JOSÉ, José			Ciudad Real. Socialista
MAEZTU WHITNEY, Ramiro de		Guipúzcoa. Ren. Esp.	
MALDONADO GONZÁLEZ, José			Oviedo. Izqda. Repub.
MAIRAL PERRALLOS, Antonio		Madrid (cap.). Social.	
MALLO CASTÁN, Joaquín	Huesca. Radical	Huesca. Radical	Huesca. Unión Repub.
MANTECA ROGER, José	Valencia (pro.). Radic.		
MANGLANO CUCALÓ DE MONTULL, Joaquín		Valencia (cap.). Trad.	
MANGRANÉ ESCARDÓ, Daniel		Tarragona. Federal	
MANSO DEL ABAD, Juan José			Oviedo. Comunista
MARAÑÓN POSADILLO, Gregorio	Zamora. Ag. Serv. Rep.		
MARCIAL DORADO, José	Sevilla (pro.). Radical		

* Vacante por fallecimiento.

	CONSTITUYENTES 1931	PRIMERAS ORDINARIAS 1933	SEGUNDAS ORDINARIAS 1936
MARCO MIRANDA, Vicente	Valencia (cap.). Radic.	Valencia (cap.). Radic.	Valencia (cap.). Esq.
MARCOS CANO, Darío			Valencia (cap.). I. Rep.
MARCOS ESCRIBANO, Tomás	Salamanca. Conserv.		
MARCOS ESCUDERO, Agustín	Huelva. Socialista		
MARCH ORDINAS, Juan	Baleares. Independ.	Baleares. Indep. Cen.	
MARCH SERVERA, Juan			Baleares. Centro
MAREQUE SANTOS, José	Coruña. Socialista		
MARIAL MUNDET, Melchor	Madrid (cap.). Federal	Gerona. Esquerra C.	
MARICHAL LÓPEZ, Rubén		Sta. Cruz Ten. Radical	
MARÍN LÁZARO, Rafael			Madrid (cap.). CEDA
MAROTO R. DE VERA, Andrés		Ciudad Real. Agrario	
MARRACO RAMÓN, Manuel	Zaragoza (cap.). Radic.		
MARTÍ OLUCHA, Antonio		Castellón. CEDA	Castellón. CEDA
MARTÍN DE ANTONIO, José Luis	Madrid (pro.). Rad.-So.		
MARTÍN ARTAJO, Javier		Madrid (pro.). CEDA	
MARTÍN GARCÍA, Antonio			Granada. Socialista
MARTÍN GÓMEZ, José		Málaga (pro.). Radical	
MARTÍN GONZÁLEZ DEL ARCO, Marcelino	Guadalajara. Socialista		
MARTÍN Y MARTÍN, Pedro	Valladolid. Agrario	Valladolid. Agrario	
MARTÍN DE NICOLÁS Y GARCÍA, Arturo			Segovia. Unión Repub.
MARTÍN RODRÍGUEZ, Diego		Málaga (pro.). Radical	
MARTÍN ROMERA, Vicente			Córdoba. Socialista
MARTÍNEZ ARENAS, José		Alicante. Conservador	
MARTÍNEZ DE AZAGRA Y BELADIEZ, José		Soria. Agrario	
MARTÍNEZ BARRIO, Diego	Sevilla (cap.). Radical	Sevilla (cap.). Radical	Madrid (cap.). U. Rep.
MARTÍNEZ CARTÓN, Pedro			Badajoz. Comunista
MARTÍNEZ CARVAJAL, Luis			Cáceres. Izq. Repub.
MARTÍNEZ GARCÍA-ARGÜELLES, Alfredo		Oviedo. Liberal Dem.	
MARTÍNEZ GIL, Lucio	Jaén. Socialista	Madrid (cap.). Social.	
MARTÍNEZ HERVÁS, Esteban		Albacete. Socialista	
MARTÍNEZ JIMÉNEZ, José María	Málaga (pro.). Rad.-So.		
MARTÍNEZ JUÁREZ, Pedro		León. CEDA	León. CEDA
MARTÍNEZ Y MARTÍNEZ, Carlos	Oviedo. Rad.-Social.		
MARTÍNEZ MIÑANA, Federico			Valencia (pro.). I. Rep.
MARTÍNEZ MORENO, Maximiliano			Albacete. Unión Rep.
MARTÍNEZ DE MORETÍN LÓPEZ, Javier		Navarra.Tradicional.	Navarra. Tradicional.
MARTÍNEZ MOYA CRESPO, Salvador	Murcia (pro.). Radical	Murcia (pro.). Radical	
MARTÍNEZ ORTIZ, Juan		Albacete. Conservador	
MARTÍNEZ PEDROSO Y MACÍAS, Manuel			Ceuta. Socialista
MARTÍNEZ DE PINILLOS Y SAENZ, Miguel		Cádiz. Tradicionalista	
MARTÍNEZ RISCO Y MACÍAS, Manuel	Orense. Ac. Repub.		Orense. Izq. Repub.
MARTÍNEZ RUBIO, Ginés		Sevilla (cap.). Tradicio.	Sevilla (cap.). Tradic.
MARTÍNEZ SALA, Pascual		Valencia (cap.). Radic.	
MARTÍNEZ TORNER, Florentino	Huelva. Socialista		
MARTÍNEZ DE VELASCO Y ESCOLAR, José	Burgos. Agrario	Burgos. Agrario	
MARTINÓN NAVARRO, Camilo		Las Palmas. Radical	
MASCORT RIBOT, José		Gerona. CEDA	Gerona. Esquerra Cat.
MASSIP E IZÁBAL, José María			Barcelona (cap.). Esq.
MASSOT BALAGUER, Luis		Lérida. Lliga Catalana	
MATEO LA IGLESIA, José María de		Ciudad Real. CEDA	Ciudad Real. CEDA
MATEOS SILVA, Manuel		Sevilla (pro.). Radical	
MATESANZ DE LA TORRE, Mariano		Madrid (cap.). Indep.	
MATUTES NOGUERA, Pedro		Baleares. Indep. Cent.	Baleares. Centro
MAURA GAMAZO, Honorio		Pontevedra. Ren. Esp.	
MAURA GAMAZO, Miguel	Zamora. Conservador	Zamora. Conservador	Soria. Conservador
MAURÍN JULIÁ, Joaquín			Barcel. (cap.). B. U. M.
MEDINA CLARES, Francisco			Murcia (pro.). Centro
MEDINA TOGORES, José de		Córdoba. CEDA	
MELGAREJO TORDESILLAS, Rafael			Ciudad Real. CEDA
MÉNDEZ GIL BRANDÓN, José María		Coruña. CEDA	Coruña. CEDA
MÉNDEZ MARTÍNEZ, Juan Antonio			Murcia (pro.). U. Rep.
MENÉNDEZ FERNÁNDEZ, Teodomiro	Oviedo (pro.). Social.	Oviedo. Socialista	

	CONSTITUYENTES 1931	PRIMERAS ORDINARIAS 1933	SEGUNDAS ORDINARIAS 1936
MENÉNDEZ SUÁREZ, Ángel	Oviedo (pro.). Federal		Oviedo. Izq. Repub.
MENOYO BAÑOS, Francisco			Granada. Socialista
MERÁS NAVIA OSORIO, Gonzalo		Oviedo. CEDA	
MEREDIZ DÍAZ PARREÑO, Mariano		Oviedo. Liberal. Dem.	
MESA Y LÓPEZ, José		Las Palmas. CEDA	
MESTRE PUIG, José		Barcelona (cap.). Esq.	
MESTRES Y ALBET, Pedro			Barcelona (pro.). Esq.
MIGUEL LANCHO, Jesús de			Badajoz. Izq. Repub.
MIJE GARCÍA, Antonio			Sevilla (cap.). Comun.
MILLÁN MARIÑO, Isidoro		Pontevedra. Lib. Dem.	
MIÑONES BERNÁRDEZ, José		Coruña. Radical	Coruña. Unión Repub.
MIÑOR RIVAS, Pedro		Oviedo. Liberal Dem.	
MIRANDA MATEO, Miguel		Logroño. Tradicional.	
MIRASOL RUIZ, Esteban	Albacete. Acción Rep.		Albacete. Izq. Repub.
MOLERO MASSA, Eduardo		Valencia (pro.). Cons.	
MOLINA MORENO, José	Toledo. Agrario	Toledo. CEDA	Toledo. CEDA
MOLINA CONEJERO, Manuel	Málaga (pro.). Social.		
MOLINA NIETO, Ramón			Valencia (cap.). Social.
MOLPECERES RAMOS, Pedro	Cádiz. Socialista		
MOLTÓ PASCUAL, Francisco		Alicante. CEDA	
MONCASÍ SANGENÍS, José		Huesca. Agrario	Huesca. Agrario
MONDÉJAR FÚNEZ, Daniel		Ciudad Real. Conserv.	Ciudad Real. Agrario
MONJE BERNAL, José		Sevilla (cap.). CEDA	
MONTENEGRO Y SOTO, José María		Lugo. Renovac. Esp.	
MONTERO TIRADO, José		Córdoba. CEDA	
MONTES DÍAZ, Rafael		Granada. CEDA	
MONTES LÓPEZ DE LA TORRE, Luis		Ciudad Real. CEDA	
MONTIEL JIMÉNEZ, Francisco Félix			Murcia (pro.). Social.
MONZÓN Y ORTIZ DE URRUELA, Telesforo de		Guipúzcoa. Nac. Vasco	
MORAL SANJURJO, José del		Coruña. Agrario	
MORALES ROBLES, José	Jaén. Socialista		
MORAYTA MARTÍNEZ, Francisco		Ciudad Real. Radical	
MORÁN BAYO, Juan	Córdoba (pro.). Social.		
MORELLÓ DEL POZO, José		Castellón. Radical	
MORENILLA BLANES, Carlos		Granada. CEDA	
MORENO DÁVILA, Julio		Granada. CEDA	
MORENO GALVACHE, José	Murcia (cap.). Rad.-So.		Murcia (cap.). U. Rep.
MORENO HERRERA, Francisco		Cádiz. Indep. Monár.	
MORENO JOVER, Antonio			Zamora. Izq. Repub.
MORENO MATEO, Mariano	Sevilla (pro.). Social.		Oviedo. Socialista
MORENO MENDOZA, Manuel	Cádiz. Radical		
MORENO NAVARRETE, Ricardo		Soria. CEDA	
MORENO QUESADA, Adolfo		Córdoba. Socialista	
MORENO TORRES, José María		Jaén. CEDA	Jaén. CEDA
MORÓN DÍAZ, Gabriel	Córdoba (pro.). Social.		
MOURIZ RIESGO, José	Oviedo. Socialista*		
MOUTAS MERÁS, José María		Oviedo. CEDA	
MOYA NAVARRO, José			Sevilla (pro.). Social.
MUIÑO, Manuel	Badajoz. Socialista		
MULLERAT SOLDEVILA, José		Tarragona. Lliga Cat.	
MUÑOZ DE DIEGO, Alfonso		Oviedo. Lib. Demóc.	
MUÑOZ GONZÁLEZ OCAMPO, Miguel			Badajoz. Izq. Repub.
MUÑOZ MARTÍNEZ, Manuel	Cádiz. Rad.-Social.	Cádiz. Rad. Soc. Ind.	Cádiz. Izq. Repub.
MUÑOZ DE ZAFRA, Amancio			Murcia (pro.). Social.
NADAL FERRER, Joaquín María de		Barcelona (cap.). Lliga	
NAVAJAS MORENO, Antonio		Córdoba. Agrario	
NAVARRO ESPARCÍA, Enrique			Albacete. Izq. Repub.
NAVARRO LÓPEZ, Jenaro		Jaén. Conservador	
NAVARRO VIVES, Ramón	Cartagena. Rad.-Social.		

* Renuncia el acta.

	CONSTITUYENTES 1931	PRIMERAS ORDINARIAS 1933	SEGUNDAS ORDINARIAS 1936
NEGRÍN LÓPEZ, Juan	Las Palmas. Socialista	Madrid (cap.). Social.	Las Palmas. Socialista
NELKEN MANSBERGEN DE PAL, Margarita	Badajoz. Socialista	Badajoz. Socialista	Badajoz. Socialista
NICOLAU D'OLWER, Luis	Barcelona (cap.). A. C.		Barcelona (cap.). Esq.
NIEMBRO GUTIÉRREZ, Emilio	Oviedo (pro.). Radical		
NISTAL MARTÍNEZ, Alfredo	León. Socialista		
NOGUÉS Y BIZET, Ramón	Tarragona. I. C. y R.-S.		Barcelona (cap.). I. R.
NOVOA SANTOS, Roberto	Coruña. Fed. Rep. Ga.		
NÚÑEZ MANSO, Carlos		Cádiz. CEDA	
NÚÑEZ TOMÁS, Francisco	Badajoz. Socialista		
O'SHEA VERDES MONTENEGRO, Eduardo		Coruña. Agrario	
OARRICHENA GENARO, César	Alicante. Radical	Alicante. Radical	
OCHANDO VALERA, Román		Albacete. Radical	
OLMEDO SERRANO, Manuel	Sevilla (pro.). Socialis.		
OREJA Y ELÓSEGUI, Marcelino de	Vizcaya (pro.). Vascon.	Vizcaya (pro.). Trad.	
ORIA DE RUEDA Y FONTÁN, Fernando		Valencia (pro.). CEDA	
ORIOL DE LA PUERTA, Jaime		Sevilla (cap.). CEDA	
ORIOL Y URIGÜEN, José Luis	Álava. Vasconavarro	Álava. Tradicionalista	Álava. Tradicionalista
OROZCO Y BATISTA, Andrés	Sta. Cruz Ten. Radical	Sta. Cruz Ten. Radical	
ORTEGA Y GASSET, Eduardo	Ciudad Real. Ra.-S. In.		
ORTEGA Y GASSET, José	León. Agr. Serv. Rep.		
ORTEGA MARTÍNEZ, Daniel			Cádiz. Comunista
ORTIZ DE SOLÓRZANO Y ORTIZ DE LA PUENTE, T.	Logroño. Agrario	Logroño. CEDA	Logroño. CEDA
OSSORIO FLORIT, Manuel	Ciudad Real. Conserv.		
OSSORIO Y GALLARDO, Ángel	Madrid (cap.). Indep.		
OTERO FERNÁNDEZ, Alejandro	Pontevedra. Socialista		
OTERO PEDRAYO, Ramón	Orense. Fed. Rep. Ga.		
OURO VÁZQUEZ, Roberto			Lugo. Izq. Rep.
OVEJERO BUSTAMANTE, Andrés	Madrid (cap.). Social.		
PABLO-BLANCO TORRES, Joaquín de		Córdoba. Radical	
PABLO HERNÁNDEZ, Nicolás de			Badajoz. Socialista
PABÓN Y SUÁREZ DE URBINA, Benito			Zaragoza (cap.). Ind.
PABÓN Y SUÁREZ DE URBINA, Jesús		Sevilla (cap.). CEDA	Sevilla (cap.). CEDA
PADRÓ Y CANYELLAS, Pedro			Barcelona (pro.). Esq.
PALACÍN SOLDEVILLA, Ricardo	Lérida. Esquerra Cat.		
PALANCA MARTÍNEZ-FORTÚN, José Alberto		Jaén. CEDA	
PALANCO ROMERO, José	Granada (pro.). A. Rep.		Granada. Izq. Repub.
PALAU MAYOR, Juan		Tarragona. Radical	
PALET Y BARBA, Domingo	Barcelona (pro.). Esq.	Barcelona (pro.).. Esq.	Barcelona (pro.). Esq.
PALOMINO JIMÉNEZ, Juan José		Cádiz. Tradicionalista	
PALOMO AGUADO, Emilio	Toledo. Izq. Repub.		Toledo. Izq. Repub.
PARAÍSO LABAD, Basilio	Zaragoza (pro.). Radic.	Zaragoza (pro.). Radic.	
PARDO GAYOSO, José			Teruel. Izq. Repub.
PARDO Y PARDO, José Benito			Lugo. CEDA
PAREJA YÉVENES, José	Granada (cap.) A. S. R.	Granada. Radical	
PASAGALI LOBO, Antonio			Jaén. Socialista
PASCUA MARTÍNEZ, Marcelino	Las Palmas. Socialista		
PASCUAL CORDERO, Teodoro		Cáceres. Radical	Cáceres. Centro
PASCUAL LEONE, Álvaro	Castellón. Radical	Castellón. Radical	Almería. Unión Repub.
PAZOS CID, Alfonso	Orense. Independiente		Orense. Unión Repub.
PEDREGAL Y FERNÁNDEZ, Manuel		Oviedo. Liber. Demóc.	Oviedo. Independiente
PEIRE CABALEIRO, Tomás	Huesca. Radical	Ceuta. Radical	
PELÁEZ CANELLAS, Laureano			Orense. CEDA
PELLICENA CAMACHO, Joaquín		Barcelona (cap.). Lliga	
PEMÁN PEMARTÍN, José María		Cádiz. Indep. monárq.	
PEÑALBA ALONSO DE OJEDA, Matías	Palencia. Acción Rep.		
PEÑAMARÍA ÁLVAREZ, Armando			Lugo. Centro
PEREA MARTÍNEZ, Juan Antonio		Murcia (pro.). Indep.	
PÉREZ ARROYO, Robustiano		Ávila. CEDA	
PÉREZ DE AYALA, Ramón	Oviedo. Ag. Serv. Rep.		
PÉREZ BURGOS, Rogelio	Almería. Rep. Conser.		

	CONSTITUYENTES 1931	PRIMERAS ORDINARIAS 1933	SEGUNDAS ORDINARIAS 1936
PÉREZ CRESPO, Antonio		León. Agrario	León. Agrario
PÉREZ DÍAZ, Alfonso	Sta. Cruz Ten. Radical	Sta. Cruz Ten. Radical	
PÉREZ GARCÍA, Darío	Zaragoza (pro.). Radic.	Zaragoza (pro.). Radic.	
PÉREZ DE GUZMÁN Y URZÁIZ, Francisco		Huelva. CEDA	Huelva. CEDA
PÉREZ IGLESIAS, Eduardo	Santander. Ac. Repub.		
PÉREZ JOFRE DE VILLEGAS, Manuel			Sevilla (pro.). Izq. Rep.
PÉREZ MADRIGAL, Joaquín	Ciudad Real. Rad.-So.	Ciudad Real. Radical	Ciudad Real. Radical
PÉREZ MARTÍNEZ, Miguel			Valencia (cap.). I. Rep.
PÉREZ DEL MOLINO HERRERA, Eduardo		Santander. CEDA	Santander. CEDA
PÉREZ DE ROZAS, José		Jaén. Radical	
PÉREZ TORREBLANCA, Antonio	Alicante. Rad.-Social.		
PÉREZ TRUJILLO, Domingo	Sta. Cruz Ten. Social.		
PÉREZ URRÍA, Leandro			Madrid (cap.) Izq. Rep.
PÉREZ VIANA, Dionisio			Zaragoza (pro.). CEDA
PERIS CARUANA, Alejandro	Jaen. Socialista		Jaén. Socialista
PESET ALEIXANDRE, Juan			Valencia (pro.). I. Rep.
PESTAÑA NÚÑEZ, Ángel			Cádiz. Sindicalista
PI Y ARSUAGA, Joaquín	Barcelona (pro.). Fed.		
PI Y SUÑER, Carlos	Barcelona (pro.). Esq.		
PICAVEA LEGÍA, Rafael	Guipúzcoa. Vasconav.	Guipúzcoa. Nac. Vasco	Guipúzcoa. Nac. Vasco
PILDAIN ZAPIAIN, Antonio	Guipúzcoa. Vasconav.		
PINA MILÁN, Rafael			Sevilla (pro.). U. Rep.
PIÑÁN Y MALVAR, Eduardo		Oviedo. CEDA	
PIÑUELA Y ROMERO, Fernando	Ciudad Real. Socialista		
PIQUERAS MUÑOZ, José	Jaén. Socialista		
PITA ROMERO, Leandro	Coruña. Independ.*	Coruña. ORGA	
PITTALUGA FATERINI, Gustavo	Badajoz. Independ.		
PLÁ Y ARMENGOL, Ramón			Barcelona (cap.). Esq.
PONS Y PLÁ, Francisco		Barcelona (cap.). Lliga	
PORTELA VALLADARES, Manuel	Lugo. Rep. Galleguista		Pontevedra. Centro
POZA COBAS, Celestino			Pontevedra. U. Rep.
POZA JUNCAL, Joaquín	Pontev. Ac. Rep. Ga.*		
PRADAL GÓMEZ, Gabriel	Almería. Socialista		Almería. Socialista
PRAT GARCÍA, José		Albacete. Socialista	Albacete. Socialista
PRETEL FERNÁNDEZ, Antonio			Granada. Comunista
PRIETO CARRASCO, Casto			Salamanca. Izq. Rep.
PRIETO JIMÉNEZ, Luis	Murcia (pro.). Social.	Murcia (pro.). Social.	
PRIETO RIBAS, Antonio		Pontevedra. Radical	
PRIETO TUERO, Indalecio	Vizcaya (cap.). Social.	Vizcaya (cap.). Social.	Vizcaya (cap.). Social.
PRIMO DE RIVERA Y SÁENZ DE HEREDIA, José A.		Cádiz. Independiente	
PUGET RIQUER, César			Baleares. CEDA
PUIG DE ASPRER, José	Gerona. Radical		
PUIG DE LA BELLACASA DEU, Luis		Barcelona (cap.). Lliga	Barcelona (cap.). Lliga
PUIG FERRATER, Juan	Barcelona (cap.). Esq.		
PUIG MARTÍNEZ, César	Alicante. Radical		
PUIG Y PUIG, Ángel		Valencia (pro.). Radic.	
PUIG PUJADAS, José			Gerona. Esquerra Cat.
PUJOL MARTÍNEZ, Juan		Madrid (cap.). CEDA	Baleares. CEDA
QUINTANA DE LEÓN, Alberto	Gerona. Esq. Cat.**		
QUINTANA PENA, Alfonso	Orense. Socialista		
RAGASSOL Y SARRÁ, Eduardo			Barcelona (pro.). Esq.
RAHOLA MOLINAS, Pedro	Barcelona (cap.). Lliga	Barcelona (cap.). Lliga	Barcelona (cap.). Lliga
RAMÍREZ SINUÉS, Javier		Zarag. (pro.). Agrario	
RAMOS ACOSTA, Aurelio		Málaga (cap.). R.-S. In.	
RAMOS CERVIÑO, Fernando		Orense. Radical	
RAMOS GONZÁLEZ, Antonio		Santander. Socialista	
RAMOS Y RAMOS, Enrique	Málaga (pro.). A. Rep.		Madrid (cap.). Iz. Rep.
REBOLLAR Y RODRÍGUEZ, Eutiquiano		Segovia. Radical	

* Al constituirse el Congreso se unió a la Federación Republicana Gallega.
** Vacante por fallecimiento.

	CONSTITUYENTES 1931	PRIMERAS ORDINARIAS 1933	SEGUNDAS ORDINARIAS 1936
REBUELTA MELGAREJO, Andrés			Ciudad Real. Bloq. Nal.
RECASÉNS SICHES, Luis	Lugo. Conservador	Lugo. Conservador	
REDONDO ACEÑA, Cayetano	Segovia. Socialista		
REIG RODRÍGUEZ, Joaquín		Barcelona (cap.). Lliga	
REINO CAAMAÑO, José	Coruña. Independiente	Coruña. Conservador	
REPRESA MARAZUELA, Salvador		Ávila. CEDA	Áviia. CEDA
REQUEJO SAN ROMÁN, Jesús			Toledo. Tradicional.
REVERTE MORENO, Antonio		Murcia (cap.). CEDA	
REVILLA GARCÍA, Juan	Sevilla (pro.). Radical		
REY MORA, Fernando	Huelva. Radical	Huelva. Radical	
RICO AVELLO, Manuel	Oviedo. Ag. Serv. Rep.		Murcia (pro.). Indep.
RICO GONZÁLEZ, Gumersindo		Lugo. Indep. Centro	
RICO LÓPEZ, Pedro	Madrid (cap.). A. Rep.		Córdoba. Unión Rep.
RIERA PUNTÍ, José	Barcelona (cap.). Esq.		
RIERA VIDAL, Pedro	Toledo. Radical		
RIESGO Y GARCÍA, Honorio		Madrid (cap.). CEDA	Madrid (cap.). CEDA
RÍO Y RODRÍGUEZ, Cirilo del	Ciudad Real. Progres.		
RÍOS URRUTI, Fernando de los	Granada (cap.). Social.	Granada. Socialista	Granada. Socialista
RIVERA RUIZ, Miguel	Murcia (cap.). Radical		
RIZO BAYONA, Ángel	Cartagena. Radical		
ROA DE LA VEGA, Francisco		León. CEDA	León. Bloq. Nal.
ROBLES ARANGUIZ, Manuel	Vizcaya (pro.). Vascon.	Vizcaya (cap.). N. Vas.	Vizcaya (cap.). N. Vas.
ROCA YÉVENES, Francisco		Granada. Radical	
ROCHA GARCÍA, Juan José		Murcia (pro.). Radical	
RODÉS BALDRICH, Felipe			Barcelona (cap.). Lliga
RODRÍGUEZ CADARSO, Alejandro	Coruña. Fed. Rep. Ga.	Coruña. ORGA	
RODRÍGUEZ CASTELAO, Alfonso	Pontev. Ac. Rep. Ga.*		Pontevedra. Izq. Rep.
RODRÍGUEZ CID, Antonio			Zamora. Agrario
RODRÍGUEZ FIGUEROA, Luis			Sta. Cruz Ten. Izq. R.
RODRÍGUEZ-JURADO Y DE LA HERA, Adolfo		Madrid (cap.). CEDA	
RODRÍGUEZ MOLINA, Miguel			Granada. Izq. Repub.
RODRÍGUEZ PÉREZ, Antonio	Coruña. Fed. Rep. Ga.	Coruña. ORGA	
RODRÍGUEZ PIÑERO, Santiago	Cádiz. Radical		
RODRÍGUEZ DE VIGURI Y SEDANE, Luis	Alicante. Socialista	Alicante. Socialista	
RODRÍGUEZ DE VERA, Romualdo		Lugo. Monárquico	Lugo. Agrario
ROIG IBÁÑEZ, Vicente de		Valencia (pro.). Radic.	
ROJAS MARCOS, José		Sevilla (pro.). CEDA	
ROJO GONZÁLEZ, Mariano	Madrid (pro.). Social.		
ROLDÁN SÁNCHEZ DE LA FUENTE, José María	Málaga (pro.). Progre.		Málaga (pro.). Progre.
ROMA Y RUBIES, Antonio	Cádiz. Socialista		
ROMERO CACHINERO, Adriano			Pontevedra. Comunis.
ROMERO RADIGALES, José		Huesca. CEDA	
ROMERO RODRÍGUEZ, Pedro	Segovia. Ac. Repub.		
ROMERO SOLANO, Luis		Cáceres. Socialista	Cáceres. Socialista
ROSADO GIL, José			Badajoz. Centro
ROYO GÓMEZ, José	Castellón. Ac. Repub.		
ROYO VILLANOVA, Antonio	Valladolid. Agrario	Valladolid. Agrario	
RUBIERA RODRÍGUEZ, Carlos			Madrid (pro.). Social.
RUBIO CHÁVARRI, José Tomás		Córdoba. Progresista	Córdoba. Progresista
RUBIO HEREDIA, Pedro		Badajoz. Socialista	
RUBIO MUÑOZ BOCANEGRA, Ángel	Cáceres. Socialista		
RUBIÓ TUDURÍ, Mariano		Barcelona (cap.). Esq.	Barcelona (cap.). Esq.
RUBIO VICENTI, Ramón			Córdoba. Izq. Repub.
RUFILANCHAS SALCEDO, Luis			Madrid (pro.). Social.
RUIZ ALONSO, Ramón		Granada. CEDA	
RUIZ BLÁZQUEZ, Alfonso			Murcia (pro.) Izq. Rep.
RUIZ DORRONSORO, Perfecto	Burgos. Radical		
RUIZ-FUNES GARCÍA, Mariano	Murcia (cap.). A. Rep.		Vizcaya (cap.). I. Rep.
RUIZ LECINA, Amós	Tarragona. Socialista	Tarragona. Socialista	Tarragona. Socialista
RUIZ PÉREZ ÁGUILA, José María		Alicante. Radical	

* Al constituirse el Congreso se unió a la Federación Republicana Gallega.

	CONSTITUYENTES 1931	PRIMERAS ORDINARIAS 1933	SEGUNDAS ORDINARIAS 1936
RUIZ REBOLLO, Ramón			Santander. Izq. Rep.
RUIZ DEL RÍO, Jesús	Logroño. Rad.-Social.		
RUIZ DEL TORO, José	Murcia (pro.). Social.	Murcia (pro.). Social.	
RUIZ-VALDEPEÑAS UTRILLA, Luis		Ciudad Real. CEDA	Ciudad Real. CEDA
RUIZ DE VILLA Y P. CARRAL, Manuel	Santander. Rad.-Soc.		
SABORIT COLOMER, Andrés	Madrid (cap.). Social.	Ciudad Real. Social.	
SABRÁS GURREA, Amós	Logroño. Socialista	Huelva. Socialista	
SABUÇEDO MORALES, José		Orense. Renov. Esp.	Orense. Bloque Nal.
SACO RIVERA, Manuel		Lugo. Indep. Centro	
SACRISTÁN COLÁS, Antonio	Cáceres. Independ.		
SÁENZ DE MIERA MILLÁN, Manuel		León. Agrario.	León. Agrario
SAGRERA Y COROMINAS, José		Gerona. Esquerra	
SAINZ RODRÍGUEZ, Pedro	Santander. Agrario	Santander. Ren. Esp.	Santander. Bloque N.
SAINZ RUIZ, Fernando	Granada (pro.). Social.		
SAIZ SÁNCHEZ, Mariano			Ciudad Real. Socialista
SALA Y BERENGUER, Pelayo			Barcelona (pro.). Esq.
SALAZAR ALONSO, Rafael	Badajoz. Radical	Badajoz. Radical	
SALES MUSOLES, Vicente	Castellón. Progresista		
SALGADO PÉREZ, Ramón	Pontevedra. Radical	Pontevedra. Radical	
SALINAS DIÉGUEZ, Francisco de Paula		Córdoba. Radical	
SALMERÓN GARCÍA, José	Badajoz. Rad.-Social.		
SALMERÓN GARCÍA, Nicolás	Almería. Rad.-Social.		
SALMÓN AMORÍN, Federico		Murcia (pro.). CEDA	
SALORT Y DE OLIVES, Tomás		Baleares. CEDA	Baleares. CEDA
SALVADOR Y CARRERAS, Amós		Logroño. Ac. Repub.	Logroño. Izq. Repub.
SALVADORES CRESPO, Quirino	Zamora. Socialista		
SALVANS ARMENGOL, Francisco		Barcelona (pro.). Lliga	
SAMBLANCAT SALANOVA, Ángel	Barcelona (cap.). Esq.		
SAMPER IBÁÑEZ, Ricardo	Valencia (pro.). Radic.	Valencia (cap.). Radic.	
SAN ANDRÉS CASTRO, Miguel	Valencia (pro.). Ra.-S.		Valencia (cap.) Iz. Rep.
SÁNCHEZ ALBORNOZ MENDUIÑA, Claudio	Ávila. Ac. Repub.	Ávila. Acción Repub.	Ávila. Izq. Repub.
SÁNCHEZ CABALLERO, Juan Manuel			Cádiz. Unión Repub.
SÁNCHEZ-CABEZUDO SALANOVA, Luis Felipe			Toledo. Agrario
SÁNCHEZ-COVISA Y SÁNCHEZ-COVISA, José	Cuenca. Ac. Repub.		
SÁNCHEZ GALLEGO, Laureano	Murcia (cap.). Social.		
SÁNCHEZ-GUERRA Y MARTÍNEZ, José	Madrid (cap.). U. L. P.		
SÁNCHEZ MIRANDA, Francisco de Asís		Badajoz. CEDA	
SÁNCHEZ MOVELLÁN, Ricardo			Santander. CEDA
SÁNCHEZ PRADOS, Antonio L.	Ceuta. Rad.-Social.		
SÁNCHEZ-ROMÁN Y GALLIFA, Felipe	Madrid (cap.). A. S. R.		
SÁNCHEZ ROVIRA, Mateo			Albacete. Agrario
SÁNCHEZ VENTURA, José María			Zaragoza (pro.). CEDA
SANCHÍS BANÚS, José	Madrid (cap.). Soc.*		
SANCHÍS PASCUAL, Francisco	Valencia (cap.). Social.		
SANCHO IZQUIERDO, Miguel		Teruel. CEDA	Teruel. CEDA
SANGENÍS BERTRAND, Casimiro de		Lérida. Tradicional.	
SANTA CECILIA RIVAS, Primitivo	Salamanca. Socialista		
SANTA CRUZ GARCÉS, Juan José	Granada (cap.). A. S. R.		
SANTALÓ Y PARVORELL, Miguel	Gerona. Esquerra C.	Gerona. Esq. Catal.	Gerona. Esq. Catal.
SANTANDER CARRASCO, Juan Antonio	Cádiz. Socialista		
SANTOS BORREGO, Bienvenido		Murcia (cap.). Social.	
SANZ BLANCO, Juan Félix		Granada. Radical	
SANZ DIEZ, Martín	Córdoba (pro.). Social.		
SAPIÑA CAMARÓ, Juan	Castellón. Socialista		Castellón. Socialista
SARMIENTO GONZÁLEZ, Ángel	Oviedo (pro.). Radical		
SARMIENTO RUIZ, Vicente			Málaga (pro.). Social.
SARRIÁ SIMÓN, Venancio	Zaragoza (pro.). R.-S.		
SAVAL MORIS, Francisco	Málaga (cap.). Rad.-S.		
SBERT MASSANET, Antonio María	Barcelona (cap.). Esq.		

* Vacante por fallecimiento.

	CONSTITUYENTES 1931	PRIMERAS ORDINARIAS 1933	SEGUNDAS ORDINARIAS 1936
SEDILES MORENO, Salvador	Barcelona (cap.). Esq.		
SEGOVIA Y BURILLO, Ángel	Cáceres. Radical-Soc.		
SEGUÍ TARRAZÓ, Matías		Almería. Radical	
SELVAS CARNÉ, Juan	Barcelona (pro.). Esq.		
SENTÍS NOGUÉS, Juan			Tarragona. Esq. Cat.
SENYAL FERRER, Francisco		Barcelona (pro.). Esq.	Barcelona (pro.). Esq.
SEDANE FERNÁNDEZ, Ignacio			Pontevedra. Socialista
SEPTIÉN ALADRÉN, Antonio		Madrid (pro.). Social.	
SERAS GONZÁLEZ, Antonio de			Sevilla (pro.). Centro
SERRA Y MORET, Manuel	Barcelona (pro.). P.S.C.	Gerona. Esq. Catal.	
SERRANO BATANERO, José	Guadalajara. A. Rep.		
SERRANO JOVER, Emilio Alfredo		Madrid (pro.). R. Esp.	
SERRANO MENDICUTE, Mariano			Madrid (cap.). CEDA
SERRANO SUÑER, Ramón		Zaragoza (cap.). CEDA	Zaragoza (cap.). CEDA
SIERRA MARTÍNEZ, Vicente		Pontevedra. Radical	
SIERRA POMARES, Manuel		Zaragoza (pro.). CEDA	
SIERRA RUSTARAZO, Tomás		Cuenca. Radical	
SILVA GREGORIO, Eduardo		Cáceres. CEDA	
SIMÓ BOFARULL, Jaime	Tarragona. Radical		
SIMÓN CASTILLO, Casto		Teruel. CEDA	
SOL SÁNCHEZ, Antonio	Valladolid. Rad.-Soc.		
SOL SÁNCHEZ, Vicente			Badajoz. Izq. Repub.
SOLÁ CAÑIZARES, Felipe de		Barcelona (cap.). Lliga	
SOLÁ Y RAMOS, Emilio de	Cádiz. Radical		
SOLÉ DE SOJO, Vicente		Barcelona (cap.). Lliga	
SOMOZA GUTIÉRREZ, Alfredo			Coruña. Izq. Repub.
SORIANO BARROETA ALDAMAR, Rodrigo	Málaga (cap.). F. Ind.		
SOSA ACEVEDO, Florencio			Sta. Cruz Ten. Comun.
SOSA HORMIGO, José			Badajoz. Socialista
SUÁREZ MORALES, Eduardo			Las Palmas. Comun.
SUÁREZ PICALLO, Ramón	Coruña. Fed. Rep. Ga.		Coruña. Izq. Repub.
SUÁREZ DE TANGIL Y ÁNGULO, Fernando		Palencia. Renov. Esp.	Palencia. Bloq. Nal.
SUÁREZ URIARTE, Publio	León. Agr. Serv. Rep.	León. Indep. Centro	
SUAU PONS, Jaime			Baleares. Centro
SUÑOL Y GARRIGA, José	Barcelona (pro.). Esq.	Barcelona (cap.). Esq.	Barcelona (cap.). Esq.
SUSAETA Y MARDONES, Félix	Álava. Rad.-Socialista		
TABOADA TUNDIDOR, Antonio		Orense. Agrario	Orense. Agrario
TABOADA TUNDIDOR, Carlos		Orense. CEDA	
TAPIA Y RÓMERO, Luis de	Madrid (cap.). Indep.		
TEJERA DE QUESADA, Domingo		Sevilla (pro.). Tradic.	
TEJERO MANERO, Mariano			Zaragoza (pro.). I. Rep.
TERRADELLAS JOAN, José	Barcelona (cap.). Esq.		
TEMPLADO MARTÍNEZ, Félix			Murcia (pro.). I. Rep.
TEMPLADO MARTÍNEZ, José	Murcia (pro.). Radical		
TENREIRO RODRÍGUEZ, Ramón María	Coruña. Fed. Rep. Ga.		
TERRERO SÁNCHEZ, José	Huelva. Radical		
TIRADO FIGUEROA, Juan		Huelva. Socialista	
TOLEDO Y ROBLES, Romualdo de		Madrid (pro.). Tradic.	
TOMÁS ÁLVAREZ, Belarmino			Oviedo. Socialista
TOMÁS Y PIERA, José		Barcelona (pro.). Esq.	Barcelona (pro.). Esq.
TOMÁS TAENGUA, Pascual			Murcia (pro.). Social.
TOMÉ PRIETO, Vicente		Zamora. Agrario	
TORO CUEVAS, Francisco de			Granada. Socialista
TORRE GUTIÉRREZ, Matilde de la		Oviedo. Socialista	Oviedo. Socialista
TORRE Y LARRINAGA, Heliodoro de la		Vizcaya (pro.). N. Vas.	Vizcaya (pro.). N. Vas.
TORRE MOYA, Domingo de la	Jaén. Socialista		
TORRES ALONSO, Ángel	Ávila. Independiente		
TORRES BARBERÁ, Humberto	Lérida. Esquerra Cat.		
TORRES CAMPAÑÁ, Manuel	Madrid (pro.). Radical		Madrid (pro.). U. Rep.
TORRES SALAS, Juan		Alicante. CEDA	Alicante. CEDA
TRABAL Y SANS, José A.		Barcelona (pro.). Esq.	Barcelona (pro.). Esq.

	CONSTITUYENTES 1931	PRIMERAS ORDINARIAS 1933	SEGUNDAS ORDINARIAS 1936
TRÍAS DE BES, José María		Barcelona (pro.). Lliga	Barcelona (pro.). Lliga
TUÑÓN DE LARA, Antonio	Almería. Radical	Almería. Radical	
ULLED ALTEMIR, Rafael	Huesca. Radical		
UNAMUNO Y JUGO, Miguel de	Salamanca. Independ.		
URIBE GADEANO, Vicente			Jaén. Comunista
URIBES MORENO, José Antonio			Valencia (pro.). Comu.
URQUIJO IBARRA, Julio	Guipúzcoa. Vasconav.		
URZAIZ CADAVAL, Joaquín			Huelva. Progresista
USABIAGA LASQUIVAR, Juan	Guipúzcoa. Radical		
VALDÉS Y VALDÉS, Miguel			Barcelona (cap.). Com.
VALENTÍN AGUILAR, Amando			Valladolid. CEDA
VALENTÍN TORREJÓN, Faustino		Valencia (pro.). Radic.	Cáceres. Unión Rep.
VALENZUELA DE HITA, Félix			Guadalajara. CEDA
VALERA APARICIO, Fernando	Valencia (cap.). Ra.-S.		Badajoz. Unión Rep.
VALIENTE PAREDES, Pablo	Cáceres. Socialista		
VALIENTE SORIANO, José María		Santander. CEDA	Burgos. Tradicionalis.
VALLE GRACIA, Bernardino	Las Palmas. Federal		Las Palmas. Federal
VALLS TABERNER, Fernando			Barcelona (pro.). Lliga
VAQUERO CANTILLO, Eloy	Córdoba (cap.). Radic.	Córdoba. Radical	
VARELA RADÍO, Manuel	Pontevedra. Radical*		
VARGAS GUERENDIAÍN, Pedro	Valencia (cap.). R.-So.		Valencia (pro.). Iz. Re.
VÁZQUEZ CAMPO, Daniel	Lugo. Fed. Rep. Galle.		
VÁZQUEZ GUNDÍN, Eugenio		Coruña. CEDA	
VÁZQUEZ LEMUS, Narciso	Badajoz. Federal**		
VÁZQUEZ OCAÑA, Fernando		Córdoba. Socialista	
VÁZQUEZ TORRES, Narciso	Badajoz. Socialista		
VEGA BARRERA, Rafael	Lugo. Radical		
VEGA BERMEJO, Fernando		Cáceres. CEDA	
VEGA GREGORIO, Constantino		Toledo. CEDA	
VEGA DE LA IGLESIA MANTECA, Francisco		Almería. Radical	
VEIGA GONZÁLEZ, Victoriano			Coruña. Izq. Repub.
VELAO OÑATE, Antonio	Albacete. Ac. Repub.		Madrid (cap.). Iz. Rep.
VELASCO COFFÍN, Luis	Huelva. Radical		
VELASCO DAMAS, Luis			Málaga (cap.). Iz. Rep.
VELAYOS VELAYOS, Nicasio	Ávila. Independiente	Ávila. Agrario	Ávila. Agrario
VÉLEZ GONZÁLVEZ, Dámaso		Murcia (pro.). Radical	
VENTOSA Y CALVELL, Juan		Barcelona (cap.). Lliga	Barcelona (cap.). Lliga
VENTOSA ROIG, Juan	Barcelona (pro.). Esq.	Barcelona (pro.). Esq.	
VERGARA CASTRILLÓN, Isidoro	Valladolid. Ac. Repub.		Valladolid. Izq. Rep.
VIANA ESPERÓN, Alejandro			Pontevedra. Izq. Rep.
VICUÑA Y EPALZA, Ramón de		Vizcaya (cap.). N. Vas.	
VIDAL Y GUARDIOLA, Miguel		Barcelona (pro.). Lliga	Barcelona (pro.). Lliga
VIDAL TOLOSANA, Lorenzo		Huesca. CEDA	
VIDARTE FRANCO ROMERO, Juan Simeón	Badajoz. Socialista	Badajoz. Socialista	Badajoz. Socialista
VIGIL MONTOTO, Manuel	Oviedo. Socialista		
VIGURI Y RUIZ DE OLANO, Ramón			Álava. Izq. Repub.
VILATELA ABAD, Gregorio	Teruel. Rad.-Socialista		Teruel. Izq. Repub.
VILELLA PUIG, Cayetano		Tarragona. Independ.	
VILLA GUTIÉRREZ, Antonio de la	Cáceres. Rad.-Social.		
VILLALOBOS GONZÁLEZ, Filiberto	Salamanca. Lib. Dem.	Salamanca. Lib. Dem.	Salamanca. Centro
VILLALONGA VILLALBA, Ignacio		Castellón. CEDA	Castellón. CEDA
VILLALTA GISVERT, Miguel			Alicante. Socialista
VILLAMARÍN RODRÍGUEZ, Fernando		Pontevedra. Conserv.	
VILLANUEVA GÓMEZ, Justo	Orense. Radical	Orense. Radical	
VILLAR PONTE, Antonio	Coruña. Fed. Rep. Ga.		
VILLARIAS LÓPEZ, Gregorio	Santander. Rad.-Soc.		
VILLARINO DE SAA, Ramón			Orense. CEDA
VILLAVERDE REY, Elpidio			Pontevedra. Izq. Rep.

* Al constituirse el Congreso se unió a la Federación Republicana Gallega.
** Vacante por fallecimiento.

	CONSTITUYENTES 1931	PRIMERAS ORDINARIAS 1933	SEGUNDAS ORDINARIAS 1936
VIÑAS ARCOS, Rodolfo	Albacete. Socialista		
VIRGILI QUINTANILLA, Agustín		Murcia (cap.). Agrario	Murcia (cap.). Ind. De.
XIRAU PALAU, Antonio	Barcelona (cap.). Esq.		
XIRAU PALAU, José	Barcelona (pro.). P.S.C.		
ZABALZA ELORGA, Ricardo			Badajoz. Socialista
ZAFRA CONTRERA, Francisco	Córdoba (pro.). Social.		
ZAFORTEA VILLALONGA, Luis		Baleares. CEDA	
ZUGAZAGOITIA MENDIETA, Julián	Badajoz. Socialista		Vizcaya (cap.). Social.
ZULUETA ESCOLANO, Luis	Badajoz. Independ.		
ZULUETA GIVERGA, Fernando			Lérida. Esq. Catalana
ZAMANILLO Y GONZÁLEZ CAMINO, José Luis		Santander. Tradicion.	

APENDICE DOCUMENTAL

Año CCLXX.—Tomo IV Jueves 10 Diciembre 1931 Núm. 344.—Página 1577

DIRECCION - ADMINISTRACION:
Calle del Carmen, núm. 29, entresuelo.
Teléfono núm. 12.322

VENTA DE EJEMPLARES
Ministerio de la Gobernación, planta baja.
Número suelto, 0 50

GACETA DE MADRID

LEY DE DEFENSA DE LA REPUBLICA

MINISTERIO DE LA GOBERNACIÓN

EL PRESIDENTE DEL GOBIERNO DE LA REPÚBLICA ESPAÑOLA,

A todos los que la presente vieren y entendieren, sabed:

QUE LAS CORTES CONSTITUYENTES, en funciones de Soberanía Nacional, han decretado y sancionado la siguiente

LEY

Artículo 1.º Son actos de agresión a la República y quedan sometidos a la presente Ley:

I. La incitación a resistir o a desobedecer las leyes o las disposiciones legítimas de la Autoridad.

II. La incitación a la indisciplina o al antagonismo entre Institutos armados, o entre éstos y los organismos civiles.

III. La difusión de noticias que puedan quebrantar el crédito o perturbar la paz o el orden público.

IV. La comisión de actos de violencia contra personas, cosas o propiedades, por motivos religiosos, políticos o sociales, o la incitación a cometerlos.

V. Toda acción o expresión que redunde en menosprecio de las Instituciones u organismos del Estado.

VI. La apología del régimen monárquico o de las personas en que se pretenda vincular su representación, y el uso de emblemas, insignias o distintivos alusivos a uno u otras.

VII. La tenencia ilícita de armas de fuego o de substancias explosivas prohibidas.

VIII. La suspensión o cesación de industrias o labores de cualquier clase, sin justificación bastante.

IX. Las huelgas no anunciadas con ocho días de anticipación, si no tienen otro plazo marcado en la ley especial, las declaradas por motivos que no se relacionen con las condiciones de trabajo y las que no se sometan a un procedimiento de arbitraje o conciliación.

X. La alteración injustificada del precio de las cosas.

XI. La falta de celo y la negligencia de los funcionarios públicos en el desempeño de sus servicios.

Artículo 2.º Podrán ser confinados o extrañados, por un período no superior al de vigencia de esta Ley, o multados hasta la cuantía máxima de 10.000 pesetas, ocupándose o suspendiéndose, según los casos, los medios que hayan utilizado para su realización, los autores materiales o los inductores de hechos comprendidos en los números I al X del artículo anterior. Los autores de hechos comprendidos en el número XI serán suspendidos o separados de su cargo o postergados en sus respectivos escalafones.

Cuando se imponga alguna de las sanciones previstas en esta Ley a una persona individual, podrá el interesado reclamar contra ella ante el Sr. Ministro de la Gobernación en el plazo de veinticuatro horas.

Cuando se trate de la sanción impuesta a una persona colectiva, podrá reclamar contra la misma ante el Consejo de Ministros en el plazo de cinco días.

Artículo 3.º El Ministro de la Gobernación queda facultado:

I. Para suspender las reuniones o manifestaciones públicas de carácter político, religioso o social, cuando por las circunstancias de su convocatoria sea presumible que su celebración pueda perturbar la paz pública.

II. Para clausurar los Centros o Asociaciones que se considere incitan a la realización de actos comprendidos en el artículo 1.º de esta Ley.

III. Para intervenir la contabilidad e investigar el origen y distribución de los fondos de cualquier entidad de las definidas en la ley de Asociaciones; y

IV. Para decretar la incautación de toda clase de armas o substancias explosivas, aun de las tenidas lícitamente.

Artículo 4.º Queda encomendada al Ministro de la Gobernación la aplicación de la presente Ley.

Para aplicarla, el Gobierno podrá nombrar Delegados especiales, cuya jurisdicción alcance a dos o más provincias.

Si al disolverse las Cortes Constituyentes no hubieren acordado ratificar esta Ley, se entenderá que queda derogada.

Artículo 5.º Las medidas gubernativas reguladas en los precedentes artículos no serán obstáculo para la aplicación de las sanciones establecidas en las Leyes penales.

Por tanto:

Mando a todos los ciudadanos que coadyuven al cumplimiento de esta Ley, así como a todos los Tribunales y Autoridades para que la hagan cumplir.

Madrid, veintiuno de Octubre de mil novecientos treinta y uno.

MANUEL AZAÑA

El Ministro de la Gobernación,

SANTIAGO CASARES QUIROGA

CONSTITUCION DE LA REPUBLICA

CORTES CONSTITUYENTES

CONSTITUCIÓN DE LA REPÚBLICA ESPAÑOLA

Como Presidente de las Cortes Constituyentes, y en su nombre, declaro solemnemente que éstas, en uso de la soberanía de que están investidas, han decretado y sancionado lo siguiente:

ESPAÑA, EN USO DE SU SOBERANÍA, Y REPRESENTADA POR LAS CORTES CONSTITUYENTES, DECRETA Y SANCIONA ESTA CONSTITUCIÓN

TÍTULO PRELIMINAR

Disposiciones generales.

Artículo primero.

España es una República democrática de trabajadores de toda clase, que se organiza en régimen de Libertad y de Justicia.

Los poderes de todos sus órganos emanan del pueblo.

La República constituye un Estado integral, compatible con la autonomía de los Municipios y las Regiones.

La bandera de la República española es roja, amarilla y morada.

Artículo 2.º

Todos los españoles son iguales ante la ley.

Artículo 3.º

El Estado español no tiene religión oficial.

Artículo 4.º

El castellano es el idioma oficial de la República.

Todo español tiene obligación de saberlo y derecho de usarlo, sin perjuicio de los derechos que las leyes del Estado reconozcan a las lenguas de las provincias o regiones.

Salvo lo que se disponga en leyes especiales, a nadie se le podrá exigir el conocimiento ni el uso de ninguna lengua regional.

Artículo 5.º

La capitalidad de la República se fija en Madrid.

Artículo 6.º

España renuncia a la guerra como instrumento de política nacional.

Artículo 7.º

El Estado español acatará las normas universales del Derecho internacional, incorporándolas a su derecho positivo.

TÍTULO PRIMERO

Organización nacional.

Artículo 8.º

El Estado español, dentro de los límites irreductibles de su territorio actual, estará integrado por Municipios mancomunados en provincias y por las regiones que se constituyan en régimen de autonomía.

Los territorios de soberanía del norte de África se organizarán en régimen autónomo en relación directa con el Poder central.

Artículo 9.º

Todos los Municipios de la República serán autónomos en las materias de su competencia y elegirán sus Ayuntamientos por sufragio universal, igual, directo y secreto, salvo cuando funcionen en régimen de Consejo abierto.

Los Alcaldes serán designados siempre por elección directa del pueblo o por el Ayuntamiento.

Artículo 10.

Las provincias se constituirán por los Municipios mancomunados conforme a una ley que determinará su régimen, sus funciones y la manera de elegir el órgano gestor de sus fines políticoadministrativos.

En su término jurisdiccional entrarán los propios Municipios que actualmente las forman, salvo las modificaciones que autorice la ley, con los requisitos correspondientes.

En las islas Canarias, además, cada isla formará una categoría orgánica provista de un Cabildo insular como Cuerpo gestor de sus intereses peculiares, con funciones y facultades administrativas iguales a las que la ley asigne al de las provincias.

Las islas Baleares podrán optar por un régimen idéntico.

Artículo 11.

Si una o varias provincias limítrofes, con características históricas, culturales y económicas, comunes, acordaran organizarse en región autónoma para formar un núcleo políticoadministrativo, dentro del Estado español, presentarán su Estatuto con arreglo a lo establecido en el art. 12.

En ese Estatuto podrán recabar para sí, en su totalidad o parcialmente, las atribuciones que se determinan en los artículos 15, 16 y 18 de esta Constitución, sin perjuicio, en el segundo caso, de que puedan recabar todas o parte de las restantes por el mismo procedimiento establecido en este Código fundamental.

La condición de limítrofe no es exigible a los territorios insulares entre sí.

Una vez aprobado el Estatuto, será la ley básica de la organización políticoadministrativa de la región autónoma, y el Estado español la reconocerá y amparará como parte integrante de su ordenamiento jurídico.

Artículo 12.

Para la aprobación del Estatuto de la región autónoma, se requieren las siguientes condiciones:

a) Que lo proponga la mayoría de sus Ayuntamientos o, cuando menos, aquellos cuyos Municipios comprendan las dos terceras partes del Censo electoral de la región.

b) Que lo acepten, por el procedimiento que señale la ley Electoral, por lo menos las dos terceras partes de los electores inscritos en el Censo de la región. Si el plebiscito fuere negativo, no podrá renovarse la propuesta de autonomía hasta transcurridos cinco años.

c) Que lo aprueben las Cortes.

Los Estatutos regionales serán aprobados por el Congreso siempre que se ajusten al presente Título y no contengan, en caso alguno, preceptos contrarios a la Constitución, y tampoco a las leyes orgánicas del Estado en las materias no transmisibles al poder regional, sin perjuicio de la facultad que a las Cortes reconocen los artículos 15 y 16.

Artículo 13.

En ningún caso se admite la Federación de regiones autónomas.

Artículo 14.

Son de la exclusiva competencia del Estado español la legislación y la ejecución directa en las materias siguientes:

1.ª Adquisición y pérdida de la nacionalidad y regulación de los derechos y deberes constitucionales.

2.ª Relación entre las Iglesias y el Estado y régimen de cultos.

3.ª Representación diplomática y consular y, en general, la del Estado en el exterior; declaración de guerra; Tratados de paz; régimen de Colonias y Protectorado, y toda clase de relaciones internacionales.

4.ª Defensa de la seguridad pública en los conflictos de carácter suprarregional o extrarregional.

5.ª Pesca marítima.

6.ª Deuda del Estado.

7.ª Ejército, Marina de guerra y Defensa nacional.

8.ª Régimen arancelario, Tratados de Comercio, Aduanas y Libre circulación de las mercancías.

9.ª Abanderamiento de buques mercantes, sus derechos y beneficios e iluminación de costas.

10. Régimen de extradición.

11. Jurisdicción del Tribunal Supremo, salvo las atribuciones que se reconozcan a los Poderes regionales.

12. Sistema monetario, emisión fiduciaria y ordenación general bancaria.

13. Régimen general de comunicaciones, líneas aéreas, correos, telégrafos, cables submarinos y radiocomunicación.

14. Aprovechamientos hidráulicos e instalaciones eléctricas, cuando las aguas discurran fuera de la región autónoma o el transporte de la energía salga de su término.

15. Defensa sanitaria en cuanto afecte a intereses extrarregionales.

16. Política de fronteras, inmigración, emigración y extranjería.

17. Hacienda general del Estado.

18. Fiscalización de la producción y el comercio de armas.

Artículo 15.

Corresponde al Estado español la legislación, y podrá corresponder a las regiones autónomas la ejecución, en la medida de su capacidad política, a juicio de las Cortes, sobre las siguientes materias:

1.ª Legislación penal, social, mercantil y procesal, y en cuanto a la legislación civil, la forma del matrimonio, la ordenación de los registros e hipotecas, las bases de las obligaciones contractuales y la regulación de los Estatutos, personal, real y formal, para coordinar la aplicación y resolver los conflictos entre las distintas legislaciones civiles de España.

La ejecución de las leyes sociales será inspeccionada por el Gobierno de la República, para garantizar su estricto cumplimiento y el de los tratados internacionales que afecten a la materia.

2.ª Legislación sobre propiedad intelectual e industrial.

3.ª Eficacia de los comunicados oficiales y documentos públicos.

4.ª Pesas y medidas.

5.ª Régimen minero y bases mínimas sobre montes, agricultura y ganadería, en cuanto afecte a la defensa de la riqueza y a la coordinación de la economía nacional.

6.ª Ferrocarriles, carreteras, canales, teléfonos y puertos de interés general, quedando a salvo para el Estado la reversión y policía de los primeros y la ejecución directa que pueda reservarse.

7.ª Bases mínimas de la legislación sanitaria interior.

8.ª Régimen de seguros generales y sociales.

9.ª Legislación de aguas, caza y pesca fluvial.

10. Régimen de Prensa, Asociaciones, reuniones y espectáculos públicos.

11. Derecho de expropiación, salvo siempre la facultad del Estado para ejecutar por sí sus obras peculiares.

12. Socialización de riquezas naturales y empresas económicas, delimitándose por la legislación la propiedad y las facultades del Estado y de las regiones.

13. Servicios de aviación civil y radiodifusión.

Artículo 16.

En las materias no comprendidas en los dos artículos anteriores, podrán corresponder a la competencia de las regiones autónomas la legislación exclusiva y la ejecución directa, conforme a lo que dispongan los respectivos Estatutos aprobados por las Cortes.

Artículo 17.

En las regiones autónomas no se podrá regular ninguna materia con diferencia de trato entre los naturales del país y los demás españoles.

Artículo 18.

Todas las materias que no estén explícitamente reconocidas en su Extatuto a la región autónoma, se reputarán propias de la competencia del Estado; pero éste podrá distribuir o transmitir las facultades por medio de una ley.

Artículo 19.

El Estado podrá fijar, por medio de una ley, aquellas bases a que habrán de ajustarse las disposiciones legislativas de las regiones autónomas, cuando así lo exigiera la armonía entre los intereses locales y el interés general de la República. Corresponde al Tribunal de Garantías Constitucionales la apreciación previa de esta necesidad.

Para la aprobación de ésta ley se necesitará el voto favorable de las dos terceras partes de los Diputados que integren las Cortes.

En las materias reguladas por una ley de Bases de la República las regiones podrán estatuir lo pertinente, por ley o por ordenanza.

Artículo 20.

Las leyes de la República serán ejecutadas en las regiones autónomas por sus autoridades respectivas, excepto aquellas cuya aplicación esté atribuida a órganos especiales o en cuyo texto se disponga lo contrario, siempre conforme a lo establecido en este Título.

El Gobierno de la República podrá dictar Reglamentos para la ejecución de sus leyes, aun en los casos en que esta ejecución corresponda a las autoridades regionales.

Artículo 21.

El derecho del Estado español prevalece sobre el de las regiones autónomas en todo lo que no esté atribuido a la exclusiva competencia de éstas en sus respectivos Estatutos.

Artículo 22.

Cualquiera de las provincias que forme una región autónoma o parte de ella podrá renunciar a su régimen y volver al de provincia directamente vinculada al Poder central. Para tomar este acuerdo será necesario que lo proponga la mayoría de sus Ayuntamientos y lo acepten, por lo menos, dos terceras partes de los electores inscritos en el censo de la provincia.

TÍTULO II

Nacionalidad

Artículo 23.

Son españoles:

1.º Los nacidos, dentro o fuera de España, de padre o madre españoles.

2.º Los nacidos en territorio español de padres extranjeros, siempre que opten por la nacionalidad española en la forma que las leyes determinen.

3.º Los nacidos en España de padres desconocidos.

4.º Los extranjeros que obtengan carta de naturaleza y los que sin ella hayan ganado vecindad en cualquier pueblo de la República, en los términos y condiciones que prescriban las leyes.

La extranjera que case con español conservará su nacionalidad de origen o adquirirá la de su marido, previa opción regulada por las leyes de acuerdo con los Tratados internacionales.

Una ley establecerá el procedimiento que facilite la adquisición de la nacionalidad a las personas de origen español que residan en el Extranjero.

Artículo 24.

La calidad de español se pierde:

1.º Por entrar al servicio de las armas de

una potencia extranjera sin licencia del Estado español, o por aceptar empleo de otro Gobierno que lleve anejo ejercicio de autoridad o jurisdicción.

2.º Por adquirir voluntariamente naturaleza en país extranjero.

A base de una reciprocidad internacional efectiva y mediante los requisitos y trámites que fijará una ley, se concederá ciudadanía a los naturales de Portugal y países hispánicos de América, comprendido el Brasil, cuando así lo soliciten y residan en territorio español, sin que pierdan ni modifiquen su ciudadanía de origen.

En estos mismos países, si sus leyes no lo prohiben, aun cuando no reconozcan el derecho de reciprocidad, podrán naturalizarse los españoles sin perder su nacionalidad de origen.

TÍTULO III

Derechos y deberes de los españoles.

CAPÍTULO PRIMERO

Garantías individuales y políticas.

Artículo 25.

No podrán ser fundamento de privilegio jurídico: la naturaleza, la filiación, el sexo, la clase social, la riqueza, las ideas políticas ni las creencias religiosas.

El Estado no reconoce distinciones y títulos nobiliarios.

Artículo 26.

Todas las confesiones religiosas serán consideradas como Asociaciones sometidas a una ley especial.

El Estado, las regiones, las provincias y los Municipios, no mantendrán, favorecerán, ni auxiliarán económicamente a las Iglesias, Asociaciones e Instituciones religiosas.

Una ley especial regulará la total extinción, en un plazo máximo de dos años, del presupuesto del Clero.

Quedan disueltas aquellas Órdenes religiosas que estatutariamente impongan, además de los tres votos canónicos, otro especial de obediencia a autoridad distinta de la legítima del Estado. Sus bienes serán nacionalizados y afectados a fines benéficos y docentes.

Las demás Órdenes religiosas se someterán a una ley especial votada por estas Cortes Constituyentes y ajustada a las siguientes bases:

1.ª Disolución de las que, por sus actividades, constituyan un peligro para la seguridad del Estado.

2.ª Inscripción de las que deban subsistir, en un Registro especial dependiente del Ministerio de Justicia.

3.ª Incapacidad de adquirir y conservar, por sí o por persona interpuesta, más bienes que los que, previa justificación, se destinen a su vivienda o al cumplimiento directo de sus fines privativos.

4.ª Prohibición de ejercer la industria, el comercio o la enseñanza.

5.ª Sumisión a todas las leyes tributarias del país.

6.ª Obligación de rendir anualmente cuentas al Estado de la inversión de sus bienes en relación con los fines de la Asociación.

Los bienes de las Órdenes religiosas podrán ser nacionalizados.

Artículo 27.

La libertad de conciencia y el derecho de profesar y practicar libremente cualquier religión quedan garantizados en el territorio español, salvo el respeto debido a las exigencias de la moral pública.

Los cementerios estarán sometidos exclusivamente a la jurisdicción civil. No podrá haber en ellos separación de recintos por motivos religiosos.

Todas las confesiones podrán ejercer sus cultos privadamente. Las manifestaciones públicas del culto habrán de ser, en cada caso, autorizadas por el Gobierno.

Nadie podrá ser compelido a declarar oficialmente sus creencias religiosas.

La condición religiosa no constituirá circunstancia modificativa de la personalidad civil ni política, salvo lo dispuesto en esta Constitución para el nombramiento de Presidente de la República y para ser Presidente del Consejo de Ministros.

Artículo 28.

Sólo se castigarán los hechos declarados punibles por ley anterior a su perpetración. Nadie será juzgado sino por juez competente y conforme a los trámites legales.

Artículo 29.

Nadie podrá ser detenido ni preso sino por causa de delito. Todo detenido será puesto en libertad o entregado a la autoridad judicial, dentro de las veinticuatro horas siguientes al acto de la detención.

Toda detención se dejará sin efecto o se elevará a prisión, dentro de las setenta y dos horas de haber sido entregado el detenido al juez competente.

La resolución que se dictare será por tanto judicial y se notificará al interesado dentro del mismo plazo.

Incurrirán en responsabilidad las autoridades cuyas órdenes motiven infracción de este artículo, y los agentes y funcionarios que las ejecuten, con evidencia de su ilegalidad.

La acción para perseguir estas infracciones será pública, sin necesidad de prestar fianza ni caución de ningún género.

Artículo 30.

El Estado no podrá suscribir ningún Convenio o Tratado internacional que tenga por objeto la extradición de delincuentes político-sociales.

Artículo 31.

Todo español podrá circular libremente por el territorio nacional y elegir en él su residencia y domicilio, sin que pueda ser compelido a mudarlos a no ser en virtud de sentencia ejecutoria.

El derecho a emigrar o inmigrar queda reconocido y no está sujeto a más limitaciones que las que la ley establezca.

Una ley especial determinará las garantías para la expulsión de los extranjeros del territorio español.

El domicilio de todo español o extranjero residente en España es inviolable. Nadie podrá entrar en él sino en virtud de mandamiento de juez competente. El registro de papeles y efectos se practicará siempre a presencia del interesado o de una persona de su familia, y, en su defecto, de dos vecinos del mismo pueblo.

Artículo 32.

Queda garantizada la inviolabilidad de la correspondencia en todas sus formas, a no ser que se dicte auto judicial en contrario.

Artículo 33.

Toda persona es libre de elegir profesión. Se reconoce la libertad de industria y comercio, salvo las limitaciones que, por motivos económicos y sociales de interés general, impongan las leyes.

Artículo 34.

Toda persona tiene derecho a emitir libremente sus ideas y opiniones, valiéndose de cualquier medio de difusión, sin sujetarse a la previa censura.

En ningún caso podrá recogerse la edición de libros y periódicos sino en virtud de mandamiento de juez competente.

No podrá decretarse la suspensión de ningún periódico, sino por sentencia firme.

Artículo 35.

Todo español podrá dirigir peticiones, individual y colectivamente, a los Poderes públicos y a las autoridades. Este derecho no podrá ejercerse por ninguna clase de fuerza armada.

Artículo 36.

Los ciudadanos de uno y de otro sexo, mayores de veintitrés años, tendrán los mismos derechos electorales conforme determinen las leyes.

Artículo 37.

El Estado podrá exigir de todo ciudadano su prestación personal para servicios civiles o militares, con arreglo a las leyes.

Las Cortes, a propuesta del Gobierno, fijarán todos los años el contingente militar.

Artículo 38.

Queda reconocido el derecho de reunirse pacíficamente y sin armas.

Una ley especial regulará el derecho de reunión al aire libre y el de manifestación.

Artículo 39.

Los españoles podrán asociarse o sindicarse libremente para los distintos fines de la vida humana, conforme a las leyes del Estado.

Los Sindicatos y Asociaciones están obligados a inscribirse en el Registro público correspondiente, con arreglo a la ley.

Artículo 40.

Todos los españoles, sin distinción de sexo, son admisibles a los empleos y cargos públicos según su mérito y capacidad, salvo las incompatibilidades que las leyes señalen.

Artículo 41.

Los nombramientos, excedencias y jubilaciones de los funcionarios públicos se harán conforme a las leyes. Su inamovilidad se garantiza por la Constitución. La separación del servicio, las suspensiones y los traslados sólo tendrán lugar por causas justificadas previstas en la ley.

No se podrá molestar ni perseguir a ningún funcionario público por sus opiniones políticas, sociales o religiosas.

Si el funcionario público, en el ejercicio de su cargo, infringe sus deberes con perjuicio de tercero, el Estado o la Corporación a quien sirva serán subsidiariamente responsables de los daños y perjuicios consiguientes, conforme determine la ley.

Los funcionarios civiles podrán constituir Asociaciones profesionales que no impliquen ingerencia en el servicio público que les estuviere encomendado. Las Asociaciones profesionales de funcionarios se regularán por una ley. Estas Asociaciones podrán recurrir ante los Tribunales contra los acuerdos de la superioridad que vulneren los derechos de los funcionarios.

Artículo 42.

Los derechos y garantías consignados en los artículos 29, 31, 34, 38 y 39 podrán ser suspendidos total o parcialmente, en todo el territorio nacional o en parte de él, por decreto del Gobierno, cuando así lo exija la seguridad del Estado, en casos de notoria e inminente gravedad.

Si las Cortes estuviesen reunidas, resolverán sobre la suspensión acordada por el Gobierno.

Si estuviesen cerradas, el Gobierno deberá convocarlas para el mismo fin en el plazo máximo de ocho días. A falta de convocatoria se reunirán automáticamente al noveno día. Las Cortes no podrán ser disueltas antes de resolver mientras subsista la suspensión de garantías.

Si estuvieran disueltas, el Gobierno dará inmediata cuenta a la Diputación Permanente establecida en el artículo 62, que resolverá con iguales atribuciones que las Cortes.

El plazo de suspensión de garantías constitucionales no podrá exceder de treinta días. Cualquier prórroga necesitará acuerdo previo de las Cortes o de la Diputación Permanente en su caso.

Durante la suspensión regirá, para el territorio a que se aplique, la ley de Orden público.

En ningún caso podrá el Gobierno extrañar o deportar a los españoles, ni desterrarlos a distancia superior a 250 kilómetros de su domicilio.

CAPÍTULO II

Familia, economía y cultura.

Artículo 43.

La familia está bajo la salvaguardia especial del Estado. El matrimonio se funda en la igualdad de derechos para ambos sexos, y podrá disolverse por mutuo disenso o a petición de cualquiera de los cónyuges, con alegación en este caso de justa causa.

Los padres están obligados a alimentar, asistir, educar e instruir a sus hijos. El Estado velará por el cumplimiento de estos deberes y se obliga subsidiariamente a su ejecución.

Los padres tienen para con los hijos habidos fuera del matrimonio los mismos deberes que respecto de los nacidos en él.

Las leyes civiles regularán la investigación de la paternidad.

No podrá consignarse declaración alguna sobre la legitimidad o ilegitimidad de los nacimientos ni sobre el estado civil de los padres, en las actas de inscripción, ni en filiación alguna.

El Estado prestará asistencia a los enfermos y ancianos, y protección a la maternidad y a la infancia, haciendo suya la «Declaración de Ginebra» o tabla de los derechos del niño.

Artículo 44.

Toda la riqueza del país, sea quien fuere su dueño, está subordinada a los intereses de la economía nacional y afecta al sostenimiento de las cargas públicas, con arreglo a la Constitución y a las leyes.

La propiedad de toda clase de bienes podrá ser objeto de expropiación forzosa por causa de utilidad social mediante adecuada indemnización, a menos que disponga otra cosa una ley aprobada por los votos de la mayoría absoluta de las Cortes.

Con los mismos requisitos la propiedad podrá ser socializada.

Los servicios públicos y las explotaciones que afecten al interés común pueden ser nacionalizados en los casos en que la necesidad social así lo exija.

El Estado podrá intervenir por ley la explotación y coordinación de industrias y empresas cuando así lo exigieran la racionalización de la producción y los intereses de la economía nacional.

En ningún caso se impondrá la pena de confiscación de bienes.

Artículo 45.

Toda la riqueza artística e histórica del país, sea quien fuere su dueño, constituye tesoro cultural de la Nación y estará bajo la salvaguardia del Estado, que podrá prohibir su exportación y enajenación y decretar las expropiaciones legales que estimare oportunas para su defensa. El Estado organizará un registro de la riqueza artística e histórica, asegurará su celosa custodia y atenderá a su perfecta conservación.

El Estado protegerá también los lugares notables por su belleza natural o por su reconocido valor artístico o histórico.

Artículo 46.

El trabajo, en sus diversas formas, es una obligación social, y gozará de la protección de las leyes.

La República asegurará a todo trabajador las condiciones necesarias de una existencia digna. Su legislación social regulará: los casos de seguro de enfermedad, accidente, paro forzoso, vejez, invalidez y muerte; el trabajo de las mujeres y de los jóvenes y especialmente la protección a la maternidad; la jornada de trabajo y el salario mínimo y familiar; las vacaciones anuales remuneradas; las condiciones del obrero español en el Extranjero; las instituciones de cooperación; la relación económicojurídica de los factores que integran la producción; la participación de los obreros en la dirección, la administración y los beneficios de las empresas, y todo cuanto afecte a la defensa de los trabajadores.

Artículo 47.

La República protegerá al campesino y a este fin legislará, entre otras materias, sobre el patrimonio familiar inembargable y exento de toda clase de impuestos, crédito agrícola, indemnización por pérdida de las cosechas, cooperativas de producción y consumo, cajas de previsión, escuelas prácticas de agricultura y granjas de experimentación agropecuarias, obras para riego y vías rurales de comunicación.

La República protegerá en términos equivalentes a los pescadores.

Artículo 48.

El servicio de la cultura es atribución esencial del Estado, y lo prestará mediante instituciones educativas enlazadas por el sistema de la escuela unificada.

La enseñanza primaria será gratuita y obligatoria.

Los maestros, profesores y catedráticos de la enseñanza oficial son funcionarios públicos. La libertad de cátedra queda reconocida y garantizada.

La República legislará en el sentido de facilitar a los españoles económicamente necesitados el acceso a todos los grados de enseñanza, a fin de que no se halle condicionado más que por la aptitud y la vocación.

La enseñanza será laica, hará del trabajo el eje de su actividad metodológica y se inspirará en ideales de solidaridad humana.

Se reconoce a las Iglesias el derecho, sujeto a inspección del Estado, de enseñar sus respectivas doctrinas en sus propios establecicimientos.

Artículo 49.

La expedición de títulos académicos y profesionales corresponde exclusivamente al Estado, que establecerá las pruebas y requisitos necesarios para obtenerlos aun en los casos en que los certificados de estudios procedan de centros de enseñanza de las regiones autónomas. Una ley de Instrucción pública determinará la edad escolar para cada grado, la duración de los períodos de escolaridad, el contenido de los planes pedagógicos y las condiciones en que se podrá autorizar la enseñanza en los establecimientos privados.

Artículo 50.

Las regiones autónomas podrán organizar la enseñanza en sus lenguas respectivas, de acuerdo con las facultades que se concedan en sus Estatutos. Es obligatorio el estudio de la lengua castellana, y ésta se usará también como instrumento de enseñanza en todos los Centros de instrucción primaria y secundaria de las regiones autónomas. El Estado podrá mantener o crear en ellas instituciones docentes de todos los grados en el idioma oficial de la República.

El Estado ejercerá la suprema inspección en todo el territorio nacional para asegurar el cumplimiento de las disposiciones contenidas en este artículo y en los dos anteriores.

El Estado atenderá a la expansión cultural de España estableciendo delegaciones y centros de estudio y enseñanza en el Extranjero y preferentemente en los países hispanoamericanos.

TÍTULO IV

Las Cortes.

Artículo 51.

La potestad legislativa reside en el pueblo, que la ejerce por medio de las Cortes o Congreso de los Diputados.

Artículo 52.

El Congreso de los Diputados se compone de los representantes elegidos por sufragio universal, igual, directo y secreto.

Artículo 53.

Serán elegibles para Diputados todos los ciudadanos de la República mayores de veintitrés años, sin distinción de sexo ni de estado civil, que reúnan las condiciones fijadas por la ley Electoral.

Los Diputados, una vez elegidos, representan a la Nación. La duración legal del mandato será de cuatro años, contados a partir de la fecha en que fueron celebradas las elecciones generales. Al terminar este plazo se renovará totalmente el Congreso. Sesenta días, a lo sumo, después de expirar el mandato o de ser disueltas las Cortes, habrán de verificarse las nuevas elecciones. El Congreso se reunirá a los treinta días, como máximo, después de la elección. Los Diputados serán reelegibles indefinidamente.

Artículo 54.

La ley determinará los casos de incompatibilidad de los Diputados, así como su retribución.

Artículo 55.

Los Diputados son inviolables por los votos y opiniones que emitan en el ejercicio de su cargo.

Artículo 56.

Los Diputados sólo podrán ser detenidos en caso de flagrante delito.

La detención será comunicada inmediatamente a la Cámara o a la Diputación Permanente.

Si algún juez o Tribunal estimare que debe dictar auto de procesamiento contra un Diputado, lo comunicará así al Congreso, exponiendo los fundamentos que considere pertinentes.

Transcurridos sesenta días, a partir de la fecha en que la Cámara hubiere acusado recibo del oficio correspondiente, sin tomar acuerdo respecto del mismo, se entenderá denegado el suplicatorio.

Toda detención o procesamiento de un Diputado quedará sin efecto cuando así lo acuerde el Congreso, si está reunido, o la Diputación Permanente cuando las sesiones estuvieren suspendidas o la Cámara disuelta.

Tanto el Congreso como la Diputación Permanente, según los casos antes mencionados, podrán acordar que el juez suspenda todo procedimiento hasta la expiración del mandato parlamentario del Diputado objeto de la acción judicial.

Los acuerdos de la Diputación Permanente se entenderán revocados si reunido el Congreso no los ratificara expresamente en una de sus veinte primeras sesiones.

Artículo 57.

El Congreso de los Diputados tendrá facultad para resolver sobre la validez de la elección y la capacidad de sus miembros electos y para adoptar su Reglamento de régimen interior.

Artículo 58.

Las Cortes se reunirán sin necesidad de convocatoria el primer día hábil de los meses de febrero y octubre de cada año y funcionarán, por lo menos, durante tres meses en el primer período y dos en el segundo.

Artículo 59.

Las Cortes disueltas se reúnen de pleno derecho y recobran su potestad como Poder legítimo del Estado, desde el momento en que el Presidente no hubiere cumplido, dentro de plazo, la obligación de convocar las nuevas elecciones.

Artículo 60.

El Gobierno y el Congreso de los Diputados tienen la iniciativa de las leyes.

Artículo 61.

El Congreso podrá autorizar al Gobierno para que éste legisle por decreto, acordado en Consejo de Ministros, sobre materias reservadas a la competencia del Poder legislativo.

Estas autorizaciones no podrán tener carácter general, y los decretos dictados en virtud de las mismas se ajustarán estrictamente a las bases establecidas por el Congreso para cada materia concreta.

El Congreso podrá reclamar el conocimiento de los decretos así dictados, para enjuiciar sobre su adaptación a las bases establecidas por él.

En ningún caso podrá autorizarse, en esta forma, aumento alguno de gastos.

Artículo 62.

El Congreso designará de su seno una Diputación Permanente de Cortes, compuesta, como máximum, de 24 representantes de las distintas fracciones políticas, en proporción a su fuerza numérica.

Esta Diputación tendrá por Presidente el que lo sea del Congreso y entenderá:

1.º De los casos de suspensión de garantías constitucionales previstos en el art. 42.

2.º De los casos a que se refiere el artículo 80 de esta Constitución relativos a los decretos-leyes.

3.º De lo concerniente a la detención y procesamiento de los Diputados.

4.º De las demás materias en que el Reglamento de la Cámara le diere atribución.

Artículo 63.

El Presidente del Consejo y los Ministros tendrán voz en el Congreso, aunque no sean Diputados.

No podrán excusar su asistencia a la Cámara cuando sean por ella requeridos.

Artículo 64.

El Congreso podrá acordar un voto de censura contra el Gobierno o alguno de sus Ministros.

Todo voto de censura deberá ser propuesto, en forma motivada y por escrito, con las firmas de cincuenta Diputados en posesión del cargo.

Esta proposición deberá ser comunicada a todos los Diputados y no podrá ser discutida ni votada hasta pasados cinco días de su presentación.

No se considerará obligado a dimitir el Gobierno ni el Ministro, cuando el voto de censura no fuese aprobado por la mayoría absoluta de los Diputados que constituyan la Cámara.

Las mismas garantías se observarán respecto a cualquier otra proposición que indirectamente implique un voto de censura.

Artículo 65.

Todos los Convenios internacionales ratificados por España e inscritos en la Sociedad de las Naciones y que tengan carácter de ley internacional, se considerarán parte constitutiva de la legislación española, que habrá de acomodarse a lo que en aquéllos se disponga.

Una vez ratificado un Convenio internacional que afecte a la ordenación jurídica del Estado, el Gobierno presentará, en plazo breve, al Congreso de los Diputados, los proyectos de ley, necesarios para la ejecución de sus preceptos.

No podrá dictarse ley alguna en contradicción con dichos Convenios, si no hubieran sido previamente denunciados conforme al procedimiento en ellos establecido.

La iniciativa de la denuncia habrá de ser sancionada por las Cortes.

Artículo 66.

El pueblo podrá atraer a su decisión mediante «referéndum» las leyes votadas por las Cortes. Bastará, para ello, que lo solicite el 15 por 100 del Cuerpo electoral.

No serán objeto de este recurso la Constitución, las leyes complementarias de la misma, las de ratificación de Convenios internacionales inscritos en la Sociedad de las Naciones, los Estatutos regionales, ni las leyes tributarias.

El pueblo podrá asimismo, ejerciendo el derecho de iniciativa, presentar a las Cortes una proposición de ley siempre que lo pida, por lo menos, el 15 por 100 de los electores.

Una ley especial regulará el procedimiento y las garantías del «referéndum» y de la iniciativa popular.

TÍTULO V

Presidencia de la República.

Artículo 67.

El Presidente de la República es el Jefe del Estado y personifica a la Nación.

La ley determinará su dotación y sus honores, que no podrán ser alterados durante el período de su magistratura.

Artículo 68.

El Presidente de la República será elegido conjuntamente por las Cortes y un número de compromisarios igual al de Diputados.

Los compromisarios serán elegidos por sufragio universal, igual, directo y secreto, conforme al procedimiento que determine la ley. Al Tribunal de Garantías Constitucionales corresponde el examen y aprobación de los poderes de los compromisarios.

Artículo 69.

Sólo serán elegibles para la Presidencia de la República los ciudadanos españoles mayores de cuarenta años que se hallen en el pleno goce de sus derechos civiles y políticos.

Artículo 70.

No podrán ser elegibles ni tampoco propuestos para candidatos:

a) Los militares en activo o en la reserva, ni los retirados que no lleven diez años, cuando menos, en dicha situación.

b) Los eclesiásticos, los ministros de las varias confesiones y los religiosos profesos.

c) Los miembros de las familias reinantes o ex reinantes de cualquier país, sea cual fuere el grado de parentesco que les una con el jefe de las mismas.

Artículo 71.

El mandato del Presidente de la República durará seis años.

El Presidente de la República no podrá ser reelegido hasta transcurridos seis años del término de su anterior mandato.

Artículo 72.

El Presidente de la República prometerá ante las Cortes, solemnemente reunidas, fidelidad a la República y a la Constitución.

Prestada esta promesa, se considerará iniciado el nuevo período presidencial.

Artículo 73.

La elección de nuevo Presidente de la República se celebrará treinta días antes de la expiración del mandato presidencial.

Artículo 74.

En caso de impedimento temporal o ausencia del Presidente de la República, le substituirá en sus funciones el de las Cortes, quien será substituido en las suyas por el Vicepresidente del Congreso. Del mismo modo, el Presidente del Parlamento asumirá las funciones de la Presidencia de la República, si ésta quedara vacante; en tal caso será convocada la elección de nuevo Presidente en el plazo improrrogable de ocho días, conforme a lo establecido en el artículo 68, y se celebrará dentro de los treinta días siguientes a la convocatoria.

A los exclusivos efectos de la elección de Presidente de la República, las Cortes, aun estando disueltas, conservan sus poderes.

Artículo 75.

El Presidente de la República nombrará y separará libremente al Presidente del Gobierno, y, a propuesta de éste, a los Ministros. Habrá de separarlos necesariamente en el caso de que las Cortes les negaren de modo explícito su confianza.

Artículo 76.

Corresponde también al Presidente de la República:

a) Declarar la guerra, conforme a los requisitos del artículo siguiente, y firmar la paz.

b) Conferir los empleos civiles y militares y expedir los títulos profesionales, de acuerdo con las leyes y los reglamentos.

c) Autorizar con su firma los decretos, refrendados por el Ministro correspondiente, previo acuerdo del Gobierno, pudiendo el Presidente acordar que los proyectos de decreto se sometan a las Cortes, si creyere que se oponen a alguna de las leyes vigentes.

d) Ordenar las medidas urgentes que exija la defensa de la integridad o la seguridad de la Nación, dando inmediata cuenta a las Cortes.

e) Negociar, firmar y ratificar los Tratados y Convenios internacionales sobre cualquier materia y vigilar su cumplimiento en todo el territorio nacional.

Los Tratados de carácter político, los de comercio, los que supongan gravamen para la Hacienda pública o individualmente para los ciudadanos españoles y, en general, todos aquellos que exijan para su ejecución medidas de orden legislativo, sólo obligarán a la Nación si han sido aprobados por las Cortes.

Los proyectos de Convenio de la organización internacional del Trabajo serán sometidos a las Cortes en el plazo de un año y, en caso de circunstancias excepcionales, de dieciocho meses, a partir de la clausura de la Conferencia en que hayan sido adoptados. Una vez aprobados por el Parlamento, el Presidente en la República subscribirá la ratificación, que será comunicada, para su registro, a la Sociedad de las Naciones.

Los demás Tratados y Convenios internacionales ratificados por España, también deberán ser registrados en la Sociedad de las Naciones, con arreglo al artículo 18 del Pacto de la Sociedad, a los efectos que en él se previenen.

Los Tratados y Convenios secretos y las cláusulas secretas de cualquier Tratado o Convenio no obligarán a la Nación.

Artículo 77.

El Presidente de la República no podrá firmar declaración alguna de guerra sino en las condiciones prescritas en el Pacto de la Sociedad de las Naciones, y sólo una vez agotados aquellos medios defensivos que no tengan carácter bélico y los procedimientos judiciales o de conciliación y arbitraje establecidos en los Convenios internacionales de que España fuere parte, registrados en la Sociedad de las Naciones.

Cuando la Nación estuviera ligada a otros países por Tratados particulares de conciliación y arbitraje, se aplicarán éstos en todo lo que no contradigan los Convenios generales.

Cumplidos los anteriores requisitos, el Presidente de la República habrá de estar autorizado por una ley para firmar la declaración de guerra.

Artículo 78.

El Presidente de la República no podrá cursar el aviso de que España se retira de la Sociedad de las Naciones sino anunciándolo con la antelación que exige el Pacto de esa Sociedad, y mediante previa autorización de las Cortes, consignada en una ley especial, votada por mayoría absoluta.

Artículo 79.

El Presidente de la República, a propuesta del Gobierno, expedirá los decretos, reglamentos e instrucciones necesarios para la ejecución de las leyes.

Artículo 80.

Cuando no se halle reunido el Congreso, el Presidente, a propuesta y por acuerdo unánime del Gobierno y con la aprobación de los dos tercios de la Diputación Permanente, podrá estatuir por decreto sobre materias reservadas a la competencia de las Cortes, en los casos excepcionales que requieran urgente decisión, o cuando lo demande la defensa de la República.

Los decretos así dictados tendrán sólo carácter provisional, y su vigencia estará limitada al tiempo que tarde el Congreso en resolver o legislar sobre la materia.

Artículo 81.

El Presidente de la República podrá convocar el Congreso con carácter extraordinario siempre que lo estime oportuno.

Podrá suspender las sesiones ordinarias del Congreso en cada legislatura sólo por un mes en el primer período y por quince días en el segundo, siempre que no deje de cumplirse lo preceptuado en el artículo 58.

El Presidente podrá disolver las Cortes hasta dos veces como máximo durante su mandato cuando lo estime necesario, sujetándose a las siguientes condiciones:

a) Por decreto motivado.

b) Acompañando al decreto de disolución la convocatoria de las nuevas elecciones para el plazo máximo de sesenta días.

En el caso de segunda disolución, el primer acto de las nuevas Cortes será examinar y resolver la necesidad del decreto de disolución de las anteriores. El voto desfavorable de la mayoría absoluta de las Cortes llevará aneja la destitución del Presidente.

Artículo 82.

El Presidente podrá ser destituido antes de que expire su mandato.

La iniciativa de destitución se tomará a propuesta de las tres quintas partes de los miembros que compongan el Congreso, y desde este instante el Presidente no podrá ejercer sus funciones.

En el plazo de ocho días se convocará la elección de compromisarios en la forma prevenida para la elección de Presidente. Los compromisarios reunidos con las Cortes decidirán por mayoría absoluta sobre la propuesta de éstas.

Si la Asamblea votare contra la destitución, quedará disuelto el Congreso. En caso contrario, esta misma Asamblea elegirá el nuevo Presidente.

Artículo 83.

El Presidente promulgará las leyes sancionadas por el Congreso, dentro del plazo de quince días, contados desde aquel en que la sanción le hubiere sido oficialmente comunicada.

Si la ley se declara urgente por las dos terceras partes de los votos emitidos por el Congreso, el Presidente procederá a su inmediata promulgación.

Antes de promulgar las leyes no declaradas urgentes, el Presidente podrá pedir al Congreso, en mensaje razonado, que las someta a nueva deliberación. Si volvieran a ser aprobadas por una mayoría de dos tercios de votantes, el Presidente quedará obligado a promulgarlas.

Artículo 84.

Serán nulos y sin fuerza alguna de obligar los actos y mandatos del Presidente que no estén refrendados por un Ministro.

La ejecución de dichos mandatos implicará responsabilidad penal.

Los Ministros que refrenden actos o mandatos del Presidente de la República asumen la plena responsabilidad política y civil y participan de la criminal que de ellos pueda derivarse.

Artículo 85.

El Presidente de la República es criminalmente responsable de la infracción delictiva de sus obligaciones constitucionales.

El Congreso, por acuerdo de las tres quintas partes de la totalidad de sus miembros, decidirá si procede acusar al Presidente de la República ante el Tribunal de Garantías Constitucionales.

Mantenida la acusación por el Congreso, el Tribunal resolverá si la admite o no. En caso afirmativo, el Presidente quedará, desde luego, destituido, procediéndose a nueva elección, y la causa seguirá sus trámites.

Si la acusación no fuese admitida, el Congreso quedará disuelto y se procederá a nueva convocatoria.

Una ley de carácter constitucional determinará el procedimiento para exigir la responsabilidad criminal del Presidente de la República.

TÍTULO VI

Gobierno.

Artículo 86.

El Presidente del Consejo y los Ministros constituyen el Gobierno.

Artículo 87.

El Presidente del Consejo de Ministros dirige y representa la política general de Gobierno. Le afectan las mismas incompatibilidades establecidas en el artículo 70 para el Presidente de la República.

A los Ministros corresponde la alta dirección y gestión de los servicios públicos asignados a los diferentes departamentos ministeriales.

Artículo 88.

El Presidente de la República, a propuesta del Presidente del Consejo, podrá nombrar uno o más Ministros sin cartera.

Artículo 89.

Los miembros del Gobierno tendrán la dotación que determinen las Cortes. Mientras ejerzan sus funciones, no podrán desempeñar profesión alguna, ni intervenir directa o indirectamente en la dirección o gestión de ninguna empresa ni asociación privada.

Artículo 90.

Corresponde al Consejo de Ministros, principalmente, elaborar los proyectos de ley que haya de someter al Parlamento; dictar decretos; ejercer la potestad reglamentaria, y deliberar sobre todos los asuntos de interés público.

Artículo 91.

Los miembros del Consejo responden ante el Congreso: solidariamente de la política del Gobierno, e individualmente de su propia gestión ministerial.

Artículo 92.

El Presidente del Consejo y los Ministros son, también, individualmente responsables, en el orden civil y en el criminal, por las infracciones de la Constitución y de las leyes.

En caso de delito, el Congreso ejercerá la acusación ante el Tribunal de Garantías Constitucionales en la forma que la ley determine.

Artículo 93.

Una ley especial regulará la creación y el funcionamiento de los órganos asesores y de ordenación económica de la Administración, del Gobierno y de las Cortes.

Entre estos organismos figurará un Cuerpo consultivo supremo de la República en asuntos de Gobierno y Administración, cuya composición, atribuciones y funcionamiento serán regulados por dicha ley.

TÍTULO VII

Justicia.

Artículo 94.

La Justicia se administra en nombre del Estado.

La República asegurará a los litigantes económicamente necesitados la gratuidad de la Justicia.

Los jueces son independientes en su función. Sólo están sometidos a la ley.

Artículo 95.

La Administración de Justicia comprenderá todas las jurisdicciones existentes, que serán reguladas por las leyes.

La jurisdicción penal militar quedará limitada a los delitos militares, a los servicios de armas y a la disciplina de todos los Institutos armados.

No podrá establecerse fuero alguno por razón de las personas ni de los lugares. Se exceptúa el caso de estado de guerra, con arreglo a la ley de Orden público.

Quedan abolidos todos los Tribunales de honor, tanto civiles como militares.

Artículo 96.

El presidente del Tribunal Supremo será designado por el Jefe del Estado, a propuesta de una Asamblea constituida en la forma que determine la ley.

El cargo de presidente del Tribunal Supremo sólo requerirá: ser español, mayor de cuarenta años y licenciado en Derecho.

Le comprenderán las incapacidades e incompatibilidades establecidas para los demás funcionarios judiciales.

El ejercicio de su magistratura durará diez años.

Artículo 97.

El presidente del Tribunal Supremo tendrá, además de sus facultades propias, las siguientes:

a) Preparar y proponer al Ministro y a la Comisión Parlamentaria de Justicia, leyes de reforma judicial y de los Códigos de procedimiento.

b) Proponer al Ministro, de acuerdo con la Sala de gobierno y los asesores jurídicos que la ley designe, entre elementos que no ejerzan la Abogacía, los ascensos y traslados de jueces, magistrados y funcionarios fiscales.

El presidente del Tribunal Supremo y el Fiscal general de la República estarán agregados, de modo permanente, con voz y voto, a la Comisión parlamentaria de Justicia, sin que ello implique asiento en la Cámara.

Artículo 98.

Los jueces y magistrados no podrán ser jubilados, separados ni suspendidos en sus funciones, ni trasladados de sus puestos, sino con sujeción a las leyes, que contendrán las garantías necesarias para que sea efectiva la independencia de los Tribunales.

Artículo 99.

La responsabilidad civil y criminal en que puedan incurrir los jueces, magistrados y fiscales en el ejercicio de sus funciones o con ocasión de ellas, será exigible ante el Tribunal Supremo con intervención de un Jurado especial, cuya designación, capacidad e independencia regulará la ley. Se exceptúa la responsabilidad civil y criminal de los jueces y fiscales municipales que no pertenezcan a la carrera judicial.

La responsabilidad criminal del presidente y los magistrados del Tribunal Supremo y del Fiscal de la República será exigida por el Tribunal de Garantías Constitucionales.

Artículo 100.

Cuando un Tribunal de Justicia haya de aplicar una ley que estime contraria a la Constitución, suspenderá el procedimiento y se dirigirá en consulta al Tribunal de Garantías Constitucionales.

Artículo 101.

La ley establecerá recursos contra la ilegalidad de los actos o disposiciones emanadas de la Administración en el ejercicio de su potestad reglamentaria, y contra los actos discrecionales de la misma constitutivos de exceso o desviación de poder.

Artículo 102.

Las amnistías sólo podrán ser acordadas por el Parlamento. No se concederán indultos generales. El Tribunal Supremo otorgará los individuales a propuesta del sentenciador, del fiscal, de la Junta de Prisiones o a petición de parte.

En los delitos de extrema gravedad, podrá indultar el Presidente de la República, previo informe del Tribunal Supremo y a propuesta del Gobierno responsable.

Artículo 103.

El pueblo participará en la Administración de Justicia mediante la institución del Jurado, cuya organización y funcionamiento serán objeto de una ley especial.

Artículo 104.

El Ministerio Fiscal velará por el exacto cumplimiento de las leyes y por el interés social.

Constituirá un solo Cuerpo y tendrá las mismas garantías de independencia que la Administración de Justicia.

Artículo 105.

La ley organizará Tribunales de urgencia para hacer efectivo el derecho de amparo de las garantías individuales.

Artículo 106.

Todo español tiene derecho a ser indemnizado de los perjuicios que se le irroguen por error judicial o delito de los funcionarios judiciales en el ejercicio de sus cargos, conforme determinen las leyes.

El Estado será subsidiariamente responsable de estas indemnizaciones.

TÍTULO VIII

Hacienda pública.

Artículo 107.

La formación del proyecto de Presupuestos corresponde al Gobierno; su aprobación a las Cortes. El Gobierno presentará a éstas, en las primera quincena de octubre de cada año, el proyecto de Presupuestos generales del Estado para el ejercicio económico siguiente.

La vigencia del Presupuesto será de un año.

Si no pudiera ser votado antes del primer día del año económico siguiente se prorrogará por trimestres la vigencia del último Presupuesto, sin que estas prórrogas puedan exceder de cuatro.

Artículo 108.

Las Cortes no podrán presentar enmienda sobre aumento de créditos a ningún artículo ni capítulo del proyecto de Presupuesto, a no ser con la firma de la décima parte de sus miembros. Su aprobación requerirá el voto favorable de la mayoría absoluta del Congreso.

Artículo 109.

Para cada año económico no podrá haber sino un solo Presupuesto, y en él serán incluidos, tanto en ingresos como en gastos, los de carácter ordinario.

En caso de necesidad perentoria, a juicio de la mayoría absoluta del Congreso, podrá autorizarse un Presupuesto extraordinario.

Las cuentas del Estado se rendirán anualmente y, censuradas por el Tribunal de Cuentas de la República, éste, sin perjuicio de la efectividad de sus acuerdos, comunicará a las Cortes las infracciones o responsabilidades ministeriales en que a su juicio se hubiere incurrido.

Artículo 110.

El Presupuesto general será ejecutivo por el solo voto de las Cortes, y no requerirá, para su vigencia, la promulgación del Jefe del Estado.

Artículo 111.

El Presupuesto fijará la Deuda flotante que el Gobierno podrá emitir dentro del año económico y que quedará extinguida durante la vida legal del Presupuesto.

Artículo 112.

Salvo lo dispuesto en el artículo anterior, toda ley que autorice al Gobierno para tomar caudales a préstamo, habrá de contener las condiciones de éste, incluso el tipo nominal de interés, y, en su caso, de la amortización de la Deuda.

Las autorizaciones al Gobierno en este respecto se limitarán, cuando así lo estimen oportuno las Cortes, a las condiciones y al tipo de negociación.

Artículo 113.

El Presupuesto no podrá contener ninguna autorización que permita al Gobierno sobrepasar en el gasto la cifra absoluta en él consignada, salvo caso de guerra. En consecuencia, no podrán existir los créditos llamados ampliables.

Artículo 114.

Los créditos consignados en el estado de gastos representan las cantidades máximas asignadas a cada servicio, que no podrán ser alteradas ni rebasadas por el Gobierno. Por excepción, cuando las Cortes no estuvieren reunidas, podrá el Gobierno conceder, bajo su responsabilidad, créditos o suplementos de crédito para cualquiera de los siguientes casos:

a) Guerra o evitación de la misma.

b) Perturbaciones graves de orden público o inminente peligro de ellas.

c) Calamidades públicas.
d) Compromisos internacionales.
Las leyes especiales determinarán la tramitación de estos créditos.

Artículo 115.

Nadie estará obligado a pagar contribución que no esté votada por las Cortes o por las Corporaciones legalmente autorizadas para imponerla.
La exacción de contribuciones, impuestos y tasas y la realización de ventas y operaciones de crédito, se entenderán autorizadas con arreglo a las leyes en vigor, pero no podrán exigirse ni realizarse sin su previa autorización en el estado de ingresos del Presupuesto.
No obstante, se entenderán autorizadas las operaciones administrativas previas, ordenadas en las leyes.

Artículo 116.

La ley de Presupuestos, cuando se considere necesaria, contendrá solamente las normas aplicables a la ejecución del Presupuesto a que se refiera.
Sus preceptos sólo regirán durante la vigencia del Presupuesto mismo.

Artículo 117.

El Gobierno necesita estar autorizado por una ley para disponer de las propiedades del Estado y para tomar caudales a préstamo sobre el crédito de la Nación.
Toda operación que infrinja este precepto será nula y no obligará al Estado a su amortización ni al pago de intereses.

Artículo 118.

La Deuda pública está bajo la salvaguardia del Estado. Los créditos necesarios para satisfacer el pago de intereses y capitales se entenderán siempre incluidos en el estado de gastos del Presupuesto y no podrán ser objeto de discusión mientras se ajusten estrictamente a las leyes que autorizaron la emisión. De idénticas garantías disfrutará, en general, toda operación que implique, directa o indirectamente, responsabilidad económica del Tesoro, siempre que se dé el mismo supuesto.

Artículo 119.

Toda ley que instituya alguna Caja de amortización, se ajustará a las siguientes normas:
1.ª Otorgará a la Caja la plena autonomía de gestión.
2.ª Designará concreta y específicamente los recursos con que sea dotada. Ni los recursos ni los capitales de la Caja podrán ser aplicados a ningún otro fin del Estado.
3.ª Fijará la Deuda o Deudas cuya amortización se le confíe.
El presupuesto anual de la Caja necesitará para ser ejecutivo la aprobación del Ministro de Hacienda. Las cuentas se someterán al Tribunal de Cuentas de la República. Del resultado de esta censura conocerán las Cortes.

Artículo 120.

El Tribunal de Cuentas de la República es el órgano fiscalizador de la gestión económica. Dependerá directamente de las Cortes y ejercerá sus funciones por delegación de ellas en el conocimiento y aprobación final de las cuentas del Estado.
Una ley especial regulará su organización, competencia y funciones.
Sus conflictos con otros organismos serán sometidos a la resolución del Tribunal de Garantías Constitucionales.

TÍTULO IX

Garantías y reforma de la Constitución.

Artículo 121.

Se establece, con jurisdicción en todo el territorio de la República, un Tribunal de Garantías Constitucionales, que tendrá competencia para conocer de:
a) El recurso de inconstitucionalidad de las leyes.
b) El recurso de amparo de garantías individuales, cuando hubiere sido ineficaz la reclamación ante otras autoridades.
c) Los conflictos de competencia legislativa y cuantos surjan entre el Estado y las regiones autónomas y los de éstas entre sí.
d) El examen y aprobación de los poderes de los compromisarios que juntamente con las Cortes eligen al Presidente de la República.
e) La responsabilidad criminal del Jefe del Estado, del Presidente del Consejo y de los Ministros.
f) La responsabilidad criminal del presidente y los magistrados del Tribunal Supremo y del Fiscal de la República.

Artículo 122.

Compondrán este Tribunal:
Un presidente designado por el Parlamento, sea o no Diputado.
El presidente del alto Cuerpo consultivo de la República a que se refiere el artículo 93.
El presidente del Tribunal de Cuentas de la República.
Dos Diputados libremente elegidos por las Cortes.
Un representante por cada una de las Regiones españolas, elegido en la forma que determine la ley.
Dos miembros nombrados electivamente por todos los Colegios de Abogados de la República.
Cuatro profesores de la Facultad de Derecho, designados por el mismo procedimiento entre todas las de España.

Artículo 123.

Son competentes para acudir ante el Tribunal de Garantías Constitucionales:
1.º El Ministerio Fiscal.
2.º Los jueces y tribunales en el caso del artículo 100.
3.º El Gobierno de la República.
4.º Las Regiones españolas.
5.º Toda persona individual o colectiva, aunque no hubiera sido directamente agraviada.

Artículo 124.

Una ley orgánica especial, votada por estas Cortes, establecerá las inmunidades y prerrogativas de los miembros del Tribunal y la extensión y efectos de los recursos a que se refiere el artículo 121.

Artículo 125.

La Constitución podrá ser reformada:
a) A propuesta del Gobierno.
b) A propuesta de la cuarta parte de los miembros del Parlamento.
En cualquiera de estos casos, la propuesta señalará concretamente el artículo o los artículos que hayan de suprimirse, reformarse o adicionarse; seguirá los trámites de una ley y requerirá el voto, acorde con la reforma, de las dos terceras partes de los Diputados en el ejercicio del cargo, durante los cuatro primeros años de vida constitucional, y la mayoría absoluta en lo sucesivo.
Acordada en estos términos la necesidad de la reforma, quedará automáticamente disuelto el Congreso y será convocada nueva elección para dentro del término de sesenta días.
La Cámara así elegida, en funciones de Asamblea Constituyente, decidirá sobre la reforma propuesta, y actuará luego como Cortes ordinarias.

Disposiciones transitorias.

Primera. Las actuales Cortes Constituyentes elegirán, en votación secreta, el primer Presidente de la República. Para su proclamación deberá obtener la mayoría absoluta de votos de los Diputados en el ejercicio del cargo.
Si ninguno de los candidatos obtuviese la mayoría absoluta de votos, se procederá a nueva votación y será proclamado el que reúna mayor número de sufragios.
Segunda. La ley de 26 de agosto próximo pasado, en la que se determina la competencia de la Comisión de responsabilidades, tendrá carácter constitucional transitorio hasta que concluya la misión que le fue encomendada; y la de 21 de octubre conservará su vigencia asimismo constitucional mientras subsistan las actuales Cortes Constituyentes, si antes no la derogan éstas expresamente.
Por tanto,
En representación de las Cortes Constituyentes, mando a todos los españoles, autoridades y particulares, que guarden y hagan guardar la presente Constitución, como norma fundamental de la República.
Palacio de las Cortes Constituyentes a nueve de diciembre de mil novecientos treinta y uno. — El Presidente, Julián Besteiro.

LEY DE DIVORCIO

MINISTERIO DE JUSTICIA

EL PRESIDENTE DE LA REPÚBLICA ESPAÑOLA,

A todos los que la presente vieren y entendieren, sabed:

Que las CORTES han decretado y sancionado la siguiente

L E Y

CAPÍTULO PRIMERO

Del divorcio. — Sus causas.

Artículo 1.º El divorcio decretado por sentencia firme por los Tribunales civiles disuelve el matrimonio, cualesquiera que hubieran sido la forma y la fecha de su celebración.

Artículo 2.º Habrá lugar al divorcio, cuando lo pidan ambos cónyuges de común acuerdo, o uno de ellos por alguna de las causas determinadas en esta Ley, siempre con sujeción a lo que en ella se dispone.

Artículo 3.º Son causas de divorcio:

1.ª El adulterio no consentido o no facilitado por el cónyuge que lo alegue.

2.ª La bigamia, sin perjuicio de la acción de nulidad que pueda ejercitar cualquiera de los cónyuges.

3.ª La tentativa del marido para prostituir a su mujer o el conato del marido o de la mujer para corromper a sus hijos o prostituir a sus hijas, y la connivencia en su corrupción o prostitución.

4.ª El desamparo de la familia, sin justificación.

5.ª El abandono culpable del cónyuge durante un año.

6.ª La ausencia del cónyuge cuando hayan transcurrido dos años desde la fecha de su declaración judicial, computado conforme al artículo 136 del Código civil.

7.ª El atentado de un cónyuge contra la vida del otro, de los hijos comunes o los de uno de aquéllos; los malos tratamientos de obra y las injurias graves.

8.ª La violación de alguno de los deberes que impone el matrimonio y la conducta inmoral o deshonrosa de uno de los cónyuges, que produzca tal perturbación en las relaciones matrimoniales, que hagan insoportable para el otro cónyuge la continuación de la vida común.

9.ª La enfermedad contagiosa y grave de carácter venéreo, contraída en relaciones sexuales fuera del matrimonio y después de su celebración, y la contraída antes, que hubiera sido ocultada culposamente al otro cónyuge al tiempo de celebrarlo.

10. La enfermedad grave de la que por presunción razonable haya de esperarse que en su desarrollo produzca incapacidad definitiva para el cumplimiento de algunos de los deberes matrimoniales, y la contagiosa, contraídas ambas antes del matrimonio y culposamente ocultadas al tiempo de celebrarlo.

11. La condena del cónyuge a pena de privación de libertad por tiempo superior a diez años.

12. La separación de hecho y en distinto domicilio, libremente consentida durante tres años.

13. La enajenación mental de uno de los cónyuges, cuando impida su convivencia espiritual en términos gravemente perjudiciales para la familia y que excluya toda presunción racional de que aquélla pueda restablecerse definitivamente. No podrá decretarse en virtud de esta causa, si no queda asegurada la asistencia del enfermo.

CAPÍTULO II

Ejercicio de la acción de divorcio.

Artículo 4.º Tienen capacidad para pedir el divorcio por mutuo disenso los cónyuges que sean mayores de edad. No se podrá ejercitar este derecho si no han transcurrido dos años desde la celebración del matrimonio.

Artículo 5.º El divorcio, mediante causa legítima, sólo puede ser pedido por el cónyuge inocente, cualquiera que sea su edad.

Artículo 6.º La acción de divorcio se extingue con la muerte de cualquiera de los cónyuges. Sus herederos podrán continuar la demanda o reconvención deducida por el causante a los efectos del artículo 29.

Artículo 7.º El cónyuge que esté sufriendo la pena de interdicción civil podrá pedir por sí mismo el divorcio, alegando justa causa imputable al otro cónyuge.

Artículo 8.º No se podrá ejercitar la acción pasados seis meses desde que el cónyuge tuvo conocimiento del hecho en que se funda. Tampoco podrá ejercitarse transcurridos cinco años desde que el hecho se realizó, salvo los casos de adulterio, en los que el plazo de la prescripción se fija en diez años, y los de atentado de un cónyuge contra la vida del otro, de los hijos comunes o de uno de aquéllos, que no prescribirán. Cuando se funde en alguna de las causas cuarta, quinta, sexta, octava, duodécima o décimotercera, podrá ejercitarse la acción mientras subsista el estado de hecho que la motiva. Cuando se funde en la causa número once, será necesario que hayan transcurrido tres años, por lo menos, desde la condena.

Los plazos de prescripción a que se refiere el párrafo anterior no corren mientras los cónyuges vivan separados. Si el cónyuge a quien corresponde la acción de divorcio fuese requerido judicialmente por el otro para que restablezca la comunidad de vida matrimonial o interponga la demanda, volverán a correr los plazos desde la fecha en que el requerimiento se verifique.

Artículo 9.º La sentencia declarará culpable cuando proceda al cónyuge que hubiese dado causa al divorcio, o a los dos, en su caso.

Artículo 10. La reconciliación pone término al juicio de divorcio. Los cónyuges deberán ponerla en conocimiento del Juez que entienda en el litigio. Cuando la solicitud de divorcio estuviera fundada en mutuo disenso de los cónyuges, la reconciliación impedirá que vuelvan a intentarlo, sin justa causa, hasta después de transcurridos dos años.

CAPÍTULO III

De los efectos del divorcio.

SECCIÓN PRIMERA

De los efectos del divorcio en cuanto a las personas de los cónyuges.

Artículo 11. Por la sentencia firme de divorcio, los cónyuges quedan en libertad de contraer nuevo matrimonio, aunque el culpable sólo podrá contraerlo transcurrido el plazo de un año desde que fue firme la sentencia. La mujer, sin embargo, quedará sujeta a la prohibición del número segundo del artículo 45 del Código civil, debiendo empezar a contarse el plazo de los trescientos un días desde la diligencia judicial de separación de los cónyuges. Esta prohibición no regirá cuando el divorcio se haya decretado en virtud de alguna de las causas quinta, sexta, undécima y duodécima, o por mutuo disenso.

Artículo 12. No podrá contraer válidamente nuevo matrimonio el cónyuge que hubiese sido declarado culpable por la causa tercera del artículo 3.º.

Artículo 13. Los cónyuges divorciados que no hubiesen celebrado otras nupcias podrán contraer nuevo matrimonio entre sí en cualquier tiempo.

SECCIÓN SEGUNDA

De los efectos del divorcio en cuanto a los hijos.

Artículo 14. La disolución del matrimonio no exime a los padres de sus obligaciones para con los hijos. El Juez fijará la forma en que el padre o madre que no los conserve en su poder deberá contribuir al cumplimiento de aquéllas.

Son aplicables a este supuesto las disposiciones del artículo 33.

Artículo 15. Los hijos conservan todos los derechos y ventajas que les están asegurados por las leyes, por sus padres o por otras personas; pero no podrán ejercitarlos sino en los mismos casos en que podrían hacerlo de no haber mediado el divorcio.

Artículo 16. Disuelto el matrimonio por cualquiera de las causas primera, segunda, novena, décima, undécima y duodécima, o por mutuo disenso, podrán los cónyuges acordar en poder de cuál de ellos han de quedar los hijos comunes menores de edad. Este acuerdo necesitará la aprobación del Juez.

Artículo 17. A falta de acuerdo, quedarán los hijos en poder del cónyuge inocente. Si ambos fueren culpables o no lo fuese ninguno, la sentencia, teniendo en cuenta la naturaleza de las causas del divorcio y la conveniencia de los hijos, decidirá en poder de cuál de ellos han de quedar, o los mandará proveer de tutor, conforme a las disposiciones del Código Civil.

Si la sentencia no hubiere dispuesto otra cosa, la madre tendrá a su cuidado, en todo caso, los hijos menores de cinco años.

Artículo 18. El régimen establecido conforme a los dos artículos anteriores, podrá ser modificado, en virtud de causas graves y en interés de la salud, de la educación o de la buena administración de los bienes de los hijos.

Artículo 19. El cónyuge que hubiere sido privado de los derechos inherentes a la patria potestad, los recobrará a la muerte del otro cónyuge, excepto si hubiera sido declarado culpable del divorcio, fundado en las causas tercera o cuarta, o en el atentado contra la vida de los hijos del matrimonio.

En estos casos podrá recobrarla mediante declaración judicial.

Artículo 20. Aquel de los padres en cuyo poder queden los hijos menores tendrá sobre ellos la patria potestad y, por consiguiente, su representación y el usufructo y administración de sus bienes.

El que no los tenga en su poder conserva el derecho de comunicar con ellos y vigilar su educación en la forma que determine el Juez, quien adoptará las medidas necesarias para asegurar el ejercicio de estos derechos.

Artículo 21. El hecho de contraer segundas o ulteriores nupcias el cónyuge divorciado, en cuya guarda hubieran quedado las personas y los bienes de los hijos por él habidos en anterior matrimonio disuelto, no será por sí solo causa para modificar la situación establecida al respecto de dicha prole. Esto no obstante, el Juez podrá determinar lo contrario, a virtud de instancia de parte y cuando, a consecuencia del nuevo matrimonio celebrado por el cónyuge binubo, sobrevengan motivos que racionalmente justifiquen esta resolución. En todo caso en que el segundo o ulterior matrimonio fuese contraído bajo cualquier género de comunidad de bienes, absoluta o relativa, el padre o madre binubos perderán la administración y el usufructo de los bienes de los hijos sometidos a su guarda.

En este supuesto se nombrará oficialmente un gestor del patrimonio de los hijos.

Artículo 22. El plazo de trescientos días que establece el artículo 108 del Código civil empezará a contarse desde la fecha de la diligencia judicial de separación de los cónyuges.

SECCIÓN TERCERA

De los bienes del matrimonio.

Artículo 23. La sociedad conyugal queda disuelta por la sentencia firme de divorcio, en virtud de la cual cada uno de los cónyuges puede exigir la liquidación y separación de sus bienes.

Artículo 24. Tanto el marido como la mujer adquieren la libre disposición y administración de sus propios bienes y de los que por la liquidación de la sociedad conyugal se les adjudique.

Artículo 25. La demanda de divorcio y la sentencia firme en que se decrete se deberán anotar e inscribir respectivamente en el Registro de la Propiedad que corresponda en cuanto a los bienes inmuebles y derechos reales pertenecientes a la sociedad conyugal.

También se anotará la demanda y se inscribirá la sentencia, en los casos en que proceda, en el Registro mercantil correspondiente.

Artículo 26. Cuando los cónyuges divorciados contrajeron nuevo matrimonio entre sí, volverán a regirse los bienes por las mismas reglas que antes de la separación, sin perjuicio de lo que durante ella se hubiere ejecutado legalmente.

Antes de contraer el segundo matrimonio harán constar los contrayentes, por escritura pública, los bienes que nuevamente aporten y éstos serán los que constituyan, respectivamente, el capital propio de cada uno.

En el caso de este artículo se reputará siempre nueva aportación la de todos los bienes, aunque en parte o en todo sean los mismos existentes antes de la liquidación practicada por causa de divorcio.

Artículo 27. El divorcio no autoriza a los cónyuges para ejercitar los derechos estipulados en el supuesto de la muerte de uno de ellos; pero tampoco les perjudicará para su ejercicio cuando llegue aquel caso, salvo lo dispuesto en el artículo siguiente.

Artículo 23. El cónyuge culpable pierde todo lo que le hubiere sido dado o prometido por el inocente o por otra persona en consideración a éste, y el inocente conserva todo cuanto hubiese recibido del culpable, pudiendo, además, reclamar desde luego lo que éste le hubiese prometido, aunque tales beneficios se hubiesen estipulado con cláusula de reciprocidad.

Artículo 29. El cónyuge divorciado no sucede abintestato a su ex consorte, ni tiene derecho a la cuota usufructuaria que establece la sección séptima del capítulo segundo del título III del libro 3.º del Código civil, ni a las ventajas de los artículos 1.374 y 1.420 del mismo Código. Si al fallecer el causante estuvieren los cónyuges separados por demanda de divorcio, se esperará el resultado del pleito, si los herederos utilizan la facultad que les concede el artículo 6.º.

SECCIÓN CUARTA

De los alimentos.

Artículo 30. El cónyuge inocente, cuando carezca de bienes propios bastantes para atender a su subsistencia, podrá exigir del culpable una pensión alimenticia, independiente de la que corresponde a los hijos que tenga a su cuidado.

Si el divorcio se decretare por causa que no implique culpabilidad de ninguno de los cónyuges, ambos podrán exigirse recíprocamente alimentos en su caso.

Artículo 31. El derecho a los alimentos cesará por la muerte del alimentista o por contraer éste nuevo matrimonio o vivir en concubinato.

La obligación del que haya de prestarlos se transmite a sus herederos, dejando a salvo las legítimas cuando sean herederos forzosos.

Artículo 32. Los alimentos se reducirán o aumentarán proporcionalmente, según el aumento o disminución que sufran las necesidades del alimentista y la situación económica del cónyuge obligado a satisfacerlos.

Artículo 33. El alimentista puede exigir la constitución de hipoteca especial sobre los bienes inmuebles del obligado a dar alimentos, suficiente a garantizar el cumplimiento de la obligación. Si el obligado careciese de bienes propios en que constituir la hipoteca o fuesen insuficientes, el Juez determinará, según las circunstancias, las garantías que haya de prestar.

Artículo 34. El cónyuge divorciado que

viniendo obligado a prestar pensión alimenticia al otro cónyuge o a los descendientes, en virtud de convenio judicialmente aprobado o de resolución judicial, y que culpablemente dejara de pagarla durante tres meses consecutivos, incurrirá en la pena de prisión de tres meses a un año o multa de 500 a 10.000 pesetas. La reincidencia se castigará en todo caso con pena de prisión.

Artículo 35. En lo que no esté previsto en la presente Ley, se aplicarán las disposiciones del título 6.º, libro 1.º, del Código civil.

CAPÍTULO IV

De la separación de bienes y personas.

Artículo 36. Se puede pedir la separación de personas y bienes sin disolución del vínculo:

1.º Por consentimiento mutuo.

2.º Por las mismas causas que el divorcio.

3.º Cuando las relaciones matrimoniales hayan sufrido una perturbación profunda por efecto de la diferencia de costumbres, de mentalidad o de religión entre los cónyuges u otra causa de naturaleza análoga que no implique culpabilidad de uno de ellos.

En este caso podrá pedir la separación cualquiera de los cónyuges.

Artículo 37. El ejercicio de la acción de separación está sujeto a las normas que para la de divorcio establece el capítulo II de esta Ley.

Corresponde al cónyuge inocente optar entre ambas acciones.

Artículo 38. La separación sólo produce la suspensión de la vida común de los casados. En cuanto a los bienes del matrimonio, a la guarda de los hijos y a los alimentos, se estará a lo dispuesto en el capítulo III de esta Ley.

Artículo 39. Se dictará sentencia de divorcio a petición de los dos cónyuges, transcurridos dos años, a contar desde la fecha de la sentencia de separación, y a petición de cualquiera de ellos cuando hubieren transcurrido tres años.

Artículo 40. Por los incapacitados, a tenor del artículo 213 del Código civil, podrá pedir la separación su tutor, con autorización del Consejo de familia. Esta separación no podrá motivar la sentencia de divorcio a que se refiere el artículo 39 sino transcurridos tres años y a petición del cónyuge capaz.

CAPÍTULO V

Del procedimiento de divorcio.

SECCIÓN PRIMERA

Disposiciones generales.

Artículo 41. Será Juez competente para instruir los procedimientos de separación y de divorcio el de primera instancia del lugar del domicilio conyugal. En el caso de residir los cónyuges en distintos partidos judiciales, será Juez competente, a elección del demandante, el del último domicilio del matrimonio o de la residencia del demandado. Los que no tuvieren domicilio ni residencia fija podrán ser demandados en el lugar en que se hallen o en el de su última residencia, a elección del demandante.

Artículo 42. El Juez examinará de oficio su propia competencia. Son nulos los acuerdos de las partes que alteren lo establecido en el artículo anterior.

Artículo 43. Interpuesta y admitida la demanda de separación o de divorcio, mientras se sustancie el juicio, la mujer tendrá capacidad jurídica para regir su persona y bienes, con la limitación de no poder enajenarlos ni gravarlos, a no ser mediante autorización judicial y previa la justificación de necesidad y utilidad.

El marido conservará, si la tuviere, la administración de los bienes de la sociedad conyugal; pero para enajenarlos y gravarlos será necesaria la conformidad de la esposa, y, en su defecto, la autorización judicial.

Artículo 44. Una vez admitida la demanda de separación o de divorcio, el Juez adoptará las disposiciones siguientes, que durarán hasta que termine el juicio por sentencia firme:

1.ª Separar los cónyuges en todo caso.

2.ª Señalar el domicilio de la mujer.

3.ª Poner los hijos menores de cinco años al cuidado de la madre, y los mayores de esa edad, al cuidado del padre.

El Juez podrá, sin embargo, proceder de modo distinto, bien al constituirse el depósito, bien con posterioridad, en virtud de causa justa o por acuerdo de los cónyuges, ratificado a la presencia judicial.

El cónyuge que no tenga en su poder a los hijos tendrá derecho a visitarlos y comunicar con ellos en el tiempo, modo y forma que el Juez determine.

4.ª Señalar alimentos a la mujer, cuando proceda, y a los hijos que no queden en poder del padre, siendo aplicables, en su caso, las sanciones establecidas en el artículo 34.

5.ª Dictar las medidas necesarias para evitar que el marido perjudique a la mujer en la administración de sus bienes, si le correspondiere, o en la de los bienes de la sociedad conyugal.

El marido, como administrador de la sociedad de gananciales, vendrá obligado a abonar «litis expensas» a la mujer, salvo cuando ésta posea bienes propios suficientes y disponga de sus productos.

Para la ejecución de las disposiciones a que este artículo se refiere y para sustanciar las cuestiones e incidencias que puedan promoverse como consecuencia de las mismas, se formarán las correspondientes piezas separadas a fin de no entorpecer en ningún caso la prosecución del asunto principal.

Artículo 45. Cuando se solicite la defensa por pobre, tanto por el actor como por el demandado, se sustanciará este incidente en pieza separada, sin detener ni suspender el curso del pleito principal, cuyas actuaciones se practicarán provisionalmente sin exacción de derechos.

SECCIÓN SEGUNDA

Del procedimiento de separación y de divorcio por causa justa.

Artículo 46. Las demandas de separación y de divorcio se sustanciarán por los trámites procesales que fija la ley de Enjuiciamiento civil en su libro II, título II, capítulo 3.º, salvo las modificaciones que establezca esta Ley. Para interponer la demanda no será necesario intentar previamente la conciliación. El plazo para comparecer y contestar a la demanda y proponer, en su caso, la reconvención, será de veinte días.

Artículo 47. Entre los documentos que deben acompañar a la demanda figurarán los que justifiquen el domicilio conyugal o, en su caso, la residencia.

Artículo 48. El Ministerio fiscal será parte en el juicio principal y en todas sus in cidencias sólo cuando existan menores, ausentes o incapaces, sin perjuicio de lo establecido en el artículo 165 del Código civil.

Artículo 49. Las partes deberán comparecer asistidas de Procurador que las represente y de Abogado que las dirija. La demanda se redactará según las normas establecidas en la ley de Enjuiciamiento civil.

Artículo 50. Si se hubiere formulado reconvención, el actor contestará dentro del plazo improrrogable de diez días. No se admitirá reconvención que no estuviere fundada en alguna de las causas establecidas en el artículo 3.º.

Artículo 51. La confesión y el allanamiento a la demanda no bastarán por sí solos para fundamentar una sentencia condenatoria.

Los parientes y los domésticos de los esposos pueden ser oídos como testigos.

Artículo 52. La resolución en que se reciba el pleito a prueba prevendrá a las partes que propongan toda la que les interesa en el término improrrogable de diez días.

El término para la práctica de las pruebas no podrá exceder de veinte días.

Artículo 53. Cuando alguno de los litigantes proponga prueba en los dos últimos días del período, tendrán derecho las demás partes a proponer, a su vez, prueba sobre los mismos extremos, dentro de los dos siguientes a la notificación de la providencia en que aquélla sea admitida.

Artículo 54. Cerrado el período de prueba, procederá el Juez, dentro de los diez días siguientes, a hacer un resumen razonado de las practicadas y un informe sobre la cuestión de derecho.

Artículo 55. Cumplido el trámite del artículo anterior, se remitirán los autos a la Audiencia provincial, con emplazamiento de las partes, por término de diez días.

Recibidos los autos en la Audiencia y transcurrido el término del emplazamiento, háyanse o no personado las partes, se pondrán de manifiesto las actuaciones para instrucción, por término de cinco días improrrogables, a cada una de las personadas, y se pasarán por igual término para instrucción, al Magistrado ponente.

Transcurrido este plazo, se dictará providencia, declarando concluso el pleito, con citación de las partes para sentencia y se señalará día para la vista dentro de los ocho siguientes.

El día anterior al señalado para la celebración de la vista se entregará a cada uno de los Magistrados que hayan de formar la Sala una copia del informe hecho por el Juez, con arreglo a lo dispuesto en el artículo anterior.

Artículo 56. Los Jueces y Tribunales podrán disponer de oficio o a instancia de parte que el despacho y la vista se hagan a puerta cerrada, cuando así lo exijan la moral y el decoro, la naturaleza de la causa de separación o de divorcio.

Artículo 57. Contra la sentencia se podrá interponer recurso de revisión ante el Tribunal Supremo por alguna de las causas siguientes:

1.ª Incompetencia de jurisdicción.

2.ª Violación de las formalidades esenciales del juicio cuando hubiere producido indefensión.

3.ª Injusticia notoria.

El recurso se interpondrá y formalizará mediante escrito presentado ante la Sala que hubiere dictado la sentencia, dentro del término improrrogable de diez días, contados desde el siguiente al de su notificación. Transcurrido este plazo, se remitirán los autos al Tribunal Supremo, emplazándose a las partes para que comparezcan en término de diez días. Este término será de quince días para los pleitos procedentes de las islas Baleares y de veinte para los de las islas Canarias. Recibidos los autos y personado el recurrente, se mandarán traer a la vista, previa instrucción de las partes y del ponente, por término de cinco días a cada uno, señalándose la vista dentro del mes siguiente. Celebrada ésta, se dictará sentencia en el plazo de diez días.

Artículo 58. El Juez de primera instancia podrá, en cualquier estado del pleito, adoptar provisionalmente las medidas de urgencia que considere indispensables respecto de las personas y bienes de los cónyuges y de sus hijos, conforme a las disposiciones de esta Ley.

Artículo 59. Cuando el demandante acompañe copia fehaciente de sentencia firme en que aparezca su consorte condenado por hechos de los señalados con los números 1, 2, 7 y 11 del artículo 3.º de esta Ley como causas de divorcio, el Juez dará traslado al demandado, y si éste no reconviniese ni alegase excepción suficiente a desvirtuar la acción, o no compareciere, citará sin más para sentencia ante la Audiencia, una vez oído el Ministerio fiscal.

Artículo 60. Obtenida una sentencia de separación y transcurrido el tiempo a que se refiere el artículo 39 sin que hubiere mediado reconciliación, los cónyuges podrán solicitar la declaración de divorcio, y el Juez, probados estos extremos, citará sin más a las partes, para sentencia, ante la Audiencia correspondiente.

Artículo 61. Los recursos de apelación que se entablen contra resoluciones de los Jueces de primera instancia en esta materia, serán admisibles en un solo efecto y se tramitarán ante la Audiencia provincial respectiva.

Artículo 62. Las costas del pleito serán a cargo del litigante vencido, salvo los casos en que el Tribunal, por motivos fundados, dispusiere otra cosa en la sentencia.

SECCIÓN TERCERA

Del procedimiento de separación y de divorcio por mutuo disenso.

Artículo 63. En los casos de separación o de divorcio por mutuo disenso, los cónyuges deberán comparecer ante el Juez competente, en la forma prevenida en el artículo 49.

Artículo 64. Se levantará acta de la comparecencia y de las manifestaciones hechas por los interesados.

Dentro de los tres días siguientes citará a nueva comparecencia a cada uno de los esposos, separadamente, e investigará, mediante un interrogatorio escrupuloso, la existencia de una auténtica y sincera voluntad de separación o de divorcio, e invitará a las partes a ratificarse.

Artículo 65. Ratificados los cónyuges, el Juez decretará su separación y adoptará las disposiciones provisionales relativas a las personas y bienes de los mismos y de los hijos, y pensiones alimenticias en su caso, conforme a los convenios de los interesados que aprobare y, en su defecto, a tenor de lo dispuesto en el artículo 44 de esta Ley. De todo ello se levantará acta, que será firmada por el Juez, por los cónyuges y por el actuario.

Artículo 66. Si se hubiere pedido la separación, se decretará desde luego después de la ratificación.

En caso de haberse solicitado el divorcio, el Juez citará a las partes a nueva comparecencia, seis meses después, para que manifiesten si persisten en su propósito de divorciarse.

Artículo 67. Transcurridos los seis meses a que se refiere el artículo anterior, si los interesados se ratifican en su voluntad de divorciarse, se levantará acta circunstanciada de las manifestaciones hechas, que firmarán los cónyuges, y se les citará para nueva y última comparecencia seis meses más tarde. Si los cónyuges comparecen esta tercera y última vez y manifiestan su voluntad definitiva de divorciarse, el Juez decretará el divorcio por mutuo disenso y adoptará las medidas oportunas respecto de los hijos, del cónyuge, en su caso, y de los bienes, de acuerdo con las disposiciones de esta ley.

Artículo 68. La falta de asistencia sin justa causa a alguna de las comparecencias a que se refiere el artículo anterior, se interpretará como desestimiento y producirá la nulidad de lo actuado.

Artículo 69. Las sentencias firmes de divorcio se comunicarán de oficio al Registro civil en que conste la celebración del matrimonio y a aquel en que radiquen las inscripciones de nacimiento.

REGLAS TRANSITORIAS

1.ª Mientras no se modifiquen los Aranceles, los derechos que devenguen los Secretarios de los Juzgados, Audiencias y Tribunal Supremo no podrán exceder de 200, 150 y 300 pesetas, respectivamente, estando en dichas cantidades incluidos los derechos de los oficios de Sala.

Los derechos que devenguen los Procuradores serán sólo de 175 pesetas en el Juzgado, 125 pesetas en la Audiencia y 200 pesetas en el Tribunal Supremo.

Durante la sustanciación del juicio en el Juzgado de primera instancia, se entenderá dividida la tramitación en dos períodos iguales, desde la demanda al recibimiento a prueba y desde este momento hasta la remisión de los autos a la Audiencia.

Si durante la tramitación del asunto en la Audiencia o en el Tribunal Supremo se desistiere del asunto o se reconciliaren los cónyuges, se devengarán por los Secretarios y por los Procuradores los derechos que marquen sus respectivos aranceles, siempre que no excedan de los antes fijados, que no podrán ser superiores en ningún caso.

Los incidentes sólo darán derecho a percibir a los Secretarios y Procuradores la mitad de los que, por cada caso, marquen sus respectivos aranceles.

2.ª Podrá ejercitarse la acción de divorcio o de separación aunque el hecho en que se funde conforme a esta Ley se hubiere realizado antes de su promulgación.

3.ª Los cónyuges que al promulgarse esta Ley estuvieren separados temporalmente por sentencia firme a la que el Código civil reconozca efectos civiles, podrán pedir que la separación se convierta en divorcio, conforme a lo dispuesto en el artículo 39. Podrán pedir asimismo el divorcio por mutuo disenso o alegando justa causa, comprendida en el artículo 3.º, aunque sea la misma que hubiese motivado la separación.

4.ª Las sentencias dictadas por los Tribunales eclesiásticos en pleitos de divorcio con anterioridad al Decreto del Gobierno de la República sobre esta materia, de 4 de Noviembre de 1931 y que hayan obtenido en su día la oportuna validez civil, no necesitarán de nuevos requisitos para su total eficacia, siempre que el fallo hubiere sido de divorcio perpetuo o indefinido.

Las dictadas con posterioridad a dicho Decreto no producirán efectos civiles.

Los pleitos de divorcio fallados por los Tribunales eclesiásticos con posterioridad a la fecha indicada y antes de la vigencia de la presente Ley, para surtir efecto, deberán ser sometidos a revisión del Tribunal civil competente, pudiendo estimarse por éste las causas consignadas en la presente Ley y decretarse el divorcio vincular que la misma establece.

Los Tribunales civiles podrán conceder valor y eficacia a las pruebas practicadas ante el Tribunal eclesiástico cuando a su juicio hayan mediado las debidas garantías para los litigantes.

Las pruebas practicadas en los pleitos pendientes ante los Tribunales eclesiásticos en que éstos no hayan dictado sentencia firme en la fecha de la promulgación de la presente Ley, podrán ser tomadas en cuenta por los Tribunales civiles, en los términos que previene el párrafo anterior, cuando dichos litigios sean sometidos a la jurisdicción de estos Tribunales.

5.ª En los juicios pendientes ante los Tribunales civiles al tiempo de la promulgación de esta Ley, cualquiera que sea su estado, se dará traslado al actor para que, en el término de diez días, manifieste si opta por el divorcio vincular que en ellas se regula. Si así fuese, deberá iniciarse nuevamente el procedimiento y sustanciarse conforme a las disposiciones de la sección segunda del capítulo V. Si el actor optare por la continuación del pleito se sustanciará con sujeción a los trámites ordenados en esta Ley. La sentencia en este caso será de separación y tendrá los efectos que previenen los artículos 38 y 39.

Queda a salvo el derecho de los cónyuges para obtener el divorcio por mutuo disenso.

6.ª Cuando hubiere separación de los bienes de los cónyuges decretada conforme al capítulo 6.º, título III, libro 4.º del Código civil, por causa de divorcio, si el marido hubiera conservado la administración de los bienes del matrimonio, la mujer podrá exigir que se liquiden y se la entreguen los bienes propios y los que la correspondan de la sociedad conyugal. En cuanto a ellos, se observará lo dispuesto en el artículo 24. Entre los cónyuges regirá en este caso lo que se dispone en la sección cuarta del capítulo III de esta Ley.

7.ª Los plazos de caducidad de la acción del artículo 8.º de esta Ley comenzarán a contarse desde la promulgación de la misma.

DISPOSICIÓN FINAL

Quedan derogados cuantas disposiciones y pactos se opongan a los de la presente Ley.

Por tanto:

Mando a todos los ciudadanos que coadyuven al cumplimiento de esta ley, así como a todos los Tribunales y Autoridades que la hagan cumplir.

Madrid a dos de Marzo de mil novecientos treinta y dos.

NICETO ALCALÁ-ZAMORA Y TORRES

El Ministro de Justicia,
ÁLVARO DE ALBORNOZ Y LIMINIANA

ESTATUTO CATALAN

PRESIDENCIA DEL CONSEJO DE MINISTROS

EL PRESIDENTE DE LA REPÚBLICA ESPAÑOLA,

A todos los que la presente vieren y entendieren, sabed:

Que las CORTES han decretado y sancionado la siguiente

LEY

TÍTULO PRIMERO

Disposiciones generales.

Artículo 1.º Cataluña se constituye en región autónoma dentro del Estado español, con arreglo a la Constitución de la República y el presente Estatuto. Su organismo representativo es la Generalidad y su territorio el que forman las provincias de Barcelona, Gerona, Lérida y Tarragona en el momento de promulgarse el presente Estatuto.

Artículo 2.º El idioma catalán es, como el castellano, lengua oficial en Cataluña.

Para las relaciones oficiales de Cataluña con el resto de España, así como para la comunicación entre las Autoridades del Estado y las de Cataluña, la lengua oficial será el castellano.

Toda disposición o resolución oficial dictada dentro de Cataluña, deberá ser publicada en ambos idiomas. La notificación se hará también en la misma forma, caso de solicitarlo parte interesada.

Dentro del territorio catalán, los ciudadanos, cualquiera que sea su lengua materna, tendrán derecho a elegir el idioma oficial que prefieran en sus relaciones con los Tribunales, Autoridades y funcionarios de todas clases, tanto de la Generalidad como de la República.

A todo escrito o documento que se presente ante los Tribunales de Justicia redactado en lengua catalana, deberá acompañarse su correspondiente traducción castellana, si así lo solicita alguna de las partes.

Los documentos públicos autorizados por los fedatarios en Cataluña, podrán redactarse indistintamente en castellano o en catalán; y obligadamente en una u otra lengua a petición de parte interesada. En todos los casos los respectivos fedatarios públicos expedirán en castellano las copias que hubieren de surtir efecto fuera del territorio catalán.

Artículo 3.º Los derechos individuales son los fijados por la Constitución de la República española. La Generalidad de Cataluña no podrá regular ninguna materia con diferencia de trato entre los naturales del país y los demás españoles. Éstos no tendrán nunca en Cataluña menos derechos de los que tengan los catalanes en el resto del territorio de la República.

Artículo 4.º A los efectos del régimen autónomo de este Estatuto, tendrán la condición de catalanes:

1.º Los que lo sean por naturaleza y no hayan ganado vecindad administrativa fuera de la región.

2.º Los demás españoles que adquieran dicha vecindad en Cataluña.

TÍTULO II

Atribuciones de la Generalidad de Cataluña.

Artículo 5.º De acuerdo con lo previsto en el artículo 11 de la Constitución, la Generalidad ejecutará la legislación del Estado en las siguientes materias:

1.ª Eficacia de los comunicados oficiales y documentos públicos.

2.ª Pesas y medidas.

3.ª Régimen minero y bases mínimas sobre montes, agricultura y ganadería, en cuanto afecta a la defensa de la riqueza y a la coordinación de la economía nacional.

4.ª Ferrocarriles, carreteras, canales, teléfonos y puertos que sean de interés general, quedando a salvo para el Estado la reversión y policía de los ferrocarriles y de los teléfonos y la ejecución directa que pueda reservarse de todos estos servicios.

5.ª Bases mínimas de la legislación sanitaria interior.

6.ª Régimen de seguros generales y sociales, sometidos estos últimos a la inspección que preceptúa el artículo 6.º.

7.ª Aguas, caza y pesca fluvial, sin perjuicio de lo dispuesto en el artículo 14 de la Constitución. Las Mancomunidades hidrográficas cuyo radio de acción se extienda a territorios situados fuera de Cataluña, mientras conserven la vecindad y autonomía actuales dependerán exclusivamente del Estado.

8.ª Régimen de Prensa, Asociaciones, reuniones y espectáculos públicos.

9.ª Derecho de expropiación, salvo siempre la facultad del Estado para ejecutar por sí sus obras peculiares.

10. Socialización de riquezas naturales y Empresas económicas, delimitándose por la legislación la propiedad y las facultades del Estado de las regiones.

11. Servicios de aviación civil y radiodifusión, salvo el derecho del Estado a coordinar los medios de comunicación en todo el país.

El Estado podrá instalar servicios propios de radiodifusión, y ejercerá la inspección de los que funcionen por concesión de la Generalidad.

Artículo 6.º La Generalidad organizará todos los servicios que la legislación social del Estado haya establecido o establezca. Para la ejecución de los servicios y aplicación de las leyes sociales, estará sometida a la inspección del Gobierno para garantizar directamente su estricto cumplimiento y el de los Tratados internacionales que afecten a la materia.

En relación con las facultades atribuidas en el artículo anterior, el Estado podrá designar en cualquier momento los Delegados que estime necesarios para velar por la ejecución de las leyes. La Generalidad está obligada a subsanar, a requerimiento del Gobierno de la República, las deficiencias que se observen en la ejecución de aquellas leyes; pero si la Generalidad estimase injustificada la reclamación, será sometida la divergencia al fallo del Tribunal de Garantías Constitucionales, de acuerdo con el artículo 121 de la Constitución. El Tribunal de Garantías Constitucionales, si lo estima preciso, podrá suspender la ejecución de los actos o acuerdos a que se refiere la discrepancia, en tanto resuelve definitivamente.

Artículo 7.º La Generalidad de Cataluña podrá crear y sostener los Centros de enseñanza en todos los grados y órdenes que estime oportunos, siempre con arreglo a lo dispuesto en el artículo 50 de la Constitución, con independencia de las instituciones docentes y culturales del Estado y con los recursos de la Hacienda de la Generalidad dotada por este Estatuto.

La Generalidad se encargará de los servicios de Bellas Artes, Museos, Bibliotecas, Conservación de monumentos y archivos, salvo el de la Corona de Aragón.

Si la Generalidad lo propone, el Gobierno de la República podrá otorgar a la Universidad de Barcelona un régimen de autonomía; en tal caso, ésta se organizará como Universidad única, regida por un Patronato que ofrezca a las lenguas y a las culturas castellana y catalana las garantías recíprocas de convivencia, en igualdad de derechos, para Profesores y alumnos.

Las pruebas y requisitos que, con arreglo al artículo 49 de la Constitución, establezca el Estado para la expedición de títulos, regirán con carácter general para todos los alumnos procedentes de los Establecimientos docentes del Estado y de la Generalidad.

Artículo 8.º En materia de orden público queda reservado al Estado, de acuerdo con lo dispuesto en los números 4.º, 10 y 16 del artículo 14 de la Constitución, todos los servicios de seguridad pública en Cataluña en cuanto sean de carácter extrarregional o suprarregional, la Policía de fronteras, inmigración, emigración, extranjería y régimen de extradición y expulsión. Corresponderán a la Generalidad todos los demás servicios de Policía y orden interiores de Cataluña.

Para la coordinación permanente de ambas clases de servicios, mutuos auxilios, ayuda e información y traspaso de los que correspondan a la Generalidad se creará en Cataluña, habida cuenta de lo ordenado en el artículo 20 de la Constitución, una Junta de Seguridad formada por representantes del Gobierno de la República y de la Generalidad y por las Autoridades superiores que, dependientes de una y otra, presten servicios en el territorio regional, la cual entenderá en todas las cuestiones de regulación de servicios, alojamiento de fuerzas y nombramiento y separación de personal.

Esta Junta, cuyo Reglamento ordenará su organización y su funcionamiento, de acuerdo con el contenido de este artículo, tendrá una función informativa; pero la Generalidad no podrá proceder contra sus dictámenes en cuanto tenga relación con los servicios coordinados.

En cuanto al personal de los servicios de Policía y orden interior de Cataluña, atribuidos a la Generalidad, la propuesta de los nombramientos la hará su representación en la Junta, sin perjuicio de lo dispuesto en el párrafo anterior.

Artículo 9.º El Gobierno de la República, en uso de sus facultades y el ejercicio de sus funciones constitucionales, podrá asumir la dirección de los servicios comprendidos en el artículo anterior e intervenir en el mantenimiento del orden interior de Cataluña en los siguientes casos:

1.º A requerimiento de la Generalidad.

2.º Por propia iniciativa cuando estime comprometido el interés general del Estado o su seguridad.

En ambos casos será oída la Junta de Seguridad de Cataluña para dar por terminada la intervención del Gobierno de la República.

Para la declaración de estado de guerra, así como para el mantenimiento, suspensión o restablecimiento de los derechos y garantías constitucionales, se aplicará la ley general de Orden público, que regirá en Cataluña como en todo el territorio de la República.

También regirán en Cataluña las disposiciones del Estado sobre fabricación, venta, transporte, tenencia y uso de armas y explosivos.

Artículo 10. Corresponderá a la Generalidad la legislación sobre régimen local, que reconocerá a los Ayuntamientos y demás Corporaciones administrativas que cree, plena autonomía para el gobierno y dirección de sus intereses peculiares y les concederá recursos propios para atender a los servicios de su competencia. Esta legislación no podrá reducir la autonomía municipal a límites menores de los que señale la ley general del Estado.

Para el cumplimiento de sus fines, la Generalidad podrá establecer dentro de Cataluña las demarcaciones territoriales que estime conveniente.

Artículo 11. Corresponde a la Generalidad la legislación exclusiva en materia civil, salvo lo dispuesto en el artículo 15, número 1.º de la Constitución, y la administrativa que le esté plenamente atribuida por este Estatuto.

La Generalidad organizará la Administración de Justicia en todas las jurisdicciones, excepto en la militar y en la de la Armada, conforme a los preceptos de la Constitución y a las leyes procesales y orgánicas del Estado.

La Generalidad nombrará los Jueces y Magistrados con jurisdicción en Cataluña mediante concurso entre los comprendidos en el Escalafón general del Estado. El nombramiento de Magistrados del Tribunal de casación de Cataluña corresponderá a la Generalidad, conforme a las normas que su Parlamento determine. La organización y funcionamiento del Ministerio fiscal corresponde íntegramente al Estado, de acuerdo con las leyes generales. Los funcionarios de la Justicia municipal serán designados por la Generalidad, según el régimen que establezca. Los nombramientos de Secretarios judiciales y de personal auxiliar de la Administración de Justicia se harán por la Generalidad con arreglo a las leyes del Estado.

El Tribunal de casación de Cataluña tendrá jurisdicción propia sobre las materias civiles y administrativas cuya legislación exclusiva esté atribuida a la Generalidad.

Conocerá, además, el Tribunal de casación de Cataluña de los recursos sobre calificación de documentos referentes al Derecho privativo catalán que deban motivar inscripción en los Registros de la Propiedad. Asimismo resolverá los conflictos de competencia y jurisdicción entre las Autoridades judiciales de Cataluña. En las demás materias se podrá interponer recurso de casación ante el Tribunal Supremo de la República o el procedente según las leyes del Estado. El Tribunal Supremo de la República resolverá asimismo los conflictos de competencia y de jurisdicción entre los Tribunales de Cataluña y los demás de España.

Los Registradores de la Propiedad serán nombrados por el Estado.

Los Notarios los designará la Generalidad mediante oposición o concurso, que convocará ella misma con arreglo a las leyes del Estado. Cuando conforme a éstas deban proveerse las Notarías vacantes por concurso o por oposición entre los Notarios, serán admitidos todos con iguales derechos, ya ejerzan en el territorio de Cataluña, ya en el resto de España.

En cuantos concursos convoque la Generalidad serán condiciones preferentes el conocimiento de la lengua y del Derecho catalanes, sin que en ningún caso pueda establecerse la excepción de naturaleza o vecindad.

Los Fiscales y Registradores designados para Cataluña deberán conocer la lengua y el Derecho catalanes.

Artículo 12. Corresponderá a la Generalidad de Cataluña la legislación exclusiva y la ejecución directa de las funciones siguientes:

a) La legislación y ejecución de ferrocarriles, caminos, canales, puertos y demás obras públicas de Cataluña, salvo lo dispuesto en el artículo 15 de la Constitución.

b) Los servicios forestales, los agronómicos y pecuarios, Sindicatos y Cooperativas agrícolas, política y acción social agraria, salvo lo dispuesto en el párrafo quinto del artículo 15 de la Constitución y la reserva sobre leyes sociales consignada en el número primero del mismo artículo.

c) La Beneficencia.

d) La Sanidad interior, salvo lo dispuesto en el número séptimo del artículo 15 de la Constitución.

e) El establecimiento y ordenación de Centros de contratación de mercancías y valores, conforme a las normas generales del Código de Comercio.

f) Cooperativas, Mutualidades y Pósitos, con la salvedad, respecto de las leyes sociales, hecha en el párrafo primero del artículo 15 de la Constitución.

Artículo 13. La Generalidad de Cataluña tomará las medidas necesarias para la ejecución de los Tratados y Convenios que versen sobre materias atribuidas, total o parcialmente, a la competencia regional por el presente Estatuto. Si no lo hiciera en tiempo oportuno, corresponderá adoptar dichas medidas al Gobierno de la República. Por tener a su cargo la totalidad de las relaciones exteriores, ejercerá siempre la alta inspección sobre el cumplimiento de los referidos Tratados y Convenios y sobre la observancia de los principios del derecho de gentes. Todos los asuntos que revistan este carácter, como la participación oficial en Exposiciones y Congresos internacionales, la relación con los españoles residentes en el extranjero o cualesquiera otros análogos, serán de la exclusiva competencia del Estado.

TÍTULO III

De la Generalidad de Cataluña.

Artículo 14. La Generalidad estará integrada por el Parlamento, el Presidente de la Generalidad y el Consejo Ejecutivo.

Las leyes interiores de Cataluña ordenarán el funcionamiento de estos organismos, de acuerdo con el Estatuto y la Constitución.

El Parlamento, que ejercerá las funciones legislativas, será elegido por un plazo no mayor de cinco años, por sufragio universal, directo, igual y secreto.

Los Diputados del Parlamento de Cataluña serán inviolables por los votos u opiniones que emitan en el ejercicio de su cargo.

El Presidente de la Generalidad asume la representación de Cataluña. Asimismo representa a la región en sus relaciones con la República, y al Estado en las funciones cuya ejecución directa le esté reservada al Poder central.

El Presidente de la Generalidad será elegido por el Parlamento de Cataluña, y podrá delegar temporalmente sus funciones ejecutivas, mas no las de representación, en uno de los Consejeros. El Presidente y los Consejeros de la Generalidad ejercerán las funciones ejecutivas, y deberán dimitir sus cargos en caso de que el Parlamento les negara de un modo explícito la confianza.

Uno y otros son individualmente responsables ante el Tribunal de Garantías, en el órden civil y en el criminal, por las infracciones de la Constitución, del Estatuto y de las leyes.

Artículo 15. Todos los conflictos de jurisdicción que se susciten entre Autoridades de la República y de la Generalidad o entre organismos de ellas dependientes, salvo lo dispuesto por el artículo 12 de este Estatuto para las cuestiones de competencia entre Autoridades judiciales, serán resueltos por el Tribunal de Garantías Constitucionales, el cual tendrá la misma extensión de competencia en Cataluña que en el resto del territorio de la República.

TÍTULO IV

De la Hacienda.

Artículo 16. La Hacienda de la Generalidad de Cataluña se constituye:

a) Con el producto de los impuestos que el Estado cede a la Generalidad.

b) Con un tanto por ciento en determinados impuestos de los no cedidos por el Estado.

c) Con los impuestos, derechos y tasas de las antiguas Diputaciones provinciales de Cataluña y con los que establezca la Generalidad.

Los recursos de la Hacienda de la Generalidad se cifrarán con sujeción a las siguientes reglas:

Primera. El costo de los servicios cedidos por el Estado.

Segunda. Un tanto por ciento sobre la cuantía que resulte de aplicar la regla anterior por razón de los gastos imputables a servicios que se transfieran y que, teniendo consignación en el Presupuesto del Estado, no produzcan pago en Cataluña o los produzcan en cantidad inferior al importe de los servicios.

Tercera. Una suma igual al coeficiente de aumento que experimenten en lo sucesivo los gastos de los Presupuestos futuros de la República en los servicios correspondientes a los que se transfieran a la Generalidad de Cataluña.

Para cubrir las cuantías que resulten de aplicar las reglas anteriores, según el cálculo que realizará la Comisión mixta creada en el artículo único de la disposición transitoria de este Estatuto y que se someterá a la aprobación del Consejo de Ministros, el Estado cede a la Generalidad:

I. — Contribución Territorial, Rústica y Urbana, con los recargos establecidos sobre la misma, debiendo abonar a los Ayuntamientos las participaciones que les corresponda.

II. — El impuesto sobre los Derechos reales, las personas jurídicas y las transmisiones de bienes con sus recargos y con la obligación de aplicar los mismos tipos contributivos establecidos en las leyes del Estado.

III. — El 20 por 100 de propios, el 10 por 100 de Pesas y medidas, el 10 por 100 de Aprovechamientos forestales, el producto del canon de superficie y el impuesto sobre las explotaciones mineras.

IV. — Una participación en las sumas que produzcan en Cataluña las contribuciones Industrial y de Utilidades, igual a la diferencia entre la cuantía de las contribuciones con sus recargos que se ceden en virtud de las tres reglas anteriores y el coste total de los servicios que el Estado transfiere a la Región autónoma, todo ello referido al momento de la transmisión. Si con una participación del 20 por 100 no se cubriere dicha diferencia, se abonará el resto de la misma en forma de participación en el impuesto del Timbre en la proporción necesaria.

Cada cinco años se procederá por una Comisión de técnicos nombrados por el Ministro de Hacienda de la República y por la Generalidad a la revisión de las concesiones hechas en este artículo. Tanto los impuestos cedidos como los servicios traspasados a la Generalidad serán calculados con un aumento o con una rebaja igual a la que hayan experimentado unos y otros en la Hacienda de la República. La propuesta de esta Comisión será elevada a la aprobación del Consejo de Ministros. En cualquier momento, el Ministro de Hacienda de la República podrá hacer una revisión extraordinaria en el régimen de Hacienda del presente Título, de común acuerdo con la Generalidad, y si esto no fuera posible, deberá someterse la reforma a la aprobación de las Cortes, siendo preciso el voto favorable de la mayoría absoluta del Congreso.

Artículo 17. La Hacienda de la República respetará los actuales ingresos de las Haciendas locales de Cataluña, sin gravar con nuevas contribuciones las bases de tributación de aquéllas. La Generalidad podrá crear nuevas contribuciones que no se apliquen a las mismas materias que ya tributan en Cataluña a la República, y podrá dar una nueva ordenación a sus ingresos.

Los nuevos tributos que establezca la Generalidad no podrán ser obstáculo a las nuevas imposiciones que con carácter general cree el Estado, y en caso de incompatibilidad, aquellos tributos quedarán absorbidos por los del Estado, con la compensación que corresponda. En ningún caso la ordenación tributaria de la Generalidad podrá estorbar la implantación y desarrollo del impuesto sobre la renta, que será tributo del Estado.

La Hacienda de la Generalidad podrá continuar recaudando por delegación de la Hacienda de la República y con el premio que ésta tenga consignado en presupuesto, las contribuciones, impuestos y arbitrios que el Estado debe percibir en Cataluña, con excepción de los monopolios y de las Aduanas con sus anexos. Sin embargo, el Estado se reserva el derecho de rescatar la recaudación de sus tributos y gravámenes en el territorio catalán y de ordenarla libremente.

La Generalidad podrá emitir Deuda interior, pero ni la Generalidad ni sus Corporaciones locales podrán apelar al crédito extranjero sin autorización de las Cortes de la República. Si el Estado emite Deuda cuyo producto haya de invertirse, total o parcialmente, en la creación o mejoramiento de servicios que, en cuanto a Cataluña hayan sido transferidos a la Generalidad, ésta fijará las obras y servicios de la misma naturaleza que se propone realizar con la participación que se le otorgue en el empréstito dentro de un límite que no podrá exceder de una parte proporcional a la población de Cataluña con respecto a la población de España.

Los derechos del Estado en territorio catalán relativos a minas, aguas, caza y pesca, los bienes de uso público y los que, sin ser de uso común, pertenezcan privativamente al Estado y estén destinados a algún servicio público o al fomento de la riqueza nacional, se transfieren a la Generalidad, excepto los que sigan afectos a funciones cuyos servicios se haya reservado el Gobierno de la República. Dichos bienes y derechos no podrán ser enajenados, gravados ni destinados a fines de carácter particular sin autorización del Estado.

El régimen de las concesiones de minas potásicas y de los posibles yacimientos de petróleos seguirá rigiéndose por las disposiciones vigentes, mientras el Estado no dicte nueva legislación sobre estas materias.

El Tribunal de Cuentas de la República fiscalizará anualmente la gestión de la Generalidad en cuanto a la recaudación de impuestos que le esté atribuida por la Delegación de la Hacienda de la República y a la ejecución de servicios con encargo de ésta, siempre que se trate de servicios que tengan su designación especial en los Presupuestos del Estado.

TÍTULO V

De la modificación del Estatuto.

Artículo 18. Este Estatuto podrá ser reformado:

a) Por iniciativa de la Generalidad, mediante «referéndum» de los Ayuntamientos y aprobación del Parlamento de Cataluña;

b) Por iniciativa del Gobierno de la República y a propuesta de la cuarta parte de los votos de las Cortes;

En uno y otro caso será preciso para la aprobación (definitiva) de la ley de Reforma del Estatuto, las dos terceras partes del voto de las Cortes. Si el acuerdo de las Cortes de la República fuera rechazado por el «referéndum» de Cataluña, será menester, para que prospere la reforma, la ratificación de las Cortes ordinarias, subsiguientes a las que le hayan acordado.

Disposiciones transitorias.

Artículo único. El Gobierno de la República queda facultado, dentro de los dos meses siguientes a la promulgación de este Estatuto, para establecer las normas a que han de ajustarse el inventario de bienes y derechos y la adaptación de los servicios que pasan a la competencia de la Generalidad, encargando la ejecución de dichas normas a una Comisión mixta que designen por mitad el Consejo de Ministros y el Gobierno provisional de la Generalidad. Esta Comisión deberá tomar sus acuerdos por el voto de las dos terceras partes de sus miembros como mínimo, sometiendo, en caso necesario, sus diferencias a la resolución del Presidente de las Cortes de la República.

Previo acuerdo con el Gobierno, la Generalidad fijará la fecha para la elección del primer Parlamento de Cataluña con arreglo al mismo procedimiento de las elecciones a Cortes Constituyentes.

Para las elecciones a que se refiere el párrafo anterior, el territorio de Cataluña se dividirá en las circunscripciones siguientes: Barcelona-ciudad, Barcelona-circunscripción, Gerona, Lérida y Tarragona. Las circunscripciones votarán un Diputado por cada 40.000 habitantes, con el mínimo de 14 Diputados por circunscripción.

Mientras no legisle sobre materias de su competencia, continuarán en vigor las leyes actuales del Estado que a dichas materias se refieran, correspondiendo su aplicación a las Autoridades y organismos de la Generalidad, con las facultades asignadas actualmente a los del Estado.

Por tanto:

Mando a todos los ciudadanos que coadyuven al cumplimiento de esta Ley, así como a todos los Tribunales y Autoridades que la hagan cumplir.

NICETO ALCALÁ-ZAMORA Y TORRES

El Presidente del Consejo de Ministros,

MANUEL AZAÑA

LEY DE REFORMA AGRARIA

MINISTERIO DE AGRICULTURA, INDUSTRIA Y COMERCIO

EL PRESIDENTE DE LA REPÚBLICA ESPAÑOLA,

A todos los que la presente vieren y entendieren, sabed:

Que las CORTES han decretado y sancionado la siguiente

LEY

Base 1.ª

La presente Ley empezará a regir el día de su publicación en la GACETA DE MADRID. Esto no obstante, las situaciones jurídicas particulares relativas a la propiedad rústica que se hubiesen creado voluntariamente desde el 14 de Abril de 1931 hasta el momento de la promulgación de esta ley, se tendrán por no constituidas a los efectos de la misma, en cuanto se opongan de cualquier modo a la plena efectividad de sus preceptos.

Dentro del concepto de situaciones jurídicas voluntariamente creadas no se incluirán las operaciones del Banco Hipotecario, las del Crédito Agrícola y otras entidades oficiales similares, las particiones de herencias y las de bienes poseídos en proindiviso, las liquidaciones y divisiones de bienes de sociedades, por haber finalizado el plazo o haberse cumplido las condiciones estipuladas al constituirse, y las derivadas del cumplimiento de oligaciones impuestas por la Ley.

Los interesados podrán, en todo caso, interponer recurso ante la respectiva Junta provincial, alegando lo que más convenga a sus derechos, y la Junta, antes de dar a los bienes las aplicaciones determinadas en esta Ley, apreciará libremente las pruebas que se aduzcan y decretará si procede o no la aplicación del principio de retroactividad. Contra el acuerdo de la Junta provincial, podrán los interesados en el acto de enajenación o gravamen, recurrir ante el Instituto de Reforma Agraria, dentro del plazo de quince días desde la notificación del acuerdo de aquélla. El Instituto tendrá una Sección especial jurídica, presidida por un Magistrado, que informará en los recursos interpuestos contra las resoluciones de las Juntas provinciales.

La facultad de aplicar el principio de retroactividad deberá ser ejercitada dentro del término de dos meses, a contar desde la fecha de la terminación del inventario de los bienes expropiables a que se refiere la Base 5.ª No se admitirá, sin embargo, reclamación alguna que afecte a la devolución de lo satisfecho por Timbre y Derechos reales.

Base 2.ª

Los efectos de esta Ley se extienden a todo el territorio de la República. Su aplicación, en orden a los asentamientos de campesinos, tendrá lugar en los términos municipales de Andalucía, Extremadura, Ciudad Real, Toledo, Albacete y Salamanca. Las tierras del Estado y las que constituyeron antiguos señoríos, transmitidas desde su abolición hasta hoy por título lucrativo podrán ser objeto de asentamientos, sea cualquiera la provincia donde radiquen. La inclusión en posteriores etapas, a los fines de asentamiento, de las fincas situadas en términos municipales de las 36 provincias restantes, sólo podrá realizarse a propuesta del Gobierno, previo informe del Instituto de Reforma Agraria, mediante una ley votada en Cortes.

El número de asentamientos a realizar en las condiciones que esta Ley determina se fijará para cada año, incluso para el actual, por el Gobierno, el cual incluirá en el Presupuesto una cantidad anual destinada a tal efecto, que no será en ningún caso inferior a 50 millones de pesetas. A petición de los Sindicatos de campesinos y previa autorización del Gobierno, el Instituto de Reforma Agraria podrá concertar con los propietarios, en cualquier parte del país y fuera de los cupos señalados, todos aquellos asentamientos que no impliquen carga ni responsabilidad económica para el propio Instituto ni para el Estado.

La aplicación del apartado 12 de la Base 5.ª a los términos municipales de las provincias no mencionadas en la presente, sólo comprenderá aquellas fincas cuya extensión sea superior a 400 hectáreas en secano o 30 en regadío y a los propietarios cuyos predios en todo el territorio nacional sumen una extensión superior a las indicadas. La expropiación se limitará a la porción que exceda de tales cantidades.

Base 3.ª

La ejecución de esta Ley quedará encomendada al Instituto de Reforma Agraria, como órgano encargado de transformar la Constitución rural española. El Instituto gozará de personalidad jurídica y de autonomía económica para el cumplimiento de sus fines. Estará regido por un Consejo compuesto de técnicos agrícolas, juristas, representantes del Crédito Agrícola oficial, propietarios, arrendatarios y obreros de la tierra.

Además de la dotación, no inferior a 50 millones de pesetas consignada en la Base anterior, podrá recibir anticipos del Estado, concertar operaciones financieras y emitir obligaciones hipotecarias con garantía de los bienes inmuebles o Derechos reales que constituyan su patrimonio. Los valores emitidos por el Instituto se cotizarán en Bolsa y se admitirán en los Centros oficiales, como depósito, caución o fianza.

El Instituto de Reforma Agraria estará exento de toda clase de impuestos en las operaciones que realice y para el cobro de sus créditos podrá usar del apremio administrativo con arreglo a las Leyes vigentes.

Base 4.ª

Bajo la jurisdicción del Instituto de Reforma Agraria quedarán las Comunidades de Campesinos. De las resoluciones adoptadas por ellas podrán recurrir los miembros que las integran ante el Instituto de Reforma Agraria, en los casos que se determine. El ingreso y la separación de los campesinos en las Comunidades serán voluntarios, pero la separación no podrá concederse sin la extinción previa de las obligaciones contraídas por el campesino con la Comunidad.

El Instituto de Reforma Agraria promoverá la formación de organismos de crédito a fin de facilitar a los campesinos asentados el capital necesario para los gastos de explotación. En las provincias donde estuvieren los Pósitos constituidos en Federación se utilizará ésta como organismo de crédito, con los mismos derechos que los que erija el Instituto.

Base 5.ª

Serán susceptibles de expropiación las tierras incluidas en los siguientes apartados:

1.º Las ofrecidas voluntariamente por sus dueños, siempre que su adquisición se considere de interés por el Instituto de Reforma Agraria.

2.º Las que se transmitan contractualmente a título oneroso sobre las cuales y a este solo efecto, podrá ejercitar el Estado el derecho de retracto en las mismas condiciones que determine la legislación civil vigente.

3.º Las adjudicadas al Estado, Región, provincia o Municipio, por razón de débito, herencia o legado y cualesquiera otras que posean con carácter de propiedad privada.

4.º Las fincas rústicas de Corporaciones, fundaciones y establecimientos públicos que las exploten en régimen de arrendamiento, aparcería o cualquier otra forma que no sea explotación directa, exceptuándose las tierras correspondientes a aquellas fundaciones en que el título exija la conservación de las mismas, como requisito de subsistencia, si bien en este caso podrán ser sometidas a régimen de arrendamientos colectivos.

5.º Las que por las circunstancias de su adquisición, por no ser explotadas directamente por los adquirentes y por las condiciones personales de los mismos, deba presumirse que fueron compradas con fines de especulación o con el único objeto de percibir su renta.

6.º Las que constituyeron señoríos jurisdiccionales y que se hayan transmitido hasta llegar a sus actuales dueños por herencia, legado o donación. También lo serán aquellas tierras de señorío que se hayan transmitido por el vendedor con la fórmula de a riesgo y ventura, o en las que se haya consignado por el cedente que no vendría obligado a la evicción o saneamiento conforme a derecho, porque enajenaba su propiedad en las mismas condiciones en que la venía poseyendo.

7.º Las incultas o manifiestamente mal cultivadas, en toda aquella porción que, por su fertilidad y favorable situación permita un cultivo permanente, con rendimiento económico superior al actual, cuando se acrediten tales circunstancias por dictamen técnico reglamentario, previo informe de las Asociaciones agrícolas y de los Ayuntamientos del término donde radiquen las fincas.

8.º Las que debiendo haber sido regadas por existir un embalse y establecer la Ley la obligación del riego, no lo hayan sido aún, cuando todas estas circunstancias se acrediten previo informe técnico.

9.º Las que hubieren de ser regadas en adelante con agua proveniente de obras hidráulicas, costeadas en todo o en parte por el Estado, acreditándose este extremo por dictamen técnico reglamentario, salvo aquellas que, cultivadas directamente por sus propietarios, no excedan de la extensión superficial que para las tierras de regadío se fija en el apartado 13 de esta Base.

10. Las situadas a distancia menor de dos kilómetros del casco de los pueblos de menos de 25.000 habitantes de derecho, cuando su propietario posea en el término municipal fincas cuya renta catastral exceda de la cantidad de 1.000 pesetas, siempre que no estén cultivadas directamente por sus dueños.

11. Las pertenecientes a un solo propietario que, no estando comprendidas en los demás apartados de esta base, tengan asignado un líquido imponible superior al 20 por 100 del cupo total de la riqueza rústica del término municipal en que estén enclavadas, siempre que su extensión superficial exceda de la sexta parte del mismo y expropiándose solamente la porción que sobrepase del mencionado líquido imponible.

12. Las explotadas sistemáticamente en régimen de arrendamiento a renta fija, en dinero o en especie, durante doce o más años, excepción hecha de las arrendadas en nombre de menores o incapacitados, los bienes que constituyan la dote inestimada de las mujeres casadas, los poseídos en usufructo, los sujetos a substitución fideicomisaria o a condición resolutoria y los reservables.

También se exceptuarán, en su caso, cuando al adquirir la finca el actual propietario no haya podido explotarla directamente por tener que respetar un contrato de arrendamiento otorgado con anterioridad, siempre que por carecer de otras o por cultivar directamente la mayoría de las que le pertenezcan deba presumirse racionalmente que la adquisición tuvo por fin destinarla a la explotación directa. La existencia del contrato de arrendamiento deberá probarse por su inscripción en los Registros de la Propiedad o de arrendamiento, o constar en escritura pública o documento privado que reúna los requisitos exigidos por el artículo 1.227 del Código civil.

13. Las propiedades pertenecientes a toda persona natural o jurídica, en la parte de su extensión que en cada término municipal exceda de las cifras que señalen las Juntas provinciales para cada uno de aquéllos, según las necesidades de la localidad, propiedades que han de estar comprendidas dentro de los límites que a continuación se expresan:

1.º En secano:

a) Tierras dedicadas al cultivo herbáceo en alternativa, de 300 a 600 hectáreas.

b) Olivares asociados o no a otros cultivos, de 150 a 300 hectáreas.

c) Terrenos dedicados al cultivo de la vid, de 100 a 150 hectáreas. Cuando las viñas estén filoxeradas, previa declaración oficial de esta enfermedad, se considerarán en cuanto a su extensión como tierras dedicadas al cultivo herbáceo en alternativa, y si los terrenos fuesen de regadío como los del caso segundo de este mismo apartado.

d) Tierras con árboles o arbustos frutales en plantación regular, de 100 a 200 hectáreas.

e) Dehesas de pasto y labor, con arbolado o sin él, de 400 a 750 hectáreas.

2.º En regadío:

Terrenos comprendidos en las grandes zonas regables, merced a obras realizadas con el auxilio del Estado y no incluidos en la Ley de 7 de Junio de 1905, de 10 a 50 hectáreas.

Cuando la finca o fincas ofrezcan distintas modalidades culturales se reducirán al tipo de extensión fijado en el término municipal para el cultivo de secano herbáceo en alternativa, mediante el empleo de los coeficientes de relación que se deriven de las cifras señaladas anteriormente.

En los casos de cultivo directo por el propietario, se aumentarán en un 33 por 100 en los tipos mínimos y un 25 por 100 en los máximos que se señalan en este apartado.

Cuando se trate de propietarios de bienes rústicos de la extinguida Grandeza de España, cuyos titulares hubieran ejercido en algún momento sus prerrogativas honoríficas, se les acumularán para los efectos de este número todas las fincas que posean en el territorio nacional.

Tendrán preferencia, a los efectos de ocupación y expropiación, los terrenos comprendidos en esta Base que no hayan sido objeto de puesta en riego por cuenta de los propietarios, con arreglo a la Ley de 9 de Abril de 1932.

Tambiné se expropiarán preferentemente, dentro de los distintos grupos enumerados, las fincas comprendidas en el apartado 11. Si la propiedad a que se refiere este párrafo no fuese susceptible de labor, podrá ser expropiada para constituir el patrimonio comunal del pueblo respectivo.

Si una finca se mantuviese proindiviso entre varios titulares se la estimará dividida en tantas partes como sean los propietarios de la misma, a los efectos de esta Base.

Para todos los efectos de esta Ley, se entenderá que existe explotación directa cuando el propietario lleve el principal cultivo de la finca.

Base 6.ª

Quedarán exceptuadas de la adjudicación temporal y de la expropiación las siguientes fincas:

a) Los bienes comunales pertenecientes a los pueblos, las vías pecuarias, abrevaderos y descansaderos de ganado y las dehesas boyales de aprovechamiento comunal.

b) Los terrenos dedicados a explotaciones forestales.

c) Las dehesas de pastos y monte bajo y las de puro pasto, así como los baldíos, eriales y espartizales no susceptibles de un cultivo permanente en un 75 por 100 de su extensión superficial.

d) Las fincas que por su ejemplar explotación o transformación puedan ser consideradas como tipo de buen cultivo técnico o económico.

Estos casos de excepción no se aplicarán a las fincas comprendidas en el apartado 6.º de la Base 5.ª, ni en los apartados b) y c) de la presente Base, cuando los terrenos dedicados a explotaciones forestales o las dehesas de pasto y monte bajo constituyan, cuando menos, la quinta parte de un término municipal, ni, en el caso del apartado c) de esta Base, las que sean explotadas en arrendamiento por una colectividad de pequeños ganaderos.

Base 7.ª

En cuanto se constituya el Instituto, procederá a la formación del inventario de los bienes comprendidos en la Base 5.ª. Al efecto publicará un anuncio en la GACETA y en los *Boletines Oficiales* de todas las provincias invitando a todos los dueños de fincas incluidas en dicha Base a que en el plazo de treinta días presenten en los Registros de la Propiedad correspondientes al lugar donde radiquen las fincas una relación circunstanciada de aquéllas, expresando su situación, cabida, linderos y demás circunstancias necesarias para identificarlas.

Los Registradores llevarán un libro destinado a dicho fin, en el que harán los asientos de las fincas sujetas a expropiación y remitirán mensualmente al Instituto de Reforma Agraria copia certificada de los asientos que practiquen. Asimismo harán constar, al margen de la última inscripción de dominio vigente en los libros de inscripciones, que la finca de que se trata ha sido incluida en el inventario.

Los propietarios que dejaren transcurrir el plazo de treinta días sin presentar la declaración u omitieren en ella alguna finca, incurrirán en la multa del 20 por 100 del valor que se asigne al inmueble ocultado, que será percibida por el Instituto.

Finalizado el indicado plazo, cualquier persona podrá denunciar ante los Registradores de la Propiedad la existencia de bienes comprendidos en la Base 5.ª, aportando los datos enumerados para practicar la inscripción correspondiente. Si la denuncia comprendiera bienes omitidos u ocultados maliciosamente por sus dueños y contuviera datos precisos para su identificación, el denunciante percibirá la mitad de la suma que por vía de pena ha de abonar el ocultador. El Instituto practicará de oficio todas las investigaciones que se estimen necesarias para averiguar los bienes incluidos en la Base 5.ª. Al efecto podrá reclamar el concurso de todos los funcionarios y de todas las Oficinas del Estado, Provincia o Municipio y suplirá y completará las relaciones de los dueños y demás datos que reciba con las informaciones complementarias que crea necesarias.

Los Registradores notificarán a los propietarios la inclusión de las fincas en el Inventario. Contra dicho acuerdo, los interesados, en el plazo de veinte días, podrán interponer recurso ante el Instituto de Reforma Agraria. El acuerdo que recaiga se comunicará a los Registradores para los efectos procedentes.

El Inventario deberá quedar terminado en el plazo de un año a contar de la inserción en la GACETA y *Boletines Oficiales* del aviso del Instituto. No obstante, terminado dicho plazo podrán adicionarse al Inventario las fincas comprendidas en los apartados 1.º, 2.º, 3.º, 4.º, 7.º y 9.º de la Base 5.ª.

El propietario que tenga alguna duda sobre la inclusión de sus fincas en el Inventario, lo hará constar así en la declaración que haga ante el Registrador, el cual lo pondrá en conocimiento del Instituto de Reforma Agraria, que resolverá lo que estime oportuno, ratificando la resolución al Registrador para, en su caso, incluir o no la finca en el Inventario.

El Instituto procederá a otro inventario de las tierras susceptibles de expropiación a los fines que se señalan en el apartado f) de la Base 12 en el siguiente orden:

1.º Los terrenos cuya repoblación forestal se juzgue necesaria para la corrección de torrentes, fijación de dunas, mantener la estabilidad del suelo, saneamiento de terrenos y demás trabajos de salubridad o utilidad pública.

2.º Los montes del Estado, estén o no comprendidos en el catálogo de los montes de utilidad pública.

3.º Los baldíos y eriales que no sean susceptibles de un cultivo agrícola permanente en un 50 por 100 de su extensión superficial.

4.º Los montes de Municipios, Corporaciones y Establecimientos públicos, cuando su repoblación inmediata se juzgue necesaria según informe técnico, y la expropiación sólo podrá tener lugar si la repoblación no se comienza por las entidades propietarias en un plazo de cinco años.

5.º Los terrenos no susceptibles de cultivo agrícola permanente ofrecidos por sus dueños, cuando su repoblación sea remuneradora.

6.º Los montes herbáceos, leñosos y maderables de propiedad particular en los que el aprovechamiento de sus productos esté sometido a mal tratamiento, según informe técnico y reglamentario.

Base 8.ª

En las expropiaciones se procederá con arreglo a las siguientes normas:

a) Cuando se trate de bienes de señorío jurisdiccional o de los comprendidos en la Base 5.ª pertenecientes a la extinguida Grandeza de España, únicamente se indemnizará a quien corresponda del importe de las mejoras útiles no amortizadas.

Las personas naturales que por expropiárseles bienes de señorío sin indemnización quedaran desprovistas de medios de subsistencia, tendrán derecho a reclamar del Instituto de Reforma Agraria una pensión alimenticia, que les será concedida siempre que demuestren la carencia absoluta de toda clase de bienes. En las expropiaciones de bienes de la extinguida Grandeza, el Consejo de Ministros, a propuesta del Instituto de Reforma Agraria, podrá acordar las excepciones que estime oportunas como reconocimiento de servicios eminentes prestados a la Nación.

b) Las demás propiedades se capitalizarán con el líquido imponible que tengan asignados en el Catastro o en el amillaramiento.

c) Los tipos de capitalización serán:

El 5 por 100, cuando la renta sea inferior a 15.000 pesetas.

El 6 por 100, en la cantidad que exceda de 15.000 hasta 30.000.

El 7 por 100, en el exceso de 30.000 pesetas hasta 43.000.

El 8 por 100, en el exceso de 43.000 pesetas hasta 56.000.

El 9 por 100, en el exceso de 56.000 pesetas hasta 69.000.

El 10 por ciento, en el exceso de pesetas 69.000 hasta 82.000.

El 11 por 100, en el exceso de pesetas 82.000 hasta 95.000.

El 12 por 100, en el exceso de pesetas 95.000 hasta 108.000.

El 13 por 100, en el exceso de pesetas 108.000 hasta 121.000.

El 14 por 100, en el exceso de pesetas 121.000 hasta 134.000.

El 15 por 100, en el exceso de pesetas 134.000 hasta 147.000.

El 16 por 100, en el exceso de pesetas 147.000 hasta 160.000.

El 17 por 100, en el exceso de pesetas 160.000 hasta 173.000.

El 18 por 100, en el exceso de 173.000 pesetas hasta 186.000.

El 19 por 100, en el exceso de 186.000 pesetas hasta 199.000.

El 20 por 100 desde 200.000 pesetas en adelante.

d) Las mejoras que al amparo de la legislación vigente no hayan sido catastradas aún serán objeto de adecuada indemnización, así como también se abonarán al propietario las cantidades satisfechas al Estado en virtud de la aplicación de la Ley de 13 de Abril de 1932.

e) El importe de las expropiaciones se hará efectivo, parte en numerario y el resto en inscripciones de una Deuda especial amortizable en cincuenta años, que rentará el 5 por 100 de su valor nominal.

La indemnización en numerario se sujetará a la siguiente escala:

Las fincas cuya renta no sea superior a 15.000 pesetas, el 20 por 100.

Aquellas cuya renta pase de 15.000 pesetas y no exceda de 30.000, el 15 por 100.

Ídem de 30.000 y no exceda de 43.000, el 14 por 100.

Ídem de 43.000 y no exceda de 56.000, el 13 por 100.

Ídem de 56.000 y no exceda de 96.000, el 12 por 100.

Ídem de 69.000 y no exceda de 82.000, el 11 por 100.

Ídem de 82.000 y no exceda de 95.000, el 10 por 100.

Ídem de 95.000 y no exceda de 108.000, el 9 por 100.

Aquellas cuya renta pase de 108.000 y no exceda de 121.000, el 8 por 100.

Ídem íd. íd. de 121.000 y no exceda de 134.000, el 7 por 100.

Ídem íd. íd. de 134.000 y no exceda de 147.000, el 6 por 100.

Ídem íd. íd. de 147.000 y no exceda de 160.000, el 5 por 100.

Ídem íd. íd. de 160.000 y no exceda de 173.000, el 4 por 100.

Ídem íd. íd. de 173.000 y no exceda de 186.000, el 3 por 100.

Ídem íd. íd. de 186.000 y no exceda de 199.000, el 2 por 100.

Ídem íd. íd. de 200.000, el 1 por 100.

El tenedor de las inscripciones no podrá disponer libremente más que de un 10 por 100 en su total valor en cada año de los transcurridos a partir del en que se efectuó la expropiación del fundo a que corresponden dichos títulos de la Deuda agraria, siendo el resto intransferible por actos intervivos e inembargables.

No obstante lo dispuesto en los apartados anteriores, el valor asignado a las fincas en el título de su adquisición, con arreglo al cual haya sido liquidado el impuesto de Derechos reales, servirá de base para el abono de la expropiación.

Los interesados tendrán derecho a recurso ante el Instituto de Reforma Agraria para impugnar la valoración de los bienes que se les expropie, que será resuelto con arreglo a las normas establecidas en esta Base, sin ulterior apelación.

f) Si la finca objeto de la expropiación se hallase gravada en alguna forma, se deducirá de su importe hasta donde permita el valor que se le haya asignado, el importe de la carga, que será satisfecho en metálico por el Estado a quien corresponda.

Cuando el valor de la carga supere al señalado a la finca o el gravamen afectase a fincas de origen señorial o bienes comunales y el acreedor lo fuere de las entidades oficiales enumeradas en la Base primera, la diferencia hasta el total reembolso de la carga será asimismo abonada en metálico por el Estado. A este efecto, si en el Presupuesto vigente no existiera crédito suficiente, el Ministro de Hacienda consignará en el Presupuesto inmediato la cantidad necesaria para cubrir el importe de la cancelación en la fecha en que se verifique el reembolso.

En el caso de ocupaciones temporales a que se refiere la Base 9.ª de esta Ley, si existiesen gravámenes hipotecarios a favor de las entidades oficiales mencionadas en la Base 1.ª, el Estado abonará los intereses y demás cargas de los mismos estipuladas en los respectivos contratos, deduciendo su importe en cuanto sea posible de la renta reconocida al propietario. Si lo pagado por el Estado excediere de la renta, quedará él subrogado en los derechos del acreedor por el importe del exceso.

g) El Estado, una vez expropiada la tierra, se subrogará en los derechos dominicales y encargará al Instituto de Reforma Agraria que, tomando por base las rentas catastrales, fije las que han de satisfacer los campesinos asentados.

Base 9.ª

Los bienes señalados en la Base 5.ª y no comprendidos en las excepciones de la 6.ª, una vez incluidos en el inventario podrán ser objeto de ocupación temporal para anticipar los asentamientos, en tanto su expropiación se lleve a cabo. Durante esta situación, los propietarios percibirán una renta, satisfecha por el Estado, que no será inferior al 4 por 100 del valor fijado a las fincas por el Instituto de Reforma Agraria.

Éste determinará la forma y cuantía en que ha de resarcirse aquél del desembolso representado por la obligación contraída.

La ocupación temporal a que se refiere esta Base caducará a los nueve años, si no se hubiere efectuado antes la expropiación.

Base 10.

Bajo la jurisdicción del Instituto se organizarán las Juntas provinciales agrarias, que estarán integradas por un Presidente, nombrado directamente por dicho Instituto, y por representantes de los obreros campesinos y de los propietarios en igual número, que no excederá de cuatro por cada representación.

Formarán parte de dichas Juntas, en concepto de asesores, actuando en ellas con voz, pero sin voto, el Inspector provincial de Higiene Pecuaria y los Jefes provinciales de los Servicios agronómico y forestal.

El Instituto quedará también facultado para crear, por su iniciativa o a petición de Asociaciones obreras, patronales o Ayuntamientos, otras Juntas en aquellas zonas agrícolas en las que su constitución se considere necesaria.

Base 11.

Constituidas las Juntas provinciales, procederán inmediatamente a la formación del Censo de campesinos que puedan ser asentados en cada término municipal, con relación nominal y circunstanciada, en la que se expresen nombres y apellidos, edad, estado y situación familiar de los relacionados. Este Censo estará dividido en los cuatro grupos siguientes:

a) Obreros agrícolas y obreros ganaderos propiamente dichos, o sea campesinos que no labren ni posean porción alguna de tierras.

b) Sociedades obreras de campesinos, legalmente constituidas, siempre que lleven de dos años en adelante de existencia.

c) Propietarios que satisfagan menos de 50 pesetas de contribución anual por tierras cultivadas directamente o que paguen menos de 25 por tierras cedidas en arrendamiento.

d) Arrendatarios o aparceros que exploten menos de diez hectáreas de secano o una de regadío.

Los que pertenezcan a los dos últimos grupos se colocarán en el que sea más apropiado, a juicio de la Junta provincial.

Formado el Censo y llegado el momento del asentamiento, se procederá, una vez fijado el cupo correspondiente al término municipal, a la determinación de los campesinos que han de ser asentados, siguiendo el orden de esta Base, así como de las Sociedades u organizaciones obreras que, habiéndolo solicitado, han de proceder a la ocupación colectiva de los terrenos asignados a este objeto.

Dentro de cada grupo se dará preferencia a los cultivadores bajo cuya responsabilidad esté constituida una familia, y dentro de esta categoría, tendrán derecho de prelación las familias que cuenten con mayor número de brazos útiles para la labor.

Por lo que se refiere a los secanos, la preferencia se dará siempre a las organizaciones obreras que lo hubieren solicitado para los fines de la explotación colectiva.

Base 12.

Los inmuebles objeto de esta Ley tendrán las siguientes aplicaciones:

a) Para la parcelación y distribución de terrenos de secano a campesinos que hayan de ser asentados, así como a Sociedades y organismos netamente obreros que lo soliciten y consten en el censo a que se refiere la Base anterior, y concesión de parcelas de complemento a propietarios que satisfagan menos de 50 pesetas de contribución anual por rústica.

b) Para la parcelación y distribución de terrenos de regadío en iguales condiciones que en el caso anterior.

c) Para la concesión temporal de grandes fincas a Asociaciones de obreros campesinos.

d) Para la creación de nuevos núcleos urbanos en terrenos fértiles distantes de las poblaciones, mediante distribución de parcelas constitutivas de «bienes de familia».

e) Para la creación en los ensanches de las poblaciones de «hogares campesinos», compuestos de casa y huerto contiguo.

f) Para la constitución de fincas destinadas por el Estado a la repoblación forestal o a la construcción de pantanos y demás obras hidráulicas.

g) Para la creación de grandes fincas de tipo industrializado llevadas directamente por el Instituto sólo a los fines de la enseñanza, experimentación o demostración agropecuaria y cualquier otro de manifiesta actividad social; pero nunca con el único objeto de obtener beneficio económico.

h) Para la concesión temporal de grandes fincas a los Ayuntamientos, particulares, Empresas o Compañías explotadoras nacionales, solventes y capacitadas que aseguren el realizar en dichas fincas las transformaciones o mejoras permanentes y de importancia que el Instituto determine en el acuerdo de la cesión.

i) Para la constitución de cotos sociales de previsión, entendiendo como tales las explotaciones económicas comprendidas por una Asociación de trabajadores, con el fin de obtener colectivamente medios para establecer seguros sociales o realizar fines benéficos o de cultura.

j) Para conceder, a censo reservativo o enfitéutico, a los arrendatarios actuales, las fincas que lleven en arrendamiento durante seis o más años y no tengan una extensión superior a 20 hectáreas en secano o dos en regadío.

k) Para conceder a censo reservativo o enfitéutico a los arrendatarios actuales, las fincas que lleven en arrendamiento durante treinta o más años, aunque tengan extensión superior a 20 hectáreas, siempre que el arrendatario no disfrute una renta líquida catastral superior a 5.000 pesetas.

l) Para la concesión a los arrendatarios no incluidos en los dos apartados anteriores y a los trabajadores manuales que posean cuando menos una yunta de ganado de trabajo, cantidades de terrenos proporcionadas a los capitales de explotación que hayan venido utilizándose.

De este apartado y de cada uno de los dos anteriores tendrán preferencia los que cultiven más esmeradamente. También podrán ser objeto de las aplicaciones enumeradas en la presente Base las fincas ofrecidas voluntariamente por sus dueños al Instituto, siempre que éste repute aceptable la valoración de los oferentes como base de la cesión o censo reservativo o enfitéutico.

Base 13.

La validez y subsistencia de las concesiones establecidas con arreglo a las disposiciones de esta Ley, no podrán modificarse por la transmisión, cualquiera que sea el título de la propiedad a que afecte; pero el Estado se subroga en la personalidad del propietario expropiado en cuanto a la obligación de satisfacer los gravámenes a que esté afecta la finca o parte de finca que haya sido objeto de la concesión.

En su consecuencia, los embargos, posesiones interinas, administraciones judiciales y demás providencias de análoga finalidad, sólo podrán decretarse dejando a salvo íntegramente la adjudicación y sus efectos y reservando a los acreedores hipotecarios, en cuanto su derecho esté garantizado con fianzas que hayan sido objeto de concesión, el derecho a exigir del Estado la parte correspondiente de su crédito.

Base 14.

Las Juntas provinciales tomarán posesión de las tierras que hayan de ser objeto de asentamiento, levantando el acta correspondiente, previa citación del propietario. En dicha acta se indicará el emplazamiento, los linderos, la extensión superficial de la finca y las características agronómicas y forestales más importantes, como son los cultivos de secano y regadío existentes, los arbóreos, arbustivos o herbáceos; los edificios, cercas, etc., y el estado de los mismos, así como de sus laboreos y cosechas en pie en el momento de la posesión. El acta se extenderá por triplicado, entregándose una al propietario, reservándose otra la Junta provincial y remitiendo la tercera al Instituto de Reforma Agraria, después de inscrita gratuitamente en el Registro de la Propiedad.

Base 15.

Los gastos realizados en labores preparatorias por los actuales explotadores de las fincas que han de ser ocupadas, el importe de las cosechas pendientes y el capital mobiliario, mecánico y vivo que adquiera el Instituto, serán abonados por éste antes de la ocupación de las tierras.

Base 16.

Las Comunidades, una vez posesionadas de las tierras acordarán, por mayoría de votos, la forma individual o colectiva de su explotación, y en el primer caso procederán a su parcelación y distribución, teniendo presente la clase de terreno, la capacidad de las familias campesinas y las demás condiciones que contribuyan a mantener la igualdad económica de los asociados. Estas parcelas serán consideradas como fundos indivisibles e inacumulables, deslindándose en forma que constituyan, con sus servidumbres, verdaderas unidades agrarias. La Comunidad regulará la utilización de las casas y demás edificaciones que existieren en las fincas ocupadas, así como las reparaciones y mejoras de las mismas y la construcción de nuevos edificios.

Los gastos necesarios y útiles realizados por la Comunidad o por los campesinos en las tierras ocupadas, quedarán sometidos al régimen establecido en el derecho común para el poseedor de buena fe, si no se llegara a la expropiación definitiva o les reemplazaran otros beneficiarios.

Se adoptarán en los terrenos ocupados las garantías necesarias para que su explotación se efectúe, según las prácticas culturales que aseguren la normal productibilidad y completa conservación de las plantaciones que en ellos existan.

d) De los daños que se causen en los bienes adjudicados con carácter temporal, singularmente en el arbolado y en las edificaciones, serán responsables directamente los campesinos ocupantes, subsidiariamente las Comunidades a que pertenezcan y en último término el Instituto de Reforma Agraria. Sin perjuicio de esta responsabilidad, el Instituto, a propuesta de las Juntas provinciales, podrá acordar el levantamiento de los campesinos o Comunidades que procedan con abuso o negligencia.

Cuando el levantamiento de la familia campesina o Comunidad no sea por abuso o negligencia, sino voluntario, las mejoras útiles hechas en el fundo durante el plazo que haya durado el asentamiento, les serán reconocidas e indemnizadas.

El arbolado y los pastos de las dehesas expropiadas, se cultivarán y explotarán colectivamente en igual forma que la establecida en esta Ley, para los árboles y pastos de propiedad comunal.

Cuando se trate de lugares o pueblos de origen señorial, de fincas que constituyan término municipal, o existan núcleos de población superior a diez vecinos, y en todas aquellas en que los arrendatarios o sus causantes hubieren construido o reedificado las casas y edificaciones que en las mismas existan, les será reconocida la propiedad a los actuales poseedores de lo por ellos edificado.

Base 17.

El Instituto de Reforma Agraria fomentará la creación de Cooperativas en las Comunidades de campesinos, para realizar, entre otros, los siguientes fines:

Adquisición de maquinaria y útiles de labranza; abonos, semillas y productos anticriptogámicos e insecticidas; alimentos para los colonos y el ganado, conservación y venta de productos, tanto de los que pasan directamente al consumidor como de los que necesitan previa elaboración; la obtención de créditos con la garantía solidaria de los asociados y, en general, todas las operaciones que puedan mejorar en calidad o en cantidad la producción animal o vegetal.

El funcionamiento de estas Cooperativas se regirá por la vigente legislación sobre la materia.

El Instituto de Reforma Agraria tendrá la facultad de inspeccionar siempre que lo estime conveniente, el funcionamiento de aquellas Cooperativas que haya auxiliado en cualquier forma.

Base 18.

El Gobierno, oyendo a la Dirección de los Registros y al Banco Hipotecario, procederá a dictar las disposiciones que desenvuelvan y detallen en contenido de estas Bases y el alcance de esta reforma, en cuanto se relacione con el crédito territorial, que quedará debidamente garantizado.

Las Cortes conocerán de cuanto se decrete sobre esta materia.

Base 19.

El Instituto de Reforma Agraria quedará especialmente autorizado para proceder a la revisión de toda la obra realizada por los servicios de colonización y parcelación, modificándola y acomodándola a las normas establecidas en esta Ley.

Base 20.

Se declaran bienes rústicos municipales las fincas o derechos reales impuestos sobre las mismas, cuya propiedad, posesión o aprovechamiento pertenezcan a la colectividad de los vecinos de los Municipios, entidades locales menores y a sus Asociaciones y Mancomunidades en todo el territorio nacional.

Estos bienes son inalienables. No serán susceptibles de ser gravados ni embargados, ni podrá alegarse contra ellos la prescripción.

Las entidades antes mencionadas podrán instar ante el Instituto de Reforma Agraria el rescate de aquellos bienes y derechos de que se consideren despojados, según datos ciertos o simplemente por testimonio de su antigua existencia.

Para ello formularán la relación de los poseídos y perdidos siguiendo la tramitación oportuna y acreditándose la propiedad a su favor.

Los particulares ejercitarán su acción reivindicatoria actuando como demandantes. Si su derecho fuese declarado por los Tribunales, se les expropiará con arreglo a los preceptos de esta Ley.

Cuando el Instituto de Reforma Agraria, a instancia de las Juntas provinciales y previo informe técnico lo estime conveniente por motivos sociales, podrá declararse obligatoria la refundición de dominio a favor de las colectividades.

Los Ayuntamientos podrán adquirir en propiedad las fincas que consideren necesarias para crear o aumentar su patrimonio comunal.

Base 21.

El Instituto de Reforma Agraria, a propuesta de la entidad municipal o de la Junta titular correspondiente, y, previo informe de los servicios Forestal y Agronómico, resolverá si el aprovechamiento de los bienes comunales debe ser agrícola, forestal o mixto.

En el aprovechamiento agrícola tendrá preferencia la forma de explotación en común. Cuando se parcele, los vecinos usuarios tendrán derecho solamente al disfrute de los productos principales mediante el pago de un canon anual; los pastos, hierbas y rastrojeras, serán siempre de aprovechamiento colectivo.

En caso de subasta o arriendo de estos esquilmos, su producto neto ingresará en las arcas municipales. En todos los casos, el cultivo será siempre efectuado por el vecino y su familia directamente.

Cuando el aprovechamiento de los bienes comunales sea de carácter forestal, la explotación se realizará en común y bajo la ordenación e inspección técnica de los servicios oficiales correspondientes. Los terrenos catalogados como de utilidad pública, seguirán rigiéndose por la legislación especial del Ramo en cuanto afecte a su explotación, defensa y mejora.

Las entidades dueñas de bienes comunales cuya riqueza hubiese sido munales cuya riqueza hubiese sido desción de atender a la restauración arbórea de dichos bienes.

Cuando el aprovechamiento sea mixto, es decir, agrícola y forestal simultáneamente, se aplicarán en la medida precisa las disposiciones de los párrafos precedentes.

Base 22.

Quedan abolidas, sin derecho a indemnización, todas las prestaciones en metálico o en especies provenientes de derechos señoriales aunque estén ratificadas por concordia, laudo o sentencia.

Los Municipios y las personas individuales o colectivas que vienen siendo sus pagadores, dejarán de abonarlas desde la publicación de esta Ley.

Las inscripciones o menciones de dichos gravámenes serán canceladas en los Registros de la Propiedad a instancia de todos o de cualquiera de los actuales pagadores y por acuerdo del Instituto de Reforma Agraria.

Se declaran revisables todos los censos, foros y subforos impuestos sobre bienes rústicos, cualquiera que sea la denominación con que se les distinga, en todo el territorio de la República.

El contrato verbal o escrito de explotación rural conocido en Cataluña con el nombre de «rabassa morta» se considerará como un censo y será redimible a voluntad del «rabassaire».

Una Ley de inmediata promulgación regulará la forma y tipos de capitalización y cuantos extremos se relacionen con tales revisiones y redenciones.

Asimismo los arrendamientos y las aparcerías serán objeto de otra Ley que se articulará con sujeción a los preceptos siguientes: regulación de rentas; abono de mejoras útiles y necesarias al arrendatario; duración a largo plazo; derecho de retracto a favor del arrendatario en caso de venta de la finca, estableciendo como causa de desahucio la falta de pago o abandono en el cultivo. Tendrán derecho de opción y preferencia los arrendamientos colectivos, prohibiéndose el subarriendo de fincas rústicas.

Para los efectos de esta Ley serán considerados como arrendamientos los contratos en que el propietario no aporte más que el uso de la tierra y menos del 20 por 100 del capital de explotación y gastos de cultivo.

Base 23.

El Instituto de Reforma Agraria cuidará de una manera especial de establecer y fomentar la enseñanza técnicoagrícola, creando al efecto Escuelas profesionales, Laboratorios, Granjas experimentales, organizando cursos y misiones demostrativas y cuanto tienda a difundir los conocimientos necesarios entre los cultivadores para el mejor aprovechamiento del suelo y las prácticas de la cooperación, teniendo en cuenta las características agroeconómicas de las distintas comarcas, sus peculiaridades climatológicas, hidrográficas, etcétera., y su acceso a los mercados consumidores.

Asimismo organizará el crédito agrícola, estimulando la cooperación y facilitando los medios necesarios para la adquisición de semillas, abonos y aperos, industrialización de los cultivos, concentración parcelaria, fomento e higienización de la vivienda rural, cría de ganado y cuanto se relacione con la explotación individual y colectiva del suelo nacional. A tal efecto se creará un Banco nacional de Crédito Agrícola que, respetando e impulsando la acción de los Pósitos existentes, coordine las actividades dispersas, difunda por todo el territorio de la República los beneficios del crédito y facilite las relaciones directas entre la producción y el consumo.

Base 24.

Las Empresas y particulares propietarios de aguas o de alumbramientos de aguas subterráneas que transformen tierras de cultivo de secano en regadío sin auxilio del Estado, tendrán sólo por límite, si ejercen el cultivo directo, el número de hectáreas que puedan regar a razón de medio litro continuo por segundo y hectárea, durante un período de explotación que no excederá de cincuenta años. Expirado el plazo de la concesión, estas tierras serán vendidas a particulares, en lotes no mayores de los que fija esta Ley, con derecho al beneficio del agua correspondiente, dentro de la comunidad de regantes que se constituirá con arreglo a la legislación vigente.

Las Sociedades constituidas con los fines que se señalan en el párrafo anterior o con objeto de asentar campesinos, facilitándoles vivienda adecuada y los medios necesarios para su sostenimiento hasta llegar al pleno rendimiento de su trabajo con intervención directa del Instituto de Reforma Agraria, gozarán, lo mismo que los particulares, de exenciones tributarias en consonancia con la función social que realicen, que en cada caso se determinará y que podrán comprender los impuestos de Derechos reales, Timbre y Utilidades —éstas incluso para los tenedores de sus títulos—, por los actos de su constitución y cuantos contratos otorguen y operaciones realicen; así como los impuestos, contribuciones, arbitrios, tasas y derechos del Estado, de la Provincia o del Municipio, cuyas exenciones alcanzarán un período máximo de veinte años, a partir del comienzo de la explotación, salvo en los casos en que la continuidad y ejemplaridad del asentamiento justificara prórrogas excepcionales. Las acciones de estas sociedades se admitirán como fianza en los contratos con el Estado, la provincia o el municipio. Por tanto:

Mando a todos los ciudadanos que coadyuven al cumplimiento de esta Ley, así como a todos los Tribunales y Autoridades que la hagan cumplir.

San Sebastián, quince de septiembre de mil novecientos treinta y dos.

NICETO ALCALÁ-ZAMORA Y TORRES

El Ministro de Agricultura, Industria y Comercio,

MARCELINO DOMINGO SANJUÁN

ESTATUTO VASCO

PRESIDENCIA DEL CONSEJO DE MINISTROS

EL PRESIDENTE DE LA REPÚBLICA ESPAÑOLA,

A todos los que la presente vieren y entendieren, sabed:

Que las CORTES han decretado y sancionado la siguiente

LEY

TÍTULO PRIMERO

Disposiciones generales.

Artículo 1.º Con arreglo a la Constitución de la República y al presente Estatuto, Álava, Guipúzcoa y Vizcaya se constituyen en región autónoma dentro del Estado español, adoptando la denominación de «País Vasco».

Su territorio estará compuesto por el que actualmente integran las provincias mencionadas, las cuales, a su vez, se regirán autonómicamente en cuanto a las facultades que el presente Estatuto o las disposiciones legislativas del país les encomiende. A tal efecto se entenderán atribuidas a las provincias las facultades que especialmente no se atribuyen a los órganos del País Vasco.

El vascuence será, como el castellano, lengua oficial en el País Vasco y, en consecuencia, las disposiciones oficiales de carácter general que emanen de los poderes autónomos serán redactadas en ambos idiomas. En las relaciones con el Estado español o sus Autoridades el idioma oficial será el castellano.

A los efectos del ejercicio de los derechos políticos que reconoce este cuerpo legal, tendrán la condición de vascos:

1.º Los que lo sean por naturaleza y no hayan ganado vecindad administrativa fuera de la región autónoma.

2.º Los demás ciudadanos españoles que adquieran su vecindad en el País Vasco.

TÍTULO II

Contenido y extensión de la autonomía.

Artículo 2.º Corresponde a la competencia del País Vasco, de acuerdo con los artículos 16 y 17 de la Constitución de la República, la legislación exclusiva y la ejecución directa en las materias siguientes:

a) 1.º Constitución interior del país, incluso su legislación electoral, con sujeción a las normas contenidas en el presente Estatuto.

2.º Demarcaciones territoriales para el cumplimiento de sus fines.

3.º Régimen local, sin que la autonomía atribuida a los Municipios vascos pueda tener límites inferiores a los que se señalen en las leyes generales del Estado.

4.º Estadística en las materias atribuidas expresamente a la competencia del País Vasco.

b) 1.º Legislación civil en general, incluso en las materias reguladas actualmente por el Derecho foral, escrito o consuetudinario, y el registro civil. Todo ello con las limitaciones establecidas en el número 1.º del artículo 15 de la Constitución.

2.º Legislación administrativa en las materias que estén plenamente atribuidas por este Estatuto al País Vasco. Legislación notarial, incluido el nombramiento de Notarios, con sujeción a las reglas de provisión que rijan en el resto del territorio español.

c) 1.º Régimen de Montes, Agricultura y Ganadería, sin perjuicio de la facultad legislativa que el Estado se reserva sobre las bases mínimas en cuanto afectan a la defensa de la riqueza y a la coordinación de la economía nacional.

2.º Socialización de riquezas naturales y empresas económicas, en cuanto a la propiedad y a las facultades que el Estado reconozca a las regiones al llevar a efecto la delimitación que determina el apartado 12 del artículo 15 de la Constitución.

d) 1.º Sanidad interior e higiene pública y privada sobre las bases mínimas que fije el Estado.

2.º Asistencia social y beneficencia, tanto pública como privada. Fundaciones benéficas de todas clases. Tribunales tutelares de menores.

3.º Baños y aguas minero-medicinales.

e) 1.º Corporaciones oficiales, económicas y profesionales de todas clases, salvo las de carácter social y las facultadas que corresponden al Estado conforme al artículo 15 de la Constitución. Abastos, Instituciones de ahorro, previsión y crédito, organizadas por Corporaciones oficiales y Asociaciones domiciliadas en el territorio del país. Cooperativas, Mutualidades y Pósitos, con la salvedad, respecto a las leyes sociales, contenida en el número primero del artículo 15 de la Constitución.

2.º Organismos emisores de crédito corporativo, público y territorial, sin perjuicio de lo dispuesto en el número 12 del artículo 14 de la Constitución y en la legislación mercantil, y de los privilegios estatales existentes.

3.º Sindicatos y Cooperativas agrícolas y de ganaderos. Política y acción agrarias.

4.º Establecimientos de contratación de mercancías y valores, conforme a las normas generales del Código de Comercio.

f) 1.º Ferrocarriles, tranvías, transportes, carreteras, vías pecuarias, canales, pantanos, teléfonos, puertos, aeropuertos, líneas aéreas y radiocomunicación, salvo las limitaciones establecidas en los números 13 del artículo 14 y 6.º del artículo 15 de la Constitución.

2.º Aprovechamiento hidráulico e instalaciones eléctricas, cuando las aguas discurran exclusivamente dentro del País Vasco o el transporte de la energía no salga de su término.

3.º Turismo.

Artículo 3.º Será atribución del País Vasco: la organización de la Justicia en sus diversas instancias, dentro de la región autónoma, en todas las jurisdicciones, con excepción de la militar y de la armada, conforme a los preceptos de la Constitución y a las leyes procesales y orgánicas del Estado. La designación de los Magistrados y Jueces con jurisdicción en el País Vasco será hecha por la región autónoma mediante concurso entre los comprendidos en el Escalafón general del Estado, siendo condición preferente el conocimiento del Derecho foral vasco, y tratándose de territorios de habla vasca el de la lengua, pero sin que pueda establecerse excepción alguna por razón de naturaleza o vecindad. Los nombramientos de Secretarios y auxiliares de la Administración de Justicia se harán por la región autónoma con arreglo a las leyes orgánicas del Estado, y los de funcionarios de la Justicia municipal, con arreglo a la organización y régimen que el País Vasco establezca.

Conforme al artículo 104 de la Constitución, el Ministerio fiscal será organizado y designado por el Estado español, sin perjuicio de que la región encomiende el mantenimiento de la competencia y la defensa de los intereses de sus órganos autónomos ante los Tribunales de todo orden del País Vasco a uno o a varios Letrados, que promoverán la acción pública.

El Tribunal Superior Vasco, que será nombrado conforme a la legislación interior, tendrá jurisdicción propia y facultades disciplinarias en las materias civiles y administrativas cuya legislación exclusiva corresponda al País Vasco, conociendo de los recursos de casación y revisión que sobre tales materias se interpongan; resolverá igualmente las cuestiones de competencia y jurisdicción entre las Autoridades judiciales de la región y conocerá de los recursos sobre calificación de documentos referentes al derecho privativo vasco que deban tener acceso a los Registros de la Propiedad. Con arreglo a lo prevenido en el número 11 del artículo 14 de la Constitución, en todo lo no previsto en este párrafo continúa subsistente la jurisdicción del Tribunal Supremo de Justicia.

Artículo 4.° Conforme a lo preceptuado en el artículo 50 de la Constitución, se reconoce al País Vasco la facultad de crear y sostener Centros docentes de todas las especialidades y grados, incluso el universitario, siempre que su orientación y métodos se ciñan a lo imperiosamente establecido en el artículo 48 de la propia Ley fundamental. El Estado podrá mantener los Centros de enseñanza ya existentes y crear otros nuevos en el País Vasco, si lo considera necesario, en servicio de la cultura general.

Para la colación de títulos académicos y profesionales, en tanto no se dicte una ley que regule lo prevenido en el artículo 49 de la Constitución, se establecerá una prueba final de Estado en la Universidad, si se crea, y en los demás Centros de enseñanza sostenidos por la región autónoma, con arreglo a las normas y requisitos que señale el Gobierno de la República.

El País Vasco se encargará de los servicios de Bellas Artes, Archivos, Museos, Bibliotecas y Tesoro Artístico.

Artículo 5.° Corresponderá al País Vasco el régimen de policía para la tutela jurídica y el mantenimiento del orden público dentro del territorio autónomo, sin perjuicio de lo dispuesto en los apartados cuarto, décimo, décimosexto y décimoctavo del artículo 14 de la Constitución y en la ley general de Orden público.

Para la coordinación permanente, mutuo auxilio, ayuda e información entre los servicios de orden público encomendados al País Vasco y aquellos que corresponden al Estado, existirá una Junta formada en número igual por Autoridades o representantes del Gobierno de la República y de la región autónoma.

Esta Junta, además, fijará la proporción en que para los servicios de orden público encomendados al País Vasco y a las órdenes de su órgano ejecutivo han de figurar las fuerzas de los Institutos y Cuerpos que el Estado tiene organizados para el cumplimiento de tales finalidades.

El País Vasco no podrá proceder contra los dictámenes de esta Junta en cuanto se relacione con los servicios ordinarios.

El Estado podrá intervenir en el mantenimiento del orden interior del País Vasco y asumir su dirección en los siguientes casos:

Primero. A requerimiento del órgano ejecutivo del país, cesando la intervención a instancia del mismo.

Segundo. Por propia iniciativa cuando estime comprometido el interés general del Estado o su seguridad, previa declaración del estado de guerra o de alarma y únicamente por el tiempo que dure esta medida de excepción.

Artículo 6.° El País Vasco ejecutará la legislación social del Estado y organizará todos los servicios que la misma haya establecido o establezca. El Gobierno de la República inspeccionará la ejecución de las leyes y la organización de los servicios para garantizar su estricto cumplimiento y el de los Tratados internacionales que afecten a la materia.

En relación con las facultades atribuidas en el párrafo anterior, el Estado podrá designar en cualquier momento los delegados que estime necesarios para velar por la ejecución de las leyes.

El País Vasco está obligado a subsanar a requerimiento del Gobierno de la República las deficiencias que se observen en la ejecución de aquellas leyes.

Artículo 7.° El País Vasco regulará la cooficialidad del castellano y el vascuence con arreglo a las siguientes normas:

a) Publicará y notificará en ambos idiomas las resoluciones oficiales de todos sus órganos que hayan de surtir efecto en los países de habla vasca.

b) Reconocerá a los habitantes de los territorios de habla vasca el derecho a elegir el idioma que prefieran en sus relaciones con los Tribunales, Autoridades y funcionarios de todas clases del País Vasco.

c) Admitirá que se redacten indistintamente en uno u otro idioma los documentos que hayan de presentarse ante las Autoridades judiciales vascas o hayan de ser autorizados por los fedatarios del país.

d) Establecerá la obligación de traducir al castellano los mismos documentos redactados en vascuence cuando lo solicite parte interesada o deban surtir efecto fuera del territorio vasco.

e) Regulará el uso de las lenguas castellana y vasca en la enseñanza, con arreglo a lo dispuesto en el artículo 50 de la Constitución.

f) Podrá exigir el conocimiento del vascuence a todos los funcionarios que presten servicio en territorio de habla vasca, exceptuados aquellos que estuvieren actuando al tiempo de implantarse este Estatuto, los cuales serán respetados en su situación y en los derechos adquiridos.

Las Diputaciones u órganos representativos que las sustituyan, de Álava, Guipúzcoa y Vizcaya, demarcarán en sus respectivas provincias los territorios que, a los efectos de este artículo, deban considerarse como de habla vasca.

Artículo 8.° Conforme al artículo 15 de la Constitución de la República, incumbe al País Vasco la función ejecutiva de la legislación del Estado en las siguientes materias:

1.° Las reservadas a la legislación del Estado en los números 1 y 2 de dicho artículo 15 de la Constitución, y el régimen de los establecimientos penitenciarios.

2.° Estadística y servicios demográficos.

3.° Eficacia de los comunicados oficiales y documentos públicos.

4.° Pesas y medidas. Contraste de metales preciosos y verificación industrial.

5.° Régimen minero.

6.° Ferrocarriles, carreteras, canales, teléfonos y puertos de interés general, salvo los derechos de reversión y policía de los primeros y la ejecución directa que pueda reservarse el Estado.

7.° Seguros generales y sociales, incluidas su gestión y administración.

8.° Aguas, caza y pesca fluvial, salvo en cuanto a los aprovechamientos hidráulicos, cuando las aguas discurran fuera del territorio autónomo.

9.° Régimen de Prensa, Asociaciones, reuniones y espectáculos públicos.

10. Derecho de expropiación, salvo, en todo caso, la facultad del Estado para ejecutar por sí sus obras peculiares.

11. Socialización de riquezas naturales y de empresas económicas conforme al apartado 12 del artículo 15 de la Constitución.

12. Marina mercante y personal marítimo, con sujeción a lo preceptuado en el número 9.° del artículo 14 de la Constitución y a la legislación mercantil.

13. Servicios de aviación civil y radiodifusión, salvo el derecho del Estado a coordinar los medios de comunicación en todo el país. El Estado podrá instalar servicios propios de radiodifusión y ejercerá la inspección de los que funcionen por concesión de las Autoridades del País Vasco.

Artículo 9.° Las Autoridades del País Vasco tomarán las medidas necesarias para la ejecución de los Tratados y Convenios que versen sobre materias atribuidas total o parcialmente a la competencia regional por el presente Estatuto. Si no lo hicieran en tiempo oportuno, corresponderá adoptar dichas medidas al Gobierno de la República. Por tener a su cargo la totalidad de las relaciones exteriores, ejercerá siempre la alta inspección sobre el cumplimiento de los referidos Tratados y Convenios y sobre la observancia de los principios del derecho de gentes. Todos los asuntos que revistan este carácter, como la participación oficial en Exposiciones y Congresos internacionales, la relación con los españoles residentes en el extranjero o cualesquiera otros análogos, serán de la exclusiva competencia del Estado.

TÍTULO III

Organización del País Vasco.

Artículo 10. Los poderes del País Vasco emanan del pueblo, y se ejercitarán de acuerdo con la Constitución de la República y el presente Estatuto, por los órganos que libremente determine el mismo, con las siguientes limitaciones:

a) El órgano legislativo regional se compondrá de representantes en número no menor de uno por veinticinco mil habitantes, y será elegido, del mismo modo que todos los demás órganos que tengan encomendadas facultades legislativas, por sufragio universal, igual, directo y secreto.

b) El órgano ejecutivo deberá tener la confianza del legislativo, y su Presidente asumirá la representación de la región en sus relaciones con la República y la del Estado en aquellas funciones cuya ejecución directa corresponde al Poder central.

El Presidente podrá delegar las facultades de ejecución, pero no las de representación.

Los miembros que constituyan el Poder legislativo regional serán inviolables por los votos y opiniones que emitan en el ejercicio de su cargo, y sólo podrán ser perseguidos y juzgados por los delitos que cometan dentro del territorio autónomo por el Tribunal de superior categoría que dentro del País Vasco le esté atribuida competencia por razón de la materia.

El pueblo manifestará su voluntad por medio de las elecciones, el referéndum y la iniciativa en forma de proposición de ley.

Artículo 11. Las cuestiones de competencia y los conflictos de jurisdicción que se susciten entre los Tribunales del país y los demás del Estado español serán resueltos por el Tribunal Supremo de la República. Las que se susciten entre las Autoridades u Organismos de carácter administrativo de la República y las del País Vasco se resolverán por el Tribunal de Garantías Constitucionales.

Al mismo Tribunal de Garantías corresponderá resolver las divergencias que surjan cuando, en virtud de lo dispuesto en el párrafo segundo del artículo 6.º de este Estatuto, el órgano ejecutivo del País Vasco estimase injustificado el requerimiento del Gobierno de la República sobre deficiencias en la ejecución de las leyes sociales, pudiendo en este caso el Tribunal, si lo estimase necesario, suspender, hasta que resuelva definitivamente, la ejecución de los actos o acuerdos a que se refiera la divergencia.

TÍTULO IV

Hacienda y relaciones tributarias.

Artículo 12. 1.º Los servicios que, en virtud del presente Estatuto, son transportados al País Vasco, serán dotados, en cuantía equivalente al costo exacto de los mismos, con recursos que hoy pertenecen a la Hacienda del Estado.

2.º El costo de los servicios y la determinación de los recursos transferidos se fijará en acuerdo del Gobierno de la República con el Poder ejecutivo del País Vasco, previo informe de la Comisión mixta creada en la disposición transitoria 4.ª de este Estatuto.

3.º Los derechos del Estado en el territorio del País Vasco, relativos a montes, minas, aguas, caza y pesca; los bienes de uso público y los que, sin ser de uso común, pertenecen privativamente al Estado y estén destinados a algún servicio público o al fomento de la riqueza nacional, pasarán a ser propiedad del País Vasco, excepto los que se hallen afectos a funciones cuyo ejercicio se haya reservado el Gobierno de la República. Dichos bienes y derechos no podrán ser enajenados, gravados ni destinados a fines de carácter particular sin autorización del Estado.

Si el Estado emite Deuda cuyo producto haya de invertirse, total o parcialmente, en la creación o mejoramiento de servicios de los reservados por este Estatuto al País Vasco, éste será compensado, recibiendo una parte del producto de la nueva emisión que a tales servicios se destine igual a la proporción que existe entre la población total de España y la de dicho país.

La Hacienda de la República y la del País Vasco respetarán los actuales ingresos de las Haciendas locales de dicho país, sin gravar con nuevas contribuciones las bases de tributación de aquéllas. Estas Haciendas locales tendrán derecho a todas las cesiones de contribuciones o tasas que el Estado haga en lo sucesivo a las correspondientes del régimen común vinculadas directamente al mismo.

El País Vasco podrá adoptar el sistema tributario que juzgue justo y conveniente.

Artículo 13. Álava, Guipúzcoa y Vizcaya continuarán haciendo efectiva su contribución a las cargas generales del Estado en la forma y condiciones sancionadas con fuerza de ley por las Cortes Constituyentes en 9 de septiembre de 1931.

TÍTULO V

De la modificación del Estatuto.

Artículo 14. Este Estatuto podrá ser reformado:

a) Por iniciativa del País Vasco, mediante referéndum de los Ayuntamientos y aprobación del órgano legislativo del país.

b) Por iniciativa del Gobierno de la República y a propuesta de la cuarta parte de los votos de las Cortes.

En uno y otro caso será preciso para la aprobación de la Ley de reforma del Estatuto las dos terceras partes del voto de las Cortes.

Si el acuerdo de las Cortes de la República fuera rechazado por referéndum del País Vasco será menester para que prospere la reforma la ratificación de las Cortes ordinarias subsiguientes a las que lo hayan acordado.

DISPOSICIONES TRANSITORIAS

Primera. En tanto duren las circunstancias anormales producidas por la guerra civil regirá el País Vasco con todas las facultades establecidas en el presente Estatuto, un Gobierno provisional.

El Presidente de este Gobierno provisional será designado dentro de los ocho días siguientes a la fecha de promulgación del Estatuto por los Concejales de elección popular que formen parte de los Ayuntamientos vascos y puedan emitir libremente su voto. El nombramiento se hará mediante elección, en la que se atribuirá a cada uno de dichos Concejales un número de votos igual al que hubiese obtenido directamente cuando le fue conferida por el pueblo la investidura edilicia.

La elección de Presidente del Gobierno provisional se verificará bajo la presidencia del Gobernador civil de Vizcaya, en el lugar y fecha que el mismo señale, debiendo convocarla con antelación de tres días.

El Presidente así elegido nombrará los miembros del Gobierno provisional, en número no inferior a cinco.

Segunda. Cuando por haberse restablecido la normalidad las circunstancias lo permitan, el Gobierno provisional del País Vasco convocará en Álava, Guipúzcoa y Vizcaya a elecciones de Diputados provinciales, que se verificarán dentro del término de treinta días de la convocatoria, con arreglo al sistema proporcional de lista y cociente. Al efecto, se incluirá en el Decreto de convocatoria la oportuna regulación.

Cada una de las provincias formará una sola circunscripción y elegirá un Diputado provincial por cada 10.000 habitantes o fracción superior a 5.000.

Tercera. Las Diputaciones provinciales así elegidas se reunirán para su constitución el segundo domingo, a partir del día en que las elecciones se celebren, y desde dicha fecha sustituirán a las actuales Comisiones gestoras.

Una vez constituidas las tres Diputaciones, los Presidentes de las mismas, de común acuerdo, señalarán la fecha en que los Diputados de las tres provincias, formando un solo cuerpo, deben reunirse en la Casa de Juntas de Guernica, para actuar como órgano legislativo provisional del País Vasco. Constituida la Asamblea, ésta designará, además de las personas que han de componer la Mesa, una Comisión ejecutiva y lo comunicará al Gobierno de la República, entendiéndose desde ese momento transferidas a la Asamblea y a la Comisión ejecutiva las facultades que al País Vasco reconoce la presente Ley.

Corresponde a esta Asamblea, además de la facultad de designar y sustituir a la Comisión ejecutiva, las siguientes, que deberá realizar en el plazo máximo de seis meses:

a) Redactar y aprobar el Reglamento para su funcionamiento.

b) Organizar los poderes regionales de todas clases, fijar su composición y funciones y regular las relaciones entre los mismos.

c) Activar la constitución interior de Álava, Guipúzcoa y Vizcaya, y señalar las facultades que corresponden a los órganos regionales y a cada una de las provincias, así como las relaciones entre dichas entidades.

d) Acordar la ley Electoral que, a base de sufragio universal, haya de regir en el País Vasco.

Las leyes que emanen de la Asamblea deberán ser votadas favorablemente por la mayoría absoluta de los Diputados que la integran, siendo además necesario, cuando se trate de atribuir o ceder al País Vasco facultades encomendadas hoy a las provincias o que por el presente Estatuto se confieren a las mismas, el voto favorable de la mitad más uno de los Diputados de la provincia o provincias interesadas.

Cumplida su misión, cesará la Asamblea en sus funciones, convocándose simultáneamente las elecciones para constituir el órgano legislativo del País Vasco, con arreglo a las leyes por aquélla aprobadas.

Cuarta. Una Comisión mixta integrada por igual número de representantes del Consejo de Ministros y del órgano legislativo del país, constituida en un plazo que no excederá de dos meses a partir de la promulgación del Estatuto, dispondrá lo necesario para que sean transferidas a las Autoridades y funcionarios de la región las funciones y atribuciones que con arreglo al presente Estatuto les correspondan ejercer en lo sucesivo, y establecerá las normas a que habrán de ajustarse el inventario de bienes y derechos y la adaptación y traspaso de los servicios que pasen a la competencia del País Vasco.

Esta Comisión deberá tomar sus acuerdos por el voto de las dos terceras partes de sus miembros como mínimum, sometiendo, en caso necesario, sus diferencias al Presidente de las Cortes de la República.

El procedimiento y plazo para la intervención de la mencionada Comisión serán los fijados por la Presidencia del Consejo de Ministros en 9 de mayo de 1932, referentes a la Comisión mixta del Estatuto de Cataluña, que serán de aplicación en todas sus partes para la del presente Estatuto.

Por tanto, mando a todos los ciudadanos que coadyuven al cumplimiento de esta Ley, así como a todos los Tribunales y Autoridades que la hagan cumplir.

Madrid, seis de Octubre de mil novecientos treinta y seis.

MANUEL AZAÑA DÍAZ

El Presidente del Consejo de Ministros,
FRANCISCO LARGO CABALLERO.

BIBLIOGRAFIA

ABAD DE SANTILLÁN, Diego. *La revolución y la guerra en España. Notas preliminares para su historia.* Barcelona, Ediciones Nervio, 1937.

ABAD DE SANTILLÁN, Diego. *Por qué perdimos la guerra. Una contribución a la Historia de la tragedia española.* Buenos Aires, Ediciones Imán, 1940.

ACEDO COLUNGA, Felipe. *José Calvo Sotelo (La verdad de una muerte).* Barcelona, Editorial AHR, 1957.

AGUADO, Emiliano. *Ramiro Ledesma en la crisis de España.* Madrid, Editora Nacional, 1942.

AGUILAR DE SERRA, Joaquín. *Novedad en el frente.* Cádiz, Ediciones Patrióticas, 1937.

AGUIRRE, José Antonio. *Entre la libertad y la revolución. 1930-35.* Bilbao, E. Verder Achirica.

AGUIRRE Y LEKUBE, José Antonio de. *De Guernica a Nueva York pasando por Berlín.* Buenos Aires, Editorial Vasca Ekin, 1943.

AGUIRRE PRADO, Luis. *La Iglesia y la guerra española.* Madrid, SIEM, 1964.

AITOR. *Bajo el signo de la República.* Madrid, Tip. Huelves y Cía., 1932.

ALAIZ, Felipe. *Durruti. Biografía del héroe de la revolución de julio.* Barcelona, Editorial Maucci, (s.a.)

ALBIÑANA, José María. *La República Jurdana. Novela romántica de estructuración enchufícola.* Madrid, Imprenta «El Financiero», 1934.

ALBIÑANA, José María. *Prisionero de la República.* Madrid, Imprenta «El Financiero».

ALBORNOZ, Álvaro de. *Ante la guerra y la revolución.* (s.l.) Junta Municipal, 1937.

ALBORNOZ, Álvaro de. *El Fascismo y las armas y las letras españolas.* (s.l.), Ediciones Españolas, 1938.

ALCÁZAR DE VELASCO, Ángel. *Serrano Suñer en la Falange.* Barcelona, Ediciones Patria, 1941.

ALMAGRO SAN MARTÍN, Melchor de. *La guerra civil española. Notas para la historia.* Buenos Aires, Rodríguez Giles, (s.a.).

ALTABELLA GRACIA, Pedro. *El catolicismo de los nacionalistas vascos.* Madrid, Editora Nacional, 1939.

ÁLVAREZ MARTÍNEZ, Carlos. *Guía jurídica del miliciano falangista.* Lugo, Biblioteca Celta, 1938.

ÁLVAREZ PORTAL, M. *Sirval.* Barcelona, Ediciones Adelante, 1936.

ÁLVAREZ DEL VAYO, Julio. *La voz de España en Ginebra.* (s.l.) Subsecretaría de Propaganda, (s.a.)

ÁLVAREZ DEL VAYO, Julio. *Les batailles de la liberté. Memoires d'un optimiste.* París, François Maspero, 1963.

ANSALDO, Juan Antonio. *¿Para qué...? (De Alfonso XIII a Juan III).* Buenos Aires, Editorial Vasca Ekin, 1951.

ANTIGÜEDAD, Alfredo. *José Antonio en la cárcel de Madrid (Del 14 de marzo al 6 de junio de 1936).* Cegama (Guipúzcoa), Imprenta Ernesto Giménez, (s.a.).

ANTÓN, Francisco. *El trotskismo, encarnizado enemigo del Frente Popular.* Madrid, Ediciones del Partido Comunista de España, 1938.

ANZOATEGUI, Ignacio. *Olas y alas de España. Dos ensayos y una conferencia.* (s.l.), Departamento Nacional de Propaganda del Frente de Juventudes, (s.a.).

ARAGÓN, Andrés. *Jornadas de la República.* Madrid, Librería Beltrán, 1935.

ARAGONÉS DE LA ENCARNACIÓN, Adolfo. *Album de Toledo y su Alcázar.* Toledo, Talleres Gráficos de Rafael G. Menon, 1947.

ARAQUISTAIN, Luis. *La verdad sobre la intervención y la no intervención de España.* Barcelona, (s.i.), (s.a.).

ARAUZ, Álvaro. *La Wilhelmstrasse y el Pardo (Documentos secretos de la guerra en España).* México, Ediciones Nuevas, 1949.

ARBIZU, L. *¡No pasarán!* Madrid, Sociedad de Autores Españoles, 1937.

ARMIÑÁN, Luis de. *Bajo el cielo de Levante.* Madrid, Ediciones Españolas, (s.a.).

ARMIÑÁN, Luis de. *La República... ¿es esto? Del retablo revolucionario.* Madrid, Cía. General de Artes Gráficas, 1933.

AROCA SARDAGNA, José María. *Los republicanos que no se exiliaron.* Barcelona, Ed. Acervo, 1969.

ARRABAL, Juan. *José María Gil-Robles. Su vida, su actuación, sus ideas.* Ávila, Tip. Senén Martín Díaz, 1935.

ARRARÁS, Joaquín. *Historia de la Segunda República Española.* Madrid, Editora Nacional.

ARROYO Y CARO, José F., y OSSORIO MORALES, Juan. *Legislación de la República. Compilación de las disposiciones publicadas en la* Gaceta de Madrid *desde el 14 de abril al 31 de diciembre de 1931.* Madrid, 1932.

ASTRANA MARÍN, Luis. *Gobernará Lerroux.* Madrid, Gráfica Universal, 1932.

AYERRA REDÍN, Marino. *No me avergoncé del Evangelio.* Buenos Aires, 1959.

AZAÑA, Manuel. *Discursos en campo abierto.* Madrid, Espasa Calpe, 1936.

AZAÑA, Manuel. *El Presidente de la República habla (Discurso pronunciado por S.E. el presidente de la República D. Manuel Azaña, en el Ayuntamiento de Valencia el día 21 de enero de 1937).* Madrid, Delegación de Propaganda y Prensa de la Junta Delegada de Defensa de Madrid, 1937.

AZAÑA, Manuel. *En el Poder y en la oposición (1932-1934).* Madrid, Espasa-Calpe, 1934.

AZAÑA, Manuel. *Habla el Presidente. Discurso pronunciado por S.E. el presidente de la República, don Manuel Azaña, en el Paraninfo de la Universidad de Valencia el 18 de junio de 1937.* (s.l.), Ediciones Españolas, (s.a.).

AZAÑA, Manuel. *La velada de Benicarló.* Buenos Aires, Editorial Losada, 1939.

AZAÑA, Manuel. *Mi rebelión en Barcelona.* Madrid, Espasa-Calpe, 1935.

AZNAR, Manuel. *Guerra y victoria de España (1936-1939).* Madrid, Editorial Magisterio Español, (s.a.).

AZNAR, Manuel. *Historia militar de la guerra de España.* Madrid, Editora Nacional, 1958-1963 (3 volúmenes).

AZPIAZU, Iñaki de. *7 meses y 7 días en la España de Franco. El caso de los católicos vascos.* Caracas, Ediciones Gudari, 1964.

BAHAMONDE Y SÁNCHEZ DE CASTRO, Antonio. *Un año con Queipo de Llano: memorias de un Nacionalista.* Barcelona, Ediciones Españolas, 1938.

BAJATIERRA, Mauro. *Crónicas de la guerra (Recopilación de artículos periodísticos).* Valencia, Subsecretaría de Propaganda, 1937.

BAJATIERRA, Mauro. *La guerra en las trincheras de Madrid.* Barcelona, Ediciones Tierra y Libertad, (s.a.).

BALBÍN LUCAS, Rafael. *Romances de Cruzada.* Valladolid, Librería Santarén, 1941.

BARAIBAR, Carlos de. *La guerra de España en el plano internacional.* Barcelona, Editorial Tierra y Libertad, 1938.

BARAIBAR, Carlos de. *Las falsas «posiciones socialistas» de Indalecio Prieto.* Madrid, Ediciones Yunque, 1935.

BARBERÁ SABORIDO, Manuel. *Impresiones de un año. Apuntes de un testigo en el frente Sur.* Cádiz, Imprenta Sucesores de M. Álvarez, 1937.

BARCIA TRELLES, Augusto. *La política de no-intervención.* Buenos Aires, Publicaciones del Patronato Hispano-Argentino de Cultura, (s.a.).

BARCO, Gustavo del. *Los forjadores de la Nueva España.* Serradilla (Cáceres), Editorial Sánchez Rodrigo, 1937.

BARRADO, Ignacio. *El Sargento Vázquez.* Madrid, Imprenta Vallinas, (s.a.).

BARRANCO GIL, José María. *La defensa del Alcázar de Toledo.* Barcelona, Ediciones Rodegar, 1965.

BARRIO, José del. *La labor de los militantes del P.S.U.C. en los Sindicatos de cara a la guerra.* (s.l.), Edicions del Departament d'Agitació i Propaganda del PSUC, (s.a.).

BARRIOBERO Y HERRÁN, Eduardo. *El divorcio y las leyes laicas de la República.* Madrid, 1932.

BÉCARUD, Jean. *La segunda República española. 1931-1936.* Madrid, Taurus, 1967.

BEJARANO, Leopoldo. *Sanjurjo. Un general expatriado.* Madrid, Editorial Fénix, 1935.

BELAUSTEGUIGOITIA, Ramón de. *Reparto de tierra y producción nacional.* Madrid, Espasa-Calpe, 1932.
BELLOD, Juan José. *José Antonio y el Sindicalismo Nacional.* Madrid, Ediciones Jornal, (s.a.).
BENAVIDES, Manuel D. *El último pirata del Mediterráneo.* Barcelona, Tipografía Cosmos, 1934.
BENAVIDES, Manuel D. *Guerra y revolución en Cataluña.* México, Ediciones Tenochtitlán, 1946.
BENAVIDES, Manuel D. *La revolución fue así. (Octubre rojo y negro).* Barcelona, Imprenta Industrial, 1935.
BERNARD, Ino. *Mola, mártir de España.* Granada, Editorial y Librería Prieto, 1938.
BESALDUCH, Simón María. *Nuestros mártires.* Barcelona, Imprenta-Editorial Altés, 1940.
BEURKO, Sancho de. *Gudaris, recuerdos de guerra.* Buenos Aires, Editorial Vasca Ekin, 1956.
BLAIR, Eric. *Cataluña 1937. Testimonio sobre la Revolución Española.* Buenos Aires, Editorial Proyección, 1963 (Colección interpelaciones y experiencias).
BOISSEL, A. *Un jefe: Gil-Robles.* San Sebastián, Librería Internacional, 1934.
BOLÍN, Luis. *España, los años vitales.* Madrid, Espasa-Calpe, 1967.
BOLLATI, Ambrogio, y BONO, Giulio del. *La guerra di Spagna. Sintesi politico-militare.* Torino, Giulio Einaudi, 1937-39. 2 vols.
BOLLOTEN, Burnett. *El gran engaño.* Barcelona, Luis de Caralt, 1961.
BOLLOTEN, Burnett. *La revolución española: Las izquierdas y la lucha por el poder.* México, Ediciones Jus, 1962.
BONET, Joaquín Alonso. *¡Simancas! Epopeya de los cuarteles de Gijón.* Gijón, Tipografía Flores, 1939.
BOTELLA ASENSI, Juan. *Una línea política.* Madrid, M. Aguilar, 1936.
BOWERS, Glaude. *Misión en España (1933-1939). En el umbral de la segunda guerra mundial.* México, Editorial Grijalbo, 1955.
BRASILLACH, Robert, y BARDÈCHE, Maurice. *Historia de la guerra de España.* Valencia, Imprenta Romeu, 1966.
BRAVO MARTÍNEZ, Francisco. *José Antonio. El hombre, el jefe, el camarada.* Madrid, Ediciones Españolas, 1939.
BRAVO MARTÍNEZ, Francisco. *José Antonio ante la justicia roja.* Madrid, Edic. de la Vicesecretaría de Educación Popular, 1941.
BRENAN, Gerald. *El laberinto español. Antecedentes sociales y políticos de la guerra civil.* (s. l. ¿París?), Éditions Ruedo Ibérico, 1962.
BROUÉ, Pierre, y TÉMIME, Émile. *La revolución y la guerra de España.* México, Fondo de Cultura Económica, 1962.
BUENACASA, Manuel. *La C.N.T., los Treinta y la F.A.I.* Barcelona, Talleres Gráficos Alfa, 1933.
BURGO, Jaime del. *Requetés en Navarra antes del Alzamiento.* San Sebastián, Editorial Española, 1933.

CABALLÉ Y CLOS, T. *Barcelona roja. Dietario de la Revolución (julio 1936-1939).* Barcelona, Librería Argentina, 1939.
CABEZAS DÍAZ, Antonio. *La reforma agraria (Legislación de la República).* Madrid, Editorial La Medicina Ibera, 1932.
CAJAL, Máximo. *La ley de responsabilidades políticas.* Madrid, Gráfica Informaciones, 1939.
CALATAYUD BENAVENT, Juan. *La tiranía roja.* Valencia del Cid, La Novela Patriótica, 1939.
CALDERÓN, Francisco de P., y ROMERO, Isaac. *Memorias de un terrorista.* Barcelona, (s.a.).
CALORO, Bonaventura. *El C.T.V. (Cuerpo de Tropas Voluntarias italianas). De Málaga a Tortosa.* Zaragoza, Edizioni «Il Legionario», (s.a.).
CALVO SOTELO, Joaquín. *Autopsia de la República (Conferencia pronunciada el día 5 de marzo en el círculo Balmes en la Casa de Pilatos de Sevilla).* Madrid, Palacios, S. A., 1961.
CALVO SOTELO, José. *En defensa propia.* Madrid, Librería de San Martín, 1932.
CALVO SOTELO, José. *La voz de un perseguido.* Madrid, Librería San Martín, 1933-34, 2 vols.
CAMBA, Francisco. *De Castilblanco a Villa Cisneros.* Madrid, Instituto Editorial Reus, 1947.
CAMBA, Francisco. *Madridgrado. Documental film.* Madrid, Ediciones Españolas, 1939.
CAMBA, Francisco. *Las luminarias del señor ministro.* Madrid, Instituto Editorial Reus, 1947.
CAMBA, Francisco. *Haciendo de República.* Madrid, Espasa-Calpe, 1934.
CAMBÓ, Francisco. *Discursos parlamentaris de Francesc Cambó.* Barcelona, Biblioteca Política de la Lliga Catalana, 1935.
CAMBÓ, Francisco. *La guerra civil en España. Los Frentes Populares, sus peligros y consecuencias.* (s.l., s.i., s.a.).
CAMPALANS, Rafael. *Hacia la España de todos (Palabras castellanas de un diputado por Cataluña).* Madrid, Espasa-Calpe, 1932.
CANALS, Salvador. *De cómo van las cosas de España.* Madrid, Compañía Iberoamericana de Publicaciones, 1933.
CANALS, Salvador. *La caída de la Monarquía. Problema de la República. Instalación de un régimen.* Madrid, Ruiz Hermanos editores, 1931.
CÁNOVAS CERVANTES, Salvador. *Energías. Síntesis de las actividades nacionales (De 1.° de mayo al 1.° de junio de 1936).* Madrid, Gráficas Uguina, (s.a.).
CÁNOVAS CERVANTES, Salvador. *La Revolución de Julio de 1936. Cómo se liquidó la República burguesa del 14 de abril.* Barcelona, Timón, 1938.
CANTALUPO, Roberto. *Embajada en España.* Barcelona, Luis Caralt editor, 1951.
CANTOS FIGUEROA, Vicente. *Discursos leídos en la solemne apertura de los Tribunales el 15 de septiembre de 1934.* Madrid, 1934.
CARASA TORRE, Federico. *Presos de los rojos separatistas.* Ávila, Impr. de Senén Martín, 1938.
CARBALLO, Eduardo. *Prisión flotante.* Barcelona, Ediciones B.Y.P., (s.a.).
CARLAVILLA, Mauricio. *El comunismo en España.* Madrid, Imprenta Sáez Hermanos, 1932.
CARLAVILLA, Mauricio. *Técnica del Komintern en España.* Badajoz, Tip. Gráfica Corporativa, 1937.
CARR, Raymond. *España. 1808-1939.* Barcelona, Ediciones Ariel, 1969.
CARRAL, Ignacio. *¿Por qué mataron a Luis Sirval?* Madrid, Imp. Sáez Hermanos, 1935.
CARRERO BLANCO, Luis. *España y el mar.* Madrid, Editora Nacional, 1941.
CARRERO BLANCO, Luis. *España ante el mundo (Proceso de un aislamiento).* Madrid, Ediciones Idea, 1950.
CARRETERO NOVILLO, José María. *De Alfonso XIII a Lerroux pasando por Azaña.* Madrid, Ediciones El Caballero Audaz, 1933.
CARRETERO NOVILLO, José María. *Una República de monárquicos (Opiniones de un hombre de la calle).* Madrid, Ediciones El Caballero Audaz, 1933.
CARRETERO NOVILLO, José María. *Galería.* Madrid, Ediciones El Caballero Audaz, 1944-1948, 4 vols.
CARRILLO, Santiago. *¡Fuera el invasor de nuestra Patria! (Discurso pronunciado en el Cine Capitol de Valencia, el 2 de mayo de 1938).* Valencia, Ediciones «Alianza», 1938.
CARRILLO, Wenceslao. *El último episodio de la guerra civil española.* Toulouse, Secretaría de Publicaciones de la J.S.E. en Francia, 1945.
CARRIÓN, Pascual. *Los latifundios en España. Su importancia, origen, consecuencias y solución.* Madrid, Gráficas Reunidas, 1932.
CARRO, Venancio. *Los criminales de guerra según los teólogos-juristas españoles.* Valladolid, Imprenta Provincial, 1946.
CASADO, Coronel Segismundo. *Así cayó Madrid. Último episodio de la Guerra Civil Española.* Madrid, Guadiana de Publicaciones, 1968. (Colección Ayer, Hoy y Mañana).
CASALS TORRES, Manuel. *Divorcio civil. Legislación, formulario y jurisprudencia del Tribunal Supremo.* Barcelona, 1934.
CASANOVA, Manuel. *Se prorroga el estado de alarma (Memorias de un prisionero).* (s.l.), Editorial Católica Toledana, 1941.
CASARES, Francisco. *La C.E.D.A. va a gobernar.* Madrid, Gráfica Administrativa, 1934.
CASARES, Francisco. *Azaña y ellos.* Granada, Editorial y Librería Prieto, 1939.
CASARIEGO, J. E. *La verdad del tradicionalismo.* Madrid, Editora Nacional, 1940.
CASTRILLO SANTOS, Juan. *Cuatro años de experiencia republicana.* Madrid, Librería Bergua, 1934.
CASTRILLO SANTOS, Juan. *La orientación de la República.* Madrid, Javier Morata editor, 1933.
CASTRILLO SANTOS, Juan. *Revolución en España.* Buenos Aires, Librería «La Facultad», 1938.
CASTRO ALBARRÁN, A. de. *El derecho al alzamiento.* Salamanca, Talleres Cervantes, 1941.
CASTRO DELGADO, Enrique. *Hombres made in Moscú.* Barcelona, Luis Caralt, 1965.
CASTRO DELGADO, Enrique. *La vida secreta de la Komintern. Cómo perdí la fe en Moscú.* Madrid, Ediciones y Publicaciones Españolas, 1950.
CIANO, Galeazzo. *Diario.* Barcelona, Los Libros de Nuestro Tiempo, 1946.
CIANO, Galeazzo. *Les archives secrètes, 1936-1943.* París, Plon, 1948.
CID LÓPEZ, Manuel. *La segunda República.* Vigo, 1932.
CIERVA Y DE HOCES, Ricardo de la. *Importancia histórica e historiográfica de la guerra española.* Madrid, Ateneo, 1967.
CIERVA Y DE HOCES, Ricardo de la. *Los documentos de la primavera trágica. Análisis documental de los antecedentes inmediatos del 18 de julio de 1936.* Madrid, Ministerio de Información y Turismo, 1967.
CIERVA Y DE HOCES, Ricardo de la. *Historia ilustrada de la guerra civil española.* Barcelona, Ediciones Danae, 1970.
CIERVA Y DE HOCES, Ricardo de la. *Historia de la Guerra Civil Española. 1896-1936.* Madrid, Lib. Edit. San Martín, 1969. I Tomo.
CIERVA Y DE HOCES, Ricardo de la. *Leyenda y tragedia de las Brigadas Internacionales.* Madrid, Editorial Prensa Española, 1971.
CIERVA Y DE HOCES, Ricardo de la. *La historia perdida del socialismo español.* Madrid, Editora Nacional, 1972.
CIERVA Y DE HOCES, Ricardo de la. *Bibliografía general sobre la Guerra de España (1936-1939) y sus antecedentes históricos. Fuentes para la Historia Contemporánea de España.* Secr. Gral. Técnica del Minist. de Información y Turismo, Madrid-Barcelona, Ediciones Ariel, 1968.
CIMADEVILLA, Francisco. *La guerra desde la cárcel.* Madrid, Ediciones Españolas, 1942.

CIMORRA, Clemente. *España en las trincheras*. Madrid, Nuestro Pueblo, 1938.
CIMORRA, Clemente. *Gente sin suelo (Novela del éxodo civil)*. Buenos Aires, Ed. Naval, 1940.
CLARAMUNT, Jaime. *El peor enemigo de la República (Colección de artículos publicados en «El Diluvio»)*. Barcelona, (s.i.), 1934.
CLEUGH, James. *Furia española. La guerra de España (1936-39) vista por un escritor inglés*. Barcelona, Editorial Juventud, 1964.
COMÍN COLOMER, Eduardo. *De Castilblanco a Casas Viejas*. Madrid, Publicaciones Españolas, 1959.
COMÍN COLOMER, Eduardo. *El comunismo en España (1919-36)*. Madrid, Publicaciones Españolas, 1953.
COMÍN COLOMER, Eduardo. *Historia secreta de la segunda república*. Madrid, Editorial Nos, 1954.
COMORERA, Joan. *Per la lluita fins a la victòria total*. Barcelona, Departament d'Agitació i Propaganda del P.S.U.C., 1937.
COPADO, Bernabé. *Con la columna Redondo. Combates y conquistas. Crónica de guerra. Sevilla*, Imprenta de la Gavidia, 1937.
COPPOLA, Francisco. *Fascismo y bolchevismo*. Florencia, F. Le Monnier, 1939.
CORTÉS CAVANILLAS, Julián. *Gil-Robles, ¿monárquico? Misterios de una política*. Madrid, Librería San Martín, 1935.
COT, Pierre. *Le procès de la République*. Nueva York, Editions de la Maison Française, 2 vols.
CUBER, Mariano. *El problema catalán. El Estatuto. Las Cortes. Regionalismo valenciano*. Valencia, La Gutenberg, 1932.
CUBER, Mariano. *Melquiades Álvarez. El orador. El hombre. El político. Sus ideales. Su consecuencia. Su integridad*. Madrid, Reus, 1935.

CHAPAPRIETA TORREGROSA, Joaquín. *La paz fue posible. Memorias de un político. Prólogo de Joaquín Chapaprieta Otsein*. Barcelona, Ediciones Ariel, 1971.
CHAUMET, André. *Espagne 36... Première tentative de bolchevisation de l'Europe*. París, Editions C.E.A., (s.a.).
CHÁVEZ CAMACHO, Armando. *Misión de Prensa en España*. México, Editorial Jus, 1948.
CHECA, Pedro. *A un gran partido, una gran organización. Discurso pronunciado en el Pleno del C.C. Ampliado del Partido Comunista de España, celebrado en Valencia los días 5, 6, 7, y 8 de marzo de 1937*. Barcelona, Ediciones del Partido Comunista de España, 1937.
CHECA, Pedro. *Qué es y cómo funciona el Partido Comunista (Algunas normas de organización). Con los Estatutos del P. C. de España*. Madrid, Ediciones Europa-América, 1937.

DAHMS, Hellmuth Günther. *La guerra española de 1936*. Madrid, Rialp, 1966.
DÁVILA, Sancho. *Doctrina e historia de la revolución nacional española*. Barcelona, Editora Nacional, 1939.
DÁVILA, Sancho. *José Antonio, Salamanca y otras cosas...* Madrid, Afrodisio Aguado, 1967.
DELICADO, Manuel. *Cómo se luchó en Sevilla. Discurso pronunciado en el Pleno Ampliado del C. C. del Partido Comunista de España, celebrado en Valencia los días 5, 6, 7 y 8 de marzo de 1937*. Barcelona, Ediciones del Partido Comunista de España, 1937.
DENCÁS, Josep. *El 6 d'octubre des del Palau de Governació*. Barcelona, Edicions Mediterrània, 1935.
DESCHAMPS, Bernard. *La vérité sur Guadalajara*. París, Les Editions Demoël, 1938.
DESPUJOL, Alberto Carlos de. *La gran tragedia de España. 1931-1939*. Madrid, Cosmo, 1940.
DÍAZ DOÍN, Guillermo. *El pensamiento político de Azaña*. Buenos Aires, P.H.A.C., 1943.
DÍAZ PLAJA, Fernando. *El siglo XX. La guerra (1936-39)*. Madrid, Ediciones Faro, 1963.
DÍAZ RAMOS, José. *Tres años de lucha. Por el Frente Popular. Por la libertad. Por la independencia de España*. Barcelona, Edic. del Partido Comunista de España, 1939.
DÍAZ DE VILLEGAS, José. *Guerra de liberación (La fuerza de la razón)*. Barcelona, Editorial A.H.R., 1958.
DIEGO, Capitán de. *Belchite*. Barcelona, Editora Nacional, 1939.
DÍEZ VICARIO, V. de. *¿Laica España?* Madrid, Impr. de la Asociación para Huérfanos de Infantería, 1933.
DOMINGO, Marcelino. *La experiencia del poder*. Madrid, Tip. de S. Quemadas, 1934.
DOMINGO, Marcelino. *La revolución de octubre. Causas y experiencias*. Barcelona, Librería Catalonia, 1935.
DOMÍNGUEZ, Edmundo. *Los vencedores de Negrín*. México, Editorial Nuestro Pueblo, 1940.
DUCLOS, Jacques. *La lucha del Partido Comunista de Francia contra la política de «No Intervención»*. Madrid, Partido Comunista de España, Comité Provincial de Madrid, 1938.
DUMAS, Pierre. *Euzkadi. Les Basques devant la guerre d'Espagne*. París, Editions de l'Aube, 1939.
DURÁN I VENTOSA, Juan. *La esencia de los nacionalismos. Sus virtudes y sus peligros*. Buenos Aires, Editorial Tor, 1939.
DUVAL, Maurice. *Les leçons de la guerre d'Espagne*. París, Librairie Plon, 1938.
DZELEPY, E. *Le complot espagnol*. París, Ed. Fustier, (s.a.).

EBY, Cecil D. *L'assedio dell'Alcázar*. Verona, Arnaldo Mondadori editore, 1966.
EHRENBURG, Ilya. *España, república de trabajadores*. Madrid, Editorial Cenit, 1932.
EHRENBURG, Ilya. *¡No pasarán! «Ils ne passeront pas». Scènes de la guerre civile en Espagne*. París, Bureau d'Editions, 1936.
EIJO GARAY, Leopoldo. *La hora presente. Carta Pastoral*. Vitoria, Editorial Social Católica, 1939.
ELISEDA, Marqués de la. *Fascismo. Catolicismo. Monarquía*. Madrid, Ediciones Fax, 1935.
ELOLA, José de. *El peligro comunista*. Madrid, Regina, 1931.
ELORRIETA Y ARTAZA, Felipe. *La Constitución, los proyectos de Estatuto Vasco y el régimen de conciertos económicos. Conferencia leída en la Academia de Derecho y Ciencias Sociales por D. Felipe Elorrieta y Artaza en la noche del día 6 de febrero de 1932*. Bilbao, Escuelas Gráficas de la Santa Casa de Misericordia, 1932.
ENDÉRIZ, Ezequiel. *Teruel*. Barcelona, Ediciones Nueva España, 1938.
ESCOBAR GARCÍA, Juan. *Un reportaje histórico. Los memorables sucesos desarrollados en Málaga los días 11 y 12 de mayo de 1931*. Málaga, Tipografía Morales, (s.a.).
ESPINAR, Jaime. *Noviembre de Madrid*. Barcelona, Unión Gráfica, 1938.
ESPINOSA, Aurelio. *The second Spanish Republic and the causes of the counter-revolution*. San Francisco, The Spanish Relief Committee, 1937.
ESTEBAN-INFANTES, Emilio. *La sublevación del general Sanjurjo. Relatada por su ayudante Emilio Esteban-Infantes*. Madrid, Imprenta de J. Sánchez de Ocaña, 1933.

FALGAIROLLE, Adolphe de. *L'Espagne en République*. París, Fasquelle ed., 1933.
FERNÁNDEZ ALMAGRO, Melchor. *Catalanismo y República española*. Madrid, Espasa-Calpe, 1932.
FERNÁNDEZ ALMAGRO, Melchor. *Historia de la República española (1931-1936)*. Madrid, Biblioteca Nueva, 1940.
FERNÁNDEZ ARIAS, Adelardo. *La agonía de Madrid. 1936-1937 (Diario de un superviviente)*. Zaragoza, Lib. General, 1938.
FERNÁNDEZ ARIAS, Adelardo. *Gil Robles. ¡La esperanza de España!* Madrid, Unión Poligráfica, 1936.
FERNÁNDEZ ASIAÍN, Eugenio. *El delito de rebelión militar. Estudio sistemático del delito; comentado, concordado y anotado con la Jurisprudencia correspondiente; con la nueva Ley modificativa y las últimas disposiciones dictadas sobre el mismo*. Madrid, Instituto Editorial Reus, 1943.
FERNÁNDEZ DE CASTRO, Rafael. *Al Alzamiento Nacional en Melilla. Hacia las rutas de una nueva España (De cómo se preparó y por qué hubo de comenzar en Melilla el glorioso Movimiento Nacional salvador de la patria)*. Melilla, Artes Gráficas Postal Exprés, 1940.
FERNÁNDEZ DE CÓRDOBA, Fernando. *«La guerra que yo he vivido y la guerra que yo he cantado». Memorias de un soldado locutor*. Madrid, Edic. Españolas, 1939.
FERNÁNDEZ CUENCA, Carlos. *La guerra de España y el cine*. Madrid, Editora Nacional, 1972 (2 vols.).
FERNÁNDEZ CUESTA, Raimundo. *José Antonio en la cárcel de Madrid. Del 14 de marzo al 6 de junio de 1936*. Guipúzcoa, Ed. F.E., (s.a.).
FERNÁNDEZ MARÍN, Juan. *Los héroes del Santuario de Nuestra Señora de la Cabeza*. Sevilla, Imprenta Provincial, 1937.
FERNÁNDEZ PESQUERO, Javier. *España en llamas o la República Española ante el tribunal de la historia*. Madrid, Ed. Castro, 1935.
FERNÁNDEZ DE ROTA, Antonio. *La República es España*. Zaragoza, Tipografía La Académica de F. Martínez, 1932.
FERRO, Antonio. *Prefácio da República Espanhola*. Lisboa, Tip. da Empresa Nacional de Publicidade, 1933.
FERSEN, L. *Antecedentes del triunfo del Frente Popular. De octubre de 1934 a febrero de 1936*. Castellón, T. Colectivo S.T., 1937.
FONTANA, Luis de. *Los catalanes en la guerra de España*. Madrid, Samarán, 1951.
FOXÁ, Agustín de. *Madrid de Corte a cheka*. San Sebastián, Librería Internacional, 1938.
FRAGA IRIBARNE, Manuel. *El 18 de Julio y la juventud*. Zaragoza, Universidad de Zaragoza, 1961.
FRANCISCO, Francisco de. *Mallorca... Por qué fuimos y por qué la abandonamos*. Barcelona, Edit. Maucci, (s.a.).
FRANCO BAHAMONDE, Francisco. *Habla el Caudillo*. Burgos, Servicio Nacional de Propaganda, (s.a.).
FRANCO BAHAMONDE, Francisco. *Mensaje del Caudillo a los españoles. Discurso pronunciado por S.E. el Jefe del Estado, la noche del 31 de diciembre de 1939, año de la Victoria*. (s.l.), Editora Nacional, 1939.
FRANCO BAHAMONDE, Francisco. *Palabras de Franco*. Bilbao, Editora Nacional, 1937.
FRANCO BAHAMONDE, Francisco. *Palabras del Caudillo. 19 abril 1937-19 abril 1938*. (s.l.), Ediciones FE, 1939.

FRANCO BAHAMONDE, Francisco. *Un documento histórico. Carta de S.E. el Jefe del Estado don Francisco Franco Bahamonde, Generalísimo de los Ejércitos, al Excmo. Sr. don Antonio García y García, Arzobispo de Valladolid.* Valladolid, Tip. Cuesta, (s.a.).
FRESCO, Mauricio. *La emigración republicana española: una victoria de México.* México, Editores Asociados, 1950.
FUEMBUENA, Eduardo. *Guerra en Aragón. Belchite-Quinto-Teruel.* Zaragoza, Ed. Heraldo de Aragón, 1938.

GALÍNDEZ, Jesús de. *Los vascos en el Madrid sitiado. Memoria del Partido Nacionalista Vasco.* Buenos Aires, Editorial Vasca Ekin, 1945.
GALINDO HERRERO, Santiago. *El 98 de los que fueron a la guerra.* Madrid, Edit. Nacional, 1952.
GALINDO HERRERO, Santiago. *Los partidos monárquicos bajo la Segunda República.* Madrid, Rialp, 1956.
GAMIR ULIBARRI, Mariano. *Guerra de España 1936-39. De mis memorias.* Paris, Imprimerie Moderne, 1939.
GARCÍA ALBORS, Fidel. *Valencia 1936.* Zaragoza, Talleres Ed. de El Noticiero, 1939.
GARCÍA ALONSO, Francisco. *España roja, 18 de julio en Málaga. Cómo mueren los españoles.* Buenos Aires, Editorial Difusión, 1937.
GARCÍA CEBALLOS, Manuel. *Casas Viejas (Un proceso que pertenece a la historia).* Madrid, Fermín Uriarte editor, 1965.
GARCÍA OLIVER, Juan. *El fascismo internacional y la guerra antifascista española. Conferencia pronunciada en el cine Coliseum de Barcelona el día 24 de enero de 1937.* Barcelona, Oficinas de Propaganda CNT-FAI, 1937.
GARCÍA PALACIOS, L. *El segundo bienio (España en escombros) 1933-35.* Ediciones Bancario, (s.a.).
GARCÍA PÉREZ, Antonio. *La Marina en la Cruzada.* Madrid, Editorial Naval, (s.a.).
GARCÍA PRADAS, José. *La traición de Stalin, cómo terminó la guerra de España.* Nueva York, Edic. de Cultura Proletaria, 1939.
GARCÍA DE PRUNEDA, Salvador. *La encrucijada de Carabanchel.* Madrid, Ediciones Cid, 1963.
GARCÍA SERRANO, Rafael. *Diccionario para un macuto.* Madrid, Editora Nacional, 1964.
GARCÍA SERRANO, Rafael. *La fiel Infantería.* Madrid, Editora Nacional, 1943.
GARCÍA VALIÑO, Rafael. *Guerra de Liberación española. Campañas de Aragón y Maestrazgo. Batalla del Ebro (1938-1939).* Madrid, Imp. Biosca, 1949.
GARCÍA VENERO, Maximiano. *Cataluña (Síntesis de una región).* Madrid, Editora Nacional. 1954.
GARCÍA VENERO, Maximiano. *Melquiades Álvarez. Historia de un liberal.* Madrid, Editorial Alhambra, 1954.
GASSET, José. *La Reforma agraria y el Estatuto Catalán. Discursos pronunciados en las Cortes.* Madrid, 1932.
GIL ROBLES, José María. *No fue posible la paz.* Barcelona. Ediciones Ariel, 1968.
GIMÉNEZ CABALLERO, Ernesto. *Manuel Azaña (Profecías Españolas).* Madrid, La Gaceta Literaria, 1932.
GIRÓN, José Antonio. *Escritos y discursos.* Madrid, Edic. de la Vicesecretaría de Educación Popular, 1943.
GIRONELLA, José María. *Los cipreses creen en Dios. Novela.* Barcelona, Edit. Planeta, 1966.
GIRONELLA, José María. *Un millón de muertos.* Barcelona, Edit. Planeta, 1961.
GOEBBELS, Josep. *La verdad sobre España. Discurso pronunciado en Nüremberg en el Congreso Nacional del Partido de 1937 por el ministro del Reich Dr. Goebbels.* Berlín, Imprenta y Editora M. Müller, (s.a.).
GOMÁ Y TOMÁS, Isidro. *El caso de España.* Pamplona, 1936.
GOMÁ Y TOMÁS, Isidro. *La España heroica. Ascética de nuestra guerra.* Toledo, Editorial Católica Toledana, 1937.
GOMÁ Y TOMÁS, Isidro. *Pastorales de la guerra de España.* Madrid, Edic. Rialp, 1955.
GÓMEZ APARICIO, Pedro. *¡A Bilbao! (Estampas de la guerra en Vizcaya).* Granada, Librería Prieto, 1937.
GÓMEZ DOMINGO, Manuel. *Episodios de la guerra civil.* Valladolid, Librería Santarén, (s.a.).
GÓMEZ FERNÁNDEZ, Ramiro. *«El 52». De general a presidiario.* Madrid, Imp. de Galo Sáez, 1932.
GÓMEZ MANGADA, Alejandro. *¡España sangra!* Barcelona, Comissariat de Propaganda de la Generalitat de Catalunya, (s.a.).
GONZÁLBEZ RUIZ, Francisco. *Yo he creído en Franco. Proceso de una desilusión (Dos meses en la cárcel de Sevilla).* Paris, Editions Imprimerie Coopérative Etoile, (s.a.).
GONZÁLEZ RUIZ, Agustín. *La ley del divorcio interpretada por el Tribunal Supremo.* Madrid, Ernesto Giménez, (s.a.).
GONZÁLEZ RUIZ, Nicolás. *Azaña. Sus ideas religiosas. Sus ideas políticas. El hombre.* Madrid, Gráfica Universal, 1932.
GONZÁLEZ, Valentín. *Vida y muerte en la URSS.* Buenos Aires, Editorial Bell, 1951.
GONZÁLEZ, Valentín. *Yo escogí la esclavitud. Prólogo de Mauricio Carlavilla.* Venezuela, Edic. Maracay, (s.a.).
GONZÁLEZ PEÑA, Ramón. *Discurso pronunciado por González Peña, presidente del Partido Socialista Español, en el cine Bilbao de Madrid, el domingo día 1 de agosto.* Madrid, Edic. Españolas, 1937.
GORDÓN ORDÁS, Félix. *Una campaña parlamentaria. El art. 26 de la Constitución y los haberes pasivos del clero.* Madrid, 1934.
GORDÓN ORDÁS, Félix. *Mi política en España.* México, D. F., Imp. Fígaro, 1961-1962.
GORKIN, Julián. *Caníbales políticos (Hitler y Stalin) en España.* México, Edic. Quetzal, 1941.
GRACIA, Vicente. *Los héroes de Aragón.* Zaragoza, Ind. Gráf. Uriarte, 1943.
GREDOS, Juan de. *Crónicas de la guerra (Recopilación de artículos periodísticos).* Barcelona, Subsecretaría de Propaganda, 1938.
GUERRA DEL RÍO, Rafael. *El porvenir del Partido Radical. Discurso pronunciado el día 21 de noviembre de 1935 por D. Rafael Guerra del Río en el Centro Republicano Radical.* (s.l.), Partido Radical de Madrid, (s.a.).
GUIXÉ, Juan. *¿Qué ha hecho la República?* Madrid, M. Aguilar, 1933.
GUTIÉRREZ MARÍN, Claudio. *El pastor J. Jerequel visita la España republicana.* Barcelona, Forja, 1937.
GUTIÉRREZ-RAVÉ, José. *Las Cortes errantes del Frente Popular.* Madrid, Editora Nacional, 1953.
GUTIÉRREZ-RAVÉ, José. *España en 1931.* Madrid, 1932.
GUTIÉRREZ-RAVÉ, José. *España en 1932. Anuario.* Madrid, Imp. de A. Marzo, 1933.

HAYES, Carlton J. H. *Misión de guerra en España.* Madrid, Edic. y Publ. Españolas, S. A., 1946.
HELM, Mac Kinley. *Historia del Frente Popular.* México, Libro Mex. editores, 1959.
HELLI, André. *Esta guerra empezó en España; la no intervención.* Buenos Aires, Edic. Ralomo, (s.a.).
HEMINGWAY, Ernest. *La quinta columna.* Buenos Aires, Santiago Rueda editor, 1950.
HEMINGWAY, Ernest. *Por quién doblan las campanas.* Novela.
HERNÁNDEZ, Jesús. *El partido comunista antes, durante y después de la crisis del Gobierno Largo Caballero. Texto íntegro del discurso pronunciado en el cine Olympia de Valencia el 28 de mayo de 1937.* Valencia, Edic. del Partido Comunista de España, (s.a.).
HERNÁNDEZ, Jesús. *Negro y Rojo. Los anarquistas en la revolución española.* México, España Contemporánea, 1946.
HERNÁNDEZ, Jesús. *Yo, ministro de Stalin en España. Prólogo y notas de Mauricio Carlavilla.* Madrid, NOS, 1954.
HIDALGO DE CISNEROS, Ignacio. *Memorias.* Paris, Société d'Éditions de la Librairie du Globe, 1954. Tomo I. *Cambio de Rumbo.* Tomo II. *La República y la Guerra de España.*
HIDALGO (DURÁN), Diego. *¿Por qué fui lanzado del Ministerio de la Guerra? Diez meses de actuación ministerial.* Madrid, Espasa-Calpe, 1934.
HOARE, Samuel. *Ambassador on special mission.* London, Collins, 1946.
HODGSON, Robert. *Franco frente a Hitler.* Barcelona, Edit. AHR, 1954.
HOOD, Georges. *Le drame de l'Espagne. Croisade morale ou guerre sociale?* Paris, Le Jeune République, (s.a.).
HUESO BALLESTER, José María. *Legislación agraria de la República. Abril-septiembre 1931.* Zaragoza, 1931.

IBÁÑEZ DE OPACUA, María del Pilar. *El glorioso Movimiento de España.* Madrid, Publ. de la Institución Teresiana, 1941.
IBÁRRURI, Dolores. *¡A la cárcel los verdugos de octubre!* Madrid, Prensa obrera, (s.a.).
IBÁRRURI, Dolores. *El único camino.* Paris, Éditions Sociales, 1962.
IBÁRRURI, Dolores. *No hay más posibilidad de gobernar ni de victoria que a través del Frente Popular.* Barcelona, Edic. del Partido Comunista de España, (s.a.).
IBÁRRURI, Dolores, y DÍAZ, José. *España hoy.* Buenos Aires, Edit. Problemas, 1940.
IBÁRRURI, Dolores. *Un pleno histórico. Discurso de apertura del Pleno ampliado del C.C. del Partido Comunista de España celebrado en Valencia los días 5, 6, 7 y 8 de marzo de 1937.* Barcelona, Edic. del Partido Comunista de España, 1937.
INGLÉS, Martín. *Las chekas de Cataluña. Bajo las garras del S.I.M.* Barcelona, Edit. Librería Religiosa, 1940.
IREDELL, Elliot Ostrehan. *Franco, valeroso caballero cristiano.* Buenos Aires, Americalee, 1945.
IRIBARREN, José María. *Mola. Datos para una biografía y para la historia del Alzamiento Nacional.* Zaragoza, Heraldo de Aragón, 1938.
IRIBARREN, José María. *Una perspectiva histórica de la guerra en España (1936-39).* Madrid, Edit. García Enciso, 1941.
IRUJO Y OLLO, Manuel de. *Los vascos y la República española. Contribución a la historia de la guerra civil. 1936-39.* Buenos Aires, Edit. Vasca Ekin, 1944.
ISERN DALMAU, E. *Política fiscal de la República.* Barcelona, BCAI, 1933.
IZAGA, G. Arsenio de. *Los presos de Madrid. Recuerdos e impresiones de un cautiverio en la España roja. Vida, sufrimientos y martirio de los reclusos en la Cárcel Modelo, en la de Ventas y en la del Duque de Sexto, con referencias a la de San Antón,*

a la de Porlier y otras prisiones y «Chekas». Madrid, Imp. Martosa, 1940.
IZCARAY, J. *Crónicas de la guerra. Recopilación de artículos periodísticos.* Valencia, Subsecretaría de Propaganda, 1937.

JACKSON, Gabriel. *La República española y la guerra civil 1931-39.* México, Edit. Grijalbo, 1967.
JALÓN, César. *El cautiverio vasco.* Madrid, Edic. Españolas, 1939.
JALÓN GARCÍA, José Luis. *El Santuario de Santa María de la Cabeza.* Madrid, Public. Españolas, 1953.
JELLINEK, Frank. *The Civil War in Spain.* London, V. Gollancz, 1938.
JIMENO RIERA, Joaquín. *Aspectos de la retaguardia.* Zaragoza, Lib. Gasca, 1937.
JOUBERT, H. *La guerre d'Espagne et le catholicisme. Réponse à M. Jacques Maritain.* Paris, Les amis de l'Espagne nouvelle, 1937.
JUANEL. *La insurrección anarquista del 8 de diciembre de 1933.* Barcelona, Edit. Tierra y Libertad, 1934.
JUARROS, César. *Atalayas sobre el fascismo.* Madrid, M. Jagues editor, 1934.
JULIÁ TÉLLEZ, Eduardo. *Historia del Movimiento Liberador de España en la provincia gaditana.* Cádiz, Establ. Cerón, 1944.
JUNCO, Alfonso. *México y los refugiados. Las Cortes de paja y el corte de caja.* México, Edit. Jus, 1959.
JUST, Julio. *Discursos de D. Julio Just, Ministro de Obras Públicas.* Madrid, Delegación de Propaganda y Prensa de la Junta Delegada de Defensa de Madrid, 1937.
JUST, Julio. *Siembra republicana.* Valencia, Renovación Tipográfica, (s.a.).
JUSTO, Esteban, y TRILLO, Edelmiro. *La Falange en las prisiones del Madrid rojo. Cárcel de Porlier.* Madrid, Editorial Sáenz de Jubera, 1940.
JUSTO, Esteban, y TRILLO, Edelmiro. *Episodios de las cárceles de Madrid. Cuartel de la Montaña y Cárcel Modelo.* Madrid, Editorial Sáenz de Jubera, 1940.

KEMP, Peter. *Legionario en España.* Barcelona, Luis Caralt editor, 1959.
KESTEN, Hermann. *Los niños de Guernica.* Buenos Aires, Edit. Nova, 1956.
KINDELÁN, Alfredo. *Mis cuadernos de guerra (1936-1939).* Madrid, Plus Ultra, (s.a.).
KLOTZ, Helmut. *Les leçons militaires de la guerre civile en Espagne.* Strasbourg, Imprimerie Française, 1937.
KOESTLER, Arthur. *La escritura invisible. Relato autobiográfico.* Buenos Aires, Emecé editores, 1955.
KOESTLER, Arthur. *Un testament espagnol.* Paris, Édit. Olbin Michel, 1939.
KOLTSOV, Mijail. *Diario de la guerra de España.* París, Ediciones Ruedo Ibérico, 1963.
KUSINEN. *Hacia el Octubre mundial.* Barcelona, Public. E.D.E.Y.A., (s.a.).

LACADENA BRUALLA, Ramón. *Perspectiva de España en guerra.* Zaragoza, Tip. La Académica, 1938.
LAMONEDA, Ramón. *Glosa de los acuerdos del Comité Nacional del P.S.O.E. Discurso pronunciado en el Teatro Chueca, de Madrid, el día 16 de octubre de 1938.* Madrid, Servicio de Prensa y Ediciones del PSOE, 1938.
LANG, P. *La alianza del trotskismo y del fascismo contra el socialismo y la paz.* Madrid, Europa-América, (s.a.).
LANGDON-DAVIES, John. *Detrás de las barricadas españolas.* Santiago de Chile, Empresa Letras, 1937.
LARGO CABALLERO, Francisco. *Correspondencia secreta. Prólogo de Mauricio Carlavilla.* Madrid, NOS, 1961.
LARGO CABALLERO, Francisco. *Discurso del Presidente del Consejo de Ministros, Francisco Largo Caballero, pronunciado en Valencia el 1 de febrero de 1937, en el Parlamento.* Madrid, Delegación de Propaganda y Prensa de la Junta Delegada de Defensa de Madrid, 1937.
LE FUR, Louis. *La guerra de España y el Derecho.* Quito, (s.i.), 1938.
LEDESMA RAMOS, Ramiro. *Discurso a las juventudes de España.* Bilbao, Ediciones Fe, 1938.
LEDESMA RAMOS, Ramiro. *¿Fascismo en España? (Sus orígenes, su desarrollo, sus hombres).* Madrid, Ediciones La Conquista del Estado, 1935.
LEÓN, María Teresa. *Crónica general de la Guerra Civil.* Madrid, Edic. de la Alianza de Intelectuales antifascistas, 1937.
LEÓN, María Teresa. *La Historia tiene la palabra (Noticias sobre el salvamento del tesoro artístico de España).* Buenos Aires, Pub. del Patronato Hispánico de Cultura, 1943.
LERA, Ángel M.ª de. *Las últimas banderas. Novela.* Barcelona, Edit. Planeta, 1967.
LERROUX, Alejandro. *La pequeña historia. Apunte para la Historia grande vivida y redactada por el autor.* Buenos Aires, Edit. Cimera, 1945.
LERROUX, Alejandro. *Mis memorias.* Madrid, Afrodisio Aguado, 1963.
LÍSTER, Enrique. *Nuestra guerra. Aportaciones para una historia revolucionaria del pueblo español. 1936-39.* Paris, Éditions de la Librairie du Globe, 1966.
LITVINOF, M. *La URSS, al lado del pueblo español.* Valencia, Edic. del Partido Comunista de España, (s.a.).
LIZARZA IRIBARREN, Antonio. *Memorias de una conspiración. Cómo se preparó en Navarra la Cruzada. 1931-1936.* Pamplona, Edit. Gómez, 1954.
LOJENDIO, Luis María de. *Operaciones militares de la guerra de España 1936-1939.*
LONDON, Arthur Gerard. *España, España.* Praha, Artia, 1965.
LONGO, Luigi. *Las brigadas internacionales en España.* México, Ediciones Era, 1966.
LÓPEZ DE GOICOECHEA, Francisco, y MARTÍNEZ CAYUELA, Pedro. *Ley electoral para Diputados a Cortes y Concejales, anotada, completada y adaptada a ella el Decreto del Gobierno Provisional de la República de 8 de mayo de 1931 para la elección de Cortes Constituyentes, por Francisco López de Goicoechea y Pedro Cayuela.* Madrid, Gráficas Reunidas, 1931.
LÓPEZ IBOR. *Neurosis de guerra (Psicología de guerra).* Barcelona, Edit. Científico-Médica, 1942.
LÓPEZ OCHOA, E. *Campaña militar de Asturias en octubre de 1934 (Narración táctico-episódica).* Madrid, Edic. Yunque, 1936.
LÓPEZ (SÁNCHEZ), Juan. *Una misión sin importancia (Memorias de un sindicalista).* Madrid, Editora Nacional, 1972 (Colección «Libros Directos».)
LYNAM, Shevawn. *L'arbre de Guernique.* Paris, Édit. du Seuil, 1955.

LLANO ROZA DE AMPUDIA, Aurelio de. *Pequeños anales de quince días. La revolución en Asturias. Octubre 1934.* Oviedo, Talleres Tipográficos, 1935.
LLOPIS, Rodolfo. *Nuestro Partido no galvaniza cadáveres, ni se dejar absorber (Discurso pronunciado en Alicante el 11 de abril de 1937 en la clausura del Congreso Provincial Socialista).* Valencia, Edit. Meabe, 1937.
LLOPIS, Rodolfo. *La Revolución en la Escuela. Dos años en la Dirección General de Primera Enseñanza.* Madrid, M. Aguilar editor, 1933.
LLOVERA, Fernando. *La columna Uribarry. Crónicas de guerra.* Valencia, Gráficas Turia, (s.a.).
LLUCH F. VALLS, F. *Mi diario entre los mártires, cárcel de Málaga, año 1937.* Málaga, Edit. Dardo, 1937.

MACHADO, Antonio. *La guerra. Dibujos de José Machado. 1936-37.* Madrid, Espasa-Calpe, 1937.
MADARIAGA, Salvador de. *Anarquía o jerarquía. Ideario para la tercera República Española.* Madrid, M. Aguilar editor, 1935.
MADARIAGA, Salvador de. *Ensayo de historia contemporánea.* Buenos Aires, Editorial Sudamericana, 1943.
MADARIAGA, Salvador de. *Memorias de un federalista.* Buenos Aires, Edit. Sudamericana, 1967.
MADARIAGA, Salvador de. *¡Viva la muerte!* Milano, Lerici editori, 1965.
MALEFAKIS, Edward. *Reforma agraria y revolución campesina en la España del siglo XX.* Barcelona, Ed. Ariel, 1971.
MAEZTU, Ramiro de. *Defensa de la Hispanidad.* Valladolid, Aldus, 1938.
MAIZ, Félix. *Alzamiento en España. De un diario de la conspiración.* Pamplona, Editorial Gómez, 1952.
MALRAUX, André. *L'Espoir.* París, Gallimard, 1962.
MANGADA ROSENÖRN, Julio. *¿Con quién?* Madrid, Tipografía Chulilla y Ángel, 1935.
MANOBENS, Enrique. *Crónicas de la guerra (Recopilación de artículos periodísticos).* Valencia, Subsecretaría de Propaganda, 1937.
MARAÑÓN, Gregorio. *Liberalismo y comunismo. Reflexiones sobre la revolución española.* Buenos Aires, OPYPRE, 1938.
MARICHAL, Juan. *Obras completas de Azaña.* México, Ediciones Oasis.
MARITAIN, Jacques. *Los rebeldes españoles no hacen una «guerra santa».* Madrid-Valencia, Ediciones Españolas, 1937.
MARSÁ BRAGADO, Antonio. *Libro de oro del Partido Republicano radical. Historia de la organización desde su iniciación en los partidos republicanos históricos hasta el 31 de diciembre de 1934, siendo en esta fecha presidente de la República D. Niceto Alcalá Zamora y jefe del Gobierno D. Alejandro Lerroux.* Madrid, Sucesores de Rivadeneyra, 1934.
MARTÍ IBÁÑEZ, Félix. *Psicoanálisis de la Revolución Social Española.* Barcelona, Ediciones Tierra y Libertad, 1937.
MARTÍN, Claude. *Franco, Soldado y estadista.* Madrid, Fermín Uriarte editor, 1965.
MARTÍN ARTAJO, Javier. *«No me cuente usted su caso». Ilustraciones de Antonio Cobos.* Madrid, Editorial Biosca, (s.a.).
MARTÍNEZ AGIAR, M. *El Estatuto de Cataluña. La participación ministerial del socialismo.* Madrid, Sucesores de Rivadeneyra, 1931.
MARTÍNEZ BANDE, José Manuel. *La intervención comunista en la guerra de España (1936-1939).* Madrid, Servicio Informativo Español, 1965.
MARTÍNEZ BARRIO, Diego. *Páginas para la historia del Frente Popular.* Barcelona, Ediciones Españolas, 1937.

MARTÍNEZ DE BEDOYA, Javier. *Onésimo Redondo, Caudillo de Castilla.* Valladolid, Afrodisio Aguado, 1939.

MARTÍNEZ ORTIZ, Nicolás. *Bilbao. 19 junio 1937-19 junio 1939.*

MASSIS, Henri. *La tragedia del Alcázar de Toledo.* Medellín, Tipografía Olympia, (s.a.).

MATHIEU, A. C. *Non! Ce n'est pas Franco qui a comencé...* Paris, Éditions Le Bourdonnais, 1939.

MAURA, Miguel. *Así cayó Alfonso XIII.* Barcelona, Ediciones Ariel, 1966.

MAURÍN, Joaquín. *El bloque obrero y campesino. Origen-Actividad-Perspectivas.* Barcelona, Centro de Información Bibliográfica, 1932.

MAURÍN, Joaquín. *Revolución y contrarrevolución en España.* París, Ruedo Ibérico, 1966.

MEDINA Y TOGORES, José de. *Un año de Cortes Constituyentes (Impresiones parlamentarias).* Madrid, Editorial Ibérica, 1932.

MESÓN, Eugenio. *Qué son y cómo funcionan las J.S.U.* Madrid, Editorial Juventud, 1937.

MILEGO, Julio. *El general Barrera (De Cataluña al 10 de agosto).* Madrid, Ediciones Imán, 1936.

MIQUELARENA, Jacinto. *Unificación.* Tolosa, Delegación del Estado para Prensa y Propaganda, (s.a.).

MONGE Y BERNAL, José. *Acción popular (Estudio de biología política).* Madrid, Imprenta Sáez Hermanos, 1936.

MONLLAÓ PANISELLO, José. *Tortosa en 1936-1939. Estampas de dolor y de sangre.* Tortosa, Imprenta y Librería Algueró y Baiges, 1941.

MONTES AGUDO, Gumersindo. *Vieja Guardia.* Madrid, Aguilar, S. L., 1939.

MONTSENY, Federica. *La Commune de París y la revolución española. Conferencia pronunciada en el cine Coliseum de Valencia el día 14 de marzo de 1937.* Valencia, Comité Nacional, Oficina de Información, Propaganda y Prensa CNT-AIT, 1937.

MORA, Constancia de la. *Doble esplendor. Autobiografía de una mujer española.* México, Editorial Atlante, 1944.

MORAL, Joaquín del. *La República Española. Síntesis perspectiva de dos años de progreso.* Madrid, 1933.

MORALES, M. *La Guerra Civil en Guipúzcoa. Julio-agosto 1936 (Con la columna del comandante Galbis).* Valladolid, Librería Santarén, 1937.

MOREY GRALLA, Pedro. *Memoria de la 3.ª Bandera de Castilla.* Toledo, Imprenta Patronato Huérfanos de Infantería, (s.a.).

MORI, Arturo. *Crónica de las Cortes Constituyentes de la II República Española.* Madrid, M. Aguilar editor, 1932-33. 13 vols.

MOURE-MARIÑO, Luis. *Galicia en la Guerra.* Madrid, Ediciones Españolas, 1939.

MUÑOZ SAN ROMÁN, J. *Las fieras rojas. Novela episódica de la guerra.* Madrid, Instituto Social de Bellas Letras, 1939.

NADAL, Joaquín María de. *Seis años con don Francisco Cambó (1930-36).*

NARBONA, Francisco. *La quema de conventos.* Madrid, Publicaciones Españolas, 1954.

NATHANS, N. *El transporte en la guerra (Informe de la visita realizada en septiembre de 1936 por el compañero N. Nathans, secretario adjunto de la Federación Internacional del Transporte).* Madrid, Edic. de la Federación Nacional del Transporte, 1937.

NEGRÍN, Juan. *Discurso del presidente Negrín. La voluntad y el sacrificio nos darán el triunfo. 28 de enero de 1939.* (s.l.), Comisariado del Cuerpo de Ejército de la Región Central, 1939.

NEGRÍN, Juan. *Documentos políticos para la historia de la República española. Recopilación ordenada y comentada, en cuantos documentos, por su indudable transcendencia histórica puedan servir para reconstruir las actividades de la emigración republicana.* México, Col. Málaga, 1945.

NEGRÍN, Juan. *España ante el mundo. Discurso pronunciado por el presidente del Gobierno de Unión Nacional, doctor Negrín, el día 14 de octubre de 1938.* Madrid, Edic. del Comisariado de la 44 Brigada Mixta, (s.a.).

NEGRÍN, Juan. *Habla el gobierno del Frente Popular. Discurso del Presidente del Consejo de Ministros D. Juan Negrín, pronunciado el día 26 de febrero de 1938.* Barcelona, Edic. Españolas, (s.a.).

NENNI, Pietro. *La guerre d'Espagne.* Paris, François Maspéro, 1959.

NUÑEZ, Ignacio. *La revolución de octubre de 1934.* Barcelona, Edit. José Vilamala, 1935. 2 vols.

NUÑEZ Y DOMÍNGUEZ, Roberto. *Cómo vi la República española (Película impresionista).* México, Imp. Mundial, 1933.

NUÑEZ MORGADO, Aurelio. *Los sucesos de España vistos por un diplomático.* Buenos Aires, Tall. y Gráf. Argentinos, 1941.

OLIVEIRA, Mauricio de. *La tragedia española en el mar. Aportaciones para la historia de la acción de la Armada Española. Escuadras Nacionalista y Gubernamental en la Guerra Civil.* Cádiz, Estab. Cerón, 1937-39, 5 vols.

OLIVER ORTIZ, Emilio. *Emociones de un sitiado (Belchite, Regina marthyrum).* Barcelona, Edit. Amaltea, 1942.

ORTIZ Y ESTRADA, Luis. *Alfonso XIII, artífice de la II República española.* Madrid, Libros y Revistas, 1947.

ORTIZ DE VILLAJOS, C. G. *De Sevilla a Madrid. Ruta libertadora de la Columna Castejón.* Granada, Lib. Prieto, 1937.

ORWELL, Eric. Ver: BLAIR, Eric.

OSSORIO Y GALLARDO, Ángel. *Diccionario político español, histórico y biográfico (Desde Carlos V hasta 1936).* Buenos Aires, Mundo Atlántico, 1945.

OSSORIO Y GALLARDO, Ángel. *España heroica.* Montevideo, Biblioteca Democracia y Libertad, 1937.

OSSORIO Y GALLARDO. Ángel. *La España de mi vida. Autobiografía.* Buenos Aires, Editorial Losada, 1941.

PABÓN, Jesús. *Cambó.* Barcelona, Alpha, 1952.

PALACIO ATARD, Vicente. *Folletos e impresos menores del tiempo de la guerra. Prólogo: La guerra de folletos, por Vicente Palacio Atard.* Madrid, Cátedra de Historia Contemporánea de España (Universidad de Madrid), 1966 (Cuadernos bibliográficos de la guerra de España 1936-1939).

PALAU GARI, J. *Treinta meses de esclavitud en la que fue zona roja de España.* Barcelona, P. Yuste imp., 1939.

PASCAL, Pierre. *Cant funèbre pour les cadets de l'Alcazar...* (s.l.), Fernand Sorlot, (s.a.).

PAZ, Abel. *Paradigma de una revolución (19 de julio 1936, en Barcelona).* Choisy-le-Roy, Asociación Internacional de los Trabajadores, 1967.

PEIRE, Tomás. *Una política militar, expuesta ante las Cortes Constituyentes.* Madrid, Vallinas, 1933.

PEIRÓ DELGADO, Eduardo. *La Falange por España.* Melilla, Artes Gráficas Postal-Exprés, 1937.

PEMÁN, José M.ª *Arengas y crónicas de guerra.* Cádiz, Establ. Cerón, 1937.

PEMÁN, José M.ª *Cartas a un escéptico en materia de formas de gobierno.* Burgos, Cultura Española, 1937.

PEMÁN, José M.ª, y GARCÍA SANCHIZ, Federico. *Forjadores de imperio. Zaragoza,* Huecograbado Arte, (s.a.).

PEMARTÍN SANJUÁN, Julián. *José Antonio. Lo que no es. Conferencia pronunciada en el Círculo Medina el día 18 de noviembre de 1959, en la apertura del curso que sobre José Antonio fue organizado por la Delegación Nacional de la Sección Femenina.* Madrid, Gráfica Clemares, 1959.

PEMARTÍN SANJUÁN, Julián. *Teoría de la Falange.* Madrid, Editora Nacional, 1942.

PÉREZ MADRIGAL, Joaquín. *Aquí es la emisora de la flota republicana... (La guerra a través de los partes rojos. Los informes de Remigio. Sainetes y mítines. Riesgo y desvergüenza de los navegantes, mangantes y mareantes del Mediterráneo y de su gobierno «ilegítimo»).* Ávila, Imp. Católica Sigirano Díaz, 1938.

PÉREZ MADRIGAL, Joaquín. *Augurios, estallido y episodios de la guerra civil (Cincuenta días con el Ejército del Norte).* Ávila, Impr. Católica y Encuad. Sigirano Díaz, 1937.

PÉREZ MADRIGAL, Joaquín. *El general Sanjurjo a presidio.* Madrid, Editorial Reus, 1955.

PÉREZ RODRIGO, Ángel. *Una vida al servicio de la Patria.* Madrid, Edit. Escuela Española, 1947.

PERSILES. *La política religiosa. España-Vaticano. Encuentro con El Capuchino.* Madrid, Editorial Signo, 1932.

PESTAÑA, Ángel. *¿Debe disolverse el Partido Sindicalista? (Texto taquigráfico de la conferencia pronunciada en el Teatro Apolo de Valencia, el 13 de diciembre 1936).* Valencia, Publicaciones del Partido Sindicalista, 1936.

PESTAÑA, Ángel. *Lo que aprendí en la vida.* Madrid, M. Aguilar editor, 1932.

PHILLIPS, Cecil. *El Pimpinela de la Guerra de España 1936-1939.* Barcelona, Editorial Juventud, 1965.

PIAZZONI, Sandro. *Las tropas Flechas Negras en la guerra de España (1937-39).* Barcelona, Editorial Juventud, 1941.

PÍO XI. *Discurso de Su Santidad el Papa Pío XI a los españoles refugiados en Roma el 14 de septiembre de 1936.* Salamanca, Junta Diocesana de Acción Católica de Salamanca, 1938.

PIRACES, Agustín. *Por qué se proclamó la segunda República en España.* Barcelona, Joaquín Gil editor, 1931.

PLA, José. *Historia de la segunda República española.* Barcelona, Destino, 1940-41. 4 vols.

PLA, José. *Madrid, L'adveniment de la República.* Barcelona, Bibl. Catalana d'Autors Independents, 1933.

PLA Y DENIEL, Enrique. *Las dos ciudades. Carta pastoral que dirige a sus diocesanos el Excmo. y Rvdmo. Sr. Dr. D. Enrique Pla y Deniel, obispo de Salamanca, en 30 de septiembre de 1936.* Salamanca, Establ. Tipog. de Calatrava, 1936.

PRIETO, Indalecio. *Cartas a un escultor. Pequeños detalles de grandes sucesos.* Buenos Aires, Editorial Losada, 1961.

PRIETO, Indalecio. *Dentro y fuera del gobierno (Discursos parlamentarios).* Madrid, Publ. Índice, 1935.

PRIETO, Indalecio. *«Siento a España». Discurso pronunciado el 1 de mayo de 1936 en el Teatro Cervantes de Cuenca.* Barcelona, Ediciones la Motorizada, 1938.

PRIETO, Indalecio. *Yo y Moscú. Prólogo, comentarios y notas de Mauricio Carlavilla.* Madrid, Nos, 1960.

PRIMO DE RIVERA, José Antonio. *Obras de —. Recopilación de Agustín del Río Cisneros.* Madrid, Delegación Nacional de la Sección Femenina de FET y de las JONS, 1964.

Primo de Rivera, Pilar. *Cuatro discursos de Pilar Primo de Rivera.* Barcelona, Editora Nacional, 1939.

Pritsker, David Petrovich. *La gesta de la República Española, 1936-1939.* Moscú, Editorial para la Literatura Económico-Social, 1962.

Puelles Puelles, Antonio. *Por las rutas del Tercio Mora Figueroa (Recuerdos de la campaña).* Cádiz, Impr. Gades, 1940.

Queipo de Llano, Gonzalo. *Bandos y órdenes dictadas por el general D. Gonzalo Queipo de Llano.* Sevilla, Impr. Municipal, 1937.

Quero Morales, J. *La política de no-intervenció (17-VII-36; 17-VII-37).* Barcelona, Institut d'Estudis Internacionals i de Dret Comparat, 1937.

Quintanilla, Luis. *Los rehenes del Alcázar de Toledo. Contribución a la historia de la guerra civil española.* París, Ruedo Ibérico, 1967.

Ramírez, Luis. *Francisco Franco. Historia de un mesianismo.* París, Ruedo Ibérico, 1964.

Ramos Oliveira, Antonio. *Historia de España.* México, Compañía General de Ediciones, S. A., (s.a.). 3 vols.

Ramos Oliveira, Antonio. *Nosotros los marxistas. Lenin contra Marx.* Madrid, Editorial España, 1932.

Rangil Alonso, Félix. *El ensayo socialista en la República Española.* Buenos Aires, Talleres Gráficos Riera y Cía., 1934.

Raymundo, Francisco J. de. *Cómo se inició el Glorioso Movimiento Nacional en Valladolid y la gesta heroica del Alto del León.* Valladolid, Impr. Católica, (s.a.).

Real, Romualdo. *De la Cruzada española. Una paz que derrota y una guerra que redime.* San Juan de Puerto Rico, Tipog. Real Hermanos, 1937.

Reparaz y Tresgallo de Souza, Antonio. *Desde el cuartel general de Miaja al Santuario de la Virgen de la Cabeza. Treinta días con los rojos-separatistas, sirviendo a España. Relato de un protagonista.* Valladolid, Afrodisio Aguado, 1937.

Rexach, Antonio. *Lo que yo sé de la guerra civil española. Reportaje documental.* La Habana, Talleres Tipográficos de «El Magazine de la Raza», 1939.

Ridruejo, Dionisio. *Escrito en España.* Buenos Aires, Losada, 1962.

Ridruejo, Dionisio, y Giménez Arnau, José Antonio. *29 de octubre. Consignas políticas.* (s.l.), Edic. Arriba, 1939.

Rieger, Max. *Espionaje en España. Prefacio de José Bergamín.* Barcelona, Edic. Unidad, 1938.

Río Cisneros, Agustín del, y Conde Gargollo, Enrique. *Discursos parlamentarios de José Antonio Primo de Rivera.* Barcelona, Editora Nacional, 1939.

Río Cisneros, Agustín del, y Conde Gargollo, Enrique. *José Antonio. 20 de noviembre de 1936. Servicio y sacrificio.* Madrid, Editora Nacional, (s.a.).

Río Cisneros, Agustín del, y Conde Gargollo, Enrique. *Nuestra tarea. El marxismo y el antimarxismo vistos por José Antonio (Textos escogidos y ordenados por los camaradas Agustín del Río y Enrique Conde Gargollo).* (s.l.), Edic. Arriba, 1939.

Ríos, Fernando de los. *Tres discursos. Sobre la cuestión religiosa. La Constitución. La organización de la Justicia.* Madrid, Imp. Argis, (s.a.).

Rivas Xerif, Cipriano de. *Retrato de un desconocido (Vida de Manuel Azaña).* México, Edic. Oasis, 1961.

Rodríguez de Cueto, José. *Una campaña contra la anarquía agraria. 1932-34.*

Rodríguez de Cueto, José. *Carlos de Haya.* Burgos, Edc. Rayfe, 1938.

Rojo, Vicente. *Alerta los pueblos. Estudio político-militar del período final de la guerra española.* Buenos Aires, Aniceto López, 1939.

Rojo, Vicente. *Así fue la defensa de Madrid (Aportación a la historia de la guerra de España, 1936-39).* México, Edic. Era, 1967.

Rojo, Vicente. *España heroica. Diez bocetos de la guerra española.* México, Ediciones Era, 1961.

Rolfe, Edwin. *The Lincoln battalion. The story of the Americans who fought in Spain in the International Brigades.* New York, A. Lincoln Brigade, 1939.

Romanones, Conde de. *Obras completas del Conde de Romanones.* Madrid, Edit. Plus Ultra, (s.a.), 3 vols.

Romanones, Conde de. *...y sucedió así. Aportación para la historia.* Madrid, Espasa-Calpe, 1947.

Romero, Emilio. *La paz empieza nunca. Novela.* Barcelona, Planeta, 1957.

Romero, Luis. *Apuntes de la sublevación fascista. Impresiones de un militar republicano.* Barcelona, Oficinas de Propaganda CNT-FAI, 1937.

Romero, Luis. *Tres días de julio (18, 19 y 20 de 1936).* Barcelona, Edic. Ariel, 1967.

Romero, Luis. *Desastre en Cartagena (Marzo de 1939).* Barcelona, Edic. Ariel, 1971.

Ros, Samuel. *Meses de esperanza y lentejas (La embajada de Chile en Madrid).* Madrid, Ediciones Españolas, 1939.

Rossif, Frédéric, y Chapal, Madeleine. *Mourir à Madrid. Film de Frédéric Rossif. Texte de Madeleine Chapal.* Paris, Édit. Seghers, 1963.

Roux, Georges. *La guerra civil de España.* Madrid, Edic. Cid, 1964.

Royo Villanova, Antonio. *La Constitución Española de 9 de diciembre de 1931 con glosas jurídicas y apostillas políticas.* Valladolid, Imp. Castellana, 1934.

Rubio y Muñoz-Bocanegra, Fernando. *Francisco Franco. Pensamiento católico.* Madrid, Organización Sindical de FET y de las JONS, 1958.

Rubio y Muñoz-Bocanegra, Fernando. *Pensamientos políticos de Francisco Franco. Antología por —.* Madrid, Servicio Nacional de Informaciones v Publicaciones Sindicales, 1954.

Rubió i Tudurí, Mariano. *La justicia en Cataluña. 19 de julio de 1936-19 de febrero de 1937. Relación de las medidas provisionales adoptadas por el Gobierno de la Generalidad para evitar el hundimiento de los tribunales de Justicia de Cataluña.* Paris, L'Association Hispanophile en France, 1937.

Ruiz Albéniz, Víctor. *Biblioteca infantil.* Madrid, Ed. Espasa (Colección La Reconquista de España). 34 vols.

Ruiz Albéniz, Víctor. *El Caudillo, S. E. D. Francisco Franco Bahamonde, Generalísimo del Ejército y Jefe del Estado Español.* Ávila, Sigirano Díaz, 1937.

Ruiz Albéniz, Víctor. *Las crónicas de «El Tebib Arrumi».* Valladolid, Librería Santarén, 1938-41. 10 vols.

Runy, Doctor. *Irún, llave del Norte.* Santander, Aldús, 1938.

Sáenz, Vicente. *El resplandor de España.* (s.l.), Comisariado General de Guerra, 1937.

Sagardia, Antonio. *Del alto Ebro a las fuentes del Llobregat. Treinta y dos meses de guerra de la 62 División.* Barcelona, Editora Nacional, 1940.

Sáinz Rodríguez, Pedro. *La tradición nacional y el Estado futuro.* Madrid, Cultura Española, 1935.

Salas Larrazabal, Jesús. *La guerra de España desde el aire. Dos ejércitos y sus cazas frente a frente.* Barcelona, Ed. Ariel, 1969.

Salazar Alonso, Rafael. *Bajo el signo de la revolución.* Madrid, Librería de Roberto San Martín, 1935.

Salazar Alonso, Rafael. *Historia, crónica y pronóstico del Partido Radical. Conferencia pronunciada a la Juventud Radical de Madrid el día 3 de diciembre de 1931, por —.* Madrid, Diana Artes Gráficas, 1932.

Salazar Alonso, Rafael. *Cartas políticas.* Madrid, Imp. Sáez Hermanos, 1934.

Salvá Miguel, Francisco, y Vicente, Juan. *Francisco Franco (Historia de un español).* Barcelona, Ediciones Generales, 1959.

San Juan de Piedras Albas, Marqués de. *Héroes y mártires de la aristocracia española. Julio 1936-marzo 1939.* Madrid, S. Aguirre imp., 1945.

Sánchez-Guerra, Rafael. *Un año histórico.* Madrid, Cía. Ibero-Americana de Publicaciones, 1932.

Sanchiz, Miguel. *Alas rojas sobre España.* Madrid, Publicaciones Españolas, 1956.

Seco Serrano, Carlos. *Historia de España. Gran historia general de los pueblos hispanos. T. VI. Época contemporánea.* Barcelona, Instituto Gallach de Librería y Ediciones, 1962.

Schwartz, Fernando. *La internacionalización de la guerra civil española. Julio de 1936-marzo 1937.* Barcelona, Ed. Ariel, 1971.

Semprún Gurrea, José María de. *España en la encrucijada.* Nueva York, Edic. Ibérica, 1956.

Semprún Gurrea, José María de. *Una república para España.* Nueva York, Edic. Ibérica, 1961.

Sender, Ramón José. *Casas Viejas. Episodios de la lucha de clases.* Madrid, Ed. Cenit. 1933.

Sender, Ramón José. *1.ª de Acero.* Madrid, Ediciones 5.º Regimiento, 1936.

Serrano Suñer, Ramón. *Entre Hendaya y Gibraltar (Noticia y reflexión, frente a una leyenda sobre nuestra política en dos guerras).* Madrid, Ediciones y Publicaciones Españolas, 1947.

Serrano Suñer, Ramón. *Siete discursos.* Madrid, Ediciones FE, 1938.

Sesé, Antoni. *Antoni Sesé.* Barcelona, Edicions UGT, Secretariat de Catalunya, Departament de Premsa y Propaganda, 1937.

Sierra Bustamante, Ramón. *Euzkadi. De Sabino Arana a José Antonio Aguirre. Notas para la historia del Nacionalismo vasco.* Madrid, Editora Nacional, 1941.

Sevillano Carbajal, Francisco Virgilio. *La diplomacia mundial ante la Guerra Española. Crónica basada en una colección de documentos diplomáticos y políticos, producidos por las Potencias con motivo de dicha guerra.* Madrid, Editora Nacional, 1969.

Silva Ferreiro, M. *Galicia y el Movimiento Nacional. Páginas históricas por —.* Santiago de Compostela, Imp. y Encuad. del Seminario Conciliar, 1938.

Sinclair, Uptain. *¡No pasarán! (Un relato del sitio de Madrid).* Barcelona, Comissariat de Propaganda de la Generalitat de Catalunya, 1938.

Solá, Víctor María de, y Martel, Carlos. *Gestas de la Armada Imperial.* Cádiz, Establ. Cerón, 1939.

Solá, Víctor María de, y Martel, Carlos. *Proa a España.* Cádiz, Establ. Cerón, (s.a.).

SOUTHWORTH, Herbert Rutledge. *Antifalange. Estudio crítico de «Falange en la guerra de España: la Unificación y Hedilla», de Maximiano García Venero.* Bordeaux, Ruedo Ibérico, 1963.
SOUTHWORTH, Herbert Rutledge. *El mito de la Cruzada de Franco.* Paris, Ruedo Ibérico, 1963.
STACKELBERG, Karl-George von. *Legion Condor. Deutsche Freiwillige in Spanien.* Berlin, Verlag Die Heimbücherei, 1939.
SUCCAR, Oscar A. *El paso del Ebro.* Barçelona, Editado por la 46 División, (s.a.).

TABOADA SANGRO, Carlos. *La técnica de la batalla en España.* Madrid, Editorial Bibliográfica Militar, 1941.
TALÓN, Vicente. *Arde Guernica.* Madrid, Lib. Editorial San Martín, 1970.
TARRADELLAS, Josep. *La política financiera de la Generalitat durant la revolució i la guerra. 19 juliol-19 novembre.* Barcelona, Generalitat de Catalunya. Departament de Finances, 1936.
TAVERA, José María. *Los últimos días (12, 13, 14 y 15 de abril de 1931).* Barcelona, Edic. Cedro, 1965.
TAXONERA, Luciano de. *10 de agosto de 1932. Madrid. Sevilla. Perfiles de un episodio histórico.* Madrid, C.I.A.P., 1933.
TESTIGO IMPARCIAL, Un. *Revolución en Asturias. Relato de la última guerra civil.* Madrid, Editorial Castro, S. A., 1934.
THOMAS, Hugh. *La guerra civil española.* Paris, Editions Ruedo Ibérico, 1962.
THOREZ, Maurice. *Après la trahison de Munich. Rapport de Maurice Thorez, Secrétaire général du Parti communiste français à l'Assemblée d'information du Vél. d'Hiv. le 7 octobre 1938.* Paris, Imp. Comt. Croissant, (s.a.).
TIMMERMANS, Rudolf. *General Franco.* Olten Verlag Otto Walter, 1937.
TIMERMANS, Rudolf. *Heroes of the Alcazar. An authentic account by Rodolphe Timmermans.* London, Eyre and Spottiswoode, 1937.
TOGLIATTI, Palmiro. *Las características de la revolución española.* Barcelona-Madrid, Ediciones Europa-América, (s.a.).
TOMÁS, Pascual. *Perfiles de nuestra guerra.* Madrid, Agrupación Socialista Madrileña, (s.a.)
TONI, Teodoro. *España vendida a Rusia.* Burgos, Ediciones Antisectarias, 1937.
TORRE ENCISO, C., y MURO ZEGRI, D. *La marcha sobre Barcelona.* Editora Nacional, 1939.
TORRENTE BALLESTER, Gonzalo. *República Barataria. Teomaquia en tres actos, el primero dividido en dos cuadros.* Madrid, Edic. Escorial, 1942.
TORRES, Miguel. *Comentando los 13 puntos del Gobierno de Unión Nacional.* Madrid, Editado por la 38 Brigada, 1938.
TOUCET, Pablo. *El pueblo está preso. Teatro revolucionario, octubre 1934-febrero 1936.* Santander, Tall. Tip. J. Martínez, 1936.
TRABAL, José A. *Los nacionales. Réplica a Marañón y otros corifeos desafinados. Discurso radiado el día 12 de marzo de 1937 desde la emisora del «Partit Socialista Unificat de Catalunya» y las emisoras de la Generalitat, con otros textos complementarios relativos al mismo tema.* Barcelona, Imp. Clarasó, 1937.
TRIGUEROS ENGELMO, F. *Cortés. Héroe y mártir del Santuario de la Virgen de la Cabeza.* Madrid, Artes Gráficas Ibarra, 1951.
TROTSKY, León. *La revolución española.* Madrid, Publicaciones Teivos, 1931.
TUÑÓN DE LARA, Manuel. *La España del siglo XX.* París, Librería Española, 1966.
TUSQUETS, Juan. *Masonería y separatismo. Conferencia pronunciada el día 28 de febrero de 1937 en el Teatro Principal de San Sebastián. Texto revisado y completado por el autor.* Burgos, Ediciones Antisectarias, 1937.
TUSQUETS, Juan. *Orígenes de la revolución española.* Barcelona, Edit. Vilamala, 1932.

URALES, Federico. *El ideal y la revolución.* Barcelona, La Revista Blanca, 1933.
URALES, Federico. *Los municipios libres (Ante las puertas de la anarquía).* Barcelona, Biblioteca de La Revista Blanca, 1933.
URALES, Federico. *Pedagogía social. Cómo educar a los hombres.* Barcelona, Edic. de la Revista Blanca, (s.a.).
URIBE, Vicente. *A los campesinos de España. Conferencia pronunciada en Algemesí el 29 de noviembre de 1936 por —, ministro de Agricultura.* Valencia, Edic. del Partido Comunista de España, (s.a.).
URIBE, Vicente. *La enseñanza agrícola. Transcendental decreto del 25 de febrero de 1938.* Valencia, Edic. de la Comisión Provincial de Agit.-Prop., (s.a.).
URIBE, Vicente. *Qué hacer en la nueva situación para ganar la guerra. Informe de — en la Asamblea Nacional del Partido Comunista.* Madrid, Edic. del Partido Comunista de España, (s.a.).
URRA LUSARRETA, Juan. *En las trincheras del frente de Madrid (Memorias de un capellán de requetés, herido de guerra).* Madrid, Fermín Uriarte, 1966.
URRUTIA, Federico de. *¡Camarada! ¡He aquí el enemigo!* Madrid, Edic. Toledo, 1942.
URRUTIA, Federico de. *Por qué la Falange es católica.* Madrid, Edic. de la Vicesecretaría de Educación Popular, 1942.
USABIAGA, Juan de. *El catolicismo y la Cruzada de Franco. Su carácter inicial.* Vienne, Editorial Egi-Indarra, 1960 (Vol. II).

VALDÉS, Alejandro. *¡¡Asturias!! (Relato vivido de la insurrección de octubre).* Valencia, Ed. «Verdad», 1935.
VALDESOTO, Fernando de. *Francisco Franco.* Madrid, Afrodisio Aguado, 1943.
VALDIVIELSO, José Simón. *Farsa y tragedia de España en el 1934. Un año de preparación revolucionaria visto desde mi «Mirilla».* Oviedo, Talleres Tip. F. de la Presa, 1935.
VALERA, Fernando. *Diálogos de las Españas.* México-París, Documentos y Estudios sobre la República Española, 1967.
VALERA, Fernando. *La República, siempre la República. Julio 1936-37.* Valencia, Edic. Republicanas, 1938.
VALLE, Florentino del. *También yo sería comunista.* Madrid, Fomento Social, (s.a.).
VALLEJO NÁJERA, A. *La locura y la guerra. Psicología de la guerra española.* Valladolid, Librería Santarén, 1939.
VALLEJO NÁJERA, A. *Política racial del Nuevo Estado.* San Sebastián, Edit. Española 1938.
VALLÉS COLLANTES, Francisco. *Páginas de gloria de la Marina nacional española: diario de un voluntario.* Cádiz, Imp. de Salvador Repeto, 1938.
VEALE, Frederick J. P. *Crímenes discretamente ocultados.* Madrid, Edit. Nos, 1961.
VEGA GONZÁLEZ, Roberto. *Cadetes mexicanos en la guerra de España.* México, Cía. Gral. de Ediciones, 1954.
VEGAS LATAPIÉ, Eugenio. *El pensamiento político de Calvo Sotelo.* Madrid, Cultura Española, 1941.
VELA, Matilde. *Cuartel de Simancas. ¡¡Presente!!* La Coruña, Imp. Moret, 1939.
VELA MONSALVE, Carlos. *España después del 18 de julio. Los dos bandos en lucha y las tendencias de la nueva España vistos por un testigo presencial.* Santiago de Chile, E. T. La Gratitud Nacional, 1937.
VÉLEZ, P. M. *La Revolución y la Contrarrevolución en España. Antes y después de la batalla electoral.* Madrid, Imp. de El Siglo Futuro, 1936.
VIGÓN, Jorge. *General Mola, el Conspirador.* Barcelona, Edit. AHR, 1957.
VILANOVA FUENTES, Antonio. *La defensa del Alcázar de Toledo.* México, Editores Mexicanos Unidos, 1963.
VILAR, Pierre. *Historia de España.* Paris, Librairie Espagnole, 1963.
VILLAR, Manuel. *España en la ruta de la libertad.* Buenos Aires, Edit. Reconstruir, 1962.
VILLAR, Manuel. *El peligro comunista. Sus causas y su remedio. Ensayo político-social.* Madrid, Imp. Regina, (s.a.).
VINIELLES TREPAT, Magín. *La sexta columna. Diario de un combatiente leridano.* Barcelona, Ed. Acervo, 1971.
VINYES, Ramón. *La ideología y la barbarie de los rebeldes españoles.* Paris, Association Hispanophile de France, 1937.

WALL, Alfred M. *The truth behind the Spanish rebelion.* London, Trade Council, 1936.
WALL, Bernard. *Spain of the Spaniard.* London, Sheed and Ward, 1938.
WARBURG, Sidney. *El dinero de Hitler. Prólogo y ampliaciones históricas de Mauricio Carlavilla.* Madrid, Edit. Nos, 1955.
WAYFARER. *The International Brigade.* Hassocks, The Ditchling Press, 1939.
WINTHUYSEN, Xavier de. *Les jardins de Brihuega.* Valence, Junta Central del Tesoro Artístico, 1937.
WINTRINGHAM, Tom. *English captain.* London, Faber and Faber Ltd., 1939.
WOLF, Michael. *Unamos las fuerzas de la nueva generación. Informe presentado al VI Congreso de la Internacional Juvenil Comunista.* Bilbao, Editorial Joven Guardia, (s.a.).

X.X.X. *Lo que yo he visto (La Felguera en la revolución asturiana).* Nueva York, Cultura Proletaria, (s.a.).
X.Y.Z. *¡España despierta! (Lo que es el nacional-sindicalismo).* Valladolid, Lib. Santarén, 1937.

YDÍGORAS, Carlos M. *Algunos no hemos muerto.* Barcelona, Luis Caralt ed., 1957.
YES. *La guerra al desnudo. 25 grabados de la guerra por el dibujante proletario Yes. Prólogo de Rafael Alberti.* Madrid, Edit. Roja, 1936.
YUMA, P. *El escándalo de la Telefónica.* Madrid, Publicaciones Frente Popular, 1936.

ZAMACOIS, Eduardo. *El asedio de Madrid. Novela.* Barcelona, Ediciones Mi Revista, (s.a.).

ZAMORA, Alonso. *Los mártires de Turón. Historia de los crímenes cometidos por los rojos con los presos políticos de Almería en el pueblo de la Alpujarra.* Almería, Imp. Yugo, (s.a.).
ZANGRANDI, Ruggero. *Il Comunismo nel conflitto spagnolo.* Firenze, Felipe Le Monnier, 1939.
ZAYAS, Marqués de. *Historia de la Vieja Guardia de Baleares.* Madrid, Imprenta Sáez, 1955.
ZUGAZAGOITIA, Julián. *Historia de la guerra en España.* Buenos Aires, Edit. La Vanguardia, 1940.
ZUGAZAGOITIA, Julián. *Pablo Iglesias. Vida y trabajos de un obrero socialista.* (s.l.), Edic. Españolas, 1938.
ZUMETA, Angel. *La guerra civil en Euzkadi. La teología de la invasión fascista. Los documentos episcopales y los nacionalistas vascos.* París, Ediciones Euzko-Deya, 1937.

Acto-homenaje a los batallones voluntarios. La FIJL lucha por la independencia de España. Valencia, Ediciones FIJL, (s.a.).
Agitación entre el enemigo. Madrid, Ediciones 5.° Regimiento, 1936.
Algunos datos sobre la tragedia de Euzkadi. Madrid, Ediciones Españolas, 1937.
Artillería de Mallorca durante el Glorioso Alzamiento Nacional (La). Inca, Imprenta Vich, 1939.
Asturias. Octubre 1934-1938. (s.l.), Socorro Rojo de España, (s.a.).
Bombardeo de Almería por la escuadra alemana, (El). Valencia, Servicio Español de Información, 1937.
Brigadas Internacionales según testimonio de sus artífices, (Las). Barcelona, Comité de Información y Actuación Social, (s.a.).
Caídos por Dios y por España. Navarra 1936-1939. Pamplona, Editorial Gómez, 1951.
Carta colectiva de los obispos españoles, (La). París, Ed. por A.C.A., (s.a.).
Cien días de lucha ilegal. Barcelona, Publicaciones Edeya, (s.a.).
Constitución política de la República española, aumentada con la ley de Orden Público, la de Tenencia ilícita de armas y la de Vagos y Maleantes. Madrid, 1934.
Crónica de la guerra española. Buenos Aires, Codex, 1967-68. (5 vols.)
Crónica de las Cortes Constituyentes de la Segunda República. Madrid, Aguilar, 1932-33.
Chute de Bilbao, (La). Une information objetive. Bruxelles, Imprimerie Coopérative Lucifer, (s.a.).
Datos complementarios para la historia de España. Guerra de liberación. 1936-1939. Madrid, (s.i.), 1945.
Datos recopilados sobre las provincias de Ciudad Real, Toledo, Córdoba, Jaén y Sevilla por el Instituto de Reforma Agraria. Madrid, Instituto de Reforma Agraria, (s.a.).
De Aragón al mar. San Sebastián, Editora Nacional, (s.a.).
De Bilbao a Oviedo. San Sebastián, Editora Nacional, (s.a.).
De Irún a Bilbao. Bilbao, Delegación del Estado para Prensa y Propaganda, (s.a.).
De julio a julio. Un año de lucha (Texto de los trabajos contenidos en el extraordinario de «Fragua Social» de Valencia del 19 de julio de 1937). Barcelona, Edic. Tierra y Libertad, (s.a.).
Defensa de Madrid. Madrid, Ediciones 5.° Regimiento, 1936.
Derecha regional valenciana. Valencia, Secretariado Político, 1933.
Devocionario de la Falange. Madrid, Editora Nacional, 1942.
Devocionario del Requeté. Burgos, Comunión Tradicionalista, 1936.
Diario de operaciones del 3.er Batallón de Palencia y 5.ª Bandera de Navarra de Falange Española Tradicionalista y de las JONS. Burgos, Imprenta Aldecoa, 1939.
Diario de Sesiones del Congreso. (s.l., s.i., s.a.)
Diario de unos japistas. Cruces negras. Peguerinos-León. León, Imprenta Casado, 1937.
Dictamen de la Comisión sobre ilegitimidad de poderes actuantes en 18 de julio de 1936. Barcelona, Editora Nacional, 1939.
Dominación roja en España, (La). Avance de la información instruida por el Ministerio Público de España. Buenos Aires, Edic. Españolas Unidas, 1946.
Ejército del Ebro. Extraordinario de operaciones.
Epistolario entre Prieto y Negrín. Punto de vista sobre el desarrollo y consecuencias de la guerra civil española. París, Imprimerie Nouvelle, 1939.
Escritores ingleses se pronuncian sobre la guerra española, (Los). Barcelona, Comissariat de Propaganda de la Generalitat de Catalunya, (s.a.).
España de abril 1931 a octubre 1934. CNT-FAI. Buenos Aires, Ed. C.R.A., 1934.
Esquerra Republicana, la CNT, la FAI, el Partit Socialista Unificat de Catalunya opinen sobre problemes fonamentals de la situació i afermen la seva voluntat d'intel·ligència en el Front Popular Antifeixista. Lleida, PSUC, 1937.
Extracto de las principales disposiciones de carácter social dictadas por el Gobierno del Estado español (julio 1936-febrero 1938). Barcelona, Comisión de Incorporación Industrial y Mercantil, 1939.
Frente Popular en España, (El). Madrid, Oficina Informativa Española, 1948.
Frentes de Andalucía y Extremadura. (s.l.), Editora Nacional, (s.a.).
Frentes de Toledo, Cataluña y Madrid. San Sebastián, T. Noain, (s.a.).
Giral o una historia de sangre. (s.l.), Edic. Combate, (s.a.).
Gobierno del Frente Popular. Quince meses de legislación revolucionaria. Barcelona, Edic. del Partido Comunista de España, (s.a.).
¡Guadalajara! Madrid, Edic. La Voz del Combatiente, 1937.
Guernica: Report of the Commission of Enquire. London, Spanish National Government, 1937.
Guerra de Liberación Nacional, (La). Zaragoza, Universidad de Zaragoza.
Ha hablado la Iglesia. Documentos de Roma y del Episcopado español, a propósito del Movimiento Nacional salvador de España. Burgos, Editora Nacional, 1937.
Han pasado los bárbaros (La verdad sobre Casas Viejas). Sevilla, Confederación Regional del Trabajo de Andalucía y Extremadura, 1933.
Historia de la Guerra de Liberación (1936-1939). Madrid, Estado Mayor Central del Ejército. Servicio Histórico Militar, 1945.
Horizonte histórico del 18 de julio. Madrid, Edic. del Movimiento, 1963.
Iglesia, Estado y Movimiento Nacional. Madrid, Edic. del Movimiento, 1936.
Intervención alemana en España, (La). Un ensayo sobre los orígenes de nuestra guerra y su relación con la situación de Europa. Barcelona, Sdad. Gral. de Publicaciones, (s.a.).
Jesuitas en el Levante rojo, (Los). Cataluña y Valencia. 1936-1939.
Legalidad en la República Española. Madrid, Oficina Informativa Española, 1948.
Labor de las Cortes de 1933-35. Repertorio de los proyectos y proposiciones de ley presentados al Congreso de los Diputados durante dichas Cortes. Madrid, Pub. de la Biblioteca de las Cortes, 1936.
Ley de Bases para la Reforma Agraria. Texto íntegro aprobado por las Cortes Constituyentes en la sesión del día 9 de septiembre de 1932. Madrid, Edic. Mañana, 1932.
Ley electoral vigente. Pamplona, Edit. Emilio García Enciso, 1936.
Lista de los Señores Diputados. Cortes de 1933. Febrero. Madrid, Suc. de Rivadeneyra, 1934.
Lliga Catalana. Un partido, una política. Barcelona, Assemblea General de la Lliga Regionalista, 1933.
Madrid es nuestro (60 crónicas de su defensa). Madrid-Barcelona, Editorial Nuestro Pueblo, 1938.
Manifiesto político. Juntas Ofensiva Nacional-Sindicalista. Madrid, Talleres Gama, 1931.
Ni somos iguales, ni hacemos lo mismo. Zaragoza, Oficina Católica de Información Internacional, 1937.
Octubre rojo. Seguido de la réplica a los artículos publicados por Indalecio Prieto en «La Libertad» y otros periódicos. Madrid, Edit. Renovación, 1935.
Ocho condiciones de la victoria, (Las). Del manifiesto del Partido Comunista de España. Aranjuez, Editado por Combate, órgano de Radio Comunista Aranjuez, (s.a.).
One year of war, 1936-1937. New York, Paulist Press, 1937.
Or espagnol, (L'). Bruxelles, Informatio Españole, (s.a.).
Orden en la República española, (El). Madrid, Oficina Informativa Española, 1948.
Para el ingreso a la Escuela Popular de Guerra. Lérida, Tipog. lit. Proletaria, (s.a.).
Partido Comunista de España ante las Constituyentes, (El). Programa electoral. Madrid, Talleres Tip. Argis, 1931.
Portugal ante la guerra civil de España. Documentos y notas. Lisboa, S.P.N., (s.a.).
P.O.U.M. en el banquillo, (El). ¡El proceso de alta traición contra la República! Escrito de calificación del fiscal de la República en el proceso contra el P.O.U.M. (s.l.), Ediciones del Partido Comunista de España, (s.a.).
Primero de mayo de 1936. Unios contra la guerra y el fascismo. Madrid, Impr. Prensa Obrera, (s.a.).
Quinto Cuerpo de Ejército. Estampas de la guerra. Zaragoza, 5.° Cuerpo de Ejército. Delegación Militar de Prensa y Propaganda, Editado por la Junta Recaudatoria Civil de Zaragoza, (s.a.).
Reforma agraria en España, (La). Sus motivos, su esencia, su acción. Valencia, Instituto de Reforma Agraria, 1937.
Represión y el proceso contra el POUM, (La). Marsella, Ediciones del POUM, 1938.
Saqueo del tesoro religioso de España. Madrid, Oficina Informativa Española, 1948.
Tragedie de l'Espagne, (La). Bruxelles, Imprimerie Coop. Lucifer (s.a.).
Unión Republicana de Santander. Mitin de afirmación y exaltación republicana celebrado en el Teatro Pereda de esta ciudad el día 12 de mayo de 1935. Santander, Comité Local de Unión Republicana, 1935.
Unión Soviética defiende los derechos de la República Española, (La). Valencia, Edic. del C. N. de los Amigos de la Unión Soviética, 1938.
Vérité sur l'Espagne républicaine, (La). Récit du voyage accompli par une délégation de la Fédération des Cheminots, au mois de novembre, 1937. Paris, Imprimerie Nouvelle, 1937.
Victoria en el Ebro (Crónicas de guerra). Madrid, Librería Juventud, (s.a.).
Victoria exige el Partido Único del Proletariado, (La). Carta del

Buró del Comité Central del Partido Comunista de España a la Comisión ejecutiva del Partido Socialista Obrero Español. Valencia, Edic. del Partido Comunista de España, (s.a.).

Voces juveniles (Interpretación ácrata de nuestra revolución). Barcelona, Editado por las Juventudes Libertarias, (s.a.).

Voz del Caudillo, (La). Córdoba, Delegación Provincial de Prensa y Propaganda de FET y de las JONS. (s.a.).

17 de julio. La epopeya de Africa, crónica de un testigo. Ceuta, Imprenta Africa, 1937.

17 de julio de 1936 en Melilla. Iniciación gloriosa del Alzamiento Nacional. Una fecha histórica. Melilla, Artes Gráficas Postal Exprés, 1937.